Steven S. Zumdahl
Susan A. Zumdahl
Université d'Illinois

Chimie générale

3e ÉDITION

Traduction
Jean-Luc Riendeau

Adaptation
Ghislin Chabot
Jean-Luc Riendeau

8101, boul. Métropolitain Est, Anjou (Québec) Canada H1J 1J9
Téléphone : 514-351-6010 • Télécopieur : 514-351-3534

3e édition
Direction de l'édition
Services d'édition Danielle Guy

Direction de la production
Services d'édition In Extenso

Charge de projet
Sébastien Grandmont

Révision linguistique
Louise Blouin

Correction d'épreuves
Viviane Deraspe

Conception de la couverture
Éric Théoret

2e édition
Traduction
Maurice Rouleau

Adaptation
Jean-Marie Gagnon

Bien que le masculin soit utilisé dans le texte, les mots relatifs aux personnes désignent aussi bien les femmes que les hommes.

La *Loi sur le droit d'auteur* interdit la reproduction d'œuvres sans l'autorisation des titulaires des droits. Or, la photocopie non autorisée — le photocopillage — a pris une ampleur telle que l'édition d'œuvres nouvelles est mise en péril. Nous rappelons donc que toute reproduction, partielle ou totale, du présent ouvrage est interdite sans l'autorisation écrite de l'Éditeur.

Gouvernement du Québec – Programme de crédit d'impôt pour l'édition de livres Gestion SODEC.

Les Éditions CEC remercient le gouvernement du Québec pour l'aide financière accordée à l'édition de cet ouvrage par l'entremise du Programme de crédit d'impôt pour l'édition de livres, administré par la SODEC.

Chimie générale, 3e édition
© 2007 Les Éditions CEC inc.
8101, boul. Métropolitain Est
Anjou (Québec) H1J 1J9

Traduction de *Chemistry 7th edition*, Steven S. Zumdahl et Susan A. Zumdahl
Copyright : © 2007 by Houghton Mifflin Company
All rights reserved

Tous droits réservés. Il est interdit de reproduire, d'adapter ou de traduire l'ensemble ou toute partie de cet ouvrage sans l'autorisation écrite du propriétaire du copyright.

Dépôt légal : 2007
Bibliothèque et Archives nationales du Québec
Bibliothèque et Archives Canada

ISBN 978-2-7617-2535-4

Imprimé au Canada
1 2 3 4 5 11 10 09 08 07

Table des matières

Préface

Au professeur

Cette nouvelle édition de *Chimie générale* propose aux étudiants et aux enseignants une démarche d'apprentissage intégrée. C'est pourquoi, tout au long du livre, l'accent est mis sur l'acquisition de concepts et sur la résolution de problèmes. Notre mission a donc consisté à créer un contenu qui incarne l'esprit de ce manuel, en ayant largement recours aux théories, aux applications de la chimie à la vie quotidienne, et à de nombreuses figures et illustrations.

Nous avons révisé attentivement chaque page, adaptant certaines parties et en remaniant d'autres.

Caractéristiques importantes de *Chimie générale*

- *Chimie générale* contient de nombreux exposés, des illustrations et des exercices visant à *contrer des idées fausses couramment répandues.* Il est devenu de plus en plus clair, à la lumière de notre propre expérience de l'enseignement, que les étudiants éprouvent des difficultés dans leur étude de la chimie parce qu'ils interprètent mal un grand nombre de notions fondamentales. Dans ce manuel, nous nous sommes donc efforcés de présenter des illustrations et des explications qui visent à donner une représentation plus exacte des idées fondamentales de la chimie. Nous avons notamment tenté d'exposer le monde microscopique de la chimie pour que les étudiants puissent imaginer ce que « font les atomes et les molécules » ; les illustrations insérées tendent donc vers ce but. Nous avons également mis l'accent sur la compréhension qualitative des notions avant d'aborder les problèmes quantitatifs. Comme l'utilisation d'un algorithme pour résoudre correctement un problème masque souvent une fausse interprétation (les étudiants supposent qu'ils comprennent un sujet parce qu'ils ont obtenu la « bonne réponse »), il nous est apparu important de remettre en question la compréhension par d'autres moyens. Dans cet esprit, le manuel inclut à la fin de chaque chapitre un certain nombre de questions à discuter en classe qui sont conçues pour être abordées en groupes. Selon notre expérience, les étudiants apprennent souvent mieux quand ils ont la possibilité de s'enseigner mutuellement. En effet, ils sont obligés de reconnaître leur propre manque de compréhension conceptuelle lorsqu'ils essaient, sans succès, d'expliquer une notion à quelqu'un d'autre.
- Grâce à son orientation délibérément axée sur la *résolution de problèmes*, ce volume permet d'expliquer à l'étudiant comment aborder et résoudre efficacement les problèmes chimiques. On lui montre comment utiliser une approche réfléchie et logique au lieu de mémoriser des méthodes de résolution.
- Ce manuel contient plus d'une centaine d'*Exemples,* sans compter les nombreux autres qui sont inclus dans les exposés et donnent lieu à des exercices résolus, ou servent simplement à illustrer les stratégies générales. Lorsqu'une stratégie particulière est présentée, elle est résumée, et l'exemple qui suit vient renforcer la façon d'aborder le problème, étape par étape. En général, en exposant la résolution d'un problème, nous mettons l'accent sur la compréhension plutôt que sur une approche basée sur un algorithme.
- Ce manuel propose en outre une intégration de la *chimie descriptive* et des principes chimiques. Les théories chimiques sont en effet stériles et sources de confusion si l'on ne présente pas en même temps les observations qui leur ont donné naissance. L'énumération des faits sans aucune mention des principes qui les expliquent devient lassante pour le lecteur novice. Les observations et les théories doivent, par conséquent, être intégrées pour que la chimie devienne intéressante et intelligible. Par ailleurs, dans les chapitres qui traitent systématiquement de la chimie des éléments, on insiste sans relâche sur les correspondances qui existent entre les propriétés et les théories. La chimie descriptive est présentée de diverses façons, que ce soit sous forme d'applications des principes dans des sections distinctes, d'exemples et de séries d'exercices, de photographies, ou encore dans les rubriques *Impact*.
- L'ouvrage est ponctué d'*applications* de la chimie à la vie quotidienne, ce qui la rend plus intéressante pour les étudiants. Par exemple, la rubrique *Impact* intitulée « La neige artificielle » illustre les procédés de production de la neige artificielle, alors que dans la rubrique « C'est nouveau ! » sont expliquées les nouvelles technologies qui permettent de fabriquer des téléviseurs à écrans à plasma. De nombreuses applications industrielles ont également été intégrées au texte.
- Tout au long du livre, on met l'*accent sur les théories*; comment on les élabore, comment on les met à l'épreuve, quels enseignements on en tire lorsqu'elles ne résistent pas aux épreuves. Les théories sont développées naturellement, c'est-à-dire à partir d'observations pertinentes qui sont d'abord présentées afin de montrer la raison pour laquelle une théorie donnée a été créée.
- Par ailleurs, un langage accessible, clair et précis continue de prévaloir et reste une force de ce manuel. Bien que de nombreuses parties du livre aient été améliorées, nous nous sommes appliqués afin de mettre à profit les descriptions fondamentales, les stratégies, les analogies et les explications qui ont fait le succès des éditions précédentes.

Nouveautés de la 3e édition

La troisième édition de *Chimie générale* intègre de nombreuses améliorations importantes.

- Des sujets additionnels ont été ajoutés dans le manuel, dont un traitement des gaz réels au chapitre 4 et l'effet photoélectrique au chapitre 5. Par ailleurs, les exemples du chapitre 2 ont été révisés afin de couvrir la nomenclature des composés à partir de leur formule, et le procédé inverse qui consiste à écrire la formule à partir du nom.

- La mise à jour des illustrations et des figures avec un graphisme plus dynamique facilite la démonstration et la compréhension des concepts et des phénomènes expliqués.
- Au chapitre 6, l'introduction de diagrammes de potentiel électrostatique illustre de façon plus exacte la distribution des charges dans les molécules. Ces diagrammes sont basés sur des calculs de modélisation moléculaire *ab initio*, et exposent une méthode appropriée à une meilleure compréhension de la polarité des liaisons et des molécules.
- Un grand nombre de rubriques intitulées *Impact* ont été ajoutées dans la troisième édition, afin de continuer d'insister sur les applications les plus récentes de la chimie dans la « vraie vie ».
- La section *Synthèse*, placée au début des exercices de fin de chapitre, a été réorganisée pour aider les étudiants à déterminer plus facilement les concepts clés, puis à s'autoévaluer sur ces notions à l'aide des *Questions de révision.*
- Les exercices et les problèmes de fin de chapitre ont été révisés ; ils comptent maintenant environ 50 % de nouveaux problèmes, dont quelques-uns se caractérisent par des illustrations de molécules. Les problèmes de fin de chapitre comprennent : les *Questions à discuter en classe*, conçues pour vérifier si l'étudiant saisit bien les notions de la matière exposée ; les *Questions*, qui aident à récapituler les faits importants ; les *Exercices* regroupés par sujet ; les *Exercices supplémentaires*, qui ne sont pas classés par sujet ; les *Problèmes défis,* qui obligent les étudiants à combiner habiletés et problèmes ; puis, les *Problèmes de synthèse,* qui exposent un type de problèmes plus complets et plus difficiles à résoudre. Enfin, une nouveauté dans la troisième édition : les *Problèmes d'intégration* qui font appel à plusieurs concepts répartis dans tous les chapitres.

À l'étudiant

Le but principal de ce livre est, bien sûr, de vous aider à apprendre la chimie. Toutefois, ce but principal est étroitement associé à deux autres : vous révéler l'importance et l'intérêt du sujet ; vous enseigner à réfléchir « à la manière d'un chimiste ». Pour résoudre des problèmes complexes, le chimiste recourt à la logique, à la méthode par essais et erreurs, à l'intuition et, par-dessus tout, à la patience. Le chimiste est habitué à commettre des erreurs ; l'important, c'est qu'il tire des leçons de ses erreurs, qu'il revérifie et corrige les prémisses, et qu'il essaie de nouveau. Le chimiste se passionne pour les énigmes qui semblent échapper à toute solution.

Bon nombre d'entre vous qui étudiez la chimie dans ce manuel ne désirent pas devenir des chimistes. Toutefois, le non-chimiste peut tirer profit de cette attitude du chimiste, puisque le fait de résoudre des problèmes est important dans toutes les professions et dans tous les domaines. Peu importe la carrière que vous aurez choisie, vous pourrez transposer dans votre vie les techniques utilisées pour résoudre des problèmes de chimie. Voilà pourquoi nous croyons que l'étude de la chimie peut apporter beaucoup, même à quelqu'un qui ne se spécialisera pas en chimie, parce qu'elle permet de comprendre de nombreux phénomènes fascinants et importants, et qu'elle constitue un remarquable entraînement pour exercer ses habiletés à résoudre des problèmes.

Ce manuel tente de présenter la chimie au novice de façon sensée. En effet, la chimie ne découle pas d'une « vision inspirée » : elle est née de nombreuses observations et de plusieurs tentatives, basées sur le raisonnement logique – et sur les essais et erreurs –, pour expliquer ces observations. Dans ce livre, on aborde les concepts « naturellement » : on y présente d'abord les observations, puis on construit les théories qui permettent d'expliquer ces observations.

Les théories y occupent une place très importante, et on en montre à la fois les avantages et les limites. La science y étant présentée comme une activité humaine et, par conséquent, sujette aux faiblesses humaines normales, on traite aussi bien de ses revers que de ses succès.

L'approche systématique de la résolution des problèmes constitue un autre axe important de ce manuel. Effectivement, apprendre ce n'est pas simplement mémoriser des faits. C'est pourquoi les personnes qui bénéficient d'une bonne formation savent que les connaissances factuelles ne constituent qu'un point de départ, une base permettant de résoudre les problèmes de façon créative.

Faites une lecture attentive du texte. Pour la plupart des concepts, des illustrations et des photos vous aideront à vous représenter ce qui se passe.

On donne souvent dans le texte la marche à suivre d'un problème avant de présenter l'exemple correspondant à ce type de problème. Vous trouverez dans tout le volume des stratégies de solution de problèmes. Examinez-les attentivement. Les stratégies résument l'approche mise de l'avant dans le manuel ; les exemples suivent les stratégies, étape par étape.

Dans tout le volume, nous avons placé des notes dans la marge pour mettre les points clés en évidence, commenter une application de la matière exposée dans le texte ou référer à d'autres parties du livre. Les rubriques *Impact* permettent d'aborder des applications particulièrement intéressantes de la chimie à la vie de tous les jours.

Chaque chapitre comporte une synthèse et une liste de mots clés pour faciliter la révision ; quant au glossaire, il constitue une référence rapide pour trouver des définitions.

L'apprentissage de la chimie exige, entre autres, la résolution d'exercices et de problèmes. Chaque chapitre vous en propose une grande variété. Les réponses aux exercices numérotés en bleu figurent à la fin du manuel.

Il est très important que vous tentiez de tirer le meilleur parti possible de ces exercices. Pour ce faire, vous ne devriez pas vous contenter d'obtenir simplement la bonne réponse, mais tenter de *comprendre le processus* qui vous a permis d'en arriver à ce résultat. Le fait de mémoriser la résolution de problèmes particuliers n'est certes pas une bonne façon de vous préparer à un examen : il y a trop de petites variations d'un problème à l'autre pour arriver à mémoriser chaque type possible de problèmes. Examinez les données, puis recourez aux concepts que vous avez appris, ainsi qu'à une approche systématique et logique pour chercher la solution. Développez votre confiance en vos capacités de raisonnement. Bien sûr, vous ferez des erreurs en tentant de résoudre ces exercices, mais l'important c'est d'apprendre de ses erreurs. La seule façon d'accroître votre confiance en vous, c'est d'effectuer un grand nombre d'exercices et, à partir de vos difficultés, de diagnostiquer vos faiblesses.

Soyez patient, soyez réfléchi et faites porter vos efforts sur la compréhension plutôt que sur la mémorisation. Nous vous souhaitons une session à la fois satisfaisante et intéressante.

La compréhension de concepts et la résolution de problèmes

6.13 Structure moléculaire : théorie RPEV

La structure d'une molécule permet d'en expliquer en grande partie les propriétés chimiques. Ce fait est particulièrement important dans le cas des molécules biologiques ; une légère modification de la structure d'une grosse biomolécule peut en effet rendre cette dernière totalement inutile pour une cellule ; elle peut même transformer une cellule normale en cellule cancéreuse.

Il existe de nos jours de nombreuses méthodes qui permettent de déterminer la **structure moléculaire**, c'est-à-dire l'agencement tridimensionnel des atomes dans une molécule. On doit recourir à ces méthodes pour obtenir des renseignements précis concernant la structure d'un composé. Cependant, il est souvent utile de prédire la structure moléculaire approximative d'une molécule. Dans cette section, nous présentons une théorie simple qui permet d'adopter une telle approche. Cette théorie, appelée **théorie de la répulsion des paires d'électrons de valence (RPEV)**, permet de prédire les caractéristiques géométriques des molécules formées de non-métaux. Le postulat fondamental de cette théorie est le suivant : *l'agencement des électrons d'un atome donné correspond à celui pour lequel la répulsion entre les doublets d'électrons de valence est minimale.* Cela signifie en fait que les doublets liants et non liants, autour d'un atome donné, sont situés aussi loin que possible les uns des autres. Pour bien comprendre cette théorie, considérons d'abord la molécule $BeCl_2$, dont le diagramme de Lewis est le suivant :

$$:\ddot{Cl}-Be-\ddot{Cl}:$$

Dans tout le manuel, l'importance accordée par les auteurs aux modèles (ou théories chimiques) vise à contrer le problème de l'apprentissage par mémorisation en aidant les étudiants à mieux comprendre le processus de la pensée scientifique et à en tirer profit.

Six Liaisons chimiques : concepts généraux

Propriétés fondamentales des théories

- Les théories sont des créations humaines toujours basées sur une compréhension incomplète du fonctionnement de la nature. *Une théorie n'est pas synonyme de réalité.*
- Les théories sont souvent erronées : cette propriété découle de la première. Les théories, basées sur des spéculations, sont toujours des simplifications outrancières.
- Les théories tendent à devenir plus complexes avec le temps. Au fur et à mesure qu'on y découvre des failles, on y remédie en ajoutant de nouvelles suppositions.
- Il est important de comprendre les hypothèses sur lesquelles repose une théorie donnée avant de l'utiliser pour interpréter des observations ou pour effectuer des prédictions. Les théories simples, basées en général sur des suppositions très restrictives, ne fournissent le plus souvent que des informations qualitatives. Vouloir fournir une explication précise à partir d'une théorie simple, c'est comme vouloir déterminer la masse précise d'un diamant à l'aide d'un pèse-personne.

  Pour bien utiliser une théorie, il faut en connaître les points forts et les points faibles, et ne poser que les questions appropriées. Pour illustrer ce point, prenons le principe simple du *aufbau* utilisé pour expliquer la configuration électronique des éléments. Même si, à l'aide de ce principe, on peut adéquatement prédire la configuration électronique de la plupart des éléments, il ne s'applique pas au chrome ni au cuivre. Des études détaillées ont en effet montré que les configurations électroniques du chrome et du cuivre résultaient d'interactions électroniques complexes dont la théorie ne tient pas compte. Cela ne veut pas dire pour autant qu'il faille rejeter ce principe simple si utile pour la plupart des éléments. Il faut plutôt l'utiliser avec discernement et ne pas s'attendre à ce qu'il soit applicable à chaque cas.
- Quand on découvre qu'une théorie est erronée, on en apprend souvent beaucoup plus que lorsqu'elle est exacte ; si, en utilisant une théorie, on effectue une prédiction qui se révèle fausse, cela signifie en général qu'il existe certaines caractéristiques fondamentales de la nature qu'on ne comprend toujours pas. On apprend souvent de ses erreurs. (Gardez cela à l'esprit quand vous recevrez le résultat de votre prochain contrôle de chimie.)

En insistant sur les limites et les avantages des théories scientifiques, les auteurs présentent aux étudiants la façon de penser et de travailler des chimistes.

6.8 Énergies des liaisons covalentes et réactions chimiques

Dans cette section, nous traitons des énergies associées à divers types de liaisons, ainsi que de l'utilité du concept de liaison pour aborder l'étude des énergies de réaction. Il est important de déterminer la sensibilité d'un type particulier de liaison à son environnement moléculaire. Considérons, par exemple, la décomposition graduelle du méthane présentée ci-dessous.

Processus	Énergie requise (kJ/mol)
$CH_4(g) \rightarrow CH_3(g) + H(g)$	435
$CH_3(g) \rightarrow CH_2(g) + H(g)$	453
$CH_2(g) \rightarrow CH(g) + H(g)$	425
$CH(g) \rightarrow C(g) + H(g)$	339
	Total = 1652

$$\text{Moyenne} = \frac{1652}{4} = 413$$

Exemple 4.5 Loi d'Avogadro

La loi d'Avogadro peut aussi être formulée de la façon suivante :

$$\frac{V_1}{n_1} = \frac{V_2}{n_2}$$

Un échantillon de 0,50 mol d'oxygène, O_2, à 101,3 kPa et à 25 °C, occupe un volume de 12,2 L. Si on convertit la totalité de O_2 en ozone, O_3, à la même température et à la même pression, quel volume occupe l'ozone ?

Solution

L'équation équilibrée de la réaction est

$$3O_2(g) \longrightarrow 2O_3(g)$$

Pour calculer le nombre de moles de O_3 produites, on utilise le rapport stœchiométrique approprié, soit

$$0{,}50 \cancel{\text{mol } O_2} \times \frac{2 \text{ mol } O_3}{3 \cancel{\text{mol } O_2}} = 0{,}33 \text{ mol } O_3$$

On réarrange l'équation de la loi d'Avogadro, $V = an$, pour obtenir

$$\frac{V}{n} = a$$

Puisque a est une constante, on peut récrire cette équation ainsi

$$\frac{V_1}{n_1} = a = \frac{V_2}{n_2}$$

où V_1 est le volume de n_1 mol O_2 et V_2, le volume de n_2 mol O_3. Dans ce cas, on a

$$n_1 = 0{,}50 \text{ mol} \quad n_2 = 0{,}33 \text{ mol}$$
$$V_1 = 12{,}2 \text{ L} \quad V_2 = ?$$

En résolvant l'équation, on obtient

$$V_2 = \left(\frac{n_2}{n_1}\right)V_1 = \left(\frac{0{,}33 \cancel{\text{mol}}}{0{,}50 \cancel{\text{mol}}}\right) 12{,}2 \text{ L} = 8{,}1 \text{ L}$$

Vérification On remarque que le volume est plus faible, comme on devait s'y attendre, puisque, après la réaction de conversion de O_2 en O_3, le nombre de moles de molécules de gaz en présence est moindre.

Voir les exercices 4.27 et 4.28

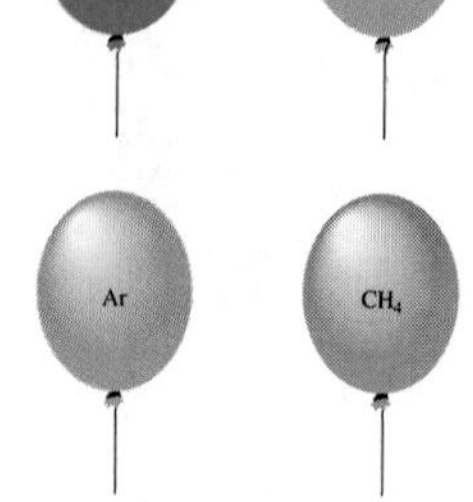

FIGURE 4.10
Chacun de ces ballons contient 1,0 L de gaz, à 25 °C et à 101,3 kPa. Dans chaque ballon, on retrouve 0,041 mol de gaz, soit $2{,}5 \times 10^{22}$ molécules.

Les **Exemples** s'appuient sur un modèle d'approche par étapes dans la résolution de problèmes. Après chaque exemple de problème, des exercices semblables sont suggérés ; ils font partie des problèmes de fin de chapitre. À la suite des solutions dans des exemples choisis, des **Vérifications** permettent aux étudiants de juger leurs réponses et de s'assurer qu'elles sont sensées.

Liens et applications au quotidien

Chaque chapitre s'ouvre sur une introduction attrayante qui illustre l'influence de la chimie sur la vie quotidienne.

L'eau occupe, sous forme gazeuse, 1200 fois le volume qu'elle occupe sous forme liquide, à 25 °C et à la pression atmosphérique.

La matière existe en trois états physiques bien distincts : les états gazeux, liquide et solide. Même si relativement peu de composés existent à l'état gazeux dans des conditions normales, les gaz jouent néanmoins un rôle très important. En effet, nous vivons en immersion dans une solution gazeuse. L'atmosphère qui entoure la Terre est un mélange de gaz, principalement composé d'azote (N_2) et d'oxygène (O_2) ; ce mélange essentiel à la vie sert parallèlement de dépotoir pour les gaz d'échappement que produisent de nombreuses industries. Les réactions chimiques que subissent ces déchets gazeux industriels dans l'atmosphère provoquent divers types de pollutions, notamment le smog et les pluies acides. Les gaz, dans l'atmosphère, assurent une protection contre les radiations dangereuses provenant du Soleil tout en maintenant la température chaude en forçant les radiations réfléchies par la Terre à retourner vers elle. En fait, on se préoccupe beaucoup aujourd'hui de l'augmentation du dioxyde de carbone atmosphérique, produit de la combustion des combustibles fossiles, comme cause possible d'un réchauffement dangereux de la planète.

Dans le présent chapitre, nous examinerons avec soin les propriétés des gaz. D'abord, nous observerons comment leur mesure a mené à l'établissement de différentes lois montrant que ces propriétés sont reliées les unes aux autres. Ensuite, nous construirons un modèle qui explique le comportement des gaz. Ce modèle nous indiquera comment le comportement des particules individuelles d'un gaz a mené aux propriétés macroscopiques du gaz lui-même (un ensemble d'un très grand nombre de particules).

L'étude des gaz fournit un excellent exemple de la méthode scientifique en action. Elle illustre comment les observations mènent aux lois naturelles qui, à leur tour, sont prises en compte par les modèles.

4.1 Pression

Un gaz remplit uniformément tout contenant ; il se compresse facilement et se mélange complètement avec tous les autres gaz. Une des propriétés les plus évidentes de cet état physique est la suivante : un gaz exerce une pression sur l'environnement. Par exemple, quand vous gonflez un ballon, l'air qui se trouve à l'intérieur pousse sur les parois élastiques du ballon et lui donne sa forme.

Comme nous l'avons déjà mentionné, les gaz qui nous sont les plus familiers sont ceux qui forment l'atmosphère de la planète. La pression exercée par ce mélange gazeux, qu'on appelle « air », peut être démontrée de façon impressionnante par l'expérience illustrée à la figure 4.1. Dans un récipient en métal, on place un petit volume d'eau que

a) 

b) 

FIGURE 4.1
Démonstration de la pression exercée par les gaz atmosphériques. On fait bouillir de l'eau dans un grand récipient en métal **a)**, puis on ferme la source de chaleur et on bouche le récipient. À mesure que le tout refroidit, la vapeur d'eau se condense, la pression interne diminue et le récipient s'écrase **b)**.

IMPACT

La chimie des sacs gonflables

La plupart des experts sont d'avis que les sacs gonflables constituent un très important dispositif de sécurité dans les automobiles. Ces sacs, cachés dans le volant ou dans le tableau de bord, sont conçus pour se gonfler rapidement (en moins de 40 ms) en cas d'accident, ce qui empêche les occupants du siège avant de se frapper la tête. Le sac se dégonfle immédiatement pour permettre aux occupants de voir et de se déplacer après l'accident. À la suite d'une décélération brusque (un impact), le sac se gonfle : une bille d'acier comprime un ressort qui déclenche l'allumage électronique d'un détonateur, lequel provoque la décomposition explosive d'azoture de sodium (NaN_3) en sodium et en azote gazeux.

$$2NaN_3(s) \longrightarrow 2Na(s) + 3N_2(g)$$

Ce système fonctionne très bien et ne demande qu'une quantité relativement faible d'azoture de sodium (100 g produisent 56 L de $N_2(g)$, à 25 °C et à 101,3 kPa).

Quand un véhicule contenant des sacs gonflables atteint la fin de sa vie utile, il faut se débarrasser de façon appropriée de l'azoture de sodium présent dans les activateurs. L'azoture de sodium, en plus d'être explosif, a une toxicité comparable à celle du cyanure de sodium. Il fo[...] lement de l'acide hydrazoïque (HN_3), un liquide t[...] explosif, en présence d'acide.

Le sac gonflable représente une application de [...] qui, cela va sans dire, pourra sauver des milliers [...] chaque année.

Sacs protecteurs gonflés.

De nombreuses rubriques **Impact** ont été ajoutées à cette nouvelle édition. Ces rubriques, qui décrivent des applications courantes de la chimie, traitent de sujets aussi divers que la conservation des œuvres d'art, les molécules comme moyens de communication ou la saveur piquante des piments chilis.

Représentation visuelle

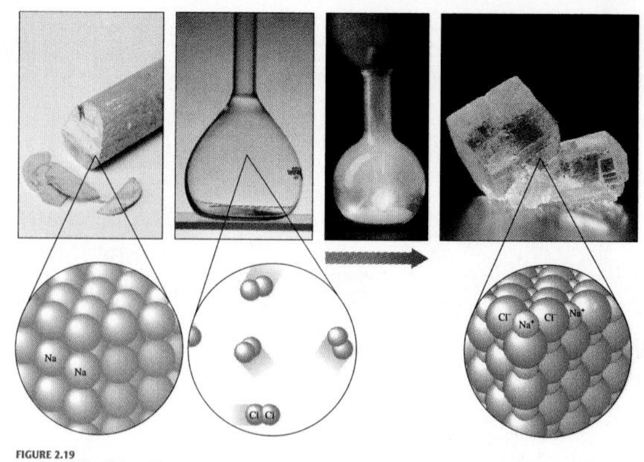

FIGURE 2.19
Le sodium métallique (qui est suffisamment mou pour être coupé au couteau et qui est constitué d'atomes de sodium individuels) réagit avec le chlore gazeux (qui contient des molécules de Cl_2) pour former le chlorure de sodium solide (qui contient un agencement d'ions Na^+ et Cl^-).

Plusieurs illustrations mettent les interactions à l'échelle moléculaire en évidence, ce qui permet aux étudiants de se représenter les liens entre le monde macroscopique et le monde microscopique.

L'introduction de diagrammes de potentiel électrostatique permet aux étudiants de visualiser la distribution des charges dans les molécules.

À partir du produit Q_1Q_2 de l'équation d'énergie de réseau, on peut estimer que l'énergie de réseau pour un solide ayant des ions 2+ et des ions 2− devrait être quatre fois celle d'un solide ayant des ions 1+ et des ions 1−. Autrement dit:

$$\frac{(+2)(-2)}{(+1)(-1)} = 4$$

Pour les produits MgO et NaF, le rapport observé des énergies de réseau (voir la figure 6.11) est:

$$\frac{-3916\ \text{kJ}}{-923\ \text{kJ}} = 4{,}24$$

à partir des ions Na^+ et F^- à l'état gazeux. Par conséquent, l'énergie libérée au moment de la formation d'un solide qui contient des ions Mg^{2+} et O^{2-} plutôt que des ions Mg^+ et O^- fait plus que compenser l'énergie nécessaire pour former les ions Mg^{2+} et O^{2-}.

Si le gain d'énergie de réseau est si important lorsqu'on passe d'ions monovalents à des ions bivalents dans le cas de l'oxyde de magnésium, pourquoi le fluorure de sodium solide ne contient-il pas des ions Na^{2+} et F^{2-} plutôt que des ions Na^+ et F^- ? Simplement parce que la configuration électronique de la couche de valence des deux ions Na^+ et F^- est semblable à celle du néon. L'arrachement d'un électron à un ion Na^+ nécessiterait une quantité d'énergie excessivement élevée, (4560 kJ/mol) étant donné qu'il s'agit d'un électron $2p$. Par ailleurs, l'électron qu'on ajouterait à l'ion F^- devrait occuper une orbitale $3s$ relativement éloignée du noyau ; c'est là un autre processus non favorisé. Dans le cas du fluorure de sodium, l'énergie supplémentaire requise pour former des ions bivalents est de beaucoup supérieure au gain d'énergie de réseau qui en résulterait.

Cette comparaison entre les énergies de formation du fluorure de sodium et de l'oxyde de magnésium montre que de nombreux facteurs entrent en jeu lorsqu'on veut déterminer la composition et la structure des composés ioniques. Le plus important de ces facteurs est la compensation des énergies requises pour former des ions très chargés par l'énergie libérée lorsque ces ions s'associent pour former un solide.

6.6 Caractère partiellement ionique des liaisons covalentes

Quand des atomes d'électronégativités différentes réagissent pour former des composés, ils ne se partagent pas également les électrons de liaison. Il peut y avoir soit formation d'une liaison covalente polaire, soit, dans le cas d'une très grande différence d'électronégativité, transfert complet d'un ou plusieurs électrons et formation d'ions (*voir la figure 6.12*).

Comment peut-on différencier une liaison ionique d'une liaison covalente polaire ? Honnêtement, il n'existe probablement pas de liaison tout à fait ionique pour une *paire isolée d'atomes*, ce que prouve le calcul du pourcentage du caractère ionique de divers composés binaires en phase gazeuse. Pour effectuer ce calcul, on compare la valeur expérimentale des moments dipolaires des molécules du type X—Y à la valeur théorique de l'espèce complètement ionique X^+Y^-. On obtient le pourcentage du caractère ionique d'une telle liaison à l'aide de la relation suivante:

Pourcentage du caractère ionique d'une liaison =

$$\left(\frac{\text{Valeur expérimentale du moment dipolaire de X—Y}}{\text{Valeur théorique du moment dipolaire de } X^+Y^-}\right) \times 100\ \%$$

L'application de cette définition à divers composés (en phase gazeuse) donne les résultats présentés à la figure 6.13 à l'aide de la représentation graphique de la variation du pourcentage du caractère ionique en fonction de la différence d'électronégativité entre X et Y. Comme on pouvait s'y attendre, le caractère ionique augmente en fonction de la différence d'électronégativité. Aucun des composés ne possède cependant un caractère ionique à 100 % et ce, y compris les composés formés des éléments pour lesquels la différence d'électronégativité connue est la plus élevée. Par conséquent, selon cette définition, aucun composé n'est totalement ionique ; or, cette conclusion est en contradiction avec la classification habituelle de ces composés (en tant que solides). Tous les composés de la figure 6.13 qui possèdent un caract[...] comme des produits ioniques. [...] concernent les molécules en ph[...] Ces résultats ne peuvent pas n[...] des ions est favorisée par des i[...]

En outre, il est difficile d[...] substances contiennent des io[...] NH_4^+ et Cl^- et Na_2SO_4, des ion[...]

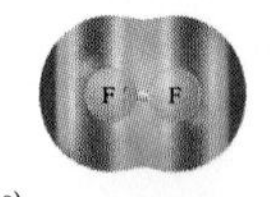

a)

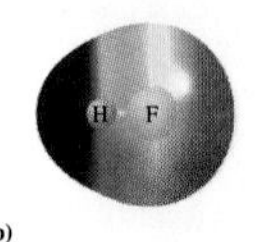

b)

c)

FIGURE 6.12
Les trois types possibles de liaisons:
a) Liaison covalente formée entre deux atomes F identiques; b) liaison covalente polaire de HF, dont le caractère est à la fois ionique et covalent; c) liaison ionique, dans laquelle il n'y a aucun partage d'électrons.

La mise à jour des illustrations et des figures avec un graphisme plus dynamique facilite la démonstration et la compréhension des concepts et des phénomènes expliqués.

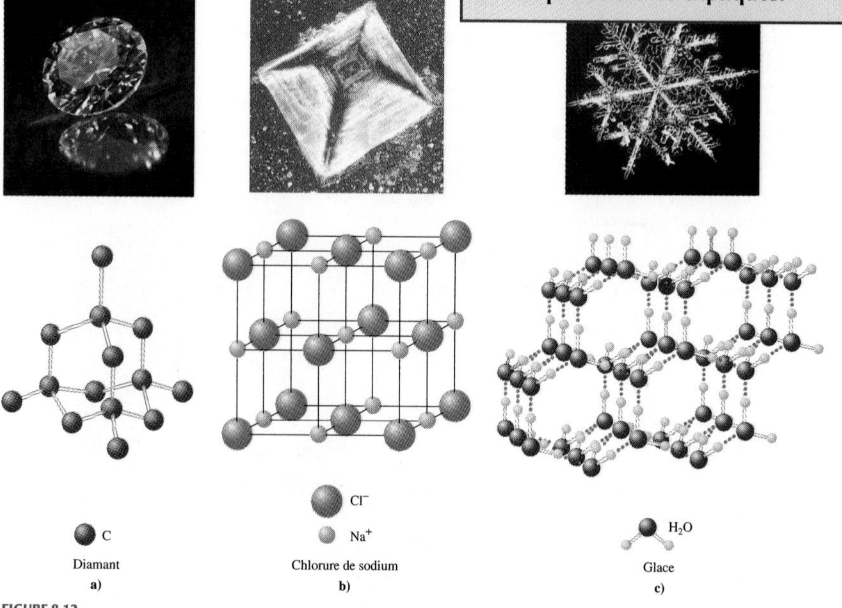

FIGURE 8.12
Trois types de solides cristallins (dans chaque cas, seule une partie de la structure est illustrée). a) Solide atomique. b) Solide ionique. c) Solide moléculaire. Les lignes pointillées représentent les liaisons hydrogène entre les molécules d'eau polaires.

Mise en pratique

Les Questions à discuter en classe sont conçues pour être abordées en classe par des petits groupes d'étudiants.

Questions à dis[...]

Questions et exercices

Questions à discuter en classe

Ces questions sont conçues pour être abordées en petits groupes. Par des discussions et des enseignements mutuels, elles permettent d'exprimer la compréhension des concepts.

1. Soit l'appareil suivant : une éprouvette recouverte d'une membrane élastique imperméable se trouve dans un contenant fermé par un bouchon, à travers lequel passe l'aiguille d'une seringue.

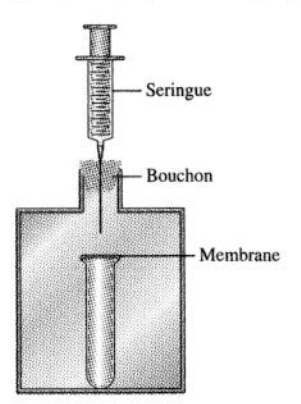

a) Si l'on enfonce le piston de la seringue, comment réagit la membrane qui recouvre l'éprouvette ?
b) On arrête d'appuyer sur la seringue tout en la maintenant en position. Qu'arrive-t-il à la membrane après quelques secondes ?

2. À la figure 4.2, on peut voir un baromètre. Laquelle des phrases suivantes explique le mieux le fonctionnement du baromètre ?
a) La pression de l'air à l'extérieur du tube fait bouger le mercure dans celui-ci jusqu'à ce que les pressions de l'air à l'extérieur et à l'intérieur du tube soient égales.
b) La pression de l'air contenu dans le tube fait bouger le mercure jusqu'à ce que les pressions de l'air à l'intérieur et à l'extérieur du tube soient égales.
c) La pression de l'air à l'extérieur du tube fait contrepoids au mercure contenu dans le tube.
d) La capillarité du mercure le fait monter dans le tube.
e) Le vide formé dans la partie supérieure du tube maintient le mercure en position.

Justifiez votre choix de la réponse et dites pourquoi les autres suggestions ne sont pas acceptables. Une image vaut mille mots, alors servez-vous-en.

3. Le baromètre de gauche montre le niveau de mercure à une pression atmosphérique donnée. Indiquez à quel niveau sera le mercure dans chacun des autres baromètres à la même pression atmosphérique. Expliquez vos réponses.

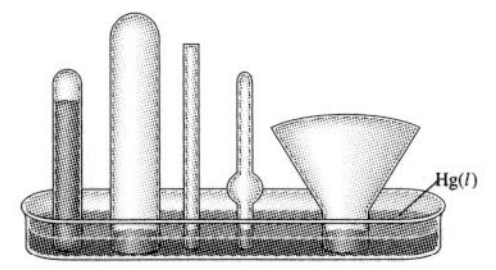

4. Quand on augmente la température [...] rigide scellé, qu'arrive-t-il à la mass[...] résultat serait-il le même si le conte[...] et maintenu à pression constante ?

5. Voici comment on illustre un flacon [...] de chimie.

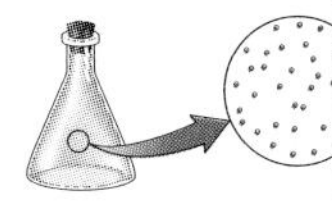

Qu'y a-t-il entre les points (les point[...] d'air) ?
a) De l'air.
b) De la poussière.
c) Des polluants.
d) De l'oxygène.
e) Rien.

6. Si on plonge une paille dans l'eau, [...] du haut avec le doigt et qu'on la so[...] dans la paille. Expliquez.

7. Un étudiant en chimie raconte qu[...] service gonfler ses pneus. Ce faisa[...] théorie cinétique des gaz. S'il a re[...] dans ses pneus, c'est qu'ils étaient [...] les gonflant, il augmentait à la fo[...] volume des pneus. Il se dit : « Euh ![...] que j'ai appris en chimie, à savoir q[...] étaient inversement proportionnels.[...] dans la logique de cet étudiant ? Pou[...] et le volume sont inversement propo[...] illustrations et utilisez la théorie ciné[...]

8. Les substances X et Y (deux gaz) réagissent pour former le gaz XY, mais il faut un certain temps à la réaction pour se produire. On place X et Y dans un contenant muni d'un piston mobile et on note le volume. À mesure que la réaction se produit, qu'arrive-t-il au volume du contenant ?

9. Laquelle des affirmations suivantes explique le mieux pourquoi une montgolfière monte lorsque l'air du ballon est chauffé ?
a) Selon la loi de Charles, la température d'un gaz est directement proportionnelle à son volume. Par conséquent, le volume du ballon augmente, diminuant ainsi sa masse volumique, ce qui fait monter la montgolfière.
b) L'air chaud monte à l'intérieur du ballon, ce qui fait monter la montgolfière.
c) La température d'un gaz est directement proportionnelle à sa pression. Par conséquent, la pression augmente, ce qui fait monter la montgolfière.
d) Une certaine quantité de gaz s'échappe par le bas du ballon, ce qui fait diminuer la masse de gaz qui s'y trouve. Par conséquent, la masse volumique du gaz contenu dans le ballon diminue, ce qui fait monter la montgolfière.
e) La température est proportionnelle à la vitesse quadratique moyenne des molécules de gaz. Les molécules circulent donc plus rapidement et heurtent davantage la paroi du ballon, ce qui fait monter la montgolfière.

Mots clés

Section 4.1
baromètre
manomètre
mm Hg
torr
atmosphère standard
pascal (Pa)

Section 4.2
loi de Boyle-Mariotte
gaz idéal
loi de Charles
zéro absolu
loi d'Avogadro

Section 4.3
constante molaire des gaz
loi des gaz parfaits

Section 4.4
volume molaire
température et pression normales (TPN)

Section 4.5
loi des pressions partielles de Dalton
pression partielle
fraction molaire

Section 4.6
théorie cinétique des gaz
vitesse quadratique moyenne
joule (J)

Section 4.7
diffusion
effusion
loi de la vitesse d'effusion de Graham

Section 4.8
gaz réel
équation de Van der Waals

Section 4.9
atmosphère
pollution atmosphérique
smog photochimique
pluies acides

Synthèse

État gazeux
- On peut décrire un gaz complètement en déterminant sa pression (P), son volume (V), sa température (T) et le nombre de moles de gaz présentes (n).
- Pression
  - Unités courantes
    1 torr = 1 mm Hg
    1 atm = 760 torr
  - Unités du SI : pascal
    1 atm = 101,325 kPa

Lois des gaz
- Découvertes par observation des propriété[...]
- Loi de Boyle-Mariotte : $PV = k$
- Loi de Charles : $V = bT$
- Loi d'Avogadro : $V = an$
- Loi des gaz parfaits : $PV = nRT$
- Loi des pressions partielles de Dalton : [...] représente la pression partielle du compos[...]

Théorie cinétique des gaz
- Modèle qui rend compte du comportement [...]
- Postulats de la théorie cinétique des gaz :
  - le volume des particules de gaz est nul
  - aucune interaction des particules
  - les particules sont en mouvement cons[...] entre les particules et les parois du conte[...]
  - l'énergie cinétique moyenne des particu[...] à la température du gaz exprimée en kel[...]

Propriétés des gaz
- Dans tout échantillon de gaz, les particules [...]
- La vitesse quadratique moyenne pour u[...] des vitesses des particules.

$$u_{quad} = \sqrt{\frac{3RT}{M}}$$

- Diffusion : mélange de deux ou de plusieu[...]
- Effusion : le passage d'un gaz, par un très [...] dans lequel on a fait le vide.

Comportement des gaz réels
- Se rapproche de celui des gaz parfaits uniquement à haute température et à basse pression.
- Comprendre comment il faut modifier l'équation des gaz parfaits pour rendre compte du comportement des gaz réels nous aide à comprendre comment les gaz se comportent au niveau moléculaire.
- Van der Waals a trouvé que pour décrire le comportement des gaz réels, il faut prendre en compte les interactions entre les particules et les volumes des particules.

QUESTIONS DE RÉVISION

1. Expliquez comment fonctionnent un baromètre et un manomètre pour mesurer la pression de l'air ou la pression d'un gaz dans un contenant.
2. Énoncez la loi de Boyle-Mariotte, la loi de Charles et la loi d'Avogadro. Quelles représentations graphiques présentent une relation linéaire pour chacune des lois ?

La section **Synthèse** a été réorganisée pour aider les étudiants à réviser plus facilement les concepts clés. Une série de **Questions de révision** leur permet de s'autoévaluer. Les **Mots clés** sont imprimés en caractères gras et sont définis à l'endroit de leur première mention. Ils sont également regroupés à la fin du chapitre et dans le **Glossaire**, à la fin du volume.

88. Selon la « méthode champenoise », on fait fermenter le jus de raisin dans une bouteille pour obtenir un vin pétillant. La réaction est

$$C_6H_{12}O_6(aq) \longrightarrow 2C_2H_5OH(aq) + 2CO_2(g)$$

Si, dans une bouteille de 825 mL, on fait fermenter 750 mL de jus de raisin (masse volumique = 1,0 g/cm^3) jusqu'à ce que la teneur en éthanol, C_2H_5OH, soit de 12 %, par masse, et si on suppose que le CO_2 est insoluble dans H_2O (ce qui, en fait, est une supposition erronée), quelle est la pression du CO_2 présent dans la bouteille, à 25 °C ? (La masse volumique de l'éthanol est de 0,79 g/cm^3.)

89. Au cours du XIXe siècle, un des sujets de controverse concernait l'élément béryllium, Be. Selon Berzelius, le béryllium était un élément trivalent (formant des ions Be^{3+}), dont l'oxyde avait pour formule Be_2O_3, ce qui conférait au béryllium une masse atomique calculée de 13,5. Lorsqu'il établit son tableau périodique, Mendeleïev considéra le béryllium comme un élément divalent (formant des ions (Be^{2+}), dont l'oxyde avait pour formule BeO. La masse atomique du béryllium était alors de 9,0. En 1894, A. Combes (*Comptes rendus*, 1894, p. 1221) fit réagir du béryllium avec l'anion $C_5H_7O_2^-$ et calcula la masse volumique du produit gazeux obtenu. Voici les résultats obtenus par Combes, pour deux expériences distinctes.

	I	II
masse	0,2022 g	0,2224 g
volume	22,6 cm^3	26,0 cm^3
température	13 °C	17 °C
pression	765,2 mm Hg	764,6 mm Hg

Si le béryllium est un métal divalent, la formule moléculaire du produit est $Be(C_5H_7O_2)_2$; par contre, s'il est trivalent, la formule est $Be(C_5H_7O_2)_3$. Montrez comment les résultats de Combes ont permis de confirmer que le béryllium était un métal divalent.

90. Pour déterminer la teneur en azote d'un composé organique, on peut utiliser la méthode de Dumas. On fait d'abord passer le composé organique en question sur du $CuO(s)$ chaud.

$$\text{Composé} \xrightarrow[\text{CuO}(s)]{\text{chaleur}} N_2(g) + CO_2(g) + H_2O(g)$$

On fait ensuite barboter le produit gazeux dans une solution concentrée de KOH, afin d'en éliminer le CO_2. Après cette opération, le gaz ne contient que du N_2 et de la vapeur d'eau. Au cours d'une expérience, un échantillon de 0,253 g d'un composé a produit 31,8 mL de N_2 saturé de vapeur d'eau, à 25 °C et à 96,89 kPa. Quel est le pourcentage massique de l'azote présent dans ce composé ? (La pression de vapeur d'eau à 25 °C est de 3,17 kPa.)

91. Les seuls éléments d'un composé sont : C, H et N. Pour analyser ce composé, un chimiste effectue les expériences décrites ci-dessous.
1. Il oxyde complètement 35,0 mg de ce composé. Il obtient 33,5 mg de CO_2 et 41,1 mg de H_2O.
2. Pour déterminer la teneur en azote d'un échantillon de 65,2 mg de ce composé, il utilise la méthode de Dumas. Il obtient 35,6 mL de N_2, à 98,7 kPa et à 25 °C.
3. Il détermine que la vitesse d'effusion du composé est de 24,6 mL/min. (La vitesse d'effusion de l'argon, dans des conditions identiques, est de 26,4 mL/min.)

Quelle est la formule de ce composé ?

92. Considérez le diagramme suivant :

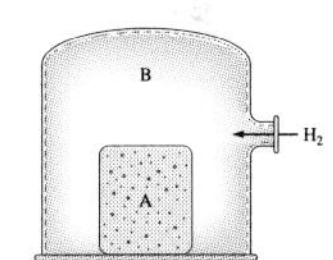

Le contenant A (aux parois poreuses) est rempli d'air dans des conditions TPN. Il est ensuite placé dans un plus grand contenant (B) dont on remplace toute l'atmosphère par $H_2(g)$. Qu'arrivera-t-il à la pression dans le contenant A ? Expliquez votre réponse.

Problèmes défis

93. Un des principaux procédés de production de l'acrylonitrile, C_3H_3N, est représenté par la réaction suivante :

$$2C_3H_6(g) + 2NH_3(g) + 3O_2(g) \longrightarrow 2C_3H_3N(g) + 6H_2O(g)$$

On charge un réacteur d'une capacité de 150 L, aux pressions partielles suivantes, à 25 °C :

$$P_{C_3H_6} = 0{,}500 \text{ MPa}$$
$$P_{NH_3} = 0{,}800 \text{ MPa}$$
$$P_{O_2} = 1{,}500 \text{ MPa}$$

Quelle masse d'acrylonitrile peut-on produire à partir de ce mélange ?

94. Un chimiste pèse 5,14 g d'un mélange contenant des quantités inconnues de $BaO(s)$ et de $CaO(s)$ qu'il place dans un ballon de 1,50 L contenant du $CO_2(g)$ à 30,0 °C et 750 torr. Une fois que la réaction qui donne naissance au $BaCO_3(s)$ et au $CaCO_3(s)$ est terminée, la pression du $CO_2(g)$ résiduel est de 230 torr. Calculez les pourcentages massiques de $CaO(s)$ et de $BaO(s)$ dans le mélange.

95. On fait réagir un mélange de chrome et de zinc pesant 0,362 g avec un excès d'acide chlorhydrique. Une fois que tous les métaux ont réagi, on recueille 225 mL d'hydrogène sec, à 27 °C et à 750 torr. Déterminez le pourcentage massique de Zn dans l'échantillon de métal. (Le zinc réagit avec l'acide chlorhydrique pour former du chlorure de zinc et de l'hydrogène gazeux ; le chrome réagit avec de l'acide chlorhydrique pour donner du chlorure de chrome(III) et de l'hydrogène.)

96. Soit un échantillon d'un hydrocarbure (un composé ne contenant que du carbone et de l'hydrogène) à 0,959 atm et à 298 K. La combustion complète de l'échantillon dans l'oxygène vous permet d'obtenir un mélange de dioxyde de carbone gazeux et de vapeur d'eau à 1,51 atm et à 375 K. Le mélange a une masse volumique de 1,391 g/L et occupe un volume quatre fois plus grand que celui de l'hydrocarbure pur. Déterminez la formule moléculaire de l'hydrocarbure.

La section **Questions et exercices** a été révisée, elle compte environ 50 % de nouveaux problèmes :
- les **Questions** permettent aux étudiants de vérifier la maîtrise conceptuelle de la matière ;
- les **Exercices** (groupés par sujet) permettent d'accroître leur compréhension de chaque section ;
- les **Exercices supplémentaires** exigent des étudiants qu'ils reconnaissent et appliquent eux-mêmes les concepts appropriés ;
- les **Problèmes défis** les invitent à se dépasser et leur posent des défis plus rigoureux que les exercices supplémentaires ;
- les **Problèmes d'intégration** combinent des concepts tirés de nombreux chapitres ;
- les **Problèmes de synthèse** font également appel à des concepts tirés de plusieurs chapitres et à des techniques de résolution de problèmes. Ce sont les problèmes les plus difficiles à résoudre de tous les exercices de fin de chapitre.

1 Les bases de la chimie

Contenu

Pour attirer les femelles, les papillons monarques mâles utilisent des phéromones sécrétées par une glande située sur leurs ailes.

Quand vous faites démarrer votre automobile, vous ne pensez certainement pas aux réactions chimiques qui ont lieu, même si dans les faits vous devriez vous en préoccuper. La puissance nécessaire pour faire démarrer votre voiture est fournie par une batterie d'accumulateurs au plomb. Comment fonctionne cette batterie, que contient-elle ? Que signifie « avoir une batterie à plat » ? Si vous demandez à un ami d'utiliser ses câbles de démarrage pour vous aider à démarrer votre voiture, savez-vous que votre batterie pourrait exploser ? Que faire pour éviter une telle catastrophe ? Que contient l'essence que vous mettez dans votre réservoir et comment contribue-t-elle à fournir l'énergie nécessaire au démarrage ? Quels sont les gaz qui s'échappent de votre voiture et comment polluent-ils l'air ? L'appareil à air climatisé de votre voiture utilise fort probablement une substance dommageable pour la couche d'ozone dans la haute atmosphère. Que faisons-nous à ce sujet ? D'ailleurs, pourquoi la couche d'ozone est-elle importante ?

Toutes ces questions, on peut y répondre si l'on connaît des notions de chimie. En fait, nous apporterons réponse à toutes ces questions dans le présent volume.

La chimie est omniprésente. Ainsi, vous êtes capable de lire et de comprendre cette phrase parce que des réactions chimiques ont lieu dans votre cerveau. Les aliments que vous avez mangés au déjeuner et au dîner vous fournissent de l'énergie grâce à des réactions chimiques. Ce sont également des réactions chimiques qui sont responsables de la croissance des végétaux.

La chimie a trouvé également des applications inattendues. Quand l'archéologue Luis Alvarez était étudiant, il ne savait certainement pas que l'iridium et le niobium, deux éléments chimiques, le rendraient célèbre, car ils lui ont permis de résoudre le problème de la disparition des dinosaures. Durant des décennies, des scientifiques ont été confrontés au mystère de la disparition subite des dinosaures il y a 65 millions d'années, alors que ceux-ci avaient régné sur la Terre pendant des millions d'années. En étudiant des échantillons de roc remontant à cette époque, Alvarez et ses collaborateurs y ont détecté des niveaux inhabituels d'iridium et de niobium – des niveaux qui sont plus caractéristiques d'objets extraterrestres que d'objets terrestres.

À partir de cette constatation, Alvarez a émis l'hypothèse qu'un énorme météorite pourrait avoir frappé la Terre voilà 65 millions d'années, soulevant alors tellement de poussière que les dinosaures ont vu leur nourriture cesser de croître et ils en sont morts, presque instantanément à l'échelle géologique.

La chimie trouve également sa place dans l'histoire. Saviez-vous que l'empoisonnement au plomb a probablement joué un rôle très important dans le déclin de l'Empire romain ? Les Romains ont été fortement exposés au plomb : leur poterie avait une glaçure au plomb ; leurs conduites d'eau étaient en plomb ; ils préparaient un vin cuit sucré en réduisant du jus de raisin dans des contenants en plomb (une des explications du goût sucré de ce vin est la présence d'acétate de plomb, appelé « sucre de plomb », qui se forme quand le jus est réduit). L'empoisonnement au plomb avec ses symptômes de léthargie et de mauvais fonctionnement cérébral pourrait avoir contribué au déclin de la société romaine.

La chimie est aussi apparemment très importante en psychologie. Diverses études ont montré que de nombreux troubles de personnalité sont liés directement au déséquilibre de certains oligoéléments dans l'organisme. Par exemple, des études menées chez les prisonniers ont établi une corrélation entre leur faible taux de cobalt et leur comportement violent ; les sels de lithium se sont révélés très efficaces dans le traitement de la maladie maniacodépressive. De plus, il vous est certainement déjà arrivé de dire que vous aviez des atomes crochus avec quelqu'un. Des études laissent croire qu'il y a réellement des réactions chimiques qui se produisent chez deux personnes attirées l'une par l'autre. « Être en amour » cause apparemment des changements dans la chimie du cerveau ; des produits chimiques qui y sont synthétisés seraient responsables du sentiment euphorique associé à une nouvelle relation. Malheureusement, ces effets semblent s'amenuiser avec le temps, même si la relation persiste et s'améliore.

L'importance de la chimie dans les interactions entre personnes ne devrait pas nous surprendre. Rappelons que les insectes communiquent entre eux en émettant et en recevant des signaux chimiques, qui sont des molécules appelées *phéromones.* Par exemple, les fourmis disposent d'un ensemble très complexe de signaux chimiques pour signaler la présence de nourriture, de danger, etc. De plus, diverses substances produites par les femelles pour attirer le mâle ont été isolées et sont utilisées comme leurres pour contrôler les populations d'insectes. Il ne serait donc pas surprenant d'apprendre que les humains émettent également des signaux chimiques, et cela, inconsciemment. Tous ces sujets seront abordés plus en détail dans les prochains chapitres.

C'est dire à quel point la chimie peut être intéressante et importante. Le principal but de ce livre est de vous aider à comprendre les concepts de la chimie afin de mieux apprécier le monde qui vous entoure et d'être plus efficace dans la carrière que vous entreprendrez, quelle qu'elle soit. À ce stade-ci, il importe de donner un aperçu général de la chimie.

1.1 Aperçu général de la chimie

Depuis l'époque des Grecs de l'Antiquité, l'humanité a cherché une réponse à la question : De quoi est constituée la matière ? L'idée que la matière est composée d'atomes existe depuis longtemps, mais c'est au cours des trois derniers siècles que de nombreuses preuves indirectes se sont accumulées pour soutenir cette opinion. Tout récemment, un événement fascinant s'est produit : pour la première fois, on a pu « voir » des atomes individuels. Bien sûr, on ne peut pas les voir à l'œil nu : il faut utiliser un microscope spécial appelé microscope à effet tunnel. Sans vouloir entrer dans les détails de son fonctionnement, disons que ce microscope utilise un courant d'électrons provenant d'une pointe très fine qui balaie la surface d'une substance. La figure 1.1 montre des images de plusieurs substances obtenues par un microscope à effet tunnel. Remarquez comment les atomes sont reliés les uns aux autres par des « ponts » qui, comme nous le verrons, représentent les électrons responsables des liaisons entre les atomes.

En plus de « voir » les atomes dans des solides comme le sel, nous avons appris comment isoler et voir un seul atome. Par exemple, le minuscule point blanc au centre de la figure 1.2 représente un atome de mercure emprisonné dans un piège spécial.

Par conséquent, nous avons à présent la certitude raisonnable que la matière est constituée d'atomes individuels. La nature de ces atomes est très complexe, et leurs composantes ne se comportent pas du tout comme les objets que nous voyons dans le monde qui nous entoure. On l'appelle *monde macroscopique,* c'est-à-dire, le monde des automobiles,

FIGURE 1.1
a) La surface d'un simple grain de sel.
b) Un atome d'oxygène (indiqué par une flèche) sur une surface d'arséniure de gallium.
c) Image d'un microscope à effet tunnel montrant des empilements d'amas en forme d'anneaux de molécules de benzène sur une surface de rhodium. Chaque image en forme de « beigne » représente une molécule de benzène.

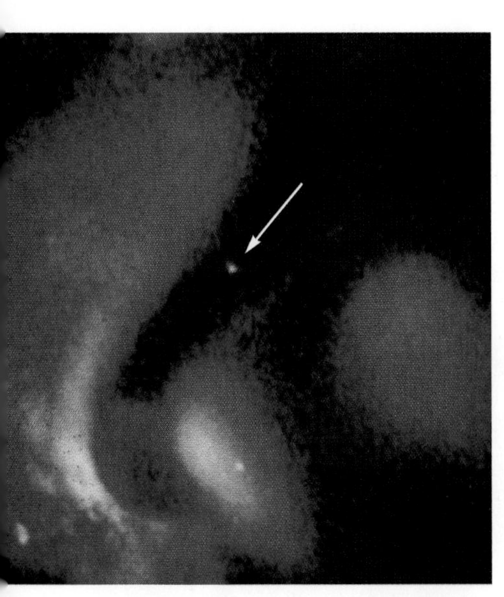

FIGURE 1.2
Un atome de mercure chargé apparaît tel un minuscule point blanc (indiqué par la flèche).

des tables, des balles de baseball, des roches, des océans et ainsi de suite. Une des principales tâches d'un scientifique consiste à fouiller le monde macroscopique pour découvrir quelles sont ses «parties». Par exemple, quand vous regardez une plage de loin, elle apparaît comme une substance solide uniforme. En vous approchant, vous vous apercevez que cette plage est en réalité constituée de grains de sable distincts. Si on examine ces grains de sable, on trouve qu'ils se composent d'atomes de silicium et d'oxygène, liés les uns aux autres dans des formes complexes (*voir la figure 1.3*). Un des principaux défis de la chimie consiste à comprendre la relation entre le monde macroscopique autour de nous et le *monde microscopique* des atomes et des molécules. Pour arriver à une véritable connaissance de la chimie, vous devez apprendre à penser à l'échelle atomique. Dans ce livre, nous allons consacrer beaucoup de temps pour vous aider à y arriver.

C'est à peine croyable, mais notre univers dans son infinie diversité n'est composé que d'une centaine de types différents d'atomes. C'est comme si tous les «mots» qui existent dans l'univers étaient écrits avec seulement 100 lettres. En fait, c'est la façon dont les atomes sont organisés dans une substance qui explique ses propriétés.

Par exemple, l'eau, une des substances les plus courantes et les plus importantes sur Terre, est composée de deux types d'atomes: l'hydrogène et l'oxygène. Pour former une molécule d'eau, il faut deux atomes d'hydrogène et un atome d'oxygène.

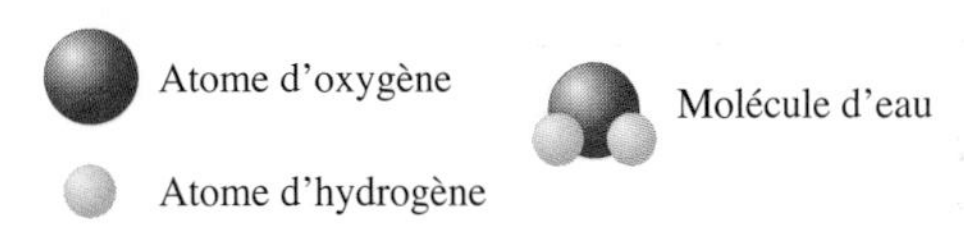

Quand un courant électrique passe dans l'eau, cette dernière se décompose en hydrogène et en oxygène. Ces *éléments chimiques* existent dans la nature sous forme de molécules diatomiques (deux atomes):

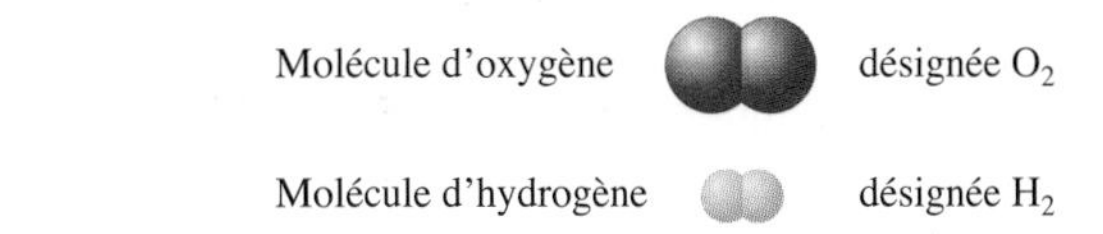

La décomposition de l'eau en ses éléments, l'hydrogène et l'oxygène, peut donc être représentée de la façon suivante:

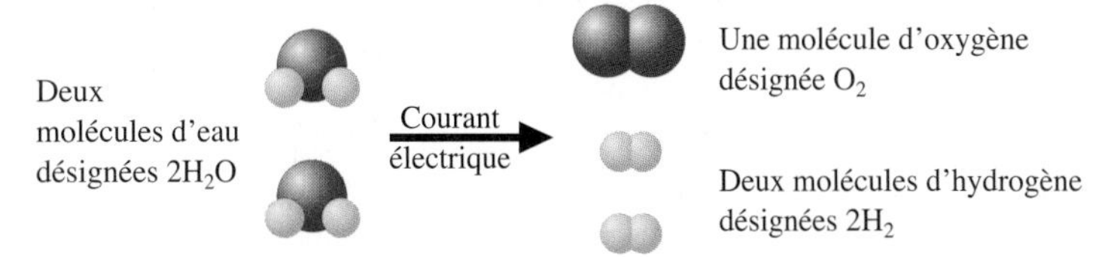

Remarquez qu'il faut deux molécules d'eau pour fournir le nombre d'atomes d'hydrogène et d'oxygène nécessaires à la formation des molécules diatomiques. Cette réaction

FIGURE 1.3
À distance, le sable d'une plage semble uniforme, mais, de près, les grains de sable irréguliers sont visibles, et chaque grain est composé de minuscules atomes.

IMPACT

La chimie et l'art

Il arrive que l'importance de la chimie se manifeste dans des domaines inattendus. Par exemple, authentifier, préserver et restaurer des objets d'art exigent une bonne connaissance de la chimie. Le J. Paul Getty Museum, à Los Angeles, possède un laboratoire de chimie ultramoderne qui emploie de nombreux scientifiques, et dont les coûts de fonctionnement s'élèvent à plusieurs millions de dollars. À Washington, la National Gallery of Art (NGA) assure aussi le fonctionnement d'un laboratoire hautement sophistiqué qui emploie dix personnes : cinq chimistes, un botaniste, un historien de l'art, un technicien diplômé en chimie et deux boursiers (stagiaires).

Barbara Berrie est l'une des chimistes à la NGA ; elle se spécialise dans la détermination des pigments de peinture. Une de ses fonctions consiste à examiner un tableau pour voir si les pigments sont pertinents à l'époque où l'œuvre a censément été peinte, et s'ils correspondent à ceux qui ont été utilisés par l'artiste à qui on doit cette peinture. Cette analyse est un des moyens qui permettent d'authentifier un tableau. Parmi ses projets récents, la conservatrice Berrie devait analyser le tableau intitulé *Sainte Cécile avec un ange,* une peinture à l'huile datant de 1617. Ses résultats ont démontré que le tableau était l'œuvre de deux artistes de l'époque, Orazio Gentileschi et Giovanni Lanfranco. À l'origine, le travail était attribué à Gentileschi seul.

Berrie travaille également à préciser la gamme de couleurs utilisées par Winslow Homer, un aquarelliste (la NGA possède 30 tableaux de Homer dans sa collection), et à montrer comment sa palette de couleurs a changé au fil de sa carrière. En outre, elle étudie comment l'acidité influence la décomposition d'un pigment transparent vert foncé (appelé résinate de cuivre), utilisé par des artistes italiens de la Renaissance, afin de mieux préserver les tableaux contenant ce pigment.

« La chimie que je pratique, affirme Berrie, ce n'est pas de la chimie de haute voltige, mais de la bonne vieille chimie générale. »

La chimiste Barbara Berrie de la National Gallery of Art analyse l'adhésif utilisé dans les supports en bois d'un retable du XIVe siècle.

explique pourquoi la batterie de votre voiture peut exploser si vous utilisez à mauvais escient les câbles de démarrage. Quand vous branchez ces câbles, le courant circule à travers la batterie à plat, qui contient, entre autres choses, de l'eau, et provoque la formation, par décomposition de cette eau, d'hydrogène et d'oxygène. Une étincelle suffirait pour faire exploser l'hydrogène et l'oxygène accumulés, et former ainsi à nouveau de l'eau.

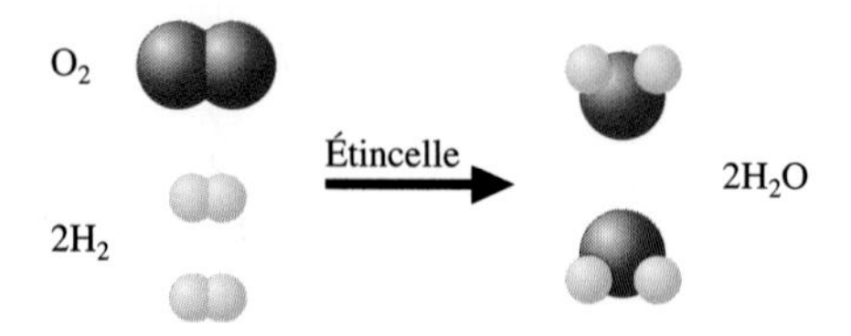

Cet exemple illustre deux concepts fondamentaux de la chimie : 1) la matière est composée de divers types d'atomes ; 2) quand une substance se change en une autre, c'est l'organisation des atomes à l'intérieur de chacune d'elles qui est modifiée.

C'est là l'élément central de la chimie, et nous traiterons ce sujet en profondeur plus loin.

La science : une façon de comprendre la nature et ses changements

Comment abordez-vous les problèmes que vous rencontrez dans la vie réelle ? Pensez à votre trajet de la maison au collège. Si vous demeurez dans une ville, la circulation est certainement un problème auquel vous êtes confronté tous les jours. Comment décidez-vous du meilleur trajet pour vous y rendre ? Si vous êtes nouvellement arrivé dans la ville, vous consultez une carte et cherchez les différentes façons de vous y rendre. Ensuite, vous pouvez vous informer auprès de gens de la région pour connaître les avantages et les inconvénients de certains trajets. Fort de ces informations, vous allez probablement tenter de choisir la meilleure route. Cependant, vous ne pourrez la trouver qu'en en essayant plusieurs et en comparant les résultats. Après quelques tentatives, vous serez probablement en mesure de choisir le meilleur chemin. Ce que vous faites pour résoudre ce problème de tous les jours, c'est ce que le scientifique fait quand il étudie la nature ! La première étape a consisté à récolter des données pertinentes. Ensuite, vous avez prédit quelque chose et finalement, vous avez testé votre prédiction. Cette démarche est essentiellement celle du scientifique :

1. Effectuer des observations (recueillir les données).
2. Faire une prédiction (formuler une hypothèse).
3. Faire des expériences pour vérifier cette prédiction (vérifier l'hypothèse).

Les scientifiques appellent cette façon de procéder la *méthode scientifique*. On l'abordera plus en détail à la section suivante. Une des plus importantes activités de l'être humain est précisément de résoudre des problèmes, des vrais et non des fictifs. Des problèmes qui comportent des aspects tout à fait nouveaux, auxquels vous n'avez jamais été confronté. Plus votre façon de résoudre ces problèmes sera créative, plus votre carrière et votre vie personnelle seront une réussite. Et l'une des raisons pour apprendre la chimie est précisément de devenir meilleur dans la résolution des problèmes. Les chimistes excellent dans ce domaine parce que, pour maîtriser la chimie, vous devez aussi maîtriser l'approche scientifique. Les problèmes chimiques sont souvent très complexes ; la solution n'est jamais claire ni évidente. Il est même souvent difficile de savoir par où commencer.

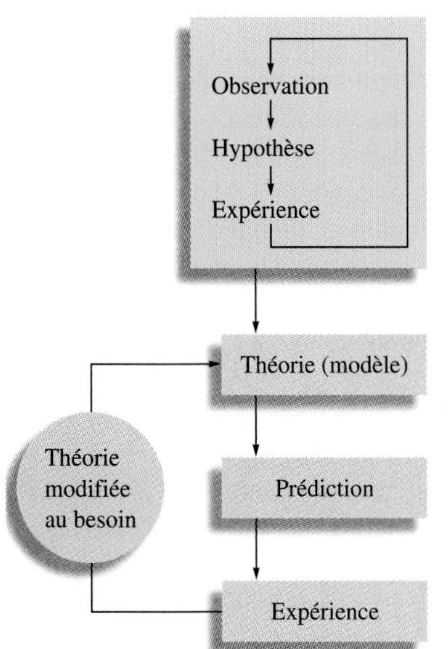

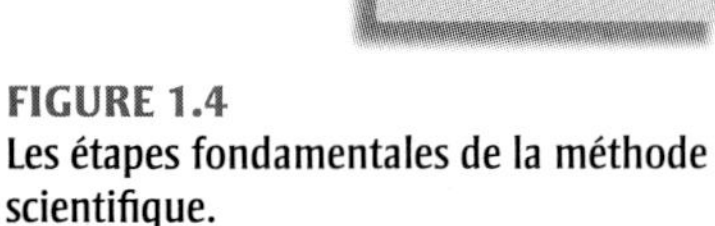

FIGURE 1.4
Les étapes fondamentales de la méthode scientifique.

1.2 La méthode scientifique

La science est une façon d'obtenir des renseignements et de les organiser. Mais elle n'est pas un simple ramassis de faits, elle est aussi une façon de procéder pour analyser et comprendre certains types d'informations. La façon scientifique de penser est utile dans tous les aspects de la vie, mais, dans ce volume, nous l'utiliserons pour mieux comprendre le monde de la chimie. Comme nous l'avons dit précédemment, la façon de faire qui est au centre de la recherche scientifique s'appelle **méthode scientifique**. De fait, il existe de nombreuses méthodes scientifiques ; elles dépendent de la nature du problème précis à étudier et du chercheur qui s'y intéresse. Cependant, il est utile de considérer le cadre général suivant comme une méthode scientifique type (*voir la figure 1.4*) :

Les étapes de la méthode scientifique

1. ***Effectuer des observations.* Les observations peuvent être *qualitatives* (le ciel est bleu ; l'eau est liquide à la température ambiante) ou *quantitatives* (l'eau bout à 100 °C ; un livre de chimie pèse 2 kg). Une donnée qualitative n'est jamais chiffrée. Une observation quantitative (appelée *mesure*) comporte à la fois un nombre et une unité.**
2. ***Formuler une hypothèse.* Une hypothèse est une explication *possible* d'une observation.**
3. ***Effectuer des expériences.* Une expérience sert à vérifier une hypothèse. Cela fait intervenir la collecte de nouvelles données qui permettent au scientifique de décider si oui ou non l'hypothèse est bonne – c'est-à-dire si elle explique**

les nouveaux résultats expérimentaux. Une expérience est toujours source de nouvelles données, et cela nous ramène au début du processus scientifique.

Pour comprendre un phénomène donné, ces étapes sont réitérées, ce qui permet d'accumuler graduellement les connaissances nécessaires pour fournir une explication possible au phénomène.

Les modèles scientifiques

Une fois qu'on a rassemblé des hypothèses qui expliquent diverses observations, ces hypothèses sont rassemblées pour former une théorie. Une **théorie**, souvent appelée **modèle**, est un ensemble d'hypothèses vérifiées qui fournit une explication globale d'un phénomène naturel quelconque.

Il est très important de pouvoir distinguer les observations des théories. Une observation est un fait dont on est témoin et qui peut être consigné ; une théorie est une *interprétation* – une explication possible de la raison d'être d'un phénomène particulier. Les théories sont inévitablement sujettes à changement au fur et à mesure que de nouvelles données deviennent disponibles. Par exemple, les déplacements du Soleil et des étoiles sont demeurés pratiquement les mêmes durant les milliers d'années que les hommes les ont observés, mais nos explications – nos théories – ont changé radicalement depuis ce temps.

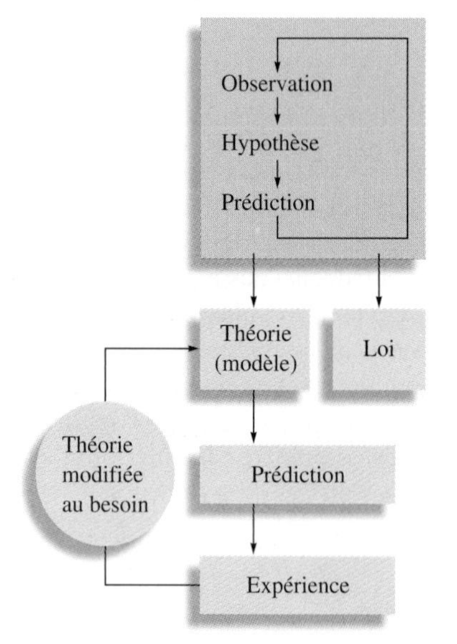

FIGURE 1.5
Les différentes étapes de la méthode scientifique.

Le fait est que les scientifiques ne cessent de se questionner simplement parce qu'une théorie donnée rend compte de façon satisfaisante d'un comportement particulier. Ils continuent de faire des expériences pour raffiner leur théorie ou remplacer les théories existantes. Pour ce faire, ils font appel à la théorie couramment acceptée pour faire une prédiction et, par la suite, effectuer une expérience (faire de nouvelles observations) pour voir si les résultats concordent avec la prédiction.

Il faut toujours se rappeler que les théories (modèles) sont des créations de l'être humain. Elles demeurent des tentatives d'explication des phénomènes naturels, faites par des hommes. Une théorie est de fait une approximation justifiée. Il faut continuer à faire des expériences et à raffiner nos théories (pour les rendre plus compatibles avec les nouvelles connaissances) dans l'espoir de mieux comprendre un phénomène naturel.

En observant la nature, le scientifique remarque souvent que la même observation s'applique à bien des systèmes différents. Par exemple, l'étude d'innombrables changements chimiques a révélé que, avant ou après le changement, la masse totale de la matière demeure la même. Un tel comportement a été formulé dans un énoncé appelé **loi naturelle**. Par exemple, l'observation selon laquelle la masse totale de la matière n'est pas modifiée par un changement chimique est appelée **loi de conservation de la masse**.

Remarquez qu'il faut, ici aussi, faire la différence entre une loi naturelle et la théorie. Une loi naturelle est un énoncé résumant un comportement observé (mesurable), alors qu'une théorie est l'explication d'un comportement. *Une loi résume ce qui se produit ; une théorie (un modèle) est une tentative d'explication de la raison d'être de ce phénomène.*

Dans cette section, nous avons décrit la méthode scientifique telle qu'elle devait idéalement être mise en pratique. Cependant, la science ne progresse pas toujours de façon aussi parfaite. Pour commencer, les hypothèses et les observations ne sont pas totalement indépendantes les unes des autres, comme le laisse entendre la description de la méthode scientifique idéalisée.

Il y a association entre les observations et les hypothèses parce qu'une fois que nous avons commencé à élaborer une théorie donnée, nos hypothèses sont inévitablement influencées par les prémisses. Autrement dit, on a tendance à voir ce qu'on veut voir et souvent on ne voit pas les choses que nous ne nous attendons pas à voir. Par conséquent,

Robert Boyle (1627-1691) est né en Irlande. Il s'intéressa particulièrement à la question de l'air et il mit au point une pompe qui lui permettait de créer le vide dans des cylindres. Il se servit de ces cylindres pour montrer qu'une plume et un morceau de plomb chutaient à la même vitesse en l'absence de toute résistance de l'air et que le son ne se propageait pas dans le vide. Ses expériences les plus célèbres concernent la mesure précise du volume d'un gaz en fonction de la pression. Dans son livre *The Skeptical Chymist*, Boyle insiste pour qu'on cesse de considérer les éléments comme des substances mystiques et qu'on les considère plutôt comme quelque chose qu'on ne peut pas décomposer en substances plus simples. Cette idée a permis à la chimie d'effectuer un bond important.

IMPACT

Des papillons... adhésifs !

L'apparition des feuillets Post-it^{MD}, un produit de la compagnie 3M, a révolutionné nos petits messages et nos aide-mémoire personnels. Introduits aux États-Unis en 1980, ces papillons adhésifs, mais pas trop, se prêtent maintenant à d'innombrables usages, au bureau, dans l'auto, à la maison et partout dans le monde.

L'invention de ces feuillets autocollants a été réalisée sur une période d'environ dix ans et a nécessité une grande part d'heureux hasards. C'est le Dr Spencer F. Silver de la compagnie 3M qui a fait la découverte de l'adhésif des feuillets, en 1968. Silver a découvert que lorsqu'un polymère d'acrylate est fabriqué d'une façon particulière, il forme des microsphères réticulées. Si on met cette substance en suspension dans un solvant et qu'on la pulvérise sur une feuille de papier, elle forme une « monocouche peu dense » d'adhésif après l'évaporation du solvant. Des images au microscope électronique à balayage de l'adhésif montrent que sa surface est irrégulière, un peu comme la surface d'une route de gravier. Contrairement à cet adhésif, celui qui est déposé sur un ruban de cellophane a l'air lisse et uniforme, comme une autoroute. La surface bosselée de l'adhésif de Silver le rendait facile à adhérer sur les objets et tout aussi facile à retirer, parce que le nombre de points de contact entre les surfaces à coller était limité.

Quand il a inventé cet adhésif, Silver n'avait aucune idée précise de son usage ; c'est pourquoi il a parlé de sa découverte à ses compagnons de travail chez 3M, dans l'espoir que quelqu'un lui proposerait une application. De plus, au cours des quelques années qui suivirent, des travaux de développement permirent d'améliorer les propriétés de l'adhésif. Ce n'est qu'en 1974, que surgit l'idée du papillon adhésif. Un dimanche, alors qu'il chantait dans la chorale de son église, Art Fry, un ingénieur chimiste chez 3M, trouvait agaçant que le signet de son livre de chants sacrés ne cesse de tomber. Il se fit la réflexion qu'il serait agréable si le signet était assez collant pour rester en place, mais pas trop pour qu'il puisse le changer de page. Par bonheur, il se rappela la colle de Silver – et c'est ainsi qu'est né le feuillet adhésif ou Post-it^{MD}.

Durant les trois années qui suivirent, Fry s'affaira à surmonter les obstacles que pose la fabrication du produit. En 1977, la production de papillons adhésifs répondait aux besoins du siège social de 3M et les employés devinrent rapidement des accros de leurs nombreux usages. Aujourd'hui, ces petits feuillets adhésifs existent en 62 couleurs et en 25 formes.

Au cours des années qui ont suivi l'apparition des papillons adhésifs sur le marché, d'étonnantes histoires concernant leur usage sont parvenues à 3M. Par exemple, un papillon adhésif avait été collé sur le nez d'un jet d'affaires à l'intention du personnel de piste de l'aéroport de Las Vegas. Personne ne pensa à l'enlever, si bien que la note se trouvait toujours sur le nez de l'avion une fois arrivé à Minneapolis ; le bout de papier avait « survécu » au décollage et à l'atterrissage ainsi qu'à des vitesses de plus de 800 kilomètres à l'heure, à des températures atteignant −56 °F. Dans son site Web, 3M rapporte des histoires racontant qu'un papillon adhésif collé sur la porte principale d'une maison avait résisté à l'ouragan Hugo et comment un fonctionnaire étranger avait accepté des papillons adhésifs à la place d'un paiement en espèces, en guise de petit pot-de-vin pour éviter des tracasseries bureaucratiques.

Ces petits feuillets autocollants ont résolument changé notre façon de communiquer et de servir notre mémoire.

la théorie mise à l'épreuve nous aide parce qu'elle nous permet de raffiner notre questionnement. Cependant, en même temps, ce raffinement peut nous empêcher de voir d'autres explications possibles.

Il est cependant important de comprendre que les scientifiques sont des êtres humains : ils ont des préjugés, ils commettent des erreurs d'interprétation, ils s'attachent à leurs théories et, par conséquent, perdent de leur objectivité ; parfois même, la politique s'en mêle ! La recherche du profit, l'importance des budgets, les sujets à la mode, les guerres et les croyances religieuses constituent autant de facteurs qui influencent l'évolution de la science. Galilée fut ainsi contraint de désavouer ses observations astronomiques à cause de la forte résistance de l'Église catholique. Lavoisier, le père de la chimie moderne, fut décapité à cause de ses attaches politiques. Les énormes progrès réalisés dans le domaine de la chimie des engrais azotés résultent de la nécessité de produire des explosifs destinés à la guerre. En fait, les progrès de la science sont plus souvent affectés par les faiblesses des humains et par leurs institutions que par les limites des appareils de mesure scientifiques. L'efficacité de la méthode scientifique est à la hauteur de celle de ses utilisateurs. Cette méthode n'est donc pas automatiquement source de progrès.

IMPACT

Unités critiques !

Quelle est l'importance de la conversion d'un système d'unités à un autre ? Si vous demandez à l'Agence spatiale américaine (NASA, National Aeronautics and Space Administration), la réponse sera : Très important ! En 1999, la NASA a perdu la sonde spatiale *Mars Climate Orbiter*, une mission qui coûtait 125 millions de dollars, à cause de l'omission de convertir des unités de mesure du système impérial au système métrique.

L'origine du problème vient du fait que deux équipes travaillaient à la mission sur Mars dans deux systèmes d'unités différents. Les scientifiques de la NASA qui travaillaient au Jet Propulsion Laboratory à Pasadena, en Californie, ont supposé que les données sur la poussée des fusées du véhicule orbital provenant de la firme qui avait fabriqué l'engin spatial, la Lockheed Martin Astronautics à Denver, étaient en unités du système métrique. En fait, c'étaient des unités du système impérial. Cette erreur a provoqué l'entrée de la sonde dans l'atmosphère martienne à une altitude de 100 kilomètres plus basse que prévu et la friction avec l'atmosphère causa la combustion du vaisseau spatial.

L'erreur de la NASA relança la polémique pour que le Congrès exige l'introduction du système métrique aux États-Unis. Environ 95 % du monde utilise aujourd'hui ce système, et les États-Unis effectuent lentement le passage du système impérial au système métrique. Par exemple, l'industrie automobile a adopté le système métrique pour ses fixations, et les boissons gazeuses se vendent en bouteilles de deux litres.

Les unités peuvent être très importantes et, dans certaines occasions, elles peuvent faire la différence entre la vie et la mort. En 1983, par exemple, un avion de ligne canadien est presque tombé en panne parce que quelqu'un a introduit 22 300 livres de carburant dans l'avion au lieu de 22 300 kilogrammes. Surveillez bien vos unités !

Dessin d'artiste du *Mars Climate Orbiter* perdu.

Les boissons gazeuses sont couramment vendues en bouteilles de 2L, un exemple de l'utilisation du SI dans la vie de tous les jours.

1.3 Unités de mesure

Toute science repose fondamentalement sur des observations. Une observation quantitative, ou **mesure**, comporte toujours deux éléments : un *nombre* et une échelle (appelée *unité*). Pour qu'elle soit significative, toute mesure doit comporter ces deux éléments.

Dans ce livre, on utilise, entre autres, des mesures de masse, de longueur, de temps, de température, d'intensité de courant électrique et de quantité de matière. Les scientifiques ont reconnu depuis fort longtemps qu'un système d'unités standardisé était essentiel pour que les mesures soient utiles. En effet, si chaque scientifique utilisait son propre ensemble d'unités, ce serait la tour de Babel. Malgré cela, dans diverses parties du monde, on a adopté différents étalons. Les deux systèmes d'unités les plus utilisés sont le *système impérial* (aux États-Unis) et le *système métrique* (dans la plupart des pays industrialisés), ce qui entraîne évidemment beaucoup de problèmes (par exemple, des pièces aussi simples que des boulons ne sont pas interchangeables sur des machines construites à partir de systèmes différents). Conscientes de ces difficultés, les autorités des États-Unis ont commencé à adopter le système métrique.

Dans tous les pays, la plupart des scientifiques utilisent le système métrique depuis de nombreuses années. En 1960, on a convenu, sur le plan international, d'établir un système d'unités appelé le *système international* ou **SI**. Ce système est basé sur le système métrique et ses unités en découlent.

Le tableau 1.1 présente les unités de base du SI. Plus loin dans ce chapitre, on explique comment utiliser ces unités. Étant donné que les unités de base ne sont pas toujours pratiques (exprimer la masse d'une épingle en kilogramme est peu commode), on utilise des préfixes pour en modifier l'ordre de grandeur (*voir le tableau 1.2*). Au tableau 1.3, vous trouverez certains objets et leurs dimensions exprimées en unités SI.

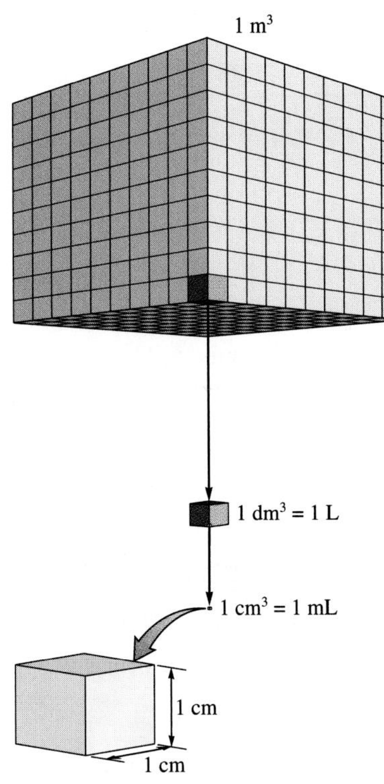

FIGURE 1.6
Le plus gros cube a une arête de 1 m et un volume de 1 m^3. Le cube de grosseur intermédiaire a une arête de 1 dm et un volume de 1 dm^3 (ou 1 L). Le plus petit cube a une arête de 1 cm et un volume de 1 cm^3, soit 1 mL.

TABLEAU 1.1 Unités de base du SI

Grandeur	Unité de mesure	Symbole
masse	kilogramme	kg
longueur	mètre	m
temps	seconde	s
température thermodynamique	kelvin	K
intensité de courant électrique	ampère	A
quantité de matière	mole	mol
intensité lumineuse	candela	cd

Le *volume*, quantité physique très importante en chimie, n'a pas d'unité de base SI ; celle-ci découle de l'unité de longueur. La figure 1.6 représente un cube dont l'arête mesure 1 mètre (m). Le volume de ce cube est de $(1\text{ m})^3$, soit 1 m^3 ou – sachant qu'il y a 10 décimètres (dm) dans 1 m – $(10\text{ dm})^3$, soit 1000 dm^3. On appelle communément un décimètre cube, dm^3, un *litre*, L, une unité de volume légèrement supérieure à une pinte. On le voit à la figure 1.6, un cube de 1 m^3 de volume contient 1000 L. Par ailleurs, puisque 1 dm vaut 10 cm, on peut diviser un litre en 1000 cubes de 1 cm^3 de volume chacun.

$$1\text{ litre} = (1\text{ dm})^3 = (10\text{ cm})^3 = 1000\text{ cm}^3$$

Ainsi, puisque 1 cm^3 = 1 millilitre (mL),

$$1\text{ litre} = 1000\text{ cm}^3 = 1000\text{ mL}$$

Ainsi, un litre contient 1000 centimètres cubes, soit 1000 millilitres.

Dans un laboratoire de chimie, il faut souvent mesurer des volumes de solutions ou de liquides purs. La figure 1.7 illustre plusieurs moyens utilisés pour mesurer de façon précise un volume.

En ce qui concerne les mesures, il est important de ne pas oublier la relation qui existe entre la masse et le poids. Même si ces deux mots sont souvent utilisés indifféremment par les chimistes, ils ne désignent pas la même chose. La masse d'un objet représente la quantité de matière que contient cet objet (*voir le tableau 1.3*). Plus précisément, la **masse** *mesure la résistance d'un objet au déplacement.* On mesure la masse par la force qu'il faut exercer sur un objet pour lui donner une accélération donnée. Sur la Terre, on

TABLEAU 1.2 Liste des préfixes utilisés dans le SI (les préfixes les plus utilisés sont composés en caractères bleus)

Préfixe	Symbole	Valeur numérique	Notation exponentielle*
exa	E	1 000 000 000 000 000 000	10^{18}
peta	P	1 000 000 000 000 000	10^{15}
téra	T	1 000 000 000 000	10^{12}
giga	G	1 000 000 000	10^{9}
méga	M	1 000 000	10^{6}
kilo	k	1 000	10^{3}
hecto	h	100	10^{2}
déca	da	10	10^{1}
—	—	1	10^{0}
déci	d	0,1	10^{-1}
centi	c	0,01	10^{-2}
milli	m	0,001	10^{-3}
micro	μ	0,000 001	10^{-6}
nano	n	0,000 000 001	10^{-9}
pico	p	0,000 000 000 001	10^{-12}
femto	f	0,000 000 000 000 001	10^{-15}
atto	a	0,000 000 000 000 000 001	10^{-18}

* Voir l'annexe 1.1 pour une révision de la notation scientifique.

TABLEAU 1.3 Exemples d'unités couramment utilisées

Longueur	Une pièce de 10 cents a une épaisseur de 1 mm. Une pièce de 25 cents a un diamètre de 2,5 cm. La taille moyenne d'un homme adulte est de 1,8 m.
Masse	Une pièce de 5 cents a une masse d'environ 5 g. Une personne de 120 lb a une masse d'environ 55 kg.
Volume	Une canette de boisson gazeuse de 12 oz a un volume d'environ 360 mL.

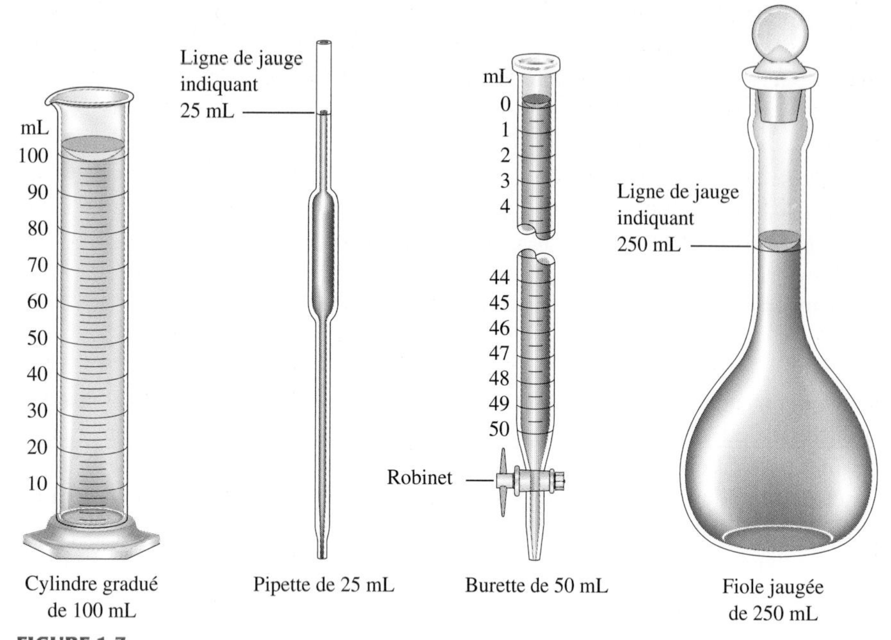

FIGURE 1.7
Instruments courants de laboratoire destinés à mesurer des volumes liquides.

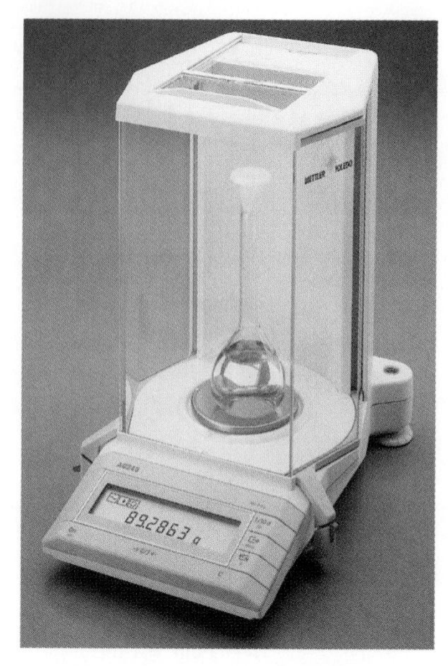

FIGURE 1.8
Une balance analytique électronique.

utilise la force de l'attraction terrestre qui s'exerce sur un objet pour en mesurer la masse. On appelle cette force le **poids** de l'objet. Puisque le poids est la réaction de la masse à l'attraction, il varie en fonction de la force du champ gravitationnel. Ainsi, la masse de votre corps demeure la même, que vous soyez sur la Terre ou sur la Lune, mais votre poids est considérablement moindre sur la Lune, car la force d'attraction y est plus faible.

Quand on pèse un objet à l'aide d'une balance (*voir la figure 1.8*), on compare en fait la masse de cet objet à une masse étalon. C'est ainsi qu'on en est venu à utiliser l'un pour l'autre les mots *poids* et *masse*.

FIGURE 1.9
Mesure d'un volume à l'aide d'une burette. La lecture du volume se fait à la base de la courbe du liquide (appelée *ménisque*).

1.4 Incertitude dans les mesures

Pour obtenir le nombre associé à une unité de mesure, on utilise un appareil de mesure. Considérons par exemple la mesure du volume d'un liquide contenu dans une burette (*voir la figure 1.9*; l'échelle est agrandie). Remarquez que le ménisque du liquide se situe à environ 20,15 mL. Cela signifie qu'environ 20,15 mL de liquide sont sortis de la burette (en supposant que le ménisque du liquide au départ était à 0,00 mL). Notez qu'il faut estimer le dernier chiffre de la mesure du volume en interpolant entre les marques de 0,1 mL. Puisqu'il est estimé, sa valeur peut varier selon la personne qui effectue la mesure. Par exemple, cinq personnes qui lisent le volume peuvent noter les résultats ci-dessous.

Personne	Mesure (mL)
1	20,15 mL
2	20,14 mL
3	20,16 mL
4	20,17 mL
5	20,16 mL

Ces données révèlent que les 3 premiers chiffres de ces résultats (20,1) sont toujours les mêmes, quelle que soit la personne qui effectue la lecture : ce sont des chiffres *certains*. Cependant, la deuxième décimale doit être estimée ; c'est pourquoi elle varie selon les personnes : ce chiffre est *incertain*. Quand on effectue une lecture, on doit noter tous les chiffres certains, ainsi que le *premier* chiffre incertain. Dans l'exemple ci-dessus, il serait insensé de noter le volume en millièmes de mL puisqu'on doit déjà estimer le centième de mL quand on utilise cette burette.

Il est important de ne pas oublier qu'une *mesure est toujours caractérisée par un certain degré* d'**incertitude**, incertitude qui dépend de la précision de l'appareil de mesure. Ainsi, lorsqu'on évalue la masse d'un pamplemousse à l'aide d'un pèse-personne, on obtient environ 0,5 kg. Par contre, si on utilisait une balance de précision, on pourrait obtenir, par exemple, 0,486 kg. Dans le premier cas, l'incertitude concerne le dixième de kg, alors que, dans le second, elle s'applique au millième de kg. Supposons qu'on pèse deux pamplemousses semblables sur deux appareils et qu'on obtienne les résultats ci-dessous.

Toute mesure est affectée d'un certain degré d'incertitude.

	Pèse-personne (kg)	Balance (kg)
pamplemousse 1	0,5	0,486
pamplemousse 2	0,5	0,518

Les masses de ces deux pamplemousses sont-elles égales ? Cela dépend des valeurs qu'on retient. C'est pourquoi la conclusion qu'on tire d'une série de mesures dépend du degré de certitude de ces mesures. Il faut donc toujours indiquer l'incertitude se rapportant à chaque mesure. Pour ce faire, on note tous les chiffres certains et le premier chiffre incertain (le chiffre estimé). On appelle ces chiffres les **chiffres significatifs** de la mesure.

L'incertitude dans les mesures est traitée plus en détail à l'annexe 1.5.

Le degré d'incertitude de l'instrument est normalement indiqué par le fournisseur même. Sinon, lorsque l'instrument offre une lecture de type gradué, il faut considérer comme degré d'incertitude la moitié de la plus petite mesure. Par exemple, dans le cas d'un thermomètre ordinaire, gradué aux deux degrés, la mesure d'incertitude serait de ±1 degré. Cependant, dans le cas d'un thermomètre à affichage numérique, le degré d'incertitude correspondrait à la plus petite unité de mesure. Ainsi, un chronomètre électronique précis aux centièmes de seconde aurait un degré d'incertitude de ±0,01 seconde.

Exemple 1.1 Incertitude dans les mesures

Pour analyser un échantillon d'eau polluée, un chimiste prélève 25,00 mL d'eau à l'aide d'une pipette (*voir la figure 1.7*). À un autre moment de l'analyse, il utilise un cylindre gradué (*voir la figure 1.7*) pour mesurer 25 mL d'une solution. Quelle est la différence entre 25,00 mL et 25 mL ?

Solution

Même si, en apparence, les deux mesures de volume semblent identiques, elles fournissent en réalité des informations tout à fait différentes. La quantité 25 mL signifie que le volume est situé entre 24 mL et 26 mL ; la quantité 25,00 mL signifie que le volume est situé entre 24,99 et 25,01 mL. Ainsi, une mesure de volume effectuée avec une pipette est beaucoup plus précise que celle effectuée avec une éprouvette graduée.

Voir la question 1.6

Quand vous notez un résultat, il est important de toujours utiliser le bon nombre de chiffres significatifs. Par exemple, si la burette a une précision de ±0,01 mL, la lecture de 25 mL devrait s'écrire 25,00 mL et non pas 25 mL. Ainsi, quand viendra le temps d'effectuer des calculs à partir de vos résultats, l'incertitude dans les mesures vous sera connue.

a)

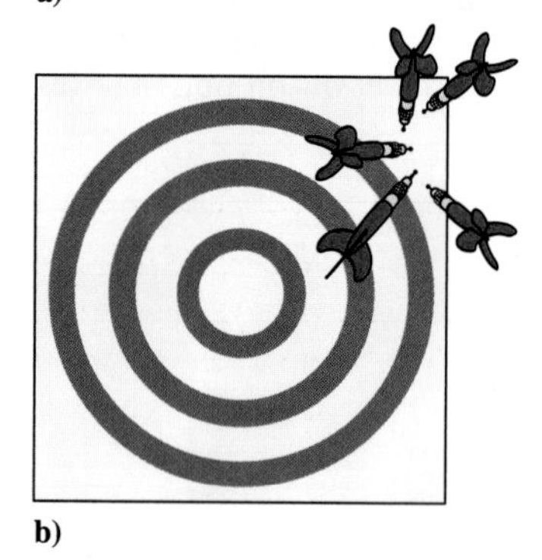

b)

c)

FIGURE 1.10
Cibles permettant d'illustrer la différence entre *précis* et *exact*.
a) Ni exact ni précis (importantes erreurs fortuites).
b) Précis mais non exact (faibles erreurs fortuites, mais une importante erreur systématique).
c) Dans le mille! À la fois précis et exact (faibles erreurs fortuites et aucune erreur systématique).

Précision et exactitude

Deux termes servent souvent à décrire la fiabilité d'une mesure: la *précision* et l'*exactitude*. Bien que ces mots soient fréquemment interchangés dans la vie quotidienne, ils possèdent chacun leur sens propre dans un contexte scientifique. L'**exactitude** indique le degré de correspondance entre une mesure et sa vraie valeur. La **précision** désigne le degré de correspondance entre plusieurs mesures d'une même quantité. La précision reflète la *reproductibilité* d'un type donné de mesure. Les trois cibles de la figure 1.10 illustrent la différence entre ces termes.

Deux types d'erreurs différents sont illustrés à la figure 1.10. L'**erreur fortuite** est une erreur dont on ne peut pas prévoir le sens: ce peut être tantôt une erreur en plus, tantôt une erreur en moins. C'est ce type d'erreur qui survient quand on estime la valeur du dernier chiffre d'une mesure. L'**erreur systématique** est une erreur qui a toujours lieu dans le même sens (toujours en plus ou toujours en moins). Ainsi, à la figure 1.10a, les erreurs fortuites sont importantes (mauvaise technique); à la figure 1.10b, les erreurs fortuites sont faibles, mais l'erreur systématique est importante; à la figure 1.10c, les erreurs fortuites sont faibles et l'erreur systématique est nulle.

Dans un travail quantitatif, la précision est souvent utilisée pour indiquer l'exactitude; on considère souvent que la *moyenne* d'une série de mesures reproductibles (qui devraient faire s'«annuler» les erreurs fortuites à cause de leur égale probabilité d'être «en plus» ou «en moins») est exacte, ou voisine de la «valeur réelle». Cependant, cette supposition n'est valable qu'en l'absence d'erreurs systématiques. Supposons qu'on pèse une pièce de métal à cinq reprises sur une balance très précise et qu'on obtienne les mesures ci-dessous.

Pesée	Mesure (g)
1	2,486
2	2,487
3	2,485
4	2,484
5	2,488

On est tenté de penser que la masse réelle de la pièce de métal est voisine de 2,486 g, soit la moyenne des cinq mesures.

$$\frac{2{,}486\text{ g} + 2{,}487\text{ g} + 2{,}485\text{ g} + 2{,}484\text{ g} + 2{,}488\text{ g}}{5} = 2{,}486\text{ g}$$

Cependant, si la balance est défectueuse et que la mesure est toujours majorée de 1,000 g (erreur systématique de +1,000 g), la valeur moyenne de 2,486 g est très erronée. Ce qu'il faut retenir, c'est qu'une grande précision concernant plusieurs mesures est synonyme d'exactitude *si* et *seulement si* on est sûr de l'absence d'erreurs systématiques.

Exemple 1.2

Précision et exactitude

Pour vérifier l'exactitude d'une éprouvette graduée, un étudiant la remplit jusqu'au trait indiquant 25 mL, en verse le contenu dans une burette (*voir la figure 1.7*) et note le volume indiqué par cette dernière. Voici les résultats de cinq essais:

Essai	Volume lu sur l'éprouvette graduée (mL)	Volume lu sur la burette (mL)
1	25	26,54
2	25	26,51
3	25	26,60
4	25	26,49
5	25	26,57
moyenne	25	26,54

Est-ce que l'éprouvette graduée est exacte ?

Solution

Précision est synonyme d'exactitude uniquement en l'absence d'erreurs systématiques.

Les résultats révèlent une très grande précision (pour une éprouvette graduée). L'étudiant manipule bien. Cependant, la valeur moyenne obtenue à l'aide de la burette est, de façon significative, différente de 25 mL. L'éprouvette graduée n'est donc pas très exacte : elle entraîne une erreur systématique (une mesure constamment trop faible).

Voir la question 1.9

1.5 Chiffres significatifs et calculs

Pour obtenir le résultat final d'une expérience, il faut en général effectuer des additions, des soustractions, des multiplications ou des divisions de différentes valeurs de mesure. Il est par conséquent très important de connaître avec justesse l'incertitude qui affecte le résultat final. Pour ce faire, on utilise des règles qui permettent de déterminer le nombre de chiffres significatifs de chaque résultat partiel et le nombre adéquat de chiffres significatifs du résultat final.

Règles permettant de déterminer le nombre de chiffres significatifs

1. ***Nombres entiers différents de zéro.*** Tout nombre entier différent de zéro est toujours considéré comme un chiffre significatif.

2. ***Zéros.*** Il y a trois catégories de zéros : les zéros du début, les zéros captifs et les zéros de la fin.

Les zéros qui précèdent un nombre ne sont jamais des chiffres significatifs.

   a) *Les zéros du début.* Ce sont les zéros qui *précèdent* tous les chiffres différents de zéro. Ce ne sont pas des chiffres significatifs. Ainsi, dans le nombre 0,0025, les trois zéros ne servent qu'à indiquer la position de la virgule décimale. Ce nombre ne possède donc que deux chiffres significatifs.

Les zéros compris entre deux chiffres différents de zéro sont toujours des chiffres significatifs.

   b) *Les zéros captifs.* Ce sont les zéros placés *entre* deux chiffres différents de zéro. Ce sont toujours des chiffres significatifs. Dans le nombre 1,008, par exemple, il y a quatre chiffres significatifs.

Les zéros placés à la fin d'un nombre sont parfois des chiffres significatifs.

   c) *Les zéros de la fin.* Ce sont les zéros placés à la droite du nombre. Si le nombre comporte une virgule décimale, les zéros de la fin sont significatifs. Ainsi, la valeur 0,8500 g comporte 4 chiffres significatifs. Mais si le nombre ne comprend pas de virgule décimale, les zéros peuvent ou non être significatifs, selon le contexte. Ainsi, la valeur 100 mL ne possède qu'un seul chiffre significatif, alors que cette valeur exprimée comme $1{,}00 \times 10^2$ en possède trois. Le nombre cent écrit 100 possède également trois chiffres significatifs.

Pour déterminer le nombre de chiffres significatifs d'un résultat, on ne tient jamais compte des nombres exacts.

3. ***Nombres exacts.*** Les calculs font souvent appel à des nombres qu'on n'obtient pas en utilisant des appareils de mesure, mais qu'on obtient plutôt par comptage : 10 expériences, 3 pommes, 8 molécules. Ce sont des nombres dits *exacts*. On peut considérer qu'ils ont un nombre infini de chiffres significatifs. Le chiffre 2 dans $2\pi r^2$ (aire d'un cercle) et le 4 et le 3 dans $\frac{4}{3}\pi r^3$ (volume d'une sphère) sont également des nombres exacts. Il existe également des nombres exacts par définition. Par exemple, on définit un pouce par le fait qu'il mesure *exactement* 2,54 cm. Par conséquent, dans l'énoncé 1 po = 2,54 cm, ni le 2,54 ni le 1 n'influenceront le nombre de chiffres significatifs utilisés dans les calculs.

L'annexe 1.1 présente une révision de la notation scientifique.

Quand on exprime 100 sous la forme $1{,}00 \times 10^2$, comme on l'a fait ci-dessus, on utilise la **notation exponentielle** (ou **notation scientifique**). Ce type de notation offre au moins deux avantages : on détermine rapidement le nombre de chiffres significatifs ;

on utilise beaucoup moins de zéros pour écrire un nombre très grand ou très petit (par exemple, il est beaucoup plus pratique d'écrire $6{,}0 \times 10^{-5}$ que 0,000060 – ce nombre a deux chiffres significatifs).

Exemple 1.3 Chiffres significatifs

Indiquez le nombre de chiffres significatifs pour chacun des résultats suivants.

a) Un étudiant extrait 0,0105 g de caféine de feuilles de thé.
b) Au cours d'une analyse, un chimiste mesure une masse de 0,050 080 g.
c) Au cours d'une expérience, on évalue un laps de temps à $8{,}050 \times 10^{-3}$ s.

Solution

a) Le nombre comporte 3 chiffres significatifs. Les zéros situés à la gauche du chiffre 1 ne sont pas des chiffres significatifs, mais l'autre zéro (le zéro captif), lui, en est un.
b) Le nombre comporte 5 chiffres significatifs. Les zéros situés à la gauche du 5 ne sont pas des chiffres significatifs. Les zéros captifs (entre le 5 et le 8) en sont, ainsi que le zéro situé à la droite du 8, étant donné que le nombre comporte une virgule décimale.
c) Le nombre comporte 4 chiffres significatifs. Les deux zéros sont significatifs.

Voir les exercices 1.16 à 1.18

Jusqu'à présent, on a appris à établir le nombre de chiffres significatifs dans un nombre donné. Il nous faut maintenant envisager comment les incertitudes s'accumulent à mesure que les calculs sont effectués. Une analyse détaillée de l'accumulation des incertitudes dépend du type de calcul en cause et peut être très complexe. Cependant, dans ce livre, nous emploierons les règles simples suivantes, qui permettent de déterminer le bon nombre de chiffres significatifs dans le résultat d'un calcul.

Règles permettant de déterminer le nombre de chiffres significatifs dans les opérations*

1. ***Dans le cas d'une multiplication ou d'une division***, **le résultat a autant de chiffres significatifs que la mesure la moins précise utilisée dans le calcul. Par exemple, dans le calcul suivant:**

$$4{,}56 \times 1{,}4 = 6{,}38 \xrightarrow{\text{Corrigé}} 6{,}4$$

↑ Le terme limitant n'a que deux chiffres significatifs. ↑ Deux chiffres significatifs

Le produit corrigé n'a que deux chiffres significatifs, étant donné que 1,4 n'en a que deux.

2. ***Dans le cas d'une addition ou d'une soustraction***, **le résultat a autant de décimales que la mesure la moins précise utilisée dans le calcul. Par exemple, dans l'addition suivante:**

$$\begin{array}{r} 12{,}11 \\ 18{,}0 \\ \underline{1{,}013} \\ 31{,}123 \end{array}$$

18,0 ← Le terme limitant n'a qu'une décimale.

$$31{,}123 \xrightarrow{\text{Corrigé}} 31{,}1$$

↑ Une décimale

Le résultat corrigé est 31,1, étant donné que 18,0 n'a qu'une décimale.

* Même si ces règles fonctionnent bien dans la majorité des situations, elles peuvent conduire à des résultats faussés dans certains cas. Pour des renseignements additionnels, voir L. M. Schwartz, « Propagation of significant figures », *Journal of Chemical Education*, n° 62 (1985), p. 693 ; et H. Bradford Thompson, « Is 8 °C equal to 50 °F ? », *Journal of Chemical Education,* n° 68 (1991), p. 400.

Précisons que, dans le cas d'une multiplication ou d'une division, on compte les chiffres significatifs; dans le cas d'une addition ou d'une soustraction, on compte les décimales.

Dans la plupart des calculs, il faut arrondir les nombres pour obtenir le nombre adéquat de chiffres significatifs. Voici les règles à suivre pour arrondir un nombre.

Règles permettant d'arrondir un nombre

1. **Dans une série de calculs, on doit conserver les chiffres supplémentaires jusqu'au résultat final; *après quoi*, il faut arrondir.**
2. **Si le chiffre à éliminer est:**
   a) **inférieur à 5, le chiffre précédent demeure le même (par exemple, 1,33 est arrondi à 1,3);**
   b) **supérieur à 5, le chiffre précédent est majoré de 1 (par exemple, 1,36 est arrondi à 1,4).**

Les calculatrices électroniques appliquent la règle n° 2.

Bien qu'arrondir soit une opération assez simple, un point nécessite cependant une attention spéciale. En guise d'illustration, supposons qu'il faut arrondir le nombre 4,348 à deux chiffres significatifs. Pour ce faire, nous *ne* considérons *que le premier chiffre* à la droite de 3.

4,348
↑
Considérer ce chiffre pour arrondir à deux chiffres significatifs.

N'arrondissez pas à chaque étape. Le nombre 6,8347 arrondi à trois chiffres significatifs est 6,83, et non 6,84.

Le nombre est arrondi à 4,3 parce que 4 est inférieur à 5. Il n'est pas correct d'arrondir par étapes. Par exemple, n'arrondissez pas le 4 à 5 pour donner 4,35, pour ensuite arrondir le 3 à 4 et obtenir 4,4.

En arrondissant, *n'utilisez que le premier chiffre à la droite du dernier chiffre significatif.*

Il est important de noter que la règle n° 1 ci-dessus ne sera pas appliquée dans les exemples, parce qu'on veut montrer quel est le nombre adéquat de chiffres significatifs à *chaque étape* de la résolution des problèmes. On applique la même méthode dans les solutions détaillées du *Solutionnaire*. Cependant, comme il est mentionné dans la règle n° 1, la meilleure façon de procéder est de conserver des chiffres significatifs additionnels pendant toute une série de calculs et d'arrondir au nombre adéquat de chiffres significatifs seulement à la fin. C'est cette méthode que vous devez adopter. Vous devez tenir compte du fait que votre procédure pour arrondir est différente de celle qui est utilisée dans ce livre, quand vous comparez votre réponse avec celle qui apparaît à la fin du livre ou dans le *Solutionnaire*. Le dernier chiffre de votre réponse (obtenue en arrondissant seulement à la fin de vos calculs) peut différer de celui de la réponse du livre donnée comme étant la « bonne réponse », parce que nous avons arrondi après chaque étape. Pour vous aider à comprendre la différence entre ces procédures pour arrondir, nous les aborderons plus en détail dans l'exemple 1.4.

Exemple 1.4 Chiffres significatifs et calculs

Effectuez les opérations mathématiques suivantes et exprimez les résultats avec le nombre de chiffres significatifs approprié.

a) $1{,}05 \times 10^{-3} \div 6{,}135$

b) $21 - 13{,}8$

c) On demande à un étudiant de déterminer la valeur de la constante molaire des gaz, R. Il mesure la pression, P, le volume, V, et la température, T, pour une certaine quantité de gaz, et obtient certaines valeurs qu'il utilise dans l'équation suivante:

$$R = \frac{PV}{T}$$

Les valeurs qu'il a obtenues sont les suivantes: $P = 2{,}560$; $T = 275{,}15$; $V = 8{,}8$. (Les gaz seront étudiés en détail au chapitre 4; on ne se préoccupe pas, pour le moment, des unités de chacune de ces mesures.) Calculez R avec le nombre de chiffres significatifs approprié.

Ce nombre doit être arrondi à deux chiffres significatifs.

Solution

a) La réponse est $1{,}71 \times 10^{-4}$. Ce résultat comporte 3 chiffres significatifs, étant donné que le terme le moins précis ($1{,}05 \times 10^{-3}$) en comporte 3.

b) La réponse est 7, sans aucune décimale, étant donné que le nombre qui possède le moins de décimales (21) n'en comporte aucune.

c)

$$R = \frac{PV}{T} = \frac{(2{,}560)(8{,}8)}{275{,}15}$$

Voici la procédure correcte pour obtenir le résultat de ce calcul :

$$\frac{(2{,}560)(8{,}8)}{275{,}15} = \frac{22{,}528}{275{,}15} = 0{,}0818753$$

$$= 0{,}082 = 8{,}2 \times 10^{-2} = R$$

Le résultat final doit être arrondi à deux chiffres significatifs parce que 8,8 (la mesure la moins précise) possède deux chiffres significatifs. Pour illustrer les effets de l'arrondissement aux étapes intermédiaires, nous effectuerons les calculs de la façon suivante :

Arrondi à deux chiffres significatifs
↓

$$\frac{(2{,}560)(8{,}8)}{275{,}15} = \frac{22{,}528}{275{,}15} = \frac{23}{275{,}15}$$

Maintenant, nous effectuons le calcul suivant :

$$\frac{23}{275{,}15} = 0{,}0835908$$

Arrondi à deux chiffres significatifs, le résultat devient :

$$0{,}084 = 8{,}4 \times 10^{-2}$$

Vous voyez que, si l'on arrondit aux étapes intermédiaires, on obtient un résultat significativement différent de celui qu'on obtient en arrondissant uniquement à la fin. Il faut insister à nouveau ici pour que le résultat de *vos* calculs soit arrondi *uniquement à la fin*. Cependant, la réponse finale donnée dans le livre peut différer légèrement de celle que vous obtiendriez (par arrondissement uniquement à la fin) du fait que, dans cet ouvrage nous arrondissons aux étapes intermédiaires (pour illustrer la façon d'exprimer le nombre de chiffres significatifs correctement).

Voir les exercices 1.21 à 1.23

On peut tirer une leçon fort utile de la section c) de l'exemple 1.4. L'étudiant a mesuré la pression et la température avec une plus grande précision qu'il ne l'a fait pour le volume. La valeur de R (avec plus de chiffres significatifs) aurait donc pu être beaucoup plus précise s'il avait mesuré de façon plus précise le volume V. Dans le cas présent, les efforts qu'il a déployés pour mesurer avec une grande précision les valeurs de P et de T s'avèrent inutiles. Il ne faut donc jamais oublier d'effectuer avec une égale précision les mesures nécessaires à l'obtention d'un résultat final.

TABLEAU 1.4 Quelques relations d'équivalence

Longueur	1,000 cm = 0,3937 pouce (po)
	1 pied (pi) = 12 po
	1,000 km = 0,6214 mille (mi)
Masse	1,000 kg = 2,205 livres (lb)
Volume	1,00 L = 0,220 gallon (gal)
	1,00 gal = 1,20 gal US
Pression	1,00 kilopascal (kPa) = 7,50 torr
	1,00 atmosphère (atm) = 760 torr

1.6 Analyse dimensionnelle

Dans les calculs, il faut souvent convertir les résultats exprimés dans un système d'unités en un autre. La meilleure façon d'y parvenir, c'est d'utiliser la méthode dite *méthode du facteur de conversion* ou, plus communément, **analyse dimensionnelle**. Pour illustrer l'utilisation de cette méthode, effectuons plusieurs conversions. (Le tableau 1.4 présente quelques équivalences entre les systèmes impérial et métrique.) Vous trouverez une liste plus complète d'équivalences comportant davantage de chiffres significatifs à l'annexe 6.

Considérons une aiguille de 2,85 po de longueur. Quelle est sa longueur en centimètres ? Pour résoudre ce problème, on doit utiliser l'équivalence suivante :

$$1{,}000 \text{ cm} = 0{,}3937 \text{ po}$$

En divisant les deux membres de cette équation par 0,3937 po, on obtient

$$\frac{1{,}000 \text{ cm}}{0{,}3937 \text{ po}} = 1 = \frac{0{,}3937 \text{ po}}{0{,}3937 \text{ po}}$$

On remarque que l'expression 1,000 cm/0,3937 po est égale à 1. On appelle cette expression **facteur de conversion**. Puisque 1,000 cm et 0,3937 po sont équivalents, lorsqu'on multiplie une expression donnée par ce facteur de conversion, on n'en modifie pas la valeur.

L'aiguille en question a 2,85 po de longueur. En multipliant cette longueur par le facteur de conversion, on obtient

$$2{,}85 \cancel{\text{po}} \times \frac{1{,}000 \text{ cm}}{0{,}3937 \cancel{\text{po}}} = \frac{2{,}85}{0{,}3937} \text{ cm} = 7{,}24 \text{ cm}$$

Les unités « pouces » s'annulent, et le résultat est exprimé en centimètres ; c'est exactement ce qu'on voulait obtenir. Par ailleurs, le résultat a trois chiffres significatifs, comme cela se doit. Rappelez-vous que dans le facteur de conversion, 1 et 0,3937 sont des nombres exacts par définition.

Exemple 1.5

Conversion des unités I

Un crayon mesure 7,00 pouces. Quelle est sa longueur en centimètres ?

Solution

Dans ce cas, on doit encore convertir les pouces en centimètres. Il faut donc utiliser le même facteur de conversion présenté ci-dessus.

$$7{,}00 \cancel{\text{po}} \times \frac{1{,}000 \text{ cm}}{0{,}3937 \cancel{\text{po}}} = 17{,}8 \text{ cm}$$

Les unités po s'annulent ; il ne reste donc que les cm.

Voir les exercices 1.25 et 1.26

Il faut en outre savoir que, à partir d'une équivalence, on obtient deux facteurs de conversion. Par exemple, pour l'équivalence 1,000 cm = 0,3937 po, les deux facteurs de conversion sont

$$\frac{1{,}000 \text{ cm}}{0{,}3937 \text{ po}} \text{ et } \frac{0{,}3937 \text{ po}}{1{,}000 \text{ cm}}$$

Pour choisir le facteur de conversion approprié, il faut toujours considérer le sens du changement requis.

Comment peut-on déterminer quel facteur il faut utiliser ? Il suffit de déterminer *dans quel sens il faut effectuer le changement*. Pour convertir les pouces en centimètres, les unités « pouces » doivent s'annuler ; par conséquent, il faut utiliser le facteur 1,000 cm/ 0,3937 po. Pour convertir les centimètres en pouces, ce sont les centimètres qui doivent s'annuler ; on utilise alors dans ce cas le facteur 0,3937 po/1,000 cm.

Conversion d'une unité en une autre

- **Pour convertir une unité en une autre, on doit utiliser l'équivalence qui associe les deux unités.**
- **On doit ensuite trouver le facteur de conversion approprié en déterminant dans quel sens effectuer le changement (annuler les unités non désirées).**
- **On doit enfin multiplier la quantité à convertir par le facteur de conversion pour que cette quantité ait les unités désirées.**

Exemple 1.6

Conversion des unités II

Vous voulez commander une bicyclette dont le cadre mesure 65,0 cm. Malheureusement, dans le catalogue, tous les renseignements sont fournis en pouces. Quelle grandeur devrez-vous commander ?

Solution

Il faut convertir les centimètres en pouces. On utilise donc le facteur : 0,3937 po/1,000 cm.

$$\frac{65{,}0\ \cancel{cm} \times 0{,}3937\ \text{po}}{1{,}000\ \cancel{cm}} = 25{,}6\ \text{po}$$

Voir les exercices 1.25 et 1.26

Pour bien comprendre la méthode de conversion, étudions l'exemple 1.7 qui propose un problème à résoudre en plusieurs étapes.

Exemple 1.7

Conversion des unités III

Au mois d'août 2007, un touriste canadien désirait se procurer 100 euros avant de partir pour Paris. Dans les pages financières de son journal, il découvre les relations d'équivalence suivantes :

1,00 $ = 0,860 $US
1,00 $US = 1,239 francs suisses (CHF)
1,00 franc suisse = 0,615 euro (EUR)

Combien de dollars canadiens devra-t-il approximativement débourser pour obtenir 100 euros ?

Solution

Établissons d'abord une stratégie. Les facteurs de conversion dont on dispose permettent de transformer les euros en francs suisses, puis les francs suisses en dollars US et, finalement, les dollars US en dollars canadiens, ce qui permet de déterminer l'itinéraire suivant :

$$\text{EUR} \longrightarrow \text{CHF} \longrightarrow \text{\$US} \longrightarrow \text{\$}$$

Procédons par étapes.

Des euros aux francs suisses

Selon les règles, on ne devrait exprimer ce résultat qu'avec trois chiffres significatifs. Toutefois, puisqu'il s'agit d'un résultat intermédiaire, il est préférable de conserver les chiffres supplémentaires jusqu'au résultat final, qu'on arrondira.

$$\frac{100\ \cancel{\text{EUR}} \times 1{,}00\ \text{CHF}}{0{,}615\ \cancel{\text{EUR}}} = 162{,}602\ \text{CHF}$$

Des francs suisses aux dollars US

$$\frac{162{,}602\ \cancel{\text{CHF}} \times 1{,}00\ \text{\$US}}{1{,}239\ \cancel{\text{CHF}}} = 131{,}236\ \text{\$US}$$

Des dollars US aux dollars canadiens

$$\frac{131{,}236\ \cancel{\text{\$US}} \times 1{,}00}{0{,}860\ \cancel{\text{\$US}}} = 152{,}6\ \text{\$}$$

En arrondissant à trois chiffres significatifs, on obtient :

100 EUR = 153 $.

Normalement, on arrondit au nombre approprié de chiffres significatifs après chaque étape. Cependant, vous pouvez arrondir seulement à la fin de vos calculs.

Pour éviter de calculer et de noter les résultats intermédiaires, on peut combiner toutes ces étapes ; ainsi

$$\frac{100\ \cancel{\text{EUR}} \times 1{,}00\ \cancel{\text{CHF}}}{0{,}615\ \cancel{\text{EUR}}} \times \frac{1{,}00\ \cancel{\text{\$US}}}{1{,}239\ \cancel{\text{CHF}}} \times \frac{1{,}00\ \$}{0{,}860\ \cancel{\text{\$US}}} = 153\ \$$$

Voir les exercices 1.25 et 1.26

En analyse dimensionnelle, on prouve que tout a été exécuté correctement en présentant un résultat final contenant les unités adéquates. *En chimie, quand on résout des problèmes, on doit toujours indiquer les unités des quantités utilisées.* Il faut par ailleurs toujours s'assurer que les unités s'annulent afin d'obtenir les unités adéquates au résultat final, ce qui constitue une vérification valable, particulièrement quand les problèmes sont complexes.

Étudions les conversions d'unités présentées dans les exemples suivants.

Exemple 1.8

Conversion des unités IV

La pression interne d'un réservoir de gaz est de 135 atmosphères. Calculez cette pression en pascals (Pa).

Solution

Le tableau 1.4 fournit ces facteurs de conversion.

$$1\ \text{atm} = 760\ \text{torr}$$
$$7{,}50\ \text{torr} = 1{,}00\ \text{kPa}$$

Par ailleurs, c'est au tableau 1.2 qu'on trouve le dernier facteur de conversion.

$$1\ \text{kPa} = 1000\ \text{Pa}$$

Itinéraire

$$\text{atm} \longrightarrow \text{tor} \longrightarrow \text{kPa} \longrightarrow \text{Pa}$$

Calcul

$$\frac{135\ \cancel{\text{atm}} \times 760\ \cancel{\text{torr}}}{1{,}00\ \cancel{\text{atm}}} \times \frac{1{,}00\ \cancel{\text{kPa}}}{7{,}50\ \cancel{\text{torr}}} \times \frac{1000\ \text{Pa}}{1\ \cancel{\text{kPa}}} = 1{,}37 \times 10^{7}\ \text{Pa}$$

Voir les exercices 1.25 et 1.26

Exemple 1.9

Conversion des unités V

Aux États-Unis, dans les publicités, on indique la consommation d'essence d'une automobile en milles au gallon, alors qu'au Canada on le fait en litres aux 100 kilomètres. Calculez en L/100 km une consommation de 35 mi/gal US.

Solution

Pour résoudre ce problème, il faut transformer deux unités : les milles en kilomètres et les gallons US en litres. Le tableau 1.4 fournit les trois facteurs de conversion utiles dans ce cas.

$$\text{mi} \longrightarrow \text{km}$$
$$\text{gal US} \longrightarrow \text{gal} \longrightarrow \text{L}$$

Calcul

$$\frac{35\ \cancel{\text{mi}}}{\cancel{\text{gal US}}} \times \frac{1{,}000\ \text{km}}{0{,}6214\ \cancel{\text{mi}}} \times \frac{1{,}10\ \cancel{\text{gal US}}}{1{,}00\ \cancel{\text{gal}}} \times \frac{0{,}220\ \cancel{\text{gal}}}{1{,}00\ \text{L}} = 14{,}9\ \text{km/L}$$

La réponse est exprimée en unités inverses de celles qu'on désirait obtenir. Il faut donc l'inverser.

$$\frac{1\ \text{L}}{14{,}9\ \text{km}} = \frac{0{,}067\ \text{L}}{\text{km}} \times \frac{100}{100} = 6{,}7\ \text{L/100 km}$$

Voir l'exercice 1.28

1.7 Température

Pour mesurer la température, on utilise trois systèmes : l'échelle Celsius, l'échelle Kelvin et l'échelle Fahrenheit. Les deux premiers systèmes de température sont en usage dans les sciences physiques, tandis que le troisième est utilisé par de nombreux ingénieurs. Il faut donc définir ces trois échelles de température et apprendre à passer de l'une à l'autre. Bien que la plupart des calculatrices effectuent ces conversions, nous allons considérer cette conversion en détail ici pour illustrer la méthode de résolution de problèmes.

La figure 1.11 permet de comparer les trois échelles de température. On remarque que la valeur de l'unité de température (le *degré*) est la même pour les échelles Kelvin et Celsius. La différence fondamentale entre ces deux échelles réside dans la position de leur point zéro. La conversion entre ces deux échelles n'exige donc qu'un déplacement du point zéro.

$T_K = T_C + 273{,}15$

$T_C = T_K - 273{,}15$

$$\text{Température (Kelvin)} = \text{Température (Celsius)} + 273{,}15$$

ou

$$\text{Température (Celsius)} = \text{Température (Kelvin)} - 273{,}15$$

Par exemple, pour convertir 300,00 K en °C, on doit effectuer le calcul suivant :

$$300{,}00 - 273{,}15 = 26{,}85\ °\text{C}$$

On remarque que, pour exprimer la température en unités Celsius, on utilise le symbole °C (*degré Celsius*). Par contre, quand on exprime la température en unités Kelvin, on n'utilise pas le symbole « degré » ; l'unité de température de cette échelle est le *kelvin*, dont le symbole est K. Par ailleurs, dans ce livre, par convention pour une température exprimée en kelvins, on utilise le symbole T ; et pour une température exprimée en degrés Celcius, on utilise le symbole T_C.

La conversion des degrés Fahrenheit en degrés Celsius est plus complexe, étant donné que, outre la position de leur point zéro, la valeur des unités diffère. Par conséquent, il faut procéder à deux modifications : une concernant la valeur du degré et l'autre, la position du point zéro. D'abord, on s'intéresse à la différence de valeur entre les degrés. Pour ce faire, on recourt de nouveau à la figure 1.11. Puisque 212 °F = 100 °C et que 32 °F = 0 °C, on peut écrire

$$212 - 32 = 180 \text{ degrés Fahrenheit} = 100 - 0 = 100 \text{ degrés Celsius.}$$

Par conséquent, 180 degrés sur l'échelle Fahrenheit sont équivalents à 100 degrés sur l'échelle Celsius ; le facteur de conversion est donc

$$\frac{180\ °\text{F}}{100\ °\text{C}} \text{ ou } \frac{9\ °\text{F}}{5\ °\text{C}}$$

ou l'inverse, au besoin.

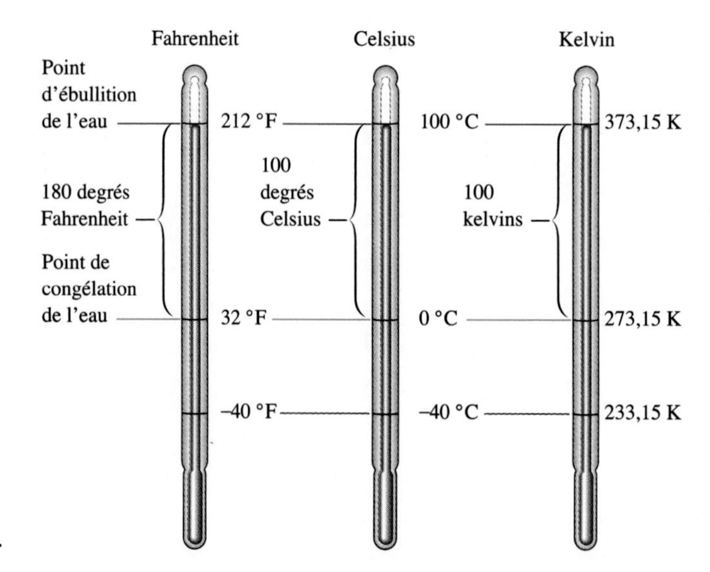

FIGURE 1.11
Les trois principales échelles de température.

Ensuite, on prend en considération la différence de position entre les points zéro. Puisque 32 °F = 0 °C, il faut soustraire 32 de la température exprimée en degrés Fahrenheit pour tenir compte de la position différente des points zéro. Après quoi, on utilise le facteur de conversion pour faire intervenir la différence de valeur entre les degrés. On peut résumer cette procédure grâce à l'équation suivante :

$$(T_F - 32\ °F)\frac{5\ °C}{9\ °F} = T_C \tag{1.1}$$

où T_F et T_C représentent une température donnée en degrés Fahrenheit et en degrés Celsius, respectivement. Dans la conversion inverse, on effectue d'abord la correction relative à la différence de valeur entre les degrés, puis celle applicable à la différence de position entre les points zéro, ce qui donne

$$T_F = T_C \times \frac{9\ °F}{5\ °C} + 32\ °F \tag{1.2}$$

Les équations 1.1 et 1.2 ne sont qu'une seule et même équation exprimée sous deux formes différentes. Voyez si vous pouvez obtenir l'équation 1.2 en partant de l'équation 1.1 et en la reformulant.

Ne pas se contenter de mémoriser des équations. Il vaut mieux comprendre le processus du passage d'une échelle de température à une autre.

Toutefois, il est certainement utile d'évaluer laquelle des deux possibilités suivantes semble la plus profitable pour apprendre à effectuer les conversions de température : mémoriser les équations *ou* apprendre quelles sont les différences entre les échelles de température et comprendre les processus de conversion d'une échelle à l'autre. La dernière façon de procéder peut certes prendre un peu plus de temps, mais la compréhension ainsi maîtrisée permet de se rappeler beaucoup plus longtemps des processus. Or, cela s'applique à bien d'autres concepts de la chimie ; c'est pourquoi il vaut mieux essayer de comprendre les notions dès le début !

Exemple 1.10 Conversion des températures I

La température normale du corps humain est de 98,6 °F. Convertissez cette température en degrés Celsius et en kelvins.

Solution

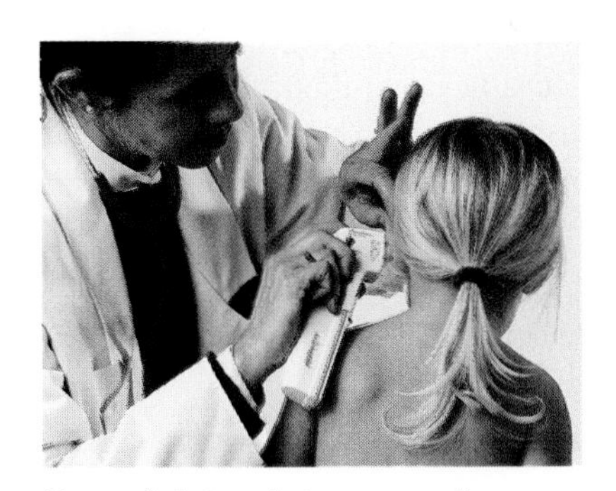

Mesure de la température corporelle.

Plutôt que d'utiliser simplement les formules pour résoudre ce problème, procédons par raisonnement. (*Voir la figure 1.12*) D'abord, on doit convertir 98,6 °F en degrés Celsius. La différence, en degrés Fahrenheit, entre 32,0 °F et 98,6 °F est de 66,6 °F. Il faut donc convertir cette différence en degrés Celsius.

$$66{,}6\ °F \times \frac{5\ °C}{9\ °F} = 37{,}0\ °C$$

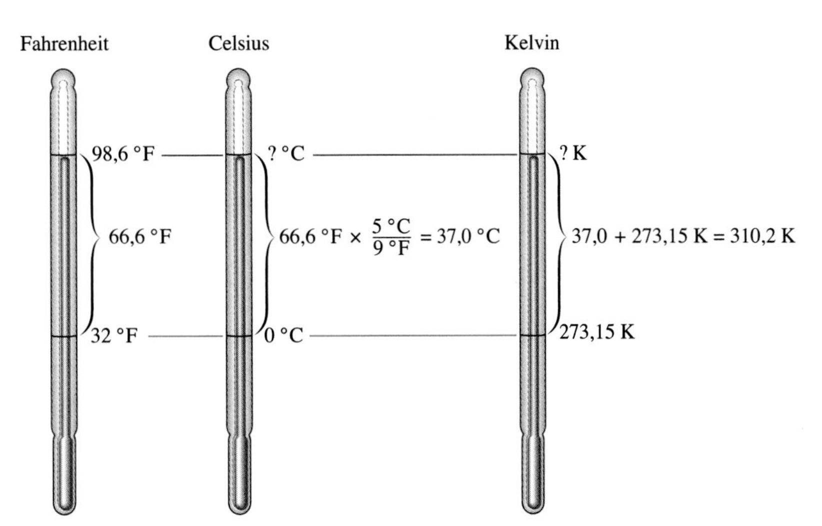

FIGURE 1.12
Température normale du corps humain en degrés Fahrenheit, en degrés Celsius et en kelvins.

IMPACT

La neige artificielle

Le ski est un défi et un plaisir, mais c'est aussi une gigantesque activité économique. Les skieurs et les exploitants de centres de ski veulent tous que la saison soit la plus longue possible. Le principal facteur qui permet d'allonger la saison au maximum et de « sauver » les périodes de l'hiver sans précipitations, c'est la possibilité de « faire de la neige ». Les installations pour produire de la neige artificielle font maintenant partie des équipements essentiels au maintien de conditions idéales, dans les grands centres de ski comme Aspen, Breckenridge et Taos.

Il est assez facile de fabriquer de la neige si l'air est suffisamment froid. Il faut refroidir de l'eau à une température juste au-dessus de 0 °C, et la pomper à haute pression à travers un « canon à neige » produisant un fin brouillard de gouttelettes d'eau qui gèlent avant de tomber au sol. Comme on s'en doute, les conditions atmosphériques jouent un rôle primordial dans la fabrication de la neige. Lorsque la température de l'air est de −8 °C (18 °F) ou moins, il est possible d'utiliser de l'eau non traitée dans les canons à neige. Toutefois, le type idéal de neige pour le ski est la « poudreuse » – une neige pelucheuse légère formée de petits cristaux individuels. La fabrication de ce type de neige exige un nombre suffisant de sites de nucléation, c'est-à-dire des sites où la croissance cristalline est amorcée. On peut obtenir cette condition en « dopant » l'eau avec des ions comme le calcium ou le magnésium, ou avec de fines particules d'argile. En outre, quand la température de l'air se situe entre 0 °C et −8 °C, des produits comme l'iodure d'argent, des détergents et des substances organiques peuvent être ajoutés à l'eau pour ensemencer la neige.

Au cours des années 1970, des recherches à l'Université du Wisconsin ont conduit à la découverte de l'additif le plus utilisé dans la production de neige artificielle. Les scientifiques de l'Université du Wisconsin ont découvert qu'une bactérie présente dans la nature (*Pseudomonas syringæ*) produit une protéine qui agit comme un site de nucléation très efficace dans la formation de la glace. En fait, cette découverte a contribué à expliquer pourquoi la glace se forme à 0 °C sur les fleurs des arbres fruitiers ; on s'attendrait plutôt à une surfusion sous le 0 °C, ce que l'eau pure fait quand la température est abaissée lentement sous son point de congélation. Pour protéger les fleurs des arbres frui-

Par conséquent, 98,6 °F correspond à 37,0 °C.

À présent, convertissons ce résultat en kelvins.

$$T_K = T_C + 273{,}15 = 37{,}0 + 273{,}15 = 310{,}2 \text{ K}$$

La réponse finale ne comporte qu'une décimale (37,0 étant la valeur limitante).

Voir les exercices 1.31 et 1.32

Exemple 1.11

Conversion des températures II

Une caractéristique intéressante des échelles Fahrenheit et Celsius, c'est que –40 °C équivalent à –40 °F (*voir la figure 1.11*). Vérifiez si tel est bien le cas.

Solution

La différence entre 32 °F et –40 °F est de 72 °F. La différence entre 0 °C et –40 °C est de 40 °C. Le rapport entre ces deux valeurs est

$$\frac{72 \text{ °F}}{40 \text{ °C}} = \frac{8 \times 9 \text{ °F}}{8 \times 5 \text{ °C}} = \frac{9 \text{ °F}}{5 \text{ °C}}$$

Par conséquent, –40 °C équivalent à –40 °F.

Voir le problème défi 1.61

Comme nous l'avons démontré à l'exemple 1.11, –40° sur l'échelle Fahrenheit est une température équivalente à –40° sur l'échelle Celsius. Nous pouvons donc utiliser cette valeur comme point de référence (au même titre que 0 °C et 32 °F) pour établir la relation qui existe entre les deux échelles. Ainsi

$$\frac{\text{Nombre de degrés Fahrenheit}}{\text{Nombre de degrés Celsius}} = \frac{T_F - (-40)}{T_C - (-40)} = \frac{9 \text{ °F}}{5 \text{ °C}}$$

tiers des dommages causés par le gel, cette bactérie a été génétiquement modifiée afin d'éliminer la protéine de nucléation de la glace. C'est pourquoi les fleurs des fruits peuvent demeurer intactes même si la température descend brièvement sous le 0 °C. Dans le cas de la neige artificielle, cette protéine constitue le principe actif du Snowmax (produit et vendu par York Snow of Victor, New York), l'adjuvant le plus répandu pour la génération de neige artificielle.

Manifestement, il est impossible de fabriquer de la neige en été ; par conséquent, qu'est-ce qu'un passionné de ski peut faire pendant ces mois chauds ? La réponse, c'est du ski sur « pente sèche ». Bien qu'il existe une variété de méthodes de fabrication des produits pour les pentes sèches, ce sont des polymères qui sont le plus couramment utilisés pour cette application. L'une des compagnies qui fabriquent un polymère multicouche pour les pentes de ski artificielles est Briton Engineering Developments (Yorkshire, Angleterre), le producteur de Snowflex. Le Snowflex consiste en une fibre de polymère glissante placée sur un tapis amortisseur et lubrifiée en pulvérisant de l'eau à travers des trous percés dans sa surface. Bien que le ski sur pente sèche ressemble bien peu au ski sur neige, il compense un peu l'absence de véritable ski… en été.

La chimie rend la vie plus agréable, comme le démontrent amplement la neige artificielle et la neige synthétique.

Un centre de ski acrobatique au Sheffield Ski Village, en Angleterre, utilise la « neige artificielle » Snowflex pour du plaisir à longueur d'année.

Soit

$$\frac{T_F + 40}{T_C + 40} = \frac{9\ °F}{5\ °C} \qquad (1.3)$$

où T_F et T_C représentent la même température (mais non les mêmes valeurs). On peut utiliser cette équation pour convertir les degrés Fahrenheit en degrés Celsius, et vice versa. Cette équation est en fait plus facile à mémoriser que les équations 1.1 et 1.2.

Exemple 1.12 Conversion des températures III

Le point d'ébullition de l'azote liquide, qu'on utilise souvent comme réfrigérant au cours d'expériences à basses températures, est de 77 K. Exprimez cette température en degrés Fahrenheit.

L'azote liquide est si froid que l'humidité de l'air ambiant se condense quand on verse l'azote, d'où la formation d'un fin brouillard.

Solution

On convertit d'abord 77 K en degrés Celsius.

$$T_C = T_K - 273{,}15 = 77 - 273{,}15 = -196\ °C$$

Pour passer à l'échelle Fahrenheit, on utilise l'équation 1.3.

$$\frac{T_F + 40}{T_C + 40} = \frac{9\ °F}{5\ °C}$$

$$\frac{T_F + 40}{-196\ °C + 40} = \frac{T_F + 40}{-156\ °C} = \frac{9\ °F}{5\ °C}$$

$$T_F + 40 = \frac{9\ °F}{5\ °C}(-156\ °C) = -281\ °F$$

$$T_F = -281\ °F - 40 = -321\ °F$$

Voir les exercices 1.31 et 1.32

1.8 Masse volumique

La **masse volumique** d'une substance est une des propriétés de la matière que les chimistes utilisent souvent comme « marque d'identification ». La masse volumique est la masse par unité de volume, soit

$$\text{Masse volumique} = \frac{\text{masse}}{\text{volume}}$$

On peut facilement déterminer la masse volumique d'un liquide en pesant avec exactitude un volume connu de ce liquide. L'exemple 1.13 illustre cette façon de procéder.

Exemple 1.13 Calcul de la masse volumique

Une chimiste cherche à déterminer la nature du principal composant d'un produit de nettoyage de disques. Elle constate que la masse d'un volume de 25,00 cm^3 du produit est de 19,625 g, à 20 °C. Voici les noms et les masses volumiques de composés qui pourraient constituer le principal composant du produit de nettoyage.

Composé	Masse volumique (g/cm^3) à 20 °C
chloroforme	1,492
éther diéthylique	0,714
éthanol	0,789
isopropanol	0,785
toluène	0,867

Lequel de ces composés est vraisemblablement le principal composant du produit de nettoyage pour disques ?

Solution

Il existe deux façons d'indiquer les unités pour ce genre de résultat. Par exemple, on peut écrire g/cm^3 ou $g \cdot cm^{-3}$. Nous utilisons ici la première méthode, mais l'autre est largement répandue.

Pour connaître la substance inconnue, on doit en déterminer la masse volumique. Pour ce faire, on utilise la définition de la masse volumique.

$$\text{Masse volumique} = \frac{19{,}625\ \text{g}}{25{,}00\ \text{cm}^3} = 0{,}7850\ \text{g/cm}^3$$

Cette masse volumique correspond exactement à celle de l'isopropanol ; c'est donc probablement cet alcool qui est le principal composant du produit de nettoyage pour disques. Cependant, cette valeur est très voisine de celle de la masse volumique de l'éthanol. Pour s'assurer que le composé est bel et bien l'isopropanol, il faudrait effectuer plusieurs mesures de la masse volumique du produit. (Dans les laboratoires modernes, on a recours à de nombreux autres tests pour différencier ces deux liquides.)

Voir les exercices 1.35 et 1.36

La masse volumique est utile à de nombreuses autres fins, en plus de l'identification d'une substance. On sait ainsi que la masse volumique du liquide contenu dans la batterie d'une automobile – une solution d'acide sulfurique – diminue au fur et à mesure que la batterie se décharge et consomme cet acide sulfurique. Dans une batterie complètement chargée, la masse volumique de la solution est d'environ 1,30 g/cm^3. Si cette masse volumique diminue et atteint une valeur inférieure à 1,20 g/cm^3, il faut recharger la batterie. La mesure de la masse volumique permet également de déterminer la quantité d'antigel en présence dans le système de refroidissement d'une voiture et, par conséquent, le degré de protection contre le froid dont bénéficie cette voiture.

Le tableau 1.5 présente la masse volumique de diverses substances courantes.

TABLEAU 1.5 Masse volumique de certaines substances à 20 °C*

Substance	État physique	Masse volumique (g/cm^3)
oxygène	gaz	0,00133
hydrogène	gaz	0,000084
éthanol	liquide	0,789
benzène	liquide	0,880
eau	liquide	0,9982
magnésium	solide	1,74
sel (chlorure de sodium)	solide	2,16
aluminium	solide	2,70
fer	solide	7,87
cuivre	solide	8,96
argent	solide	10,5
plomb	solide	11,34
mercure	liquide	13,6
or	solide	19,32

* À 1 atmosphère de pression.

1.9 Classification de la matière

Avant de comprendre les modifications qui ont lieu dans l'environnement, comme la croissance des plantes, la formation de la rouille, le vieillissement des êtres, les pluies acides, etc., il faut savoir comment la matière est organisée. La **matière**, mieux définie comme étant tout ce qui occupe un espace et possède une masse – le matériau de l'Univers –, est extrêmement complexe et possède plusieurs niveaux d'organisation. Dans cette section, nous présentons les concepts de base relatifs à la nature de la matière et à son comportement.

Commençons par étudier les propriétés fondamentales de la matière. La matière existe en trois **états**: solide, liquide et gazeux. Un *solide* est rigide; il a un volume et une forme fixes. Un *liquide* a un volume fixe mais aucune forme précise; il prend la forme de son contenant. Un *gaz* n'a ni volume ni forme fixes; il prend le volume et la forme de son contenant. Contrairement aux liquides et aux solides, qui sont peu compressibles, les gaz sont très compressibles (il est relativement facile de comprimer le volume d'un gaz). La figure 1.13 représente à l'échelle moléculaire les trois états de l'eau. Les propriétés différentes de la glace, de l'eau liquide et de la vapeur sont déterminées par les différents arrangements des molécules dans ces substances. Le tableau 1.5 présente l'état de quelques substances courantes à 20 °C et 1 atmosphère de pression.

La plus grande partie de la matière qui nous entoure est constituée de **mélanges** de substances pures: le bois, l'essence, le vin, le sol et l'air sont tous des mélanges. La caractéristique principale d'un mélange est sa *composition variable.* Par exemple, le bois est un mélange composé de nombreuses substances dont les proportions varient selon le type de bois et le lieu de croissance de l'arbre. On distingue les mélanges **homogènes**, dont les parties sont visiblement non distinguables, et **hétérogènes**, dont les parties sont visiblement distinguables.

Un mélange homogène est appelé **solution**. Ainsi, l'air est une solution composée de gaz, le vin une solution liquide complexe, le laiton une solution solide composée de cuivre et de zinc. Par contre, le sable mélangé à l'eau, la poussière à l'air et les glaçons au thé glacé constituent des mélanges hétérogènes. En général, on peut séparer les mélanges hétérogènes en deux ou plusieurs mélanges homogènes, ou substances pures (par exemple, on peut retirer les glaçons d'un thé glacé).

Pour séparer les substances pures d'un mélange, on peut utiliser des méthodes physiques. Une **substance pure** est une substance dont la composition est constante. L'eau en est un exemple parfait. On le verra en détail plus loin. L'eau pure est uniquement

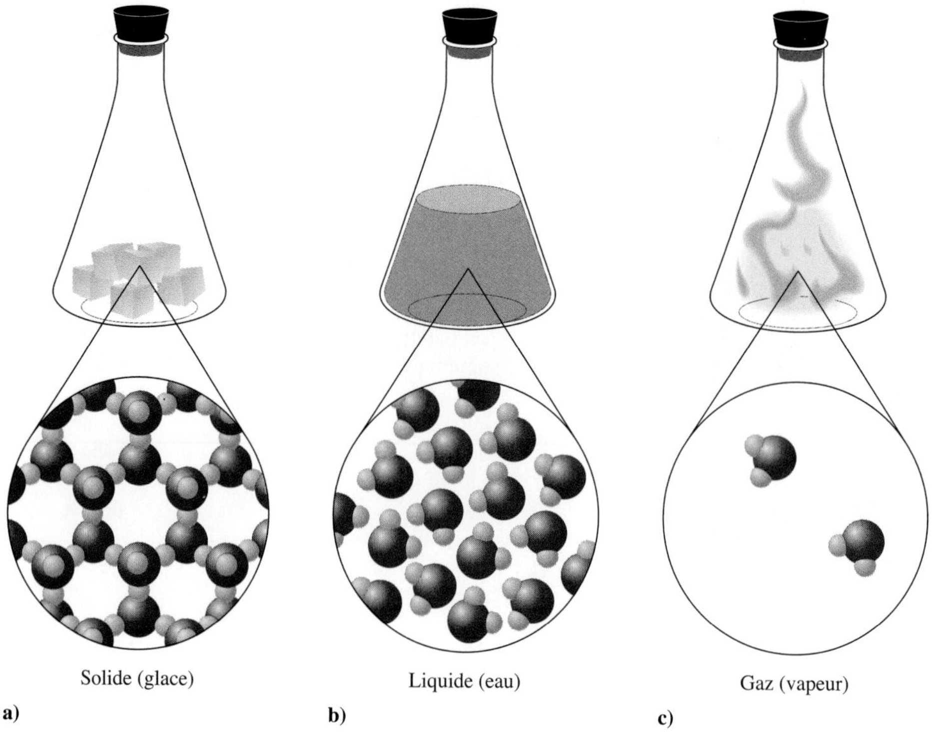

Solide (glace) Liquide (eau) Gaz (vapeur)

a) b) c)

FIGURE 1.13
Les trois états de l'eau (les sphères rouges représentent les atomes d'oxygène et les sphères bleues, les atomes d'hydrogène).
a) Solide : les molécules d'eau sont figées dans des positions rigides et sont rapprochées l'une de l'autre.
b) Liquide : les molécules d'eau sont encore près l'une de l'autre, mais ont une certaine liberté de mouvement.
c) Gaz : les molécules d'eau sont éloignées et se déplacent au hasard.

composée de molécules H_2O, alors que l'eau présente dans la nature (eau souterraine, eau des lacs ou eau des mers) est un mélange. L'eau de mer, par exemple, contient des quantités importantes de minéraux dissous. Lorsqu'on fait bouillir l'eau de mer, on obtient de la vapeur d'eau, laquelle se condense pour produire de l'eau pure ; les minéraux, quant à eux, demeurent dans le récipient sous forme solide. On peut également isoler les minéraux dissous dans l'eau de mer en faisant congeler le mélange, étant donné que seule l'eau pure gèle. L'ébullition et la congélation entraînent des **modifications physiques** : quand l'eau gèle ou bout, elle change d'état mais non de nature ; elle est toujours composée de molécules H_2O. Une modification physique est une modification d'état et non de composition chimique. Une modification physique permet de séparer les composants purs d'un mélange, mais pas de décomposer ces composants en éléments.

Une des plus importantes méthodes de séparation des composants d'un liquide est la **distillation**, procédé qui fait appel aux différences de volatilité (aptitude d'un liquide à être transformé en vapeur) des composants d'un liquide. Dans le cas d'une distillation simple, le mélange liquide est chauffé dans un appareil comme celui qui est illustré à la figure 1.14. Le composant le plus volatil s'évapore à la plus basse température, et les vapeurs ainsi formées empruntent un tube de refroidissement (appelé réfrigérant), où elles retournent à l'état liquide.

Le terme « volatil » désigne l'aisance avec laquelle une substance passe à l'état gazeux.

L'appareil à distillation simple à un plateau illustré à la figure 1.14 est utile uniquement si le mélange contient un seul composant volatil. On peut ainsi séparer l'eau du sable en faisant bouillir l'eau. L'eau qui contient des minéraux se comporte de la même façon : au fur et à mesure que l'eau s'évapore, les minéraux s'accumulent sous forme de solides non volatils. La distillation simple de l'eau de mer, qui utilise le soleil comme source de chaleur, est un excellent moyen de dessaler l'eau de mer (d'en éliminer les minéraux).

Par contre, quand un mélange liquide contient plusieurs composants volatils, une distillation simple (en une étape) ne permet pas d'obtenir une substance pure dans le flacon collecteur, et il faut recourir à des méthodes plus élaborées.

La **filtration** est une méthode de séparation utilisée quand le mélange contient un solide et un liquide. On verse le mélange sur un tamis, par exemple un papier filtre, qui laisse passer le liquide et retient le solide.

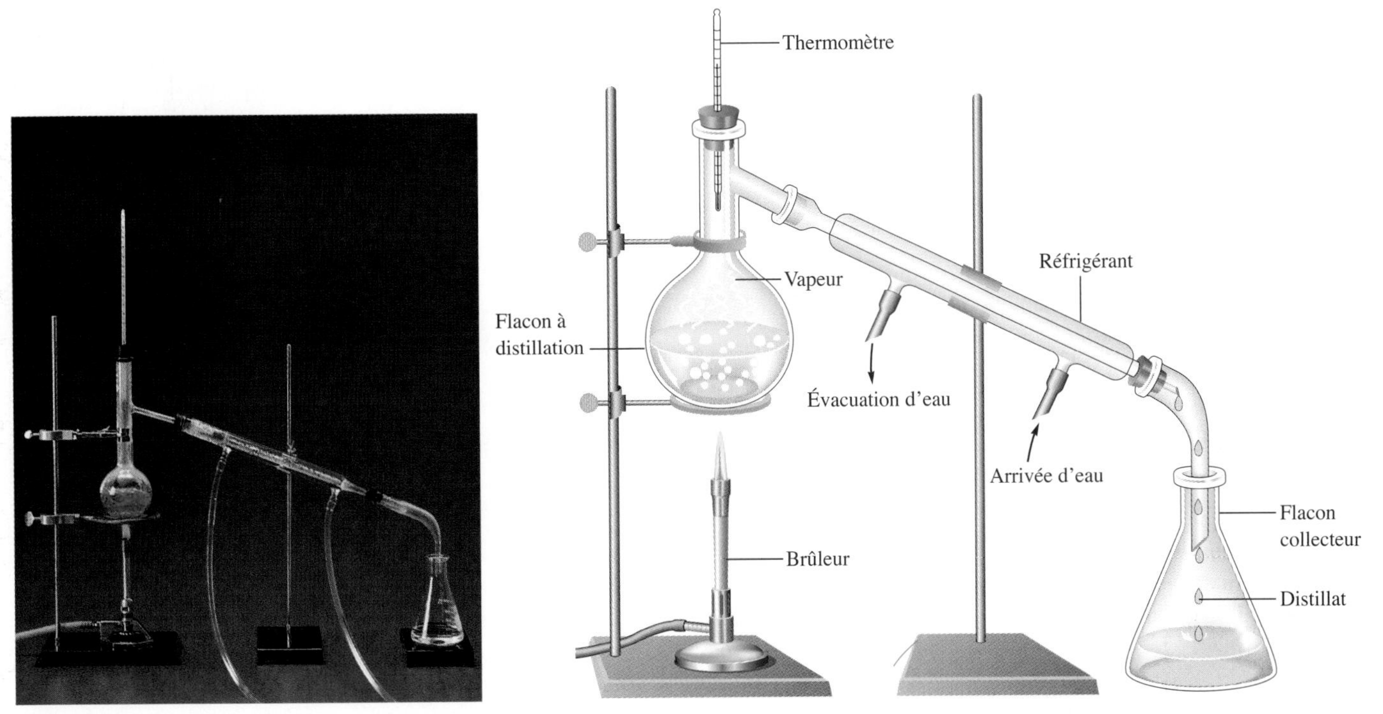

FIGURE 1.14
Appareil à distillation simple. L'eau froide circule dans le manchon du réfrigérant, ce qui oblige la vapeur en provenance du flacon à distillation à se condenser en liquide. La partie non volatile du mélange demeure dans le flacon à distillation.

La **chromatographie**, une autre méthode de séparation, est le nom générique d'une série de méthodes qui font appel à un système comportant deux *phases* (états) de la matière : une phase mobile et une phase stationnaire. La *phase mobile* est soit un liquide, soit un gaz et la *phase stationnaire,* un solide. Il y a séparation des constituants parce que ces derniers ont une affinité différente pour les deux phases : par conséquent, ils se déplacent à des vitesses différentes dans le système. Un composant dont l'affinité pour la phase mobile est grande se déplace relativement rapidement dans le système chromatographique, alors qu'un autre dont l'affinité pour la phase solide est plus marquée se déplace plus lentement. Avec la **chromatographie sur papier**, par exemple, on utilise comme phase stationnaire une bandelette de papier poreux, par exemple du papier filtre. On dépose sur l'une des extrémités de la bande de papier une goutte du mélange à analyser, puis on trempe cette extrémité dans un liquide (la phase mobile), qui remonte le long du papier par capillarité (*figure 1.15*). C'est une méthode couramment utilisée par les biochimistes, qui étudient la chimie des êtres vivants.

Il est important de savoir que, même après séparation des composants d'un mélange, la pureté absolue n'existe pas. L'eau, par exemple, entre inévitablement en contact avec d'autres matériaux au moment où on la synthétise ou lorsqu'on l'isole d'un mélange ; elle n'est donc jamais absolument pure. Toutefois, si on les manipule bien, on peut obtenir des substances presque pures.

Les substances pures sont soit des composés, soit des éléments. Un **composé** est une substance de *composition constante*, qu'on peut décomposer en ses éléments à l'aide d'un processus chimique. L'électrolyse de l'eau est un exemple de processus chimique : l'eau y est décomposée en ses éléments, l'hydrogène et l'oxygène, grâce au passage d'un courant électrique. Ce processus entraîne une modification chimique, étant donné que les molécules d'eau ont été décomposées. L'eau a disparu ; à sa place, on trouve les éléments hydrogène et oxygène.

On appelle **modification chimique** celle au cours de laquelle une substance donnée devient une nouvelle substance ou plusieurs substances ayant des propriétés différentes et une composition différente.

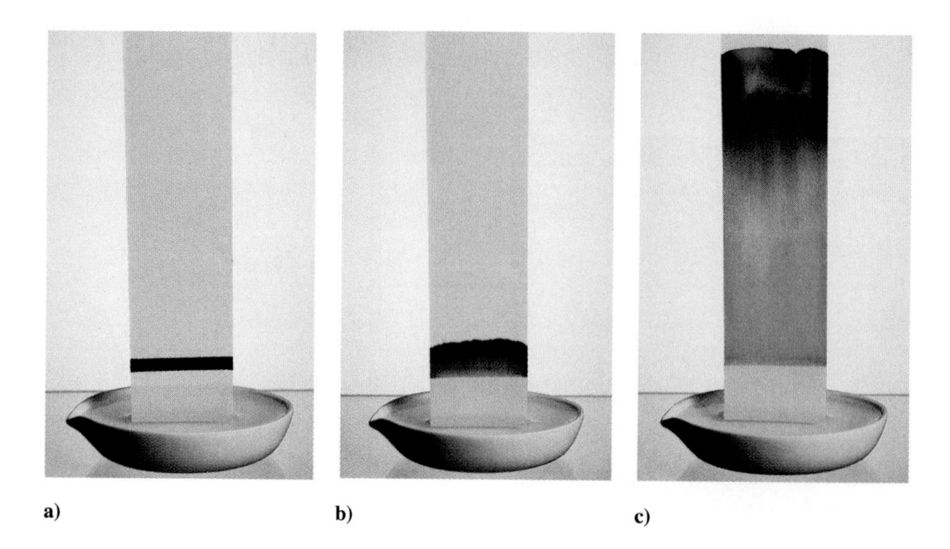

FIGURE 1.15
Chromatographie sur papier d'un échantillon d'encre.
a) On dépose le mélange à analyser, en forme de ligne, à l'une des extrémités de la feuille de papier poreux.
b) Le papier agit comme une mèche et fait monter le liquide par capillarité.
c) Le composant dont l'affinité pour le papier est la plus faible se déplace plus rapidement que ceux qui sont retenus plus fortement par le papier.

L'élément mercure (coin supérieur gauche) se combine à l'élément iode (coin supérieur droit) pour former l'iodure de mercure (bas). Voilà un exemple de modification chimique.

On ne peut pas décomposer les **éléments** en substances plus simples par des procédés chimiques ou physiques.

On sait que la matière qui nous entoure possède divers niveaux d'organisation. Les substances les plus simples dont il a été question jusqu'à maintenant sont les éléments. Comme nous l'étudierons dans les prochains chapitres, les éléments ont également une structure : ils sont formés d'atomes, eux-mêmes composés de noyaux et d'électrons. Même le noyau a une structure : il est formé de protons et de neutrons, lesquels peuvent être scindés en particules encore plus élémentaires, les *quarks*. Pour le moment, cependant, il n'est pas utile de s'arrêter à tous ces détails. La figure 1.16 résume ce qu'on sait à propos de l'organisation de la matière.

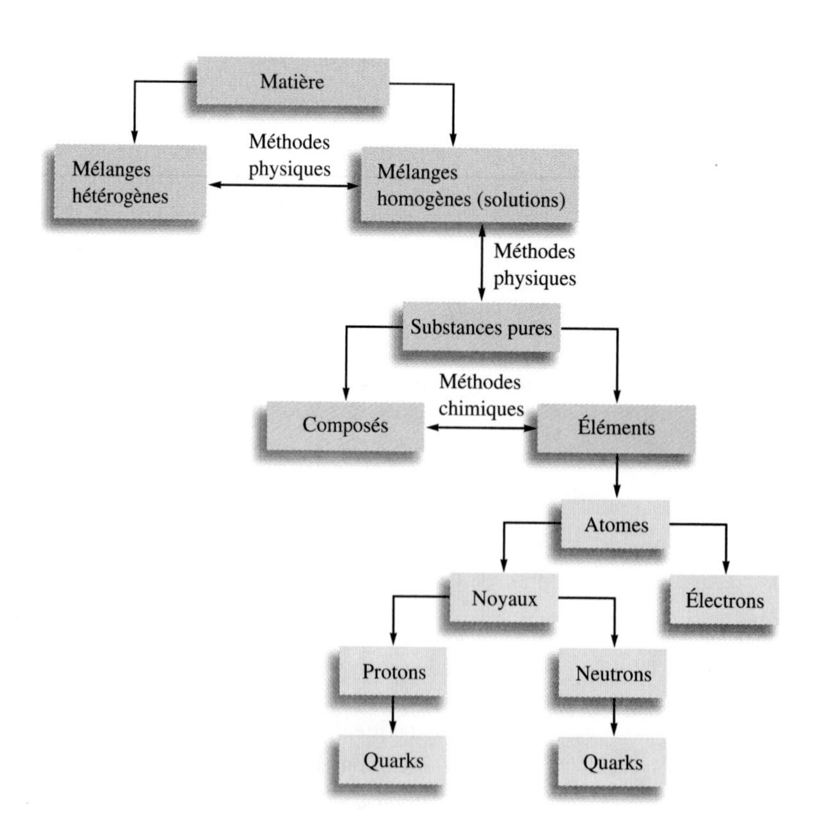

FIGURE 1.16
Organisation de la matière.

Mots clés

Section 1.2
méthode scientifique
loi naturelle
théorie
modèle
hypothèse
loi de conservation de la masse

Section 1.3
mesure
SI
masse
poids

Section 1.4
incertitude
chiffres significatifs
précision
exactitude
erreur fortuite
erreur systématique

Section 1.5
notation exponentielle

Section 1.6
analyse dimensionnelle
facteur de conversion

Section 1.8
masse volumique

Section 1.9
matière
états (de la matière)
mélange homogène
mélange hétérogène
solution
substance pure
modifications physiques
distillation
filtration
chromatographie
chromatographie sur papier
composé
modification chimique
élément

Synthèse

La méthode scientifique
- Effectuer des observations.
- Formuler des hypothèses.
- Effectuer des expériences.

Les modèles (théories) fournissent une explication d'un phénomène naturel quelconque
- Ils sont susceptibles d'être modifiés au fil du temps et parfois ils sont faillibles.

On appelle « mesures » les observations quantitatives
- Elles comportent un nombre et une unité.
- Elles se caractérisent par un certain degré d'incertitude.
- On indique l'incertitude par des chiffres significatifs :
  - règles permettant de déterminer le nombre de chiffres significatifs ;
  - chiffres significatifs et calculs.
- Le système privilégié est le SI.

Conversion des unités de température
- $T_K = T_C + 273$
- $T_C = (T_F - 32\ °C)\left(\frac{5\ °C}{9\ °F}\right)$
- $T_F = T_C\left(\frac{5\ °F}{9\ °C}\right) + 32\ °C$

Masse volumique
- $\text{Densité} = \frac{\text{masse}}{\text{volume}}$

Il existe trois états de la matière
- Solide
- Liquide
- Gaz

On peut séparer les mélanges par des méthodes qui ne font intervenir que des modifications physiques
- Distillation
- Filtration
- Chromatographie

On peut décomposer un composé en ses éléments seulement par des modifications chimiques

QUESTIONS DE RÉVISION

1. Définissez et expliquez la différence qui existe entre les termes suivants.
   a) Loi et théorie.
   b) Théorie et expérience.
   c) Qualitatif et quantitatif.
   d) Hypothèse et théorie.
2. La méthode scientifique n'est-elle applicable qu'aux problèmes de science ? Expliquez.
3. Peut-on vérifier quantitativement les énoncés suivants (hypothèses) ?
   a) Sidney Crosby est un meilleur compteur de buts que Vincent Lecavalier.
   b) Le savon Ivory est pur à 99,44 %.
   c) Rolaids neutralise 47 fois son poids en acide.

4. Pour chacun des articles de verrerie de laboratoire suivants, donnez un exemple de mesure et indiquez le nombre de chiffres significatifs et l'incertitude.

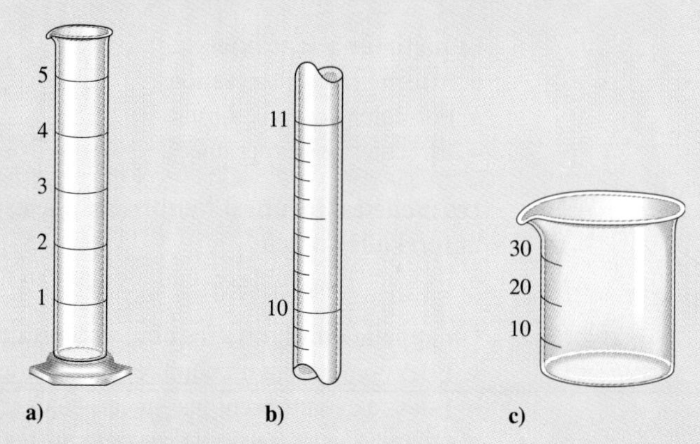

5. Un étudiant détermine le contenu en calcium d'un échantillon. Il obtient les résultats suivants :

   14,92 % 14,91 % 14,88 % 14,91 %

   La quantité de calcium est en fait de 15,70 %. Quelle conclusion tirez-vous en ce qui concerne la précision et l'exactitude de ces résultats ?
6. Comparez la règle des chiffres significatifs appliquée aux opérations de multiplication et de division avec celle qui est appliquée aux opérations d'addition et de soustraction.
7. Expliquez comment la masse volumique peut servir de facteur pour convertir le volume d'un objet en masse, et vice versa.
8. Dans quelle échelle de température (°F, °C ou K), 1 degré représente-t-il la plus petite variation de température ?
9. Quelle est la différence entre une modification physique et une modification chimique ?
10. Pourquoi, au cours d'une analyse chimique, est-il important de séparer les mélanges en substances pures ou relativement pures ?

Questions et exercices

Questions à discuter en classe

Ces questions sont conçues pour être abordées en petits groupes. Par des discussions et des enseignements mutuels, elles permettent d'exprimer la compréhension des concepts.

1. Quand une bille est placée dans un bécher d'eau, elle va au fond. Quelle serait la meilleure explication de ce phénomène ?
   a) La surface de la bille n'est pas suffisamment grande pour être retenue par la tension superficielle de l'eau.
   b) La masse de la bille est plus grande que celle de l'eau.
   c) La bille pèse plus que son volume équivalent en eau.
   d) La force que possède la bille en tombant détruit la tension superficielle de l'eau.
   e) La bille a une masse et un volume supérieurs à ceux de l'eau.
   Justifiez votre choix et dites pourquoi les autres réponses ne sont pas acceptables.
2. Un bécher est rempli jusqu'à la marque des 100 mL avec du sucre (le sucre a une masse de 180,0 g) et un autre bécher est rempli jusqu'à la marque des 100 mL avec de l'eau (l'eau a une masse de 100,0 g). Vous versez tout le sucre et l'eau dans un bécher plus grand et vous mélangez jusqu'à dissolution complète.
   a) Dites quelle est la masse de la solution et expliquez votre réponse. La masse sera :
      i. de beaucoup supérieure à 280,0 g ;
      ii. légèrement supérieure à 280,0 g ;
      iii. 280,0 g exactement ;
      iv. légèrement inférieure à 280,0 g ;
      v. nettement inférieure à 280,0 g.
   b) Dites quel est le volume de la solution et expliquez votre réponse. Le volume sera :
      i. nettement supérieur à 200,0 mL ;
      ii. légèrement supérieur à 200,0 mL ;
      iii. 200,0 mL exactement ;
      iv. légèrement inférieur à 200,0 mL ;
      v. nettement inférieur à 200,0 mL.
3. Tous ont observé que les bulles montent à la surface quand l'eau bout.
   a) Que contiennent ces bulles ?
      i. De l'air.
      ii. De l'hydrogène et de l'oxygène.
      iii. De l'oxygène.
      iv. De la vapeur d'eau.
      v. Du dioxyde de carbone.

b) Est-ce que l'ébullition de l'eau est une modification physique ou chimique ? Expliquez.

4. Si vous placez une tige de verre au-dessus d'une chandelle allumée, la tige devient noire. Qu'est-ce qui arrive à chacun des éléments suivants au fur et à mesure que la chandelle brûle (modification physique, modification chimique, les deux ou aucune) ? Expliquez chaque réponse.
a) À la cire.
b) À la mèche.
c) À la tige de verre.

5. Quelles caractéristiques d'un solide, d'un liquide ou d'un gaz présentent chacune des substances suivantes ? À quelle catégorie appartient chacune d'elles ?
a) Une portion de pudding.
b) Une chaudière de sable.

6. Voici deux cylindres gradués qui contiennent de l'eau.

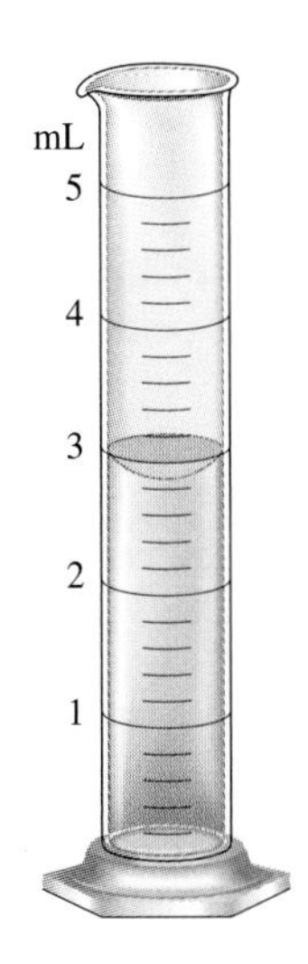

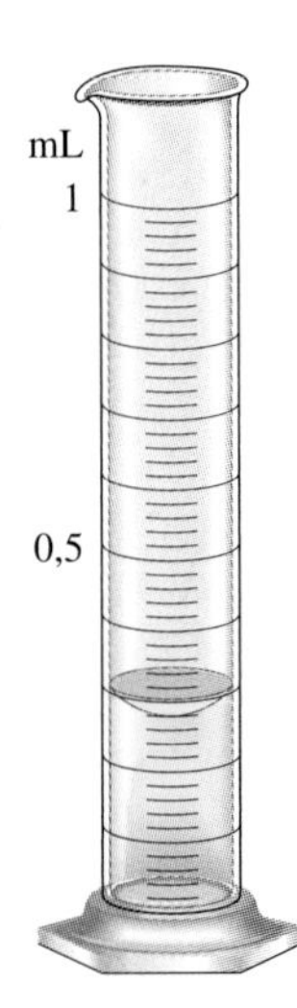

Vous versez les deux échantillons d'eau dans un bécher. Quel sera le volume total ? Quel est le facteur qui détermine la précision de ce nombre ?

7. Paracelse, un alchimiste et guérisseur du XVIe siècle, avait pour slogan : « Les patients sont votre source de connaissances ; le lit du malade, le sujet de votre étude. » Est-ce un point de vue qui correspond bien à une méthode dite scientifique ?

8. Qu'y a-t-il d'erroné dans l'énoncé suivant : « Les résultats de cette expérience ne concordent pas avec la théorie. Il y a donc quelque chose qui ne fonctionne pas dans l'expérience. »

9. Pourquoi est-il incorrect d'affirmer que le résultat d'une mesure est précis, mais non reproductible ?

Une question ou un exercice précédés d'un numéro en bleu indiquent que la réponse se trouve à la fin de ce livre.

Questions

10. La différence entre une *loi* et une *théorie* est la différence entre un *énoncé* et une *explication*. Expliquez.

11. Expliquez les étapes fondamentales de la méthode scientifique.

12. Une mesure est une observation quantitative qui comporte un nombre et une échelle (appelée « unité »). Qu'est-ce qu'une observation qualitative ? Quelles sont les unités du SI pour la masse, la longueur et le volume ? Quelle est l'incertitude admise dans un nombre (à moins d'indications contraires) ? L'incertitude dépend de la précision de l'appareil de mesure. Expliquez.

13. Afin de déterminer le volume d'un cube, un étudiant effectue plusieurs fois la mesure de l'une de ses dimensions. Si la vraie valeur de cette grandeur est de 10,62 cm, donnez un exemple d'une série de quatre mesures qui illustre ce qui suit.
a) Données imprécises et inexactes.
b) Données précises, mais inexactes.
c) Données précises et exactes.
Donnez une explication possible de la raison pour laquelle les données peuvent être imprécises ou inexactes. Pourquoi est-il incorrect d'affirmer qu'une série de mesures sont imprécises, mais exactes ?

14. Qu'est-ce qu'un chiffre significatif ? Montrez comment indiquer le nombre mille avec 1 chiffre significatif, avec 2 chiffres significatifs, avec 3 chiffres significatifs et avec 4 chiffres significatifs. Pourquoi la réponse, avec le nombre de chiffres significatifs appropriés, n'est pas 1,0 pour le calcul suivant ?

$$\frac{1,5 - 1,0}{0,50} =$$

15. Donnez quatre exemples illustrant chacun des termes suivants.
a) Mélange homogène.
b) Mélange hétérogène.
c) Composé.
d) Élément.
e) Changement physique.
f) Changement chimique.

Exercices

Dans la présente section, les exercices similaires sont regroupés.

Incertitude, précision, exactitude et chiffres significatifs

16. Lesquels des nombres suivants sont des nombres exacts ?
a) Il y a 100 cm dans 1 m.
b) Un mètre équivaut à 39,37 po.
c) $\pi = 3,141\ 593$.
d) $V = \frac{4}{3}\pi r^3$.

17. Indiquez le nombre de chiffres significatifs dans chacun des nombres suivants.
a) Ce volume contient plus de 1000 pages.
b) Un mille équivaut environ à 5300 pieds.
c) Un litre équivaut à 1,059 pinte.
d) La population des États-Unis atteint presque $3,0 \times 10^2$ millions.
e) Il y a 1000 g dans un kilogramme.
f) Le Boeing 747 vole à environ 960 km/h.

18. Combien y a-t-il de chiffres significatifs dans chacun des nombres suivants ?
a) 0,0012
b) 437 000
c) 900,0
d) 106
e) 125 904 000
f) 1,0012
g) 2006
h) 3050
i) 0,001 060

19. Arrondissez chacun des nombres suivants avec le nombre de chiffres significatifs indiqué, et exprimez la réponse en utilisant la notation scientifique standard.
a) 0,000 341 59 à trois chiffres significatifs.
b) $103,351 \times 10^2$ à quatre chiffres significatifs.

c) 17,9915 à cinq chiffres significatifs.
d) $3{,}365 \times 10^5$ à trois chiffres significatifs.

20. En utilisant la notation exponentielle, exprimez le nombre 480 avec :
a) un chiffre significatif ;
b) deux chiffres significatifs ;
c) trois chiffres significatifs ;
d) quatre chiffres significatifs.

21. Effectuez chacun des calculs ci-dessous et écrivez le résultat avec le nombre approprié de chiffres significatifs.
a) $212{,}2 + 26{,}7 + 402{,}09$
b) $1{,}0028 + 0{,}221 + 0{,}10337$
c) $52{,}331 + 26{,}01 - 0{,}9981$
d) $2{,}01 \times 10^2 + 3{,}014 \times 10^3$
e) $7{,}255 - 6{,}8350$

22. Effectuez les opérations ci-dessous et exprimez chaque résultat avec le nombre approprié de chiffres significatifs.
a) $\dfrac{0{,}102 \times 0{,}0821 \times 273}{1{,}01}$
b) $0{,}14 \times 6{,}022 \times 10^{23}$
c) $4{,}0 \times 10^4 \times 5{,}021 \times 10^3 \times 7{,}34993 \times 10^2$
d) $\dfrac{2{,}00 \times 10^6}{3{,}00 \times 10^{-7}}$

23. Effectuez les opérations ci-dessous et exprimez chaque résultat avec le nombre approprié de chiffres significatifs.
a) $6{,}022 \times 10^{23} \times 1{,}05 \times 10^2$
b) $\dfrac{6{,}6262 \times 10^{-34} \times 2{,}998 \times 10^8}{2{,}54 \times 10^{-9}}$
c) $1{,}285 \times 10^{-2} + 1{,}24 \times 10^{-3} + 1{,}879 \times 10^{-1}$
d) $1{,}285 \times 10^{-2} - 1{,}24 \times 10^{-3}$
e) $\dfrac{(1{,}008\ 66 - 1{,}007\ 28)}{6{,}022\ 05 \times 10^{23}}$
f) $\dfrac{9{,}875 \times 10^2 - 9{,}795 \times 10^2}{9{,}875 \times 10^2 \times 100}$
(100 = nombre exact)
g) $\dfrac{9{,}42 \times 10^2 + 8{,}234 \times 10^2 + 1{,}625 \times 10^3}{3}$
(3 = nombre exact)

24. a) Combien y a-t-il de kilogrammes dans un téragramme ?
b) Combien y a-t-il de nanomètres dans $6{,}50 \times 10^2$ Tm ?
c) Combien y a-t-il de kilogrammes dans 25 fg ?
d) Combien y a-t-il de litres dans 8,0 dm^3 ?
e) Combien y a-t-il de microlitres dans un millilitre ?
f) Combien y a-t-il de picogrammes dans un microgramme ?

25. Effectuez les conversions suivantes.
a) Félicitations ! Vous et votre conjointe êtes les fiers parents d'un nouveau bébé, né alors que vous étudiez dans un pays qui utilise le système métrique. L'infirmière vous a annoncé que le bébé pesait 3,91 kg et mesurait 51,4 cm. Convertissez le poids de votre bébé en livres et sa longueur en pouces (en arrondissant au quart de pouce le plus près).
b) À l'équateur, la circonférence de la Terre est de 25 000 milles. Quelle est cette circonférence : en kilomètres ? en mètres ?
c) Un solide rectangulaire mesure 1,0 m sur 5,6 cm sur 2,1 dm. Exprimez son volume : en mètres cubes ; en litres ; en pouces cubes ; en pieds cubes.

26. Effectuez les conversions suivantes.
a) 908 oz en kilogrammes.
b) 12,8 L en gallons.
c) 125 mL en pintes.
d) 2,89 gal en millilitres.
e) 4,48 lb en grammes.
f) 550 mL en pintes.

27. Le record du monde des 100 yards est de 9,1 s. Quelle est la vitesse moyenne exprimée en pi/s, en mi/h, en m/s et en km/h ? À cette vitesse, combien de temps faudrait-il pour parcourir 100 m ? (1 yard = 3 pieds)

28. Vous passez devant un panneau de signalisation qui indique « New York 112 km ». Si vous roulez à une vitesse constante de 65 mi/h, combien de temps vous faudra-t-il pour vous rendre à New York ? Si votre véhicule parcourt 28 milles au gallon, combien de litres d'essence seront nécessaires pour faire le trajet de 112 km ?

29. Un analgésique utilisé chez les enfants contient 80,0 mg d'acétaminophène par 0,50 cuiller à thé. La dose recommandée pour un enfant dont le poids se situe entre 24 et 35 lb est de 1,5 cuiller à thé. Quelle est la fourchette des doses d'acétaminophène, exprimée en mg d'acétaminophène/kg de poids corporel, à administrer à un enfant pesant entre 24 et 35 lb ?

Température

30. Un thermomètre indique 96,1 ±0,2 °F. Quelle est cette température en °C ? Quelle est l'incertitude de cette valeur ?

31. Convertissez en kelvins et en degrés Fahrenheit les températures suivantes exprimées en degrés Celsius.
a) La température d'une personne fiévreuse de 39,2 °C.
b) Une journée froide d'hiver à −25 °C.
c) La température la plus basse possible : −273 °C.
d) La température de fusion du chlorure de sodium : 801 °C.

32. Convertissez en degrés Celsius et en degrés Fahrenheit les températures suivantes exprimées en kelvins.
a) La température qui inscrit la même valeur sur les échelles Fahrenheit et Celsius, soit 233 K.
b) Le point d'ébullition de l'hélium, 4 K.
c) La température à laquelle de nombreuses quantités chimiques sont déterminées, 298 K.
d) Le point de fusion du tungstène, 3680 K.

Masse volumique

33. Un matériau flotte à la surface d'un liquide si sa masse volumique est inférieure à celle du liquide. Sachant que la masse volumique de l'eau est d'environ 1,0 g/mL, est-ce qu'un bloc d'un matériau de $1{,}2 \times 10^4$ po^3 et pesant 350 lb flottera ou coulera au fond, s'il est placé dans un réservoir d'eau ?

34. Pour qu'un matériau flotte à la surface de l'eau, il doit avoir une masse volumique inférieure à celle de l'eau (1,0 g/mL) et ne doit pas entrer en réaction avec l'eau ni s'y dissoudre. Une balle sphérique possède un rayon de 0,50 cm et pèse 2,0 g. Cette balle va-t-elle flotter ou couler au fond si on la place dans l'eau ? (*Note :* Le volume d'une sphère = $\frac{4}{3}\pi r^3$.)

35. La masse d'une étoile est de l'ordre de 2×10^{36} kg. En supposant qu'il s'agit d'une sphère dont le rayon moyen est de $7{,}0 \times 10^5$ km, calculez la masse volumique moyenne de l'étoile en grammes par centimètre cube.

36. Un bloc rectangulaire a les dimensions 2,9 cm × 3,5 cm × 10,0 cm. Sa masse est de 615,0 g. Quels sont son volume et sa masse volumique ?

37. On mesure la masse de diamants en carats (un carat = 0,200 g). La masse volumique du diamant est de 3,51 g/cm^3. Quel est le volume d'un diamant de 5,0 carats ?

38. Le volume d'un diamant est de 2,8 mL. Quelle est sa masse en carats ? (*Voir l'exercice 37*)

39. La masse volumique de l'argent pur est de 10,5 g/cm^3 à 20 °C. On ajoute 5,25 g de granules d'argent pur dans un cylindre gradué contenant 11,2 mL d'eau. Jusqu'à quel niveau le volume d'eau s'élèvera-t-il dans le cylindre ?

40. L'intoxication au mercure est une affection débilitante souvent mortelle. Dans l'organisme humain, le mercure réagit avec des enzymes essentielles les rendant inactives de façon irréversible. Si la teneur en mercure d'un lac pollué est de 0,4 μg Hg/mL, quelle est la masse totale (en kg) de mercure présent dans ce lac, dont la surface est de 100 kilomètres carrés et la profondeur moyenne de 6 mètres ?

41. La masse volumique de l'osmium (le métal qui a la masse volumique la plus élevée) est de 22,57 g/cm^3. Quelle est la masse d'un bloc d'osmium mesurant 5,00 cm × 4,00 cm × 2,50 cm ? Quel volume occupe 1,00 kg d'osmium ?

42. Un fil de cuivre (masse volumique = 8,96 g/cm^3) a un diamètre de 0,25 mm. Un échantillon de ce fil pèse 22 g. Quelle est la longueur du fil ?

Classification et séparation de la matière

43. Associez chaque énoncé ci-dessous avec les images microscopiques. Plus d'une image peut s'apparenter à chaque description. Une image peut être utilisée plus d'une fois ou pas du tout.

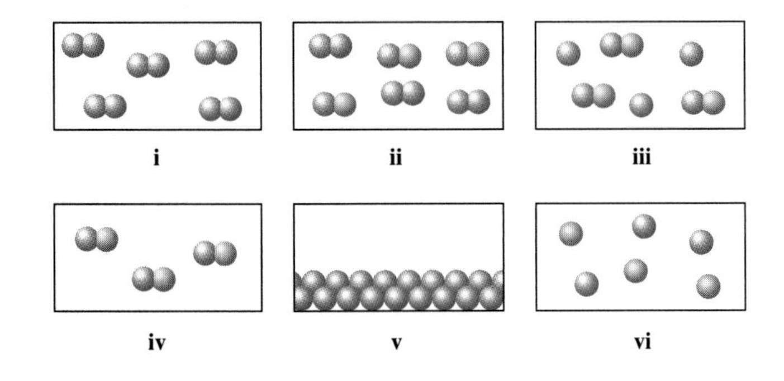

a) Un composé gazeux.
b) Un mélange de deux éléments gazeux.
c) Un élément solide.
d) Un mélange d'un élément gazeux et d'un composé gazeux.

44. Donnez la définition des termes suivants : solide, liquide, gaz, substance pure, élément, composé, mélange homogène, mélange hétérogène, solution, modification chimique, modification physique.

45. Quelle est la différence entre une matière homogène et une matière hétérogène ? Classifiez les objets suivants selon qu'ils sont homogènes ou hétérogènes.
a) Sol.
b) Atmosphère.
c) Boisson gazeuse (dans un verre).
d) Essence.
e) Or.
f) Solution d'éthanol et d'eau.

46. Dites si chacun des produits suivants est un mélange ou une substance pure.
a) Eau.
b) Sang.
c) Océan.
d) Fer.
e) Laiton.
f) Uranium.
g) Vin.
h) Cuir.
i) Sel de table (NaCl).

47. Classifiez les processus suivants selon qu'ils sont des modifications physiques ou chimiques.
a) La vaporisation graduelle de boules antimites dans un placard.
b) L'acide fluorhydrique attaque le verre, et il est utilisé pour graver des traits de graduation sur de la verrerie de laboratoire.
c) Un chef français qui prépare une sauce au brandy est capable de brûler tout l'alcool en gardant l'arôme du brandy.
d) Au laboratoire, les étudiants en chimie ont parfois des trous dans leurs jeans en coton parce qu'ils ont renversé un acide.

48. Les propriétés d'un mélange sont les moyennes des propriétés individuelles des composantes. Celles d'un composé peuvent varier de façon très importante de celles des éléments qui forment ce composé. Pour chacun des processus mentionnés ci-dessous, dites si le matériel dont il est question est un mélange ou un composé et si le processus est une modification chimique ou physique.
a) La distillation d'un liquide orange donne un liquide jaune et un solide rouge.
b) La décomposition d'un solide cristallin incolore donne un gaz jaune verdâtre pâle et un métal mou brillant.
c) La dissolution de sucre dans une tasse de thé le rend plus sucré.

Exercices supplémentaires

49. Dans *Richard III* de Shakespeare, le premier meurtrier menace de noyer Clarence dans une barrique de vin de Malvoisie (boisson aux pouvoirs étranges semblable à l'hydromel). Sachant qu'une barrique contient 126 gal, dans combien de litres de vin de Malvoisie l'infortuné Clarence risque-t-il d'être noyé ?

50. Le contenu d'un sac de 40 lb de terreau couvre 10,0 pieds carrés sur 1,0 pouce d'épaisseur. Combien de sacs faudra-t-il pour couvrir une surface de $2,00 \times 10^2$ m sur $3,00 \times 10^2$ m sur une épaisseur de 4,0 cm ?

51. Dès les premières séquences du film *Les aventuriers de l'arche perdue*, on voit Indiana Jones se saisir d'une idole en or placée sur un piédestal piégé. Il la remplace par un sac de sable de volume à peu près identique. (Masse volumique de l'or = 19,32 g/cm^3 ; masse volumique du sable = 3 g/cm^3.)
a) Avait-il une chance de ne pas déclencher le mécanisme du piège qui était sensible à une différence de masse ?
b) Dans une autre scène, Indiana Jones et un guide non scrupuleux jouent à la balle avec l'idole. Supposons que le volume de l'idole soit d'environ 1,0 L. Si l'idole était en or solide, quelle serait sa masse ? Serait-il possible, dans ce cas, de jouer à la balle avec une telle idole ?

52. On observe qu'une colonne de liquide chauffée prend de l'expansion de façon linéaire sur une longueur de 5,25 cm pour une augmentation de température de 10,0 °F. Si la température initiale du liquide est de 98,6 °F, quelle sera la température finale en degrés Celsius si le liquide a pris une expansion de 18,5 cm ?

53. On place un échantillon d'un solide pesant 25,00 g dans un cylindre gradué et on remplit le cylindre jusqu'au trait de 50,0 mL avec du benzène. La masse du benzène et du solide, ensemble, est de 58,80 g. En supposant que le solide est insoluble dans le benzène et que la masse volumique du benzène est de 0,880 g/cm^3, calculez la masse volumique du solide.

54. Dans chacun des cas suivants, déterminez si le bloc le plus dense est : le bloc orange ou le bloc bleu ou s'il est impossible de décider. Expliquez vos réponses.

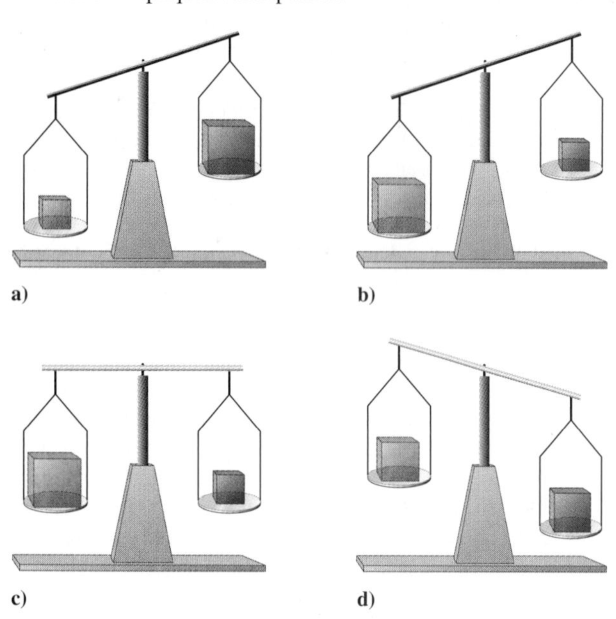

55. Selon les *Official Rules of Baseball*, la circonférence d'une balle doit être comprise entre 9 po et $9\frac{1}{4}$ po et sa masse, entre 5,0 et 5,25 oz. Quelles sont les masses volumiques maximale et minimale d'une balle ? Comment peut-on exprimer cet écart en utilisant un seul nombre accompagné d'une limite d'incertitude ?

56. Pour mesurer la masse volumique d'un objet irrégulier, on procède de la façon suivante. La masse de l'objet a été établie à 28,90 ± 0,03 g. Un cylindre gradué est rempli partiellement d'eau. Le niveau d'eau atteint la marque de 6,4 ± 0,1 cm^3. L'objet est plongé dans l'eau et le niveau de l'eau monte à 9,8 ± 0,1 cm^3. Calculez la masse volumique de cet objet et indiquez la précision sur la valeur.

Problèmes défis

57. Dessinez une image qui montre les marques (graduations) sur un instrument de verre qui vous permettrait d'effectuer chacune des mesures de volume d'eau suivantes, et expliquez vos réponses (les nombres donnés sont aussi précis que possible).

a) 128,7 mL **b)** 18 mL **c)** 23,45 mL

Si vous effectuez les mesures de trois échantillons d'eau, puis versez toute l'eau dans un seul récipient, quel volume total d'eau devriez-vous enregistrer ? Justifiez votre réponse.

58. Souvent, les écarts entre les valeurs sont exprimés en pourcentages. Le pourcentage d'écart est la valeur absolue de la différence entre la vraie valeur et la valeur expérimentale divisée par la vraie valeur, le tout multiplié par 100 %.

$$\text{Pourcentage d'erreur} = \frac{|\text{vraie valeur} - \text{valeur expérimentale}|}{\text{vraie valeur}} \times 100\ \%$$

Calculez le pourcentage d'écart entre les mesures suivantes.

a) La masse volumique d'un bloc d'aluminium est de 2,64 g/cm^3. (La vraie valeur est de 2,70 g/cm^3).

b) Le contenu en fer d'un minerai est de 16,48 %. (La vraie valeur est de 16,12 %).

c) La mesure d'un étalon de 1,000 g sur une balance donne 0,9981 g.

59. Un professeur américain a pesé 15 pièces de un cent, et il a obtenu les masses suivantes.

3,112 g	3,109 g	3,059 g
2,467 g	3,079 g	2,518 g
3,129 g	2,545 g	3,050 g
3,053 g	3,054 g	3,072 g
3,081 g	3,131 g	3,064 g

Intrigué par ces résultats, il a regardé les dates de frappe de chacune des pièces. Deux des cents légers avaient été frappés en 1983 et l'autre, en 1982. Les dates frappées sur les 12 cents les plus lourds allaient de 1970 à 1982. Deux des 12 cents les plus lourds avaient été frappés en 1982.

a) Que peut-on en conclure sur la façon dont l'Hôtel de la monnaie frappe les cents ?

b) Le professeur a calculé la masse moyenne des 12 cents lourds : 3,0828 ± 0,0482 g. En quoi l'expression de cette valeur est-elle inappropriée ? Comment devrait-on exprimer le résultat ?

60. Le 21 octobre 1982, l'Hôtel de la monnaie des É.-U. a changé la composition des cents (*voir l'exercice 59*). On a remplacé l'alliage de 95 % de Cu et de 5 % de Zn par un noyau composé de 99,2 % de Zn et de 0,8 % de Cu enrobé d'une mince couche de cuivre. La composition globale du nouveau cent est de 97,6 % de Zn et de 2,4 % de Cu par unité de masse. Est-ce que cela peut expliquer la différence de masse des cents enregistrée à l'exercice 59, en supposant que tous les cents soient de même dimension ? (Masse volumique du Cu = 8,96 g/cm^3 ; masse volumique du Zn = 7,14 g/cm^3.)

61. L'éthylène glycol est le principal composant de l'antigel utilisé dans les systèmes de refroidissement des automobiles. Pour évaluer la température du système de refroidissement d'une automobile, on se propose d'utiliser un thermomètre gradué de 0 à 100. On établit une nouvelle échelle de température basée sur les points de fusion et d'ébullition d'une solution d'antigel typique (–45 °C et 115 °C). Ces deux points correspondent respectivement à 0 °A et à 100 °A.

a) Établir la formule de conversion des °A en °C.

b) Établir la formule de conversion des °F en °A.

c) À quelle température ce thermomètre et le thermomètre gradué en degrés Celsius indiqueront-ils la même valeur ?

d) Votre thermomètre indique 86 °A. Quelle est la température en °C et en °F ?

e) Exprimez en °A une température de 45 °C.

62. L'argent sterling est une solution d'argent et de cuivre. Si un collier en argent sterling pèse 105,0 g et a un volume de 10,12 mL, calculez le pourcentage massique du cuivre dans le collier. Supposez que le volume d'argent et le volume de cuivre présents sont égaux au volume total. Reportez-vous au tableau 1.5.

63. Utilisez des dessins à l'échelle moléculaire (microscopique) pour représenter chacun des cas suivants.

a) Montrez les différences entre un mélange gazeux qui est un mélange homogène de deux composés différents, et un mélange gazeux qui est un mélange homogène d'un composé et d'un élément.

b) Montrez les différences entre un élément gazeux, un élément liquide et un élément solide.

64. Soit la boîte illustrée ci-dessous et dont on désire connaître le mécanisme. On ne dispose d'aucun outil, et la boîte ne s'ouvre pas. Lorsqu'on tire sur la corde B, elle coulisse assez facilement. Quand on tire sur la corde A, la corde C semble glisser légèrement vers l'intérieur de la boîte. Quand on tire sur la corde C, la corde A disparaît presque complètement dans la boîte*.

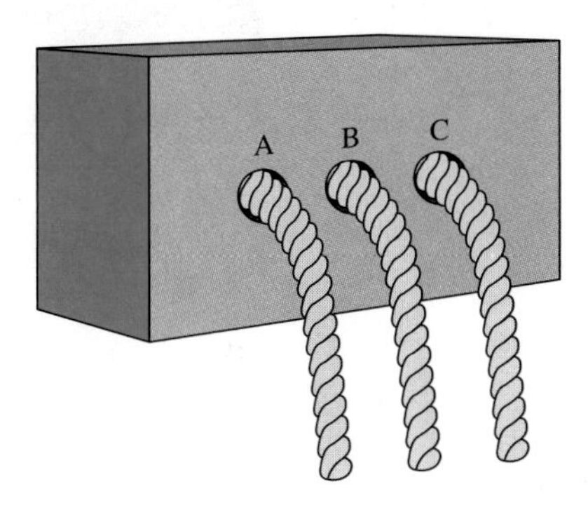

a) En se basant sur ces observations, imaginez un modèle applicable au mécanisme interne de la boîte.

b) Quelles autres expériences pourrait-on effectuer pour raffiner ce modèle ?

65. On pèse un cylindre gradué de 100 mL vide. On le pèse à nouveau après l'avoir rempli jusqu'à la marque des 10,0 mL avec du sable sec. Une pipette de 10 mL sert à transférer 10,00 mL de méthanol dans le cylindre. Le mélange sable-méthanol est agité jusqu'à ce que toutes les bulles d'air soient sorties du mélange et que le sable semble uniformément mouillé. Le cylindre est alors pesé de nouveau. À partir des données obtenues pour cette expérience (*voir les données ci-dessous*), trouvez la masse volumique du sable sec, la masse volumique du méthanol et la masse volumique des particules de sable. Est-ce que l'apparition de bulles lorsque l'on mélange le méthanol au sable sec signifie que le sable et le méthanol réagissent ?

Masse du cylindre + sable mouillé	45,2613 g
Masse du cylindre + sable sec	37,3488 g
Masse du cylindre vide	22,8317 g
Volume du sable sec	10,0 mL
Volume du sable + méthanol	17,6 mL
Volume du méthanol	10,00 mL

* Extrait de Yoder, Suydam et Snavely, *Chemistry* (New York : Harcourt Brace Jovanovich, 1975), p. 9-11.

Problèmes d'intégration

Ces problèmes font appel à l'intégration de plusieurs concepts et de techniques de résolution.

66. Le déficit commercial des États-Unis, au début de 2005, était de 475 000 000 $. Si le 1,00 pour cent le plus riche de la population du pays (297 000 000) apportait une contribution d'un montant égal d'argent pour ramener le déficit à 0 $, combien de dollars chaque personne contribuerait-t-elle ? Si l'une de ces personnes payait sa part en pièces de cinq cents seulement, combien lui faudrait-il de pièces ? Si une autre personne vivant à l'étranger décidait de payer en livres sterling (£), à combien de livres sterling sa contribution s'élèverait-elle (supposez un taux de conversion de 1 £ = 1,869 $US) ?

67. Selon une source, la masse volumique de l'osmium est de 22 610 kg/m^3. Quelle est cette masse volumique en g/cm^3 ? Quelle est la masse d'un bloc d'osmium mesurant 10,0 cm × 8,0 cm × 9,0 cm ?

68. À la station américaine d'Amundsen-Scott South Pole en Antarctique, lorsque la température atteint −100 °F, les chercheurs qui y vivent peuvent joindre le « Club 300 » en entrant dans un sauna à 200,0 °F, puis en courant rapidement à l'extérieur et autour du poteau qui indique l'emplacement du pôle Sud. Quelles sont ces températures en degrés Celsius ? Quelles sont ces températures en kelvins ? Si vous mesurez les températures uniquement en degrés Celsius et en kelvins, pouvez-vous devenir un membre du « Club 300 » (y a-t-il une différence de 300 degrés entre les extrêmes de températures mesurées en degrés Celsius et en kelvins) ?

Problème de synthèse*

Ce problème fait appel à plusieurs concepts et techniques de résolution de problèmes. Les problèmes de synthèse peuvent être utilisés en classe par des groupes d'étudiants pour leur faciliter l'acquisition des habiletés nécessaires à la résolution de problèmes.

69. Une tige cylindrique d'or dont la longueur est de 1,5 po et le diamètre de 0,25 po a une masse de 23,1984 g, évaluée à l'aide d'une balance analytique. Un cylindre gradué vide est pesé sur une balance ordinaire et la masse obtenue est de 73,47 g. Après avoir versé une petite quantité de liquide dans le cylindre gradué, la masse devient 79,16 g. Quand on place la tige d'or dans le cylindre gradué (la tige est complètement immergée), le volume indiqué sur le cylindre gradué est de 8,5 mL. Supposez que la température de la tige d'or et du liquide sont de 86 °F. Si la masse volumique du liquide diminue de 1 % pour toute augmentation de température de 10 °C (de 0 à 50 °C), évaluez :

a) la masse volumique de l'or à 86 °F ;

b) la masse volumique du liquide à 40 °F.

Remarque : Les questions **a)** et **b)** peuvent être résolues indépendamment.

* James H. BURNESS (1991), « The Use of Marathon' Problems as Effective Vehicles for the Presentation of General Chemistry Lectures », *Journal of Chemical Education*, n° 68 (1991), p. 920.

2 Atomes, molécules et ions

Contenu

Sur cette photographie, en Thaïlande, des cristaux de sel sont accumulés en tas.

Par où doit-on commencer l'étude de la chimie ? Il faut d'abord acquérir un certain vocabulaire de base et quelques notions sur l'origine de cette science. Dans le chapitre 1, nous avons déjà présenté les fondements de la science en général, au niveau tant des idées que des procédés. Dans le présent chapitre, nous abordons l'étude des concepts de base essentiels à la compréhension de la matière. Nous abordons brièvement ces divers sujets ici, mais nous les traiterons plus en détail dans les quelques chapitres qui suivent. En somme, nous présentons le système utilisé pour nommer les produits chimiques afin de vous fournir le vocabulaire nécessaire pour comprendre ce livre et effectuer vos expériences en laboratoire.

Nous savons que la chimie s'intéresse d'abord et avant tout aux modifications chimiques, qui seront d'ailleurs traitées au chapitre 3 et dans l'ouvrage *Chimie des solutions*. Cependant, avant de discuter de réactions, il nous faut aborder certaines idées fondamentales concernant les atomes et leur association.

2.1 Débuts de la chimie

Dans l'Antiquité, la chimie avait déjà de l'importance. Avant l'an 1000 av. J.-C., on savait déjà, entre autres, extraire les métaux pour en faire des parures ou des armes, et on embaumait les morts.

Les Grecs furent les premiers à tenter d'expliquer les modifications chimiques qu'ils observaient. Ils avaient suggéré, vers 400 av. J.-C., que toute matière était composée de quatre éléments fondamentaux : le feu, la terre, l'air et l'eau. Les Grecs s'étaient également intéressés à la question suivante : La matière est-elle continue et, par conséquent, divisible à l'infini en plus petits morceaux, ou est-elle composée de petites particules indivisibles ? Démocrite (Abdère v. 460-v. 370 av. J.-C.) et Leucippe, partisans de cette dernière théorie, utilisèrent le terme *atomos* (qui est devenu plus tard *atome*) pour désigner ces particules fondamentales. Or, les Grecs ne disposaient d'aucun résultat expérimental pour vérifier leurs hypothèses ; ils ne purent donc tirer aucune conclusion définitive sur la divisibilité de la matière.

Au cours des deux mille ans qui suivirent, l'histoire de la chimie fut dominée par une pseudo-science, l'*alchimie*. Les alchimistes furent souvent des mystiques, et parfois des imposteurs, obsédés par l'idée de métamorphoser les métaux communs en or. Malgré tout, quelques-uns d'entre eux furent des scientifiques sérieux et cette période ne fut pas stérile. C'est à cette époque qu'on découvrit certains éléments comme le mercure, le soufre et l'antimoine, et que les alchimistes apprirent à préparer les acides minéraux.

Cependant, la chimie moderne naquit au XVIe siècle, avec l'utilisation d'une approche systématique en métallurgie (l'extraction des métaux à partir des minerais) par l'Allemand Georg Bauer (1494-1555) et l'utilisation médicinale des minéraux par l'alchimiste-médecin suisse Paracelse (de son vrai nom : Philippus Theophrastus Bombastus von Hohenheim [1493-1541]).

Le premier « chimiste » à effectuer des expériences vraiment quantitatives fut Robert Boyle (1627-1691), qui étudia de façon précise la relation existant entre la pression et le volume d'un gaz. La publication par Boyle du livre *The Skeptical Chymist*, en 1661, marqua la naissance de la physique et de la chimie comme sciences quantitatives. La contribution de Boyle à la chimie ne se limita d'ailleurs pas à cette étude quantitative du comportement des gaz, puisqu'il participa également à l'élaboration du concept d'élément chimique. Boyle n'avait aucune idée préconçue en ce qui concernait le nombre des éléments. Selon lui, on devait appeler « élément » toute substance qui ne pouvait être décomposée en d'autres substances plus simples. Au fur et à mesure que cette définition expérimentale de l'élément bénéficiait de l'assentiment général, la liste des éléments

IMPACT

Il y a de l'or dans ces plantes !

L'or a toujours exercé une certaine fascination. Les alchimistes, par exemple, étaient obsédés par l'idée de pouvoir transformer les métaux vils en or. Et la découverte d'or en Californie, en 1849, a provoqué une folle ruée vers cet endroit et vers d'autres régions de l'Ouest. L'or est toujours un métal précieux, mais les minerais à haute teneur ont été épuisés. Il ne reste donc que des minerais pauvres, c'est-à-dire, des minerais dont la concentration en or est faible et qui sont coûteux à traiter par rapport à la quantité d'or finalement obtenue.

Deux scientifiques ont trouvé, par hasard, une nouvelle méthode de concentrer l'or des minerais pauvres. Christopher Anderson et Robert Brooks de l'Université Massey à Palmerston North, en Nouvelle-Zélande, ont découvert des plantes qui accumulent les atomes d'or en croissant dans un sol contenant du minerai d'or [*Nature* 395 (1998) : 553]. Une plante du genre *Brassica nigra* (de la famille de la moutarde) et la chicorée semblent particulièrement efficaces à jouer le rôle de « mineurs d'or » botaniques. Séchées et brûlées (après avoir poussé dans un sol riche en or), ces plantes fournissent une cendre contenant environ 150 ppm (parties par million) d'or. (La notation 1 ppm d'or représente 1 g d'or dans 10^6 g d'échantillon.)

Ces scientifiques néo-zélandais furent capables de doubler la quantité d'or extraite par les plantes en traitant le sol avec du thiocyanate d'ammonium (NH_4SCN). Le thiocyanate, en réagissant avec l'or, le rend plus disponible pour les plantes ; par la suite, il se décompose dans le sol, ce qui ne pose par conséquent aucun danger pour l'environnement.

Les plantes semblent donc très prometteuses comme « mineurs d'or ». Elles sont efficaces et fiables, et ne déclencheront jamais la grève.

Cette plante de la famille de la moutarde est une source d'or récemment découverte.

connus s'allongeait, et le système des quatre éléments proposé par les Grecs tombait en désuétude. Cependant, même si Boyle était un excellent scientifique, il n'avait pas toujours raison. Il soutenait, par exemple, à l'instar des alchimistes, que les métaux n'étaient pas de vrais éléments et qu'on finirait, un jour ou l'autre, par trouver le moyen de changer un métal en un autre.

Le phénomène de combustion suscita un très grand intérêt au cours des XVIIe et XVIIIe siècles. Selon le chimiste allemand Georg Stahl (1660-1734), une substance – qu'il appelait phlogistique – s'échappait d'un corps en combustion. Stahl postula ainsi qu'une substance qui brûlait dans un contenant fermé finissait par s'éteindre parce que l'air du contenant devenait saturé de phlogistique. Étant donné que l'oxygène, découvert par Joseph Priestley (1733-1804)*, ministre du culte et scientifique britannique (*voir la figure 2.1*), s'était révélé important dans le phénomène de la combustion vive, on supposa que sa teneur en phlogistique était faible. En fait, l'oxygène était originellement connu sous l'appellation d'« air déphlogistiqué ».

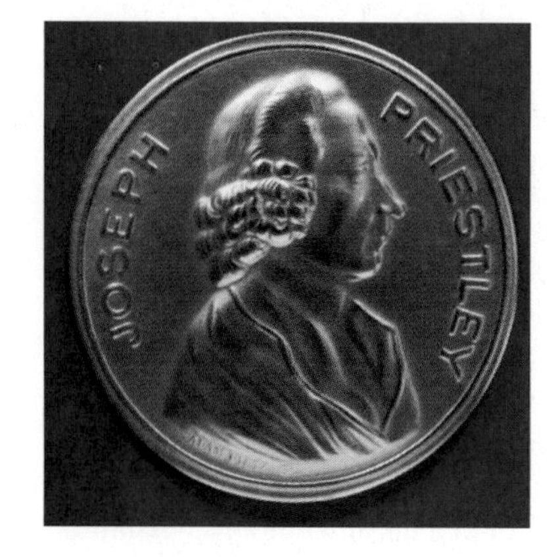

FIGURE 2.1
Joseph Priestley, né en Angleterre le 13 mars 1733, fit preuve, dès son jeune âge, d'un talent remarquable en sciences et en langues. On lui doit de nombreuses découvertes scientifiques importantes, notamment la découverte selon laquelle le gaz produit par la fermentation des grains (identifié plus tard comme le dioxyde de carbone) pouvait être dissous dans l'eau pour produire une boisson agréable appelée « soda ». À la suite de sa rencontre avec Benjamin Franklin, à Londres, en 1766, Priestley s'intéressa à l'électricité ; il fut le premier à remarquer que le graphite était conducteur de l'électricité. Sa plus grande découverte, cependant, remonte à 1774, quand il isola l'oxygène en chauffant de l'oxyde mercurique.

À cause de ses opinions politiques non conformistes (il appuya la Révolution américaine et la Révolution française), on le força à quitter l'Angleterre (sa maison de Birmingham fut brûlée, en 1791, au cours d'une émeute). Il mourut en 1804, aux États-Unis, où il avait passé en paix les dix dernières années de sa vie.

* En fait, c'est le chimiste suédois Karl W. Scheele (1742-1786) qui, le premier, a isolé l'oxygène, mais parce qu'il a publié ses résultats après Priestley, c'est à ce dernier que l'on attribue le crédit de la découverte.

2.2 Lois fondamentales de la chimie

À la fin du XVIIIe siècle, on avait déjà étudié de façon poussée le phénomène de combustion ; on avait découvert le dioxyde de carbone, l'azote, l'hydrogène et l'oxygène, et la liste des éléments continuait de s'allonger. C'est finalement un chimiste français, Antoine Lavoisier (1743-1794), qui expliqua la vraie nature de la combustion, ouvrant ainsi la voie aux progrès fantastiques qui furent réalisés à la fin du XVIIIe siècle. Lavoisier (*voir la figure 2.2*), comme Boyle, considérait qu'en chimie il était essentiel de procéder quantitativement. Au cours de ses expériences, il mesurait toujours de façon précise la masse des réactifs et des produits des différentes réactions. Il démontra ainsi que *rien ne se perd, rien ne se crée*. En fait, la découverte de la **loi de la conservation de la masse** par Lavoisier donna à la chimie l'impulsion nécessaire à son évolution au XIXe siècle.

Oxygène, pour Lavoisier, signifiait « qui produit des acides », car il le considérait comme faisant partie de tous les acides.

Les expériences quantitatives de Lavoisier révélèrent que la combustion faisait intervenir l'oxygène (nom inventé par Lavoisier) et non le phlogistique. Il découvrit en outre que la vie dépendait d'un processus qui faisait également intervenir l'oxygène et qui, par de nombreux aspects, ressemblait au phénomène de combustion. C'est en 1789 que Lavoisier publia le premier livre de chimie moderne, le *Traité élémentaire de chimie*, dans lequel il présenta une synthèse des connaissances chimiques de l'époque. Malheureusement, cette année de publication coïncida avec la Révolution française. Lavoisier, qui exerçait depuis plusieurs années la fonction lucrative, mais impopulaire, de fermier général (percepteur des impôts), fut guillotiné en tant qu'ennemi du peuple, en 1794.

À partir du XIXe siècle, la chimie fut dominée par des scientifiques qui, à l'instar de Lavoisier, effectuèrent des expériences quantitatives pour étudier le déroulement des réactions chimiques et pour déterminer la composition des différents composés chimiques. L'un d'eux, le Français Joseph Proust (1754-1826), montra qu'*un composé donné contient toujours les mêmes éléments combinés dans les mêmes proportions en masse*. Par exemple, il prouva que le carbonate de cuivre contenait toujours 5,3 parties de cuivre (par unité de masse) pour 4 parties d'oxygène et 1 partie de carbone. Le principe de la composition constante des composés, originellement appelé loi de Proust, est aujourd'hui connu sous le nom de **loi des proportions définies**.

C'est la découverte de Proust qui amena John Dalton (1766-1844), instituteur britannique (*voir la figure 2.3*), à réfléchir au concept d'atome. Selon Dalton, si les éléments étaient composés de petites particules individuelles, un composé donné devrait toujours contenir la même proportion d'atomes. Ce concept expliquait pourquoi on trouvait toujours la même proportion relative des éléments dans un composé donné.

FIGURE 2.2
Antoine Lavoisier est né à Paris le 26 août 1743. Même si son père souhaitait le voir suivre ses traces et devenir avocat, le jeune Lavoisier était fasciné par la science. Dès le début de sa carrière scientifique, il reconnut l'importance d'effectuer des mesures exactes. Grâce à des expériences effectuées de façon minutieuse, il montra qu'il y avait conservation de la masse dans les réactions chimiques et que l'oxygène participait aux réactions de combustion. Il écrivit également le premier traité de chimie moderne. Il n'est donc pas surprenant qu'on l'appelle « le père de la chimie moderne ».

Pour financer ses travaux scientifiques, Lavoisier fit des placements dans une firme privée de fermiers généraux (percepteurs) ; il épousa même la fille d'un des directeurs de la compagnie. Son association lui fut toutefois fatale, puisque les révolutionnaires français exigèrent son exécution. Il fut guillotiné le 8 mai 1794, sous la Terreur.

Dalton découvrit en outre un autre principe qui le convainquit plus encore de l'existence des atomes. Il remarqua, par exemple, que le carbone et l'oxygène pouvaient former deux composés différents qui contenaient des quantités relatives de carbone et d'oxygène différentes, comme l'indiquent les données suivantes :

	Masse d'oxygène qui se combine à 1 g de carbone
composé I	1,33 g
composé II	2,66 g

Dalton constata que le composé II contenait deux fois plus d'oxygène par gramme de carbone que le composé I, phénomène qui est facilement explicable en termes d'atomes. Le composé I pourrait être CO et le composé II, CO_2*. Ce principe, qui s'avéra applicable aux composés de bien d'autres éléments, est connu sous le nom de **loi des proportions multiples** : *Quand deux éléments se combinent pour former une série de composés, les rapports entre les masses du second élément qui s'associent à un gramme du premier élément peuvent toujours être réduits à de petits nombres entiers.*

Pour bien comprendre la signification de cette loi, considérons les données relatives à une série de composés qui contiennent de l'azote et de l'oxygène (*voir l'exemple 2.1*).

Exemple 2.1 Application de la loi des proportions multiples

Voici les données relatives à plusieurs composés ne contenant que de l'azote et de l'oxygène.

	Masse d'azote combinée à 1 g d'oxygène
composé *A*	1,750 g
composé *B*	0,8750 g
composé *C*	0,4375 g

Montrez comment ces résultats illustrent la loi des proportions multiples.

Solution

Pour être conforme à la loi des proportions multiples, le rapport entre les masses d'azote qui se combinent à 1 g d'oxygène dans chaque couple de composés doit être un nombre entier et petit. Lorsqu'on calcule ce rapport, on obtient

$$\frac{A}{B} = \frac{1{,}750}{0{,}875} = \frac{2}{1}$$

$$\frac{B}{C} = \frac{0{,}875}{0{,}4375} = \frac{2}{1}$$

$$\frac{A}{C} = \frac{1{,}750}{0{,}4375} = \frac{4}{1}$$

Ces résultats sont bien conformes à la loi des proportions multiples.

Voir les exercices 2.24 et 2.25

* Les indices servent à préciser le nombre d'atomes. En l'absence de tout indice, il faut comprendre que le chiffre 1 est sous-entendu. Aux sections 2.6 et 2.7, on abordera de façon plus détaillée l'utilisation des symboles et l'écriture des formules chimiques.

FIGURE 2.3
John Dalton (1766-1844), un Britannique, enseigna dans une école quaker dès l'âge de 12 ans. Sa fascination pour la science s'étendait à la météorologie, à laquelle il portait un immense intérêt (il tint un registre quotidien des conditions climatiques durant 46 ans), ce qui l'amena à s'intéresser aux gaz de l'air et à leurs composants fondamentaux, les atomes. On connaît surtout Dalton pour sa théorie atomique, selon laquelle les atomes diffèrent essentiellement par leur masse. Il fut le premier à dresser un tableau des masses atomiques relatives.

Dalton était un homme humble et plutôt désavantagé : il était pauvre, il s'exprimait difficilement, ce n'était pas un expérimentateur habile et, de plus, il était daltonien (d'après son nom), ce qui constitue un handicap important pour un chimiste. En dépit de ces désavantages, il contribua à révolutionner la chimie.

L'interprétation des données de l'exemple 2.1 révèle que le composé *A* contient deux fois plus d'azote, N, par gramme d'oxygène, O, que le composé *B* et que le composé *B* contient deux fois plus d'azote par gramme d'oxygène que le composé *C*.

Les données, dans l'exemple 2.1, signifient que le composé *A* contient deux fois plus d'azote (N) par gramme d'oxygène (O) que le composé *B*, et que le composé *B* contient deux fois plus d'azote par gramme d'oxygène que le composé *C*.

Ces données peuvent s'expliquer facilement si les substances sont formées de molécules constituées d'atomes d'azote et d'oxygène. Par exemple, voici des formules possibles pour les composés *A*, *B* et *C* :

A : $\frac{N}{O} = \frac{2}{1}$ *B* : $\frac{N}{O} = \frac{1}{1}$ *C* : $\frac{N}{O} = \frac{1}{2}$

On constate donc que le composé *A* renferme 2 atomes N par atome O ; le composé *B*, 1 atome N par atome O. C'est dire que le composé *A* renferme deux fois plus d'azote que le composé *B* par atome d'oxygène. De même, puisque le composé *B* contient un N par O et que le composé *C* un N pour *deux* O, le contenu en azote du composé *C* par atome d'oxygène est la moitié de celui du composé *B*.

Voici d'autres composés qui répondent aux données de l'exemple 2.1 :

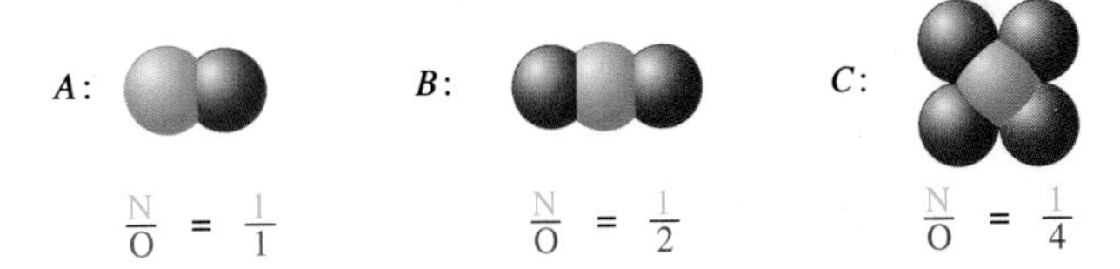

Assurez-vous que ces composés répondent aux exigences. Voici encore d'autres composés qui répondent à ces exigences :

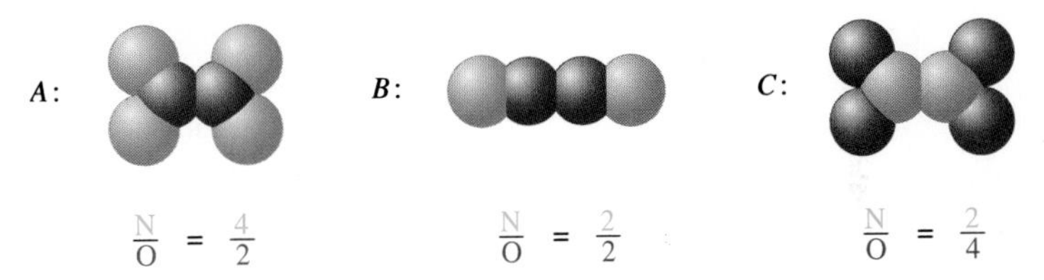

Essayez d'en trouver d'autres qui rendent compte des données de l'exemple 2.1. Combien d'autres possibilités existe-t-il ?

Il existe en fait une infinité d'autres possibilités. À partir de ces données sur les masses relatives, Dalton ne pouvait donc pas prédire les formules absolues des composés. Ces données étayaient cependant son hypothèse selon laquelle chaque élément consistait en un certain type d'atome et les composés étaient formés par association d'un nombre précis d'atomes.

2.3 Théorie atomique de Dalton

En 1808, Dalton publia un volume intitulé *A New System of Chemical Philosophy*, dans lequel il exposa sa théorie des atomes :

Ces énoncés sont une version moderne des idées de Dalton.

1. Chaque élément est formé de petites particules appelées atomes.
2. Les atomes d'un élément donné sont identiques ; les atomes d'éléments différents sont différents à un ou plusieurs points de vue.
3. Il y a formation de composés chimiques quand les atomes d'éléments différents se combinent les uns aux autres. Un composé donné contient toujours les mêmes nombres relatifs et les mêmes types d'atomes.
4. Dans une réaction chimique, il y a réorganisation des atomes, c'est-à-dire modification de la façon dont ils sont liés les uns aux autres. Les atomes eux-mêmes ne subissent aucune modification au cours de la réaction chimique.

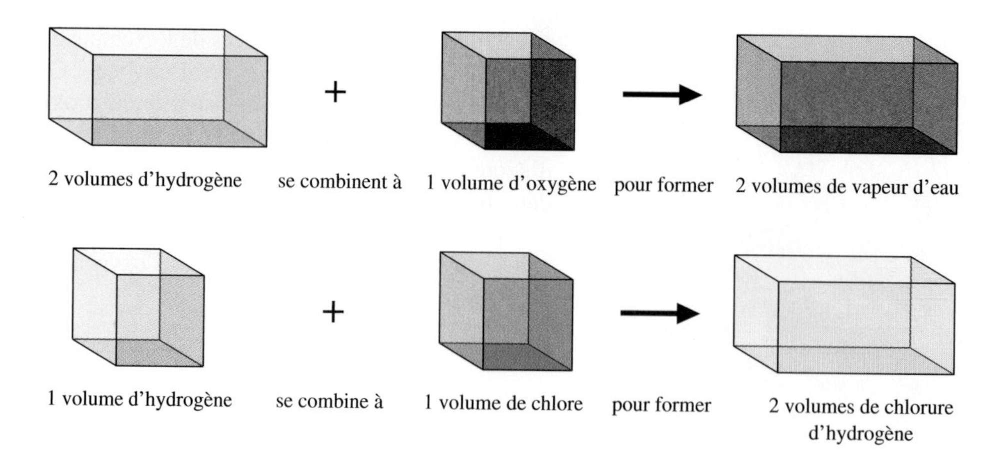

FIGURE 2.4
Représentation schématique de quelques résultats expérimentaux obtenus par Gay-Lussac en ce qui concerne les combinaisons des volumes de gaz.

Il est intéressant d'analyser le raisonnement de Dalton en ce qui concerne les masses relatives des atomes dans les différents éléments. À l'époque de Dalton, on savait que l'eau était composée d'hydrogène et d'oxygène et que, pour chaque gramme d'hydrogène, on trouvait 8 grammes d'oxygène. Selon Dalton, si la formule de l'eau était OH, la masse d'un atome d'oxygène devrait être 8 fois supérieure à celle d'un atome d'hydrogène ; si, par contre, la formule de l'eau était H_2O (deux atomes d'hydrogène pour chaque atome d'oxygène), la masse de chaque atome d'oxygène devrait être 16 fois supérieure à celle de *chaque* atome d'hydrogène (puisque le rapport entre la masse d'un atome d'oxygène et celle de *deux* atomes d'hydrogène est de 8 : 1). Comme on ignorait alors la formule de l'eau, Dalton ne pouvait déterminer hors de tout doute les masses relatives de l'oxygène et de l'hydrogène. Pour résoudre ce problème, il émit donc une hypothèse fondamentale : selon lui, la nature devait être aussi simple que possible ; cette supposition l'amena à conclure que la formule de l'eau ne pouvait être que OH. Il assigna donc à l'hydrogène une masse de 1 et à l'oxygène, une masse de 8.

Louis Joseph Gay-Lussac, physicien et chimiste français, s'intéressait à beaucoup de domaines. Bien qu'il soit principalement reconnu pour ses études sur le volume des gaz, Gay-Lussac a contribué à l'étude de nombreuses autres propriétés des gaz. Son intérêt pour l'étude des gaz lui venait de sa passion pour le vol en ballon. En effet, il a fait une ascension à plus de 6 km pour obtenir des échantillons d'air, établissant ainsi un record d'altitude qui n'a été battu que 50 ans plus tard environ. Gay-Lussac a également participé à la découverte du bore et à la mise au point d'un processus de fabrication de l'acide sulfurique. En tant que chef du laboratoire de la monnaie française, Gay-Lussac a mis au point de nombreuses techniques d'analyse chimique et inventé de nombreux instruments en verre encore utilisés de nos jours en laboratoire. Durant les 20 dernières années de sa vie, Gay-Lussac a été législateur dans le gouvernement français.

En appliquant ce même principe à d'autres composés, Dalton composa le premier tableau des **masses atomiques** (autrefois appelées **poids atomiques** par les chimistes, puisqu'on détermine souvent la masse par comparaison avec une masse étalon, comparaison qu'on effectue à l'aide d'un processus appelé *pesée*). Un grand nombre de ces masses se révélèrent fausses, en raison des erreurs de Dalton dans la formulation de certains composés. Mais l'idée de construire ainsi un tableau des masses fit faire un pas de géant à la chimie.

Même s'il fallut attendre de nombreuses années avant qu'on en reconnût la valeur, ce furent les expériences d'un chimiste français, Joseph Gay-Lussac (1778-1850), et l'hypothèse émise par un chimiste italien, Amadeo Avogadro (1776-1856), qui fournirent la solution au problème des formules absolues des composés. En 1809, Gay-Lussac effectua des expériences dans lesquelles il mesura (dans des conditions de température et de pression constantes) les volumes de gaz qui réagissaient entre eux. Il constata, par exemple, que 2 volumes d'hydrogène réagissaient avec 1 volume d'oxygène pour former 2 volumes d'eau sous forme gazeuse, et que 1 volume d'hydrogène réagissait avec 1 volume de chlore pour former 2 volumes de chlorure d'hydrogène (*voir la figure 2.4*).

En 1811, Avogadro interpréta ces résultats de la façon suivante : *À température et à pression constantes, des volumes égaux de différents gaz contiennent le même nombre de particules.* Cette supposition (appelée **hypothèse d'Avogadro**) n'est valable que si les distances qui séparent les particules d'un gaz sont très grandes par rapport à la taille de ces mêmes particules. Dans de telles conditions, c'est donc le nombre de molécules en présence qui détermine le volume du gaz et non la taille de chacune des particules.

Si l'hypothèse d'Avogadro est exacte, on peut interpréter les résultats obtenus par Gay-Lussac

$$\text{2 volumes d'hydrogène réagissent avec 1 volume d'oxygène} \longrightarrow \text{2 volumes de vapeur d'eau}$$

de la manière suivante :

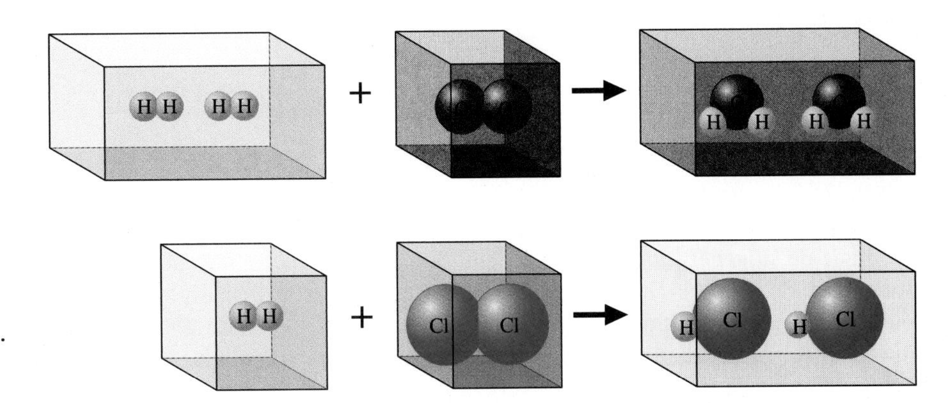

FIGURE 2.5
Représentation schématique de la combinaison de certains gaz au niveau moléculaire. Les cercles représentent les atomes dans les molécules.

2 molécules* d'hydrogène réagissent avec 1 molécule d'oxygène ⟶
2 molécules d'eau

On peut encore mieux expliquer ces observations lorsqu'on suppose que les gaz hydrogène, oxygène et chlore sont tous constitués de molécules diatomiques (composées de 2 atomes) : H_2, O_2 et Cl_2 respectivement. On peut donc illustrer les résultats obtenus par Gay-Lussac comme à la figure 2.5. (On remarque que, selon ce raisonnement, la formule de l'eau est H_2O et non OH, comme le croyait Dalton.)

Malheureusement, la plupart des chimistes rejetèrent l'hypothèse d'Avogadro : il s'ensuivit un demi-siècle de confusion qui vit naître et mourir de nombreuses hypothèses relatives aux formules et aux masses atomiques.

Au cours du XIXe siècle, on effectua des mesures précises des masses de divers éléments qui se combinent pour former des composés. À partir de ces expériences, on a établi une liste des masses atomiques relatives. Un des chimistes qui participa à l'élaboration de cette liste fut le Suédois Jöns Jakob Berzelius (1779-1848), qui découvrit le cérium, le sélénium, le silicium et le thorium, et qui proposa les symboles chimiques modernes des éléments – symboles qu'on utilise encore de nos jours pour représenter les composés.

En 1860, Stanislao Cannizzaro (1826-1910), un chimiste italien, a dissipé la confusion en effectuant une série de déterminations de masses molaires qui convainquirent la communauté scientifique que la bonne masse atomique du carbone est 12.

Pour plus de renseignements, voir Hugh Salzberg, *From Caveman to Chemist*, (American Chemical Society, 1991), p. 223.

2.4 Premières expériences de caractérisation de l'atome

Grâce aux travaux de Dalton, de Gay-Lussac, d'Avogadro et de bien d'autres, la chimie commençait à prendre forme. Le concept d'atome étant une bonne idée, les scientifiques s'intéressèrent vivement à la structure de l'atome. Or, de quoi est fait un atome et en quoi les atomes des divers éléments diffèrent-ils entre eux ?

Électron

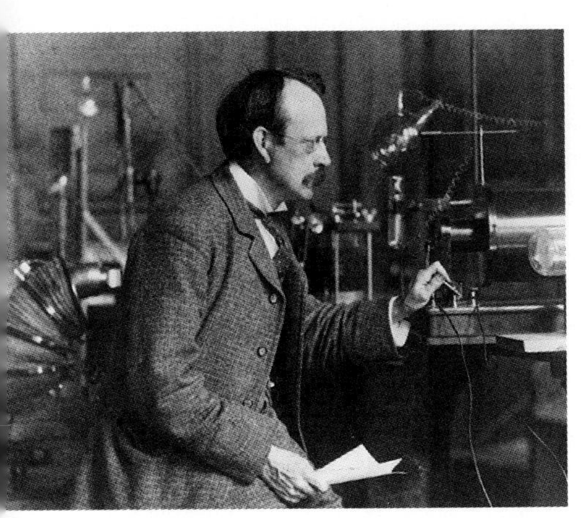

FIGURE 2.6
J. J. Thomson (1856-1940) était un physicien britannique de l'Université de Cambridge. Il a reçu le prix Nobel de physique en 1906.

Les premières expériences importantes menant à la compréhension de la composition de l'atome furent réalisées par le physicien britannique J. J. Thomson (*voir la figure 2.6*) entre 1898 et 1903. Il étudiait le comportement des décharges électriques dans des tubes partiellement sous vide, appelés *tubes à rayons cathodiques* (*voir la figure 2.7*). Thomson découvrit que lorsqu'on appliquait un potentiel élevé à un tel tube, un « rayon », qu'il a appelé **rayon cathodique** (parce qu'il était émis par l'électrode négative ou cathode), était produit. Vu que ce rayon provenait de l'électrode négative et était repoussé par le pôle négatif d'un champ électrique extérieur (*voir la figure 2.8*), Thomson a émis l'hypothèse que ce rayon était composé de particules négatives, appelées aujourd'hui **électrons**.

En mesurant la déviation du faisceau d'électrons dans un champ magnétique, il réussit ainsi à déterminer le rapport charge/masse d'un électron :

$$\frac{e}{m} = -1{,}76 \times 10^8 \text{ C/g}$$

où e représente la charge d'un électron en coulombs (C) et m, la masse de l'électron en grammes.

* Une *molécule* est un assemblage d'atomes (*voir la section 2.6*).

IMPACT

Berzelius, le sélénium et le silicium

Jöns Jakob Berzelius fut sans aucun doute le meilleur chimiste de sa génération et, compte tenu du caractère rudimentaire de son équipement de laboratoire, peut-être le meilleur de tous les temps. Contrairement à Lavoisier, qui pouvait se permettre d'acheter le meilleur équipement de laboratoire sur le marché, Berzelius travaillait avec un équipement minimal, dans un laboratoire des plus élémentaires. Un de ses étudiants a d'ailleurs décrit le lieu de travail du chimiste suédois en ces termes: «Le laboratoire comportait deux pièces ordinaires aménagées très simplement; il n'y avait ni fourneau, ni hotte, ni conduites d'eau, ni gaz. Contre le mur, quelques armoires contenaient des produits chimiques; au centre de la pièce, on trouvait une cuve de mercure et une table sur laquelle était déposé un chalumeau. À côté de la table, il y avait un évier constitué d'une cuve en pierre munie d'un robinet et sous laquelle se trouvait un pot. La pièce voisine [la cuisine] était chauffée par un petit fourneau.»

Comparaison des valeurs de plusieurs masses atomiques déterminées par Berzelius avec les valeurs actuellement admises

	Masse atomique	
Élément	**Valeur établie par Berzelius**	**Valeur actuellement admise**
chlore	35,41	35,45
cuivre	63,00	63,55
hydrogène	1,00	1,01
plomb	207,12	207,2
azote	14,05	14,01
oxygène	16,00	16,00
potassium	39,19	39,10
argent	108,12	107,87
soufre	32,18	32,07

C'est là que, pendant plus de 10 ans, Berzelius effectua plus de 2000 expériences dans le but de déterminer avec précision la masse atomique des 50 éléments connus à l'époque. Les données présentées dans le tableau à gauche montrent le succès obtenu. Ces valeurs attestent, par leur remarquable précision, l'habileté et la patience de Berzelius.

Toutefois, la contribution de Berzelius à la chimie ne se limite pas au tableau des masses atomiques. On lui doit surtout l'élaboration d'un ensemble de symboles destinés à désigner les éléments chimiques et celle d'un système d'écriture des formules des composés destiné à remplacer les représentations symboliques qu'utilisaient les alchimistes. Même si certains chimistes, y compris Dalton, s'opposèrent à ce nouveau système, il fut progressivement adopté, si bien que le système que nous utilisons aujourd'hui repose sur celui de Berzelius.

Berzelius a de plus découvert les éléments suivants: le cérium, le thorium, le sélénium et le silicium. Parmi ces éléments, le sélénium et le silicium sont, de nos jours, les plus importants. Berzelius découvrit le sélénium, en 1817, au cours de ses études sur l'acide sulfurique. On connaît depuis des années la toxicité du sélénium, mais ce n'est que depuis peu qu'on a pris conscience que cet élément pouvait exercer une influence bénéfique sur la santé. Des études ont en effet révélé que des traces de sélénium dans l'alimentation pouvaient prévenir l'apparition de maladies cardiaques et

En effectuant ces expériences avec des tubes à rayons cathodiques, Thomson cherchait surtout à comprendre la structure de l'atome. Selon lui, puisqu'on pouvait produire des électrons à partir d'électrodes faites de différents types de métaux, *tous* les atomes devaient contenir des électrons; en outre, puisque les atomes étaient électriquement neutres, ils devaient également être composés de charges positives. Thomson proposa

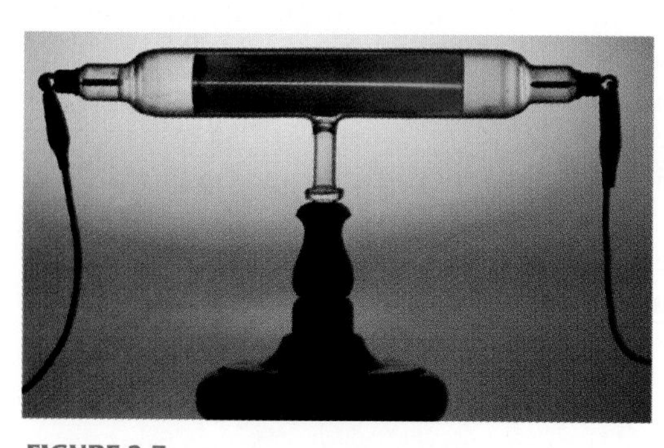

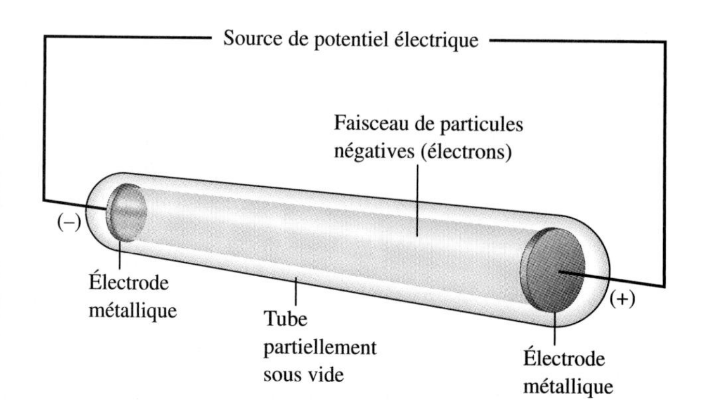

FIGURE 2.7
Dans un tube à rayons cathodiques, un faisceau d'électrons circule entre les électrodes. Les électrons, en se déplaçant rapidement, excitent les molécules de gaz dans le tube et provoquent ainsi l'apparition d'une lueur entre les électrodes. Sur la photographie, la coloration verte est due à la réaction de l'écran (recouvert de sulfure de zinc) au faisceau d'électrons.

Symboles utilisés par les alchimistes pour désigner certains éléments et produits courants

Substance	Symbole alchimique
argent	☽
plomb	♄
étain	♃
platine	☽☉
acide sulfurique	+⊕
alcool	∨ˢ
sel de mer	⊙

du cancer. Une étude portant sur des données recueillies dans 27 pays a ainsi mis en évidence une relation inverse entre le taux de mortalité causée par le cancer et la teneur du sol en sélénium (plus le sol contient de sélénium, moins le taux de mortalité causée par le cancer est élevé). Une autre étude a montré qu'il existait une relation inverse entre la concentration de sélénium dans le sang et l'incidence du cancer du sein chez la femme. En 1998, une étude réalisée à partir de 33 737 coupures d'ongles d'orteils chez des hommes montre que le sélénium semble protéger du cancer de la prostate. On trouve par ailleurs du sélénium dans le muscle cardiaque ; cet élément pourrait jouer un rôle important dans le bon fonctionnement de cet organe. Ces études, et bien d'autres encore, ont contribué à rehausser la réputation du sélénium, si bien que, de nos jours, de nombreux scientifiques en étudient le rôle dans le corps humain. Quant au silicium, c'est, après l'oxygène, l'élément le plus abondant dans la croûte terrestre. Nous le verrons au chapitre 8, le sable de la terre est composé presque essentiellement de silicium lié à l'oxygène.

Berzelius a produit du silicium pur, en 1824, en chauffant du tétrafluorure de silicium, SiF_4, avec du potassium métallique. De nos jours, c'est sur le silicium que repose l'industrie moderne de la microélectronique. Le silicium a même fourni son nom anglais à *Silicon Valley*, cette région voisine de San Francisco où pullulent les entreprises spécialisées en informatique. La technologie des puces de silicium (*voir la figure*), avec ses circuits imprimés, a révolutionné le monde des ordinateurs, en permettant d'en réduire la taille. De gigantesques et non fiables qu'ils étaient, avec leurs milliers de tubes à vide, ils sont devenus aujourd'hui, avec leurs circuits de semi-conducteurs qui ne font jamais défaut, pas plus grands qu'un simple cahier de notes.

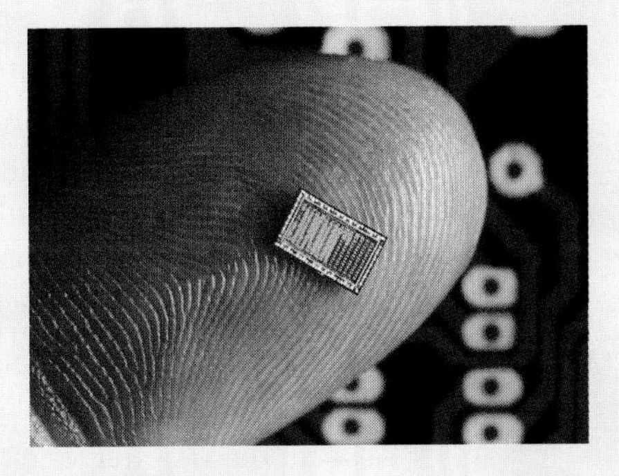

Puce de silicium.

Voir E. J. Holmyard, *Alchemy* (New York : Penguin Books, 1968).

donc le modèle suivant* : un atome consiste en un nuage diffus de charges positives dans lequel sont dispersés au hasard des électrons négatifs. Ce modèle (*voir la figure 2.9*), est souvent appelé *modèle plum-pudding* parce que les électrons sont dispersés dans le mélange (nuage de charges positives) à la manière des raisins dans le plum-pudding, un dessert très apprécié des Britanniques !

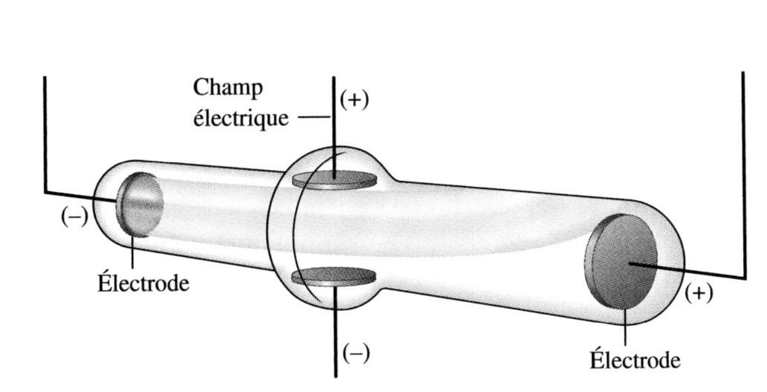

FIGURE 2.8
Déviation des rayons cathodiques sous l'influence d'un champ électrique.

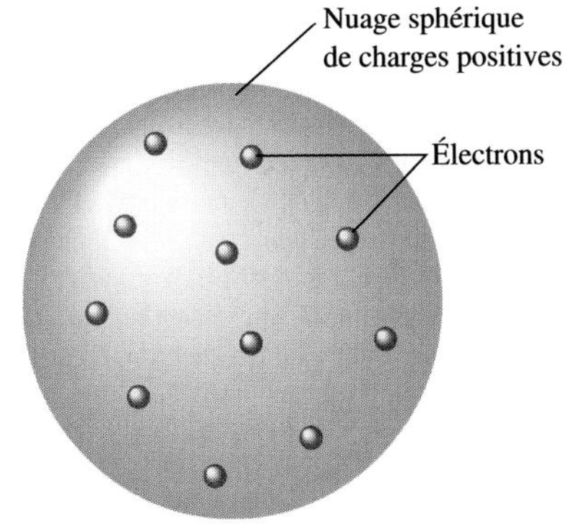

FIGURE 2.9
Le modèle plum-pudding de l'atome.

* Même si on attribue la paternité de ce modèle à J. J. Thomson, l'idée originale serait du mathématicien et physicien britannique William Thomson (mieux connu sous le nom de Lord Kelvin et sans lien de parenté avec J. J. Thomson).

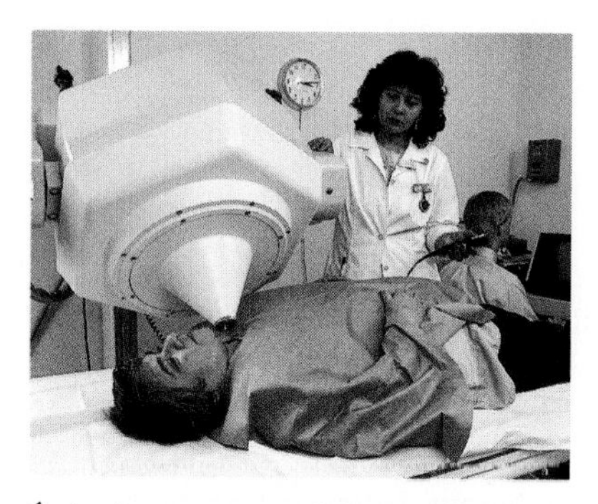

Évaluation par scanner de la captation d'iode radioactif par la thyroïde d'une patiente.

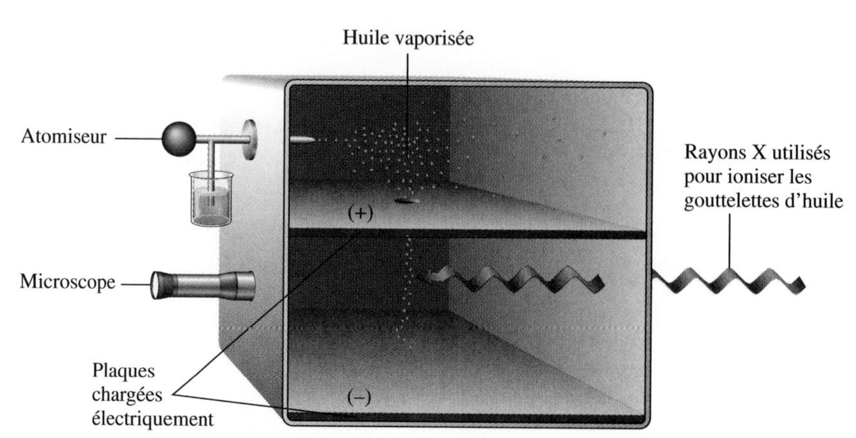

FIGURE 2.10
Représentation schématique de l'appareil utilisé par Millikan pour déterminer la charge électrique de l'électron. On pouvait interrompre la chute des gouttelettes d'huile ionisées en réglant le voltage entre les deux plaques. En utilisant la valeur de la différence de potentiel à laquelle il faut recourir et celle de la masse de la gouttelette d'huile, on peut calculer la charge que possède la gouttelette. Les expériences de Millikan ont montré que la charge d'une gouttelette d'huile était toujours un multiple entier de la charge électrique d'un électron.

FIGURE 2.11
Ernest Rutherford (1871-1937) est né dans une ferme en Nouvelle-Zélande. En 1895, même s'il se classa deuxième à un concours, ce fut lui qui obtint la bourse octroyée pour étudier à l'Université de Cambridge, après que le lauréat eut décidé de rester en Nouvelle-Zélande et de s'y marier. Ayant accepté un poste à l'Université McGill de Montréal en 1898, Rutherford se consacra à la caractérisation de la radioactivité, avant de retourner en Angleterre en 1907. C'est lui qui baptisa les particules α et β, ainsi que les rayons γ. Il créa également le terme « demi-vie » pour décrire une caractéristique importante des éléments radioactifs. Ses travaux sur le comportement des particules α frappant une mince feuille de métal l'amenèrent à proposer le modèle de l'atome nucléaire. De plus, il inventa le nom « proton » pour désigner le noyau de l'atome d'hydrogène. Il fut lauréat du prix Nobel de chimie en 1908.

En 1909, Robert Millikan (1868-1953) effectua à l'Université de Chicago des expériences très astucieuses à l'aide de gouttelettes d'huile ionisées. Ces expériences lui permirent de déterminer avec précision la charge de l'électron (*voir la figure 2.10*). À partir de cette valeur de la charge de l'électron ($1{,}60 \times 10^{-19}$ C) et du rapport charge/masse déterminé par Thomson, Millikan put calculer la masse de l'électron, qu'il évalua à $9{,}11 \times 10^{-31}$ kilogramme.

Radioactivité

À la fin du XIXe siècle, on découvrit que certains éléments émettaient des radiations de haute énergie. En 1896, par exemple, le scientifique français Henri Becquerel constata qu'un morceau de minerai d'uranium pouvait imprimer sa propre image sur une plaque photographique, et ce, même en l'absence de toute lumière. Il attribua ce phénomène à une émission spontanée de radiation par l'uranium, phénomène qu'il appela **radioactivité**. Les études réalisées au début du XXe siècle révélèrent l'existence de trois types d'émissions radioactives : les rayons gamma, γ, les particules bêta, β, et les particules alpha, α. Un rayon γ est une « radiation » de haute énergie ; une particule β est un électron qui se déplace à grande vitesse ; une particule α possède une charge de 2+ (deux fois supérieure à celle de l'électron, mais de signe opposé). La masse d'une particule α est 7300 fois supérieure à celle de l'électron. On connaît aujourd'hui d'autres types d'émissions radioactives. Dans ce chapitre, nous nous limiterons toutefois à l'étude des particules α, car elles ont été utilisées dans quelques expériences de première importance.

Atome nucléaire

Ernest Rutherford (*voir la figure 2.11*) fut l'un des premiers à réaliser des expériences destinées à approfondir l'explication du phénomène de la radioactivité. En 1911, il voulut vérifier le modèle *plum-pudding* de Thomson. Pour ce faire, il bombarda de particules α une mince feuille de métal (*voir la figure 2.12*). Selon Rutherford, si le modèle de Thomson était exact, les lourdes particules α devaient traverser la mince feuille comme un boulet de canon traverse de la gaze (*voir la figure 2.13a*). Il s'attendait à ce que les particules α traversent la feuille avec, tout au plus, une légère déviation de trajectoire. Or, les résultats furent très différents de ceux qu'il escomptait. En effet, même si la plupart des particules α traversèrent effectivement la feuille, nombre d'entre elles furent déviées, avec parfois des angles importants (*voir la figure 2.13b*) ; certaines furent même réfléchies et n'atteignirent donc jamais le détecteur. Pour Rutherford, ces résultats furent plus que surprenants (il écrivit que cela était aussi étonnant que de tirer un coup de canon sur une feuille de papier et de voir tout à coup le boulet rebondir vers soi).

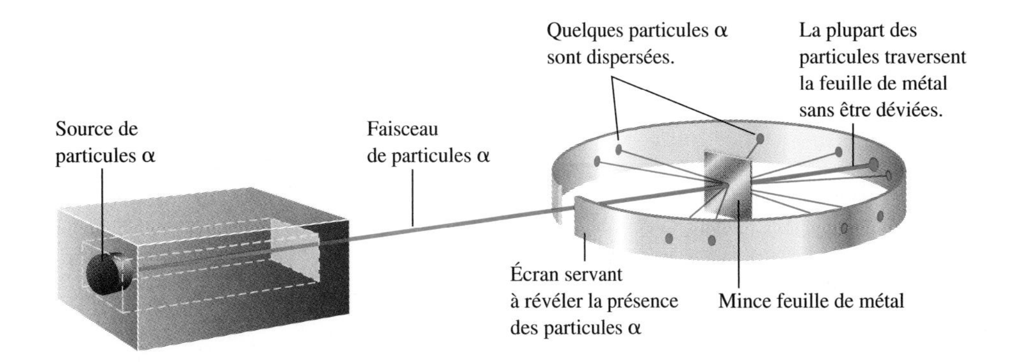

FIGURE 2.12
Expérience de Rutherford sur le bombardement d'une feuille de métal par des particules α.

Pour Rutherford, ces résultats prouvaient que le modèle *plum-pudding* n'était pas exact et que les importantes déviations des particules α ne pouvaient s'expliquer que par la présence d'une concentration de charges positives en un centre comportant la majeure partie de la masse de l'atome (*voir la figure 2.13b*) : la plupart des particules traversent directement la feuille parce que le volume de l'atome est principalement composé de vide ; les particules α déviées sont celles qui ont heurté le centre positif de l'atome ; les quelques particules α réfléchies sont celles qui ont frappé de plein fouet le centre positif beaucoup plus dense.

Selon Rutherford, ces résultats n'étaient explicables que par l'existence d'un **atome nucléaire**, c'est-à-dire un atome possédant un centre dense chargé positivement (le **noyau**) et des électrons gravitant autour de ce noyau à une distance relativement importante par rapport au rayon de celui-ci.

2.5 Introduction à la représentation moderne de la structure de l'atome

Depuis l'époque de Thomson et de Rutherford, on a appris beaucoup sur la structure de l'atome. Étant donné que nous traiterons ce sujet plus en détail dans d'autres chapitres, nous nous contenterons ici d'une introduction. La représentation la plus simple de l'atome est celle d'un petit noyau (de 10^{-13} cm de rayon environ) autour duquel gravitent des électrons, à une distance moyenne d'environ 10^{-8} cm (*voir la figure 2.14*).

Nous le verrons ultérieurement, les propriétés chimiques d'un atome dépendent surtout de ses électrons. C'est pourquoi les chimistes se satisfont d'un modèle nucléaire relativement grossier. Le noyau est censé contenir des **protons**, dont la charge positive est égale, en valeur absolue, à la charge négative de l'électron, et des **neutrons**, dont la masse est identique à celle des protons et la charge nulle. Le tableau 2.1 présente les masses et charges relatives de l'électron, du proton et du neutron.

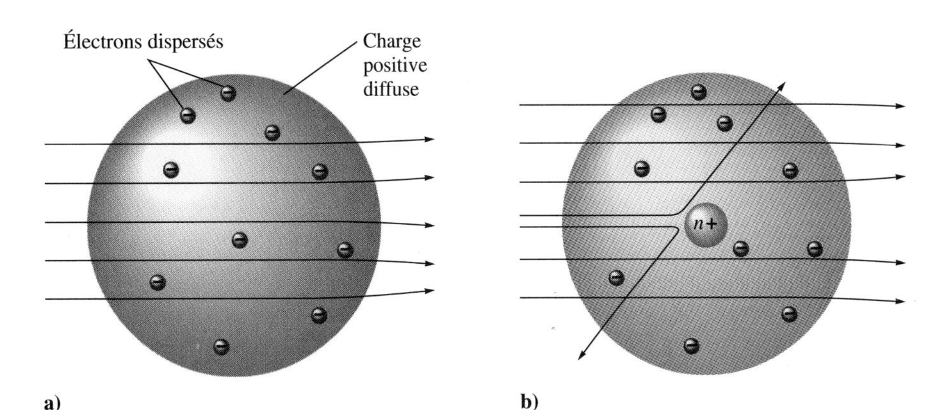

FIGURE 2.13
a) Résultats escomptés de l'expérience avec une feuille de métal si le modèle de Thomson était exact.
b) Résultats effectivement obtenus.

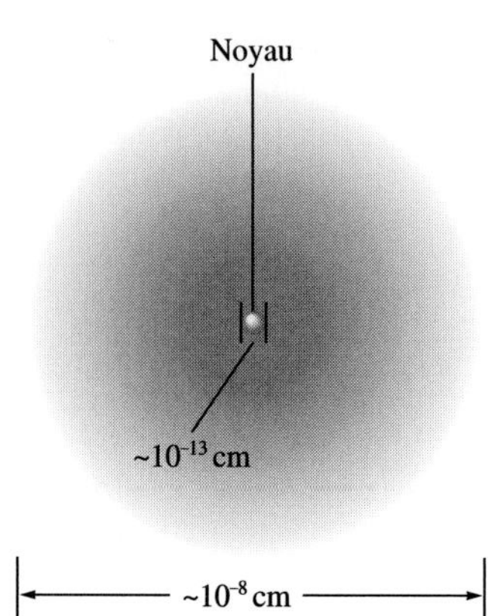

FIGURE 2.14
Coupe transversale d'un atome nucléaire. Il faut noter que ce dessin n'est pas à l'échelle.

TABLEAU 2.1 Masse et charge de l'électron, du proton et du neutron

Particule	Masse	Charge*
électron	$9{,}11 \times 10^{-31}$ kg	1−
proton	$1{,}67 \times 10^{-27}$ kg	1+
neutron	$1{,}67 \times 10^{-27}$ kg	nulle

* La charge de l'électron, comme celle du proton, vaut $1{,}60 \times 10^{-19}$ C.

Deux caractéristiques du noyau sont surprenantes : sa petite taille par rapport à la taille globale de l'atome et son extrême densité. La masse de l'atome est presque totalement concentrée dans le noyau. Par ailleurs, la densité du noyau est telle que la masse d'un groupe de noyaux de la grosseur d'un pois serait de 250 millions de tonnes !

Ce sont les électrons qui confèrent à un atome ses propriétés chimiques.

Il faut en outre se poser une question très importante : *Si tous les atomes sont composés des mêmes particules, comment peut-on expliquer que les propriétés chimiques de différents atomes soient différentes ?* La réponse à cette question réside dans le nombre et l'agencement des électrons. Les électrons occupant la majorité du volume de l'atome, c'est à leur niveau que les atomes s'interpénètrent quand ils se combinent pour former des composés. C'est donc le nombre d'électrons que possède un atome donné qui détermine sa capacité de réagir avec d'autres atomes. Il en résulte que les atomes d'éléments différents, qui possèdent des nombres différents de protons et d'électrons, sont dotés de propriétés chimiques différentes.

Si le noyau d'un atome était de la taille de cette bille de roulement, l'atome serait de la grosseur du stade.

Ainsi, le noyau de l'atome de sodium possède 11 protons. Or, un atome n'ayant aucune charge nette, le nombre d'électrons doit être égal au nombre de protons : 11 électrons gravitent donc autour de son noyau. Et il est toujours vrai qu'un atome de sodium possède 11 protons et 11 électrons. Dans le noyau de chaque atome de sodium, on trouve en outre des neutrons, et il existe autant de types d'atomes de sodium qu'il y a de nombres différents de neutrons. Considérons, par exemple, les atomes de sodium représentés à la figure 2.15. Ces deux atomes sont des **isotopes**, c'est-à-dire des *atomes qui possèdent le même nombre de protons mais un nombre différent de neutrons*. Remarquons que, pour un type particulier d'atome de sodium, le symbole est :

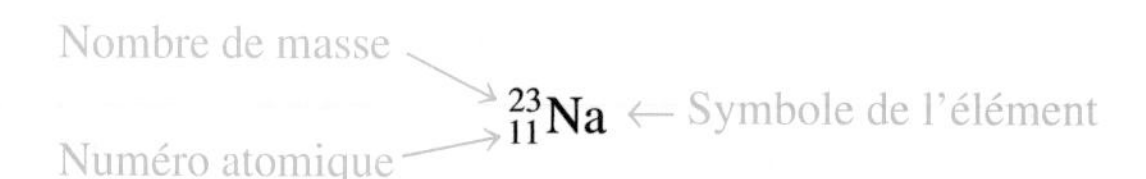

où le **numéro atomique** Z (nombre de protons) apparaît en indice et le **nombre de masse** A (nombre total de protons et de neutrons), en exposant. (On appelle l'atome particulier représenté ci-dessus le « sodium 23 », puisqu'il possède 11 électrons, 11 protons et 12 neutrons.) Étant donné que ce sont les électrons qui confèrent à un atome ses propriétés chimiques, les isotopes ont nécessairement des propriétés chimiques quasi identiques. Dans la nature, les éléments existent sous forme de mélanges d'isotopes.

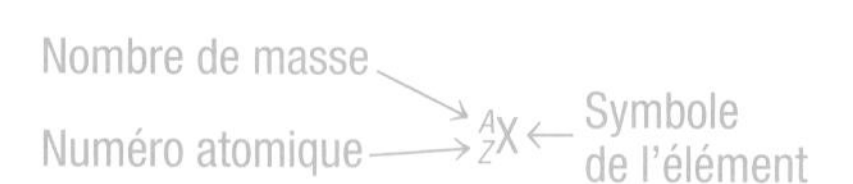

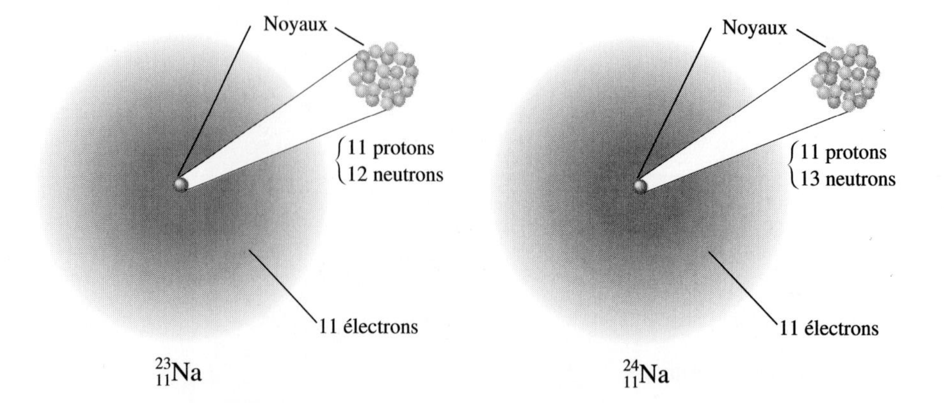

FIGURE 2.15
Deux isotopes de sodium. Tous deux possèdent 11 protons et 11 électrons, mais ils diffèrent par le nombre de neutrons que contient leur noyau.

IMPACT

Les tourbières : un livre d'histoire

Les scientifiques « lisent » souvent l'histoire de la Terre et de ses habitants dans des « livres » très différents de ceux des historiens traditionnels. Par exemple, la disparition des dinosaures il y a 65 millions d'années, en l'espace d'un « instant » à l'échelle du temps géologique, constituait un mystère jusqu'au jour où l'on découvrit des taux d'iridium et d'osmium anormalement élevés dans un endroit de la croûte terrestre qui correspond à cette période. Ces taux élevés d'iridium et d'osmium permettaient de penser qu'un objet d'origine extraterrestre avait percuté la Terre, il y a 65 millions d'années, entraînant des conséquences catastrophiques pour les dinosaures. Depuis lors, le gigantesque cratère enseveli creusé par cet objet a été découvert sur la presqu'île du Yucatán, et à peu près tout le monde est à présent convaincu que cet impact explique la disparition des dinosaures.

Les scientifiques « lisent » également l'histoire en étudiant des carottes de glace provenant de glaciers, en Islande. Des scientifiques suisses ont découvert que d'anciennes tourbières peuvent fournir un dossier historique fiable. William Shotyk, un géochimiste de l'Université de Berne, a ouvert une fenêtre de 15 000 ans sur l'histoire en analysant la teneur en plomb de carottes provenant d'une tourbière d'un contrefort montagneux suisse [*Science* 281 (1998) : 1635]. Il a effectué la datation des échantillons de carottes au ^{14}C et analysé leur teneur en scandium et en plomb. Il a également mesuré le rapport isotopique $^{206}Pb/^{207}Pb$ dans chaque échantillon. La figure ci-contre représente ces données. Remarquons que le rapport $^{206}Pb/^{207}Pb$ demeure voisin de 1,20 (*voir la bande rouge dans la figure*) pour la période couvrant les années 14 000 à 3 200. La valeur de 1,20 est identique à la moyenne du rapport $^{206}Pb/^{207}Pb$ dans la croûte terrestre.

L'analyse de la carotte révèle également que les teneurs totales en plomb et en scandium ont augmenté parallèlement aux alentours de l'an 6000, mais que le rapport $^{206}Pb/^{207}Pb$ est demeuré constant, près de la valeur de 1,20. Cela coïncide avec le début de l'agriculture en Europe, ce qui a provoqué l'augmentation de la dispersion de la poussière du sol dans l'atmosphère.

Il y a environ 3000 ans, le rapport $^{206}Pb/^{207}Pb$ a diminué de façon appréciable. Cette baisse s'accompagne également d'une augmentation dans l'échantillon de la teneur totale en plomb, d'une valeur disproportionnée par rapport à l'augmentation du scandium. Cela indique que le plomb ne provient plus de la poussière du sol, mais qu'il est généré par d'autres activités humaines ; c'est le début de l'exploitation des mines de plomb. Depuis l'an 3000, le rapport $^{206}Pb/^{207}Pb$, demeuré très inférieur à 1,20, indique que la principale source de plomb dans l'atmosphère est l'utilisation anthropique de minerais de plomb. Ceci est confirmé par la baisse marquée de la signature isotopique à partir d'il y a 200 ans, à l'époque où l'Angleterre importait du minerai de plomb australien dont le rapport $^{206}Pb/^{207}Pb$ était très faible.

Jusqu'à présent, seul le plomb a servi à lire l'histoire dans les tourbières. Cependant, l'équipe de Shotyk mesure également les variations des teneurs en d'autres métaux comme le cuivre, le zinc, le cadmium, l'arsenic, le mercure et l'antimoine. Ces histoires intéressantes sont à suivre.

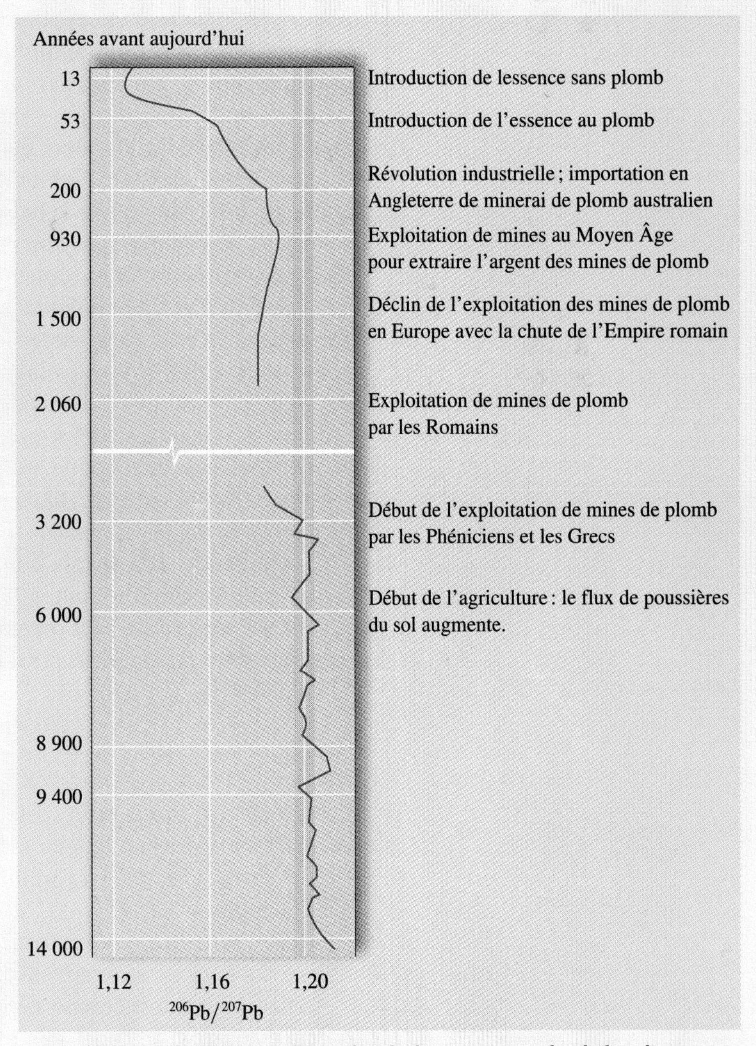

L'analyse, par le géochimiste William Shotyk, du contenu en plomb dans les échantillons de carottes de glace nous livre 15 000 ans de l'histoire des teneurs en plomb. (Note : les dates sont basées sur le datage calibré par le carbone 14. Comme la carotte a été extraite en deux segments, il s'est produit un bris dans les données entre 2060 et 3200 ans avant aujourd'hui.)

Exemple 2.2

Écriture des symboles atomiques

Écrivez le symbole de l'atome dont le numéro atomique est 9 et le nombre de masse, 19. Combien d'électrons et de protons cet atome possède-t-il ?

Solution

Le numéro atomique 9 signifie que l'atome possède 9 protons. Cet élément est donc le *fluor,* dont le symbole est F. On représente donc cet atome de la façon suivante :

$$^{19}_{9}F$$

et on l'appelle « fluor 19 ». Puisque cet atome possède 9 protons, il doit posséder également 9 électrons pour être électriquement neutre. Étant donné que le nombre de masse représente le nombre total de protons et de neutrons, cet atome possède 10 neutrons.

Voir les exercices 2.37 et 2.38

2.6 Molécules et ions

Pour un chimiste, la caractéristique la plus intéressante d'un atome est sa capacité de réagir avec d'autres atomes pour former des composés. C'est John Dalton qui, le premier, découvrit qu'un produit chimique était un assemblage d'atomes ; il ne put toutefois déterminer ni la structure des atomes ni la façon dont ils étaient liés les uns aux autres dans une molécule. Au cours du XXe siècle, on apprit que les atomes possédaient des électrons et que ces derniers participaient à la liaison entre deux atomes. L'étude des liaisons chimiques fera l'objet des chapitres 6 et 7 ; nous présentons pour le moment quelques idées simples sur la liaison, qui seront utiles dans les chapitres suivants.

Dans un composé, les forces qui maintiennent les atomes ensemble sont appelées **liaisons chimiques**. Pour former des liaisons, les atomes peuvent partager des électrons ; ces liaisons sont dites **liaisons covalentes** et l'assemblage des atomes qui en résulte, **molécule**. On peut représenter les molécules de plusieurs façons, la plus simple étant la **formule chimique**, dans laquelle les symboles des éléments indiquent la présence de types particuliers d'atomes et les nombres en indice, les nombres relatifs de ces atomes. Par exemple, la formule du dioxyde de carbone est CO_2, ce qui signifie que chaque molécule contient un atome de carbone et deux atomes d'oxygène. L'hydrogène, H_2, l'eau, H_2O, l'oxygène, O_2, l'ammoniac, NH_3 et le méthane, CH_4, sont des exemples de molécules qui possèdent des liaisons covalentes.

La **formule structurale** d'une molécule, quant à elle, fournit davantage d'informations, étant donné que toutes les liaisons sont représentées par des lignes. De plus, la formule structurale peut ou non montrer la forme réelle de la molécule. Par exemple, on peut représenter la molécule d'eau des deux façons suivantes :

H—O—H ou O (H H)

Ammoniac

La structure de droite représente la forme réelle de la molécule d'eau : les scientifiques savent par expérience qu'elle ressemble à cela. (L'étude des formes des molécules fait l'objet du chapitre 6.) La formule structurale de l'ammoniac est représentée à gauche dans la marge.

Dans la structure de gauche, les atomes reliés à l'atome central par une ligne pointillée sont situés à l'arrière-plan et ceux reliés par des pointes de flèches, au premier plan.

Dans un produit composé de molécules, les molécules individuelles se déplacent indépendamment les unes des autres. On peut représenter une molécule de plusieurs façons. Par exemple, la figure 2.16 représente la formule structurale du méthane gazeux (CH_4), alors que la figure 2.17 représente la même molécule à l'aide du **modèle compact**. Ce modèle moléculaire donne une idée des tailles relatives des atomes et de leurs orientations relatives dans la molécule. On peut également utiliser le **modèle boules et bâtonnets**. La figure 2.18 représente le méthane à l'aide de ce modèle.

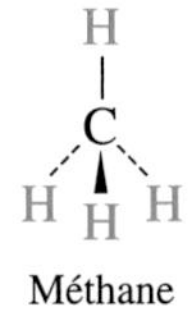

FIGURE 2.16
Formule structurale du méthane.

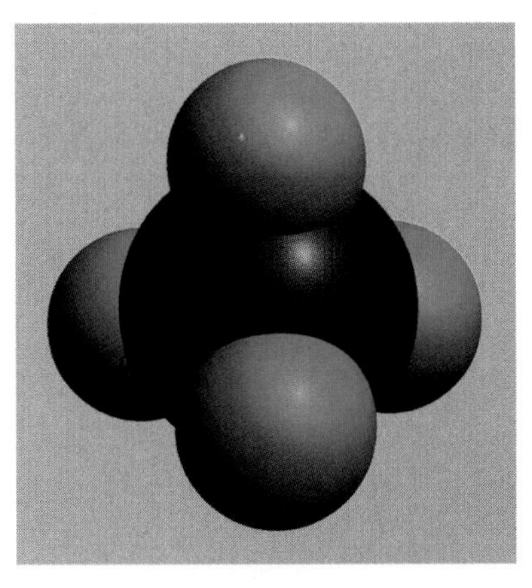

FIGURE 2.17
Modèle compact de la molécule de méthane. Ce type de modèle moléculaire permet de représenter non seulement la taille relative des atomes dans la molécule, mais également leur agencement dans l'espace.

FIGURE 2.18
Modèle boules et bâtonnets de la molécule de méthane.

L'attraction entre les ions constitue un deuxième type de liaison chimique. Un **ion** est un atome, ou un groupe d'atomes, qui possède une charge nette positive ou négative. Le composé ionique le plus connu est le sel de table, ou chlorure de sodium, qu'on produit en faisant réagir du chlore et du sodium neutres.

Pour comprendre comment un ion se forme, considérons ce qui a lieu quand un électron est transféré de l'atome de sodium à l'atome de chlore (on peut ignorer les neutrons du noyau):

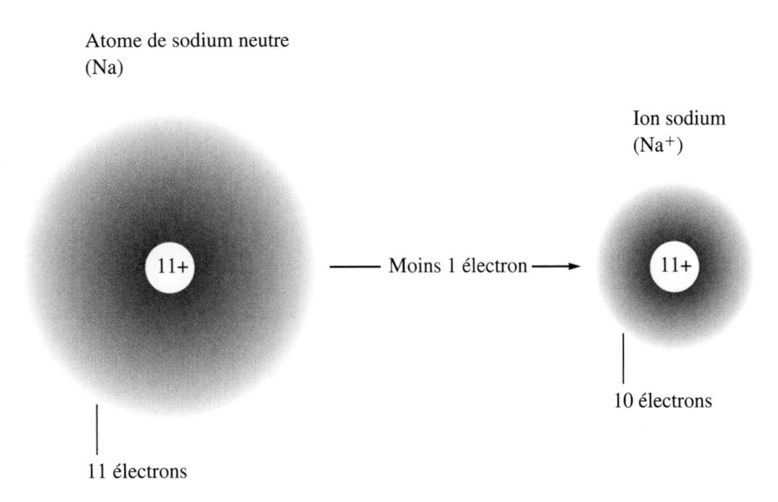

Avec un électron en moins, le sodium, qui n'a plus que 11 protons et 10 électrons, possède maintenant une charge nette de 1+ : il est ainsi devenu un *ion positif*, c'est-à-dire un **cation**. Pour représenter l'ion sodium, on utilise le symbole Na^+ et, pour représenter sa formation, on recourt à l'équation suivante:

$$Na \longrightarrow Na^+ + e^-$$

Na^+ est généralement appelé *ion sodium* plutôt que cation sodium. De même, Cl^- est appelé *ion chlorure* plutôt qu'anion chlorure. Règle générale, quand on parle d'un ion spécifique, on utilise le terme *ion* plutôt que cation ou anion.

Si on ajoute un électron à un atome de chlore,

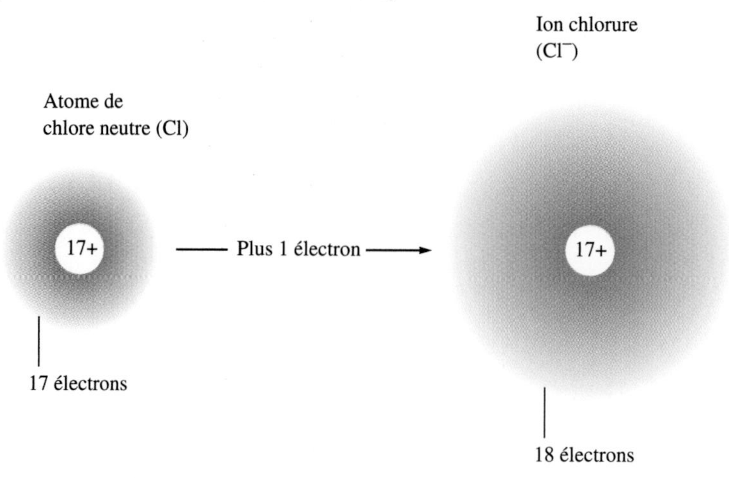

les 18 électrons confèrent à l'atome une charge nette de 1–; le chlore est ainsi devenu un *ion négatif*, c'est-à-dire un **anion**. On représente l'ion chlorure par le symbole Cl^- et sa formation est régie par l'équation suivante:

$$Cl + e^- \longrightarrow Cl^-$$

Comme les anions et les cations possèdent des charges opposées, ils s'attirent les uns les autres. Cette *attraction entre des ions de charges opposées* est appelée **liaison ionique**. Ainsi, le sodium métallique et le chlore (un gaz vert composé de molécules de Cl_2)

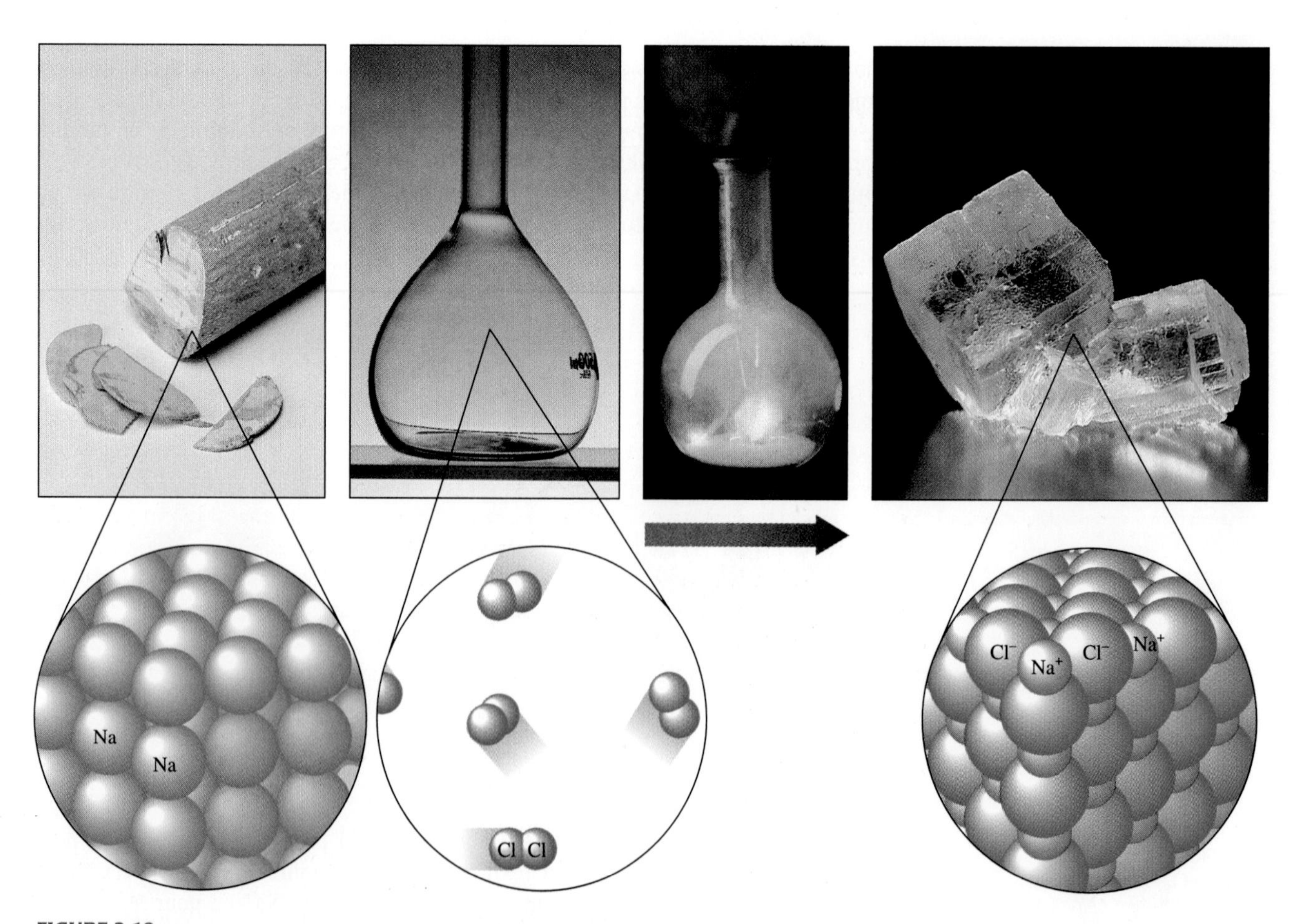

FIGURE 2.19
Le sodium métallique (qui est suffisamment mou pour être coupé au couteau et qui est constitué d'atomes de sodium individuels) réagit avec le chlore gazeux (qui contient des molécules de Cl_2) pour former le chlorure de sodium solide (qui contient un agencement d'ions Na^+ et Cl^-).

FIGURE 2.20
Modèles boules et bâtonnets des ions ammonium, NH_4^+, et nitrate, NO_3^-.

réagissent pour former du chlorure de sodium solide, qui possède de nombreux ions Na^+ et Cl^-, assemblés de la façon illustrée à la figure 2.19. Ce solide forme de beaux cristaux cubiques incolores (*voir la figure 2.19*).

Un solide composé d'ions de charges opposées est appelé **solide ionique** ou **sel**. Les solides ioniques peuvent être constitués d'atomes simples, comme dans le chlorure de sodium, ou d'**ions polyatomiques** (formés de nombreux atomes), comme dans le nitrate d'ammonium, NH_4NO_3, qui possède le cation ammonium, NH_4^+, et l'anion nitrate, NO_3^-. La figure 2.20 représente la structure de ces ions à l'aide d'un modèle boules et bâtonnets.

2.7 Introduction au tableau périodique

Dans toute classe ou laboratoire de chimie, on trouve presque toujours, accroché au mur, un **tableau périodique**. Ce tableau, qui comporte tous les éléments connus, fournit sur chacun de nombreuses informations. Au fur et à mesure qu'on progresse dans l'étude de la chimie, l'utilité du tableau périodique devient de plus en plus évidente. (Dans cette section, nous nous contentons de le présenter.)

La figure 2.21 présente une version simplifiée du tableau périodique : les symboles (lettres) représentent les éléments et les nombres au-dessus des symboles, les *numéros atomiques* (nombres de protons) de ces éléments.

Les abréviations de ces éléments sont basées sur les noms courants des éléments ou encore leurs noms originaux (*voir le tableau 2.2*). Ainsi, le carbone, C, porte le numéro atomique 6 et le potassium K, le numéro atomique 19. La plupart des éléments sont des **métaux**. Certaines propriétés physiques caractérisent les métaux, entre autres : excellente conductibilité de la chaleur et de l'électricité ; malléabilité (on peut les réduire, par martellement, en feuilles minces) ; ductilité (on peut les étirer pour former des fils) ; apparence brillante (souvent). Chimiquement parlant, les métaux ont tendance à *céder* des électrons et à devenir des ions positifs. Le cuivre, par exemple, est un métal typique : il est brillant (même s'il ternit rapidement) ; il est bon conducteur de l'électricité (on l'utilise souvent pour fabriquer des fils électriques) ; il prend aisément diverses formes (on en fait des tuyaux pour acheminer l'eau) ; on trouve également du cuivre sous forme de nombreux sels (par exemple, le sulfate de cuivre bleu qui renferme l'ion Cu^{2+}). Le cuivre fait partie de la famille des métaux de transition (ceux qui occupent le centre du tableau périodique).

Les métaux ont tendance à former des ions positifs et les non-métaux, des ions négatifs.

Les **non-métaux**, relativement peu nombreux, occupent le coin supérieur droit du tableau (*voir la figure 2.21, à droite du trait gras*), à l'exception de l'hydrogène, non-métal classé avec les métaux. Les non-métaux ne sont pas dotés des propriétés physiques caractéristiques des métaux. Chimiquement parlant, ils ont tendance à *accepter* des électrons et à former des anions en réagissant avec des métaux. Les non-métaux sont souvent liés à eux-mêmes par des liaisons covalentes. Par exemple, dans des conditions normales, le chlore, non-métal typique, existe sous forme de molécules Cl_2 ; il réagit avec les métaux pour former des sels contenant des ions Cl^- (par exemple NaCl) et il forme des liaisons covalentes avec les non-métaux (par exemple le chlorure d'hydrogène, HCl).

Les éléments qui occupent une même colonne verticale dans le tableau périodique forment un *groupe* (ou *famille*) et sont dotés de propriétés semblables.

Dans le tableau périodique, les éléments sont disposés de telle façon que ceux qui occupent une même colonne (appelée **groupe** ou **famille**) sont dotés de *propriétés chimiques semblables*. Par exemple, tous les **métaux alcalins**, qui constituent le groupe IA (lithium, Li, sodium, Na, potassium, K, rubidium, Rd, césium, Cs, et francium, Fr), sont des éléments très réactifs qui forment facilement des ions possédant une charge de 1+ quand ils réagissent avec les non-métaux. Les éléments du groupe IIA (béryllium, Be, magnésium, Mg, calcium, Ca, strontium, Sr, baryum, Ba, et radium, Ra) sont les **métaux alcalino-terreux**. Quand ils réagissent avec des non-métaux, ils forment tous des ions possédant une charge de 2+. Les **halogènes**, les éléments du groupe VIIA (fluor, F, chlore, Cl, brome, Br, iode, I, et astate, At), forment tous des molécules diatomiques. Le fluor, le chlore, le brome et l'iode réagissent tous avec les métaux pour former des sels qui contiennent des ions possédant une charge de 1− (F^-, Cl^-, Br^- et I^-). Les éléments du groupe VIIIA (hélium, He, néon, Ne, argon, Ar, krypton, Kr, zénon, Xe, et radon, Rn) sont des **gaz rares**. Dans des conditions normales, ils existent tous sous forme de gaz monoatomiques (un seul atome) et leur réactivité chimique est très faible.

Échantillons de chlore gazeux, de brome liquide et d'iode solide.

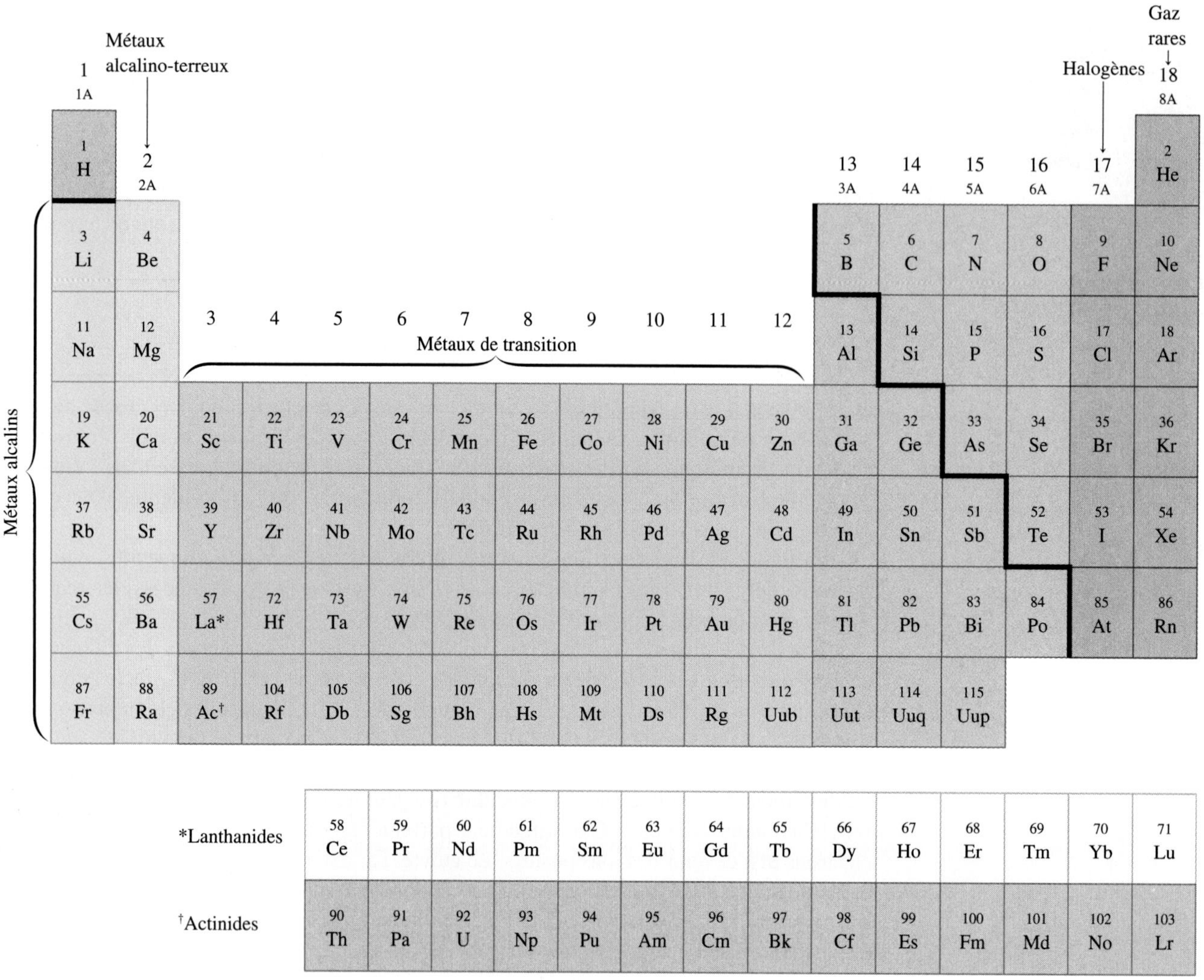

Métaux alcalino-terreux → 2 (2A); Halogènes → 17 (7A); Gaz rares → 18 (8A); Métaux de transition → 3 à 12; Métaux alcalins → groupe 1 (Li à Fr)

1 (1A)	2 (2A)	3	4	5	6	7	8	9	10	11	12	13 (3A)	14 (4A)	15 (5A)	16 (6A)	17 (7A)	18 (8A)
1 H																	2 He
3 Li	4 Be											5 B	6 C	7 N	8 O	9 F	10 Ne
11 Na	12 Mg											13 Al	14 Si	15 P	16 S	17 Cl	18 Ar
19 K	20 Ca	21 Sc	22 Ti	23 V	24 Cr	25 Mn	26 Fe	27 Co	28 Ni	29 Cu	30 Zn	31 Ga	32 Ge	33 As	34 Se	35 Br	36 Kr
37 Rb	38 Sr	39 Y	40 Zr	41 Nb	42 Mo	43 Tc	44 Ru	45 Rh	46 Pd	47 Ag	48 Cd	49 In	50 Sn	51 Sb	52 Te	53 I	54 Xe
55 Cs	56 Ba	57 La*	72 Hf	73 Ta	74 W	75 Re	76 Os	77 Ir	78 Pt	79 Au	80 Hg	81 Tl	82 Pb	83 Bi	84 Po	85 At	86 Rn
87 Fr	88 Ra	89 Ac†	104 Rf	105 Db	106 Sg	107 Bh	108 Hs	109 Mt	110 Ds	111 Rg	112 Uub	113 Uut	114 Uuq	115 Uup			

*Lanthanides	58 Ce	59 Pr	60 Nd	61 Pm	62 Sm	63 Eu	64 Gd	65 Tb	66 Dy	67 Ho	68 Er	69 Tm	70 Yb	71 Lu
†Actinides	90 Th	91 Pa	92 U	93 Np	94 Pu	95 Am	96 Cm	97 Bk	98 Cf	99 Es	100 Fm	101 Md	102 No	103 Lr

FIGURE 2.21
Tableau périodique.

TABLEAU 2.2 Symboles des éléments qui sont basés sur leurs noms originaux

Nom courant	Nom original	Symbole
antimoine	stibium	Sb
azote	nitrum	N
étain	stannum	Sn
or	aurum	Au
plomb	plumbum	Pb
mercure	hydrargyrum	Hg
potassium	kalium	K
sodium	natrium	Na
tungstène	wolfram	W

IMPACT

Le hassium est dans le bon groupe

L'élément 108, le hassium, n'existe pas dans la nature, mais il doit être synthétisé dans un accélérateur de particules. Sa création remonte à 1984, et on peut le fabriquer en bombardant des atomes de curium 248 ($^{248}_{96}Cm$) avec des atomes de magnésium 26 ($^{26}_{12}Mg$). Les collisions entre ces atomes produisent quelques atomes de hassium 265 ($^{265}_{108}Hs$). La position du hassium (*voir la figure 2.21*) dans la même colonne du tableau périodique que le fer, le ruthénium et l'osmium, permet de penser qu'il doit posséder des propriétés chimiques semblables à celles de ces métaux. Cependant, il n'est pas facile de vérifier cette prédiction, car quelques atomes seulement peuvent être fabriqués à la fois et leur durée de vie n'est que de neuf secondes. Essayez d'imaginer que vous n'avez que neuf secondes pour effectuer votre prochaine expérience de laboratoire !

Une équipe de chimistes du Berkeley National Laboratory, en Californie, de l'Institut Paul Scherrer et de l'Université de Berne, en Suisse, ainsi que de l'Institut de chimie nucléaire, en Allemagne, ont réussi ce tour de force ; ces chercheurs ont effectué des expériences permettant de caractériser le comportement chimique du hassium. Ils ont observé, par exemple, que les atomes de hassium réagissent avec l'oxygène pour former de l'oxyde de hassium, un composé du type prévu d'après sa position dans le tableau périodique. L'équipe a également mesuré d'autres propriétés du hassium, dont l'énergie libérée lors de sa désintégration radioactive en un autre atome.

Ce travail aurait sûrement plu à Dimitri Mendeleïev (*voir la figure 5.23*), le savant à l'origine de la création du tableau périodique qui a démontré son pouvoir de prédiction des propriétés chimiques.

Fait à noter, à la figure 2.21, deux ensembles de symboles sont utilisés pour désigner les différents groupes. Les symboles IA à VIIIA sont d'usage traditionnel en Amérique du Nord ; les nombres de 1 à 18 sont d'utilisation récente. Dans le présent ouvrage, on utilise les deux ensembles.

Les rangées horizontales d'éléments dans le tableau périodique sont appelées **périodes**. La première est donc appelée la *première période* (elle contient H et He) ; la deuxième rangée est appelée la *deuxième période* (les éléments Li jusqu'à Ne), etc.

À la section 5.11 du chapitre 5, on propose une autre façon de présenter le tableau périodique.

Nous en apprendrons plus à propos du tableau périodique au fur et à mesure que nous progresserons dans l'étude de la chimie. Pendant cette étude, chaque fois qu'un nouvel élément sera mentionné dans le texte, il serait bon de toujours pouvoir en déterminer la position dans le tableau périodique.

2.8 Nomenclature des composés chimiques

Quand la chimie en était à ses débuts, il n'existait aucun système de nomenclature des produits chimiques. Les chimistes utilisaient alors des noms comme *sucre de plomb, bleu de vitriol, chaux vive, sel d'Epsom, lait de magnésie, gypse* ou *gaz hilarant* : c'est ce qu'on appelle des *noms communs*. Au fur et à mesure que la chimie évoluait, il devenait évident que l'utilisation de noms communs pour désigner des composés aboutirait tôt ou tard à un véritable chaos. Étant donné qu'on connaît actuellement près de cinq millions de composés chimiques, mémoriser tous ces noms communs est humainement impossible.

La solution consiste donc à élaborer un *système* de nomenclature des composés, système dans lequel les noms fournissent quelques renseignements sur leur composition. Après avoir maîtrisé un tel système, un chimiste doit pouvoir nommer un composé à partir de sa formule ou en écrire la formule à partir du nom. Dans cette section, nous allons présenter les principales règles de nomenclature des composés autres que les composés organiques (ceux formés d'une chaîne d'atomes de carbone).

Commençons par le système de nomenclature des **composés binaires** (formés de deux éléments) inorganiques que nous classons dans différentes catégories pour mieux les reconnaître. Nous considérerons les composés ioniques et les composés covalents.

TABLEAU 2.3 Anions et cations monoatomiques courants

Cation	Nom	Anion	Nom
H^+	hydrogène	H^-	hydrure
Li^+	lithium	F^-	fluorure
Na^+	sodium	Cl^-	chlorure
K^+	potassium	Br^-	bromure
Cs^+	césium	I^-	iodure
Be^{2+}	béryllium	S^{2-}	sulfure
Mg^{2+}	magnésium	N^{3-}	nitrure
Ca^{2+}	calcium	P^{3-}	phosphure
Ba^{2+}	baryum	O^{2-}	oxyde
Al^{3+}	aluminium		
Ag^+	argent		

Composés ioniques binaires (type I)

Les **composés ioniques binaires** sont formés d'un ion positif (cation), qui apparaît toujours le premier dans la formule, et d'un ion négatif (anion).

Un cation monoatomique porte le même nom que l'élément correspondant.

1. On nomme d'abord l'anion, puis le cation.
2. Le nom d'un cation monoatomique (formé d'un seul atome) découle de celui de l'élément correspondant. Par exemple, l'ion Na^+ est appelé sodium dans les noms des composés qui contiennent cet ion.
3. On forme le nom d'un anion monoatomique en prenant la première partie du nom de l'élément correspondant (ou de sa racine latine pour N et S) et en lui ajoutant le suffixe *ure*. Ainsi, l'ion Cl^- est appelé chlorure. (Exception importante : l'ion O^{2-} est appelé *oxyde*.)

Le tableau 2.3 présente quelques cations et anions monoatomiques courants et leurs noms respectifs.

Les exemples suivants illustrent les règles de formation des noms des composés binaires :

Dans la formule d'un composé ionique, les ions simples sont toujours représentés par le symbole de l'élément. Ainsi, Cl désigne Cl^- ; Na désigne Na^+, etc.

Composé	Ion présent	Nom
NaCl	Na^+, Cl^-	Chlorure de sodium
KI	K^+, I^-	Iodure de potassium
CaS	Ca^{2+}, S^{2-}	Sulfure de calcium
Li_3N	Li^+, N^{3-}	Nitrure de lithium
CsBr	Cs^+, Br^-	Bromure de césium
MgO	Mg^{2+}, O^{2-}	Oxyde de magnésium

Exemple 2.3 Nomenclature des composés binaires de type I

Nommez chacun des composés binaires ci-dessous.

a) CsF **b)** $AlCl_3$ **c)** LiH

Solution

a) CsF est le fluorure de césium
b) $AlCl_3$ est le chlorure d'aluminium
c) LiH est l'hydrure de lithium

Il est important de remarquer que, dans chaque cas, on nomme d'abord l'anion, puis le cation.

Voir l'exercice 2.45

TABLEAU 2.4 Quelques cations du type II

Ion	Nom systématique
Fe^{3+}	fer(III)
Fe^{2+}	fer(II)
Cu^{2+}	cuivre(II)
Cu^{+}	cuivre(I)
Co^{3+}	cobalt(III)
Co^{2+}	cobalt(II)
Sn^{4+}	étain(IV)
Sn^{2+}	étain(II)
Pb^{4+}	plomb(IV)
Pb^{2+}	plomb(II)
Hg^{2+}	mercure(II)
Hg_2^{2+}*	mercure(I)
Ag^{+}	argent†
Zn^{2+}	zinc†
Cd^{2+}	cadmium†

* Remarquez que les ions mercure(I) n'existent que sous la forme de Hg_2^{2+}.

† Bien qu'il s'agisse d'éléments de transition, ils ne forment qu'un seul type d'ion, et aucun chiffre romain ne leur est associé.

Écriture de la formule à partir du nom

Jusqu'à présent, nous sommes partis de la formule chimique d'un composé pour lui donner un nom systématique. Or, la démarche inverse est également importante. Par exemple, à partir du nom « hydroxyde de calcium », on peut déterminer la formule $Ca(OH)_2$, étant donné que le calcium ne forme que des ions Ca^{2+} et que, l'ion hydroxyde étant OH^-, il en faut deux pour former un composé neutre.

Composés ioniques binaires (type II)

Dans les composés ioniques binaires énumérés précédemment (ceux de type I), le métal présent ne forme toujours qu'un seul type de cation : le sodium ne donne que du Na^+, le calcium du Ca^{2+}, etc. Cependant, comme nous le verrons en détail ultérieurement, de nombreux métaux peuvent former plus d'un type d'ion positif et, par conséquent, plus d'un type de composé ionique associé à un anion donné. Par exemple, le $FeCl_2$ contient des ions Fe^{2+} et le $FeCl_3$, des ions Fe^{3+}. Dans un tel cas, il faut donc préciser quelle est la *charge de l'ion métallique.* Les noms systématiques de ces deux composés du fer sont, respectivement, le chlorure de fer(II) et le chlorure de fer(III) – *le chiffre romain représentant la charge du cation.*

Pour nommer les composés ioniques, on utilisait auparavant un autre système. *Le nom de l'ion possédant la plus forte charge se terminait par* ique *et celui de l'ion possédant la plus faible charge, par* eux. Selon ce système, l'ion Fe^{3+}, par exemple, s'appelait ferrique, et l'ion Fe^{2+}, ferreux : les noms du $FeCl_3$ et du $FeCl_2$ étaient donc, respectivement, chlorure ferrique et chlorure ferreux. Dans cet ouvrage, nous privilégierons l'usage de chiffres romains pour distinguer les cations. Le tableau 2.4 fournit une liste de cations de type II.

Exemple 2.4

Écriture de la formule à partir du nom des composés binaires de type I

À partir de ces noms systématiques, écrivez la formule de chacun de ces composés.

a) Iodure de potassium.
b) Oxyde de calcium.
c) Bromure de gallium.

Solution

Nom	Formule chimique	Commentaire
a) Iodure de potassium	KI	Ce composé contient des ions K^+ et I^-.
b) Oxyde de calcium	CaO	Ce composé contient des ions Ca^{2+} et O^{2-}.
c) Bromure de gallium	$GaBr_3$	Ce composé contient des ions Ga^{3+} et Br^-. Trois ions Br^- sont requis pour équilibrer la charge de l'ion Ga^{3+}.

Voir l'exercice 2.45

Exemple 2.5

Nomenclature des composés binaires de type II

1. Donnez le nom systématique de chacun des composés ci-dessous.

a) CuCl **b)** HgO **c)** Fe_2O_3

2. À partir de ces noms systématiques, écrivez la formule de chacun de ces composés.

a) Oxyde de manganèse(IV).
b) Chlorure de plomb(II).

Les composés ioniques binaires de type II renferment un métal qui donne naissance à plus d'un type de cation.

Un composé doit être électriquement neutre.

Solution

Étant donné que chacun de ces composés contient un métal qui peut former plus d'un type de cation, il faut d'abord déterminer la charge de chaque cation. Pour ce faire, on part du principe qu'un composé doit être électriquement neutre (le nombre de charges positives doit être égal au nombre de charges négatives).

1.

Formule chimique	**Nom**	**Commentaire**
a) CuCl	Chlorure de cuivre(I)	Puisque l'anion est Cl^-, le cation doit être Cu^+ (pour l'équilibre des charges), qui nécessite le chiffre romain I.
b) HgO	Oxyde de mercure(II)	Puisque l'anion est l'oxyde, O^{2-}, le cation mercure doit être Hg^{2+} [mercure(II)].
c) Fe_2O_3	Oxyde de fer(III)	Les 3 ions O^{2-} ont une charge totale de 6 –; il s'ensuit que les 2 ions Fe^{3+} [fer(III)] doivent avoir une charge totale de 6+.

2.

Nom	**Formule chimique**	**Commentaire**
a) Oxyde de manganèse(IV)	MnO_2	Deux ions O^2 (charge totale 4−) sont requis par l'ion Mn^{+4} [manganèse(IV)].
b) Chlorure de plomb(II)	$PbCl_2$	Deux ions Cl^- sont requis par l'ion Pb^{2+} [plomb(II)] pour l'équilibre des charges.

Voir l'exercice 2.46

Dans le nom d'un composé qui contient un métal de transition, il y a habituellement un chiffre romain.

Signalons que l'utilisation d'un chiffre romain dans le nom systématique n'est nécessaire que dans les cas où il existe plus d'un composé ionique formé à partir d'une même paire d'éléments. C'est ce qui a lieu le plus fréquemment avec les composés contenant des métaux de transition, qui forment souvent plus d'un cation. *Dans le cas d'éléments qui ne forment qu'un seul cation, l'utilisation d'un chiffre romain n'est pas nécessaire à leur identification.* Dans ce groupe, on trouve : les éléments du groupe IA, qui ne forment que des ions possédant une charge de 1+ ; les éléments du groupe IIA, qui ne forment que des ions possédant une charge de 2+ ; l'aluminium, qui ne forme que l'ion Al^{3+}. En ce qui concerne l'élément « argent », dans pratiquement tous les composés où il est présent, on le trouve sous forme d'ions Ag^+. Par conséquent, même si l'argent est un métal de transition (et pourrait former des ions autres que Ag^+), les composés de l'argent ne sont généralement pas suivis d'un chiffre romain. Ainsi, AgCl est couramment appelé « chlorure d'argent » plutôt que « chlorure d'argent(I) », bien que ce dernier nom soit techniquement correct. Il en est de même pour le zinc, qui ne forme que des ions Zn^{2+}.

Cristaux de sulfate de cuivre(II).

Quand l'ion métallique forme plus d'un type de cation (*voir l'exemple 2.5*), on doit déterminer la charge de l'ion métallique en équilibrant les charges positives et négatives du composé. Pour ce faire, il faut repérer les cations et les anions communs, ainsi que leurs charges (*voir les tableaux 2.3 et 2.5*).

Exemple 2.6

Nomenclature des composés binaires

1. Donnez le nom systématique de chacun des composés ci-dessous.

a) $CoBr_2$ **b)** $CaCl_2$ **c)** Al_2O_3

2. À partir de ces noms systématiques, écrivez la formule de chacun de ces composés.

a) Chlorure de chrome(III).
b) Iodure de gallium.

Solution

1.

Formule chimique	**Nom**	**Commentaire**
a) $CoBr_2$	Bromure de cobalt(II)	Étant donné que le cobalt est un élément de transition, le nom du composé doit comporter un chiffre romain. Les 2 ions Br^- doivent être neutralisés par le cation Co^{2+}.
b) $CaCl_2$	Chlorure de calcium	Étant donné que le calcium est un métal alcalino-terreux et qu'il ne forme que l'ion Ca^{2+}, il n'est pas nécessaire d'utiliser de chiffre romain.
c) Al_2O_3	Oxyde d'aluminium	Étant donné que l'aluminium forme uniquement l'ion Al^{3+}, il n'est pas nécessaire d'utiliser de chiffre romain.

2.

Nom	**Formule chimique**	**Commentaire**
a) Chlorure de chrome(III)	$CrCl_3$	Chrome(III) indique que l'ion Cr^{3+} est présent, ce qui requiert 3 ions Cl^- pour équilibrer les charges.
b) Iodure de gallium	GaI_3	Le gallium forme toujours des ions 3+, ce qui requiert 3 ions I^- pour équilibrer les charges.

Voir les exercices 2.47 et 2.48

Divers composés du chrome en solution aqueuse. De gauche à droite : $CrCl_2$, $K_2Cr_2O_7$, $Cr(NO_3)_2$, $CrCl_3$, K_2CrO_4.

Pour nommer un composé ionique binaire, l'organigramme suivant se révèle utile.

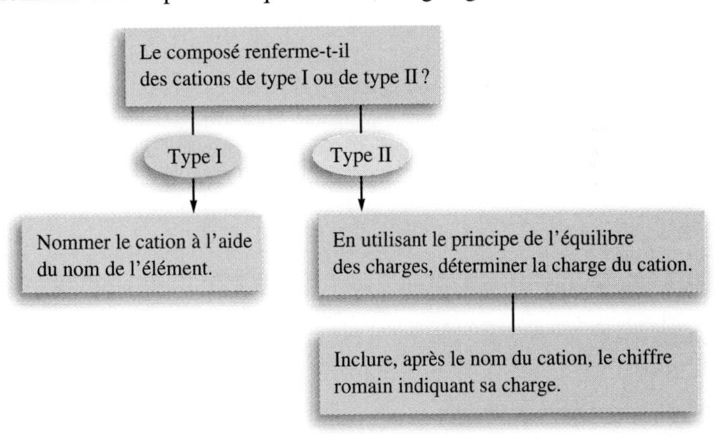

Les principaux cations de type I et de type II sont présentés à la figure 2.22. On y trouve également les anions monoatomiques courants.

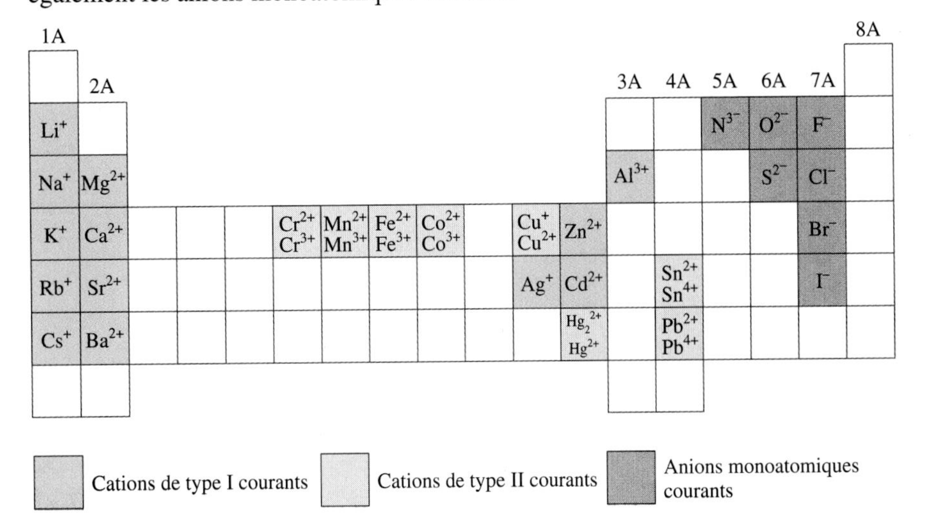

FIGURE 2.22
Les cations et anions les plus courants.

TABLEAU 2.5 Noms des ions polyatomiques courants

Ion	Nom	Ion	Nom
Hg_2^{2+}	mercure(I)	NCS^-	thiocyanate
NH_4^+	ammonium	CO_3^{2-}	carbonate
NO_2^-	nitrite	HCO_3^-	hydrogénocarbonate (on trouve couramment bicarbonate)
NO_3^-	nitrate		
SO_3^{2-}	sulfite		
SO_4^{2-}	sulfate	ClO^-	hypochlorite
HSO_4^-	hydrogénosulfate (on trouve fréquemment bisulfate)	ClO_2^-	chlorite
		ClO_3^-	chlorate
		ClO_4^-	perchlorate
OH^-	hydroxyde	CH_3COO^-	acétate
CN^-	cyanure	MnO_4^-	permanganate
PO_4^{3-}	phosphate	$Cr_2O_7^{2-}$	dichromate
HPO_4^{2-}	hydrogénophosphate	CrO_4^{2-}	chromate
$H_2PO_4^-$	dihydrogénophosphate	O_2^{2-}	peroxyde
		$C_2O_4^{2-}$	oxalate

Composés ioniques à ions polyatomiques

Il faut mémoriser les noms des ions polyatomiques.

Il existe un autre type de composés ioniques qui contiennent des ions polyatomiques. Par exemple, le nitrate d'ammonium, NH_4NO_3 contient les ions polyatomiques NH_4^+ et NO_3^-. On donne aux ions polyatomiques des noms spéciaux qu'*il faut absolument mémoriser* pour nommer adéquatement les composés qui les contiennent. Le tableau 2.5 présente les noms et les formules des ions polyatomiques les plus importants.

On remarque, au tableau 2.5, que plusieurs séries d'anions possèdent un atome d'un élément donné et des nombres d'atomes d'oxygène différents. On appelle ces anions des **oxanions**. Quand la série se limite à deux composés, le nom de celui qui possède le plus petit nombre d'atomes d'oxygène se termine par *ite* et le nom de celui qui possède le plus grand nombre d'atomes d'oxygène, par *ate* (par exemple sulfite, SO_3^{2-}, et sulfate, SO_4^{2-}). Quand la série comporte plus de deux oxanions, on utilise les préfixes *hypo-* (moins de) et *per-* (plus de) pour nommer les composés qui possèdent respectivement le moins et le plus grand nombre d'atomes d'oxygène. Le meilleur exemple est celui des oxanions qui contiennent du chlore, comme l'indique le tableau 2.5.

Exemple 2.7 Nomenclature des composés à ions polyatomiques

1. Donnez le nom systématique de chacun des composés ci-dessous.

a) Na_2SO_4
b) KH_2PO_4
c) $Fe(NO_3)_3$
d) $Mn(OH)_2$
e) Na_2SO_3
f) Na_2CO_3

2. À partir de ces noms systématiques, écrivez la formule de chacun de ces composés.

a) Hydrogénocarbonate de sodium.
b) Perchlorate de césium.
c) Hypochlorite de sodium.
d) Séléniate de sodium.
e) Bromate de potassium.

Solution

1.

Formule chimique	Nom	Commentaire
a) Na_2SO_4	Sulfate de sodium	
b) KH_2PO_4	Dihydrogénophosphate de potassium	
c) $Fe(NO_3)_3$	Nitrate de fer(III)	Métal de transition : le nom doit contenir un chiffre romain. L'ion Fe^{3+} neutralise 3 ions NO_3^-.
d) $Mn(OH)_2$	Hydroxyde de manganèse(II)	Métal de transition : le nom doit contenir un chiffre romain. L'ion Mn^{2+} est associé à 2 ions OH^-.
e) Na_2SO_3	Sulfite de sodium	
f) Na_2CO_3	Carbonate de sodium	

2.

Nom	Formule chimique	Commentaire
a) Hydrogénocarbonate de sodium	$NaHCO_3$	Souvent appelé bicarbonate de sodium.
b) Perchlorate de césium	$CsClO_4$	
c) Hypochlorite de sodium	$NaOCl$	
d) Séléniate de sodium	Na_2SeO_4	On désigne de la même façon les anions polyatomiques des atomes qui appartiennent à un même groupe. Ainsi, SeO_4^{2-} est le séléniate, comme SO_4^{2-} est le sulfate.
e) Bromate de potassium	$KBrO_3$	Comme ClO_3^- est le chlorate, BrO_3^- est le bromate.

Voir les exercices 2.49 et 2.50

Composés binaires (type III ; covalents – contenant deux non-métaux)

Dans un *composé covalent binaire*, les noms des éléments suivent les mêmes règles que dans un composé ionique binaire.

Les **composés covalents binaires** sont constitués de *deux non-métaux*. Bien que ces composés ne renferment pas d'ions, ils sont nommés de la même façon que les composés ioniques binaires.

Voici les règles de nomenclature de ces composés :

1. Le premier élément de la formule porte le nom complet de l'élément.
2. Le deuxième élément porte le nom de l'anion et est nommé en premier.
3. Pour indiquer le nombre d'atomes présents, on utilise des préfixes (*voir le tableau 2.6*).
4. Le préfixe *mono-* n'est jamais utilisé pour désigner le premier élément. Par exemple, CO s'appelle monoxyde de carbone et *non* monoxyde de monocarbone.

TABLEAU 2.6 Préfixes utilisés pour représenter un nombre dans le nom des produits chimiques

Préfixe	Nombre
mono-	1
di-	2
tri-	3
tétra-	4
penta-	5
hexa-	6
hepta-	7
octa-	8
nova-	9
déca-	10

Pour bien comprendre l'application de ces règles, nous allons considérer les noms de plusieurs composés covalents formés d'azote et d'oxygène :

Composé	Nom systématique	Nom courant
N_2O	Monoxyde de diazote	Oxyde nitreux
NO	Monoxyde d'azote	Oxyde nitrique
NO_2	Dioxyde d'azote	
N_2O_3	Trioxyde de diazote	
N_2O_4	Tétroxyde de diazote	
N_2O_5	Pentoxyde de diazote	

Il est à remarquer dans les exemples précédents que pour éviter des problèmes de prononciation, on laisse souvent tomber la finale *o* ou *a* du préfixe quand l'élément commence lui-même par une voyelle. C'est ainsi que N_2O_4 est appelé « tétroxyde de diazote » et *non* « *tétra*oxyde de diazote » et que CO est appelé « monoxyde de carbone » et *non* « *mono*oxyde de carbone ».

Certains composés sont souvent désignés par leurs noms communs. Les exemples les plus courants sont l'eau et l'ammoniac. Les noms systématiques de H_2O et de NH_3 ne sont jamais utilisés.

Exemple 2.8 Nomenclature de composés binaires de type III

1. Nommez chacun des composés ci-dessous.

a) PCl_5
b) PCl_3
c) SO_2

2. À partir de ces noms systématiques, écrivez la formule de chacun de ces composés.

a) Hexafluorure de soufre
b) Trioxyde de soufre
c) Dioxyde de carbone

Solution

1.

Formule chimique	Nom
a) PCl_5	Pentachlorure de phosphore
b) PCl_3	Trichlorure de phosphore
c) SO_2	Dioxyde de soufre

2.

Nom	Formule chimique
a) Hexafluorure de soufre	SF_6
b) Trioxyde de soufre	SO_3
c) Dioxyde de carbone	CO_2

Voir les exercices 2.51 et 2.52

Les règles de nomenclature des composés binaires sont résumées à la figure 2.23. Les préfixes servant à indiquer le nombre d'atomes sont utilisés uniquement pour les composés binaires de type III (ceux contenant deux non-métaux). Une stratégie globale de nomenclature des composés est présentée à la figure 2.24.

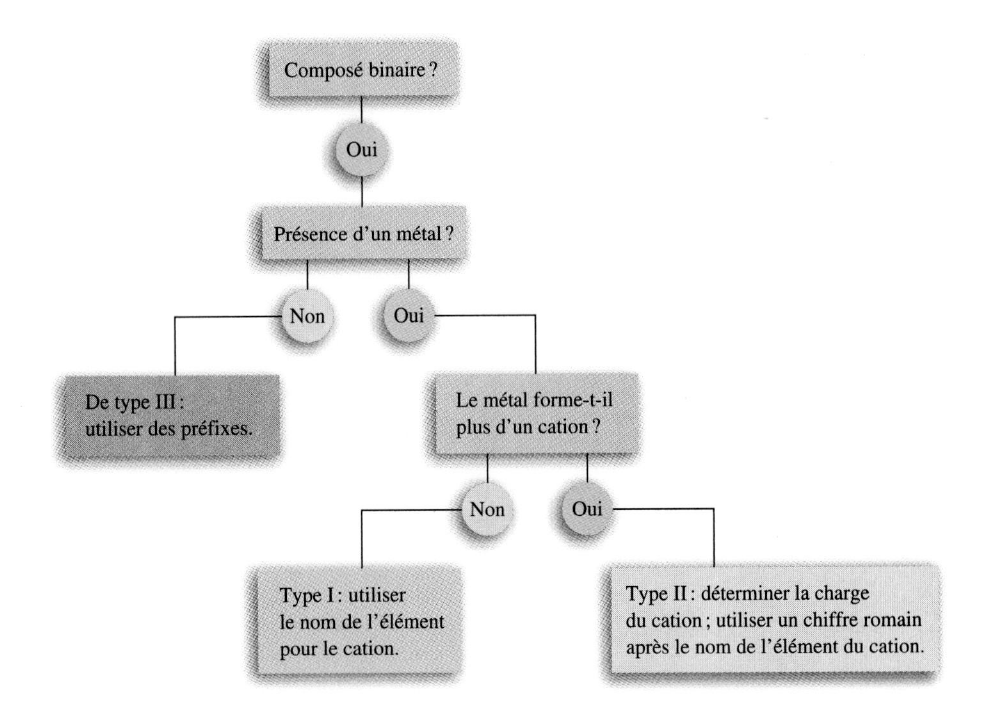

FIGURE 2.23
Stratégie de nomenclature des composés binaires.

Exemple 2.9 Nomenclature de divers types de composés

1. Donnez le nom systématique de chacun des composés suivants.

a) P_4O_{10}
b) Nb_2O_5
c) Li_2O_2
d) $Ti(NO_3)_4$

2. À partir de ces noms systématiques, écrivez la formule de chacun de ces composés.

a) Fluorure de vanadium.
b) Difluorure de dioxygène.
c) Peroxyde de rubidium.
d) Oxyde de gallium.

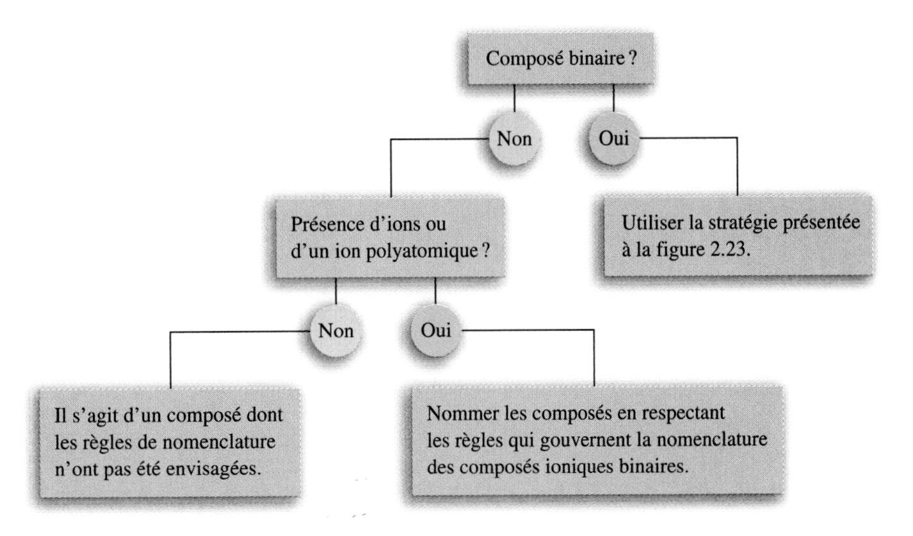

FIGURE 2.24
Stratégie globale de nomenclature des composés chimiques.

Solution

1.

Composé	Nom	Commentaire
a) P_4O_{10}	Décaoxyde de tétraphosphore	Composé covalent binaire (type III) ; donc utilisation de préfixes. Le *a* dans *déca-* est souvent omis.
b) Nb_2O_5	Oxyde de niobium(V)	Composé binaire de type II renfermant les ions Nb^{5+} et O^{2-}. Le niobium est un métal de transition ; il doit être suivi d'un chiffre romain.
c) Li_2O_2	Peroxyde de lithium	Composé binaire de type I renfermant les ions Li^+ et O_2^{2-} (peroxyde).
d) $Ti(NO_3)_4$	Nitrate de titane(IV)	N'est pas un composé binaire. Contient les ions Ti^{4+} et NO_3^-. Le titane est un métal de transition ; il doit être suivi d'un chiffre romain.

2.

Nom	Formule chimique	Commentaire
a) Fluorure de vanadium(V)	VF_5	Ce composé contient des ions V^{5+}, ce qui requiert cinq ions F^- pour former un composé neutre.
b) Difluorure de dioxygène	O_2F_2	Le préfixe *di* précise le nombre de chaque atome.
c) Peroxyde de rubidium	Rb_2O_2	Le rubidium, du groupe IA, forme des ions 1+. Il en faut donc deux pour équilibrer les charges de l'ion peroxyde, O_2^{2-}.
d) Oxyde de gallium	Ga_2O_3	Le gallium, du groupe IIIA, ne forme que des ions 3+, comme l'aluminium. Deux ions Ga^{3+} sont donc requis pour équilibrer les charges de trois ions O^{2-}.

Voir les exercices 2.53 et 2.54

Acides

Un acide est reconnaissable à la présence d'un hydrogène au début de sa formule.

Une fois dissoutes dans l'eau, certaines molécules produisent une solution contenant des ions H+ (protons). Nous aborderons plus en détail certaines propriétés des **acides** dans le manuel *Chimie des solutions*, nous nous contentons ici de présenter les règles relatives à la nomenclature des acides.)

On peut représenter un acide comme une molécule possédant un ou plusieurs ions H^+ fixés à un anion. Les règles relatives à la nomenclature des acides varient selon que l'anion contient ou non de l'oxygène. Si *l'anion ne contient pas d'oxygène*, on forme le nom de l'acide en utilisant le suffixe *hydrique*. Par exemple, quand on dissout du chlorure d'hydrogène gazeux dans de l'eau, il y a formation d'acide chlorhydrique. De la même façon, quand on dissout du HCN ou du H_2S dans de l'eau, il y a formation, respectivement, d'acide cyanhydrique et d'acide sulfhydrique. (*Voir le tableau 2.7.*)

Si l'*anion contient de l'oxygène*, on forme le nom de l'acide en utilisant la racine du nom de l'anion à laquelle on ajoute le suffixe *ique* ou le suffixe *eux*.

1. Si le nom de l'anion se termine par *ate*, on remplace ce suffixe par *ique* (quelquefois *rique*). Par exemple : H_2SO_4, qui contient l'anion sulfate, SO_4^{2-}, porte le nom d'acide sulfurique ; H_3PO_4, qui contient l'anion phosphate, PO_4^{3-}, s'appelle l'acide phosphorique ; CH_3CO_2H, qui contient l'ion acétate, CH_3CO^{2-}, est l'acide acétique.

TABLEAU 2.7 Noms des acides* qui ne contiennent pas d'oxygène

Acide	Nom
HF	acide fluorhydrique
HCl	acide chlorhydrique
HBr	acide bromhydrique
HI	acide iodhydrique
HCN	acide cyanhydrique
H_2S	acide sulfhydrique

* Remarquez que ces acides sont des solutions aqueuses contenant ces substances.

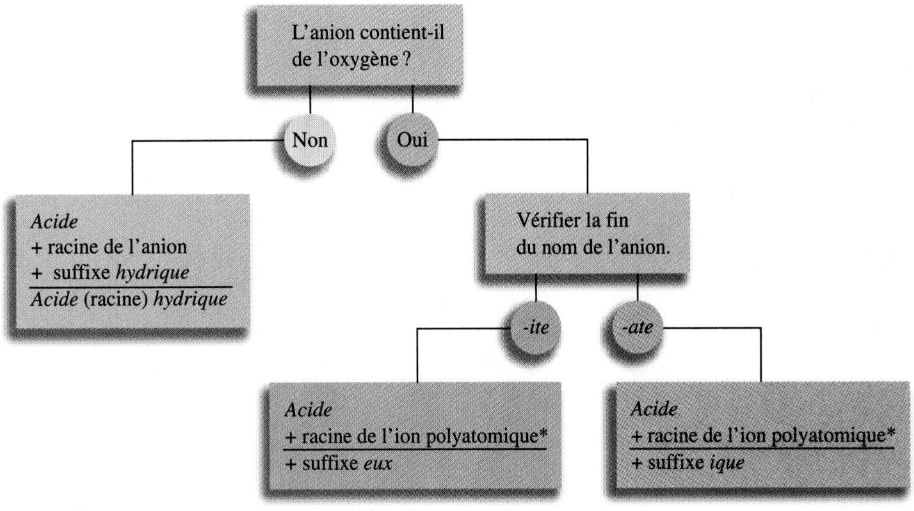

FIGURE 2.25
Stratégie de nomenclature des acides. Il est préférable de considérer l'acide comme un anion qui possède un ou plusieurs H^+.

TABLEAU 2.8 Noms de quelques acides qui contiennent des atomes d'oxygène

Acide	Nom
HNO_3	acide nitrique
HNO_2	acide nitreux
H_2SO_4	acide sulfurique
H_2SO_3	acide sulfureux
H_3PO_4	acide phosphorique
CH_3CO_2H	acide acétique

2. Si le nom de l'anion se termine par *ite*, on remplace ce suffixe par *eux*. Par exemple : H_2SO_3, qui renferme l'ion sulfite, SO_3^{2-}, s'appelle l'acide sulfureux ; HNO_2, qui renferme l'ion nitrite, NO_2^-, porte le nom d'acide nitreux. (*Voir le tableau 2.8.*)

   Appliquons ces règles à la nomenclature des acides des oxanions du chlore :

Acide	Anion	Nom de l'acide
$HClO_4$	Perchlor*ate*	Acide perchlor*ique*
$HClO_3$	Chlor*ate*	Acide chlor*ique*
$HClO_2$	Chlor*ite*	Acide chlor*eux*
HClO	Hypochlor*ite*	Acide hypochlor*eux*

Les noms des plus importants acides sont présentés aux tableaux 2.7 et 2.8. Une stratégie globale de nomenclature des acides est présentée à la figure 2.25.

* Attention aux ions SO_3^{2-} (sulfite) et SO_4^{2-} (sulfate) qui donnent les acides sulfureux (H_2SO_3) et sulfurique (H_2SO_4), ainsi qu'aux ions PO_3^{3-} (phosphite) et PO_4^{3-} (phosphate) qui donnent les acides phosphoreux (H_3PO_3) et phosphorique (H_3PO_4).

Mots clés

Section 2.2
loi de la conservation de la masse
loi des proportions définies
loi des proportions multiples

Section 2.3
masse atomique
poids atomique
hypothèse d'Avogadro

Section 2.4
rayon cathodique
électron
radioactivité
atome nucléaire
noyau

Section 2.5
proton
neutron
isotope
numéro atomique
nombre de masse

Section 2.6
liaison chimique
liaison covalente
molécule
formule chimique
formule structurale
modèle compact
modèle boules et bâtonnets
ion
cation
anion
liaison ionique
solide ionique (sel)
ion polyatomique

Section 2.7
tableau périodique
métal
non-métal
groupe (famille)
période
métaux alcalins
métaux alcalino-terreux
halogènes
gaz rares

Section 2.8
composés binaires
composés ioniques binaires
oxanions
composés covalents binaires
acides

Synthèse

Les lois fondamentales
- Conservation de la masse
- Proportions définies
- Proportions multiples

Théorie atomique de Dalton
- Tous les éléments sont formés d'atomes.
- Tous les atomes d'un élément donné sont identiques.
- Il y a formation de composés quand les atomes se combinent.
- Dans une réaction chimique, les atomes ne subissent aucune modification, mais la façon dont ils sont liés les uns aux autres change.

Premières expériences de caractérisation de l'atome et premiers modèles
- Modèle de Thomson
- Expérience de Millikan
- Expérience de Rutherford
- Modèle nucléaire

Structure de l'atome
- Un petit noyau dense contient les protons et les neutrons.
  - Protons – charges positives
  - Neutrons – charge nulle
- Les électrons se situent à l'extérieur du noyau dans le volume restant de l'atome, d'une grosseur relativement importante.
  - Électrons – charge négative, petite masse (1/1840 celle du proton)
- Les isotopes ont le même numéro atomique, mais des nombres de masse différents.

Les atomes se combinent pour former des molécules en partageant des électrons pour former des liaisons covalentes.
- On peut représenter les molécules par des formules chimiques.
- Les formules chimiques indiquent le nombre et le type d'atomes.
  - Formule structurale
  - Modèle boules et bâtonnets
  - Modèle compact

Formation des ions
- Cation – formé par la perte d'un électron, charge positive.
- Anion – formé par le gain d'un électron, charge négative.
- Liaisons ioniques – formées par l'attraction entre les cations et les anions.

Dans le tableau périodique, les éléments sont disposés par ordre croissant de numéro atomique.
- Les éléments dotés de propriétés semblables sont disposés dans des colonnes ou groupes.
- La plupart des éléments sont des métaux qui ont tendance à former des cations.
- Les non-métaux ont tendance à former des anions.

Les composés sont nommés à l'aide d'un système de règles qui dépendent du type de composés.
- Composés binaires
  - Type I – contiennent un métal qui forme toujours le même type de cation.
  - Type II – contiennent un métal qui peut former plus d'un type de cation.
  - Type III – contiennent deux non-métaux.
- Composés contenant un ion polyatomique

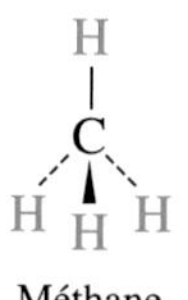

FIGURE 2.16
Formule structurale du méthane.

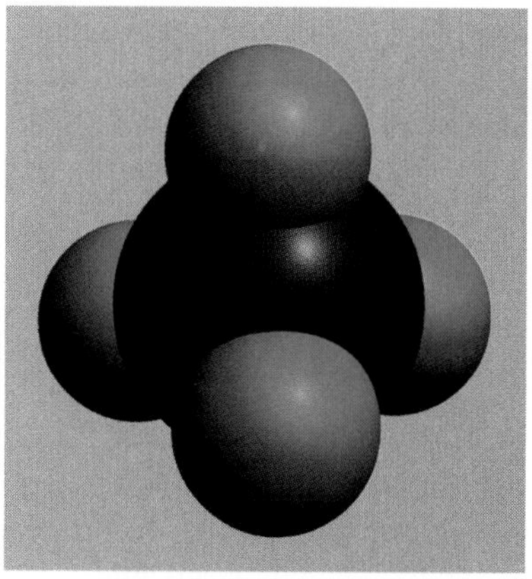

FIGURE 2.17
Modèle compact de la molécule de méthane. Ce type de modèle moléculaire permet de représenter non seulement la taille relative des atomes dans la molécule, mais également leur agencement dans l'espace.

FIGURE 2.18
Modèle boules et bâtonnets de la molécule de méthane.

L'attraction entre les ions constitue un deuxième type de liaison chimique. Un **ion** est un atome, ou un groupe d'atomes, qui possède une charge nette positive ou négative. Le composé ionique le plus connu est le sel de table, ou chlorure de sodium, qu'on produit en faisant réagir du chlore et du sodium neutres.

Pour comprendre comment un ion se forme, considérons ce qui a lieu quand un électron est transféré de l'atome de sodium à l'atome de chlore (on peut ignorer les neutrons du noyau) :

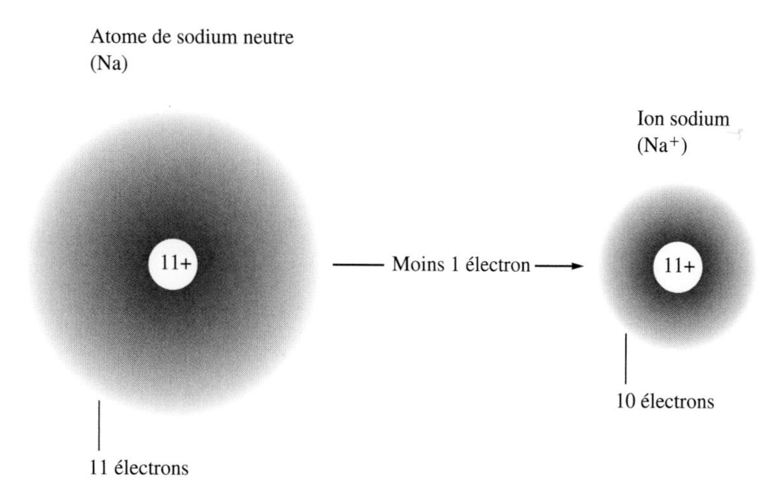

Na^+ est généralement appelé *ion sodium* plutôt que cation sodium. De même, Cl^- est appelé *ion chlorure* plutôt qu'anion chlorure. Règle générale, quand on parle d'un ion spécifique, on utilise le terme *ion* plutôt que cation ou anion.

Avec un électron en moins, le sodium, qui n'a plus que 11 protons et 10 électrons, possède maintenant une charge nette de 1+ : il est ainsi devenu un *ion positif*, c'est-à-dire un **cation**. Pour représenter l'ion sodium, on utilise le symbole Na^+ et, pour représenter sa formation, on recourt à l'équation suivante :

$$Na \longrightarrow Na^+ + e^-$$

Si on ajoute un électron à un atome de chlore,

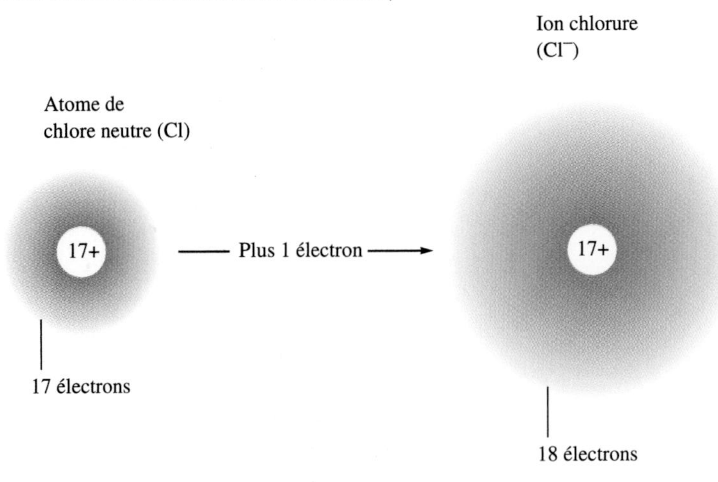

les 18 électrons confèrent à l'atome une charge nette de 1–; le chlore est ainsi devenu un *ion négatif*, c'est-à-dire un **anion**. On représente l'ion chlorure par le symbole Cl^- et sa formation est régie par l'équation suivante:

$$Cl + e^- \longrightarrow Cl^-$$

Comme les anions et les cations possèdent des charges opposées, ils s'attirent les uns les autres. Cette *attraction entre des ions de charges opposées* est appelée **liaison ionique**. Ainsi, le sodium métallique et le chlore (un gaz vert composé de molécules de Cl_2)

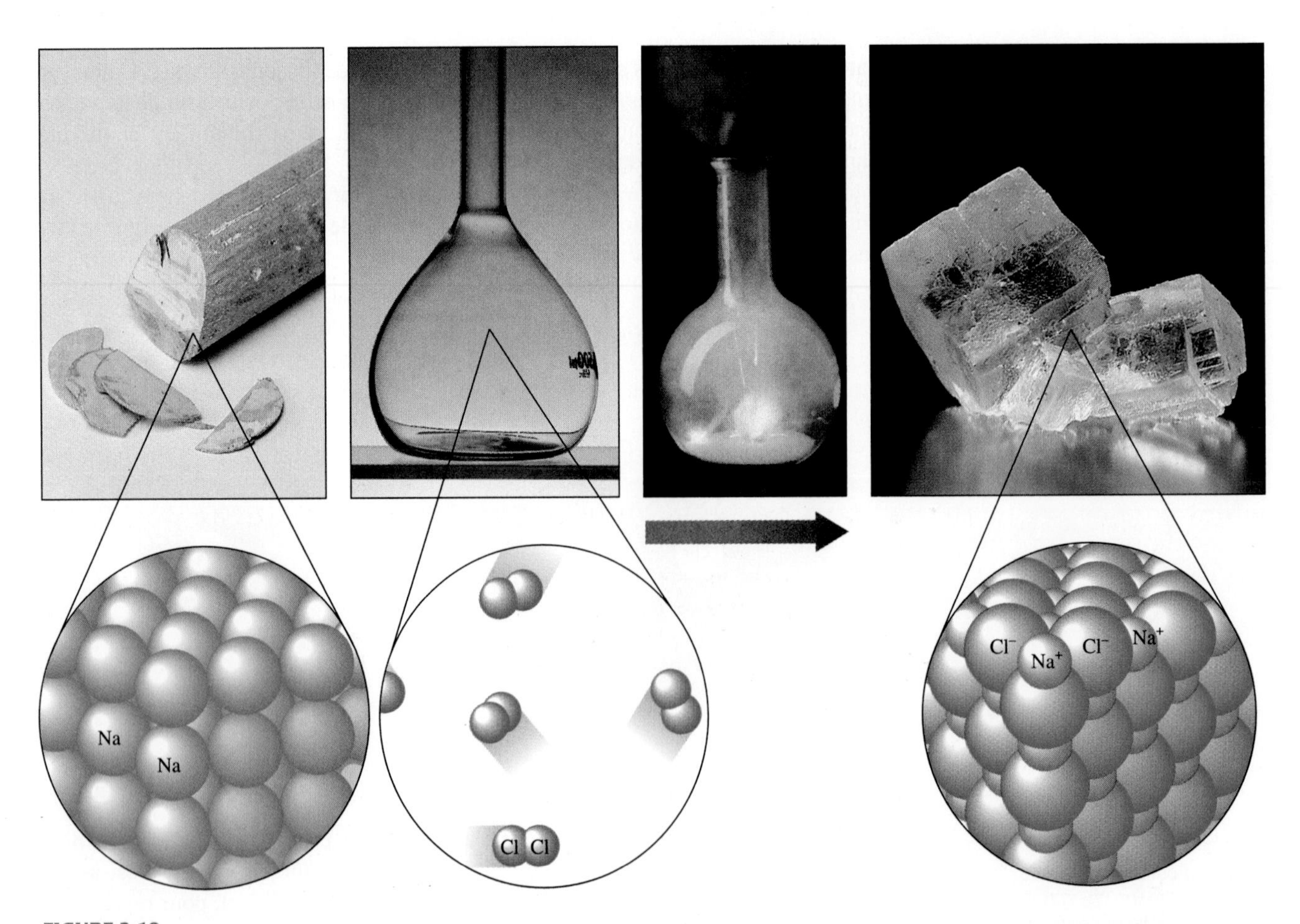

FIGURE 2.19
Le sodium métallique (qui est suffisamment mou pour être coupé au couteau et qui est constitué d'atomes de sodium individuels) réagit avec le chlore gazeux (qui contient des molécules de Cl_2) pour former le chlorure de sodium solide (qui contient un agencement d'ions Na^+ et Cl^-).

FIGURE 2.20
Modèles boules et bâtonnets des ions ammonium, NH_4^+, et nitrate, NO_3^-.

réagissent pour former du chlorure de sodium solide, qui possède de nombreux ions Na^+ et Cl^-, assemblés de la façon illustrée à la figure 2.19. Ce solide forme de beaux cristaux cubiques incolores (*voir la figure 2.19*).

Un solide composé d'ions de charges opposées est appelé **solide ionique** ou **sel**. Les solides ioniques peuvent être constitués d'atomes simples, comme dans le chlorure de sodium, ou d'**ions polyatomiques** (formés de nombreux atomes), comme dans le nitrate d'ammonium, NH_4NO_3, qui possède le cation ammonium, NH_4^+, et l'anion nitrate, NO_3^-. La figure 2.20 représente la structure de ces ions à l'aide d'un modèle boules et bâtonnets.

2.7 Introduction au tableau périodique

Dans toute classe ou laboratoire de chimie, on trouve presque toujours, accroché au mur, un **tableau périodique**. Ce tableau, qui comporte tous les éléments connus, fournit sur chacun de nombreuses informations. Au fur et à mesure qu'on progresse dans l'étude de la chimie, l'utilité du tableau périodique devient de plus en plus évidente. (Dans cette section, nous nous contentons de le présenter.)

La figure 2.21 présente une version simplifiée du tableau périodique : les symboles (lettres) représentent les éléments et les nombres au-dessus des symboles, les *numéros atomiques* (nombres de protons) de ces éléments.

Les abréviations de ces éléments sont basées sur les noms courants des éléments ou encore leurs noms originaux (*voir le tableau 2.2*). Ainsi, le carbone, C, porte le numéro atomique 6 et le potassium K, le numéro atomique 19. La plupart des éléments sont des **métaux**. Certaines propriétés physiques caractérisent les métaux, entre autres : excellente conductibilité de la chaleur et de l'électricité ; malléabilité (on peut les réduire, par martellement, en feuilles minces) ; ductilité (on peut les étirer pour former des fils) ; apparence brillante (souvent). Chimiquement parlant, les métaux ont tendance à *céder* des électrons et à devenir des ions positifs. Le cuivre, par exemple, est un métal typique : il est brillant (même s'il ternit rapidement) ; il est bon conducteur de l'électricité (on l'utilise souvent pour fabriquer des fils électriques) ; il prend aisément diverses formes (on en fait des tuyaux pour acheminer l'eau) ; on trouve également du cuivre sous forme de nombreux sels (par exemple, le sulfate de cuivre bleu qui renferme l'ion Cu^{2+}). Le cuivre fait partie de la famille des métaux de transition (ceux qui occupent le centre du tableau périodique).

Les métaux ont tendance à former des ions positifs et les non-métaux, des ions négatifs.

Les **non-métaux**, relativement peu nombreux, occupent le coin supérieur droit du tableau (*voir la figure 2.21, à droite du trait gras*), à l'exception de l'hydrogène, non-métal classé avec les métaux. Les non-métaux ne sont pas dotés des propriétés physiques caractéristiques des métaux. Chimiquement parlant, ils ont tendance à *accepter* des électrons et à former des anions en réagissant avec des métaux. Les non-métaux sont souvent liés à eux-mêmes par des liaisons covalentes. Par exemple, dans des conditions normales, le chlore, non-métal typique, existe sous forme de molécules Cl_2 ; il réagit avec les métaux pour former des sels contenant des ions Cl^- (par exemple NaCl) et il forme des liaisons covalentes avec les non-métaux (par exemple le chlorure d'hydrogène, HCl).

Les éléments qui occupent une même colonne verticale dans le tableau périodique forment un *groupe* (ou *famille*) et sont dotés de propriétés semblables.

Dans le tableau périodique, les éléments sont disposés de telle façon que ceux qui occupent une même colonne (appelée **groupe** ou **famille**) sont dotés de *propriétés chimiques semblables*. Par exemple, tous les **métaux alcalins**, qui constituent le groupe IA (lithium, Li, sodium, Na, potassium, K, rubidium, Rd, césium, Cs, et francium, Fr), sont des éléments très réactifs qui forment facilement des ions possédant une charge de 1+ quand ils réagissent avec les non-métaux. Les éléments du groupe IIA (béryllium, Be, magnésium, Mg, calcium, Ca, strontium, Sr, baryum, Ba, et radium, Ra) sont les **métaux alcalino-terreux**. Quand ils réagissent avec des non-métaux, ils forment tous des ions possédant une charge de 2+. Les **halogènes**, les éléments du groupe VIIA (fluor, F, chlore, Cl, brome, Br, iode, I, et astate, At), forment tous des molécules diatomiques. Le fluor, le chlore, le brome et l'iode réagissent tous avec les métaux pour former des sels qui contiennent des ions possédant une charge de 1− (F^-, Cl^-, Br^- et I^-). Les éléments du groupe VIIIA (hélium, He, néon, Ne, argon, Ar, krypton, Kr, zénon, Xe, et radon, Rn) sont des **gaz rares**. Dans des conditions normales, ils existent tous sous forme de gaz monoatomiques (un seul atome) et leur réactivité chimique est très faible.

Échantillons de chlore gazeux, de brome liquide et d'iode solide.

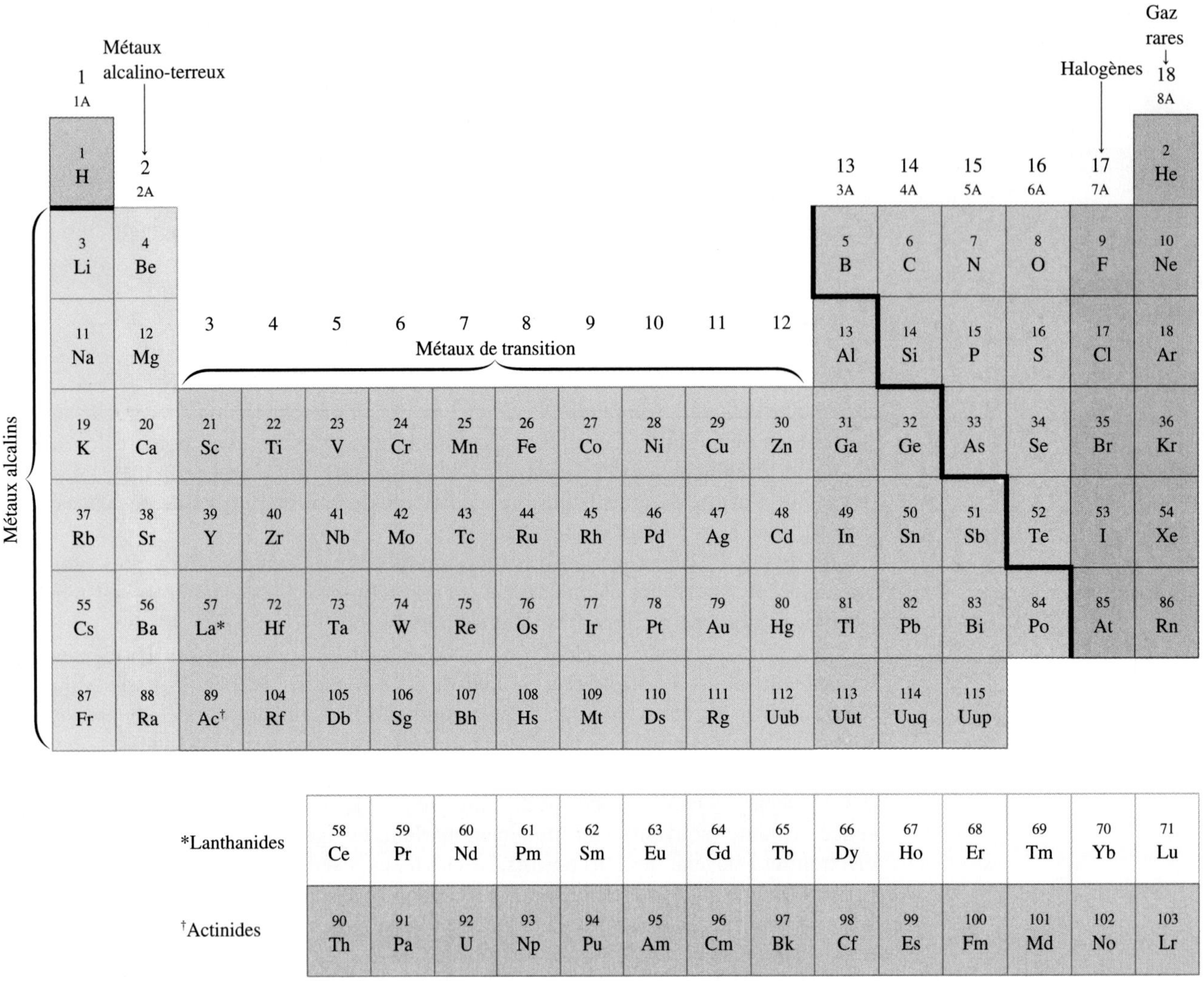

Métaux alcalins (groupe 1) — Métaux alcalino-terreux (groupe 2) — Métaux de transition (groupes 3 à 12) — Halogènes (groupe 17) — Gaz rares (groupe 18)

1 1A	2 2A	3	4	5	6	7	8	9	10	11	12	13 3A	14 4A	15 5A	16 6A	17 7A	18 8A
1 H																	2 He
3 Li	4 Be											5 B	6 C	7 N	8 O	9 F	10 Ne
11 Na	12 Mg											13 Al	14 Si	15 P	16 S	17 Cl	18 Ar
19 K	20 Ca	21 Sc	22 Ti	23 V	24 Cr	25 Mn	26 Fe	27 Co	28 Ni	29 Cu	30 Zn	31 Ga	32 Ge	33 As	34 Se	35 Br	36 Kr
37 Rb	38 Sr	39 Y	40 Zr	41 Nb	42 Mo	43 Tc	44 Ru	45 Rh	46 Pd	47 Ag	48 Cd	49 In	50 Sn	51 Sb	52 Te	53 I	54 Xe
55 Cs	56 Ba	57 La*	72 Hf	73 Ta	74 W	75 Re	76 Os	77 Ir	78 Pt	79 Au	80 Hg	81 Tl	82 Pb	83 Bi	84 Po	85 At	86 Rn
87 Fr	88 Ra	89 Ac†	104 Rf	105 Db	106 Sg	107 Bh	108 Hs	109 Mt	110 Ds	111 Rg	112 Uub	113 Uut	114 Uuq	115 Uup			

*Lanthanides	58 Ce	59 Pr	60 Nd	61 Pm	62 Sm	63 Eu	64 Gd	65 Tb	66 Dy	67 Ho	68 Er	69 Tm	70 Yb	71 Lu
†Actinides	90 Th	91 Pa	92 U	93 Np	94 Pu	95 Am	96 Cm	97 Bk	98 Cf	99 Es	100 Fm	101 Md	102 No	103 Lr

FIGURE 2.21
Tableau périodique.

TABLEAU 2.2 Symboles des éléments qui sont basés sur leurs noms originaux

Nom courant	Nom original	Symbole
antimoine	stibium	Sb
azote	nitrum	N
étain	stannum	Sn
or	aurum	Au
plomb	plumbum	Pb
mercure	hydrargyrum	Hg
potassium	kalium	K
sodium	natrium	Na
tungstène	wolfram	W

IMPACT

Le hassium est dans le bon groupe

L'élément 108, le hassium, n'existe pas dans la nature, mais il doit être synthétisé dans un accélérateur de particules. Sa création remonte à 1984, et on peut le fabriquer en bombardant des atomes de curium 248 ($^{248}_{96}Cm$) avec des atomes de magnésium 26 ($^{26}_{12}Mg$). Les collisions entre ces atomes produisent quelques atomes de hassium 265 ($^{265}_{108}Hs$). La position du hassium (*voir la figure 2.21*) dans la même colonne du tableau périodique que le fer, le ruthénium et l'osmium, permet de penser qu'il doit posséder des propriétés chimiques semblables à celles de ces métaux. Cependant, il n'est pas facile de vérifier cette prédiction, car quelques atomes seulement peuvent être fabriqués à la fois et leur durée de vie n'est que de neuf secondes. Essayez d'imaginer que vous n'avez que neuf secondes pour effectuer votre prochaine expérience de laboratoire !

Une équipe de chimistes du Berkeley National Laboratory, en Californie, de l'Institut Paul Scherrer et de l'Université de Berne, en Suisse, ainsi que de l'Institut de chimie nucléaire, en Allemagne, ont réussi ce tour de force ; ces chercheurs ont effectué des expériences permettant de caractériser le comportement chimique du hassium. Ils ont observé, par exemple, que les atomes de hassium réagissent avec l'oxygène pour former de l'oxyde de hassium, un composé du type prévu d'après sa position dans le tableau périodique. L'équipe a également mesuré d'autres propriétés du hassium, dont l'énergie libérée lors de sa désintégration radioactive en un autre atome.

Ce travail aurait sûrement plu à Dimitri Mendeleïev (*voir la figure 5.23*), le savant à l'origine de la création du tableau périodique qui a démontré son pouvoir de prédiction des propriétés chimiques.

Fait à noter, à la figure 2.21, deux ensembles de symboles sont utilisés pour désigner les différents groupes. Les symboles IA à VIIIA sont d'usage traditionnel en Amérique du Nord ; les nombres de 1 à 18 sont d'utilisation récente. Dans le présent ouvrage, on utilise les deux ensembles.

Les rangées horizontales d'éléments dans le tableau périodique sont appelées **périodes**. La première est donc appelée la *première période* (elle contient H et He) ; la deuxième rangée est appelée la *deuxième période* (les éléments Li jusqu'à Ne), etc.

Nous en apprendrons plus à propos du tableau périodique au fur et à mesure que nous progresserons dans l'étude de la chimie. Pendant cette étude, chaque fois qu'un nouvel élément sera mentionné dans le texte, il serait bon de toujours pouvoir en déterminer la position dans le tableau périodique.

À la section 5.11 du chapitre 5, on propose une autre façon de présenter le tableau périodique.

2.8 Nomenclature des composés chimiques

Quand la chimie en était à ses débuts, il n'existait aucun système de nomenclature des produits chimiques. Les chimistes utilisaient alors des noms comme *sucre de plomb, bleu de vitriol, chaux vive, sel d'Epsom, lait de magnésie, gypse* ou *gaz hilarant* : c'est ce qu'on appelle des *noms communs*. Au fur et à mesure que la chimie évoluait, il devenait évident que l'utilisation de noms communs pour désigner des composés aboutirait tôt ou tard à un véritable chaos. Étant donné qu'on connaît actuellement près de cinq millions de composés chimiques, mémoriser tous ces noms communs est humainement impossible.

La solution consiste donc à élaborer un *système* de nomenclature des composés, système dans lequel les noms fournissent quelques renseignements sur leur composition. Après avoir maîtrisé un tel système, un chimiste doit pouvoir nommer un composé à partir de sa formule ou en écrire la formule à partir du nom. Dans cette section, nous allons présenter les principales règles de nomenclature des composés autres que les composés organiques (ceux formés d'une chaîne d'atomes de carbone).

Commençons par le système de nomenclature des **composés binaires** (formés de deux éléments) inorganiques que nous classons dans différentes catégories pour mieux les reconnaître. Nous considérerons les composés ioniques et les composés covalents.

TABLEAU 2.3 Anions et cations monoatomiques courants

Cation	Nom	Anion	Nom
H^+	hydrogène	H^-	hydrure
Li^+	lithium	F^-	fluorure
Na^+	sodium	Cl^-	chlorure
K^+	potassium	Br^-	bromure
Cs^+	césium	I^-	iodure
Be^{2+}	béryllium	S^{2-}	sulfure
Mg^{2+}	magnésium	N^{3-}	nitrure
Ca^{2+}	calcium	P^{3-}	phosphure
Ba^{2+}	baryum	O^{2-}	oxyde
Al^{3+}	aluminium		
Ag^+	argent		

Composés ioniques binaires (type I)

Les **composés ioniques binaires** sont formés d'un ion positif (cation), qui apparaît toujours le premier dans la formule, et d'un ion négatif (anion).

1. On nomme d'abord l'anion, puis le cation.
2. Le nom d'un cation monoatomique (formé d'un seul atome) découle de celui de l'élément correspondant. Par exemple, l'ion Na^+ est appelé sodium dans les noms des composés qui contiennent cet ion.
3. On forme le nom d'un anion monoatomique en prenant la première partie du nom de l'élément correspondant (ou de sa racine latine pour N et S) et en lui ajoutant le suffixe *ure*. Ainsi, l'ion Cl^- est appelé chlorure. (Exception importante : l'ion O^{2-} est appelé *oxyde*.)

Un cation monoatomique porte le même nom que l'élément correspondant.

Le tableau 2.3 présente quelques cations et anions monoatomiques courants et leurs noms respectifs.

Les exemples suivants illustrent les règles de formation des noms des composés binaires :

Dans la formule d'un composé ionique, les ions simples sont toujours représentés par le symbole de l'élément. Ainsi, Cl désigne Cl^- ; Na désigne Na^+, etc.

Composé	Ion présent	Nom
NaCl	Na^+, Cl^-	Chlorure de sodium
KI	K^+, I^-	Iodure de potassium
CaS	Ca^{2+}, S^{2-}	Sulfure de calcium
Li_3N	Li^+, N^{3-}	Nitrure de lithium
CsBr	Cs^+, Br^-	Bromure de césium
MgO	Mg^{2+}, O^{2-}	Oxyde de magnésium

Exemple 2.3

Nomenclature des composés binaires de type I

Nommez chacun des composés binaires ci-dessous.

a) CsF **b)** $AlCl_3$ **c)** LiH

Solution

a) CsF est le fluorure de césium
b) $AlCl_3$ est le chlorure d'aluminium
c) LiH est l'hydrure de lithium

Il est important de remarquer que, dans chaque cas, on nomme d'abord l'anion, puis le cation.

Voir l'exercice 2.45

TABLEAU 2.4 Quelques cations du type II

Ion	Nom systématique
Fe^{3+}	fer(III)
Fe^{2+}	fer(II)
Cu^{2+}	cuivre(II)
Cu^{+}	cuivre(I)
Co^{3+}	cobalt(III)
Co^{2+}	cobalt(II)
Sn^{4+}	étain(IV)
Sn^{2+}	étain(II)
Pb^{4+}	plomb(IV)
Pb^{2+}	plomb(II)
Hg^{2+}	mercure(II)
Hg_2^{2+}*	mercure(I)
Ag^{+}	argent†
Zn^{2+}	zinc†
Cd^{2+}	cadmium†

* Remarquez que les ions mercure(I) n'existent que sous la forme de Hg_2^{2+}.
† Bien qu'il s'agisse d'éléments de transition, ils ne forment qu'un seul type d'ion, et aucun chiffre romain ne leur est associé.

Écriture de la formule à partir du nom

Jusqu'à présent, nous sommes partis de la formule chimique d'un composé pour lui donner un nom systématique. Or, la démarche inverse est également importante. Par exemple, à partir du nom « hydroxyde de calcium », on peut déterminer la formule $Ca(OH)_2$, étant donné que le calcium ne forme que des ions Ca^{2+} et que, l'ion hydroxyde étant OH^-, il en faut deux pour former un composé neutre.

Composés ioniques binaires (type II)

Dans les composés ioniques binaires énumérés précédemment (ceux de type I), le métal présent ne forme toujours qu'un seul type de cation : le sodium ne donne que du Na^+, le calcium du Ca^{2+}, etc. Cependant, comme nous le verrons en détail ultérieurement, de nombreux métaux peuvent former plus d'un type d'ion positif et, par conséquent, plus d'un type de composé ionique associé à un anion donné. Par exemple, le $FeCl_2$ contient des ions Fe^{2+} et le $FeCl_3$, des ions Fe^{3+}. Dans un tel cas, il faut donc préciser quelle est la *charge de l'ion métallique.* Les noms systématiques de ces deux composés du fer sont, respectivement, le chlorure de fer(II) et le chlorure de fer(III) – *le chiffre romain représentant la charge du cation.*

Pour nommer les composés ioniques, on utilisait auparavant un autre système. *Le nom de l'ion possédant la plus forte charge se terminait par* ique *et celui de l'ion possédant la plus faible charge, par* eux. Selon ce système, l'ion Fe^{3+}, par exemple, s'appelait ferrique, et l'ion Fe^{2+}, ferreux : les noms du $FeCl_3$ et du $FeCl_2$ étaient donc, respectivement, chlorure ferrique et chlorure ferreux. Dans cet ouvrage, nous privilégierons l'usage de chiffres romains pour distinguer les cations. Le tableau 2.4 fournit une liste de cations de type II.

Exemple 2.4 Écriture de la formule à partir du nom des composés binaires de type I

À partir de ces noms systématiques, écrivez la formule de chacun de ces composés.

a) Iodure de potassium.
b) Oxyde de calcium.
c) Bromure de gallium.

Solution

Nom	Formule chimique	Commentaire
a) Iodure de potassium	KI	Ce composé contient des ions K^+ et I^-.
b) Oxyde de calcium	CaO	Ce composé contient des ions Ca^{2+} et O^{2-}.
c) Bromure de gallium	$GaBr_3$	Ce composé contient des ions Ga^{3+} et Br^-. Trois ions Br^- sont requis pour équilibrer la charge de l'ion Ga^{3+}.

Voir l'exercice 2.45

Exemple 2.5 Nomenclature des composés binaires de type II

1. Donnez le nom systématique de chacun des composés ci-dessous.

a) CuCl **b)** HgO **c)** Fe_2O_3

2. À partir de ces noms systématiques, écrivez la formule de chacun de ces composés.

a) Oxyde de manganèse(IV).
b) Chlorure de plomb(II).

Solution

Étant donné que chacun de ces composés contient un métal qui peut former plus d'un type de cation, il faut d'abord déterminer la charge de chaque cation. Pour ce faire,

Les composés ioniques binaires de type II renferment un métal qui donne naissance à plus d'un type de cation.

Un composé doit être électriquement neutre.

on part du principe qu'un composé doit être électriquement neutre (le nombre de charges positives doit être égal au nombre de charges négatives).

1.

Formule chimique	Nom	Commentaire
a) $CuCl$	Chlorure de cuivre(I)	Puisque l'anion est Cl^-, le cation doit être Cu^+ (pour l'équilibre des charges), qui nécessite le chiffre romain I.
b) HgO	Oxyde de mercure(II)	Puisque l'anion est l'oxyde, O^{2-}, le cation mercure doit être Hg^{2+} [mercure(II)].
c) Fe_2O_3	Oxyde de fer(III)	Les 3 ions O^{2-} ont une charge totale de 6 –; il s'ensuit que les 2 ions Fe^{3+} [fer(III)] doivent avoir une charge totale de 6+.

2.

Nom	Formule chimique	Commentaire
a) Oxyde de manganèse(IV)	MnO_2	Deux ions O^2 (charge totale 4−) sont requis par l'ion Mn^{+4} [manganèse(IV)].
b) Chlorure de plomb(II)	$PbCl_2$	Deux ions Cl^- sont requis par l'ion Pb^{2+} [plomb(II)] pour l'équilibre des charges.

Voir l'exercice 2.46

Dans le nom d'un composé qui contient un métal de transition, il y a habituellement un chiffre romain.

Signalons que l'utilisation d'un chiffre romain dans le nom systématique n'est nécessaire que dans les cas où il existe plus d'un composé ionique formé à partir d'une même paire d'éléments. C'est ce qui a lieu le plus fréquemment avec les composés contenant des métaux de transition, qui forment souvent plus d'un cation. *Dans le cas d'éléments qui ne forment qu'un seul cation, l'utilisation d'un chiffre romain n'est pas nécessaire à leur identification.* Dans ce groupe, on trouve : les éléments du groupe IA, qui ne forment que des ions possédant une charge de 1+ ; les éléments du groupe IIA, qui ne forment que des ions possédant une charge de 2+ ; l'aluminium, qui ne forme que l'ion Al^{3+}. En ce qui concerne l'élément « argent », dans pratiquement tous les composés où il est présent, on le trouve sous forme d'ions Ag^+. Par conséquent, même si l'argent est un métal de transition (et pourrait former des ions autres que Ag^+), les composés de l'argent ne sont généralement pas suivis d'un chiffre romain. Ainsi, AgCl est couramment appelé « chlorure d'argent » plutôt que « chlorure d'argent(I) », bien que ce dernier nom soit techniquement correct. Il en est de même pour le zinc, qui ne forme que des ions Zn^{2+}.

Cristaux de sulfate de cuivre(II).

Quand l'ion métallique forme plus d'un type de cation (*voir l'exemple 2.5*), on doit déterminer la charge de l'ion métallique en équilibrant les charges positives et négatives du composé. Pour ce faire, il faut repérer les cations et les anions communs, ainsi que leurs charges (*voir les tableaux 2.3 et 2.5*).

Exemple 2.6

Nomenclature des composés binaires

1. Donnez le nom systématique de chacun des composés ci-dessous.

a) $CoBr_2$ **b)** $CaCl_2$ **c)** Al_2O_3

2. À partir de ces noms systématiques, écrivez la formule de chacun de ces composés.

a) Chlorure de chrome(III).
b) Iodure de gallium.

Solution

1.

Formule chimique	Nom	Commentaire
a) $CoBr_2$	Bromure de cobalt(II)	Étant donné que le cobalt est un élément de transition, le nom du composé doit comporter un chiffre romain. Les 2 ions Br^- doivent être neutralisés par le cation Co^{2+}.
b) $CaCl_2$	Chlorure de calcium	Étant donné que le calcium est un métal alcalino-terreux et qu'il ne forme que l'ion Ca^{2+}, il n'est pas nécessaire d'utiliser de chiffre romain.
c) Al_2O_3	Oxyde d'aluminium	Étant donné que l'aluminium forme uniquement l'ion Al^{3+}, il n'est pas nécessaire d'utiliser de chiffre romain.

2.

Nom	Formule chimique	Commentaire
a) Chlorure de chrome(III)	$CrCl_3$	Chrome(III) indique que l'ion Cr^{3+} est présent, ce qui requiert 3 ions Cl^- pour équilibrer les charges.
b) Iodure de gallium	GaI_3	Le gallium forme toujours des ions 3+, ce qui requiert 3 ions I^- pour équilibrer les charges.

Voir les exercices 2.47 et 2.48

Divers composés du chrome en solution aqueuse. De gauche à droite : $CrCl_2$, $K_2Cr_2O_7$, $Cr(NO_3)_2$, $CrCl_3$, K_2CrO_4.

Pour nommer un composé ionique binaire, l'organigramme suivant se révèle utile.

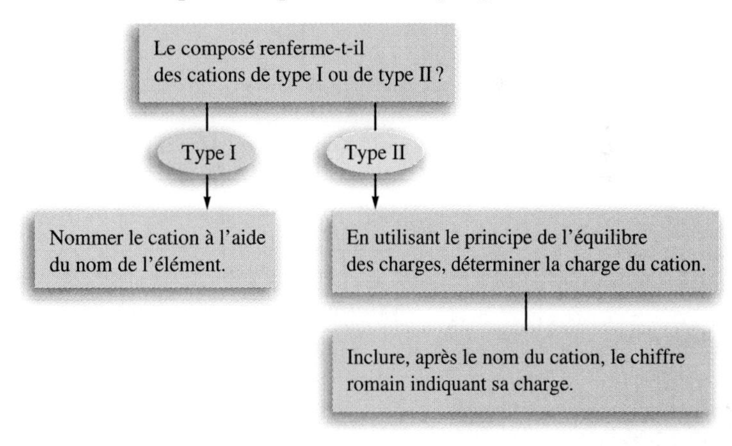

Les principaux cations de type I et de type II sont présentés à la figure 2.22. On y trouve également les anions monoatomiques courants.

1A	2A											3A	4A	5A	6A	7A	8A
Li^+														N^{3-}	O^{2-}	F^-	
Na^+	Mg^{2+}											Al^{3+}			S^{2-}	Cl^-	
K^+	Ca^{2+}				Cr^{2+} Cr^{3+}	Mn^{2+} Mn^{3+}	Fe^{2+} Fe^{3+}	Co^{2+} Co^{3+}		Cu^+ Cu^{2+}	Zn^{2+}					Br^-	
Rb^+	Sr^{2+}									Ag^+	Cd^{2+}		Sn^{2+} Sn^{4+}			I^-	
Cs^+	Ba^{2+}										Hg_2^{2+} Hg^{2+}		Pb^{2+} Pb^{4+}				

Cations de type I courants — Cations de type II courants — Anions monoatomiques courants

FIGURE 2.22
Les cations et anions les plus courants.

TABLEAU 2.5 Noms des ions polyatomiques courants

Ion	Nom	Ion	Nom
Hg_2^{2+}	mercure(I)	NCS^-	thiocyanate
NH_4^+	ammonium	CO_3^{2-}	carbonate
NO_2^-	nitrite	HCO_3^-	hydrogénocarbonate (on trouve couramment bicarbonate)
NO_3^-	nitrate		
SO_3^{2-}	sulfite		
SO_4^{2-}	sulfate	ClO^-	hypochlorite
HSO_4^-	hydrogénosulfate (on trouve fréquemment bisulfate)	ClO_2^-	chlorite
		ClO_3^-	chlorate
		ClO_4^-	perchlorate
OH^-	hydroxyde	CH_3COO^-	acétate
CN^-	cyanure	MnO_4^-	permanganate
PO_4^{3-}	phosphate	$Cr_2O_7^{2-}$	dichromate
HPO_4^{2-}	hydrogénophosphate	CrO_4^{2-}	chromate
$H_2PO_4^-$	dihydrogénophosphate	O_2^{2-}	peroxyde
		$C_2O_4^{2-}$	oxalate

Composés ioniques à ions polyatomiques

Il faut mémoriser les noms des ions polyatomiques.

Il existe un autre type de composés ioniques qui contiennent des ions polyatomiques. Par exemple, le nitrate d'ammonium, NH_4NO_3 contient les ions polyatomiques NH_4^+ et NO_3^-. On donne aux ions polyatomiques des noms spéciaux qu'*il faut absolument mémoriser* pour nommer adéquatement les composés qui les contiennent. Le tableau 2.5 présente les noms et les formules des ions polyatomiques les plus importants.

On remarque, au tableau 2.5, que plusieurs séries d'anions possèdent un atome d'un élément donné et des nombres d'atomes d'oxygène différents. On appelle ces anions des **oxanions**. Quand la série se limite à deux composés, le nom de celui qui possède le plus petit nombre d'atomes d'oxygène se termine par *ite* et le nom de celui qui possède le plus grand nombre d'atomes d'oxygène, par *ate* (par exemple sulfite, SO_3^{2-}, et sulfate, SO_4^{2-}). Quand la série comporte plus de deux oxanions, on utilise les préfixes *hypo-* (moins de) et *per-* (plus de) pour nommer les composés qui possèdent respectivement le moins et le plus grand nombre d'atomes d'oxygène. Le meilleur exemple est celui des oxanions qui contiennent du chlore, comme l'indique le tableau 2.5.

Exemple 2.7 Nomenclature des composés à ions polyatomiques

1. Donnez le nom systématique de chacun des composés ci-dessous.

a) Na_2SO_4
b) KH_2PO_4
c) $Fe(NO_3)_3$
d) $Mn(OH)_2$
e) Na_2SO_3
f) Na_2CO_3

2. À partir de ces noms systématiques, écrivez la formule de chacun de ces composés.

a) Hydrogénocarbonate de sodium.
b) Perchlorate de césium.
c) Hypochlorite de sodium.
d) Séléniate de sodium.
e) Bromate de potassium.

Solution

1.

Formule chimique	Nom	Commentaire
a) Na_2SO_4	Sulfate de sodium	
b) KH_2PO_4	Dihydrogénophosphate de potassium	
c) $Fe(NO_3)_3$	Nitrate de fer(III)	Métal de transition : le nom doit contenir un chiffre romain. L'ion Fe^{3+} neutralise 3 ions NO_3^-.
d) $Mn(OH)_2$	Hydroxyde de manganèse(II)	Métal de transition : le nom doit contenir un chiffre romain. L'ion Mn^{2+} est associé à 2 ions OH^-.
e) Na_2SO_3	Sulfite de sodium	
f) Na_2CO_3	Carbonate de sodium	

2.

Nom	Formule chimique	Commentaire
a) Hydrogénocarbonate de sodium	$NaHCO_3$	Souvent appelé bicarbonate de sodium.
b) Perchlorate de césium	$CsClO_4$	
c) Hypochlorite de sodium	$NaOCl$	
d) Séléniate de sodium	Na_2SeO_4	On désigne de la même façon les anions polyatomiques des atomes qui appartiennent à un même groupe. Ainsi, SeO_4^{2-} est le séléniate, comme SO_4^{2-} est le sulfate.
e) Bromate de potassium	$KBrO_3$	Comme ClO_3^- est le chlorate, BrO_3^- est le bromate.

Voir les exercices 2.49 et 2.50

Composés binaires (type III ; covalents – contenant deux non-métaux)

Dans un *composé covalent binaire*, les noms des éléments suivent les mêmes règles que dans un composé ionique binaire.

Les **composés covalents binaires** sont constitués de *deux non-métaux*. Bien que ces composés ne renferment pas d'ions, ils sont nommés de la même façon que les composés ioniques binaires.

Voici les règles de nomenclature de ces composés :

1. Le premier élément de la formule porte le nom complet de l'élément.
2. Le deuxième élément porte le nom de l'anion et est nommé en premier.
3. Pour indiquer le nombre d'atomes présents, on utilise des préfixes (*voir le tableau 2.6*).
4. Le préfixe *mono-* n'est jamais utilisé pour désigner le premier élément. Par exemple, CO s'appelle monoxyde de carbone et *non* monoxyde de monocarbone.

TABLEAU 2.6 Préfixes utilisés pour représenter un nombre dans le nom des produits chimiques

Préfixe	Nombre
mono-	1
di-	2
tri-	3
tétra-	4
penta-	5
hexa-	6
hepta-	7
octa-	8
nova-	9
déca-	10

Pour bien comprendre l'application de ces règles, nous allons considérer les noms de plusieurs composés covalents formés d'azote et d'oxygène :

Composé	Nom systématique	Nom courant
N_2O	Monoxyde de diazote	Oxyde nitreux
NO	Monoxyde d'azote	Oxyde nitrique
NO_2	Dioxyde d'azote	
N_2O_3	Trioxyde de diazote	
N_2O_4	Tétroxyde de diazote	
N_2O_5	Pentoxyde de diazote	

Il est à remarquer dans les exemples précédents que pour éviter des problèmes de prononciation, on laisse souvent tomber la finale *o* ou *a* du préfixe quand l'élément commence lui-même par une voyelle. C'est ainsi que N_2O_4 est appelé « tétroxyde de diazote » et *non* « *tétra*oxyde de diazote » et que CO est appelé « monoxyde de carbone » et *non* « *mono*oxyde de carbone ».

Certains composés sont souvent désignés par leurs noms communs. Les exemples les plus courants sont l'eau et l'ammoniac. Les noms systématiques de H_2O et de NH_3 ne sont jamais utilisés.

Exemple 2.8

Nomenclature de composés binaires de type III

1. Nommez chacun des composés ci-dessous.

a) PCl_5
b) PCl_3
c) SO_2

2. À partir de ces noms systématiques, écrivez la formule de chacun de ces composés.

a) Hexafluorure de soufre
b) Trioxyde de soufre
c) Dioxyde de carbone

Solution

1.

Formule chimique	Nom
a) PCl_5	Pentachlorure de phosphore
b) PCl_3	Trichlorure de phosphore
c) SO_2	Dioxyde de soufre

2.

Nom	Formule chimique
a) Hexafluorure de soufre	SF_6
b) Trioxyde de soufre	SO_3
c) Dioxyde de carbone	CO_2

Voir les exercices 2.51 et 2.52

Les règles de nomenclature des composés binaires sont résumées à la figure 2.23. Les préfixes servant à indiquer le nombre d'atomes sont utilisés uniquement pour les composés binaires de type III (ceux contenant deux non-métaux). Une stratégie globale de nomenclature des composés est présentée à la figure 2.24.

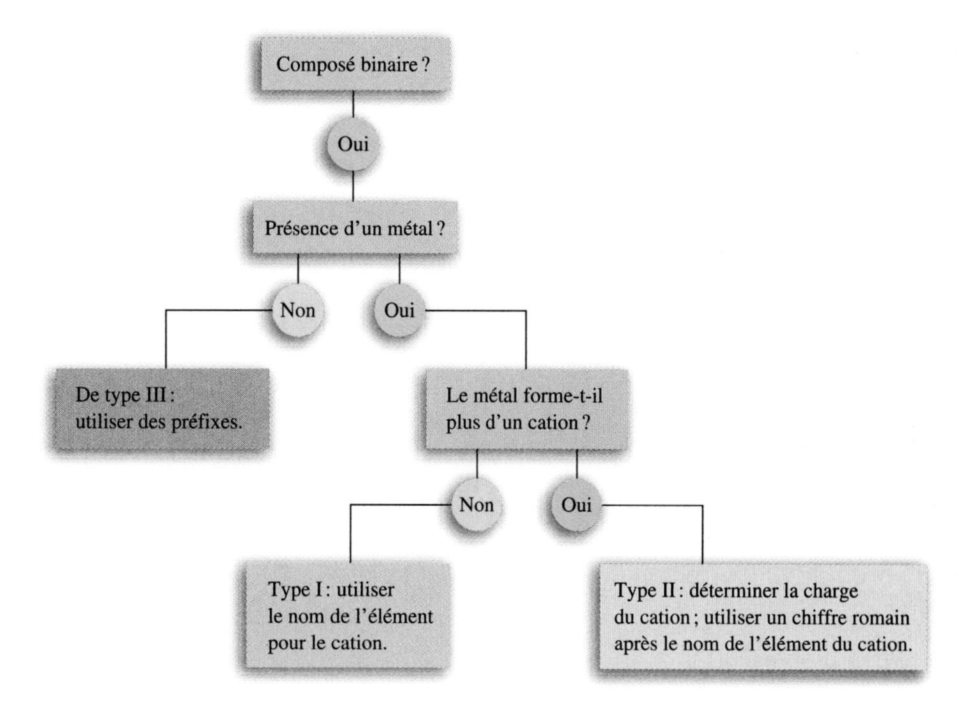

FIGURE 2.23
Stratégie de nomenclature des composés binaires.

Exemple 2.9 Nomenclature de divers types de composés

1. Donnez le nom systématique de chacun des composés suivants.

a) P_4O_{10}
b) Nb_2O_5
c) Li_2O_2
d) $Ti(NO_3)_4$

2. À partir de ces noms systématiques, écrivez la formule de chacun de ces composés.

a) Fluorure de vanadium.
b) Difluorure de dioxygène.
c) Peroxyde de rubidium.
d) Oxyde de gallium.

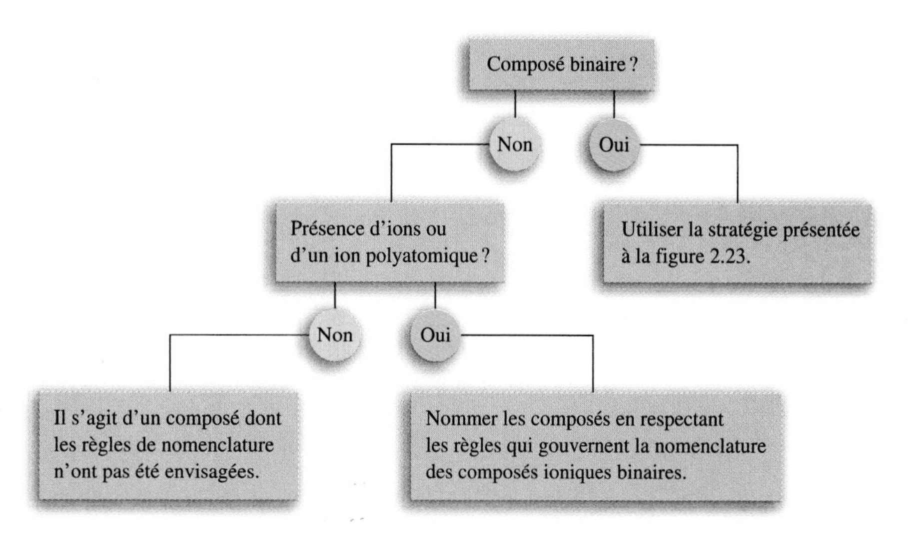

FIGURE 2.24
Stratégie globale de nomenclature des composés chimiques.

Solution

1.

Composé	Nom	Commentaire
a) P_4O_{10}	Décaoxyde de tétraphosphore	Composé covalent binaire (type III) ; donc utilisation de préfixes. Le *a* dans *déca-* est souvent omis.
b) Nb_2O_5	Oxyde de niobium(V)	Composé binaire de type II renfermant les ions Nb^{5+} et O^{2-}. Le niobium est un métal de transition ; il doit être suivi d'un chiffre romain.
c) Li_2O_2	Peroxyde de lithium	Composé binaire de type I renfermant les ions Li^+ et O_2^{2-} (peroxyde).
d) $Ti(NO_3)_4$	Nitrate de titane(IV)	N'est pas un composé binaire. Contient les ions Ti^{4+} et NO_3^-. Le titane est un métal de transition ; il doit être suivi d'un chiffre romain.

2.

Nom	Formule chimique	Commentaire
a) Fluorure de vanadium(V)	VF_5	Ce composé contient des ions V^{5+}, ce qui requiert cinq ions F^- pour former un composé neutre.
b) Difluorure de dioxygène	O_2F_2	Le préfixe *di* précise le nombre de chaque atome.
c) Peroxyde de rubidium	Rb_2O_2	Le rubidium, du groupe IA, forme des ions 1+. Il en faut donc deux pour équilibrer les charges de l'ion peroxyde, O_2^{2-}.
d) Oxyde de gallium	Ga_2O_3	Le gallium, du groupe IIIA, ne forme que des ions 3+, comme l'aluminium. Deux ions Ga^{3+} sont donc requis pour équilibrer les charges de trois ions O^{2-}.

Voir les exercices 2.53 et 2.54

Acides

Un acide est reconnaissable à la présence d'un hydrogène au début de sa formule.

Une fois dissoutes dans l'eau, certaines molécules produisent une solution contenant des ions H+ (protons). Nous aborderons plus en détail certaines propriétés des **acides** dans le manuel *Chimie des solutions*, nous nous contentons ici de présenter les règles relatives à la nomenclature des acides.)

On peut représenter un acide comme une molécule possédant un ou plusieurs ions H^+ fixés à un anion. Les règles relatives à la nomenclature des acides varient selon que l'anion contient ou non de l'oxygène. Si *l'anion ne contient pas d'oxygène*, on forme le nom de l'acide en utilisant le suffixe *hydrique*. Par exemple, quand on dissout du chlorure d'hydrogène gazeux dans de l'eau, il y a formation d'acide chlorhydrique. De la même façon, quand on dissout du HCN ou du H_2S dans de l'eau, il y a formation, respectivement, d'acide cyanhydrique et d'acide sulfhydrique. (*Voir le tableau 2.7.*)

Si l'*anion contient de l'oxygène*, on forme le nom de l'acide en utilisant la racine du nom de l'anion à laquelle on ajoute le suffixe *ique* ou le suffixe *eux*.

1. Si le nom de l'anion se termine par *ate*, on remplace ce suffixe par *ique* (quelquefois *rique*). Par exemple : H_2SO_4, qui contient l'anion sulfate, SO_4^{2-}, porte le nom d'acide sulfurique ; H_3PO_4, qui contient l'anion phosphate, PO_4^{3-}, s'appelle l'acide phosphorique ; CH_3CO_2H, qui contient l'ion acétate, CH_3CO^{2-}, est l'acide acétique.

TABLEAU 2.7 Noms des acides* qui ne contiennent pas d'oxygène

Acide	Nom
HF	acide fluorhydrique
HCl	acide chlorhydrique
HBr	acide bromhydrique
HI	acide iodhydrique
HCN	acide cyanhydrique
H_2S	acide sulfhydrique

* Remarquez que ces acides sont des solutions aqueuses contenant ces substances.

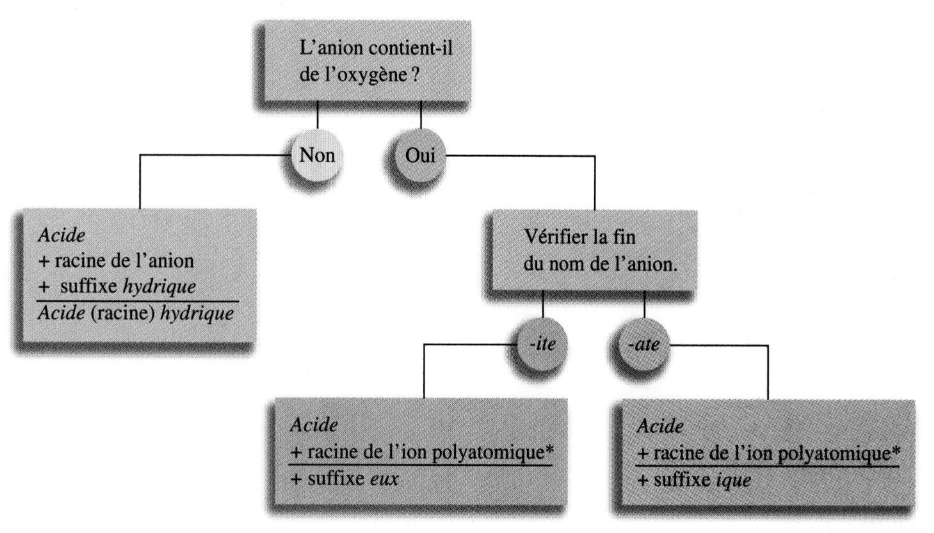

FIGURE 2.25
Stratégie de nomenclature des acides. Il est préférable de considérer l'acide comme un anion qui possède un ou plusieurs H^+.

TABLEAU 2.8 Noms de quelques acides qui contiennent des atomes d'oxygène

Acide	Nom
HNO_3	acide nitrique
HNO_2	acide nitreux
H_2SO_4	acide sulfurique
H_2SO_3	acide sulfureux
H_3PO_4	acide phosphorique
CH_3CO_2H	acide acétique

2. Si le nom de l'anion se termine par *ite*, on remplace ce suffixe par *eux*. Par exemple : H_2SO_3, qui renferme l'ion sulfite, SO_3^{2-}, s'appelle l'acide sulfureux ; HNO_2, qui renferme l'ion nitrite, NO_2^-, porte le nom d'acide nitreux. (*Voir le tableau 2.8.*)

   Appliquons ces règles à la nomenclature des acides des oxanions du chlore :

Acide	Anion	Nom de l'acide
$HClO_4$	Perchlor*ate*	Acide perchlor*ique*
$HClO_3$	Chlor*ate*	Acide chlor*ique*
$HClO_2$	Chlor*ite*	Acide chlor*eux*
HClO	Hypochlor*ite*	Acide hypochlor*eux*

Les noms des plus importants acides sont présentés aux tableaux 2.7 et 2.8. Une stratégie globale de nomenclature des acides est présentée à la figure 2.25.

* Attention aux ions SO_3^{2-} (sulfite) et SO_4^{2-} (sulfate) qui donnent les acides sulfureux (H_2SO_3) et sulfurique (H_2SO_4), ainsi qu'aux ions PO_3^{3-} (phosphite) et PO_4^{3-} (phosphate) qui donnent les acides phosphoreux (H_3PO_3) et phosphorique (H_3PO_4).

Mots clés

Section 2.2
loi de la conservation de la masse
loi des proportions définies
loi des proportions multiples

Section 2.3
masse atomique
poids atomique
hypothèse d'Avogadro

Section 2.4
rayon cathodique
électron
radioactivité
atome nucléaire
noyau

Section 2.5
proton
neutron
isotope
numéro atomique
nombre de masse

Section 2.6
liaison chimique
liaison covalente
molécule
formule chimique
formule structurale
modèle compact
modèle boules et bâtonnets
ion
cation
anion
liaison ionique
solide ionique (sel)
ion polyatomique

Section 2.7
tableau périodique
métal
non-métal
groupe (famille)
période
métaux alcalins
métaux alcalino-terreux
halogènes
gaz rares

Section 2.8
composés binaires
composés ioniques binaires
oxanions
composés covalents binaires
acides

Synthèse

Les lois fondamentales
- Conservation de la masse
- Proportions définies
- Proportions multiples

Théorie atomique de Dalton
- Tous les éléments sont formés d'atomes.
- Tous les atomes d'un élément donné sont identiques.
- Il y a formation de composés quand les atomes se combinent.
- Dans une réaction chimique, les atomes ne subissent aucune modification, mais la façon dont ils sont liés les uns aux autres change.

Premières expériences de caractérisation de l'atome et premiers modèles
- Modèle de Thomson
- Expérience de Millikan
- Expérience de Rutherford
- Modèle nucléaire

Structure de l'atome
- Un petit noyau dense contient les protons et les neutrons.
  - Protons – charges positives
  - Neutrons – charge nulle
- Les électrons se situent à l'extérieur du noyau dans le volume restant de l'atome, d'une grosseur relativement importante.
  - Électrons – charge négative, petite masse (1/1840 celle du proton)
- Les isotopes ont le même numéro atomique, mais des nombres de masse différents.

Les atomes se combinent pour former des molécules en partageant des électrons pour former des liaisons covalentes.
- On peut représenter les molécules par des formules chimiques.
- Les formules chimiques indiquent le nombre et le type d'atomes.
  - Formule structurale
  - Modèle boules et bâtonnets
  - Modèle compact

Formation des ions
- Cation – formé par la perte d'un électron, charge positive.
- Anion – formé par le gain d'un électron, charge négative.
- Liaisons ioniques – formées par l'attraction entre les cations et les anions.

Dans le tableau périodique, les éléments sont disposés par ordre croissant de numéro atomique.
- Les éléments dotés de propriétés semblables sont disposés dans des colonnes ou groupes.
- La plupart des éléments sont des métaux qui ont tendance à former des cations.
- Les non-métaux ont tendance à former des anions.

Les composés sont nommés à l'aide d'un système de règles qui dépendent du type de composés.
- Composés binaires
  - Type I – contiennent un métal qui forme toujours le même type de cation.
  - Type II – contiennent un métal qui peut former plus d'un type de cation.
  - Type III – contiennent deux non-métaux.
- Composés contenant un ion polyatomique

QUESTIONS DE RÉVISION

1. Comment la théorie atomique de Dalton explique-t-elle :
   a) la loi de conservation de la masse ?
   b) la loi des proportions définies ?
   c) la loi des proportions multiples ?
2. Qu'est-ce qui permet de conclure que les rayons cathodiques possèdent une charge négative ?
3. Quelles découvertes ont faites J. J. Thomson, Henri Becquerel et Lord Rutherford ? Montrez en quoi le modèle atomique de Dalton a dû être modifié à la suite de ces découvertes.
4. Considérez l'expérience de Ernest Rutherford sur le bombardement d'une feuille de métal par des particules alpha, illustrée à la figure 2.12. Comment les résultats de cette expérience ont-ils amené Rutherford à rejeter le modèle plum-pudding de l'atome, et à proposer le modèle de l'atome nucléaire ?
5. Le proton et le neutron ont-ils exactement la même masse ? Comparez les masses du proton et du neutron avec celle de l'électron ? Quelles particules contribuent le plus à la masse d'un atome ? Quelles particules confèrent le plus à un atome ses propriétés chimiques ?
6. Quelle distinction faut-il faire entre :
   a) le numéro atomique et le nombre de masse ?
   b) le nombre de masse et la masse atomique ?
7. Qu'est-ce qui distingue la *famille* de la *période* dans le tableau périodique ? Duquel de ces termes, le mot *groupe* est-il synonyme ?
8. Les composés $AlCl_3$, $CrCl_3$ et ICl_3 ont des formules similaires, pourtant chacun se conforme à des règles de nomenclature différentes. Nommez ces composés et comparez les règles de nomenclature utilisées dans chacun des cas.
9. Lorsqu'un métal réagit avec un non-métal, il se forme généralement un composé ionique. Prédisez quelle serait la formule générale du composé formé par la combinaison d'un alcalin et du soufre ? d'un alcalino-terreux et de l'azote ? de l'aluminium et d'un halogène ?
10. Quels sont les noms des composés suivants : $HBrO_4$, KIO_3, $NaBrO_2$ et HIO ? Reportez-vous au tableau 2.5 et au traitement de la nomenclature des acides dans le chapitre.

Questions et exercices

Questions à discuter en classe

Ces questions sont conçues pour être abordées en petits groupes. Par des discussions et des enseignements mutuels, elles permettent d'exprimer la compréhension des concepts.

Élaboration de la théorie atomique

1. Dites ce qui est vrai de l'atome individuel. Expliquez.
a) Un atome individuel doit être considéré comme un solide.
b) Un atome individuel doit être considéré comme un liquide.
c) Un atome individuel doit être considéré comme un gaz.
d) L'état d'un atome dépend de l'élément en question.
e) Un atome individuel ne peut être considéré ni comme un liquide, ni comme un solide, ni comme un gaz.

Justifiez le choix de la réponse et dites pourquoi les autres suggestions ne sont pas acceptables.

2. Comment faire pour trouver le nombre de « molécules de craie » qu'il vous faut pour écrire votre nom au tableau ? Fournissez une explication de tout ce que vous devez faire, de même qu'un exemple de calcul.

3. Ces questions concernent le travail de J. J. Thomson.
a) D'après ses travaux, quelles particules considérait-il les plus importantes pour la formation des composés (modifications chimiques) et pourquoi ?
b) Des deux particules subatomiques résiduelles, laquelle placeriez-vous en second au point de vue de son importance dans la formation des composés et dites pourquoi.
c) Proposez trois modèles qui expliquent les résultats de Thomson et évaluez-les. Pour que votre réponse soit complète, vous devriez inclure les données de Thomson.

4. Dans un contenant fermé, on applique de la chaleur sur un glaçon jusqu'à ce que tout devienne vapeur. Schématisez ce qui se produit en supposant que vous puissiez voir à un très haut degré de grossissement. Qu'arrive-t-il à la taille des molécules ? Qu'arrive-t-il à la masse totale de l'échantillon ?

5. Dans un contenant en verre scellé rempli d'air, il y a un produit chimique. Le tout a une masse de 250,0 g. À l'aide d'une loupe, on oriente les rayons du soleil sur le produit chimique jusqu'à ce qu'il prenne feu. Une fois que la combustion est terminée, quelle est la masse du système ? Expliquez.

6. Vous prenez trois composés formés de deux éléments chacun et vous les décomposez. Pour déterminer les masses relatives de X, Y et Z, vous recueillez et pesez les éléments. Vous obtenez les résultats suivants :

Éléments dans le composé	Masse des éléments
X et Y	$X = 0{,}4$ g, $Y = 4{,}2$ g
Y et Z	$Y = 1{,}4$ g, $Z = 1{,}0$ g
X et Y	$X = 2{,}0$ g, $Y = 7{,}0$ g

a) Quelles suppositions faites-vous pour résoudre ce problème ?
b) Quelles sont les masses relatives de X, Y et Z ?
c) Quelles sont les formules chimiques de ces trois composés ?
d) Si vous décomposez 21 g du composé XY, quelle masse de chaque élément y a-t-il ?

7. On peut extraire la vitamine niacine (acide nicotinique, $C_6H_5NO_2$) d'une grande variété de sources naturelles, par exemple du foie, de la levure, du lait et des grains entiers. On peut également la synthétiser à partir de matériaux commercialisés. D'un point de vue nutritionnel, quelle serait la meilleure source d'acide nicotinique à utiliser pour la préparation de comprimés multivitaminiques ? Pourquoi ?

8. Une des caractéristiques d'une « bonne » théorie est que cette dernière soulève plus de problèmes qu'elle n'en résout. Cela est-il vrai pour la théorie atomique de Dalton ? Si oui, en quel sens ?

9. Dalton suppose que tous les atomes d'un même élément ont des propriétés identiques. Expliquez pourquoi cette supposition n'est pas valide.

10. Évaluez chacun des noms suivants et dites s'il est acceptable pour désigner l'eau.
a) Oxyde de dihydrogène.
b) Hydrure d'hydroxyde.
c) Hydroxyde d'hydrogène.
d) Dihydrure d'oxygène.

11. Pourquoi nomme-t-on $Ba(NO_3)_2$, nitrate de baryum, mais $Fe(NO_3)_2$, nitrate de fer(II) ?

12. Pourquoi dichlorure de calcium n'est-il pas le nom systématique correct pour $CaCl_2$?

13. Le nom commun de NH_3 est ammoniac. Quel serait son nom systématique ? Justifiez votre réponse.

Une question ou un exercice précédés d'un numéro en bleu indiquent que la réponse se trouve à la fin de ce livre.

Questions

14. Quelle modification faut-il apporter à la théorie atomique de Dalton pour expliquer les résultats obtenus par Gay-Lussac au cours de ses expériences sur les volumes de gaz qui réagissent entre eux ?

15. Quand l'hydrogène brûle en présence d'oxygène pour former de l'eau, la composition de l'eau formée ne dépend pas de la quantité d'oxygène. Interprétez ce phénomène à la lumière de la loi des proportions définies.

16. Les deux familles d'éléments les plus réactifs sont les halogènes et les alcalins. En quoi leur réactivité diffère-t-elle ?

17. Expliquez la loi de conservation de la masse, la loi des proportions définies et la loi des proportions multiples.

18. Les postulats de la théorie atomique de Dalton sont décrits dans la section 2.3. En leur apportant quelques modifications, ces postulats résistent bien à notre conception moderne des éléments, des composés et des réactions chimiques. Répondez aux questions suivantes concernant la théorie atomique de Dalton et les modifications apportées aujourd'hui.
a) On peut décomposer l'atome en plus petites parties. Quelles sont ces parties plus petites ?
b) En quoi les atomes d'hydrogène sont-ils identiques entre eux et en quoi diffèrent-ils les uns des autres ?
c) En quoi les atomes d'hydrogène sont-ils différents des atomes d'hélium ? En quoi les atomes H sont-ils semblables aux atomes He ?

d) En quoi l'eau est-elle différente du peroxyde d'hydrogène (H_2O_2), même si les deux composés ne contiennent que de l'hydrogène et de l'oxygène ?
e) Que se passe-t-il dans une réaction chimique et pourquoi la masse est-elle conservée quand elle se produit ?

19. Quelle est la conception moderne de la structure de l'atome ?

20. C'est le nombre de protons dans un atome qui détermine son identité. Qu'est-ce que le nombre et l'arrangement des électrons déterminent dans un atome ? Qu'est-ce que le nombre de neutrons détermine dans un atome ?

21. Qu'est-ce qui distingue les termes suivants ?
a) *Molécule* et *ion*.
b) *Liaison covalente* et *liaison ionique*.
c) *Molécule* et *composé*.
d) *Anion* et *cation*.

Exercices

Dans la présente section, les exercices similaires sont regroupés.

22. Quand on mélange du H_2 gazeux avec du Cl_2 gazeux, il y a formation d'un produit dont les propriétés sont toujours les mêmes quelles que soient les quantités relatives de H_2 et de Cl_2 utilisées.
a) Comment interpréter ces résultats en fonction de la loi des proportions définies ?
b) Lorsqu'on fait réagir des volumes égaux de H_2 et de Cl_2, à la même température et à la même pression, quel volume du produit HCl est formé ?

La théorie atomique

23. En faisant réagir 1 L de chlore, Cl_2, avec 3 L de fluor, F_2, on obtient 2 L de produit gazeux. Tous les gaz sont à la même température et soumis à la même pression. Déduisez la formule du produit gazeux ainsi obtenu.

24. L'hydrazine, l'ammoniac et l'azoture d'hydrogène contiennent tous trois de l'azote et de l'hydrogène. La masse d'hydrogène qui se combine à 1,00 g d'azote dans chacun de ces composés est de $1{,}44 \times 10^{-1}$ g ; $2{,}16 \times 10^{-1}$ g ; $2{,}40 \times 10^{-2}$ g, respectivement. Montrez que ces données sont conformes à la loi des proportions multiples.

25. Soit des échantillons de 100,0 g de deux composés différents contenant uniquement du carbone et de l'oxygène. Un des composés contient 27,2 g de carbone et l'autre, 42,9 g de carbone. Comment ces données peuvent-elles illustrer la loi des proportions multiples, si 42,9 n'est pas un multiple de 27,2 ? Montrez que ces données sont conformes à la loi des proportions multiples.

26. On a déterminé les valeurs des premières masses atomiques en mesurant la masse d'une substance qui réagissait avec 1 g d'oxygène. À partir des données suivantes, et en supposant que la masse atomique de l'hydrogène soit de 1,00, dressez un tableau des masses atomiques relatives des éléments ci-dessous.

Comparez ces valeurs à celles du tableau périodique.

Élément	Masse qui se combine à 1,00 g d'oxygène	Formule hypothétique
hydrogène	0,126 g	HO
sodium	2,875 g	NaO
magnésium	1,500 g	MgO

Comment peut-on expliquer les différences ?

27. La masse d'indium qui se combine à 1,000 g d'oxygène pour former l'oxyde d'indium est de 4,784 g. En 1869, lorsque Mendeleïev a présenté sa première version du tableau périodique, il a proposé la formule In_2O_3 pour l'oxyde d'indium. Auparavant, on croyait que la formule était InO. Quelles valeurs de la masse atomique de l'indium obtient-on à partir de ces deux formules ? Supposez que l'oxygène a une masse atomique de 16,00.

La nature de l'atome

28. À partir des données de ce chapitre relatives à la masse du proton, à celle de l'électron, à la taille du noyau et à celle de l'atome, calculez la masse volumique du noyau d'hydrogène et celle de l'atome d'hydrogène (volume d'une sphère $= \frac{4}{3}\pi r^3$).

29. Vous voulez préparer un modèle à l'échelle de l'atome d'hydrogène et vous décidez que son noyau aurait un diamètre de 1 mm. Quel serait le diamètre du modèle de l'atome ?

30. Dans une expérience donnée, la charge totale d'une goutte d'huile a été évaluée à $5{,}93 \times 10^{-18}$ C. Combien de charges négatives contient cette goutte ?

31. Écrivez les symboles des métaux suivants : sodium radium, fer, or, manganèse, plomb.

32. Trouvez le nom des non-métaux dont les symboles sont les suivants : As, I, Xe, He, C, Si.

33. Dites si les éléments suivants sont des métaux ou des non-métaux :

Mg	Si	Rn
Ti	Ge	Eu
Au	B	Am
Bi	At	Br

34. Énumérez les gaz rares. Quels sont ceux qui n'ont que des isotopes radioactifs ? (Ce phénomène est indiqué sur la plupart des tableaux périodiques par l'inscription de la masse de l'élément entre parenthèses.)

35. Quel lanthanide et quel élément de transition n'ont que des isotopes radioactifs ? (*Voir l'exercice 34*)

36. Dans le tableau périodique, combien d'éléments y a-t-il dans :
a) le groupe IIA ?
b) la famille de l'oxygène ?
c) le groupe du nickel ?
d) le groupe VIIIA ?

37. Combien y a-t-il de protons et de neutrons présents dans le noyau de chacun des atomes suivants ? Combien d'électrons sont présents dans un atome neutre de chacun des éléments ?
a) ^{79}Br b) ^{81}Br c) ^{239}Pu
d) ^{133}Cs e) ^{3}H f) ^{56}Fe

38. Écrivez le symbole atomique ($^{A}_{Z}X$) pour chacun des isotopes suivants.
a) $Z = 8$, nombre de neutrons = 9.
b) L'isotope du chlore dont $A = 37$.
c) $Z = 27, A = 60$.
d) Nombre de protons = 26, nombre de neutrons = 31.
e) L'isotope de I dont le nombre de masse est de 131.
f) $Z = 3$, nombre de neutrons = 4.

39. Quel est le symbole de l'ion possédant 63 protons, 60 électrons et 88 neutrons ?

40. Un ion possède 50 protons, 68 neutrons et 48 électrons. Quel est le symbole de cet élément ?

41. Complétez le tableau ci-dessous.

Symbole	Nombre de protons dans le noyau	Nombre de neutrons dans le noyau	Nombre d'électrons	Charge nette
$^{238}_{92}U$				
	20	20		2+
	23	28	20	
$^{89}_{39}Y$				
	35	44	36	
	15	16		3−

42. Prenons les éléments du groupe IVA (la « famille du carbone ») : C, Si, Ge, Sn et Pb. Au fur et à mesure que l'on descend dans le groupe, qu'arrive-t-il au caractère métallique des éléments ?

43. Dites si les atomes ci-dessous ont tendance à accepter ou à céder des électrons lorsqu'ils deviennent des ions. Quel est l'ion le plus probable que forme chaque élément ?
a) Ra **c)** P **e)** Br
b) In **d)** Te **f)** Rb

44. À l'aide du tableau périodique, écrivez, pour chacun des numéros atomiques suivants, la formule (en incluant la charge) de l'*ion* simple le plus probable que forme l'élément dans des composés ioniques.
a) 13 **c)** 56 **e)** 87
b) 34 **d)** 7 **f)** 35

Nomenclature

45. Nommez les composés des parties **a)** à **d)** et écrivez les formules des composés **e)** à **h)**.
a) NaBr.
b) Rb_2O.
c) CaS.
d) AlI_3.
e) Fluorure de strontium.
f) Séléniure d'aluminium.
g) Nitrure de potassium.
h) Phosphure de magnésium.

46. Nommez les composés des parties **a)** à **d)** et écrivez les formules des composés **e)** à **h)**.
a) Hg_2O.
b) $FeBr_3$.
c) CoS.
d) $TiCl_4$.
e) Nitrure d'étain(II).
f) Iodure de cobalt(III).
g) Oxyde de mercure(II).
h) Sulfure de chrome(VI).

47. Nommez chacun des composés suivants.
a) CsF **d)** MnO_2
b) Li_3N **e)** TiO_2
c) Ag_2S **f)** Sr_3P_2

48. Écrivez la formule de chacun des composés suivants.
a) Chlorure de zinc.
b) Fluorure d'étain(IV).
c) Nitrure de calcium.
d) Sulfure d'aluminium.
e) Séléniure de mercure(I).
f) Iodure d'argent.

49. Nommez chacun des composés suivants.
a) $BaSO_3$ **c)** $KMnO_4$
b) $NaNO_2$ **d)** $K_2Cr_2O_7$

50. Écrivez la formule de chacun des composés suivants.
a) Hydroxyde de chrome(III).
b) Cyanure de magnésium.
c) Carbonate de plomb(IV).
d) Acétate d'ammonium.

51. Nommez chacun des composés suivants.
a)
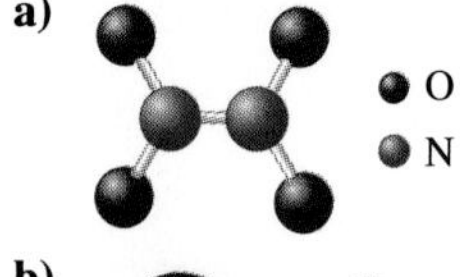

b)

c) SO_2
d) P_2S_5

52. Écrivez la formule de chacun des composés suivants.
a) Trioxyde de dibore.
b) Pentafluorure d'arsenic.
c) Monoxyde de diazote.
d) Hexachlorure de soufre.

53. Nommez chacun des composés suivants.
a) CuI **f)** S_4N_4
b) CuI_2 **g)** SF_6
c) CoI_2 **h)** NaOCl
d) Na_2CO_3 **i)** $BaCrO_4$
e) $NaHCO_3$ **j)** NH_4NO_3

54. Écrivez la formule de chacun des composés ci-dessous.
a) Difluorure de soufre.
b) Hexafluorure de soufre.
c) Dihydrogénophosphate de sodium.
d) Nitrure de lithium.
e) Carbonate de chrome(III).
f) Fluorure d'étain(II).
g) Acétate d'ammonium.
h) Hydrogénosulfate d'ammonium.
i) Nitrate de cobalt(III).
j) Chlorure de mercure(I).

k) Chlorate de potassium.
l) Hydrure de sodium.

55. Écrivez la formule de chacun des composés ci-dessous.
a) Hydrogénophosphate d'ammonium.
b) Sulfure de mercure(I).
c) Dioxyde de silicium.
d) Sulfite de sodium.
e) Hydrogénosulfate d'aluminium.
f) Trichlorure d'azote.
g) Acide bromhydrique.
h) Acide bromeux.
i) Acide perbromique.
j) Hydrogénosulfure de potassium.
k) Iodure de calcium.
l) Perchlorate de césium.

56. Nommez les acides illustrés ci-dessous.

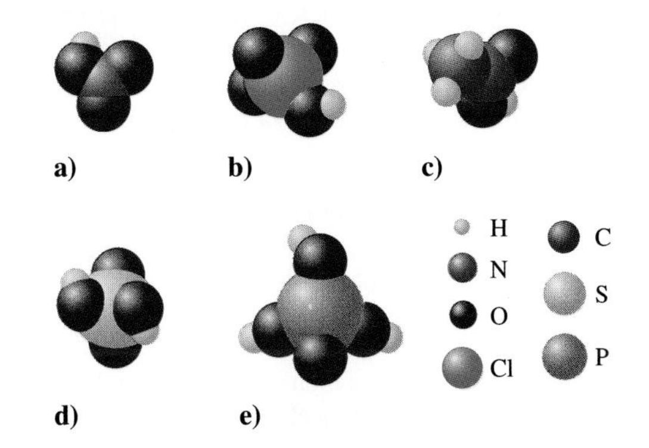

57. Les noms de chacun des composés suivants ne sont pas corrects. Pourquoi ne le sont-ils pas ? Quel serait le nom correct ?

a) $FeCl_3$	Chlorure de fer.
b) NO_2	Oxyde d'azote(IV).
c) CaO	Monoxyde de calcium(II).
d) Al_2S_3	Trisulfure de dialuminium.
e) $Mg(C_2H_3O_2)_2$	Diacétate de manganèse.
f) $FePO_4$	Phosphure de fer(II).
g) P_2S_5	Sulfure phosphoreux.
h) Na_2O_2	Oxyde de sodium.
i) HNO_3	Acide nitrate.
j) H_2S	Acide sulfurique.

Exercices supplémentaires

58. Le chlore possède deux isotopes naturels : ${}^{37}_{17}Cl$ et ${}^{35}_{17}Cl$. L'hydrogène réagit avec le chlore pour former le composé HCl. Est-ce qu'une quantité donnée d'hydrogène réagirait avec des masses différentes des deux isotopes du chlore ? Est-ce que cela entre en contradiction avec la loi des proportions définies ? Oui ou non, pourquoi ?

59. Parmi les énoncés suivants, lequel ou lesquels sont vrais ? Dans le cas des énoncés qui sont faux, corrigez-les.
a) Toutes les particules dans un noyau sont chargées.
b) La meilleure description de l'atome est une sphère uniforme de matière dans laquelle sont enchâssés les électrons.
c) La masse du noyau ne représente qu'une très petite fraction de la masse entière de l'atome.
d) Le volume du noyau ne représente qu'une très petite fraction du volume total de l'atome.
e) Dans un atome neutre, le nombre de neutrons doit être égal au nombre d'électrons.

60. L'isotope d'un élément inconnu, X, a un nombre de masse de 79. L'ion le plus stable de cet isotope a 36 électrons et forme un composé binaire avec le sodium, dont la formule est Na_2X. Parmi les énoncés suivants, lequel ou lesquels est sont vrais ? Dans le cas des énoncés qui sont faux, corrigez-les.
a) Le composé binaire formé entre X et le fluor sera un composé covalent.
b) L'isotope de X contient 38 protons.
c) L'isotope de X contient 41 neutrons.
d) X est le strontium, Sr.

61. Pour chacun des ions suivants, indiquez le nombre total de protons et d'électrons dans l'ion. Pour les ions positifs de la liste, prédisez la formule du composé le plus simple formé entre chaque ion positif et l'ion oxyde. Pour les ions négatifs de la liste, prédisez la formule du composé le plus simple formé entre chaque ion négatif et l'ion aluminium.

a) Fe^{2+}	**e)** S^{2-}
b) Fe^{3+}	**f)** P^{3-}
c) Ba^{2+}	**g)** Br^-
d) Cs^+	**h)** N^{3-}

62. Voici des formules et les noms communs de plusieurs substances. Donnez les noms systématiques de ces substances.

a) Sucre de plomb.	$Pb(CH_3CO_2)_2$
b) Vitriol bleu.	$CuSO_4$
c) Chaux vive.	CaO
d) Sels d'Epsom.	$MgSO_4$
e) Lait de magnésie.	$Mg(OH)_2$
f) Gypse.	$CaSO_4$
g) Gaz hilarant.	N_2O

63. Nommez chacun des éléments suivants.
a) Un membre de la famille de l'oxygène dont l'ion le plus stable contient 54 électrons.
b) Un membre de la famille des métaux alcalins dont l'ion le plus stable contient 36 électrons.
c) Un gaz rare possédant 18 protons dans son noyau.
d) Un halogène possédant 85 protons et 85 électrons.

64. L'ion le plus stable d'un élément forme un composé ionique avec le brome, dont la formule est XBr_2. Si l'ion de l'élément X a un nombre de masse de 230 et possède 86 électrons, quel est le nom de cet élément, et combien de neutrons possède-t-il ?

65. Un élément donné ne possède que deux isotopes naturels : l'un a 18 électrons et l'autre a 20 neutrons. Dans des composés ioniques, cet élément forme des ions ayant une charge de 1−. Donnez le nom de cet élément. Quel nombre d'électrons possède l'ion de charge 1− ?

66. La désignation IA à VIIIA utilisée pour certaines familles du tableau périodique permet de prédire la charge des ions dans les composés ioniques binaires. Dans ces composés, les métaux prennent généralement une charge positive égale au numéro de la famille, alors que les non-métaux prennent une charge négative égale au numéro de la famille moins 8. Ainsi, le composé formé de sodium et de chlore contient des ions Na^+ et des ions Cl^- ; sa formule est NaCl. Prédisez la formule et le nom des composés binaires formés des paires d'éléments suivants.

a) Ca et N	**e)** Ba et I
b) K et O	**f)** Al et Se
c) Rb et F	**g)** Cs et P
d) Mg et S	**h)** In et Br

67. Par analogie avec les composés du phosphore, nommez les composés suivants : Na_3AsO_4, H_3AsO_4, $Mg_3(SbO_4)_2$.

68. Un échantillon de H_2SO_4 contient 2,02 g d'hydrogène, 32,07 g de soufre et 64,00 g d'oxygène. Quelle masse de soufre et quelle masse d'oxygène sont présentes dans un second échantillon de H_2SO_4 contenant 7,27 g d'hydrogène ?

69. Dans une réaction, 34,0 g d'oxyde de chrome(III) réagissent avec 12,1 g d'aluminium pour donner du chrome et de l'oxyde d'aluminium. Si 23,3 g de chrome sont produits, quelle masse d'oxyde d'aluminium obtient-on ?

Problèmes défis

70. Les éléments d'un des groupes du tableau périodique sont souvent appelés les « métaux de la monnaie ». Trouvez les éléments de ce groupe en vous basant sur votre expérience.

71. La réaction de 2,0 L d'hydrogène gazeux avec 1,0 L d'oxygène gazeux donne 2,0 L de vapeur d'eau. Tous les gaz sont de même température et de même pression. Montrez comment ces données sont conformes à l'idée que l'oxygène gazeux est une molécule diatomique. Pour expliquer ces résultats, doit-on considérer l'hydrogène comme une molécule diatomique ?

72. S'il y a combustion, il y a réaction d'une substance avec de l'oxygène. La combustion complète de tout hydrocarbure (composé binaire formé de carbone et d'hydrogène) donne naissance à du dioxyde de carbone et à de l'eau comme seuls produits. L'octane est un hydrocarbure rencontré dans l'essence, et sa combustion complète produit 8 litres de dioxyde de carbone pour chaque volume de 9 litres de vapeur d'eau (les deux mesurés à la même température et à la même pression). Quel est le rapport des atomes de carbone et des atomes d'hydrogène dans la molécule d'octane ?

73. Un professeur de chimie énonce l'affirmation suivante : « Si l'on considère que le noyau d'un atome est de la grosseur d'un raisin, les électrons se situeraient en moyenne à un mille de distance du noyau. » Cette déclaration est-elle suffisamment exacte ? Fournissez une preuve mathématique.

74. Deux éléments, R et Q, se combinent pour former deux composés binaires. Dans le premier, 14,0 g de R se combinent avec 3,00 g de Q. Dans le second, 7,00 g de R se combinent avec 4,50 g de Q. Faites la preuve que ces données respectent la loi des proportions multiples. Si la formule du second composé est RQ, trouvez la formule du premier composé.

75. Les premiers alchimistes avaient l'habitude de faire bouillir de l'eau durant plusieurs jours dans un contenant en verre scellé. Il finissait par se former un dépôt au fond du contenant. Les alchimistes croyaient alors qu'une partie de l'eau s'était transformée en terre. Quand Lavoisier reprit cette expérience, il se rendit compte que la masse de l'eau n'avait pas changé et que la masse du contenant additionnée à celle du dépôt était égale à la masse initiale du contenant. L'interprétation des alchimistes était-elle exacte ? Expliquez ce qui se passe réellement.

76. Chacun des énoncés suivants est vrai, mais Dalton aurait quelque difficulté à expliquer certains d'entre eux en se basant sur sa théorie atomique. Expliquez les énoncés suivants.

a) L'éthanol et le méthoxyméthane ont la même composition massique (52 % de carbone, 13 % d'hydrogène et 35 % d'oxygène) ; pourtant, ils ont des points de fusion, des points d'ébullition et des solubilités dans l'eau qui diffèrent.
b) La combustion du bois laisse des cendres qui ne représentent qu'une faible fraction de la masse originale du bois.
c) Les atomes peuvent être scindés en particules plus petites.
d) Un échantillon d'hydrure de lithium contient 85,5 % de lithium en masse ; un autre échantillon d'hydrure de lithium en contient 67,5 %. Pourtant, ces deux échantillons possèdent les mêmes propriétés.

77. Deux composés gazeux différents sont formés de l'élément X et de l'élément Y. Les pourcentages massiques sont les suivants :

Composé I : 30,43 % de X, 69,57 % de Y
Composé II : 63,64 % de X, 36,36 % de Y

Dans leur état naturel normal, l'élément X et l'élément Y sont des gaz. (Sont-ils monoatomiques, diatomiques ou triatomiques ? C'est à vous de le déterminer.) Quand vous faites réagir le « gaz X » avec le « gaz Y » pour former les produits, vous obtenez les données suivantes (toutes à pression et température normales) :

1 volume de « gaz X » + 2 volumes de « gaz Y » ⟶ 2 volumes de composé I
2 volumes de « gaz X » + 1 volume de « gaz Y » ⟶ 2 volumes de composé II

Supposez les formules les plus simples possibles pour les réactifs et les produits dans les équations chimiques ci-dessus. Déterminez alors les masses atomiques relatives de l'élément X et de l'élément Y.

Problèmes d'intégration

Ces problèmes requièrent l'intégration d'une multitude de concepts pour trouver la solution.

78. Quel est le nom systématique de Ta_2O_5 ? Si la charge portée par le métal demeure constante et que le soufre est substitué à l'oxygène, quelle serait la nouvelle formule ? Quelle est la différence dans le nombre total de protons entre Ta_2O_5 et son analogue sulfuré ?

79. On sait qu'un composé ionique binaire contient un cation possédant 51 protons et 48 électrons. L'anion contient le tiers du nombre de protons du cation. Le nombre d'électrons dans l'anion est égal au nombre de protons plus 1. Quelle est la formule de ce composé ? Quel est son nom ?

80. À l'aide des informations du tableau 2.1, répondez à la question suivante. Dans un ion de charge inconnue, on a trouvé que la masse totale de tous les électrons est de $2,55 \times 10^{-26}$ g, tandis que la masse totale de ses protons est de $5,34 \times 10^{-23}$ g. Dites quel est cet ion et quelle est sa charge. Quel est le symbole et quel est le nombre de masse d'un atome neutre, dont la masse totale de ses électrons est de $3,92 \times 10^{-26}$ g et la masse de ses neutrons de $9,35 \times 10^{-23}$ g ?

Problème de synthèse

Ce problème fait appel à plusieurs concepts et techniques de résolution de problèmes. Les problèmes de synthèse peuvent être utilisés en classe par des groupes d'étudiants pour leur faciliter l'acquisition des habiletés nécessaires à la résolution de problèmes.

81. Vous êtes remonté dans le temps et travaillez avec Dalton, dans son laboratoire, à l'élaboration d'une table des masses relatives. Voici les résultats qu'il a obtenus :

0,602 g de gaz A réagit avec 0,295 g de gaz B ;
0,172 g de gaz B réagit avec 0,401 g de gaz C ;
0,320 g de gaz A réagit avec 0,374 g de gaz C.

a) En supposant les formules les plus simples (AB, BC et AC), constituez une table des masses relatives pour Dalton.

b) Connaissant un peu l'histoire de la chimie, vous dites à Dalton que, s'il trouve les volumes des gaz qui ont réagi à température et à pression constantes, il n'est pas nécessaire de supposer les formules les plus simples. Vous lui présentez les résultats suivants :

6 volumes de gaz A + 1 volume de gaz B $\longrightarrow$ 4 volumes de produit ;

1 volume de gaz B + 4 volumes de gaz C $\longrightarrow$ 4 volumes de produit ;

3 volumes de gaz A + 2 volumes de gaz C $\longrightarrow$ 6 volumes de produit.

Écrivez les équations équilibrées les plus simples et trouvez les masses relatives de ces éléments. Expliquez votre raisonnement.

3 Stœchiométrie

Contenu

Réaction violente du brome et du phosphore.

Les réactions chimiques jouent un très grand rôle dans nos vies, comme en témoignent les quelques exemples suivants : le corps humain tire son énergie de la nourriture ; on fait réagir l'azote et l'hydrogène pour produire de l'ammoniac, qui, à son tour, est utilisé comme engrais ; on utilise le pétrole pour fabriquer des carburants et des matières plastiques ; les plantes synthétisent l'amidon à partir du gaz carbonique, de l'eau et de l'énergie solaire ; on utilise des bactéries, en laboratoire, pour produire de l'insuline humaine ; la présence de certaines substances dans l'environnement entraîne le cancer chez l'être humain ; etc. En étudiant la chimie, on cherche à comprendre de telles modifications chimiques ; c'est pourquoi l'étude des réactions occupe une place importante dans ce volume. Nous étudierons pourquoi les réactions ont lieu, à quelle vitesse elles ont lieu et quels sont les chemins empruntés pour qu'il y ait formation de produits.

Dans ce chapitre, nous prendrons en considération les quantités de composés chimiques qui interviennent dans une réaction chimique, soit à titre de réactifs, soit à titre de produits. Ce domaine d'études est appelé stœchiométrie. Cependant, pour bien comprendre la **stœchiométrie**, il faut auparavant comprendre le concept de masse atomique relative.

3.1 Compter par pesée

Imaginons que vous travaillez dans une confiserie spécialisée dans la vente de bonbons fins à l'unité. Les clients vous en demandent 50, 100, 1000 ou plus, ce qui vous oblige à les compter un à un – une opération plutôt fastidieuse. Mais, comme vous excellez à la résolution de problèmes, vous essayez de trouver un meilleur système. Vous réalisez qu'il serait beaucoup plus efficace d'acheter une balance et de compter les bonbons en les pesant. Comment peut-on compter des bonbons par simple pesée ? Quels renseignements sur chaque bonbon vous faut-il ?

Supposons que tous les bonbons sont identiques et que chacun a une masse de 5 g. Si un client vous demande 1000 bonbons, quelle masse de bonbons devrez-vous peser ? Comme chaque bonbon a une masse de 5 g, vous aurez alors besoin de 1000 $\times$ 5 g/bonbon, ou 5000 g (5 kg). Il vous suffit de quelques secondes pour peser 5 kg de bonbons. Il serait cependant beaucoup plus long d'en compter 1000.

En fait, les bonbons ne sont pas identiques. Supposons, par exemple, que vous en pesez 10 individuellement et obtenez les résultats suivants :

Bonbon	Masse
1	5,1 g
2	5,2 g
3	5,0 g
4	4,8 g
5	4,9 g
6	5,0 g
7	5,0 g
8	5,1 g
9	4,9 g
10	5,0 g

On peut compter des bonbons par pesée.

Est-ce possible de compter par pesée ces bonbons non identiques ? Oui, à condition de connaître leur *masse moyenne*. Calculons la masse moyenne de notre échantillon de 10 bonbons.

$$\text{Masse moyenne} = \frac{\text{masse totale des bonbons}}{\text{nombre de bonbons}}$$

$$= \frac{5{,}1\text{ g} + 5{,}2\text{ g} + 5{,}0\text{ g} + 4{,}8\text{ g} + 4{,}9\text{ g} + 5{,}0\text{ g} + 5{,}0\text{ g} + 5{,}1\text{ g} + 4{,}9\text{ g} + 5{,}0\text{ g}}{10}$$

$$= \frac{50{,}0}{10} = 5{,}0\text{ g}$$

La masse moyenne d'un bonbon est de 5,0 g. Par conséquent, pour compter 1000 bonbons, nous avons besoin d'en peser 5000 g. Cet échantillon, dans lequel les bonbons ont une masse moyenne de 5,0 g, peut être traité de la même façon qu'un échantillon dont tous les bonbons sont identiques. Les objets n'ont pas besoin d'avoir des masses identiques pour qu'on puisse les compter par pesée. Tout ce qui importe, c'est de connaître la masse moyenne des objets. Sur le plan de la pesée, on considère que les objets sont tous identiques, comme si chacun avait la masse moyenne.

Compter par pesée vaut aussi bien pour les atomes que pour les bonbons. Mais comme les atomes sont minuscules, nous manipulons des échantillons de matière qui contiennent d'énormes quantités d'atomes. Quand même on pourrait les voir, il ne serait pas possible de les compter directement. Par conséquent, pour déterminer le nombre d'atomes dans un échantillon donné, on calcule sa masse. Cependant, tout comme dans le cas des bonbons, pour établir un rapport entre la masse et un nombre d'atomes, il faut connaître la masse moyenne des atomes.

3.2 Masses atomiques

Nous avons vu au chapitre 2 que les travaux de Dalton, Gay-Lussac, Lavoisier, Avogadro et Berzelius ont fourni les premières données quantitatives relatives aux masses atomiques. À partir des proportions dans lesquelles les éléments se combinaient pour produire différents composés, les chimistes du XIXe siècle en sont arrivés à calculer les masses relatives des atomes. Depuis 1961, on utilise un nouveau système de masse atomique dont l'étalon est le ^{12}C (carbone 12). Dans ce système, *la masse d'un atome de* ^{12}C *vaut exactement 12 unités de masse atomique, u,* et on détermine la masse de tous les autres atomes en fonction de cette valeur étalon.

La méthode la plus exacte dont on dispose de nos jours pour comparer les masses atomiques fait appel au **spectromètre de masse**. On vaporise dans cet instrument (*voir la figure 3.1*) des atomes ou molécules qui traversent un faisceau d'électrons qui se meuvent

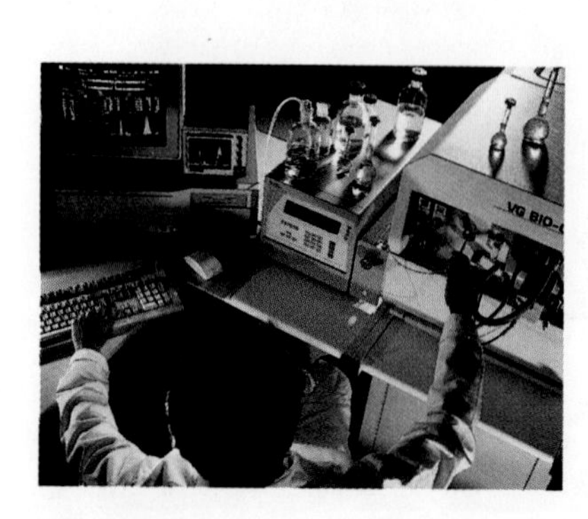

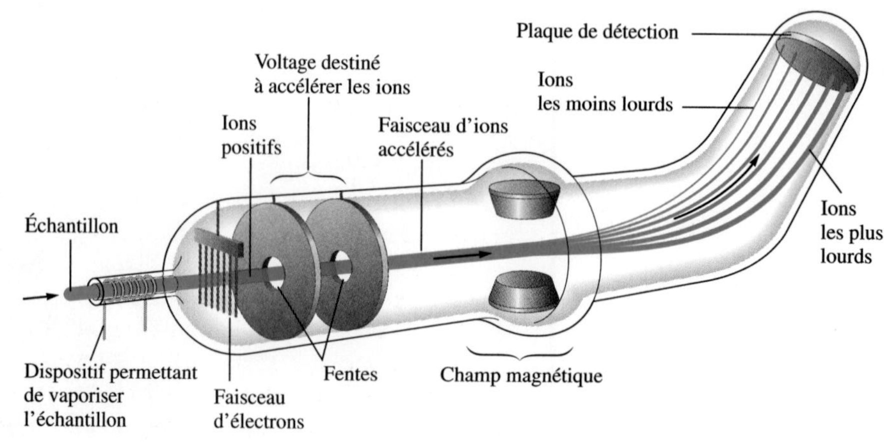

FIGURE 3.1
(À gauche) Un technicien injectant un échantillon dans un spectromètre de masse. Représentation schématique d'un spectromètre de masse.

à grande vitesse. Ces électrons chassent des électrons des atomes ou des molécules à analyser et les convertissent en ions positifs. Un champ électrique accélère le mouvement des ions ainsi produits et les entraîne vers un champ magnétique. Étant donné qu'un ion dont le mouvement est accéléré produit son propre champ magnétique, ce dernier interagit avec le champ magnétique créé dans le spectromètre, ce qui entraîne une déviation du trajet de l'ion. L'importance de cette déviation est fonction de la masse des ions : plus les ions sont lourds, moins ils sont déviés. On peut donc de la sorte les séparer (*voir la figure 3.1*). En comparant les positions de leurs points d'impact sur la plaque de détection, on peut calculer de façon très précise leurs masses relatives. Par exemple, lorsqu'on analyse dans un spectromètre de masse le ^{12}C et le ^{13}C, on constate que le rapport de leurs masses est de

$$\frac{\text{Masse } ^{13}\text{C}}{\text{Masse } ^{12}\text{C}} = (1{,}0836129)$$

Par définition, l'unité de masse d'un atome est telle que la masse du ^{12}C est *exactement* de 12 unités de masse atomique ; par conséquent, selon cette échelle,*u*

$$\text{Masse } ^{13}\text{C} = (1{,}0836129)(\underset{\substack{\uparrow \\ \text{Nombre exact} \\ \text{par définition}}}{12}\ u) = 13{,}003355\ u$$

On peut de la même manière déterminer la masse des autres atomes.

Vous trouverez à la fin de ce volume un tableau qui donne la **masse atomique** de chaque élément. Bien que cette valeur soit en réalité une masse, elle est aussi connue (pour des raisons historiques) sous le nom de *poids atomique* de chaque élément.

La plupart des éléments étant présents dans la nature sous forme de mélanges d'isotopes, leurs masses atomiques sont des valeurs moyennes.

Considérons la valeur de la masse atomique du carbone fournie par ce tableau. On s'attend à trouver 12, puisque le système des masses atomiques repose sur la valeur de la masse du ^{12}C. Or, la valeur qui y figure n'est pas 12, mais 12,01. Pourquoi ? On peut expliquer cette apparente contradiction par le fait que, sur Terre, le carbone est un mélange des isotopes ^{12}C, ^{13}C et ^{14}C. Ces trois isotopes possèdent tous 6 protons, mais ils possèdent en outre 6, 7 et 8 neutrons, respectivement. Étant donné que le carbone naturel est un mélange d'isotopes, la valeur de la masse atomique du carbone est la *valeur moyenne* de celles de ses isotopes.

Il est plus facile de peser 600 écrous que de les compter un à un.

Voici comment on calcule la masse atomique moyenne du carbone. Sachant que le carbone naturel est composé à 98,89 % d'atomes de ^{12}C et à 1,11 % d'atomes de ^{13}C (la quantité de ^{14}C est négligeable à ce degré de précision), on peut, en utilisant la masse du ^{12}C (exactement 12 *u*) et celle du ^{13}C (13,003 355 *u*), calculer la masse atomique moyenne du carbone naturel. On obtient

$$\begin{aligned} 98{,}89\ \% \text{ de } 12\ u + 1{,}11\ \% \text{ de } 13{,}0034\ u &= (0{,}9889)(12\ u) + (0{,}0111)(13{,}0034\ u) \\ &= 12{,}01\ u \end{aligned}$$

Dans ce volume, on appelle ce résultat la **masse atomique moyenne** d'un élément ou, simplement, sa *masse atomique.*

Même si, dans le carbone naturel, il n'existe aucun atome dont la masse soit de 12,01, on considère, sur le plan stœchiométrique, que le carbone est composé d'un seul type d'atome ayant une masse de 12,01. On procède ainsi afin de pouvoir dénombrer les atomes de carbone naturel dans un échantillon en pesant tout simplement ce dernier.

Nous avons vu, à la section 3.1, que pour compter par pesée, il faut absolument connaître la masse *moyenne* des unités comptées. Compter par pesée vaut aussi bien pour les atomes que pour les bonbons. Appliquons ce même principe aux atomes : pour obtenir 1000 atomes de carbone naturel, dont la masse moyenne est de 12,01 *u*, il suffit de peser 12,010 *u* de carbone naturel (un mélange de ^{12}C et de ^{13}C).

Comme dans le cas du carbone, la masse de chaque élément qui figure dans le tableau est la valeur moyenne basée sur la composition isotopique de l'élément naturel. Par exemple, la masse de l'hydrogène (1,008) est la masse moyenne de l'hydrogène naturel, c'est-à-dire un mélange de ^{1}H, de ^{2}H (deutérium) et de ^{3}H (tritium). En fait, *aucun* atome d'hydrogène n'a une masse de 1,008.

IMPACT

Le buckminsterfullerène nous enseigne un peu d'histoire

Il y a environ 250 millions d'années, 90 % des êtres vivants sur Terre ont disparu lors d'un cataclysme. Cet événement, qui a mis fin au permien et marqué le début de la période triasique [limite Trias (P-T)], est l'annihilation de masse la plus dévastatrice de l'histoire de la Terre – surpassant de loin la catastrophe responsable de l'extinction des dinosaures, il y a 65 millions d'années [limite Crétacé-tertiaire (K-T)]. En 1979, le géologue Walter Alvarez et son père, Luis Alvarez, un physicien récipiendaire du prix Nobel, ont avancé que des concentrations anormalement élevées d'iridium dans des sédiments à la limite K-T signifiaient qu'un astéroïde avait percuté la Terre, causant une gigantesque dévastation. Au cours des 20 dernières années, un grand nombre de preuves se sont accumulées pour étayer cette hypothèse, dont la découverte de l'endroit probable où se situe le cratère causé par l'impact dans l'océan, près du Mexique.

Les extinctions à la limite P-T ont-elles aussi été causées par un objet extraterrestre ou par un événement quelconque sur la Terre, tel qu'une explosion volcanique massive ? Des découvertes récentes, par le géochimiste Luann Becker de l'Université de Washington et Robert J. Poreda de l'Université de Rochester, plaident fortement en faveur de la théorie de l'impact. L'étude de sédiments provenant de Chine et du Japon, a permis à l'équipe de découvrir des fullerènes contenant des atomes d'argon et d'hélium gazeux encapsulés dont la composition isotopique indique leur origine extraterrestre. Par exemple, le rapport de $^{3}_{2}He$ à $^{4}_{2}He$ présent dans les fullerènes est 100 fois plus grand que le rapport pour l'hélium présent dans l'atmosphère terrestre. De même, la composition isotopique des atomes d'argon enfermés dans des fullerènes est tout à fait différente de celle que l'on a trouvée sur la Terre.

Les fullerènes se composent de molécules de carbone sphériques C_{60} (buckminsterfullerènes) dont les cavités peuvent renfermer d'autres atomes comme l'hélium et l'argon (*voir la figure ci-contre*). Les scientifiques ont postulé que les fullerènes proviennent d'étoiles ou de la contraction d'un nuage de gaz dans lequel des atomes de gaz rares ont été enfermés au moment de la formation des fullerènes. Ces fullerènes ont alors été incorporés d'une quelconque façon dans l'objet qui est par la suite entré en collision avec la

En plus de permettre de déterminer avec exactitude la masse atomique des atomes individuels, le spectromètre de masse sert à calculer la composition isotopique d'un élément naturel. Par exemple, quand on injecte dans un spectromètre de masse un échantillon de néon naturel, on obtient les résultats présentés à la figure 3.2. Les surfaces sous les « pics », ou les hauteurs des barres, indiquent les nombres relatifs d'atomes des différents isotopes du néon, $^{20}_{10}Ne$, $^{21}_{10}Ne$ et $^{22}_{10}Ne$.

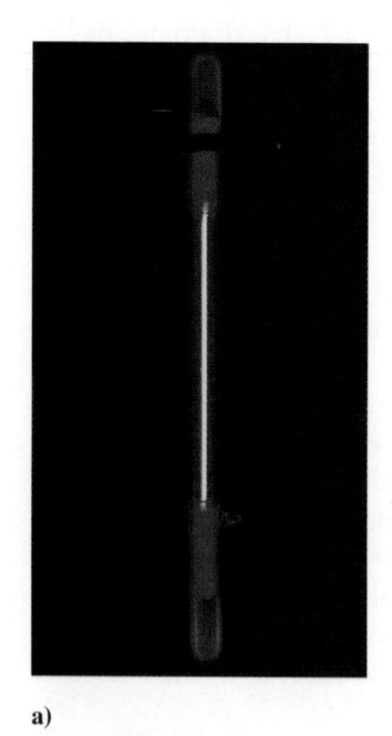

a)

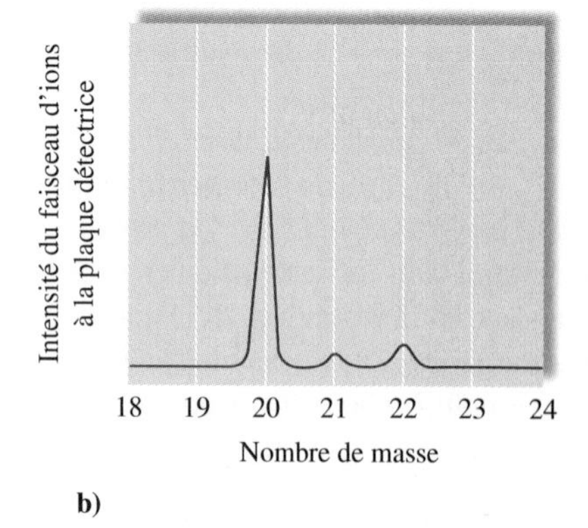

b)

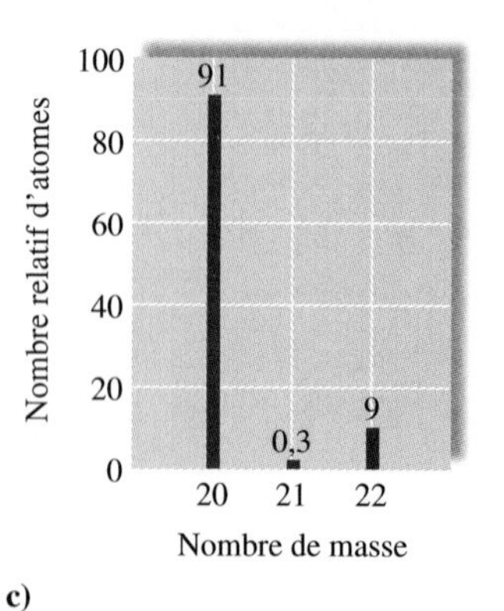

c)

FIGURE 3.2
a) Émission de lumière par le néon dans un tube à décharge. Représentation graphique des intensités relatives des signaux enregistrés après injection de néon naturel dans un spectromètre de masse : **b)** sous forme de « pics » ; **c)** sous forme de barres. Les surfaces relatives sous les pics sont de 0,9092 (^{20}Ne), 0,00257 (^{21}Ne) et 0,0882 (^{22}Ne). Le néon naturel est donc composé à 90,92 % de ^{20}Ne, à 0,257 % de ^{21}Ne et à 8,82 % de ^{22}Ne.

Terre. En s'appuyant sur les compositions isotopiques, les géochimistes ont évalué que le corps impacté devait avoir un diamètre de 10 kilomètres, ce qui est comparable à la taille de l'astéroïde soupçonné de la disparition des dinosaures.

L'absence d'iridium dans les sédiments de la période limite P-T est un facteur qui avait auparavant fait douter que la cause de la catastrophe soit la collision d'un astéroïde. Cependant, Becker et d'autres scientifiques ont fait valoir que cette absence signifie probablement que l'objet d'impact pourrait avoir été une comète plutôt qu'un astéroïde. Selon Becker, il est également possible qu'un tel choc ait intensifié le volcanisme déjà présent sur Terre à cette époque, provoquant ainsi un double impact qui a presque éliminé la vie sur Terre.

Il est ironique de penser que les « buckminsterfullerènes », qui ont fait récemment les manchettes des journaux lors de leur synthèse pour la première fois en laboratoire, existent depuis des millions d'années et ont une histoire très intéressante à nous enseigner.

Figure tirée de *Chemical and Engineering News,* 26 février 2001, p. 9. Reproduite avec la permission de Joseph Wilmhoff.

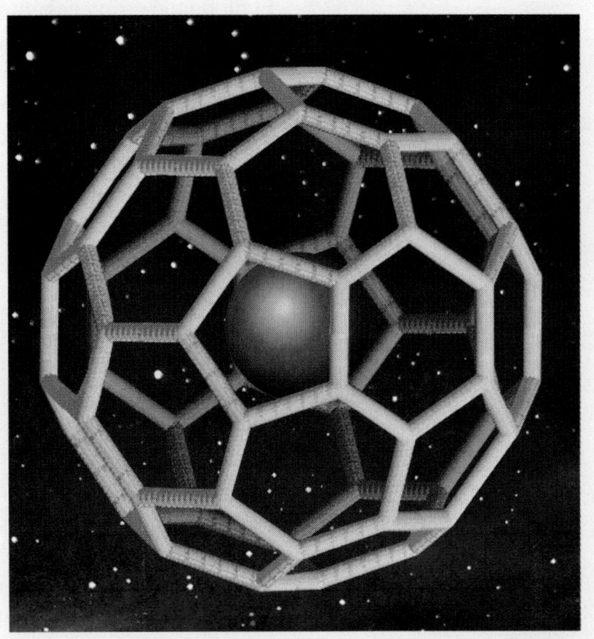

Les rapports isotopiques des atomes de gaz rares à l'intérieur des buckminsterfullerènes célestes indiquent que ces anciennes cages de carbone se sont formées dans un environnement stellaire et non sur Terre.

Exemple 3.1

Masse moyenne d'un élément

Pépite de cuivre.

Quand on injecte dans un spectromètre de masse un échantillon de cuivre naturel sous forme de vapeur, on obtient les résultats présentés à la figure 3.3. À l'aide de ces données, calculez la masse moyenne du cuivre naturel. (Les valeurs de la masse du ^{63}Cu et du ^{65}Cu sont respectivement de 62,93 *u* et de 64,93 *u*.)

Solution

Comme l'indique le graphique, pour 100 atomes de cuivre naturel, il y a en moyenne 69,09 atomes de ^{63}Cu et 30,91 de ^{65}Cu. La masse moyenne de 100 atomes de cuivre naturel est donc

$$(69{,}09\ \cancel{\text{atomes}})\left(62{,}93\frac{u}{\cancel{\text{atomes}}}\right)+(30{,}91\ \cancel{\text{atomes}})\left(64{,}93\frac{u}{\cancel{\text{atomes}}}\right)=6355\ u$$

et la masse moyenne d'un atome

$$\frac{6355\ u}{100\ \text{atomes}}=63{,}55\ u/\text{atome}$$

C'est la valeur de la masse qu'on utilise pour effectuer des calculs relatifs à des réactions chimiques dans lesquelles intervient le cuivre ; c'est également la valeur qui figure dans le tableau à la fin de ce volume.

Vérification Quand vous avez terminé un calcul, vous devriez toujours vérifier si votre réponse est logique. Ainsi, dans cet exemple, votre réponse, 63,55 *u,* se situe entre les masses des atomes qui composent le cuivre naturel, ce qui est logique. La réponse ne peut pas être inférieure à 62,93 *u,* ni supérieure à 64,93 *u.*

FIGURE 3.3
Spectre de masse du cuivre naturel.

Voir les exercices 3.16 et 3.17

3.3 Mole

Définition de la mole (SI) : quantité de matière d'un système contenant autant d'entités qu'il y a d'atomes dans 12 g de ^{12}C.

Le nombre d'Avogadro est $6{,}022 \times 10^{23}$. Une mole de n'importe quelle substance contient donc $6{,}022 \times 10^{23}$ unités de cette substance.

Étant donné qu'un échantillon normal de matière contient un très grand nombre d'atomes, on a, pour les dénombrer, créé une unité de mesure, la mole. Une **mole** (abrégée mol) est *le nombre égal au nombre d'atomes de carbone présents dans exactement 12 g de ^{12}C pur.* En utilisant des techniques comme la spectrométrie de masse, qui permet de compter avec précision les atomes, on peut déterminer la valeur de ce nombre, qui est de $6{,}022\ 136\ 7 \times 10^{23}$ (on se contente d'utiliser $6{,}022 \times 10^{23}$). On appelle ce nombre **nombre d'Avogadro**, en reconnaissance de la contribution de ce scientifique à l'avancement de la chimie. *Une mole de quelque chose est composée de $6{,}022 \times 10^{23}$ unités de ce quelque chose.* Comme une douzaine d'œufs contient douze œufs, une mole d'œufs contient $6{,}022 \times 10^{23}$ œufs.

Il est difficile d'imaginer ce que peut représenter un aussi grand nombre. À titre d'exemples : une mole de secondes représente une période de temps de 4 millions de fois l'âge de la Terre ; avec une mole de billes, on pourrait recouvrir la Terre entière d'une couche de 80 km d'épaisseur ! Cependant, étant donné que les atomes sont très petits, une mole d'atomes ou de molécules est une quantité à laquelle on peut aisément recourir dans une réaction (*voir la figure 3.4*).

En chimie, comment utilise-t-on la mole dans les calculs ? Rappelons que le nombre d'Avogadro est le nombre d'atomes présents dans exactement 12 g de ^{12}C, ce qui signifie que 12 g de ^{12}C contiennent $6{,}022 \times 10^{23}$ atomes. Cela signifie également qu'un échantillon de carbone naturel de 12,01 g (un mélange de ^{12}C, de ^{13}C et de ^{14}C dont la masse moyenne est de 12,01) renferme $6{,}022 \times 10^{23}$ atomes. Puisque le rapport entre les masses des échantillons (12 g/12,01 g) est le même que le rapport entre les masses des composants individuels (12 *u*/12,01 *u*), les deux échantillons contiennent le même nombre de composants.

Pour éclaircir ce point, imaginons des oranges dont la masse moyenne est de 250 g et des pamplemousses de 500 g de masse moyenne. Un sac de pamplemousses dont la masse est deux fois supérieure à celle d'un sac d'oranges et ce sac d'oranges contiennent le même nombre de fruits. Le même principe s'applique aux atomes. Comparons le carbone naturel (masse moyenne de 12,01) et l'hélium naturel (masse moyenne de 4,003) : un échantillon de carbone naturel de 12,01 g contient le même nombre d'atomes qu'un échantillon d'hélium naturel de 4,003 g ; par ailleurs, les deux échantillons contiennent chacun une mole d'atomes ($6{,}022 \times 10^{23}$). Le tableau 3.1 présente plusieurs autres exemples qui permettent d'illustrer cette idée fondamentale.

La masse d'une mole d'un élément est égale à la valeur de sa masse atomique exprimée en grammes.

Par définition, une mole est telle qu'un échantillon d'un élément naturel dont la masse est égale à sa masse atomique, exprimée en grammes, contient une mole d'atomes.

FIGURE 3.4
Dans le sens des aiguilles d'une montre à partir du sommet : échantillons d'une mole de cuivre, de fer, d'iode, de soufre, d'aluminium et, au centre, de mercure.

TABLEAU 3.1 Comparaison d'une mole de divers éléments

Élément	Nombre d'atomes en présence	Masse de l'échantillon (g)
aluminium	$6{,}022 \times 10^{23}$	26,98
cuivre	$6{,}022 \times 10^{23}$	63,55
fer	$6{,}022 \times 10^{23}$	55,85
soufre	$6{,}022 \times 10^{23}$	32,07
iode	$6{,}022 \times 10^{23}$	126,9
mercure	$6{,}022 \times 10^{23}$	200,6

Cette définition permet également d'établir la relation qui existe entre l'unité de masse atomique et le gramme. Puisque $6{,}022 \times 10^{23}$ atomes de carbone (chacun ayant une masse de 12 u) ont une masse de 12 g,

$$6{,}022 \times 10^{23}\ \cancel{\text{atomes}} \left(\frac{12\ u}{\cancel{\text{atome}}}\right) = 12\ \text{g}$$

et

$$6{,}022 \times 10^{23}\ u = \underset{\substack{\text{Nombre}\\ \text{exact}}}{\underset{\uparrow}{1}}\ \text{g}$$

On peut utiliser cette relation comme facteur de conversion pour passer des unités de masse atomique aux grammes.

Exemple 3.2 Détermination de la masse d'un échantillon d'atomes

L'américium est un élément qu'on ne trouve pas dans la nature, mais qu'on peut produire en très faible quantité dans un *accélérateur de particules.* Calculez la masse, en grammes, d'un échantillon d'américium qui contient 6 atomes.

Solution

Dans le tableau des éléments (à la fin de ce volume), on trouve que la masse d'un atome d'américium est de 243 u. La masse de 6 atomes est donc

$$6\ \cancel{\text{atomes}} \times 243 \frac{u}{\cancel{\text{atome}}} = 1{,}46 \times 10^{3}\ u$$

Grâce à la relation

$$6{,}022 \times 10^{23}\ u = 1\ \text{g}$$

on obtient le facteur de conversion des unités de masse atomique en grammes, soit

$$\frac{1\ \text{g}}{6{,}022 \times 10^{23}\ u}$$

La masse de 6 atomes d'américium, exprimée en grammes, est donc

$$1{,}46 \times 10^{3}\ \cancel{u} \times \frac{1\ \text{g}}{6{,}022 \times 10^{23}\ \cancel{u}} = 2{,}42 \times 10^{-21}\ \text{g}$$

Vérification Étant donné que cet échantillon ne contient que six atomes, la masse doit être très petite comme l'indique la quantité $2{,}42 \times 10^{-21}$ g.

Voir l'exercice 3.21

IMPACT

L'analyse élémentaire, une nouvelle arme contre les braconniers

Dans le but de contrecarrer l'exportation illégale d'ivoire, les scientifiques utilisent maintenant la composition isotopique des bibelots en ivoire et des défenses d'éléphant pour connaître la région d'Afrique où vivait l'éléphant. À l'aide d'un spectromètre de masse, les scientifiques déterminent les proportions relatives des éléments suivants: ^{12}C, ^{13}C, ^{14}N, ^{15}N, ^{86}Sr et ^{87}Sr dans l'ivoire afin de connaître l'alimentation de l'éléphant et, par conséquent, son lieu d'origine. Par exemple, comme les herbes utilisent une voie photosynthétique différente de celle des arbres pour produire du glucose, elles ont un rapport $^{13}C/^{12}C$ légèrement différent de celui des arbres. Le rapport est différent parce que, chaque fois qu'un atome de carbone est ajouté pour former un composé plus complexe, l'élément ^{13}C est défavorisé par rapport à l'élément ^{12}C vu qu'il réagit plus lentement. Puisque la synthèse du glucose dans un arbre fait appel à plus de réactions que celle dans les herbes, les arbres ont un rapport $^{13}C/^{12}C$ plus faible, et cette différence se reflète dans les tissus des éléphants. Alors les scientifiques peuvent déterminer si une défense particulière provient d'un éléphant vivant dans la savane (qui mange des herbes) ou d'un éléphant qui broute des arbres.

De même, vu que les rapports de $^{15}N/^{14}N$ et $^{87}Sr/^{86}Sr$ dans les défenses d'éléphant varient selon la région de l'Afrique où vit l'animal, ces rapports peuvent donc être utilisés pour déterminer l'origine de cet éléphant. De fait, à l'aide de ces techniques, les scientifiques ont été capables de distinguer des éléphants vivant dans des régions distantes d'à peine 160 kilomètres.

Aujourd'hui, l'opinion internationale s'inquiète de la diminution de la population d'éléphants en Afrique – leur nombre a diminué de façon importante au cours des dernières années. Cette baisse a amené les gouvernements de nombreuses contrées africaines à interdire l'exportation d'ivoire. Malheureusement, quelques nations permettent toujours son exportation. Alors, pour faire respecter les restrictions commerciales, il faut pouvoir établir l'origine d'une pièce d'ivoire donnée. Il est à espérer que la « signature isotopique » de l'ivoire pourra être utilisée à cette fin.

En chimie, pour effectuer des calculs, il faut bien comprendre ce qu'est une mole et savoir déterminer le nombre de moles contenues dans une masse donnée d'une substance. Les exemples 3.3 et 3.4 illustrent cette démarche.

Exemple 3.3 Détermination du nombre de moles d'atomes

L'aluminium, Al, est un métal dont le rapport résistance-poids est élevé et qui est très résistant à la corrosion. C'est pourquoi on l'utilise souvent à des fins structurales. Calculez le nombre de moles d'atomes et le nombre d'atomes que contient un échantillon d'aluminium de 10,0 g.

(À gauche) Aluminium pur.
(À droite) Les alliages d'aluminium sont utilisés dans la fabrication de nombreuses pièces de bicyclettes haut de gamme, comme ces pignons.

Solution

La masse de 1 mol ($6{,}022 \times 10^{23}$ atomes) d'aluminium est de 26,98 g. Puisque la masse est inférieure à 26,98 g, l'échantillon en question (10,0 g) contient donc moins de une mole d'atomes d'aluminium. On peut calculer le nombre de moles d'atomes d'aluminium présents dans 10,0 g de la façon suivante:

$$10{,}0 \, \cancel{\text{g Al}} \times \frac{1 \text{ mol Al}}{26{,}98 \, \cancel{\text{g Al}}} = 0{,}371 \text{ mol d'atomes de Al}$$

Le nombre d'atomes présents dans 10,0 g (0,371 mol) d'aluminium est

$$0{,}371\ \cancel{\text{mol Al}} \times \frac{6{,}022 \times 10^{23}\ \text{atomes}}{1\ \cancel{\text{mol Al}}} = 2{,}23 \times 10^{23}\ \text{atomes}$$

Vérification Une mole d'aluminium possède une masse de 26,98 g et contient $6{,}022 \times 10^{23}$ atomes. Notre échantillon est de 10,0 g, ce qui correspond en gros à $\frac{1}{3}$ de 26,98. Par conséquent, la quantité calculée devrait être de l'ordre de $\frac{1}{3}$ (6×10^{23}), ce que nous avons obtenu.

Voir l'exercice 3.22

Exemple 3.4

Calcul du nombre d'atomes

La masse d'une puce de silicium utilisée dans un circuit imprimé pour micro-ordinateur est de 5,68 mg. Combien y a-t-il d'atomes de silicium, Si, dans cette puce ?

Solution

Pour résoudre ce problème, il faut convertir les milligrammes de silicium en grammes de silicium, puis en moles de silicium et, finalement, en atomes de silicium ; ainsi

Il faut toujours vérifier si la réponse est logique.

En portant attention aux unités et en procédant à ce type de vérification, on peut déceler l'inversion d'un facteur de conversion ou l'introduction d'un mauvais nombre dans la calculatrice.

$$5{,}68\ \cancel{\text{mg Si}} \times \frac{1\ \text{g Si}}{1000\ \cancel{\text{mg Si}}} = 5{,}68 \times 10^{-3}\ \text{g Si}$$

$$5{,}68 \times 10^{-3}\ \cancel{\text{g Si}} \times \frac{1\ \text{mol Si}}{28{,}09\ \cancel{\text{g Si}}} = 2{,}02 \times 10^{-4}\ \text{mol Si}$$

$$2{,}02 \times 10^{-4}\ \cancel{\text{mol Si}} \times \frac{6{,}022 \times 10^{23}\ \text{atomes Si}}{1\ \cancel{\text{mol Si}}} = 1{,}22 \times 10^{20}\ \text{atomes Si}$$

Vérification Il est clair que 5,68 mg de silicium est une masse de beaucoup inférieure à celle d'une mole de silicium (28,09 g) ; par conséquent, la réponse, $1{,}22 \times 10^{20}$ atomes (par rapport à $6{,}022 \times 10^{23}$ atomes), est à tout le moins dans la bonne direction.

Voir l'exercice 3.23

Exemple 3.5

Calcul du nombre de moles et de la masse

Pour améliorer la résistance de l'acier à la corrosion, on lui ajoute du cobalt, Co. Calculez le nombre de moles présentes dans un échantillon de cobalt qui contient $5{,}00 \times 10^{20}$ atomes, ainsi que la masse de cet échantillon.

Solution

Il est important de remarquer que l'échantillon de cobalt contient un nombre d'atomes $(5{,}00 \times 10^{20})$ inférieur à celui que contient 1 mol de cobalt $(6{,}022 \times 10^{23})$. Pour déterminer quelle fraction de 1 mol ce nombre représente, on procède de la façon suivante :

$$5{,}00 \times 10^{20}\ \cancel{\text{atomes Co}} \times \frac{1\ \text{mol Co}}{6{,}022 \times 10^{23}\ \cancel{\text{atomes Co}}} = 8{,}30 \times 10^{-4}\ \text{mol Co}$$

Puisque la masse de 1 mol d'atomes de cobalt est de 58,93 g, la masse de $5{,}00 \times 10^{20}$ atomes de cobalt est

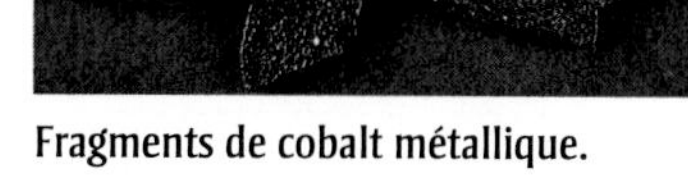

Fragments de cobalt métallique.

$$8{,}30 \times 10^{-4}\ \cancel{\text{mol Co}} \times \frac{58{,}93\ \text{g Co}}{1\ \cancel{\text{mol Co}}} = 4{,}89 \times 10^{-2}\ \text{g Co}$$

Vérification Dans cet exemple, l'échantillon contient 5×10^{20} atomes, ce qui correspond approximativement à 1/1000 d'une mole. Par conséquent, l'échantillon devrait avoir une masse d'environ $(1/1000)(58{,}93) \cong 0{,}06$. La réponse $(\sim 0{,}05)$ est donc logique.

Voir l'exercice 3.24

3.4 Masse molaire

Un composé chimique est, essentiellement, constitué d'une association d'atomes. Le méthane (le principal composant du gaz naturel) est, par exemple, composé de molécules qui contiennent toutes un atome de carbone et quatre atomes d'hydrogène, CH_4. Comment peut-on calculer la masse d'une mole de méthane, c'est-à-dire celle de $6{,}022 \times 10^{23}$ molécules de CH_4 ? Puisque chaque molécule CH_4 contient un atome de carbone et quatre atomes d'hydrogène, une mole de molécules CH_4 contient une mole d'atomes de carbone et quatre moles d'atomes d'hydrogène. On peut donc calculer la masse d'une mole de méthane en additionnant la masse du carbone et la masse de l'hydrogène en présence ; ainsi

Remarquez que, dans ce cas, la valeur 12,01 est celle qui fixe le nombre de chiffres significatifs.

$$\begin{aligned} \text{Masse de 1 mol de C} &= 12{,}01 \text{ g} \\ \text{Masse de 4 mol de H} &= \underline{4 \times 1{,}008 \text{ g}} \\ \text{Masse de 1 mol de } CH_4 &= 16{,}04 \text{ g} \end{aligned}$$

La masse molaire d'une substance est la masse d'une mole de cette substance exprimée en grammes.

Parce que 16,04 g représentent la masse de 1 mol de molécules de méthane, il est normal de l'appeler *masse molaire* du méthane. La **masse molaire** d'une substance est donc la *masse en grammes d'une mole d'un composé*. Traditionnellement, l'expression *poids moléculaire* était utilisée pour désigner cette quantité. Cependant, dans ce volume, nous utiliserons exclusivement l'expression masse molaire. On obtient la masse molaire d'une substance donnée en additionnant la masse de chacun des atomes qui la composent, comme cela a été fait dans le cas du méthane.

Exemple 3.6

Calcul de la masse molaire I

On prépare le juglon, un colorant connu depuis des siècles, à partir du brou de noix. C'est un herbicide naturel qui tue toutes les plantes compétitives poussant autour des noyers, mais qui n'affecte pas les herbes ou autres plantes non compétitives. La formule du juglon est $C_{10}H_6O_3$.

a) Calculez la masse molaire du juglon.

b) On a extrait du brou de noix $1{,}56 \times 10^{-2}$ g de juglon pur. Combien de moles de juglon cet échantillon contient-il ?

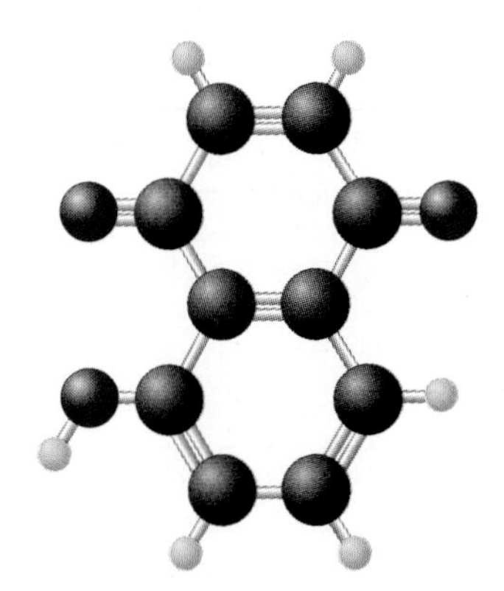
Juglon

Solution

a) On calcule la masse molaire du juglon en additionnant les masses des atomes qui le composent. Dans 1 mol de juglon, il y a 10 mol d'atomes de carbone, 6 mol d'atomes d'hydrogène et 3 mol d'atomes d'oxygène.

$$\begin{aligned} 10\text{ C}: \quad 10 \times 12{,}01 \text{ g} &= 120{,}1 \text{ g} \\ 6\text{ H}: \quad 6 \times 1{,}008 \text{ g} &= 6{,}048 \text{ g} \\ 3\text{ O}: \quad 3 \times 16{,}00 \text{ g} &= \underline{48{,}00 \text{ g}} \\ \text{Masse de 1 mol de } C_{10}H_6O_3 &= 174{,}1 \text{ g} \end{aligned}$$

La masse molaire du juglon est donc 174,1 g/mol.

b) Étant donné que la masse de 1 mol de ce composé vaut 174,1 g, $1{,}56 \times 10^{-2}$ g est nécessairement beaucoup moins qu'une mole. On calcule le nombre de moles de la façon suivante :

$$1{,}56 \times 10^{-2} \cancel{\text{g juglon}} \times \frac{1 \text{ mol juglon}}{174{,}1 \cancel{\text{g juglon}}} = 8{,}96 \times 10^{-5} \text{ mol juglon}$$

Voir les exercices 3.26 et 3.27

Exemple 3.7

Calcul de la masse molaire II

Le carbonate de calcium, $CaCO_3$, appelé également *calcite* est le principal minerai qu'on trouve dans la pierre à chaux, le marbre, la craie, les perles et les coquillages d'animaux marins comme les palourdes.

IMPACT

Mesurer la masse de grosses molécules ou faire voler un éléphant

Quand un chimiste synthétise une nouvelle molécule, il lui faut pour l'identifier positivement établir sa masse molaire. Pour ce faire, il existe de nombreuses méthodes, mais la plus rapide et la plus précise est certainement la spectrométrie de masse. Cette méthode exige que la substance soit en phase gazeuse et sous forme ionisée. La déviation du trajet de l'ion accéléré dans un champ magnétique peut être utilisée pour obtenir une valeur très précise de sa masse. Cette méthode présente toutefois un inconvénient : elle est difficilement utilisable avec de grosses molécules, car ces dernières sont difficiles à vaporiser. En effet, ces molécules ont généralement des points de fusion très élevés et subissent souvent des dommages quand elles sont vaporisées à haute température. Tel est le cas, par exemple, des protéines, qui forment une importante classe de molécules biologiques, dont les méthodes typiques de détermination de la masse sont longues et laborieuses.

La spectrométrie de masse n'a pas été utilisée précédemment pour obtenir des masses de protéines parce qu'elles se décomposent aux températures nécessaires pour les vaporiser. Cependant, une nouvelle approche, la désorption-ionisation par impact laser assistée par matrice, a été mise au point permettant la détermination par spectrométrie de masse de la masse molaire de protéines. Avec cette méthode, la grosse molécule « cible » est incorporée dans une matrice de molécules plus petites. La matrice est alors placée dans un spectromètre de masse et bombardée par un rayon laser qui provoque sa désintégration. La désintégration de la matrice libère la grosse molécule qui se retrouve alors dans le spectromètre de masse. Un chercheur participant à ce projet compare cette méthode avec un éléphant placé sur le toit d'un édifice élevé : « Si, dit-il, l'édifice est soudainement transformé en grains de sable, l'éléphant doit voler. »

Cette technique permet aux scientifiques de déterminer la masse d'énormes molécules. Jusqu'à présent, les chercheurs ont évalué des protéines dont la masse atteint 350 000 daltons (1 dalton est la masse d'un atome d'hydrogène). Cette méthode, qui fait de la spectrométrie de masse un outil de routine pour déterminer la masse des protéines, sera fort probablement appliquée à des molécules encore plus grosses telles que l'ADN et, de ce fait, pourrait permettre un développement révolutionnaire dans la caractérisation des biomolécules.

Cristaux de calcite.

a) Calculez la masse molaire du carbonate de calcium.

b) Un échantillon de carbonate de calcium contient 4,86 mol. Quelle est sa masse en grammes ? Quelle est la masse des ions CO_3^{2-} présents dans le composé ?

Solution

a) Le carbonate de calcium est un composé ionique qui contient des ions Ca^{2+} et CO_3^{2-}. Dans 1 mol de carbonate de calcium, il y a 1 mol d'ions Ca^{2+} et 1 mol d'ions CO_3^{2-}. Pour calculer la masse molaire, on additionne les masses des composants ; ainsi

$$\begin{array}{lrl} 1\ Ca^{2+}: & 1 \times 40{,}08\ g = & 40{,}08\ g \\ 1\ CO_3^{2-}: & & \\ 1\ C: & 1 \times 12{,}01\ g = & 12{,}01\ g \\ 3\ O: & 3 \times 16{,}00\ g = & \underline{48{,}00\ g} \\ \text{Masse de 1 mol de } CaCO_3 & = & 100{,}09\ g \end{array}$$

La masse molaire du $CaCO_3$ (1 mol de Ca^{2+} + 1 mol de CO_3^{2-}) est donc de 100,09 g/mol.

b) Étant donné que la masse de 1 mol de $CaCO_3$ est de 100,09 g, celle de l'échantillon qui contient près de 5 mol est donc d'environ 500 g. On détermine la quantité exacte de la façon suivante :

$$4{,}86\ \cancel{\text{mol } CaCO_3} \times \frac{100{,}09\ g\ CaCO_3}{1\ \cancel{\text{mol } CaCO_3}} = 486\ g\ CaCO_3$$

Pour trouver la masse des ions carbonates, CO_3^{2-}, présents dans l'échantillon, il faut savoir que 4,86 mol de $CaCO_3$ contiennent 4,86 mol d'ions Ca^{2+} et 4,86 mol d'ions CO_3^{2-}. La masse de 1 mol d'ions CO_3^{2-} est

$$\begin{aligned} 1\ \text{C}: &\quad 1 \times 12{,}01\ \text{g} = 12{,}01\ \text{g} \\ 3\ \text{O}: &\quad 3 \times 16{,}00\ \text{g} = \underline{48{,}00\ \text{g}} \\ \text{Masse de 1 mol de } CO_3^{2-} &= 60{,}01\ \text{g} \end{aligned}$$

La masse de 4,86 mol de CO_3^{2-} est donc

$$4{,}86\ \cancel{\text{mol } CO_3^{2-}} \times \frac{60{,}01\ \text{g } CO_3^{2-}}{1\ \cancel{\text{mol } CO_3^{2-}}} = 292\ \text{g } CO_3^{2-}$$

Voir les exercices 3.28 à 3.30

Exemple 3.8

Masse molaire et nombres de molécules

On peut préparer commercialement l'acétate d'isopentyle, $C_7H_{14}O_2$, ce composé responsable de l'arôme caractéristique des bananes. Un modèle moléculaire de l'acétate d'isopentyle est illustré dans la marge. Fait intéressant, les abeilles libèrent, chaque fois qu'elles piquent, environ 1 μg (1×10^{-6} g) de ce composé, ce qui constitue un signal de ralliement pour l'attaque. Combien de molécules d'acétate d'isopentyle une abeille libère-t-elle quand elle pique ? Combien y a-t-il d'atomes de carbone présents dans ces molécules ?

Quand une abeille pique, elle libère dans l'air de l'acétate d'isopentyle.

Solution

Étant donné qu'on connaît la masse d'acétate d'isopentyle et qu'on en cherche le nombre de molécules, il faut d'abord calculer la masse molaire.

$$\begin{aligned} 7\ \cancel{\text{mol}}\ \text{C} \times 12{,}01 \frac{\text{g}}{\cancel{\text{mol}}} &= 84{,}07\ \text{g C} \\ 14\ \cancel{\text{mol}}\ \text{H} \times 1{,}008 \frac{\text{g}}{\cancel{\text{mol}}} &= 14{,}11\ \text{g H} \\ 2\ \cancel{\text{mol}}\ \text{O} \times 16{,}00 \frac{\text{g}}{\cancel{\text{mol}}} &= \frac{32{,}00\ \text{g O}}{130{,}18\ \text{g}} \end{aligned}$$

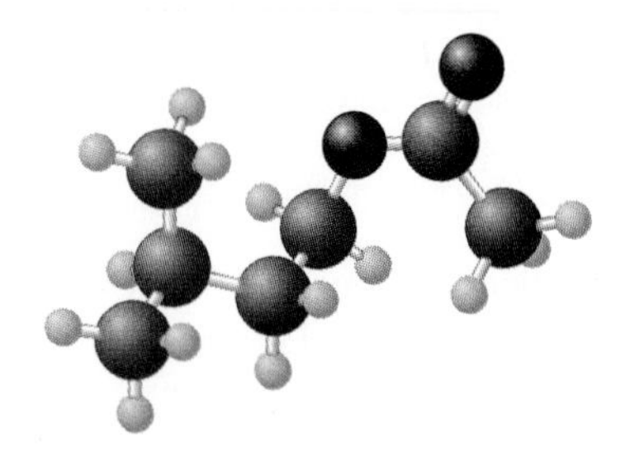

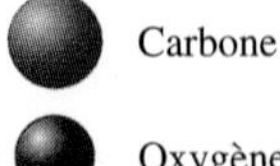

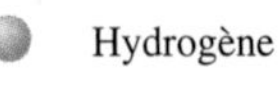

Acétate d'isopentyle

Cela signifie que la masse de 1 mol d'acétate d'isopentyle ($6{,}022 \times 10^{23}$ molécules) est de 130,18 g.

Pour calculer le nombre de molécules d'acétate d'isopentyle libérées par l'abeille, il faut d'abord déterminer le nombre de moles présentes dans 1×10^{-6} g de ce composé.

$$1 \times 10^{-6}\ \cancel{\text{g } C_7H_{14}O_2} \times \frac{1\ \text{mol } C_7H_{14}O_2}{130{,}18\ \cancel{\text{g } C_7H_{14}O_2}} = 8 \times 10^{-9}\ \text{mol } C_7H_{14}O_2$$

Puisque, dans une mole, il y a $6{,}022 \times 10^{23}$ unités, on peut déterminer le nombre de molécules ; ainsi

$$8 \times 10^{-9}\ \cancel{\text{mol } C_7H_{14}O_2} \times \frac{6{,}022 \times 10^{23}\ \text{molécules}}{1\ \cancel{\text{mol } C_7H_{14}O_2}} = 5 \times 10^{15}\ \text{molécules}$$

Pour déterminer le nombre d'atomes de carbone présents, on doit multiplier le nombre de molécules par 7, puisque chaque molécule d'acétate d'isopentyle contient 7 atomes de carbone.

$$5 \times 10^{15}\ \cancel{\text{molécules}} \times \frac{7\ \text{atomes de carbone}}{\cancel{\text{molécule}}} = 4 \times 10^{16}\ \text{atomes de carbone}$$

NOTE Comme d'habitude, pour vous montrer comment établir le nombre exact de chiffres significatifs, nous arrondissons après chaque étape de calcul. Cependant, si au cours des calculs, on conserve des décimales supplémentaires, la réponse finale arrondie est : 3×10^{16} atomes de carbone.

Pour montrer comment établir le nombre exact de chiffres significatifs de chaque calcul, nous arrondissons après chaque étape. Quand vous faites vos calculs, utilisez toujours plus de chiffres significatifs qu'il n'en faut et n'arrondissez qu'à la dernière étape du calcul.

Voir les exercices 3.31 à 3.34

3.5 Pourcentage massique des éléments dans les composés

On peut décrire la composition d'un composé de deux façons : en précisant le nombre de ses atomes constituants ou en exprimant le pourcentage (en masse) de ses éléments. On peut obtenir le pourcentage massique des éléments à partir de la formule du composé en comparant la masse de chacun des éléments présents dans une mole de ce composé.

Dans le cas de l'éthanol, par exemple, dont la formule est C_2H_5OH, on obtient la masse de chaque élément présent et la masse du composé de la façon suivante :

$$\text{Masse de C} = 2\ \cancel{\text{mol}} \times 12{,}01\frac{\text{g}}{\cancel{\text{mol}}} = 24{,}02\text{ g}$$

$$\text{Masse de H} = 6\ \cancel{\text{mol}} \times 1{,}008\frac{\text{g}}{\cancel{\text{mol}}} = 6{,}048\text{ g}$$

$$\text{Masse de O} = 1\ \cancel{\text{mol}} \times 16{,}00\frac{\text{g}}{\cancel{\text{mol}}} = \underline{16{,}00\text{ g}}$$

$$\text{Masse de 1 mol de } C_2H_5OH = 46{,}07\text{ g}$$

On peut calculer le **pourcentage massique** du carbone dans l'éthanol en divisant la masse du carbone présent dans une mole d'éthanol par la masse totale d'une mole d'éthanol, puis en multipliant le résultat par 100/cent ; on obtient

$$\text{Pourcentage massique de C} = \frac{\text{masse de C dans 1 mol de } C_2H_5OH}{\text{masse de 1 mol } C_2H_5OH} \times 100\,\%$$

$$= \frac{24{,}02\text{ g}}{46{,}07\text{ g}} \times 100\,\% = 52{,}14\,\%$$

En procédant de façon identique, on obtient les pourcentages massiques de l'hydrogène et de l'oxygène dans l'éthanol.

$$\text{Pourcentage massique de H} = \frac{\text{masse de H dans 1 mol de } C_2H_5OH}{\text{masse de 1 mol } C_2H_5OH} \times 100\,\%$$

$$= \frac{6{,}048\text{ g}}{46{,}07\text{ g}} \times 100\,\% = 13{,}13\,\%$$

$$\text{Pourcentage massique de O} = \frac{\text{masse de O dans 1 mol de } C_2H_5OH}{\text{masse de 1 mol } C_2H_5OH} \times 100\,\%$$

$$= \frac{16{,}00\text{ g}}{46{,}07\text{ g}} \times 100\,\% = 34{,}73\,\%$$

Vérification La somme de ces pourcentages doit valoir 100 % ; c'est ainsi qu'on peut vérifier l'exactitude des calculs.

Exemple 3.9 Calcul du pourcentage massique I

Dans la nature, la carvone existe sous deux formes représentées par la même formule moléculaire, $C_{10}H_{14}O$, et possédant la même masse molaire, mais différentes en ce qui concerne les arrangements atomiques. Une des formes est responsable de l'odeur caractéristique des graines de carvi et l'autre, de celle de l'essence de menthe. Calculez le pourcentage massique de chaque élément présent dans la carvone.

Solution

La masse de chacun des éléments présents dans 1 mol de carvone est

$$\text{Masse de C dans 1 mol} = 10\ \cancel{\text{mol}} \times 12{,}01\frac{\text{g}}{\cancel{\text{mol}}} = 120{,}1\text{ g}$$

$$\text{Masse de H dans 1 mol} = 14\ \cancel{\text{mol}} \times 1{,}008\frac{\text{g}}{\cancel{\text{mol}}} = 14{,}11\text{ g}$$

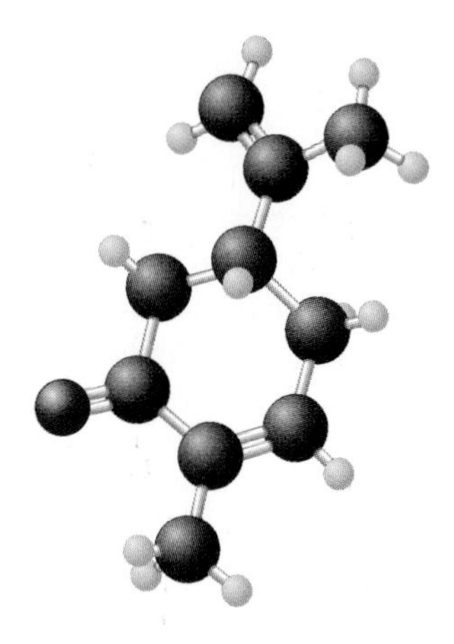

Carvone

$$\text{Masse de O dans 1 mol} = 1 \cancel{\text{mol}} \times 16{,}00 \frac{\text{g}}{\cancel{\text{mol}}} = \underline{16{,}00 \text{ g}}$$

$$\text{Masse de 1 mol de } C_{10}H_{14}O = 150{,}2 \text{ g}$$

On calcule ensuite la fraction de la masse totale attribuable à chaque élément, puis on la transforme en pourcentage.

$$\text{Pourcentage massique de C} = \frac{120{,}1 \text{ g C}}{150{,}2 \text{ g } C_{10}H_{14}O} \times 100\,\% = 79{,}96\,\%$$

$$\text{Pourcentage massique de H} = \frac{14{,}11 \text{ g H}}{150{,}2 \text{ g } C_{10}H_{14}O} \times 100\,\% = 9{,}394\,\%$$

$$\text{Pourcentage massique de O} = \frac{16{,}00 \text{ g O}}{150{,}2 \text{ g } C_{10}H_{14}O} \times 100\,\% = 10{,}65\,\%$$

Vérification On additionne les valeurs des différents pourcentages. La somme devrait être 100 %, aux erreurs d'arrondissement près. Dans ce cas, la somme des pourcentages est de 100,00 %.

Voir l'exercice 3.40

Exemple 3.10

Calcul du pourcentage massique II

Même si c'est à Fleming qu'on attribue la découverte de la pénicilline, on a des preuves que Lord Joseph Lister a utilisé, au XIXe siècle, des extraits de penicillium pour traiter des infections.

La pénicilline, le premier d'une grande variété d'antibiotiques, fut découverte accidentellement par le bactériologiste écossais Alexander Fleming, en 1928, qui ne réussit cependant pas à l'isoler à l'état pur. Cet antibiotique, et bien d'autres semblables, a sauvé des millions de vies que les infections auraient autrement emportées. La formule de la pénicilline F est $C_{14}H_{20}N_2SO_4$. Calculez le pourcentage massique de chaque élément en présence.

Solution

On peut calculer la masse molaire de la pénicilline F de la façon suivante :

$$\text{C:} \quad 14 \cancel{\text{mol}} \times 12{,}01 \frac{\text{g}}{\cancel{\text{mol}}} = 168{,}1 \text{ g}$$

$$\text{H:} \quad 20 \cancel{\text{mol}} \times 1{,}008 \frac{\text{g}}{\cancel{\text{mol}}} = 120{,}16 \text{ g}$$

$$\text{N:} \quad 2 \cancel{\text{mol}} \times 14{,}01 \frac{\text{g}}{\cancel{\text{mol}}} = 28{,}02 \text{ g}$$

$$\text{S:} \quad 1 \cancel{\text{mol}} \times 32{,}07 \frac{\text{g}}{\cancel{\text{mol}}} = 32{,}07 \text{ g}$$

$$\text{O:} \quad 4 \cancel{\text{mol}} \times 16{,}00 \frac{\text{g}}{\cancel{\text{mol}}} = \underline{64{,}00 \text{ g}}$$

$$\text{Masse de 1 mol de } C_{14}H_{20}N_2SO_4 = 312{,}4 \text{ g}$$

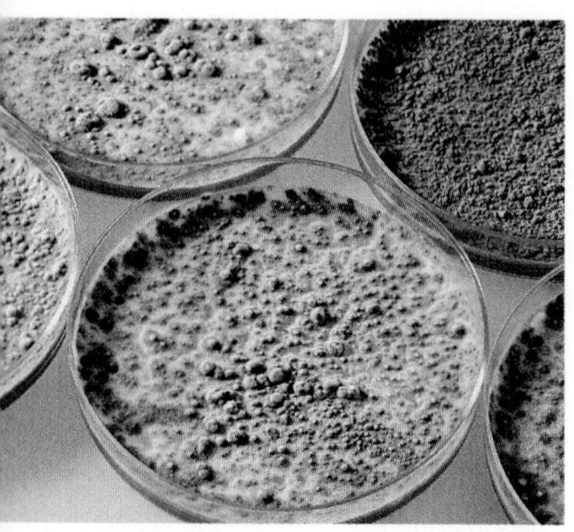

On extrait la pénicilline d'une moisissure qui peut croître en très grande quantité dans des cuves de fermentation.

$$\text{Pourcentage massique de C} = \frac{168{,}1 \text{ g C}}{312{,}4 \text{ g } C_{14}H_{20}N_2SO_4} \times 100\,\% = 53{,}81\,\%$$

$$\text{Pourcentage massique de H} = \frac{20{,}16 \text{ g H}}{312{,}4 \text{ g } C_{14}H_{20}N_2SO_4} \times 100\,\% = 6{,}453\,\%$$

$$\text{Pourcentage massique de N} = \frac{28{,}02 \text{ g N}}{312{,}4 \text{ g } C_{14}H_{20}N_2SO_4} \times 100\,\% = 8{,}969\,\%$$

$$\text{Pourcentage massique de S} = \frac{32{,}07 \text{ g S}}{312{,}4 \text{ g } C_{14}H_{20}N_2SO_4} \times 100\,\% = 10{,}27\,\%$$

$$\text{Pourcentage massique de O} = \frac{64{,}00 \text{ g O}}{312{,}4 \text{ g } C_{14}H_{20}N_2SO_4} \times 100\,\% = 20{,}49\,\%$$

Vérification La somme des pourcentages donne 99,99 %.

Voir l'exercice 3.41

3.6 Détermination de la formule d'un composé

Quand on synthétise un nouveau produit, on doit d'abord en établir la formule. Souvent, on la détermine en décomposant un échantillon (de masse connue) du composé en ses éléments constitutifs ou en le faisant réagir avec de l'oxygène pour obtenir des substances, comme CO_2, H_2O et N_2, substances qu'on recueille et qu'on pèse. La figure 3.5 illustre le dispositif utilisé pour ce genre d'analyse. Les résultats obtenus permettent de calculer la masse de chaque élément du composé, masse qu'on peut utiliser pour déterminer le pourcentage massique de chacun d'eux.

Voyons maintenant comment on peut utiliser ces données pour établir la formule du composé. Supposons qu'on ait synthétisé une substance qui ne contient que du carbone, de l'hydrogène et de l'azote. Lorsqu'on fait réagir 0,1156 g de ce composé avec de l'oxygène, on obtient 0,1638 g de dioxyde de carbone, CO_2, et 0,1676 g d'eau, H_2O. En supposant que la totalité du carbone du composé ait été transformée en CO_2, on peut déterminer la masse de carbone initialement présent dans l'échantillon de 0,1156 g. Pour ce faire, on utilise la fraction (en masse) de carbone présent dans le CO_2.

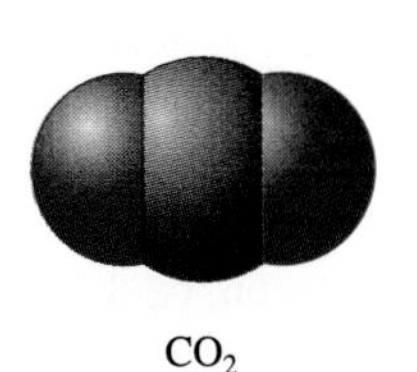

CO_2

$$\text{C}: \quad 1 \cancel{\text{mol}} \times 12{,}01 \frac{\text{g}}{\cancel{\text{mol}}} = 12{,}01 \text{ g}$$

$$\text{O}: \quad 2 \cancel{\text{mol}} \times 16{,}00 \frac{\text{g}}{\cancel{\text{mol}}} = \underline{32{,}00 \text{ g}}$$

$$\text{Masse de 1 mol de } CO_2 = 44{,}01 \text{ g}$$

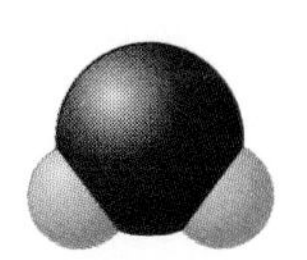

H_2O

La fraction de carbone (en masse) est

$$\frac{\text{Masse de C}}{\text{Masse totale de } CO_2} = \frac{12{,}01 \text{ g C}}{44{,}01 \text{ g } CO_2}$$

On peut à présent utiliser ce facteur pour déterminer la masse de carbone présent dans 0,1638 g de CO_2 ; ainsi

$$0{,}1638 \text{ g } \cancel{CO_2} \times \frac{12{,}01 \text{ g C}}{44{,}01 \text{ g } \cancel{CO_2}} = 0{,}044\,70 \text{ g C}$$

N'oublions pas que cette quantité de carbone provient de l'échantillon de 0,1156 g du composé inconnu. Le pourcentage massique de carbone dans ce composé est donc de

$$\frac{0{,}044\,70 \text{ g C}}{0{,}1156 \text{ g de composé}} \times 100\,\% = 38{,}67\,\% \text{ C}$$

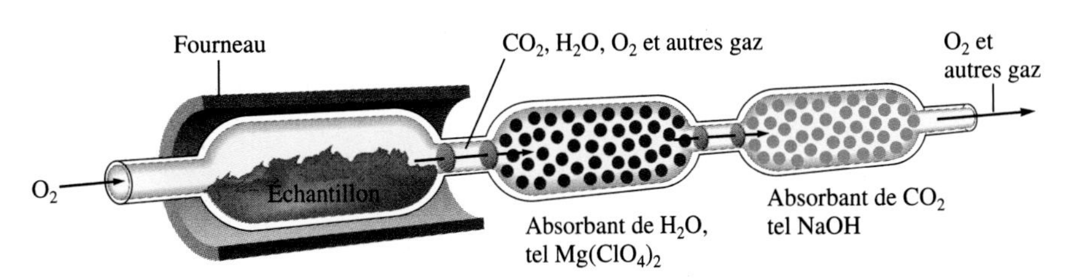

FIGURE 3.5
Représentation schématique d'un dispositif de combustion utilisé pour analyser des substances contenant du carbone et de l'hydrogène. On procède à la combustion de l'échantillon en présence d'un excès d'oxygène ; la totalité du carbone est alors transformée en dioxyde de carbone et la totalité de l'hydrogène en eau. Les produits sont absorbés par des matériaux appropriés ; on détermine leur quantité en mesurant l'augmentation de masse des matériaux absorbants.

En procédant de la même façon, on peut trouver le pourcentage massique de l'hydrogène dans le composé inconnu. On suppose que la totalité de l'hydrogène présent dans 0,1156 g du composé est transformé en H_2O. La masse d'une mole de H_2O est de 18,02 g, et la fraction d'hydrogène (en masse) de

$$\frac{\text{Masse de H}}{\text{Masse de H}_2\text{O}} = \frac{2{,}016 \text{ g H}}{18{,}02 \text{ g H}_2\text{O}}$$

La masse de l'hydrogène présent dans 0,1676 g de H_2O est donc

$$0{,}1676 \cancel{\text{g H}_2\text{O}} \times \frac{2{,}016 \text{ g H}}{18{,}02 \cancel{\text{g H}_2\text{O}}} = 0{,}018\ 75 \text{ g H}$$

Le pourcentage massique de l'hydrogène dans le composé est

$$\frac{0{,}018\ 75 \text{ g H}}{0{,}1156 \text{ g de composé}} \times 100\,\% = 16{,}22\,\% \text{ H}$$

Étant donné que le composé inconnu ne contient que du carbone, de l'hydrogène et de l'azote, et qu'il contient 38,67 % de carbone et 16,22 % d'hydrogène, le reste ne peut être que de l'azote ; alors

$$100{,}00\,\% - (\underset{\%\text{ C}}{\underset{\uparrow}{38{,}67\,\%}} + \underset{\%\text{ H}}{\underset{\uparrow}{16{,}22\,\%}}) = 45{,}11\,\% \text{ N}$$

On sait donc maintenant que le composé contient 38,67 % de carbone, 16,22 % d'hydrogène et 45,11 % d'azote. On doit à présent utiliser ces données pour en établir la formule.

Il faut convertir les masses des éléments en nombres d'atomes puisque la formule d'un composé doit indiquer les *nombres* d'atomes en présence. La façon la plus simple de procéder consiste à exprimer le tout en fonction de 100,00 g de composé.

Dans le cas qui nous intéresse, il y a 38,67 % de carbone (en masse) ; cela signifie que, dans 100,00 g de composé, on retrouve 38,67 g de carbone ; de la même façon, on détermine qu'il y a 16,22 g d'hydrogène par 100 g de composé, etc. Pour établir la formule, on doit calculer le nombre de moles d'atomes de carbone présents dans 38,67 g de carbone, le nombre de moles d'atomes d'hydrogène présents dans 16,22 g d'hydrogène et le nombre de moles d'atomes d'azote présents dans 45,11 g d'azote. On peut procéder de la façon décrite ci-dessous.

$$38{,}67 \cancel{\text{g C}} \times \frac{1 \text{ mol C}}{12{,}01 \cancel{\text{g C}}} = 3{,}220 \text{ mol C}$$

$$16{,}22 \cancel{\text{g H}} \times \frac{1 \text{ mol H}}{1{,}008 \cancel{\text{g H}}} = 16{,}09 \text{ mol H}$$

$$45{,}11 \cancel{\text{g N}} \times \frac{1 \text{ mol N}}{14{,}01 \cancel{\text{g N}}} = 3{,}220 \text{ mol N}$$

On sait donc que, dans 100,00 g de ce composé, on trouve 3,220 moles d'atomes de carbone, 16,09 moles d'atomes d'hydrogène et 3,220 moles d'atomes d'azote.

Pour trouver le plus petit *rapport entre des nombres entiers* d'atomes dans ce composé, on divise chaque nombre de moles par le plus petit nombre trouvé, soit ici 3,220 ; ainsi

$$\text{C} : \quad \frac{3{,}220 \text{ mol C}}{3{,}220 \text{ mol C}} = 1$$

$$\text{H} : \quad \frac{16{,}09 \text{ mol H}}{3{,}220 \text{ mol C}} = 5 \text{ mol H/mol C}$$

$$\text{N} : \quad \frac{3{,}220 \text{ mol N}}{3{,}220 \text{ mol C}} = 1 \text{ mol N/mol C}$$

La formule du composé est donc CH_5N. Cette formule est appelée **formule empirique**. Elle représente *le plus petit rapport entre des nombres entiers des différents atomes du composé.*

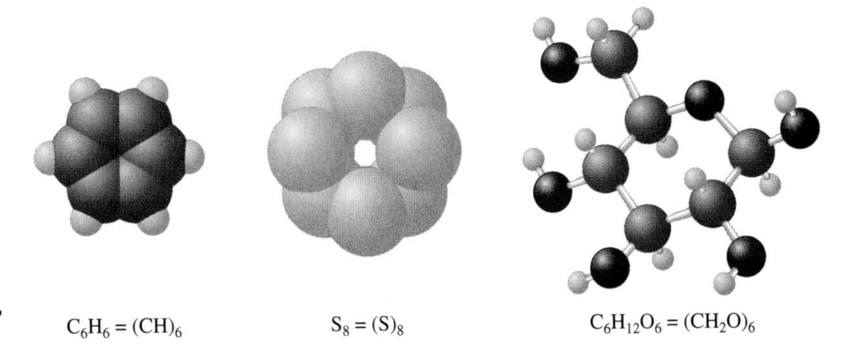

FIGURE 3.6
Exemples de substances dont les formules empirique et moléculaire sont différentes. Formule moléculaire = (formule empirique)$_x$, où x est un nombre entier.

Formule moléculaire = (formule empirique)$_x$, où x est un nombre entier.

La formule moléculaire de ce composé pourrait être CH_5N. Elle pourrait cependant tout aussi bien être $C_2H_{10}N_2$ ou $C_3H_{15}N_3$, etc. (un multiple du plus petit rapport entre les nombres entiers). Pour chacune de ces possibilités, les nombres relatifs d'atomes sont exacts. En fait, toute molécule qu'on peut représenter par $(CH_5N)_x$, où x est un nombre entier, a pour formule empirique CH_5N. Pour déterminer la formule exacte de la molécule en question, c'est-à-dire sa **formule moléculaire**, il faut en connaître la masse molaire.

Supposons que la masse molaire de ce composé de formule empirique CH_5N soit de 31,06 g/mol. Comment peut-on en établir la formule moléculaire adéquate ? Étant donné que la formule moléculaire est toujours un multiple de la formule empirique, il faut d'abord déterminer la masse de la formule empirique de CH_5N.

$$\begin{aligned} 1\,\text{C}: \quad 1 \times 12{,}01\ \text{g} &= 12{,}01\ \text{g} \\ 5\,\text{H}: \quad 5 \times 1{,}008\ \text{g} &= 15{,}040\ \text{g} \\ 1\,\text{N}: \quad 1 \times 14{,}01\ \text{g} &= \underline{14{,}01\ \text{g}} \\ \text{Masse de 1 mol de formules } CH_5N &= 31{,}06\ \text{g} \end{aligned}$$

Dans ce cas, cette valeur étant la même que celle de la masse molaire connue du composé, sa formule empirique et sa formule moléculaire sont identiques ; cette substance est donc composée de molécules dont la formule est CH_5N. Il arrive cependant très souvent que les formules empirique et moléculaire soient différentes ; la figure 3.6 en présente quelques exemples.

Exemple 3.11

Détermination des formules empiriques et des formules moléculaires I

Déterminez les formules empirique et moléculaire d'un composé dont l'analyse révèle la composition (en pourcentage massique) suivante :

71,65 % Cl   24,27 % C   4,07 % H

La masse molaire de ce composé est connue : 98,96 g/mol.

Solution

On transforme d'abord les pourcentages massiques en grammes. Dans 100,00 g de composé, il y a 71,65 g de chlore, 24,27 g de carbone et 4,07 g d'hydrogène. Après quoi, on utilise ces masses pour calculer le nombre de moles d'atomes en présence ; ainsi

$$71{,}65\ \text{g}\,\cancel{\text{Cl}} \times \frac{1\ \text{mol Cl}}{35{,}45\ \text{g}\,\cancel{\text{Cl}}} = 2{,}021\ \text{mol Cl}$$

$$24{,}27\ \text{g}\,\cancel{\text{C}} \times \frac{1\ \text{mol C}}{12{,}01\ \text{g}\,\cancel{\text{C}}} = 2{,}021\ \text{mol C}$$

$$4{,}07\ \text{g}\,\cancel{\text{H}} \times \frac{1\ \text{mol H}}{1{,}008\ \text{g}\,\cancel{\text{H}}} = 4{,}04\ \text{mol H}$$

En divisant chaque nombre de moles par 2,021 (le plus petit nombre de moles en présence), on obtient la formule empirique CH_2Cl.

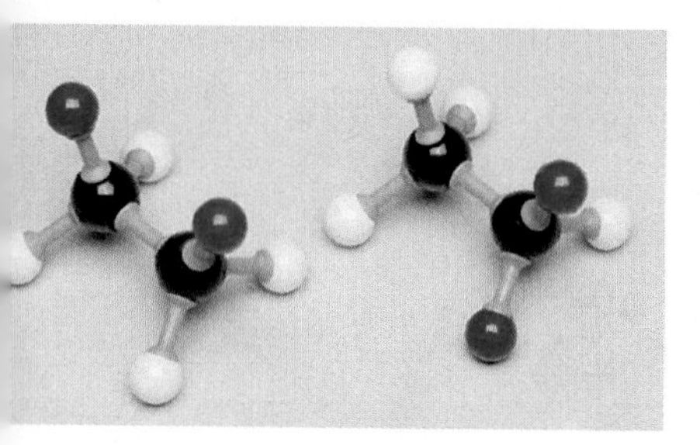

FIGURE 3.7
Deux formes de dichloroéthane.

Pour déterminer la formule moléculaire, il faut comparer la masse de la formule empirique à la masse molaire. La masse de la formule empirique est de 49,48 g/mol de formules (*vérifiez*). La masse molaire est de 98,96 g/mol. Alors

$$\frac{\text{Masse molaire}}{\text{Masse de la formule empirique}} = \frac{98{,}96 \text{ g/mol}}{49{,}48 \text{ g/mol}} = 2$$

$$\text{Formule moléculaire} = (CH_2Cl)_2 = C_2H_4Cl_2$$

Cette substance est donc composée de molécules dont la formule est $C_2H_4Cl_2$.

NOTE La méthode utilisée permet de déterminer la formule moléculaire d'un composé, mais non sa formule structurale. Le composé $C_2H_4Cl_2$, le dichloroéthane, existe cependant sous deux formes (*voir la figure 3.7*). La forme de droite est celle de la molécule qui autrefois était utilisée comme additif dans l'essence au plomb.

Voir les exercices 3.38 et 3.39

Exemple 3.12

Détermination des formules empiriques et des formules moléculaires II

Une analyse révèle qu'une poudre blanche contient 43,64 % de phosphore et 56,36 % d'oxygène, en masse. La masse molaire du composé est de 283,88 g/mol. Quelles sont les formules empirique et moléculaire de ce composé ?

Solution

Dans 100,00 g de ce composé, il y a 43,64 g de phosphore et 56,36 g d'oxygène. En moles, dans 100,00 g du composé, il y a donc

$$43{,}64 \cancel{\text{g P}} \times \frac{1 \text{ mol P}}{30{,}97 \cancel{\text{g P}}} = 1{,}409 \text{ mol P}$$

$$56{,}36 \cancel{\text{g O}} \times \frac{1 \text{ mol O}}{16{,}00 \cancel{\text{g O}}} = 3{,}523 \text{ mol O}$$

En divisant les deux valeurs par la plus petite des deux, on obtient

$$\frac{1{,}409 \text{ mol P}}{1{,}409 \text{ mol P}} = 1 \text{ et } \frac{3{,}523 \text{ mol O}}{1{,}409 \text{ mol P}} = 2{,}5 \text{ mol O/mol P}$$

ce qui permet d'écrire la formule : $PO_{2,5}$. Or, puisqu'un composé doit comporter un nombre entier d'atomes, la formule empirique doit elle aussi ne comporter que des nombres entiers. Pour obtenir le plus petit ensemble possible de nombres entiers, il faut multiplier les deux nombres par deux. On obtient ainsi la formule empirique P_2O_5.

Pour obtenir la formule moléculaire, il faut comparer la masse de la formule empirique à celle de la masse molaire. La masse de la formule empirique P_2O_5 est de 141,94 g/mol de formules.

$$\frac{\text{Masse molaire}}{\text{Masse de formule empirique}} = \frac{283{,}88 \text{ g/mol}}{141{,}94 \text{ g/mol de formules}} = 2 \text{ mol de formules/mol}$$

La formule moléculaire est donc $(P_2O_5)_2$, soit P_4O_{10}.

La figure 3.8 illustre la formule structurale de cet intéressant composé.

FIGURE 3.8
Formule structurale du P_4O_{10}. Les atomes d'oxygène jouent le rôle de « ponts » entre les atomes de phosphore. Ce composé ayant une grande affinité pour l'eau, on l'utilise comme agent déshydratant ou dessiccant.

Voir l'exercice 3.40

Dans les exemples 3.11 et 3.12, on a obtenu la formule moléculaire en comparant la masse des formules empiriques à la masse molaire. Il y a une autre façon d'obtenir la formule moléculaire. Ainsi, dans l'exemple 3.11, on sait que la masse molaire du composé est de 98,96 g/mol. Cela signifie qu'une mole du composé a une masse de 98,96 g. Dans la mesure où nous savons également le pourcentage massique de chaque élément, il est possible de déterminer la masse de chaque élément présent dans une mole du composé :

$$\text{Chlore :}\quad \frac{71{,}65\text{ g Cl}}{100{,}0\ \not{g}\text{ de composé}} \times \frac{98{,}96\ \not{g}}{\text{mol}} = \frac{70{,}90\text{ g Cl}}{\text{mol de composé}}$$

$$\text{Carbone :}\quad \frac{24{,}27\text{ g C}}{100{,}0\ \not{g}\text{ de composé}} \times \frac{98{,}96\ \not{g}}{\text{mol}} = \frac{24{,}02\text{ g C}}{\text{mol de composé}}$$

$$\text{Hydrogène :}\quad \frac{4{,}07\text{ g H}}{100{,}0\ \not{g}\text{ de composé}} \times \frac{98{,}96\ \not{g}}{\text{mol}} = \frac{4{,}03\text{ g H}}{\text{mol de composé}}$$

Nous pouvons maintenant déterminer le nombre de moles d'atomes présents dans chaque mole du composé :

$$\text{Chlore :}\quad \frac{70{,}90\ \not{\text{g Cl}}}{\text{mol de composé}} \times \frac{1\text{ mol Cl}}{35{,}45\ \not{\text{g Cl}}} = \frac{2\text{ mol Cl}}{\text{mol de composé}}$$

$$\text{Carbone :}\quad \frac{24{,}02\ \not{\text{g C}}}{\text{mol de composé}} \times \frac{1\text{ mol C}}{12{,}01\ \not{\text{g C}}} = \frac{2\text{ mol C}}{\text{mol de composé}}$$

$$\text{Hydrogène :}\quad \frac{4{,}03\ \not{\text{g H}}}{\text{mol de composé}} \times \frac{1\text{ mol H}}{1{,}008\ \not{\text{g H}}} = \frac{4{,}00\text{ mol H}}{\text{mol de composé}}$$

Ainsi, 1 mol du composé contient 2 mol d'atomes de Cl, 2 mol d'atomes de C et 4 mol d'atomes de H ; la formule moléculaire est donc $C_2H_4Cl_2$, comme nous l'avions obtenue à l'exemple 3.11.

Exemple 3.13 Détermination de la formule moléculaire

La caféine, un stimulant présent dans le café, le thé et le chocolat, renferme 49,48 % de carbone, 5,15 % d'hydrogène, 28,87 % d'azote et 16,49 % d'oxygène. Sa masse molaire est de 194,2 g/mol. Déterminez la formule moléculaire de la caféine.

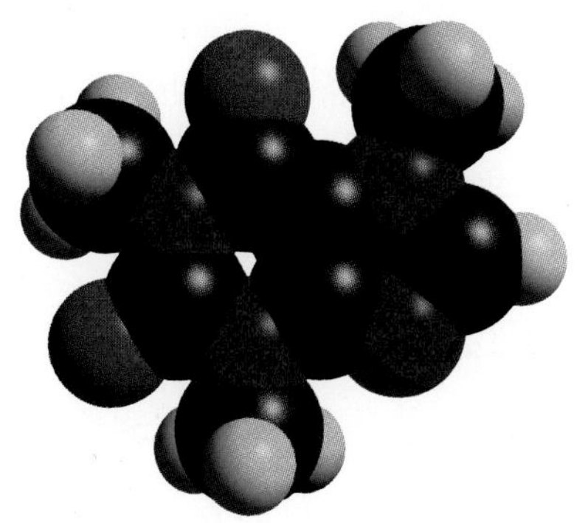

Modèle d'une molécule de caféine générée par ordinateur.

Solution

Il faut d'abord déterminer la masse de chaque élément dans 1 mol (194,2 g) de caféine :

$$\frac{49{,}48\text{ g C}}{100{,}0\ \not{g}\text{ caféine}} \times \frac{194{,}2\ \not{g}}{\text{mol}} = \frac{96{,}09\text{ g C}}{\text{mol de caféine}}$$

$$\frac{5{,}15\text{ g H}}{100{,}0\ \not{g}\text{ caféine}} \times \frac{194{,}2\ \not{g}}{\text{mol}} = \frac{10{,}0\text{ g H}}{\text{mol de caféine}}$$

$$\frac{28{,}87\text{ g N}}{100{,}0\ \not{g}\text{ caféine}} \times \frac{194{,}2\ \not{g}}{\text{mol}} = \frac{56{,}07\text{ g N}}{\text{mol de caféine}}$$

$$\frac{16{,}49\text{ g O}}{100{,}0\ \not{g}\text{ caféine}} \times \frac{194{,}2\ \not{g}}{\text{mol}} = \frac{32{,}02\text{ g O}}{\text{mol de caféine}}$$

Maintenant on peut les convertir en moles :

$$\text{Carbone :}\quad \frac{96{,}09\ \not{\text{g C}}}{\text{mol de caféine}} \times \frac{1\text{ mol C}}{12{,}01\ \not{\text{g C}}} = \frac{8{,}001\text{ mol C}}{\text{mol de caféine}}$$

$$\text{Hydrogène :}\quad \frac{10{,}0\ \not{\text{g H}}}{\text{mol de caféine}} \times \frac{1\text{ mol H}}{1{,}008\ \not{\text{g H}}} = \frac{9{,}92\text{ mol H}}{\text{mol de caféine}}$$

$$\text{Azote :}\quad \frac{56{,}07\ \not{\text{g N}}}{\text{mol de caféine}} \times \frac{1\text{ mol N}}{14{,}01\ \not{\text{g N}}} = \frac{4{,}002\text{ mol N}}{\text{mol de caféine}}$$

$$\text{Oxygène :}\quad \frac{32{,}02\ \not{\text{g O}}}{\text{mol de caféine}} \times \frac{1\text{ mol O}}{16{,}00\ \not{\text{g O}}} = \frac{2{,}001\text{ mol O}}{\text{mol de caféine}}$$

En arrondissant, on obtient la formule moléculaire de la caféine : $C_8H_{10}N_4O_2$.

Voir l'exercice 3.52

Les méthodes pour obtenir les formules moléculaires et les formules empiriques sont résumées ci-dessous.

Détermination d'une formule empirique

- Le pourcentage massique indiquant la masse d'un élément particulier par 100 g de composé, commencer le calcul avec 100 g de composé. Chaque pourcentage représente alors la masse en grammes de cet élément.
- Déterminer le nombre de moles de chaque élément présent dans 100 g du composé à l'aide des masses molaires des éléments présents.
- Diviser chaque valeur du nombre de moles par la plus petite des valeurs. Si chacun des nombres obtenus est un entier (après l'arrondissement approprié), ces nombres représentent les indices des éléments dans la formule empirique.
- Si les nombres obtenus à l'étape précédente ne sont pas des nombres entiers, multiplier chacun par le même nombre entier de façon que les valeurs obtenues soient des nombres entiers.

Les nombres très près d'un nombre entier tels que 9,92 et 1,08 devraient être arrondis à l'unité la plus proche. Des nombres tels que 2,25, 4,33 et 2,72 ne devraient pas être arrondis à l'unité la plus proche.

Détermination de la formule moléculaire

Première méthode

- Obtenir la formule empirique.
- Calculer la masse correspondant à la formule empirique.
- Calculer le rapport

$$\frac{\text{Masse molaire}}{\text{Masse de la formule empirique}}$$

- Le nombre entier obtenu à l'étape précédente représente le nombre d'unités de formule empirique dans une molécule. Quand les indices de la formule empirique sont multipliés par ce nombre entier, on obtient la formule moléculaire. Cette démarche est représentée par la formule suivante :

$$\text{Formule moléculaire} = (\text{formule empirique}) \times \frac{\text{Masse molaire}}{\text{Masse de la formule empirique}}$$

Deuxième méthode

- À l'aide des pourcentages massiques et de la masse molaire, déterminer la masse de chaque élément dans une mole du composé.
- Déterminer le nombre de moles de chaque élément présent dans une mole du composé.
- Les nombres entiers obtenus à l'étape précédente représentent les indices dans la formule moléculaire.

Il convient de noter que la deuxième méthode suppose que la masse molaire du composé est connue avec précision.

3.7 Équations chimiques

Réactions chimiques

Dans une réaction chimique, il y a réorganisation des atomes d'une ou de plusieurs substances. Par exemple, quand le méthane, CH_4, présent dans le gaz naturel se combine à l'oxygène, O_2, de l'air et brûle, il y a formation de dioxyde de carbone, CO_2, et d'eau, H_2O. Pour représenter ce processus, on utilise une **équation chimique** dans laquelle on inscrit les **réactifs** (dans ce cas, le méthane et l'oxygène) du côté gauche de la flèche et les **produits** (le dioxyde de carbone et l'eau) du côté droit ; on a alors

$$\underbrace{CH_4 + O_2}_{\text{Réactifs}} \longrightarrow \underbrace{CO_2 + H_2O}_{\text{Produits}}$$

On constate qu'il y a eu réorganisation des atomes ; *il y a eu bris de liaisons et formation de nouvelles liaisons*. Il est important de ne pas oublier que, *dans une réaction chimique, les atomes ne sont ni créés ni détruits. On doit retrouver dans les produits tous les atomes présents dans les réactifs*. Autrement dit, il doit y avoir le même nombre de chaque type d'atome de chaque côté de la flèche (du côté des produits comme du côté des réactifs). On appelle **équilibrage de l'équation chimique** d'une réaction le fait de s'assurer que cette règle est respectée.

Comme on l'a représentée précédemment, l'équation de la réaction entre CH_4 et O_2 n'est pas équilibrée. L'illustration suivante le montre très clairement :

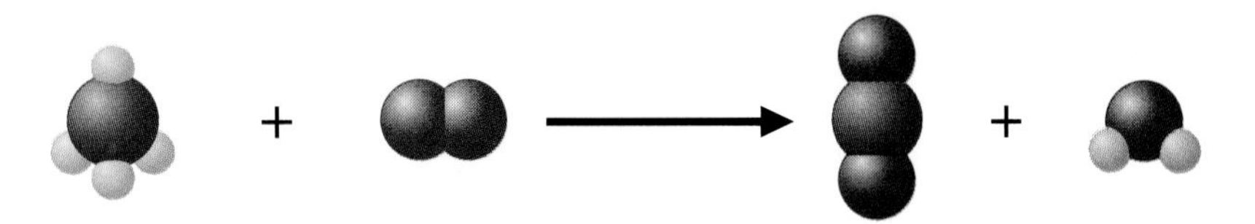

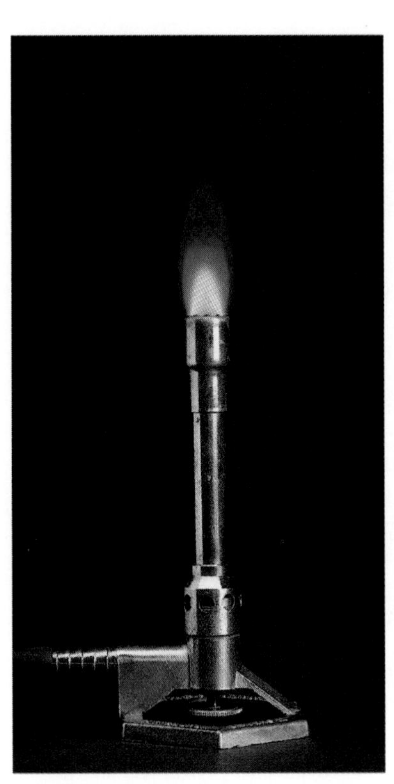

Le méthane réagit avec l'oxygène pour produire la flamme d'un brûleur Bunsen.

Remarquez qu'il y a deux atomes d'oxygène (dans O_2) à gauche de la flèche, alors qu'à droite on note la présence de trois atomes O (dans CO_2 et H_2O). Il y a également quatre atomes d'hydrogène (dans CH_4) et uniquement deux (dans H_2O). Il ne faut surtout pas oublier qu'une réaction chimique est simplement un réarrangement d'atomes (un changement dans la façon dont ils sont placés). Dans une réaction chimique, les atomes ne sont ni créés ni détruits. Par conséquent, on retrouve les mêmes types et le même nombre d'atomes dans les réactifs et les produits. Par tâtonnement, il est possible d'arriver à établir l'égalité dans le cas de la réaction du méthane avec l'oxygène. Les nombres requis de molécules sont les suivants :

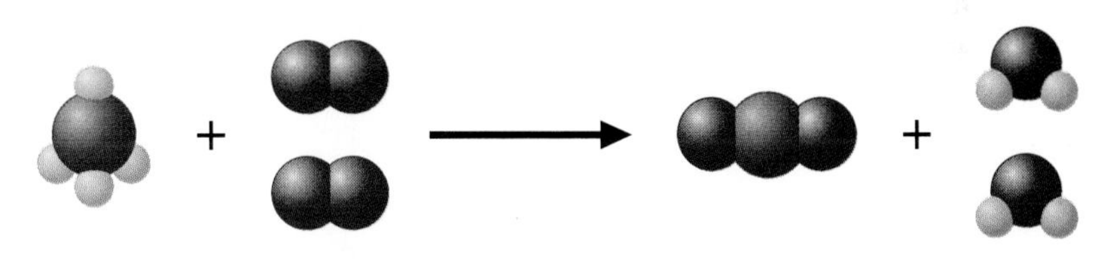

Remarquez maintenant qu'il y a le même nombre de chaque type d'atome, aussi bien dans les produits que dans les réactifs.

On peut donc représenter la réaction précédente de façon schématique par l'équation chimique suivante :

$$CH_4 + 2O_2 \longrightarrow CO_2 + 2H_2O$$

On peut vérifier que l'équation est équilibrée en comparant les nombres de chaque type d'atome de chaque côté de la flèche.

$$CH_4 + 2O_2 \longrightarrow CO_2 + 2H_2O$$

1 C 4 H 4 O 1 C 2 O 4 H 2 O

En résumé, la vérification révèle que :

Réactif	Produit
1 C	1 C
4 H	4 H
4 O	4 O

TABLEAU 3.2 Renseignements fournis par l'équation équilibrée de la réaction de combustion du méthane

Réactif		Produit
$CH_4(g) + 2O_2(g)$	$\longrightarrow$	$CO_2(g) + 2H_2O(g)$
1 molécule CH_4 + 2 molécules O_2	$\longrightarrow$	1 molécule CO_2 + 2 molécules H_2O
1 mol de molécules CH_4 + 2 mol de molécules O_2	$\longrightarrow$	1 mol de molécules CO_2 + 2 mol de molécules H_2O
$6{,}022 \times 10^{23}$ molécules CH_4 + $2(6{,}022 \times 10^{23})$ molécules O_2	$\longrightarrow$	$6{,}022 \times 10^{23}$ molécules CO_2 + $2(6{,}022 \times 10^{23})$ molécules H_2O
16 g de CH_4 + 2(32 g) O_2		44 g de CO_2 + 2(18 g) H_2O
80 g de réactifs	$\longrightarrow$	80 g de produits

Signification d'une équation chimique

L'équation chimique d'une réaction fournit deux types d'informations très importantes : la nature des réactifs et des produits ; les nombres relatifs de chacun d'eux.

Il faut déterminer expérimentalement la nature des réactifs et des produits. En plus d'indiquer quels composés interviennent dans la réaction, l'équation précise également les états physiques des réactifs et des produits.

État	Symbole
solide	(*s*)
liquide	(*l*)
gaz	(*g*)
dissous dans l'eau (en milieu aqueux)	(*aq*)

L'acide chlorhydrique réagit avec l'hydrogénocarbonate de sodium pour donner du dioxyde de carbone gazeux.

Par exemple, quand on ajoute une solution aqueuse d'acide chlorhydrique à de l'hydrogénocarbonate de sodium solide, il y a formation de dioxyde de carbone gazeux, d'eau liquide et de chlorure de sodium (qui se dissout dans l'eau), soit

$$HCl(aq) + NaHCO_3(s) \longrightarrow CO_2(g) + H_2O(l) + NaCl(aq)$$

Les *coefficients* d'une équation équilibrée indiquent les nombres relatifs des réactifs et des produits de la réaction. (On peut déterminer les coefficients à partir du fait que le même nombre d'atomes doit figurer des deux côtés de l'équation.) Par exemple, l'équation équilibrée

$$CH_4(g) + 2O_2(g) \longrightarrow CO_2(g) + 2H_2O(g)$$

fournit plusieurs informations équivalentes (*voir le tableau 3.2*). On remarque que la masse totale des produits et des réactifs est de 80 g, ce qui n'a rien d'étonnant, étant donné que, dans une réaction chimique, il n'y a qu'une réorganisation d'atomes. Les atomes et par conséquent leur masse, sont conservés au cours d'une réaction chimique.

On constate donc qu'une équation chimique équilibrée fournit un grand nombre d'informations.

3.8 Équilibrage des équations chimiques

Une équation chimique non équilibrée est peu utile. C'est pourquoi, chaque fois qu'on rencontre une équation, on doit se demander si elle est équilibrée ou non. Le principe sur lequel repose le processus d'équilibrage est celui de la conservation des atomes dans une réaction chimique. On doit donc retrouver dans les produits le même nombre de chacun des atomes présents dans les réactifs. Il est également important de se rappeler qu'il faut déterminer expérimentalement la nature des réactifs et des produits d'une réaction. Par exemple, quand on fait brûler de l'éthanol liquide en présence d'une quantité suffisante d'oxygène, les produits sont toujours du dioxyde de carbone et de l'eau. Quand on équilibre l'équation de cette réaction, il ne faut jamais modifier la *nature* des réactifs et des produits. *Quand on équilibre une équation chimique, on ne modifie pas les formules des composés.* Autrement dit, on ne peut ni modifier les indices dans une formule, ni ajouter des atomes, ni en soustraire.

Pour équilibrer une équation, il faut toujours commencer par la molécule la plus complexe.

On peut équilibrer la plupart des équations chimiques par simple tâtonnement. Il est cependant toujours préférable, dans ce cas, de commencer par les molécules les plus complexes, c'est-à-dire par celles qui contiennent le plus grand nombre d'atomes. Par exemple, considérons la réaction de l'éthanol avec l'oxygène, dont l'équation non équilibrée

$$C_2H_5OH(l) + O_2(g) \longrightarrow CO_2(g) + H_2O(g)$$

peut être représentée par ces modèles moléculaires :

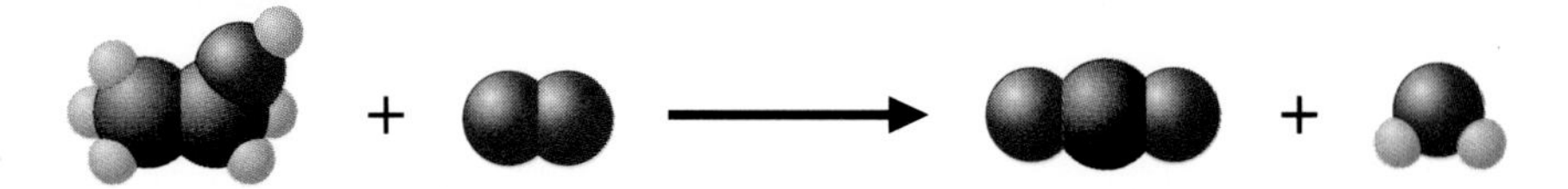

Remarquons que les nombres d'atomes de carbone et d'hydrogène ne sont pas équilibrés. Il y a deux atomes de carbone à gauche et un seul à droite ; il y a six atomes d'hydrogène à gauche et seulement deux à droite. Il nous faut donc trouver les nombres qui nous permettront de dire qu'il y a autant d'atomes de chaque type dans les réactifs et dans les produits. L'équilibrage de l'équation se fait par tâtonnement.

La molécule la plus complexe est C_2H_5OH. On commence donc par équilibrer les produits qui contiennent les atomes présents dans C_2H_5OH. Puisque C_2H_5OH contient deux atomes de carbone, on inscrit un 2 devant CO_2 pour équilibrer le nombre d'atomes de carbone.

$$\underset{\text{2 atomes C}}{C_2H_5OH(l)} + O_2(g) \rightarrow \underset{\text{2 atomes C}}{2CO_2(g)} + H_2O(g)$$

De la même manière, puisque C_2H_5OH contient 6 atomes d'hydrogène, on équilibre le nombre d'atomes d'hydrogène en inscrivant un 3 devant H_2O.

$$\underset{(5 + 1)\ \text{H}}{C_2H_5OH(l)} + O_2(g) \rightarrow 2CO_2(g) + \underset{(3 \times 2)\ \text{H}}{3H_2O(g)}$$

Finalement, on équilibre le nombre d'atomes d'oxygène. On remarque que, dans le membre de droite de l'équation ci-dessus, il y a 7 atomes d'oxygène, alors que, dans le membre de gauche, il n'y en a que 3. On corrige cette anomalie en inscrivant un 3 devant O_2, et on obtient l'équation équilibrée

$$\underbrace{\underset{1\ \text{O}}{C_2H_5OH(l)} + \underset{6\ \text{O}}{3O_2(g)}}_{7\ \text{O}} \rightarrow \underbrace{\underset{(2 \times 2)\ \text{O}}{2CO_2(g)} + \underset{3\ \text{O}}{3H_2O(g)}}_{7\ \text{O}}$$

Vérification

$$C_2H_5OH(l) + 3O_2(g) \rightarrow 2CO_2(g) + 3H_2O(g)$$

2 atomes C	2 atomes C
6 atomes H	6 atomes H
7 atomes O	7 atomes O

L'équation est équilibrée.

L'équation équilibrée peut être représentée de la façon suivante :

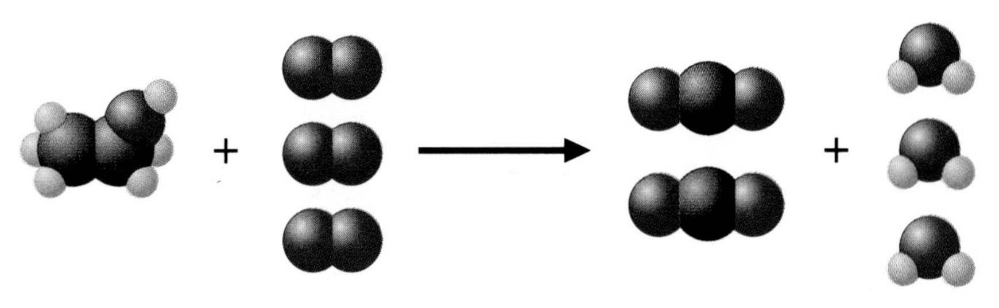

On peut voir que tous les éléments sont équilibrés.

L'écriture et l'équilibrage de l'équation d'une réaction chimique

➡ 1 **Identifier la réaction qui a lieu : déterminer quels sont les réactifs et les produits, ainsi que leur état physique.**

➡ 2 **Écrire l'équation *non équilibrée* qui résume les informations obtenues à l'étape 1.**

➡ 3 **Équilibrer l'équation par tâtonnement, en commençant par les molécules les plus complexes. Déterminer les coefficients nécessaires pour qu'il y ait, de chaque côté, le même nombre de chaque type d'atome. Ne pas modifier la nature (formule) des réactifs ou des produits.**

Exemple 3.14

Équilibrage d'une équation chimique I

Les chromates et les dichromates sont des produits cancérigènes et, par conséquent, devraient être manipulés avec beaucoup de précautions.

Les composés du chrome sont tous de couleur brillante. Quand on fait chauffer du dichromate d'ammonium solide, $(NH_4)_2Cr_2O_7$, un composé de couleur orange vif, une réaction spectaculaire a lieu (*voir les deux photographies à la page suivante*). La réaction est très complexe ; cependant, pour les besoins de la cause, précisons que les produits sont l'oxyde de chrome(III) solide, l'azote gazeux (molécules de N_2) et la vapeur d'eau. Équilibrez l'équation relative à cette réaction.

Solution

➡ **1** Selon la description donnée ci-dessus, le réactif est le dichromate d'ammonium solide, $(NH_4)_2Cr_2O_7(s)$, et les produits sont l'azote, $N_2(g)$, la vapeur d'eau, $H_2O(g)$, et l'oxyde de chrome(III) solide, $Cr_2O_3(s)$. On peut facilement déterminer la formule de l'oxyde de chrome(III), sachant que le chiffre romain III désigne des ions Cr^{3+}. Pour que le composé soit neutre, sa formule doit être Cr_2O_3, étant donné que chaque ion oxyde est O^{2-}.

➡ **2** L'équation non équilibrée est

$$(NH_4)_2Cr_2O_7(s) \rightarrow Cr_2O_3(s) + N_2(g) + H_2O(g)$$

➡ **3** Les nombres d'atomes d'azote et de chrome sont équilibrés (on retrouve 2 atomes d'azote et 2 atomes de chrome de chaque côté), alors que les nombres d'atomes d'hydrogène et d'oxygène ne le sont pas. Il faut donc affecter un coefficient de 4 à H_2O pour équilibrer le nombre d'atomes d'hydrogène ; ainsi

$$\underset{(4\times 2)\,H}{(NH_4)_2Cr_2O_7(s)} \rightarrow Cr_2O_3(s) + N_2(g) + \underset{(4\times 2)\,H}{4H_2O(g)}$$

En équilibrant le nombre d'atomes d'hydrogène, on a du même coup équilibré le nombre d'atomes d'oxygène, étant donné qu'on retrouve 7 atomes d'oxygène dans les réactifs et dans les produits.

Vérification

$$\underset{\text{Atomes des réactifs}}{2\,N, 8\,H, 2\,Cr, 7\,O} \rightarrow \underset{\text{Atomes des produits}}{2\,N, 8\,H, 2\,Cr, 7\,O}$$

L'équation est équilibrée.

Voir l'exercice 3.56

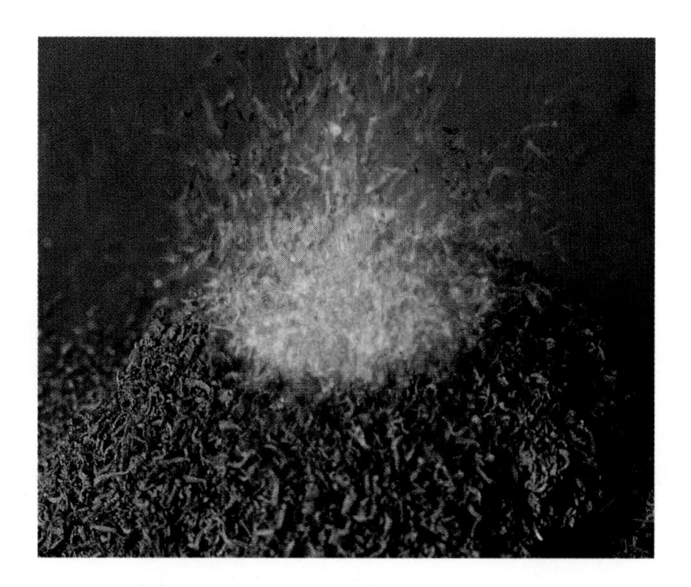

Décomposition du dichromate d'ammonium.

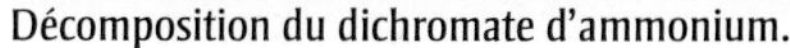

Exemple 3.15 Équilibrage d'une équation chimique II

On présente le procédé Ostwald à la section 10.2 du chapitre 10.

En présence de platine chauffé au rouge, à 1000 °C, l'ammoniac, $NH_3(g)$, réagit avec l'oxygène pour produire de l'oxyde nitrique, $NO(g)$, et de la vapeur d'eau. Cette réaction constitue la première étape de la méthode commerciale de préparation de l'acide nitrique à l'aide du procédé Ostwald. Équilibrez l'équation de cette réaction.

Solution

L'équation non équilibrée de la réaction est

$$NH_3(g) + O_2(g) \rightarrow NO(g) + H_2O(g)$$

Toutes les molécules de cette équation étant de complexité à peu près égale, on peut commencer l'équilibrage par l'un ou l'autre des éléments. Commençons par l'hydrogène. En affectant un coefficient 2 à NH_3 et un coefficient 3 à H_2O, on obtient 6 atomes d'hydrogène de chaque côté.

$$2NH_3(g) + O_2(g) \rightarrow NO(g) + 3H_2O(g)$$

Pour équilibrer les atomes d'azote, on affecte un coefficient 2 à NO.

$$2NH_3(g) + O_2(g) \rightarrow 2NO(g) + 3H_2O(g)$$

Finalement, il y a 2 atomes d'oxygène à gauche et 5 à droite. Pour équilibrer les atomes d'oxygène, on affecte donc un coefficient $\frac{5}{2}$ à O_2.

$$2NH_3(g) + \tfrac{5}{2}O_2(g) \rightarrow 2NO(g) + 3H_2O(g)$$

Cependant, on sait que, par convention, tous les coefficients doivent être des nombres entiers. Il suffit donc de multiplier l'équation par 2 ; alors

$$4NH_3(g) + 5O_2(g) \rightarrow 4NO(g) + 6H_2O(g)$$

Vérification Il y a bien, de chaque côté, 4 N, 12 H et 10 O ; l'équation est donc équilibrée.

L'équation équilibrée peut être représentée de la façon suivante :

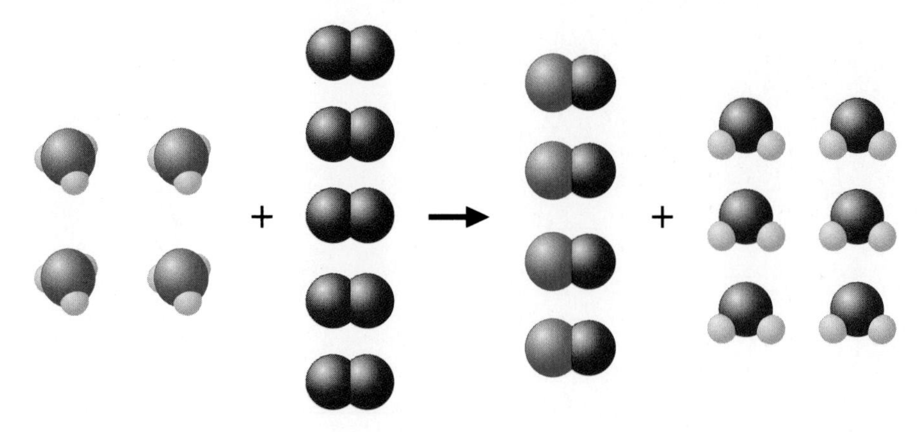

Voir les exercices 3.57 à 3.60

3.9 Calculs stœchiométriques : quantités de réactifs et de produits

Nous avons déjà constaté que les coefficients d'une équation chimique représentent les nombres de molécules et non leurs masses. Cependant, en laboratoire comme dans l'industrie chimique, quand on veut qu'une réaction ait lieu, on ne détermine pas les quantités de substances nécessaires en comptant directement les molécules, mais en se servant d'une pesée. Dans cette section, nous allons montrer comment, à partir des équations chimiques, on peut calculer les masses des substances qui participent à la réaction.

Avant de commencer les calculs concernant une réaction chimique, il faut toujours s'assurer que l'équation est équilibrée.

Pour expliquer les principes qui régissent les caractéristiques stœchiométriques des réactions, considérons de nouveau la réaction du propane avec l'oxygène, qui produit du dioxyde de carbone et de l'eau. Quelle masse d'oxygène va réagir avec 96,1 g de propane ? Quand on veut effectuer des calculs relatifs à des réactions chimiques, il faut toujours, en premier lieu, *écrire l'équation chimique équilibrée* de la réaction. Dans ce cas, l'équation équilibrée est

$$C_3H_8(g) + 5O_2(g) \longrightarrow 3CO_2(g) + 4H_2O(g)$$

qui peut être représentée de la façon suivante :

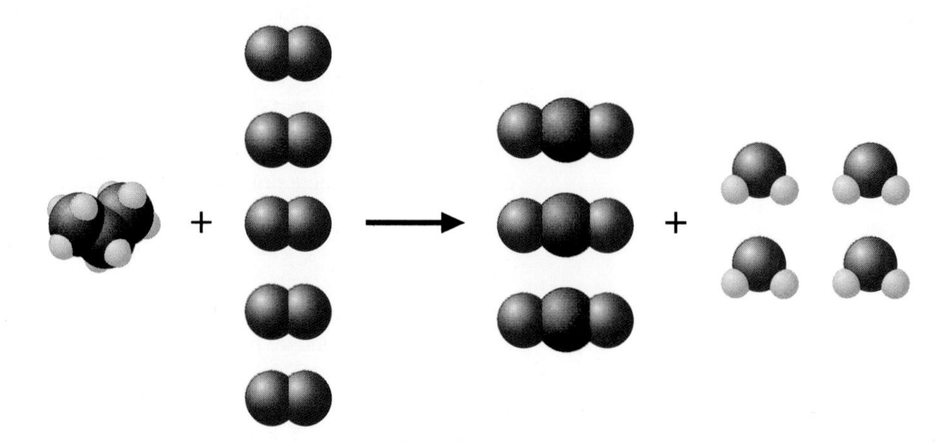

Selon cette équation, 1 mol de C_3H_8 réagit avec 5 mol de O_2 pour produire 3 mol de CO_2 et 4 mol de H_2O. Pour utiliser cette équation dans le but de connaître les quantités de réactifs et de produits, il faut convertir les masses de substances en moles. La première question à se poser est donc la suivante : *Combien y a-t-il de moles dans 96,1 g de propane ?* La masse molaire du propane, exprimée avec 3 chiffres significatifs, est de 44,1 g/mol,

IMPACT

Haute altitude et essence à faible indice d'octane

La prochaine fois que vous ferez le plein, prenez le temps de vérifier l'indice d'octane de la qualité d'essence que vous achetez. Le prix de l'essence est déterminé par son indice d'octane, une mesure des propriétés antidétonantes des carburants. Dans un moteur à combustion interne classique, les vapeurs d'essence et l'air sont aspirés dans le cylindre de combustion lorsque le piston effectue sa course descendante. Dans un deuxième temps, le mélange air-carburant est comprimé lors de la course ascendante du piston (course de compression) et une étincelle générée par une bougie d'allumage enflamme ce mélange. La combustion rythmique du mélange air-carburant, qui se produit de façon séquentielle dans plusieurs cylindres, fournit la puissance nécessaire pour déplacer le véhicule. Une chaleur et une pression excessives dans le cylindre (ou un carburant de mauvaise qualité) peuvent causer la combustion prématurée du mélange que l'on appelle communément « cognement » ou « cliquetis » du moteur. Au fil du temps, ce cognement peut endommager le moteur, ce qui entraîne un mauvais rendement et des réparations coûteuses.

En général, un automobiliste peut choisir entre trois qualités d'essence: l'essence ordinaire à indice d'octane de 87, l'intermédiaire de 89 et le super de 93. Par contre, s'il vous arrive de voyager ou si vous vivez à haute altitude dans les régions des montagnes Rocheuses, vous pourriez avoir la surprise de trouver des indices d'octane différents aux pompes à essence. La raison de cette différence constitue un exemple de stœchiométrie. À haute altitude, l'air est moins dense, c'est-à-dire que le volume d'oxygène par unité de volume d'air est plus petit. La plupart des moteurs sont conçus pour que dans un cylindre, le mélange oxygène-carburant atteigne un rapport de 14 : 1 avant la combustion. Si l'oxygène est raréfié, il faut donc moins de carburant pour atteindre ce rapport optimal. Et, à leur tour, les volumes plus faibles d'oxygène et de carburant entraînent une diminution de la pression dans le cylindre. Étant donné qu'une pression élevée a tendance à favoriser le cognement, à haute altitude, une pression faible au sein des cylindres du moteur favorise une combustion mieux contrôlée du mélange air-carburant et, par conséquent, l'indice d'octane nécessaire est plus faible. Les automobilistes dans les régions des montagnes Rocheuses peuvent se procurer trois catégories d'essence, mais les indices d'octane de ces mélanges sont différents de ceux des essences des États-Unis. À Denver, au Colorado, l'essence ordinaire a un indice d'octane de 85, l'intermédiaire de 87 et le super de 91, autrement dit de deux (2) points plus faibles que l'essence vendue dans la majeure partie du reste du pays.

soit [(3 × 12,01) + (8 × 1,008)]. On peut alors calculer le nombre de moles de propane de la façon suivante:

$$96{,}1\ \cancel{\text{g C}_3\text{H}_8} \times \frac{1\ \text{mol C}_3\text{H}_8}{44{,}1\ \cancel{\text{g C}_3\text{H}_8}} = 2{,}18\ \text{mol C}_3\text{H}_8$$

Après quoi, il faut considérer le fait que chaque mole de propane réagit avec 5 mol d'oxygène. Pour ce faire, le meilleur moyen consiste à déterminer, à partir de l'équation équilibrée, un **facteur stœchiométrique**. Dans ce cas, on veut, à partir du nombre de moles de propane, connaître le nombre de moles d'oxygène. Selon l'équation équilibrée, on sait qu'il faut 5 mol de O_2 pour chaque mole de C_3H_8. Le rapport approprié est donc

$$\frac{5\ \text{mol O}_2}{1\ \text{mol C}_3\text{H}_8}$$

En multipliant le nombre de moles de C_3H_8 par ce facteur, on obtient le nombre de moles d'oxygène requis, soit

$$2{,}18\ \cancel{\text{mol C}_3\text{H}_8} \times \frac{5\ \text{mol O}_2}{1\ \cancel{\text{mol C}_3\text{H}_8}} = 10{,}9\ \text{mol O}_2$$

NOTE On détermine le facteur stœchiométrique de telle sorte que les moles de C_3H_8 s'annulent et qu'il ne reste que des moles de O_2.

Puisque, initialement, on voulait déterminer quelle masse d'oxygène devait réagir avec 96,1 g de propane, il faut convertir les 10,9 mol de O_2 en *grammes*. Sachant que la masse molaire de O_2 est de 32,0 g/mol, on obtient

$$10{,}9\ \cancel{\text{mol O}_2} \times \frac{32{,}0\ \text{g O}_2}{1\ \cancel{\text{mol O}_2}} = 349\ \text{g O}_2$$

Par conséquent, il faut 349 g d'oxygène pour faire brûler 96,1 g de propane.

À partir de cet exemple, on peut se poser d'autres questions, par exemple : *Quelle est la quantité de dioxyde de carbone produite quand 96,1 g de propane réagissent avec l'oxygène ?* Dans ce cas, il faut passer du nombre de moles de propane au nombre de moles de dioxyde de carbone. En examinant l'équation équilibrée, on constate que, pour chaque mole de C_3H_8 transformée, il y a production de 3 moles de CO_2. Le facteur stœchiométrique qui permet de passer du nombre de moles de propane au nombre de moles de dioxyde de carbone est donc

$$\frac{3 \text{ mol } CO_2}{1 \text{ mol } C_3H_8}$$

En effectuant la conversion, on obtient

$$2{,}18 \cancel{\text{mol } C_3H_8} \times \frac{3 \text{ mol } CO_2}{1 \cancel{\text{mol } C_3H_8}} = 6{,}54 \text{ mol } CO_2$$

Après quoi, en utilisant la masse molaire du CO_2 (44,0 g/mol), on calcule la quantité de CO_2 produite, soit

$$6{,}54 \cancel{\text{mol } CO_2} \times \frac{44{,}0 \text{ g } CO_2}{1 \cancel{\text{mol } CO_2}} = 288 \text{ g } CO_2$$

Revoyons quelles sont les étapes à franchir pour déterminer la quantité de dioxyde de carbone produite à la suite de la combustion de 96,1 g de propane.

$$96{,}1 \text{ g } C_3H_8 \xrightarrow{\frac{1 \text{ mol } C_3H_8}{44{,}1 \text{ g } C_3H_8}} 2{,}18 \text{ mol } C_3H_8 \xrightarrow{\frac{3 \text{ mol } CO_2}{1 \text{ mol } C_3H_8}} 6{,}54 \text{ mol } CO_2$$

$$\xrightarrow{\frac{44{,}0 \text{ g } CO_2}{1 \text{ mol } CO_2}} 288 \text{ g } CO_2$$

Le cheminement général qui permet de calculer les quantités de réactifs et de produits des réactions chimiques.

1. **Équilibrer l'équation de la réaction.**
2. **Convertir les masses connues de réactif ou de produit en moles de cette substance.**
3. **Utiliser l'équation équilibrée pour déterminer les facteurs stœchiométriques.**
4. **Utiliser les facteurs stœchiométriques pour calculer le nombre de moles du réactif ou du produit désiré.**
5. **Transformer le nombre de moles en grammes, si le problème l'exige.**

Le diagramme suivant résume ces étapes.

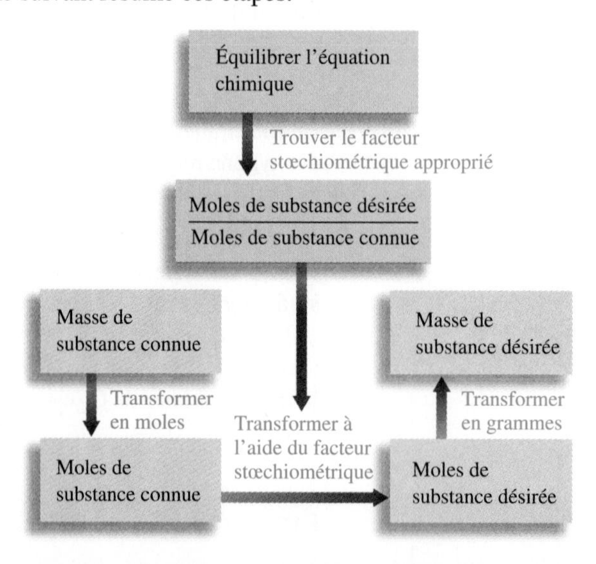

Exemple 3.16

Stœchiométrie I

Dans les véhicules spatiaux, pour éliminer le dioxyde de carbone expiré par les astronautes, on utilise de l'hydroxyde de lithium solide : il y a ainsi production de carbonate de lithium solide et d'eau. Quelle masse de dioxyde de carbone peut être absorbée par 1,00 kg d'hydroxyde de lithium ?

L'astronaute Sidney M. Gutierrez remplace les contenants d'hydroxyde de lithium à bord de la navette spatiale *Columbia*. L'hydroxyde de lithium sert à absorber le CO_2 de l'air dans la cabine de la navette.

Solution

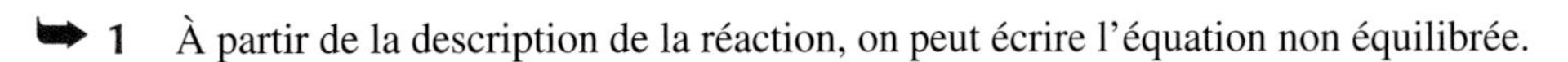

➥ **1** À partir de la description de la réaction, on peut écrire l'équation non équilibrée.

$$LiOH(s) + CO_2(g) \longrightarrow Li_2CO_3(s) + H_2O(l)$$

L'équation équilibrée est

$$2LiOH(s) + CO_2(g) \longrightarrow Li_2CO_3(s) + H_2O(l)$$

➥ **2** On convertit la masse donnée de LiOH en moles, en utilisant la masse molaire du LiOH (6,941 + 16,00 + 1,008 = 23,95 g/mol) ; ainsi

$$1{,}00\ \cancel{\text{kg LiOH}} \times \frac{1000\ \cancel{\text{g LiOH}}}{1\ \cancel{\text{kg LiOH}}} \times \frac{1\ \text{mol LiOH}}{23{,}95\ \cancel{\text{g LiOH}}} = 41{,}8\ \text{mol LiOH}$$

➥ **3** Pour déterminer la quantité de CO_2 qui réagit avec une quantité donnée de LiOH, on utilise le rapport molaire suivant :

$$\frac{1\ \text{mol CO}_2}{2\ \text{mol LiOH}}$$

➥ **4** On calcule le nombre de moles de CO_2 nécessaire pour que ce dernier réagisse avec la quantité donnée de LiOH en utilisant le facteur stœchiométrique ci-dessus.

$$41{,}8\ \cancel{\text{mol LiOH}} \times \frac{1\ \text{mol CO}_2}{2\ \cancel{\text{mol LiOH}}} = 20{,}9\ \text{mol CO}_2$$

➥ **5** On calcule la masse de CO_2 à partir de sa masse molaire (44,0 g/mol).

$$20{,}9\ \cancel{\text{mol CO}_2} \times \frac{44{,}0\ \text{g CO}_2}{1\ \cancel{\text{mol CO}_2}} = 9{,}20 \times 10^2\ \text{g CO}_2$$

Par conséquent, 1,00 kg de LiOH(s) peut absorber 920 g de $CO_2(g)$.

Voir les exercices 3.61 et 3.62

Exemple 3.17

Stœchiométrie II

On utilise souvent le bicarbonate de soude, $NaHCO_3$, comme antiacide, car il neutralise l'excès d'acide chlorhydrique sécrété par l'estomac conformément à la réaction suivante :

$$NaHCO_3(s) + HCl(aq) \longrightarrow NaCl(aq) + H_2O(l) + CO_2(aq)$$

On utilise également le lait de magnésie comme antiacide ; c'est une suspension aqueuse d'hydroxyde de magnésium. La réaction avec HCl est alors

$$Mg(OH)_2(s) + 2HCl(aq) \longrightarrow 2H_2O(l) + MgCl_2(aq)$$

Quel est, par gramme, l'antiacide le plus efficace, $NaHCO_3$ ou $Mg(OH)_2$?

Solution

Pour répondre à cette question, il faut déterminer quelle quantité de HCl est neutralisée par gramme de $NaHCO_3$ et par gramme de $Mg(OH)_2$. À partir de la masse molaire du $NaHCO_3$ (84,01 g/mol), on peut déterminer le nombre de moles de $NaHCO_3$ présentes dans 1,00 g de $NaHCO_3$.

$$1{,}00\ \cancel{\text{g NaHCO}_3} \times \frac{1\ \text{mol NaHCO}_3}{84{,}01\ \cancel{\text{g NaHCO}_3}} = 1{,}19 \times 10^{-2}\ \text{mol NaHCO}_3$$

Le lait de magnésie contient une suspension de $Mg(OH)_2(s)$.

On détermine ensuite le nombre de moles de HCl neutralisé en utilisant le facteur stœchiométrique : 1 mol HCl/1 mol de $NaHCO_3$.

$$1{,}19 \times 10^{-2} \text{ mol } NaHCO_3 \times \frac{1 \text{ mol HCl}}{1 \text{ mol } NaHCO_3} = 1{,}19 \times 10^{-2} \text{ mol HCl}$$

Ainsi, 1,00 g de $NaHCO_3$ neutralise $1{,}19 \times 10^{-2}$ mol de HCl.

À partir de la masse molaire du $Mg(OH)_2$ (58,32 g/mol), on peut déterminer le nombre de moles de $Mg(OH)_2$ présentes dans 1,00 g de $Mg(OH)_2$.

$$1{,}00 \text{ g } Mg(OH)_2 \times \frac{1 \text{ mol } Mg(OH)_2}{58{,}32 \text{ g } Mg(OH)_2} = 1{,}71 \times 10^{-2} \text{ mol } Mg(OH)_2$$

Pour déterminer le nombre de moles de HCl neutralisé par cette quantité de $Mg(OH)_2$, on utilise le facteur stœchiométrique : 2 mol HCl/1 mol $Mg(OH)_2$.

$$1{,}71 \times 10^{-2} \text{ mol } Mg(OH)_2 \times \frac{2 \text{ mol HCl}}{1 \text{ mol } Mg(OH)_2} = 3{,}42 \times 10^{-2} \text{ mol HCl}$$

Ainsi, 1,00 g de $Mg(OH)_2$ neutralise $3{,}42 \times 10^{-2}$ mol de HCl. Sur une base pondérale, le lait de magnésie est donc un meilleur antiacide que le bicarbonate de soude.

Voir les exercices 3.63 et 3.64

3.10 Calculs relatifs à une réaction dans laquelle intervient un réactif limitant

On présente en détail le procédé Haber à la section 10.2 du chapitre 10.

Souvent, quand on veut qu'une réaction chimique ait lieu, on mélange les réactifs en **quantités stœchiométriques**, c'est-à-dire en quantités telles que tous les réactifs sont épuisés simultanément. Pour bien comprendre ce concept, considérons la réaction de synthèse de l'hydrogène servant à la production d'ammoniac par le **procédé Haber**. L'ammoniac est un important engrais qui sert également de produit de départ pour la synthèse d'autres fertilisants ; on le prépare en faisant réagir l'azote (de l'air) avec l'hydrogène selon la réaction suivante :

$$N_2(g) + 3H_2(g) \longrightarrow 2NH_3(g)$$

On obtient l'hydrogène à partir de la réaction du méthane, CH_4, et de l'eau :

$$CH_4(g) + H_2O(g) \longrightarrow 3H_2(g) + CO(g)$$

Pour bien comprendre ce que signifie « quantités stœchiométriques », voyons d'abord la représentation suivante de l'équation équilibrée :

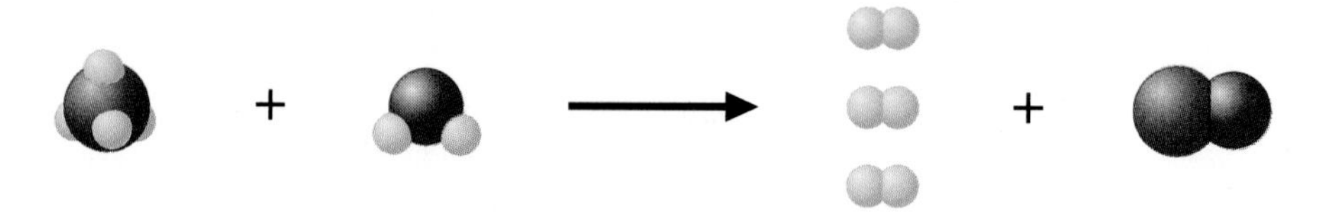

Puisque la réaction fait intervenir une molécule de méthane et une molécule d'eau, des quantités stœchiométriques de méthane et d'eau signifient qu'il y a un nombre égal de chacune, comme l'illustre la figure 3.9, où plusieurs mélanges stœchiométriques sont illustrés.

Supposons qu'il faille calculer la quantité d'eau qui réagira *exactement* avec $2{,}50 \times 10^3$ kg de méthane. Autrement dit, quelle quantité d'eau faut-il utiliser pour que, à la fin de la réaction, il ne reste ni méthane ni eau ?

Pour faire ce calcul, il faut savoir que nous aurons besoin d'un nombre égal de molécules de méthane et d'eau. Conformément aux principes énoncés à la section précédente, il faut d'abord trouver le nombre de moles de molécules de méthane contenu dans $2{,}50 \times 10^3$ kg ($2{,}50 \times 10^6$ g) de méthane :

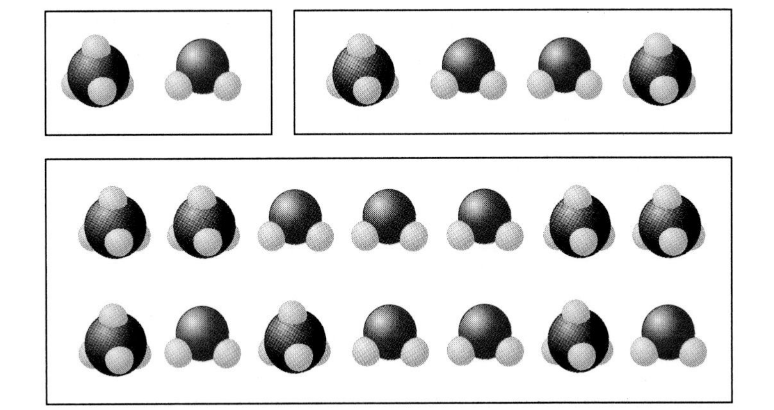

FIGURE 3.9
Voici trois mélanges différents de méthane et d'eau qui réagissent dans une proportion de un pour un.

$$2{,}50 \times 10^6 \cancel{\text{g CH}_4} \times \frac{1 \text{ mol CH}_4}{16{,}04 \cancel{\text{g CH}_4}} = 1{,}56 \times 10^5 \text{ mol CH}_4$$

↑ Masse molaire de CH_4

Ce même nombre de molécules d'eau a une masse déterminée de la façon suivante :

$$1{,}56 \times 10^5 \cancel{\text{mol H}_2\text{O}} \times \frac{18{,}02 \text{ g}}{\cancel{\text{mol H}_2\text{O}}} = 2{,}81 \times 10^6 \text{ g H}_2\text{O} = 2{,}81 \times 10^3 \text{ kg H}_2\text{O}$$

Ce résultat signifie que, si on mélange $2{,}50 \times 10^3$ kg de méthane à $2{,}81 \times 10^3$ kg d'eau, les deux réactifs seront épuisés simultanément, c'est-à-dire qu'on aura mélangé les réactifs en quantités stœchiométriques.

Par ailleurs, si on mélange $2{,}50 \times 10^3$ kg de méthane à $3{,}00 \times 10^3$ kg d'eau, le méthane sera totalement transformé avant que l'eau soit complètement utilisée. Autrement dit, l'eau sera *en excès*, c'est-à-dire qu'il y aura plus de molécules d'eau que de molécules de méthane dans le mélange de réaction. Quelle influence aura cet excès sur le nombre de molécules de produits formés ?

Pour répondre à cette question, considérons la situation à une échelle réduite. Supposons qu'il y a 10 molécules CH_4 et 17 molécules H_2O prêtes à réagir. Combien de molécules CO et de molécules H_2 seront formées ?

D'abord représentons le mélange des molécules CH_4 et H_2O comme à la figure 3.10.

Ainsi, vu que chaque molécule CH_4 a besoin d'une molécule H_2O, la réaction qui produira trois molécules H_2 et une molécule CO est illustrée à la figure 3.11.

Il est à noter que les produits ne se forment que si les molécules CH_4 et H_2O sont en présence les unes des autres. Une fois que les dix molécules CH_4 ont réagi avec

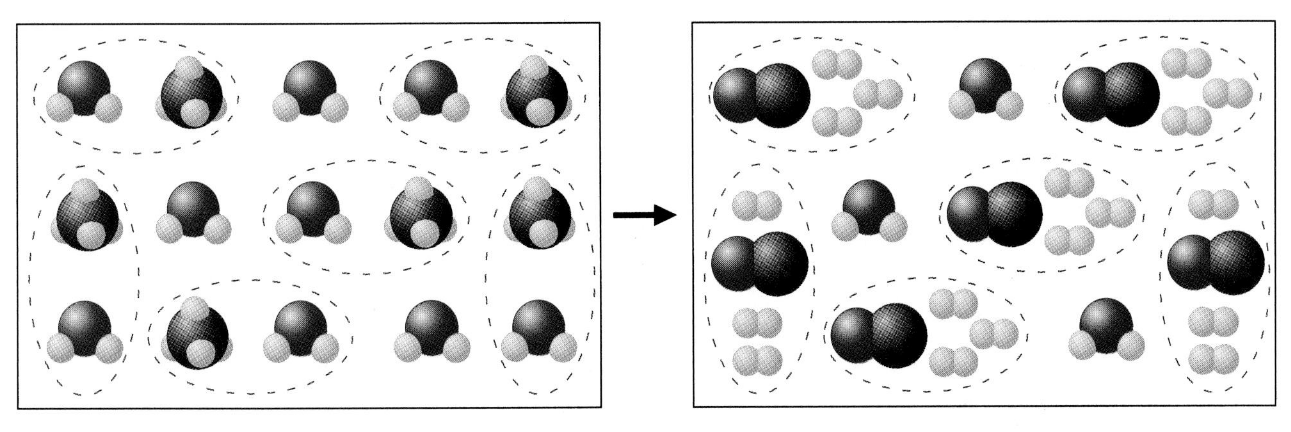

FIGURE 3.10
Un mélange de molécules CH_4 et H_2O.

FIGURE 3.11
Le méthane et l'eau réagissent pour former des produits conformément à l'équation suivante : $CH_4 + H_2O \longrightarrow 3H_2 + CO$.

dix molécules H_2O, les molécules d'eau résiduelles ne peuvent plus réagir. Elles sont en excès. Par conséquent, la quantité de produit formée sera déterminée par la quantité de méthane en présence. Une fois le méthane utilisé, il ne peut y avoir formation d'aucun autre produit, et ce, même s'il reste de l'eau. Dans cette situation, la quantité de méthane *limite* la quantité de produit formée.

Cela nous amène au concept de **réactif limitant**, défini comme le réactif qui est utilisé au complet le premier et qui, par conséquent, limite la quantité de produit qui peut être formée. Dans tout problème stœchiométrique, il est essentiel de déterminer quel réactif est limitant, afin de pouvoir calculer adéquatement les quantités de produits.

Pour explorer davantage cette idée de réactif limitant, considérons la réaction de synthèse de l'ammoniac par le procédé Haber :

$$N_2(g) + 3H_2(g) \longrightarrow 2NH_3(g)$$

L'ammoniac est d'abord dissous dans l'eau d'irrigation avant d'être épandu dans un champ de maïs.

Supposons que 5 molécules N_2 et 9 molécules H_2 sont placées dans un ballon. Est-ce que les quantités de réactif sont en proportion stœchiométrique ou est-ce que l'une d'elles sera épuisée avant l'autre ? L'équation équilibrée indique que chaque molécule N_2 exige 3 molécules H_2 pour former le produit :

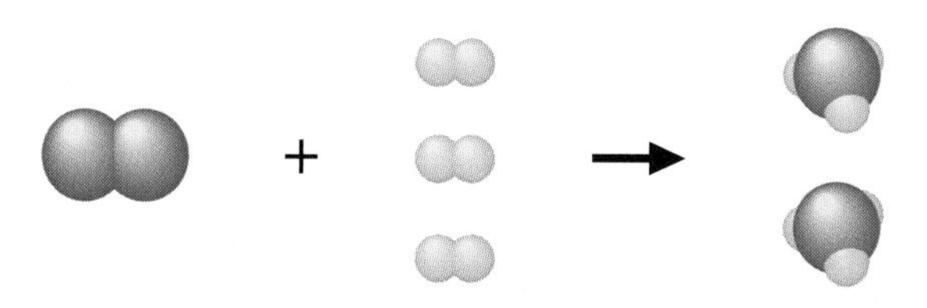

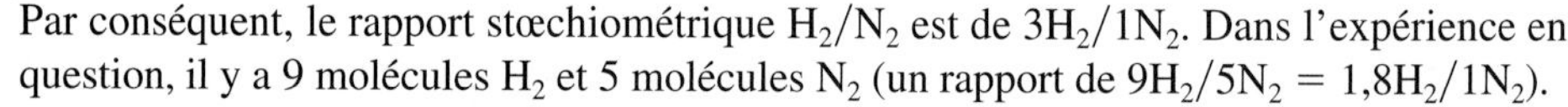

Par conséquent, le rapport stœchiométrique H_2/N_2 est de $3H_2/1N_2$. Dans l'expérience en question, il y a 9 molécules H_2 et 5 molécules N_2 (un rapport de $9H_2/5N_2 = 1{,}8H_2/1N_2$).

Puisque le rapport réel (1,8 : 1) de H_2/N_2 est inférieur au rapport exigé par l'équation équilibrée (3 : 1), il n'y a pas suffisamment d'hydrogène pour réagir avec tout l'azote. C'est dire que l'hydrogène sera d'abord épuisé et que quelques molécules de N_2 n'auront pu réagir. La figure 3.12 illustre ce qui se passe.

La figure 3.12 montre la réaction de 3 molécules N_2 avec 9 molécules H_2 pour donner 6 molécules NH_3 :

$$3N_2 + 9H_2 \longrightarrow 6NH_3$$

L'azote est en excès : 2 molécules N_2 n'ont pas réagi.

Cette expérience démontre que l'hydrogène est le réactif limitant. La quantité de H_2 initialement présente fixe le nombre de molécules NH_3 qui pourront être produites. Toutes les molécules N_2 n'ont pu être utilisées parce que les molécules H_2 ont toutes été utilisées par les trois premières molécules N_2 à réagir.

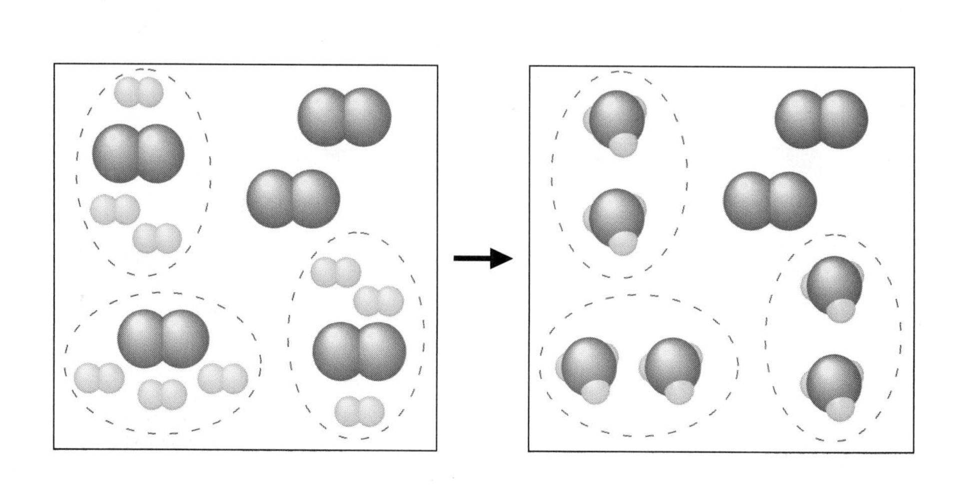

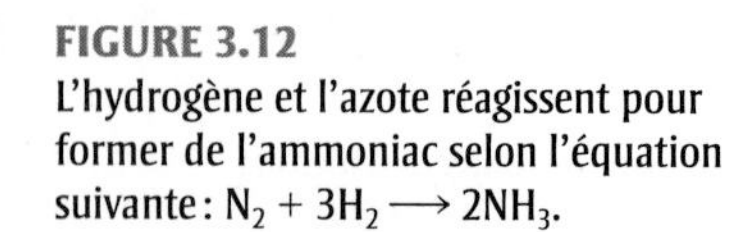

FIGURE 3.12
L'hydrogène et l'azote réagissent pour former de l'ammoniac selon l'équation suivante : $N_2 + 3H_2 \longrightarrow 2NH_3$.

Une autre façon de considérer le problème serait de déterminer combien de H_2 il faudrait pour 5 molécules N_2. Si on multiplie l'équation équilibrée

$$N_2(g) + 3H_2(g) \longrightarrow 2NH_3(g)$$

par 5, on obtient :

$$5N_2(g) + 15H_2(g) \longrightarrow 10NH_3(g)$$

Pour que 5 molécules N_2 réagissent, il faudrait 15 molécules H_2. De fait, il n'y en a que 9. Nous arrivons à la même conclusion que précédemment : l'hydrogène est le réactif limitant.

Le point important à retenir ici est le suivant : *le réactif limitant limite la quantité de produit qui peut être formée*. La réaction qui de fait se produit est :

$$3N_2(g) + 9H_2(g) \longrightarrow 6NH_3(g)$$

et non pas

$$5N_2(g) + 15H_2(g) \longrightarrow 10NH_3(g)$$

Par conséquent, il y a eu formation de 6, et non de 10, molécules NH_3, parce que c'est H_2 qui est limitant et non N_2.

En laboratoire ou en industrie, les quantités utilisées sont beaucoup plus importantes que les quelques molécules de l'exemple précédent. Il faut donc apprendre à déterminer le réactif limitant à partir des moles. L'idée est la même, sauf que l'on utilise des moles de molécules plutôt que des molécules individuelles. Par exemple, supposons un mélange de 25,0 kg d'azote et de 5,00 kg d'hydrogène que l'on fait réagir pour former de l'ammoniac. Comment calculer la masse d'ammoniac produite quand la réaction est terminée (c'est-à-dire quand l'un des réactifs est complètement épuisé) ?

Comme dans l'exemple précédent, il faut recourir à l'équation équilibrée

$$N_2(g) + 3H_2(g) \longrightarrow 2NH_3(g)$$

afin de déterminer lequel de l'azote ou de l'hydrogène est le réactif limitant et, ensuite, calculer la quantité d'ammoniac formée. On calcule d'abord le nombre de moles de réactifs présentes :

$$25{,}0\ \cancel{\text{kg N}_2} \times \frac{1000\ \cancel{\text{g N}_2}}{1\ \cancel{\text{kg N}_2}} \times \frac{1\ \text{mol N}_2}{28{,}0\ \cancel{\text{g N}_2}} = 8{,}93 \times 10^2\ \text{mol N}_2$$

$$5{,}00\ \cancel{\text{kg H}_2} \times \frac{1000\ \cancel{\text{g H}_2}}{1\ \cancel{\text{kg H}_2}} \times \frac{1\ \text{mol H}_2}{2{,}016\ \cancel{\text{g H}_2}} = 2{,}48 \times 10^3\ \text{mol H}_2$$

Puisque 1 mol de N_2 réagit avec 3 mol de H_2, le nombre de moles de H_2 qui réagit exactement avec $8{,}93 \times 10^2$ mol de N_2 est

$$8{,}93 \times 10^2\ \cancel{\text{mol N}_2} \times \frac{3\ \text{mol H}_2}{1\ \cancel{\text{mol N}_2}} = 2{,}68 \times 10^3\ \text{mol H}_2$$

Il faut toujours déterminer quel est le réactif limitant.

Ainsi, pour être totalement transformées, $8{,}93 \times 10^2$ mol N_2 exigent $2{,}68 \times 10^3$ mol H_2. Dans ce cas, cependant, on ne retrouve que $2{,}48 \times 10^3$ mol H_2, ce qui signifie que la réaction sera à court d'hydrogène avant d'être à court d'azote. Autrement dit, dans ce cas particulier, c'est l'hydrogène qui est le *réactif limitant* ; c'est donc la quantité d'hydrogène qui permet de calculer la quantité d'ammoniac produit.

$$2{,}48 \times 10^3\ \cancel{\text{mol H}_2} \times \frac{2\ \text{mol NH}_3}{3\ \cancel{\text{mol H}_2}} = 1{,}65 \times 10^3\ \text{mol NH}_3$$

En transformant les moles en kg, on obtient

$$1{,}65 \times 10^3\ \cancel{\text{mol NH}_3} \times \frac{17{,}0\ \text{g NH}_3}{1\ \cancel{\text{mol NH}_3}} = 2{,}80 \times 10^4\ \text{g NH}_3 = 28{,}0\ \text{kg NH}_3$$

Il est important de signaler qu'on aurait pu en arriver à la même conclusion en calculant le nombre de moles d'azote qui réagissent avec la quantité d'hydrogène donnée, soit

$$2{,}48 \times 10^3 \text{ mol } H_2 \times \frac{1 \text{ mol } N_2}{3 \text{ mol } H_2} = 8{,}27 \times 10^2 \text{ mol } N_2$$

Ainsi, pour être totalement transformées, $2{,}48 \times 10^3$ mol H_2 exigent $8{,}27 \times 10^2$ mol N_2. Puisqu'il y a $8{,}93 \times 10^2$ mol N_2 en présence, il y a un excès d'azote. La conclusion est par conséquent la même que celle qui a été tirée précédemment : c'est l'hydrogène qui sera épuisé le premier et qui limitera le rendement en NH_3.

Une autre façon, apparentée, mais beaucoup plus simple, de savoir quel est le réactif limitant consiste à comparer le rapport molaire des réactifs de l'équation équilibrée à celui des réactifs dans le mélange réactionnel. Par exemple, dans le cas précédent, le rapport des moles H_2 et N_2 exigé par l'équation équilibrée est

$$\frac{3 \text{ mol } H_2}{1 \text{ mol } N_2}$$

C'est dire que :

$$\frac{\text{mol } H_2}{\text{mol } N_2} \text{ (nécessaire)} = \frac{3}{1} = 3$$

Dans cette expérience, il y a $2{,}48 \times 10^3$ mol de H_2 et $8{,}93 \times 10^2$ mol de N_2. Le rapport est donc

$$\frac{\text{mol } H_2}{\text{mol } N_2} \text{ (réel)} = \frac{2{,}48 \times 10^3}{8{,}93 \times 10^2} = 2{,}78$$

Puisque 2,78 est inférieur à 3, le rapport molaire réel H_2/N_2 est trop faible, c'est donc dire que H_2 est le réactif limitant. Si le rapport molaire réel avait été supérieur à 3, alors c'est H_2 qui aurait été en excès et N_2 qui aurait été le réactif limitant.

Exemple 3.18

Stœchiométrie : réactif limitant

On peut préparer de l'azote gazeux en faisant passer de l'ammoniac gazeux, $NH_3(g)$, au-dessus de l'oxyde de cuivre(II) solide, $CuO(s)$, porté à haute température. Les autres produits de la réaction sont du cuivre solide et de la vapeur d'eau. Si on fait réagir 18,1 g de NH_3 avec 90,4 g de CuO, quel est le réactif limitant ? Quelle est la masse de N_2 produit ?

Solution

À partir de la description de la réaction, on peut écrire l'équation équilibrée.

$$2NH_3(g) + 3CuO(s) \longrightarrow N_2(g) + 3Cu(s) + 3H_2O(g)$$

On calcule ensuite le nombre de moles de NH_3 (masse molaire = 17,03 g/mol) et de CuO (masse molaire = 79,55 g/mol) en présence.

$$18{,}1 \text{ g } NH_3 \times \frac{1 \text{ mol } NH_3}{17{,}03 \text{ g } NH_3} = 1{,}06 \text{ mol } NH_3$$

$$90{,}4 \text{ g CuO} \times \frac{1 \text{ mol CuO}}{79{,}55 \text{ g CuO}} = 1{,}14 \text{ mol CuO}$$

Pour déterminer quel est le réactif limitant, on utilise le facteur stœchiométrique qui associe CuO et NH_3, soit

$$1{,}06 \text{ mol } NH_3 \times \frac{3 \text{ mol CuO}}{2 \text{ mol } NH_3} = 1{,}59 \text{ mol CuO}$$

Pour qu'il y ait réaction avec 1,06 mol de NH_3, il faut 1,59 mol de CuO. Or, il n'y a que 1,14 mol de CuO en présence ; c'est donc le CuO qui est limitant (le CuO aura totalement disparu avant le NH_3). On peut tester cette conclusion en comparant le rapport molaire de CuO et NH_3 requis par l'équation équilibrée

$$\frac{\text{mol CuO}}{\text{mol NH}_3}\text{(nécessaire)} = \frac{3}{2} = 1{,}5$$

au rapport molaire réel

$$\frac{\text{mol CuO}}{\text{mol NH}_3}\text{(réel)} = \frac{1{,}14}{1{,}06} = 1{,}08$$

Puisque le rapport réel est trop petit (inférieur à 1,5), c'est CuO qui est le réactif limitant.

Puisque le CuO est le réactif limitant, c'est la quantité de CuO qu'on doit utiliser pour calculer la quantité de N_2 produit. À partir de l'équation équilibrée, on sait que le facteur stœchiométrique qui associe CuO et N_2 est

$$\frac{1 \text{ mol N}_2}{3 \text{ mol CuO}}$$

$$1{,}14 \cancel{\text{mol CuO}} \times \frac{1 \text{ mol N}_2}{3 \cancel{\text{mol CuO}}} = 0{,}380 \text{ mol N}_2$$

En utilisant la masse molaire de N_2 (28,0 g/mol), on peut calculer la masse de N_2 produit.

$$0{,}380 \cancel{\text{mol N}_2} \times \frac{28{,}0 \text{ g N}_2}{1 \cancel{\text{mol N}_2}} = 10{,}6 \text{ g N}_2$$

Voir l'exercice 3.71

On appelle **rendement théorique** d'un produit la quantité de ce produit formée quand le réactif limitant est épuisé. Dans l'exemple 3.18, le rendement théorique est de 10,6 g d'azote. C'est la *quantité maximale* d'azote qu'on peut produire à partir des quantités de réactifs utilisées. En fait, on atteint rarement ce rendement, étant donné que des réactions secondaires indésirées peuvent avoir lieu (autres réactions dans lesquelles interviennent un ou plusieurs réactifs ou produits), ainsi que d'autres complications. Pour exprimer le *rendement réel* d'un produit, on recourt souvent à un pourcentage du rendement théorique. C'est ce qu'on appelle le **pourcentage de rendement**, soit

En laboratoire, comme dans l'industrie, le pourcentage de rendement est un indicateur important de l'efficacité d'une réaction donnée.

$$\frac{\text{Rendement réel}}{\text{Rendement théorique}} \times 100\,\% = \text{pourcentage de rendement}$$

Par exemple, si la réaction étudiée à l'exemple 3.18 ne produisait que 6,63 g d'azote au lieu des 10,6 g prédits, le pourcentage de rendement de l'azote serait

$$\frac{6{,}63 \cancel{\text{g N}_2}}{10{,}6 \cancel{\text{g N}_2}} \times 100\,\% = 62{,}5\,\%$$

Exemple 3.19

Calcul du pourcentage de rendement

Le méthanol, CH_3OH, appelé également *alcool méthylique,* est l'alcool le plus simple. On l'utilise comme carburant dans les voitures de course ; à ce titre, il constitue un substitut potentiel de l'essence. On peut produire du méthanol en faisant réagir du monoxyde de carbone gazeux avec de l'hydrogène. Supposons que 68,5 kg de $CO(g)$ réagissent avec 8,60 kg de $H_2(g)$. Calculez le rendement théorique du méthanol. Si, en fait, il y a production de $3{,}57 \times 10^4$ g de CH_3OH, quel est le pourcentage de rendement du méthanol ?

Méthanol

Solution

Il faut d'abord trouver le réactif limitant. L'équation équilibrée est

$$2H_2(g) + CO(g) \longrightarrow CH_3OH(l)$$

On calcule ensuite le nombre de moles de réactifs en présence.

$$68{,}5\ \cancel{\text{kg CO}} \times \frac{1000\ \cancel{\text{g CO}}}{1\ \cancel{\text{kg CO}}} \times \frac{1\ \text{mol CO}}{28{,}02\ \cancel{\text{g CO}}} = 2{,}44 \times 10^3\ \text{mol CO}$$

$$8{,}60\ \cancel{\text{kg H}_2} \times \frac{1000\ \cancel{\text{g H}_2}}{1\ \cancel{\text{kg H}_2}} \times \frac{1\ \text{mol H}_2}{2{,}016\ \cancel{\text{g H}_2}} = 4{,}27 \times 10^3\ \text{mol H}_2$$

Pour connaître le réactif limitant, on compare le rapport molaire de H_2 et de CO requis par l'équation équilibrée

$$\frac{\text{mol H}_2}{\text{mol CO}}\ (\text{nécessaire}) = \frac{2}{1} = 2$$

au rapport molaire réel

$$\frac{\text{mol H}_2}{\text{mol CO}}\ (\text{réel}) = \frac{4{,}27 \times 10^3}{2{,}44 \times 10^3} = 1{,}75$$

Puisque le rapport molaire réel H_2/CO est plus petit que le rapport nécessaire, c'est H_2 qui est *limitant*. Pour déterminer quelle quantité maximale de méthanol on peut produire, on doit donc utiliser la quantité de H_2 et le facteur stœchiométrique qui associe H_2 et CH_3OH.

$$4{,}27 \times 10^3\ \cancel{\text{mol H}_2} \times \frac{1\ \text{mol CH}_3\text{OH}}{2\ \cancel{\text{mol H}_2}} = 2{,}14 \times 10^3\ \text{mol CH}_3\text{OH}$$

À partir de la masse molaire du CH_3OH (32,04 g/mol), on peut calculer le rendement théorique en grammes.

$$2{,}14 \times 10^3\ \cancel{\text{mol CH}_3\text{OH}} \times \frac{32{,}04\ \text{g CH}_3\text{OH}}{1\ \cancel{\text{mol CH}_3\text{OH}}} = 6{,}86 \times 10^4\ \text{g CH}_3\text{OH}$$

Par conséquent, à partir des quantités de réactifs données, la quantité maximale de CH_3OH qu'on peut produire est de $6{,}86 \times 10^4$ g. C'est là un *rendement théorique*.

Quant au pourcentage de rendement, il est de

$$\frac{\text{Rendement réel (en g)}}{\text{Rendement théorique (en g)}} \times 100\,\% = \frac{3{,}57 \times 10^4\ \cancel{\text{g CH}_3\text{OH}}}{6{,}86 \times 10^4\ \cancel{\text{g CH}_3\text{OH}}} \times 100\,\% = 52{,}0\,\%$$

Voir l'exercice 3.72

On utilise le méthanol comme carburant dans les voitures de course de type Indianapolis.

Les étapes pour résoudre un problème stœchiométrique dans lequel les quantités de réactifs et de produits sont exprimées en masses.

1. **Écrire et équilibrer l'équation de la réaction.**
2. **Convertir les masses connues des substances en moles.**
3. **Identifier le réactif limitant.**
4. **À l'aide de la quantité de réactif limitant et des facteurs stœchiométriques appropriés, calculer le nombre de moles de produit désiré.**
5. **Transformer le nombre de moles en grammes, en utilisant la masse molaire.**

Le diagramme ci-dessous présente un résumé de ces étapes.

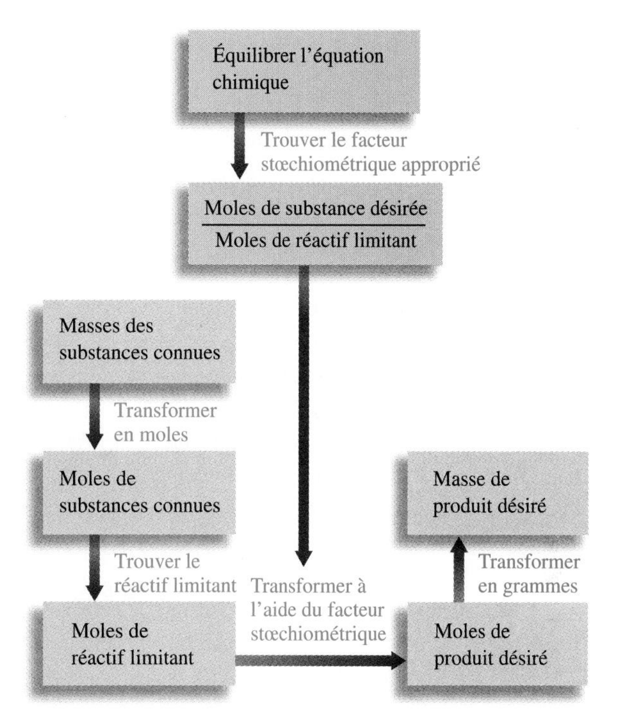

Mots clés

stœchiométrie

Section 3.2
spectromètre de masse
masse atomique moyenne

Section 3.3
mole
nombre d'Avogadro

Section 3.4
masse molaire

Section 3.5
pourcentage massique

Section 3.6
formule empirique
formule moléculaire

Section 3.7
équation chimique
réactifs
produits

Section 3.8
équilibrage de l'équation chimique

Section 3.9
facteur stœchiométrique

Section 3.10
quantités stœchiométriques
procédé Haber
réactif limitant
rendement théorique
pourcentage de rendement

Synthèse

Stœchiométrie

- Concerne les quantités de substances (réactifs ou produits) qui participent à des réactions chimiques.
- On compte les atomes en mesurant la masse de l'échantillon.
- La masse atomique moyenne est nécessaire pour établir un rapport entre la masse et le nombre d'atomes.

Mole

- Le nombre d'atomes de carbone présents dans exactement 12 g de ^{12}C pur.
- $6{,}022 \times 10^{23}$ unités d'une substance.
- La masse d'une mole d'un élément = sa masse atomique exprimée en grammes.

Masse molaire

- Masse (g) d'une mole, d'un composé ou d'un élément.
- Pour un composé, obtenu en additionnant les masses moyennes de chacun des atomes qui le constituent.

Pourcentage massique

- Le pourcentage en masse de chaque élément dans un composé.
- Pourcentage massique = $\dfrac{\text{masse d'un élément présent dans une mole de substance}}{\text{masse d'une mole de substance}} \times 100\,\%$

Formule empirique

- Le plus petit rapport entre les nombres entiers des différents types d'atomes présents dans un composé.
- On peut l'obtenir à partir des pourcentages massiques des éléments du composé.

Formule moléculaire

- Pour les substances moléculaires :
  - la formule exacte de la molécule ;
  - toujours un multiple entier de la formule empirique.
- Pour les substances ioniques :
  - la même que la formule empirique.

Réactions chimiques

- Les réactifs sont transformés en produits.
- Les atomes ne sont ni détruits ni créés.
- Tous les atomes présents dans les réactifs doivent se retrouver dans les produits de la réaction.

Caractéristiques d'une équation chimique

- Représente une réaction chimique.
- Les réactifs figurent à gauche de la flèche et les produits, à droite.
- Une fois équilibrée, elle indique les nombres relatifs de molécules ou d'ions des réactifs et des produits.

Calculs stœchiométriques

- On peut déterminer les quantités de réactifs transformés et de produits formés à partir d'une équation chimique équilibrée.
- Le réactif limitant est celui qui est épuisé en premier et qui, par conséquent, détermine la quantité de produits qu'on peut obtenir.

Rendement

- Le rendement théorique est la quantité maximale de produit qu'on peut obtenir à partir d'une quantité donnée de réactif limitant.
- Le rendement réel, la quantité de produit réellement obtenue, est toujours inférieur au rendement théorique.

- Pourcentage de rendement $= \frac{\text{rendement réel (g)}}{\text{rendement théorique (g)}} \times 100\,\%$

QUESTIONS DE RÉVISION

1. Expliquez le concept de « compter par pesée » en utilisant des billes comme exemple.
2. Les masses atomiques sont des masses relatives. Expliquez ce que cela signifie.
3. Dans le tableau périodique, on assigne au bore, B, une masse atomique de 10,81 ; pourtant, aucun atome de bore n'a une masse de 10,81 *u*. Expliquez.
4. Pour convertir la masse d'un composé en atomes, quels sont les trois facteurs que vous pouvez utiliser, et dans quel ordre ; par exemple, quel est le nombre d'atomes d'hydrogène dans un échantillon de 1,00 g d'aspirine ($C_9H_8O_4$) ?
5. La figure 3.5 illustre une représentation schématique d'un dispositif de combustion utilisé pour analyser les composés organiques. Dans cet appareil, on procède à la combustion d'une certaine quantité d'un composé contenant du carbone, de l'hydrogène et de l'oxygène ; expliquez comment on peut utiliser les données se rapportant à la masse de CO_2 et à la masse de H_2O produites pour établir la formule empirique.
6. Quelle différence y a-t-il entre la formule moléculaire et la formule empirique d'un composé donné ? Se peut-il qu'elles soient identiques ? Expliquez.
7. Soit la réaction hypothétique entre A_2 et AB illustrée ci-dessous.

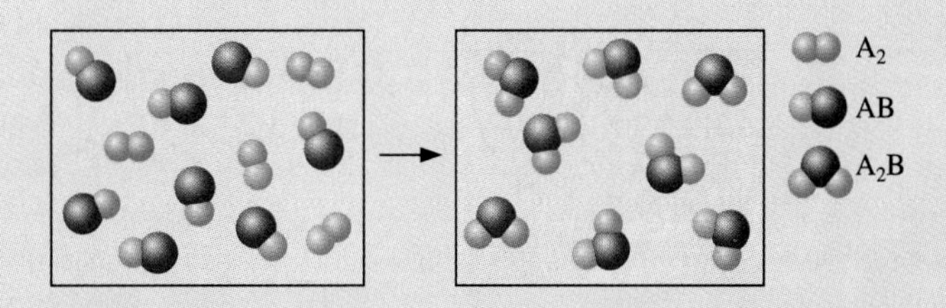

Écrivez l'équation équilibrée de cette réaction. Combien de moles de produit seront formées, si 2,50 mol de A_2 réagissent avec un excès de AB ? Si la masse de AB est de 30,0 *u* et la masse de A_2 de 40,0 *u*, quelle est la masse du produit ? Si 15,0 g de AB réagissent, quelle masse de A_2 est requise pour que tout le AB réagisse, et quelle masse de produit est alors formée ?

8. Expliquez ce qu'est un problème de réactif limitant. Expliquez deux méthodes différentes qui peuvent servir à résoudre les problèmes de réactif limitant.
9. Soit le mélange suivant de $SO_2(g)$ et de $O_2(g)$.

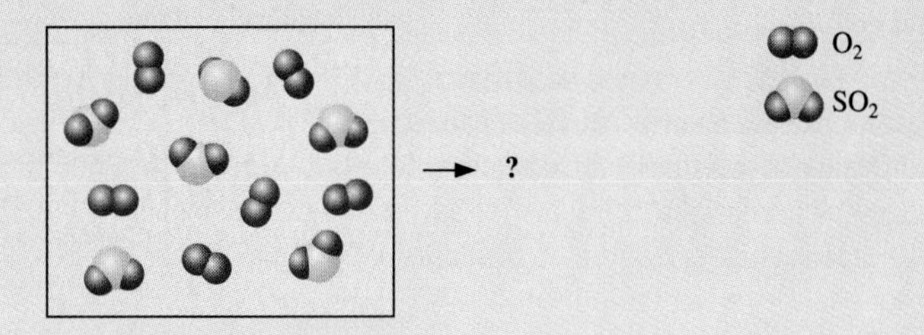

En supposant que la réaction soit complète, représentez le mélange des substances après la réaction, si $SO_2(g)$ et $O_2(g)$ réagissent pour former $SO_3(g)$. Quel est le réactif limitant dans la réaction ? Quelle sera la masse de produit formé, si 96,0 g de SO_2 réagissent avec 32,0 g de O_2 ?

10. Pourquoi le rendement réel d'une réaction est-il souvent inférieur au rendement théorique ?

Questions et exercices

Questions à discuter en classe

Ces questions sont conçues pour être abordées en petits groupes. Par des discussions et des enseignements mutuels, elles permettent d'exprimer la compréhension des concepts.

1. Voici quelques réponses données par des étudiants à la question suivante : Que faut-il pour équilibrer une équation chimique ?
a) La réaction n'aura lieu que si les réactifs sont présents dans le bon rapport molaire.
b) Les produits ne se formeront pas tant que la bonne quantité de réactifs n'aura pas été ajoutée.
c) Une certaine quantité de produits ne pourra être formée sans qu'il y ait une certaine quantité de réactifs.
d) L'équation équilibrée nous indique combien de chaque réactif il faut et nous permet également de prédire quelle quantité de chaque produit sera formée.
e) Pour que la réaction ait lieu telle qu'écrite, on doit avoir le bon rapport molaire chez les réactifs.

Justifiez votre réponse et dites pourquoi les autres suggestions ne sont pas acceptables.

2. Vous désirez préparer des biscuits, mais il vous manque un ingrédient : des œufs. Tous les autres ingrédients nécessaires sont en quantités plus que suffisantes, mais vous n'avez que 1,33 tasse de beurre et aucun œuf. Vous remarquez que la recette exige 2 tasses de beurre et 3 œufs (plus évidemment les autres ingrédients) pour préparer 6 douzaines de biscuits. Vous téléphonez à un ami et lui demandez d'apporter quelques œufs.
a) De combien d'œufs aurez-vous besoin ?
b) Si vous utilisez tout le beurre (et avez suffisamment d'œufs), combien de biscuits pourrez-vous préparer ?

Malheureusement, avant même que vous ayez pu dire à votre ami combien d'œufs il lui faudrait apporter, il a coupé la communication. À son arrivée, vous êtes estomaqué. Pour vous faire économiser du temps, il a cassé tous les œufs dans un bol. Vous lui demandez combien il en a cassé. Il vous répond :

« Je ne me souviens pas. » Vous pesez alors les œufs : 62,1 g. En supposant qu'un œuf pèse en moyenne 34,21 g :
c) combien de beurre vous faudra-t-il pour utiliser tous les œufs ?
d) combien de biscuits pourriez-vous préparer ?
e) qu'est-ce qui sera en excès, les œufs ou le beurre ?
f) Un excès de combien ?

3. Vous savez que *A* réagit avec *B*. Vous faites réagir 10,0 g de *A* avec 10,0 g de B. Quel renseignement vous faut-il pour déterminer la quantité de produit qui sera formée ? Expliquez.

4. Qu'arrive-t-il à la masse d'une tige de fer quand elle rouille ?
a) Elle reste la même, car la masse se conserve.
b) Elle augmente.
c) Elle augmente, mais si la rouille se détache, la tige retrouvera sa masse initiale.
d) Elle diminue.

Justifiez votre réponse et dites pourquoi les autres suggestions ne sont pas acceptables. Soyez certain de bien comprendre ce que signifie « rouiller ».

5. Vous avez certainement remarqué que de l'eau dégoutte parfois du tuyau d'échappement d'une voiture en marche. Est-ce une preuve qu'il y a une certaine quantité d'eau dans l'essence ? Expliquez.

Les questions 6 et 7 concernent toutes deux la donnée suivante. Il faut 100 g de *A* pour réagir complètement avec 20 g de *B*.

6. Quelle est la masse du produit obtenu ?
a) Moins de 10 g.
b) Entre 20 et 100 g.
c) Entre 100 et 120 g.
d) Exactement 120 g.
e) Plus de 120 g.

7. Choisissez le bon énoncé concernant les propriétés chimiques du produit.
a) Elles ressemblent plus à celles de *A*.
b) Elles ressemblent plus à celles de *B*.
c) Elles sont à mi-chemin entre celles de *A* et celles de *B*.
d) Elles ne sont pas nécessairement semblables à celles de A ni à celles de B.
e) Elles peuvent ressembler plus à celles de *A* ou plus à celles de *B*, mais il manque des renseignements pour pouvoir trancher.

Justifiez votre réponse et dites pourquoi les autres suggestions ne sont pas acceptables.

8. Y a-t-il une différence entre un mélange homogène d'hydrogène et d'oxygène dans un rapport molaire 2 : 1 et un échantillon de vapeur d'eau ? Expliquez.

9. Le chlore existe principalement sous la forme de deux isotopes, ^{37}Cl et ^{35}Cl. Lequel est le plus abondant ? Comment le savez-vous ?

10. La masse moyenne d'un atome de carbone est de 12,011. En supposant que vous puissiez prendre un atome de carbone, évaluez les chances que vous aurez d'en choisir un au hasard qui aurait une masse de 12,011. Expliquez votre réponse.

11. Soit l'équation $2A + B \longrightarrow A_2B$. Si vous mélangez 1,0 mol de *A* avec 1,0 mol de *B*, combien de moles de A_2B peuvent être produites ?

12. Selon la loi de la conservation de la masse, dans une réaction chimique, une masse ne peut être ni créée ni détruite. Pourquoi ne pouvez-vous pas simplement additionner les masses de deux réactifs pour déterminer la masse totale de produits ?

Une question ou un exercice précédés d'un numéro en bleu indiquent que la réponse se trouve à la fin de ce livre.

Questions

13. Vous possédez une mole de dollars canadiens et vous distribuez cet argent également entre toutes les personnes dans le monde. Quelle serait la fortune de chacune ? Supposez que la population mondiale est de 6 milliards.

14. Quelle est la différence entre la masse molaire et la masse d'une formule empirique d'un composé ? Dans quel cas ces masses sont-elles les mêmes et quand sont-elles différentes ? Si elles sont différentes, quel est le rapport entre la masse molaire et la masse d'une formule empirique ?

15. Soit l'équation générique suivante :

$$A_2B_2 + 2C \longrightarrow 2CB \text{ et } 2A$$

Quelles étapes et quels renseignements sont nécessaires pour effectuer les déterminations suivantes, en supposant que $1,00 \times 10^4$ molécules de A_2B_2 réagissent avec un excès de C ?

a) La masse de CB produite.
b) Les atomes de A produits.
c) Les moles de C qui ont réagi.
d) Le pourcentage de rendement de CB.

Exercices

Dans la présente section, les exercices similaires sont regroupés.

Masses atomiques et spectromètre de masse

16. Un élément est un mélange de deux isotopes. L'un d'eux a une masse atomique de 34,96885 *u* et une abondance relative de 75,53 %. L'autre isotope a une masse atomique de 36,96590 *u*. Calculez la masse atomique moyenne et dites de quel élément il s'agit.

17. Un élément est formé à 90,51 % d'un isotope ayant une masse de 19,992 *u*, à 0,27 % d'un isotope ayant une masse de 20,994 *u* et à 9,22 % d'un isotope ayant une masse de 21,990 *u*. Calculez la masse atomique de l'élément en question et dites de quel élément il s'agit.

18. L'argent, Ag, a 2 isotopes naturels : ^{107}Ag (masse de 106,905 *u*) et ^{109}Ag. Sachant que l'argent naturel contient 51,82 % de ^{107}Ag et que sa masse atomique moyenne est de 107,868 *u*, calculez la masse atomique du ^{109}Ag.

19. Le spectre de masse du brome, Br_2, comporte 3 « pics » dont les surfaces relatives sous la courbe sont les suivantes :

Masse (*u*)	Surface relative
157,84	0,2534
159,84	0,5000
161,84	0,2466

Comment peut-on interpréter ces résultats ?

20. L'arséniure de gallium, GaAs, est très fréquemment utilisé dans les semi-conducteurs qui transforment la lumière et les signaux électriques pour les communications par fibres optiques. Le gallium est constitué à 60,0 % de ^{69}Ga et à 40,0 % de ^{71}Ga. L'arsenic ne possède qu'un seul isotope naturel, ^{75}As. L'arséniure de gallium est un matériau polymère, mais son spectre de masse présente des fragments correspondant aux formules GaAs et Ga_2As_2. Quelle serait l'allure de la distribution des « pics » pour ces deux fragments ?

Moles et masses molaires

21. Calculez la masse de 500 atomes de fer (Fe).

22. Combien d'atomes de Fe et combien de moles d'atomes de Fe y a-t-il dans 500,0 g de fer ?

23. Le diamant est une forme naturelle de carbone pur. Combien y a-t-il d'atomes de carbone dans un diamant de 1,00 carat (1,00 carat = 0,200 g) ?

24. Un diamant contient $5,0 \times 10^{21}$ atomes de carbone. Combien de moles de carbone et quelle masse de carbone y a-t-il dans ce diamant ?

25. On produit de l'aluminium métallique en faisant passer un courant électrique dans une solution d'oxyde d'aluminium, Al_2O_3, dissous dans de la cryolite fondue, Na_3AlF_6. Calculez les masses molaires de Al_2O_3 et de Na_3AlF_6.

26. Calculez la masse molaire des substances suivantes.
a) P_4O_6 **b)** $Ca_3(PO_4)_2$ **c)** Na_2HPO_4

27. Combien de moles y a-t-il dans 1,00 g de chacun des produits mentionnés à l'exercice 26 ?

28. Quelle masse y a-t-il dans 5,00 moles de chacun des produits mentionnés à l'exercice 26 ?

29. Quelle masse d'oxygène y a-t-il dans 5,00 moles de chacun des composés mentionnés à l'exercice 26 ?

30. Quelle masse de phosphore y a-t-il dans 5,00 moles de chacun des produits mentionnés à l'exercice 26 ?

31. Combien de molécules y a-t-il dans 1,00 g de chacun des composés mentionnés à l'exercice 26 ?

32. Combien d'atomes de phosphore y a-t-il dans 1,00 g de chacun des produits mentionnés à l'exercice 26 ?

33. L'acide ascorbique (vitamine C), $C_6H_8O_6$, est une vitamine essentielle qui doit toujours être présente dans l'alimentation, car l'organisme ne peut l'emmagasiner. Quelle est la masse molaire de l'acide ascorbique ? On utilise souvent des comprimés de vitamine C comme supplément vitaminique. Si un comprimé typique contient 500,0 mg de vitamine C, combien contient-il de moles et de molécules de vitamine C ?

34. La formule molaire de l'acide acétylsalicylique (aspirine), un des analgésiques les plus utilisés, est $C_9H_8O_4$.
a) Calculez la masse molaire de l'aspirine.
b) Un comprimé d'aspirine typique contient 500 mg de $C_9H_8O_4$. Combien y a-t-il de moles et de molécules d'acide acétylsalicylique dans un comprimé de 500 mg ?

35. À combien de moles correspond chacun des échantillons suivants ?
a) 150,0 g de Fe_2O_3.
b) 10,0 mg de NO_2.
c) $1,5 \times 10^{16}$ molécules BF_3.

36. Combien d'atomes d'azote y a-t-il dans 5,00 g de chacune des substances suivantes ?
a) Glycine, $C_2H_5O_2N$.
b) Nitrure de magnésium.
c) Nitrate de calcium.
d) Tétroxyde de diazote.

37. Complétez le tableau ci-dessous.

Masse d'échantillon	Moles d'échantillon	Molécules dans l'échantillon	Nombre d'atomes total dans l'échantillon
4,24 g C_6H_6	______	______	______
______	0,224 mol H_2O	______	______
______	______	$2,71 \times 10^{22}$ molécules de CO_2	______
______	______	______	$3,35 \times 10^{22}$ atomes au total dans un échantillon de CH_3OH

38. L'aspartame est un édulcorant artificiel 160 fois plus sucré que le saccharose (sucre de table) lorsqu'on le dissout dans l'eau. Il est vendu par G. D. Searle sous le nom de Nutra Suc. La formule moléculaire de l'aspartame est $C_{14}H_{18}N_2O_5$.
a) Calculez la masse molaire de l'aspartame.
b) Combien y a-t-il de moles de molécules dans 10,0 g d'aspartame ?
c) Quelle est la masse, en grammes, de 1,56 mol d'aspartame ?
d) Combien y a-t-il de molécules dans 5,0 mg d'aspartame ?
e) Combien y a-t-il d'atomes d'azote dans 1,2 g d'aspartame ?
f) Quelle est la masse, en grammes, de $1,0 \times 10^9$ molécules d'aspartame ?
g) Quelle est la masse en grammes d'une molécule d'aspartame ?

39. L'hydrate de chloral ($C_2H_3Cl_3O_2$) est un médicament autrefois utilisé comme sédatif et hypnotique. C'est le composé qui servait à préparer des « Mickey Finn » dans les histoires de détectives.
a) Calculez la masse molaire de l'hydrate de chloral.
b) Combien y a-t-il de moles de molécules de $C_2H_3Cl_3O_2$ dans 500,0 g d'hydrate de chloral ?
c) Quelle est la masse en grammes de $2,0 \times 10^{-2}$ mol d'hydrate de chloral ?
d) Combien y a-t-il d'atomes de chlore dans 5,0 g d'hydrate de chloral ?
e) Quelle masse d'hydrate de chloral contient 1,0 g de Cl ?
f) Quelle est la masse d'exactement 500 molécules d'hydrate de chloral ?

Composition en pourcentage

40. Calculez la composition en pourcentage massique des composés suivants qui sont d'importants produits de départ dans la synthèse de polymères.
a) $C_3H_4O_2$ (acide acrylique, utilisé dans la fabrication des plastiques acryliques).
b) $C_4H_6O_2$ (acrylate de méthyle, utilisé dans la fabrication du plexiglas).
c) C_3H_3N (acrylonitrile, utilisé dans la fabrication de l'orlon).

41. Plusieurs composés importants ne contiennent que de l'azote et de l'oxygène. Calculez le pourcentage massique de l'azote dans chacun des composés suivants.
a) NO, gaz formé par la réaction de N_2 avec O_2 dans les moteurs à combustion interne.
b) NO_2, gaz brun, principal responsable de la couleur du brouillard photochimique.
c) N_2O_4, liquide incolore utilisé comme comburant dans les navettes spatiales.
d) N_2O, gaz incolore utilisé comme anesthésique par les dentistes (également connu sous le nom de gaz hilarant).

42. On ne retrouve la vitamine B_{12} (cyanocobalamine), élément nutritionnel essentiel à l'être humain, que dans les tissus animaux (jamais dans les plantes supérieures). Même si les besoins nutritionnels en vitamine B_{12} sont très faibles, les gens qui refusent de manger toute viande peuvent être victimes d'anémie, par carence. Dans les suppléments vitaminiques, on trouve la vitamine B12 sous forme de cyanocobalamine. Elle contient 4,34 % de cobalt en masse. Calculez la masse molaire de la cyanocobalamine, en supposant que chaque molécule contienne un atome de cobalt.

Formules moléculaires et formules empiriques

43. Exprimez la composition de chacun des composés suivants sous forme de pourcentages massiques des éléments.
a) Formaldéhyde, CH_2O.
b) Glucose, $C_6H_{12}O_6$.
c) Acide acétique, CH_3CO_2H.

44. Compte tenu des réponses obtenues à l'exercice 43, quel type de formule (empirique ou moléculaire) peut-on obtenir à partir de l'analyse élémentaire qui fournit la composition en pourcentage ?

45. Quelle est la formule empirique de chacun des composés représentés ci-dessous ?

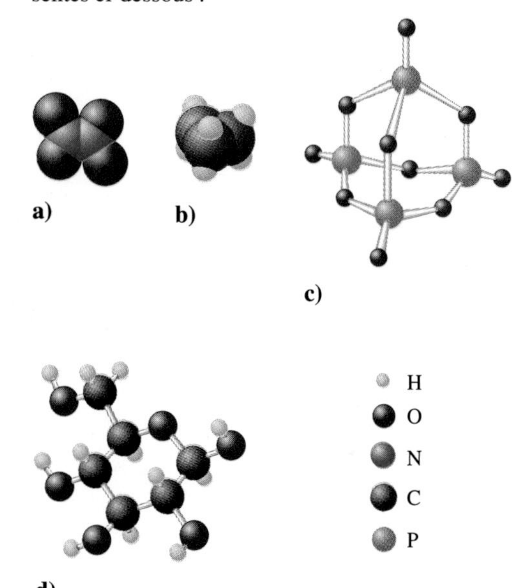

46. Déterminez la formule moléculaire des composés dont les formules empiriques et les masses molaires sont fournies.
a) SNH (188,35 g/mol)
b) $NPCl_2$ (347,64 g/mol)
c) CoC_4O_4 (341,94 g/mol)
d) SN (184,32 g/mol)

47. L'adrénaline est un composé qui contient 56,79 % de C, 6,56 % de H, 28,37 % de O et 8,28 % de N en masse. Quelle est la formule empirique de cette substance ?

48. Il existe deux composés binaires constitués de mercure et d'oxygène. Les deux composés se décomposent à la chaleur. Il y a libération d'oxygène gazeux dans l'atmosphère, et le produit résiduel est du mercure pur. Si l'on chauffe 0,6498 g de l'un des composés, le résidu pèse 0,6018 g. Si l'on chauffe 0,4172 g de l'autre composé, il y a une perte de masse de 0,016 g. Quelle est la formule empirique de chacun des composés ?

49. Un échantillon d'urée contient 1,121 g de N, 0,161 g de H, 0,480 g de C et 0,640 g de O. Quelle est la formule empirique de ce composé ?

50. Un composé qui ne contient que du soufre et de l'azote contient 69,6 % de soufre ; sa masse molaire est de 184 g/mol. Quelles sont les formules empirique et moléculaire de ce composé ?

51. L'acide adipique est une substance organique composée de 49,31 % de C, 43,79 % de O et le reste en hydrogène. Si la masse molaire de l'acide adipique est de 146,1 g/mol, quelles sont les formules empirique et moléculaire de cet acide ?

52. L'acide maléique est une substance organique composée de 41,39 % de C, 3,47 % de H et le reste en oxygène. Si 0,129 mol d'acide maléique possède une masse de 15,0 g, quelles sont les formules empirique et moléculaire de cet acide ?

53. De nombreuses maisons en Amérique sont chauffées au gaz propane, un produit qui ne contient que du carbone et de l'hydrogène. La combustion complète d'un échantillon de propane donne 2,641 g de dioxyde de carbone et 1,442 g d'eau comme seuls produits. Quelle est la formule empirique du propane ?

54. Le cumène est un composé qui ne renferme que du carbone et de l'hydrogène, et qui est utilisé dans la production industrielle de l'acétone et du phénol. La combustion de 47,6 mg de cumène produit 156,8 mg de CO_2 et 42,8 mg d'eau. La masse molaire du cumène se situe entre 115 et 125 g/mol. Quelles sont les formules empirique et moléculaire du cumène ?

55. Un composé ne contient que du carbone, de l'hydrogène et de l'oxygène. La combustion de 10,68 mg de ce composé produit 16,01 mg de CO_2 et 4,37 mg de H_2O. Sachant que la masse molaire du composé est de 176,1 g/mol, trouvez quelles en sont les formules empirique et moléculaire ?

Équilibrage des équations chimiques

56. Donnez l'équation équilibrée pour chacune des réactions chimiques suivantes.

a) Du glucose ($C_6H_{12}O_6$) réagit avec de l'oxygène pour produire du dioxyde de carbone et de la vapeur d'eau.

b) Le sulfure de fer(III) solide réagit avec du chlorure d'hydrogène gazeux pour former du chlorure de fer(III) solide et du sulfure d'hydrogène gazeux.

c) Le disulfure de carbone liquide réagit avec de l'ammoniac pour produire le sulfure d'hydrogène gazeux et du thiocyanate d'ammonium (NH_4SCN) solide.

57. Équilibrez les réactions suivantes.

a) $Ca(OH)_2(aq) + H_3PO_4(aq) \longrightarrow H_2O(l) + Ca_3(PO_4)_2(s)$

b) $Al(OH)_3(s) + HCl(aq) \longrightarrow AlCl_3(aq) + H_2O(l)$

c) $AgNO_3(aq) + H_2SO_4(aq) \longrightarrow Ag_2SO_4(s) + HNO_3(aq)$

58. Équilibrez les équations suivantes représentant des réactions de combustion.

a)

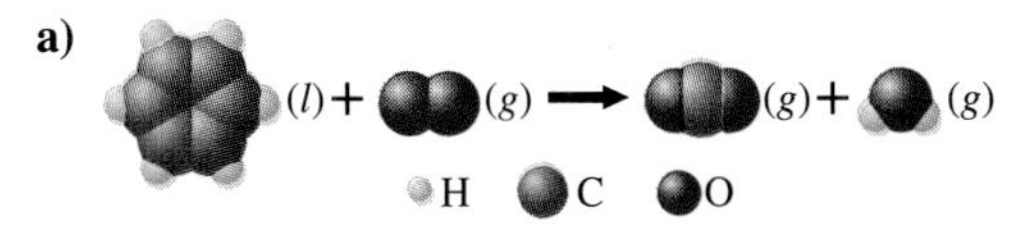

b)

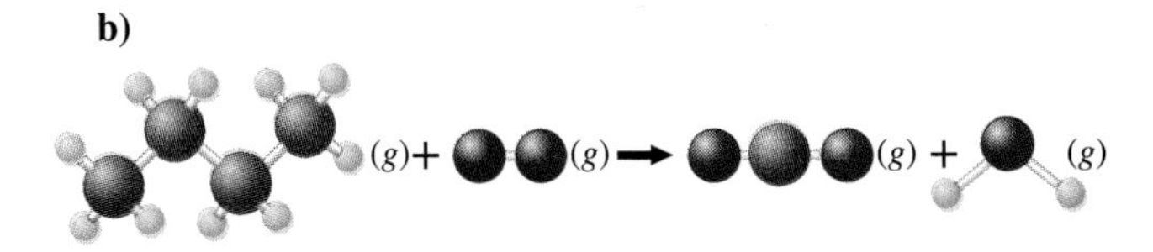

c) $C_{12}H_{22}O_{11}(s) + O_2(g) \longrightarrow CO_2(g) + H_2O(g)$

d) $Fe(s) + O_2(g) \longrightarrow Fe_2O_3(s)$

e) $FeO(s) + O_2(g) \longrightarrow Fe_2O_3(s)$

59. Le silicium utilisé par les industries chimiques et électroniques est produit par les réactions suivantes. Donnez l'équation équilibrée pour chacune des réactions.

a) $SiO_2(s) + C(s) \xrightarrow[\text{à arc électrique}]{\text{Fournaise}} Si(s) + CO(g)$

b) Le tétrachlorure de silicium réagit avec du magnésium très pur pour produire du silicium et du chlorure de magnésium.

c) $Na_2SiF_6(s) + Na(s) \longrightarrow Si(s) + NaF(s)$

60. Le verre est un mélange de plusieurs composés, mais un de ses principaux constituants est le silicate de calcium, $CaSiO_3$. On peut graver le verre en le traitant à l'acide fluorhydrique ; HF attaque le silicate de calcium du verre pour donner des produits gazeux et solubles dans l'eau (qui peuvent être enlevés en lavant le verre). Par exemple, la verrerie volumétrique dans les laboratoires de chimie est souvent graduée en utilisant ce procédé. Équilibrez l'équation suivante décrivant la réaction de l'acide fluorhydrique avec le silicate de calcium.

$$CaSiO_3(s) + HF(aq) \longrightarrow CaF_2(aq) + SiF_4(g) + H_2O(l)$$

Stœchiométrie de réaction

61. Au cours des années, la réaction « thermite » a été utilisée pour souder des rails sur place, pour préparer des bombes incendiaires ou pour mettre à feu les moteurs des fusées à combustible solide. La réaction est la suivante :

$$Fe_2O_3(s) + 2Al(s) \longrightarrow 2Fe(l) + Al_2O_3(s)$$

Quelles masses d'oxyde de fer(III) et d'aluminium faut-il pour produire 15,0 g de fer ? Quelle est la masse maximale d'oxyde d'aluminium qui peut être produite ?

62. La réaction entre le chlorate de potassium et le phosphore rouge a lieu quand on frotte une allumette sur une boîte d'allumettes. Si vous faites réagir 52,9 g de chlorate de potassium ($KClO_3$) avec un excès de phosphore rouge, quelle masse de décaoxyde de tétraphosphore (P_4O_{10}) sera produite ?

63. Les fusées d'appoint réutilisables dont sont équipées les navettes spatiales américaines utilisent, comme carburant, un mélange d'aluminium et de perchlorate d'ammonium. L'équation équilibrée est

$$3Al(s) + 3NH_4ClO_4(s) \longrightarrow Al_2O_3(s) + AlCl_3(s) + 3NO(g) + 6H_2O(g)$$

Quelle masse de NH_4ClO_4 faut-il incorporer au mélange pour chaque kilogramme de Al ?

64. Une des très rares réactions qui ait lieu directement entre deux solides à la température ambiante est

$$Ba(OH)_2 \cdot 8H_2O(s) + NH_4SCN(s) \longrightarrow Ba(SCN)_2(s) + H_2O(l) + NH_3(g)$$

Dans $Ba(OH)_2 \cdot 8H_2O$, le $\cdot\, 8H_2O$ indique la présence de 8 molécules d'eau par formule $Ba(OH)_2$ pour former l'hydroxyde de baryum octahydraté.

a) Équilibrez l'équation.

b) Quelle masse de thiocyanate d'ammonium, NH_4SCN, doit-on utiliser pour que la réaction avec 6,5 g d'hydroxyde de baryum octahydraté soit complète ?

65. La digestion bactérienne est une méthode économique de traitement des eaux d'égout. La réaction suivante constitue une étape intermédiaire dans la conversion de l'azote des composés organiques en ions nitrate.

$$5CO_2(g) + 55NH_4^+(aq) + 76O_2(g) \xrightarrow{\text{Bactéries}} \underset{\text{Tissu bactérien}}{C_5H_7O_2N(s)} + 54NO_2^-(aq) + 52H_2O(l) + 109H^+(aq)$$

Quelle masse de tissu bactérien est produite dans une usine de traitement pour chaque $1{,}0 \times 10^4$ kg d'eaux usées contenant 3,0 % d'ions NH_4^+ en masse ? Supposez que 95 % des ions ammonium soient consommés par les bactéries.

66. On peut préparer le phosphore à partir du phosphate de calcium selon la réaction suivante :

$$2Ca_3(PO_4)_2(s) + 6SiO_2(s) + 10C(s) \longrightarrow 6CaSiO_3(s) + P_4(s) + 10CO(g)$$

La phosphorite est un minerai qui contient du $Ca_3(PO_4)_2$ ainsi que d'autres composés sans phosphore. Quelle est la quantité maximale de P_4 qu'on peut produire à partir de 1,0 kg de phosphorite, si l'échantillon de phosphorite contient 75 % de $Ca_3(PO_4)_2$ en masse ? Supposez que les autres réactifs soient en excès.

67. On synthétise l'aspirine, $C_9H_8O_4$, en faisant réagir l'acide salicylique, $C_7H_6O_3$, avec l'anhydride acétique, $C_4H_6O_3$. La réaction équilibrée est

$$C_7H_6O_3 + C_4H_6O_3 \longrightarrow C_9H_8O_4 + HC_2H_3O_2$$

a) Quelle masse d'anhydride acétique réagit totalement avec $1{,}00 \times 10^2$ g d'acide salicylique ?

b) Quelle masse maximale d'aspirine devrait être théoriquement produite par cette réaction ?

68. Le système de contrôle environnemental de la navette spatiale élimine l'excès de CO_2 (relâché par l'expiration des astronautes, ce gaz représente 4,0 % en masse de l'air expiré) par réaction avec des granules d'hydroxyde de lithium, LiOH, pour former du carbonate de lithium, Li_2CO_3, et de l'eau. Si la navette transporte sept astronautes et que chacun expire 20 L d'air par minute, pendant combien de temps l'air généré sera-t-il propre, s'il y a 25 000 g de granules de LiOH à bord du véhicule spatial ? Supposez que la masse volumique de l'air soit de 0,0010 g/mL.

Réactifs limitants et rendement en pourcentage

69. Soit la réaction entre NO(g) et $O_2(g)$ représentée ci-dessous.

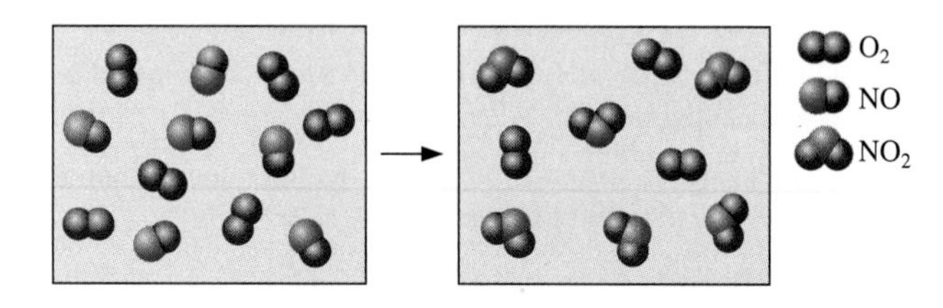

Quelle est l'équation équilibrée de cette réaction et quel est le réactif limitant ?

70. Soit la réaction suivante :

$$4NH_3(g) + 5O_2(g) \longrightarrow 4NO(g) + 6H_2O(g)$$

Si un récipient contient initialement 10 molécules de O_2 et 10 molécules de NH_3, quel est le nombre total de molécules (réactifs et produits) présentes dans ce récipient une fois la réaction complétée ?

71. Le peroxyde d'hydrogène est utilisé comme traitement pour nettoyer les coupures et les lésions cutanées pour plusieurs raisons. C'est un agent oxydant qui peut tuer directement de nombreux microorganismes ; il se décompose au contact du sang, libérant de l'oxygène élémentaire gazeux (qui inhibe la croissance des microorganismes anaérobies) ; de plus, il mousse au contact du sang, ce qui produit une action nettoyante. Au laboratoire, on peut préparer de petites quantités de peroxyde d'hydrogène par l'action d'un acide sur le peroxyde d'un métal alcalino-terreux, tel que le peroxyde de baryum :

$$BaO_2(s) + 2HCl(aq) \longrightarrow H_2O_2(aq) + BaCl_2(aq)$$

Quelle masse de peroxyde d'hydrogène peut-on obtenir lorsque 1,50 g de peroxyde de baryum est traité avec 25,0 mL d'une solution d'acide chlorhydrique contenant 0,0272 g de HCl par mL ? Calculez la masse en surplus du réactif en excès.

72. En laboratoire, un étudiant prépare de l'aspirine en utilisant la réaction décrite à l'exercice 66. Il fait réagir 1,50 g d'acide salicylique avec 2,00 g d'anhydride acétique. Le rendement est de 1,50 g d'aspirine. Calculez le rendement théorique et le pourcentage de rendement de cette expérience.

73. La bornite (Cu_3FeS_3) est un minerai de cuivre utilisé dans la production de ce métal. Quand on chauffe la bornite, la réaction suivante se produit :

$$2Cu_3FeS_3(s) + 7O_2(g) \longrightarrow 6Cu(s) + 2FeO(s) + 6SO_2(g)$$

Quelle masse de cuivre sera produite si 2,50 tonnes métriques de bornite réagissent avec un excès de O_2 et que le procédé s'effectue avec un rendement en cuivre de 86,3 % ?

74. Soit l'équation non équilibrée suivante :

$$P_4(s) + F_2(g) \longrightarrow PF_3(g)$$

Quelle masse de F_2 est nécessaire pour produire 120 g de PF_3, si la réaction a un rendement de 78,1 % ?

Exercices supplémentaires

75. Un échantillon donné de fluorure de xénon contient des molécules du type XeF_n où n est un nombre entier. Sachant que $9{,}03 \times 10^{20}$ molécules de XeF_n pèsent 0,368 g, déterminez la valeur de n dans la formule.

76. De nombreuses céréales à haute teneur en eau sont préparées de façon à pouvoir leur donner différentes formes avant de les sécher. Un produit à base de céréales contenant 58 % de H_2O en masse est produit au taux de 1000 kg/h. Quelle masse d'eau doit être évaporée à l'heure si le produit final ne contient que 20 % d'eau ?

77. Soit la réaction :

$$2H_2(g) + O_2(g) \longrightarrow 2H_2O(g)$$

Indiquez quel est le réactif limitant dans chacun des mélanges réactionnels suivants.

a) 50 molécules de H_2 et 25 molécules de O_2.

b) 100 molécules de H_2 et 40 molécules de O_2.

c) 100 molécules de H_2 et 100 molécules de O_2.

d) 0,50 mol de H_2 et 0,75 mol de O_2.

e) 0,80 mol de H_2 et 0,75 mol de O_2.

f) 1,0 g de H_2 et 0,25 mol de O_2.

g) 5,00 g de H_2 et 56,00 g de O_2.

78. Certains comprimés de bismuth, un médicament utilisé pour traiter les dérangements d'estomac, contiennent 262 mg de sous-salicylate de bismuth, $C_7H_5BiO_4$, par comprimé. En supposant que deux comprimés soient ingérés, calculez la masse de bismuth consommée.

79. La formule empirique du styrène est CH : sa masse molaire est de 104,14 g/mol. Combien d'atomes H sont présents dans un échantillon de 2,00 g de styrène ?

80. L'acide téréphtalique (ou acide benzène-1,4-dicarboxylique) est un important produit utilisé dans la fabrication des polyesters et d'agents plastifiants. Il ne contient que des atomes C, H et O. La combustion de 19,81 mg d'acide téréphtalique produit 41,98 mg de CO_2 et 6,45 mg de H_2O. Si 0,250 mol d'acide téréphtalique pèse 41,5 g, déterminez la formule moléculaire de l'acide téréphtalique.

81. Un échantillon d'hydrocarbure (un composé qui ne contient que du carbone et de l'hydrogène) contient $2{,}59 \times 10^{23}$ atomes d'hydrogène et 17,3 % en masse d'hydrogène. Si la masse molaire de l'hydrocarbure se situe entre 55 et 65 g/mol, combien y a-t-il de moles de composé dans l'échantillon et quelle est la masse de l'échantillon ?

82. Un composé binaire, formé d'un élément inconnu E et d'hydrogène, contient 91,27 % en masse de E et 8,73 % en masse de H. Si la formule du composé est E_3H_8, calculez la masse atomique de E.

83. On chauffe avec précaution un échantillon de sulfate de cuivre(II) hydraté,

$$CuSO_4 \cdot xH_2O$$

pesant 0,755 g jusqu'à sa transformation complète en sulfate de cuivre(II) anhydre ($CuSO_4$) dont la masse est de 0,483 g. Calculez la valeur de x. [Ce nombre est appelé *nombre d'hydratation* du sulfate de cuivre(II). Il indique le nombre de molécules d'eau par unité de $CuSO_4$ dans le cristal hydraté.]

84. Le plastique ABS est un produit dur et robuste utilisé dans des applications qui nécessitent une résistance aux chocs. Ce polymère est constitué de trois unités monomères : l'acrylonitrile (C_3H_3N), le butadiène (C_4H_6) et le styrène (C_8H_8).

a) Un échantillon d'ABS contient 8,80 % en masse de N. Il faut 0,605 g de Br_2 pour réagir complètement avec 1,20 g d'un échantillon de plastique ABS. Le brome réagit dans des proportions 1 : 1 (en moles) avec les molécules de butadiène dans le polymère, mais avec rien d'autre. Quel est le pourcentage, en masse, d'acrylonitrile et de butadiène dans ce polymère ?

b) Quels sont les nombres relatifs de chacune des unités monomères dans ce polymère ?

85. Un échantillon de LSD (le diéthylamide de l'acide D-lysergique, $C_{24}H_{30}N_3O$) est ajouté à une certaine quantité de sel de table (chlorure de sodium) pour former un mélange. Sachant que la combustion de 1,00 g d'un échantillon du mélange produit 1,20 g de CO_2, quel est le pourcentage en masse de LSD dans le mélange ?

86. Le méthane (CH_4) est le principal constituant du gaz des marais. Si l'on chauffe du méthane en présence de soufre, il se produit du disulfure de carbone et du sulfure d'hydrogène. Ce sont les seuls produits formés.

a) Écrivez l'équation équilibrée de la réaction entre le méthane et le soufre.

b) Calculez le rendement théorique en disulfure de carbone quand 120 g de méthane réagissent avec une masse égale de soufre.

87. Un échantillon de minerai de fer contient du Fe_2O_3 et quelques impuretés. Un échantillon de minerai de fer impur pesant 752 g est chauffé en présence d'un excès de carbone, produisant 453 g de fer pur selon la réaction suivante :

$$Fe_2O_3(s) + 3C(s) \longrightarrow 2Fe(s) + 3CO(g)$$

Quel est le pourcentage massique de Fe_2O_3 dans l'échantillon de minerai de fer impur ? Supposez que le Fe_2O_3 soit la seule source de fer et que la réaction soit efficace à 100 %.

88. Le bronze commercial, un alliage de Zn et de Cu, réagit avec l'acide chlorhydrique de la façon suivante :

$$Zn(s) + 2HCl(aq) \longrightarrow ZnCl_2(aq) + H_2(g)$$

(Le cuivre ne réagit pas avec HCl.) Après avoir fait réagir 0,5065 g d'un certain alliage de bronze avec un excès de HCl, on isole alors 0,0985 g de $ZnCl_2$.

a) Quelle est la composition du bronze en masse ?

b) Comment pouvez-vous vérifier cette donnée sans changer la façon de procéder ?

89. La vitamine A possède une masse molaire de 286,4 g/mol et une formule moléculaire générale C_xH_yE, où E est un élément inconnu. Si la vitamine A contient 83,86 % de C et 10,56 % de H en masse, quelle est la formule moléculaire de la vitamine A ?

Problèmes défis

90. Le rubidium naturel a une masse moyenne de 85,4678, et il est formé des isotopes ^{85}Rb (masse = 84,9117 u) et de l'isotope ^{87}Rb. Le rapport des atomes $^{85}Rb/^{87}Rb$ dans le rubidium naturel est de 2,591. Calculez la masse du ^{87}Rb.

91. Un composé ne contient que du carbone, de l'hydrogène, de l'azote et de l'oxygène. La combustion de 0,157 g de ce composé produit 0,213 g de CO_2 et 0,0310 g de H_2O. Dans une autre expérience, on trouve que 0,103 g de composé produit 0,0230 g de NH_3. Quelle est la formule empirique de ce composé ? *Élément de réponse :* La combustion a toujours lieu en présence d'un excès d'oxygène. Supposez que la totalité des atomes de carbone se retrouvent sous forme de CO_2 et la totalité des atomes d'hydrogène, sous forme de H_2O.

Supposez également que tout l'azote se retrouve sous forme de NH_3 dans la deuxième expérience.

92. Commercialement, on produit l'acide nitrique à l'aide du procédé Ostwald. Les trois étapes du processus sont les suivantes :

$$4NH_3(g) + 5O_2(g) \longrightarrow 4NO(g) + 6H_2O(g)$$
$$2NO(g) + O_2(g) \longrightarrow 2NO_2(g)$$
$$3NO_2(g) + H_2O(l) \longrightarrow 2HNO_3(aq) + NO(g)$$

Quelle masse de NH_3 faut-il utiliser pour produire $1{,}0 \times 10^6$ kg de HNO_3 à l'aide du procédé Ostwald, en supposant que le rendement soit de 100 % à chacune des étapes ?

93. Soit un mélange de FeO et de Fe_3O_4 pesant 5,430 g. Vous faites réagir ce mélange avec un excès d'oxygène pour former 5,779 g de Fe_2O_3. Calculez le pourcentage en masse de FeO dans le mélange initial.

94. Un mélange gazeux pesant 9,780 g contient de l'éthane (C_2H_6) et du propane (C_3H_8). La combustion complète pour former du dioxyde de carbone et de l'eau requiert 1,120 mol d'oxygène. Calculez le pourcentage massique de l'éthane dans le mélange initial.

95. Le zinc et le magnésium métalliques réagissent avec l'acide chlorhydrique pour donner des chlorures des métaux respectifs, et de l'hydrogène gazeux. Un mélange de zinc et de magnésium pesant 10,00 g produit 0,5171 g d'hydrogène gazeux lorsqu'on le mélange avec un excès d'acide chlorhydrique. Déterminez le pourcentage massique de magnésium dans le mélange initial.

96. Un échantillon d'un élément pesant 2,077 g réagit avec de l'oxygène pour former 3,708 g d'un oxyde. La masse atomique de l'élément se situe entre 40 et 55. Déterminez la formule de l'oxyde et nommez cet élément.

97. Soit un composé binaire gazeux dont la masse molaire est de 62,09 g/mol. Si 1,39 g de ce composé est brûlé complètement dans un excès d'oxygène, il se forme 1,21 g d'eau. Déterminez la formule du composé. Supposez que l'eau soit le seul produit qui contient de l'hydrogène.

98. Dans la production de cartes de circuits imprimés pour l'industrie de l'électronique, une couche de 0,60 mm de cuivre est déposée sur une plaque de plastique. Puis, un schéma du circuit fabriqué d'un polymère chimiquement résistant est imprimé sur la carte. Le cuivre superflu est enlevé par décapage chimique, et le polymère protecteur est finalement éliminé au moyen de solvants. Voici une réaction de décapage :

$$Cu(NH_3)_4Cl_2(aq) + 4NH_3(aq) + Cu(s) \longrightarrow 2Cu(NH_3)_4Cl(aq)$$

Une usine doit produire 10 000 cartes de circuits imprimés, chacune ayant une surface de 8,0 × 16,0 cm. En moyenne, 80 % du cuivre est enlevé de chaque carte (masse volumique du cuivre = 8,96 g/cm^3). Quelles masses de $Cu(NH_3)_4Cl_2$ et de NH_3 sont nécessaires pour effectuer cette production ? Supposez un rendement de 100 %.

99. L'acétaminophène ($C_8H_9O_2N$), substitut de l'aspirine, est le produit des trois réactions suivantes :

I. $C_6H_5O_3N(s) + 3H_2(g) + HCl(aq) \longrightarrow C_6H_8ONCl(s) + 2H_2O(l)$

II. $C_6H_8ONCl(s) + NaOH(aq) \longrightarrow C_6H_7ON(s) + H_2O(l) + NaCl(aq)$

III. $C_6H_7ON(s) + C_4H_6O_3(l) \longrightarrow C_8H_9O_2N(s) + HC_2H_3O_2(l)$

Les deux premières réactions ont un rendement massique de 87 % et de 98 %, respectivement. La réaction globale donne 3 mol d'acétaminophène par 4 mol de $C_6H_5O_3N$ mises en réaction.

a) Quel est le rendement en pourcentage massique du processus global ?

b) Quel est le rendement en pourcentage massique de l'étape III ?

100. L'élément X forme un dichlorure (XCl_2) et un tétrachlorure (XCl_4). Le traitement de 10,00 g de XCl_2 avec un excès de chlore donne naissance à 12,55 g de XCl_4. Calculez la masse atomique de X et indiquez sa nature.

101. Si l'on chauffe du $M_2S_3(s)$ en présence d'air, celui-ci est converti en $MO_2(s)$. Un échantillon de $M_2S_3(s)$ pesant 4,000 g présente une diminution de masse de 0,277 g quand il est chauffé en présence d'air. Quelle est la masse atomique de l'élément M ?

102. Quand on fait chauffer l'aluminium métallique avec un élément du groupe VIA du tableau périodique, il y a formation d'un produit ionique. On effectue cette expérience avec un produit inconnu du groupe VIA, et le produit qui en résulte contient 18,56 % de Al. Quelle est la formule de ce composé ?

103. Un échantillon d'un mélange ne contenant que du chlorure de sodium et du chlorure de potassium a une masse de 4,000 g. Lorsque cet échantillon est dissous dans l'eau et qu'on y ajoute un excès de nitrate d'argent, il se forme un solide blanc (chlorure d'argent). Après filtration et séchage, le chlorure d'argent solide a une masse de 8,5904 g. Calculez le pourcentage massique de chacun des composants du mélange.

104. L'ammoniac réagit avec O_2 pour former soit du $NO(g)$, soit du $NO_2(g)$ selon les équations non équilibrées suivantes :

$$NH_3(g) + O_2(g) \longrightarrow NO(g) + H_2O(g)$$
$$NH_3(g) + O_2(g) \longrightarrow NO_2(g) + H_2O(g)$$

Lors d'une expérience, on introduit 2,00 mol de $NH_3(g)$ et 10,00 mol de $O_2(g)$ dans un ballon fermé. Lorsque la réaction est complète, il reste 6,75 mol de $O_2(g)$. Calculez le nombre de moles de $NO(g)$ dans le mélange de produits. (*Élément de réponse :* vous ne pouvez pas résoudre ce problème en additionnant les équations équilibrées, parce que vous ne pouvez pas supposer que les deux réactions vont avoir lieu avec une égale probabilité.)

105. Vous brûlez dans l'air 1,00 g d'un comprimé d'aspirine (une substance composée uniquement de carbone, d'hydrogène et d'oxygène), et vous recueillez 2,20 g de CO_2 et 0,400 g de H_2O. Vous savez que la masse molaire de l'aspirine se situe entre 170 et 190 g/mol. En faisant réagir 1 mol d'acide salicylique avec 1 mol d'anhydride acétique ($C_4H_6O_3$) vous obtenez 1 mol d'aspirine et 1 mol d'acide acétique ($C_2H_4O_2$). À l'aide de cette information, déterminez la formule moléculaire de l'acide salicylique.

Problèmes d'intégration

Pour trouver la solution, ces problèmes requièrent l'intégration d'une multitude de concepts.

106. Avec l'avènement de techniques telles que la microscopie à effet tunnel, il est maintenant possible d'« écrire » avec des atomes individuels en manipulant et en disposant des atomes sur une surface atomique.

a) Si l'on prépare une image en manipulant des atomes de fer et que leur masse totale est de $1,05 \times 10^{-20}$ g, combien d'atomes de fer a-t-on utilisés ?

b) Si l'image est obtenue sur une surface de platine qui a 20 atomes de hauteur sur 14 atomes de largeur, quelle est la masse (en grammes) de la surface atomique ?

c) Si l'on change la surface atomique pour des atomes de ruthénium et qu'on utilise la même masse de surface qu'en **b)**, combien d'atomes de ruthénium sont nécessaires pour construire cette surface ?

107. La tétrodotoxine est une substance chimique toxique présente dans le poisson-globe (le *fugu*, en japonais), un luxueux mets traditionnel apprécié, mais rare au Japon. Ce composé possède une DL_{50} (la quantité de substance qui entraîne la mort de 50 % de la population échantillon) de 10 mg par kg de masse corporelle. La tétrodotoxine est composée de 41,38 % en masse de carbone, de 13,16 % en masse d'azote et de 5,37 % en masse d'hydrogène, le reste étant de l'oxygène. Quelle est la formule empirique de la tétrodotoxine ? Si trois molécules de tétrodotoxine ont une masse de $1,59 \times 10^{-21}$ g, quelle est la formule moléculaire de cette substance ? Quel nombre de molécules de tétrodotoxine correspond à la DL_{50} pour une personne pesant 74,8 kg ?

108. Un composé ionique MX_3 est préparé selon l'équation non équilibrée suivante :

$$M + X_2 \longrightarrow MX_3$$

Un échantillon de X_2 pesant 0,105 g contient 8,92 × 10^{20} molécules. Le composé MX_3 contient 54,47 % de X en masse. Quelle est la nature de M et de X, et quel est le nom de MX_3 ? En partant de 1,00 g de M et de X_2 chacun, quelle masse de MX_3 peut-on préparer ?

109. Le composé As_2I_4 est synthétisé par réaction de l'arsenic métallique avec le triiodure d'arsenic. Si l'on fait réagir un cube d'arsenic (p = 5,72 g/cm^3) qui a 3,00 cm de côté avec 1,01 × 10^{24} molécules de triiodure d'arsenic, combien de As_2I_4 peut-on préparer ? Si le pourcentage de rendement est de 75,6 %, quelle masse de As_2I_4 a réellement été isolée ?

Problème de synthèse*

Ce problème fait appel à plusieurs concepts et techniques de résolution de problèmes. Les problèmes de synthèse peuvent être utilisés en classe par des groupes d'étudiants pour leur faciliter l'acquisition des habiletés nécessaires à la résolution de problèmes.

110. Selon les données fournies ci-dessous, quelle est la masse de *C* qui sera formée si 45,0 g de *A* réagissent avec 23,0 g de *B*. (Supposez que la réaction entre *A* et *B* soit complète.)

a) *A* est un solide gris qui est composé d'un métal alcalino-terreux et de carbone (37,5 % de la masse). Il réagit avec la substance *B* pour produire *C* et *D*. Quarante millions de billions d'unités de *A* ont une masse de 4,26 mg.

b) 47,9 g de *B* contiennent 5,36 g d'hydrogène et 42,5 g d'oxygène.

c) Quand 10,0 g de *C* sont brûlés en présence d'un excès d'oxygène, il y a production de 33,8 g de dioxyde de carbone et 6,92 g d'eau. Le spectre de masse de *C* révèle la présence d'un ion moléculaire apparenté qui a un rapport masse/charge de 26.

d) *D* est l'hydroxyde du métal qui fait partie de *A*.

---

* Tiré (avec permission) du *Journal of Chemical Education,* vol. 68, n° 11, 1991, p. 919 à 922; tous droits réservés © 1991, Division of Chemical Education, inc.

4 Les gaz

Contenu

Les fumerolles à Bjarnarflag, en Islande, sont des émanations de divers produits gazeux à haute température.

L'eau occupe, sous forme gazeuse, 1200 fois le volume qu'elle occupe sous forme liquide, à 25 °C et à la pression atmosphérique.

La matière existe en trois états physiques bien distincts : les états gazeux, liquide et solide. Même si relativement peu de composés existent à l'état gazeux dans des conditions normales, les gaz jouent néanmoins un rôle très important. En effet, nous vivons en immersion dans une solution gazeuse. L'atmosphère qui entoure la Terre est un mélange de gaz, principalement composé d'azote (N_2) et d'oxygène (O_2) ; ce mélange essentiel à la vie sert parallèlement de dépotoir pour les gaz d'échappement que produisent de nombreuses industries. Les réactions chimiques que subissent ces déchets gazeux industriels dans l'atmosphère provoquent divers types de pollutions, notamment le smog et les pluies acides. Les gaz, dans l'atmosphère, assurent une protection contre les radiations dangereuses provenant du Soleil tout en maintenant la température chaude en forçant les radiations réfléchies par la Terre à retourner vers elle. En fait, on se préoccupe beaucoup aujourd'hui de l'augmentation du dioxyde de carbone atmosphérique, produit de la combustion des combustibles fossiles, comme cause possible d'un réchauffement dangereux de la planète.

Dans le présent chapitre, nous examinerons avec soin les propriétés des gaz. D'abord, nous observerons comment leur mesure a mené à l'établissement de différentes lois montrant que ces propriétés sont reliées les unes aux autres. Ensuite, nous construirons un modèle qui explique le comportement des gaz. Ce modèle nous indiquera comment le comportement des particules individuelles d'un gaz a mené aux propriétés macroscopiques du gaz lui-même (un ensemble d'un très grand nombre de particules).

L'étude des gaz fournit un excellent exemple de la méthode scientifique en action. Elle illustre comment les observations mènent aux lois naturelles qui, à leur tour, sont prises en compte par les modèles.

4.1 Pression

Un gaz remplit uniformément tout contenant ; il se compresse facilement et se mélange complètement avec tous les autres gaz. Une des propriétés les plus évidentes de cet état physique est la suivante : un gaz exerce une pression sur l'environnement. Par exemple, quand vous gonflez un ballon, l'air qui se trouve à l'intérieur pousse sur les parois élastiques du ballon et lui donne sa forme.

Comme nous l'avons déjà mentionné, les gaz qui nous sont les plus familiers sont ceux qui forment l'atmosphère de la planète. La pression exercée par ce mélange gazeux, qu'on appelle « air », peut être démontrée de façon impressionnante par l'expérience illustrée à la figure 4.1. Dans un récipient en métal, on place un petit volume d'eau que

a)

b)

FIGURE 4.1
Démonstration de la pression exercée par les gaz atmosphériques. On fait bouillir de l'eau dans un grand récipient en métal **a)**, puis on ferme la source de chaleur et on bouche le récipient. À mesure que le tout refroidit, la vapeur d'eau se condense, la pression interne diminue et le récipient s'écrase **b)**.

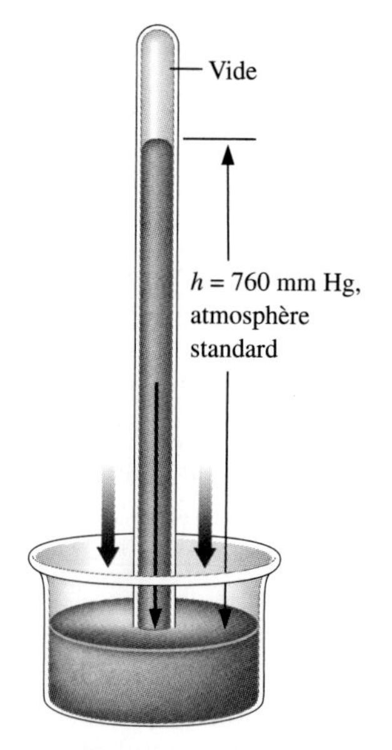

FIGURE 4.2
Baromètre de Torricelli. On renverse un tube complètement rempli de mercure dans un récipient qui contient du mercure. Le mercure s'écoule du tube jusqu'à ce que la pression (flèche noire) que cette colonne de mercure exerce sur la surface de mercure contenu dans le récipient soit égale à la pression que l'air exerce sur le reste de la surface du mercure contenu dans le récipient (flèches violettes). La hauteur de la colonne de mercure supportée par la pression atmosphérique varie en fonction des conditions atmosphériques et de l'altitude.

L'atmosphère standard correspond à la valeur: h = 760 mm Hg.

l'on fait bouillir; le contenant se remplit alors de vapeur, c'est-à-dire d'eau à l'état gazeux. On bouche alors hermétiquement le contenant et on lui permet de se refroidir. Pourquoi le récipient s'écrase-t-il en refroidissant? À cause de la pression atmosphérique. Quand le contenant est refroidi après avoir été fermé hermétiquement (l'air ne peut plus entrer), la vapeur d'eau se condense en un très petit volume d'eau liquide. En tant que gaz, l'eau remplissait le réservoir mais quand elle s'est condensée, le liquide était loin de remplir le réservoir. Les molécules de H_2O initialement présentes sous forme de gaz sont maintenant réunies en un très petit volume de liquide et il n'y a que très peu de molécules de gaz capables d'exercer une pression vers l'extérieur et ainsi contrer la pression atmosphérique. Il en résulte que la pression exercée par les molécules de gaz de l'atmosphère écrase le réservoir.

En 1643, le physicien italien Evangelista Torricelli (1608-1647), élève de Galilée, conçut le premier **baromètre** en remplissant de mercure un tube bouché à une de ses extrémités et en le renversant dans un récipient contenant du mercure (*voir la figure 4.2*). Remarquez qu'une grande quantité de mercure demeure dans le tube. En fait, au niveau de la mer, la hauteur de cette colonne est en moyenne de 760 mm. Pourquoi le mercure demeure-t-il dans le tube, en contradiction, selon toute apparence, avec l'attraction terrestre? La figure 4.2 illustre comment la pression exercée par les gaz atmosphériques sur la surface de mercure dans le récipient empêche le mercure de descendre dans le tube.

La pression atmosphérique est causée par la masse de l'air attirée vers le centre de la Terre par l'attraction terrestre; en d'autres mots, elle résulte du poids de l'air. Si l'on change les conditions atmosphériques, il y aura un changement de pression atmosphérique de telle sorte que la hauteur de la colonne de Hg supportée par l'atmosphère au niveau de la mer variera; elle n'est pas toujours de 760 mm. Le météorologiste qui annonce un creux barométrique veut simplement dire que la pression atmosphérique va commencer à «diminuer». Une telle condition accompagne souvent une tempête.

La pression atmosphérique varie également avec l'altitude. Par exemple, quand l'expérience de Torricelli est effectuée à Breckenridge, au Colorado (altitude de 3000 mètres), l'atmosphère supporte une colonne de mercure de seulement 520 mm parce que l'air est plus «rare». C'est dire qu'il y a moins d'air qui pousse sur la surface de la terre à Breckenridge qu'au niveau de la mer.

Aussitôt après la mort de Torricelli, un physicien allemand du nom d'Otto von Guericke inventa une pompe à air. En 1663, il fit, au roi de Prusse, une démonstration qui le rendit célèbre: il plaça l'une contre l'autre deux hémisphères, aspira avec une pompe l'air qui s'y trouvait et démontra que deux chevaux tirant dans des directions opposées étaient incapables de séparer ces deux hémisphères, mais que lui pouvait les séparer très aisément, après avoir secrètement ouvert une valve. Le roi de Prusse fut si impressionné qu'il lui accorda une pension à vie!

Unités de pression

Étant donné que les instruments utilisés pour mesurer la pression, comme le **manomètre** (*voir la figure 4.3*), comportent souvent une colonne de mercure, les unités de pression furent longtemps basées sur la mesure de la hauteur de la colonne de mercure (en

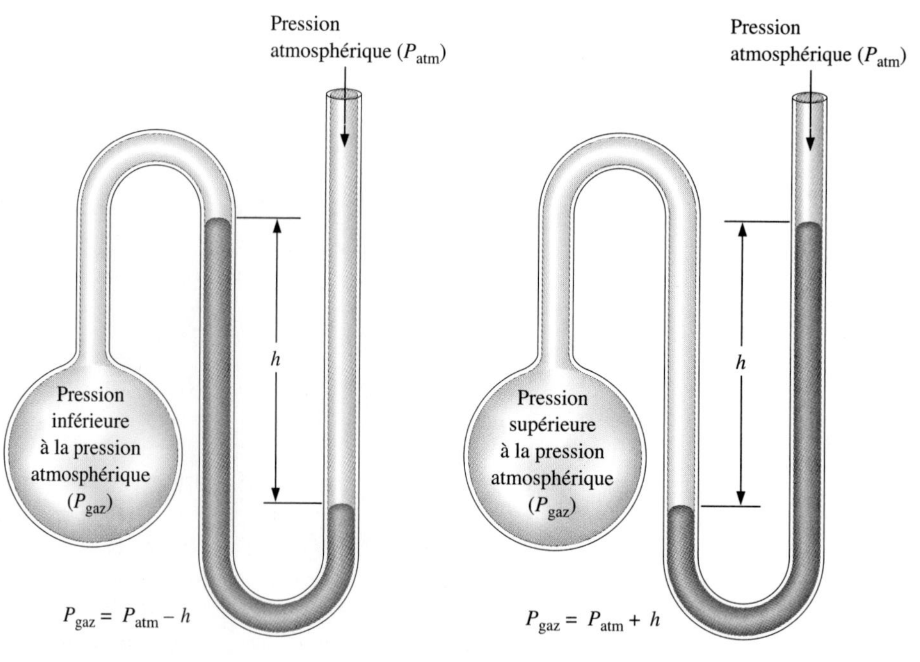

FIGURE 4.3
Manomètre élémentaire destiné à mesurer la pression d'un gaz dans un ballon. La pression du gaz correspond à la valeur de h (la différence entre les niveaux de mercure) exprimée en torrs (1 torr = 1 mm Hg).
a) Pression du gaz = pression atmosphérique – h. **b)** Pression du gaz = pression atmosphérique + h.

Vérification de la pression des pneus.

millimètres) que la pression d'un gaz pouvait supporter. L'unité **mm Hg** (millimètres de mercure) est souvent appelée **torr** en l'honneur de Torricelli. Les unités *torr* et *mm Hg* sont utilisées indifféremment par les chimistes. Une unité de pression apparentée est l'**atmosphère standard** (atm), soit

$$1 \text{ atmosphère standard} = 1 \text{ atm} = 760 \text{ mm Hg} = 760 \text{ torr}$$

Cependant, puisqu'on définit souvent la pression comme une force par unité de surface,

$$\text{pression} = \frac{\text{force}}{\text{surface}}$$

les unités fondamentales de pression correspondent à des unités de force divisées par des unités de surface. Dans le SI, l'unité de force est le newton, N, et l'unité de surface, le mètre carré, m^2 (*pour une révision du système SI, voir le chapitre 1*). Par conséquent, dans le SI, on exprime la pression en newtons par mètre carré, N/m^2, ou **pascals**, Pa. L'atmosphère standard est donc équivalente à 101 325 Pa.

$$1 \text{ atm} = 101\,325 \text{ Pa}$$

Par conséquent, 1 atmosphère est approximativement équivalente à 10^5 pascals. Or, puisque le pascal est une unité très petite, on utilise de préférence le kilopascal, kPa. Cependant, la conversion des torrs ou des atmosphères en pascals est assez facile (*voir l'exemple 4.1*).

Exemple 4.1

Conversion d'unités de pression

La valeur de la pression d'un gaz est de 49 torr. Exprimez cette pression en atmosphères et en pascals.

1 atm = 760 mm Hg
= 760 torr
= 101 325 Pa
= 101,325 kPa

Solution

$$49 \text{ torr} \times \frac{1 \text{ atm}}{760 \text{ torr}} = 6{,}4 \times 10^{-2} \text{ atm}$$

$$6{,}4 \times 10^{-2} \text{ atm} \times \frac{101\,325 \text{ Pa}}{1 \text{ atm}} = 6{,}5 \times 10^{3} \text{ Pa}$$

Voir l'exercice 4.22

4.2 Loi de Boyle-Mariotte, loi de Charles et loi d'Avogadro

Dans la présente section, nous étudierons plusieurs formulations mathématiques concernant les propriétés des gaz. Ces lois dérivent d'expériences au cours desquelles des mesures minutieuses des propriétés pertinentes des gaz ont été effectuées. À partir des résultats expérimentaux, les relations mathématiques entre les propriétés ont pu être établies. Elles sont souvent présentées sous forme de graphiques.

Pour vous permettre de voir la méthode scientifique à l'œuvre, nous vous présenterons ces lois dans une perspective historique.

Loi de Boyle-Mariotte

C'est un chimiste irlandais, Robert Boyle (1627-1691), qui, le premier, effectua des expériences quantitatives sur les gaz. Utilisant un tube en forme de J fermé à l'une de ses extrémités (*voir la figure 4.4*), qu'il installa, dit-on, dans le hall de sa maison, Boyle étudia la relation qui existait entre la pression du gaz emprisonné dans ce tube et son volume. Le tableau 4.1 présente certaines valeurs tirées des expériences de Boyle. En étudiant ces résultats, Boyle constata que le produit de la pression de l'échantillon d'air par son volume était une constante, compte tenu du degré d'exactitude des mesures (*voir la troisième colonne du tableau 4.1*). À la même époque, et indépendamment de Boyle, le physicien français Edme Mariotte (1620-1684) publia les mêmes conclusions dans son *Essai sur la nature de l'air*.

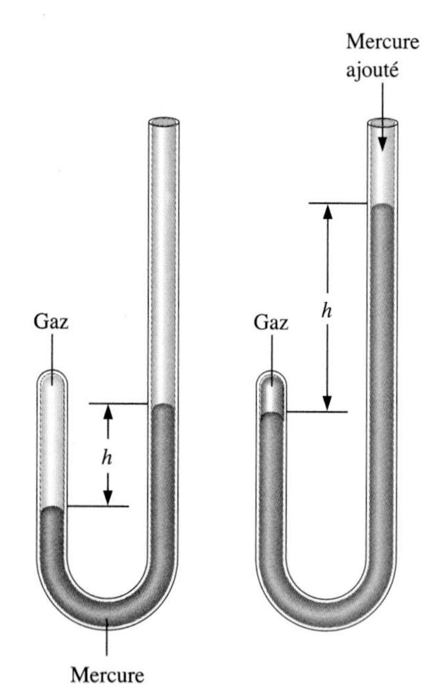

FIGURE 4.4
Tube en J semblable à celui utilisé par Boyle.

Loi de Boyle-Mariotte : $V \propto 1/P$, à température constante.

L'annexe 1.3 présente une révision des graphiques.

TABLEAU 4.1 Données issues des expériences de Boyle

Volume (po^3)	Pression (po de Hg)	Pression × volume (po de Hg × po^3)
48,0	29,1	$14,0 \times 10^2$
40,0	35,3	$14,1 \times 10^2$
32,0	44,2	$14,1 \times 10^2$
24,0	58,8	$14,1 \times 10^2$
20,0	70,7	$14,1 \times 10^2$
16,0	87,2	$14,0 \times 10^2$
12,0	117,5	$14,1 \times 10^2$

L'équation suivante, qu'on appelle **loi de Boyle-Mariotte**, décrit ce phénomène :

$$PV = k$$

où k est une constante à une température donnée et pour un échantillon d'air donné.

Les données du tableau 4.1 peuvent se traduire par deux représentations graphiques différentes.

1. Graphique de la variation de P en fonction de V (*voir la figure 4.5a*). La courbe obtenue est une hyperbole ; remarquez que le volume baisse d'environ la moitié (de 58,8 à 29,1), alors que le volume double (de 24,0 à 48,0). Il existe donc une *relation inversement proportionnelle* entre la pression et le volume.
2. Graphique de la variation de V en fonction de $1/P$ (*voir la figure 4.5a*). On obtient ce deuxième graphique en réarrangeant l'équation de la loi de Boyle-Mariotte.

$$V = \frac{k}{P} = k\frac{1}{P}$$

L'équation ainsi obtenue est celle d'une droite de type

$$y = mx + b$$

où m représente la pente et b, l'ordonnée à l'origine. Dans ce cas, $y = V$, $x = 1/P$, $m = k$ et $b = 0$. Par conséquent, le graphique de la variation de V en fonction de $1/P$ (données de Boyle) est une ligne droite qui passe par le point 0 (0, 0) (*voir la figure 4.5b*).

Au cours des trois siècles qui ont suivi les travaux de Boyle et de Mariotte, les techniques de mesure se sont raffinées considérablement. Les résultats de ces mesures très précises ont montré que la loi de Boyle-Mariotte n'est vraie qu'à des pressions relativement basses.

Des mesures effectuées à pression élevée révèlent que le produit PV n'est pas constant et varie à mesure que la pression augmente. La figure 4.6 illustre les résultats obtenus avec plusieurs gaz à des pressions inférieures à 1 atm : on y remarque de très petites variations du produit PV en fonction de la pression. Ces faibles variations deviennent en fait très importantes à des pressions beaucoup plus élevées, où la nature complexe de

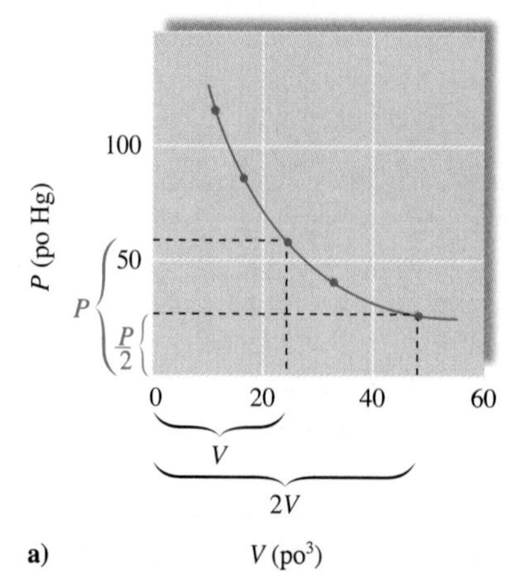

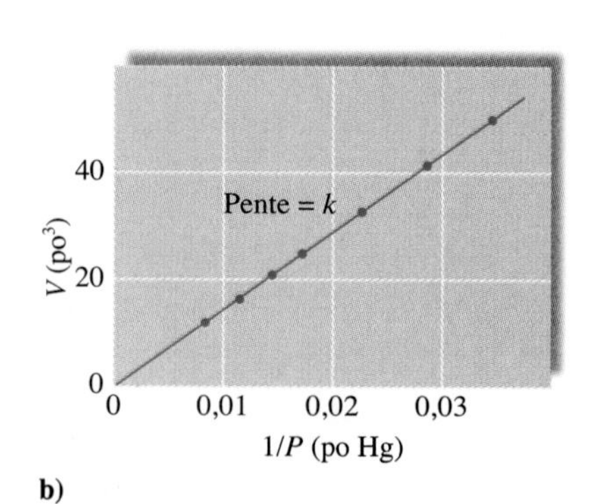

FIGURE 4.5
Représentation graphique des données de Boyle présentées au tableau 4.1.
a) Le graphique de la variation de P en fonction de V montre que le volume double lorsque la pression diminue de moitié.
b) Le graphique de la variation de V en fonction de $1/P$ est une ligne droite. La pente de cette droite équivaut à la valeur de la constante k.

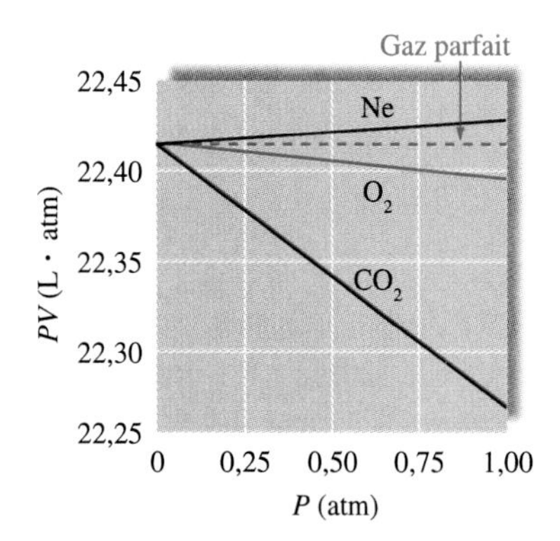

FIGURE 4.6
Représentation graphique de la variation de PV en fonction de P pour plusieurs gaz à des pressions inférieures à 1 atm. Pour un gaz parfait, la valeur de PV est une constante (ligne pointillée). C'est dans le cas du dioxyde de carbone que la valeur PV s'éloigne le plus de la valeur idéale, mais cet écart est en fait minime : PV passe en effet d'environ 22,39 L · atm (à 0,25 atm) à 22,26 L · atm (à 1,0 atm). La loi de Boyle-Mariotte constitue donc une bonne approximation à ces pressions relativement faibles.

la relation de PV à la pression devient évidente. (Nous traiterons en détail ces déviations et leurs explications à la section 4.8.) *Un gaz qui obéit à la loi de Boyle-Mariotte est appelé* **gaz idéal** ou **gaz parfait**. (Nous décrirons plus en détail les caractéristiques d'un gaz idéal à la section 4.3.)

Une des utilisations courantes de la loi de Boyle-Mariotte est la prédiction de la variation du volume d'un gaz quand il y a variation de la pression (à température constante), ou vice versa.

Étant donné que les écarts à la loi de Boyle-Mariotte sont très peu marqués aux pressions voisines de 1 atmosphère, on supposera, dans les calculs, que les gaz obéissent toujours à la loi de Boyle-Mariotte (sauf indication contraire).

Exemple 4.2 Loi de Boyle-Mariotte I

$5{,}6 \times 10^3$ Pa $1{,}5 \times 10^4$ Pa

$V = 1{,}53$ L $V = ?$

Le volume de SO_2 diminue à mesure que la pression augmente.

Le dioxyde de soufre (SO_2), gaz qui joue un rôle capital dans la formation des pluies acides, provient des gaz d'échappement des automobiles et des centrales électriques. Soit un échantillon de SO_2 gazeux de 1,53 L, à une pression de $5{,}6 \times 10^3$ Pa. Si la pression augmente à $1{,}5 \times 10^4$ Pa, à température constante, quel sera le nouveau volume du gaz ?

Solution

Pour résoudre ce problème, on utilise la loi de Boyle-Mariotte :

$$PV = k$$

qui peut aussi être formulée de la façon suivante :

$$P_1V_1 = k = P_2V_2 \quad \text{ou} \quad P_1V_1 = P_2V_2$$

où les indices 1 et 2 désignent deux états des gaz (les deux à même température). Dans le cas qui nous intéresse,

$$P_1 = 5{,}6 \times 10^3 \text{ Pa} \qquad P_2 = 1{,}5 \times 10^4 \text{ Pa}$$
$$V_1 = 1{,}53 \text{ L} \qquad V_2 = ?$$

On peut donc trouver la valeur de V_2 :

$$V_2 = \frac{P_1V_1}{P_2} = \frac{5{,}6 \times 10^3 \cancel{\text{Pa}} \times 1{,}53 \text{ L}}{1{,}5 \times 10^4 \cancel{\text{Pa}}} = 0{,}57 \text{ L}$$

Le nouveau volume sera de 0,57 L.

La loi de Boyle-Mariotte peut également être exprimée de la façon suivante.

$$P_1V_1 = P_2V_2$$

Voir l'exercice 4.25

Il faut toujours vérifier si la réponse est sensée.

La diminution de volume calculée à l'exemple 4.2 s'explique par l'augmentation de la pression. *Dans le but d'éviter toute erreur, il faut prendre l'habitude de s'assurer que la réponse au problème est logique.*

Nous l'avons mentionné précédemment, dans le cas des gaz réels, la loi de Boyle-Mariotte n'est qu'approximative. Pour déterminer l'importance des déviations par rapport à cette loi, nous étudions souvent l'influence d'une variation de la pression sur le volume d'un gaz (*voir l'exemple 4.3*).

Exemple 4.3 Loi de Boyle-Mariotte II

Pour déterminer si l'ammoniac gazeux obéit à la loi de Boyle-Mariotte, on effectue plusieurs mesures de volumes, à différentes pressions, en utilisant une mole NH_3 à une température de 0 °C. À partir des données présentées dans le tableau suivant, calculez la valeur de la constante de la loi de Boyle-Mariotte pour NH_3, aux diverses pressions.

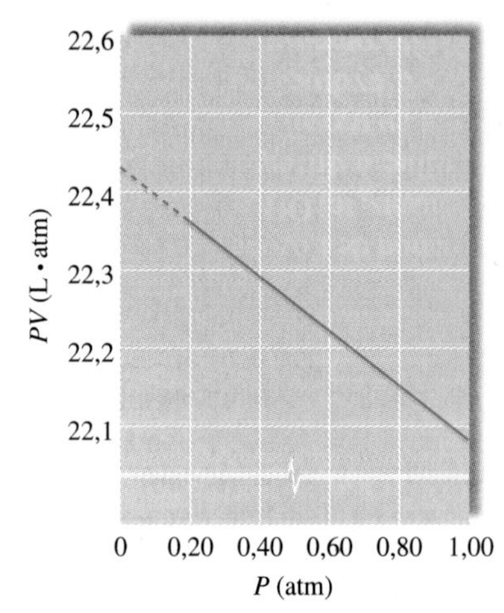

FIGURE 4.7
Représentation graphique de la variation de *PV* en fonction de *P* pour 1 mol d'ammoniac. La ligne pointillée est l'extrapolation des résultats jusqu'à la valeur $P = 0$, ce qui permet de déterminer la valeur « idéale » de *k*, soit 22,41 L · atm.

Expérience	Pression (atm)	Volume (L)
1	0,1300	172,1
2	0,2500	89,28
3	0,3000	74,35
4	0,5000	44,49
5	0,7500	29,55
6	1,000	22,08

Solution

Pour déterminer jusqu'à quel point le gaz NH_3 obéit à la loi de Boyle-Mariotte dans ces conditions, on calcule la valeur de *k* (en L · atm) qui correspond à chaque paire de valeurs ci-dessous.

Expérience	1	2	3	4	5	6
$k = PV$	22,37	22,32	22,31	22,25	22,16	22,08

Même si les écarts par rapport à la loi de Boyle-Mariotte sont très faibles à ces basses pressions, on remarque que les variations de *k* ont toujours lieu dans la même direction au fur et à mesure que la pression augmente. Par conséquent, pour calculer la valeur « idéale » de *k* pour NH_3, on trace le graphique de la variation de *PV* en fonction de *P* (*voir la figure 4.7*) et on extrapole (on prolonge la ligne au-delà des points expérimentaux) jusqu'à une pression de zéro, valeur à laquelle, pour des raisons expliquées plus loin, un gaz se comporte de façon presque idéale. La valeur de *k* ainsi obtenue est de 22,42 L · atm. On remarque que c'est exactement la même valeur que celle obtenue pour les gaz CO_2, O_2 et Ne, à 0 °C (*voir la figure 4.6*).

Voir l'exercice 4.79

Loi de Charles

Au cours du siècle suivant les découvertes de Boyle, les scientifiques ont continué d'étudier les propriétés des gaz. L'un d'eux, le physicien français Jacques Charles (1746-1823), fut le premier à utiliser l'hydrogène pour gonfler un aérostat qu'il utilisa comme moyen de transport. En 1787, Charles découvrit que, à pression constante, le volume d'un gaz augmentait *de façon linéaire* en fonction de la température de ce gaz. Le graphique de la variation du volume d'un gaz (à pression constante) en fonction de sa température (°C) est en effet une ligne droite. La figure 4.8 illustre cette relation pour plusieurs gaz.

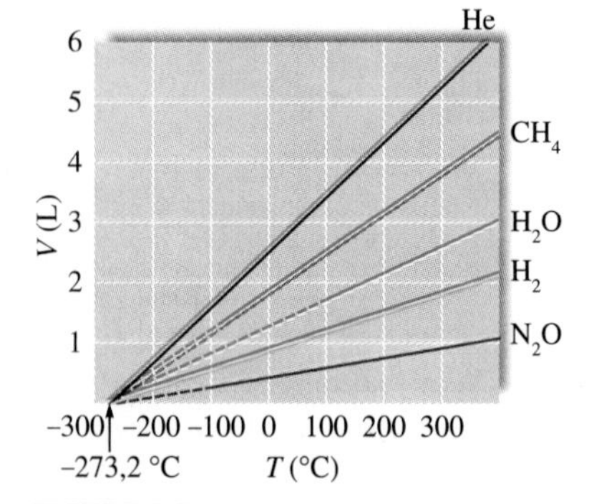

FIGURE 4.8
Variation de *V* en fonction de *T* (°C) pour plusieurs gaz. Les lignes pleines correspondent aux résultats expérimentaux et les lignes pointillées, à l'extrapolation de ces résultats jusqu'à des températures auxquelles les gaz deviendraient soit liquides, soit solides. C'est à −273,15 °C que le volume de chaque gaz (en supposant qu'il demeure toujours à l'état gazeux) atteint une valeur nulle. Remarquez que les échantillons des différents gaz contiennent des nombres différents de moles.

Dans un canon à neige, de l'air comprimé pulvérise de l'eau à travers de fins gicleurs. Le mélange est refroidi par expansion pour former des cristaux de neige.

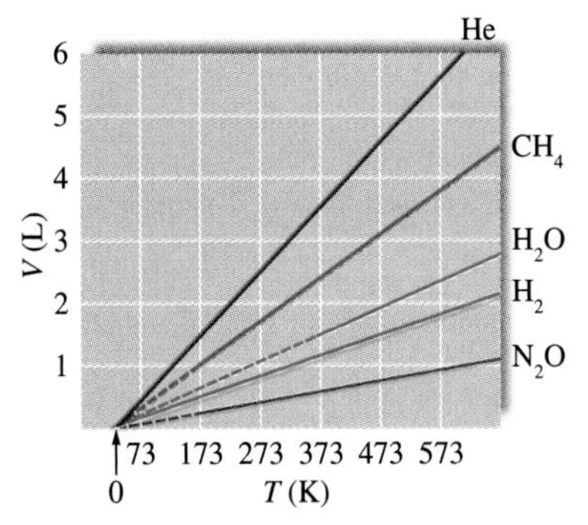

FIGURE 4.9
Variations de V en fonction de T (mêmes valeurs qu'à la figure 4.8). Ici, la température est exprimée en kelvins. Sur cette échelle, l'extrapolation de la valeur de V atteint zéro à 0 K, ou zéro absolu.

Les pentes des droites dans ce graphique sont différentes parce que les échantillons contiennent des nombres différents de moles de gaz. Une caractéristique intéressante de ces droites découle du fait que, lorsqu'on prolonge les droites relatives à tous les gaz jusqu'à un volume de zéro, on obtient toujours la même température, soit −273,15 °C. Sur l'échelle de température Kelvin, ce point est le 0 K ; on peut donc établir la relation suivante entre les échelles Celsius et Kelvin :

$$T_K = T_C + 273{,}15$$

Quand on représente graphiquement la variation des volumes des gaz (*voir la figure 4.8*) en fonction de la température exprimée en kelvins, on obtient les droites illustrées à la figure 4.9. Dans ce cas, le volume de chaque gaz est *directement proportionnel à sa température* et, par extrapolation, il vaut zéro quand la température est de 0 K. L'équation qui décrit ce comportement est connue sous le nom de **loi de Charles**

$$V = bT$$

où T est la température en kelvins et b, une constante de proportionnalité.

Loi de Charles : $V \propto T$ (exprimée en K), à pression constante.

Avant d'utiliser la loi de Charles, considérons plus en détail l'importance de la température 0 K. À des températures inférieures à 0 K, les volumes obtenus par extrapolation auraient une valeur négative. Or, puisqu'un gaz ne peut jamais avoir un volume négatif, cela confère à 0 K une signification bien particulière. En fait, la température 0 K est appelée **zéro absolu** et, de toute évidence, il semble que ce soit une valeur inatteignable. En laboratoire, on a réussi à obtenir des températures de l'ordre de 0,000 001 K, mais on n'a jamais atteint 0 K.

Exemple 4.4 Loi de Charles

À 15 °C et à 101,3 kPa, un gaz occupe un volume de 2,58 L. Quel volume occupe ce gaz à 38 °C et à 101,3 kPa ?

Solution

Pour résoudre ce problème, on utilise la loi de Charles, qui décrit la variation du volume d'un gaz en fonction de la température quand la pression est constante. On peut réarranger la loi de Charles ($V = bT$) pour obtenir

$$\frac{V}{T} = b$$

La loi de Charles peut aussi être formulée ainsi :

$$\frac{V_1}{T_1} = \frac{V_2}{T_2}$$

Voici une équation équivalente à cette dernière :

$$\frac{V_1}{T_1} = b = \frac{V_2}{T_2}$$

où les indices 1 et 2 représentent les deux conditions dans lesquelles se trouve le gaz donné, à une pression constante. Dans ce cas, les valeurs dont on dispose sont les suivantes (on *doit* exprimer la température en kelvins) :

$$T_1 = 15\ °C + 273 + 288\ K \qquad T_2 = 38\ °C + 273 = 311\ K$$
$$V_1 = 2{,}58\ L \qquad V_2 = ?$$

En résolvant l'équation, on obtient

$$V_2 = \left(\frac{T_2}{T_1}\right) V_1 = \left(\frac{311\ \cancel{K}}{288\ \cancel{K}}\right) 2{,}58\ L = 2{,}79\ L$$

Vérification Le nouveau volume est plus grand que le volume initial, ce qui logiquement a du sens parce qu'un gaz prend de l'expansion quand il est chauffé.

Voir l'exercice 4.27

Loi d'Avogadro

Nous avons mentionné au chapitre 2 que le chimiste italien Avogadro postula en 1811 que des volumes de gaz égaux maintenus à la même température et à la même pression contenaient le même nombre de « particules ». C'est la **loi d'Avogadro** (*voir la figure 4.10*) qui, mathématiquement, prend la forme suivante :

$$V = an$$

où V est le volume du gaz, n, le nombre de moles et a, une constante de proportionnalité. L'équation indique que, *à température et à pression constantes, le volume d'un gaz est directement proportionnel au nombre de moles de gaz.* Cette relation, vérifiée expérimentalement, reflète bien le comportement des gaz à basses pressions.

Exemple 4.5 Loi d'Avogadro

La loi d'Avogadro peut aussi être formulée de la façon suivante :

$$\frac{V_1}{n_1} = \frac{V_2}{n_2}$$

Un échantillon de 0,50 mol d'oxygène, O_2, à 101,3 kPa et à 25 °C, occupe un volume de 12,2 L. Si on convertit la totalité de O_2 en ozone, O_3, à la même température et à la même pression, quel volume occupe l'ozone ?

Solution

L'équation équilibrée de la réaction est

$$3O_2(g) \longrightarrow 2O_3(g)$$

Pour calculer le nombre de moles de O_3 produites, on utilise le rapport stœchiométrique approprié, soit

$$0{,}50 \cancel{\text{mol } O_2} \times \frac{2 \text{ mol } O_3}{3 \cancel{\text{mol } O_2}} = 0{,}33 \text{ mol } O_3$$

On réarrange l'équation de la loi d'Avogadro, $V = an$, pour obtenir

$$\frac{V}{n} = a$$

Puisque a est une constante, on peut récrire cette équation ainsi

$$\frac{V_1}{n_1} = a = \frac{V_2}{n_2}$$

où V_1 est le volume de n_1 mol O_2 et V_2, le volume de n_2 mol O_3. Dans ce cas, on a

$$n_1 = 0{,}50 \text{ mol} \quad n_2 = 0{,}33 \text{ mol}$$
$$V_1 = 12{,}2 \text{ L} \quad V_2 = ?$$

En résolvant l'équation, on obtient

$$V_2 = \left(\frac{n_2}{n_1}\right)V_1 = \left(\frac{0{,}33 \cancel{\text{mol}}}{0{,}50 \cancel{\text{mol}}}\right) 12{,}2 \text{ L} = 8{,}1 \text{ L}$$

Vérification On remarque que le volume est plus faible, comme on devait s'y attendre, puisque, après la réaction de conversion de O_2 en O_3, le nombre de moles de molécules de gaz en présence est moindre.

Voir les exercices 4.27 et 4.28

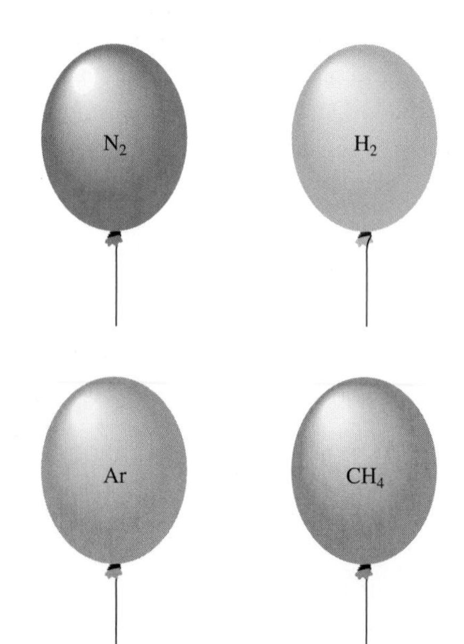

FIGURE 4.10
Chacun de ces ballons contient 1,0 L de gaz, à 25 °C et à 101,3 kPa. Dans chaque ballon, on retrouve 0,041 mol de gaz, soit $2{,}5 \times 10^{22}$ molécules.

4.3 Loi des gaz parfaits

Jusqu'à maintenant, nous avons analysé trois lois qui décrivent le comportement des gaz comme le révèlent les observations expérimentales.

Loi de Boyle-Mariotte :	$V = \frac{k}{P}$	(à T et n constants)
Loi de Charles :	$V = bT$	(à P et n constants)
Loi d'Avogadro :	$V = an$	(à T et P constantes)

Ces relations décrivent les variations du volume d'un gaz en fonction de la pression, de la température et du nombre de moles de gaz. Combinées en une seule formule, elles prennent la forme suivante :

$$V = R\left(\frac{Tn}{P}\right)$$

$R = 8{,}315\dfrac{\text{kPa}\cdot\text{L}}{\text{K}\cdot\text{mol}}$

où R est une constante de proportionnalité qui regroupe les autres constantes et qu'on appelle **constante molaire des gaz**. Quand on exprime la pression en kilopascals et le volume en litres, R a une valeur de 8,314 510 kPa · L/K · mol. On peut réarranger l'équation ci-dessus pour l'exprimer sous une forme plus familière, celle de la **loi des gaz parfaits**.

$$PV = nRT$$

La loi des gaz parfaits est une *équation d'état*, l'état d'un gaz étant la condition dans laquelle il se trouve à un moment donné. Un *état* donné d'un gaz est déterminé par sa pression, son volume, sa température et son nombre de moles. La connaissance de trois de ces propriétés suffit à déterminer complètement l'état d'un gaz, étant donné qu'on peut trouver la quatrième propriété à l'aide de l'équation de la loi des gaz parfaits.

La loi des gaz parfaits s'applique mieux lorsque la pression est inférieure à 101,3 kPa.

Il est important de ne pas oublier que la loi des gaz parfaits est une équation empirique, c'est-à-dire une équation basée sur des mesures expérimentales des propriétés des gaz. On dit d'un gaz qui se comporte conformément à cette équation qu'il a un comportement *idéal*. La loi des gaz parfaits est considérée comme une loi limite – elle exprime le comportement que les gaz réels tendent à avoir à basse pression et à température élevée. Par conséquent, un gaz parfait est une substance hypothétique. Cependant, la plupart des gaz obéissent assez bien à cette équation lorsque la pression est inférieure à 101,3 kPa de sorte que l'hypothèse d'un comportement idéal n'occasionne que de faibles erreurs. À moins d'avis contraire, dans tous les problèmes proposés dans ce volume, supposez un comportement idéal des gaz.

On peut utiliser la loi des gaz parfaits pour résoudre une grande variété de problèmes. Ainsi, dans l'exemple 4.6, on demande de trouver une propriété qui caractérise l'état d'un gaz quand on connaît les trois autres.

Exemple 4.6

Loi des gaz parfaits I

Un échantillon d'hydrogène gazeux, H_2, occupe un volume de 8,56 L, à 0 °C et à 152 kPa. Calculez le nombre de moles de H_2 présentes dans l'échantillon.

La réaction du zinc avec l'acide chlorhydrique provoque la formation de bulles d'hydrogène.

Solution

À partir de la loi des gaz parfaits, on obtient l'expression de n

$$n = \frac{PV}{RT}$$

Dans ce cas, P = 152 kPa, V = 8,56 L, T = 0 °C + 273 = 273 K et R = 8,315 kPa · L/K · mol. Alors

$$n = \frac{(152\ \cancel{\text{kPa}})(8{,}56\ \cancel{\text{L}})}{\left(8{,}315\dfrac{\cancel{\text{kPa}}\cdot\cancel{\text{L}}}{\cancel{\text{K}}\cdot\text{mol}}\right)(273\ \cancel{\text{K}})} = 0{,}57\ \text{mol}$$

Voir les exercices 4.29 à 4.32

On utilise également la loi des gaz parfaits pour calculer les variations qui ont lieu quand on modifie les conditions dans lesquelles se trouve un gaz.

Exemple 4.7 Loi des gaz parfaits II

Soit un volume d'ammoniac de 3,50 L à 170 kPa. Si on comprime le gaz pour obtenir un volume de 1,35 L, à une température constante, quelle est la pression finale ? Utilisez la loi des gaz parfaits.

Le volume diminue à mesure que la pression augmente.

Solution

Selon l'hypothèse sous-jacente à l'utilisation de la loi des gaz parfaits, pour décrire une variation d'état d'un gaz, on sait que l'équation s'applique aussi bien à l'état initial qu'à l'état final. Quand il y a variation d'état, il faut toujours *inscrire les variables d'un côté du signe d'égalité et les constantes, de l'autre*. Dans ce cas, volume et pression sont des variables, alors que température et nombre de moles sont des constantes (ainsi que R, par définition). On peut donc écrire la loi des gaz parfaits.

$$PV = nRT$$

Variables qui changent ↗ ↖ Variables constantes

Puisque n et T ne varient pas, on peut écrire : $P_1V_1 = nRT$ et $P_2V_2 = nRT$, ce qui donne, par regroupement

$$P_1V_1 = nRT = P_2V_2 \quad \text{soit} \quad P_1V_1 = P_2V_2$$

On sait que $P_1 = 170$ kPa, $V_1 = 3{,}50$ L et $V_2 = 1{,}35$ L. En résolvant l'équation, on obtient

$$P_2 = \left(\frac{V_1}{V_2}\right)P_1 = \left(\frac{3{,}5\ \cancel{L}}{1{,}35\ \cancel{L}}\right)170\ \text{kPa} = 441\ \text{kPa}$$

Vérification Est-ce que cette réponse est sensée ? Puisqu'il y a diminution de volume (à température constante), la pression doit augmenter ; c'est bien ce qu'indique le résultat. Cependant, la pression finale calculée est de 441 kPa. Comme la plupart des gaz n'ont pas le comportement d'un gaz parfait à une pression supérieure à 101,3 kPa, il se peut que la pression observée soit légèrement différente de la pression calculée, soit 441 kPa.

Voir l'exercice 4.33

Exemple 4.8 Loi des gaz parfaits III

À une pression constante, on élève la température d'un volume de 3,8 L de méthane de 5 °C à 86 °C. Calculez le volume final.

Solution

Pour résoudre ce problème, on utilise la loi des gaz parfaits en séparant les variables des constantes. Dans ce cas, volume et température sont des variables, nombre de moles et pression (ainsi que R, évidemment) sont des constantes. Alors, $PV = nRT$ devient

$$\frac{V}{T} = \frac{nR}{P}$$

ce qui permet d'écrire

$$\frac{V_1}{T_1} = \frac{nR}{P} \quad \text{et} \quad \frac{V_2}{T_2} = \frac{nR}{P}$$

En regroupant ces deux équations, on obtient

$$\frac{V_1}{T_1} = \frac{nR}{P} = \frac{V_2}{T_2} \quad \text{soit} \quad \frac{V_1}{T_1} = \frac{V_2}{T_2}$$

On a ici

$$T_1 = 5\ °C + 273 = 278\ K \quad T_2 = 86\ °C + 273 = 359\ K$$
$$V_1 = 3{,}8\ L \quad V_2 = ?$$

Par conséquent

$$V_2 = \frac{T_2 V_1}{T_1} = \frac{(359\ \cancel{K})(3{,}8\ L)}{278\ \cancel{K}} = 4{,}9\ L$$

Vérification Est-ce que la réponse est logique ? Dans ce cas, puisqu'on élève la température (à une pression constante), le volume doit augmenter, ce qui est bien le cas.

Voir l'exercice 4.34

On peut dire que le problème de l'exemple 4.7 est un « problème d'application de la loi de Boyle-Mariotte » et que celui de l'exemple 4.8 est un « problème d'application de la loi de Charles ». Dans les deux cas, cependant, on a utilisé la loi des gaz parfaits. L'avantage de l'utilisation de cette loi, c'est qu'il ne faut mémoriser qu'*une* équation pour résoudre la quasi-totalité des problèmes portant sur des gaz.

Exemple 4.9

Loi des gaz parfaits IV

Un volume de 3,48 L de diborane, B_2H_6, un gaz qui s'enflamme au contact de l'air, est soumis à une pression de 345 torr, à −15 °C. Si on élève la température à 36 °C et la pression à 468 torr, quel est le volume de l'échantillon ?

Solution

Puisque, dans cet exemple, la température et le volume varient, et que seul le nombre de moles demeure constant, il faut utiliser la loi des gaz parfaits sous la forme suivante :

$$\frac{PV}{T} = nR$$

ce qui donne

$$\frac{P_1 V_1}{T_1} = nR = \frac{P_2 V_2}{T_2} \quad \text{soit} \quad \frac{P_1 V_1}{T_1} = \frac{P_2 V_2}{T_2}$$

Par conséquent

$$V_2 = \frac{T_2 P_1 V_1}{T_1 P_2}$$

On a ici

$$P_1 = 345\ \text{torr} \quad P_2 = 468\ \text{torr}$$
$$T_1 = -15\ °C + 273 = 258\ K \quad T_2 = 36\ °C + 273 = 309\ K$$
$$V_1 = 3{,}48\ L \quad V_2 = ?$$

Donc

$$V_2 = \frac{(309\ \cancel{K})(345\ \cancel{\text{torr}})(3{,}48\ L)}{(258\ \cancel{K})(468\ \cancel{\text{torr}})} = 3{,}07\ L$$

Voir l'exercice 4.35

Quand on utilise la loi des gaz parfaits, il faut toujours exprimer la température en kelvins.

Étant donné que l'équation utilisée dans l'exemple 4.9 fait appel à un *rapport* de pressions, il n'est pas nécessaire de convertir les torrs en kilopascals (les unités s'annulent). Il faut cependant *toujours* convertir la température en kelvins, puisqu'il faut *additionner* 273 et que le facteur de conversion ne s'annule pas.

L'exemple 4.10 présente un des nombreux autres types de problèmes concernant les gaz, qu'on peut résoudre à l'aide de la loi des gaz parfaits.

Exemple 4.10

Loi des gaz parfaits V

On élève la température d'un échantillon qui contient 0,35 mol d'argon de 13 °C à 56 °C et sa pression, de 568 torr à 897 torr. Calculez le changement de volume qui en résulte.

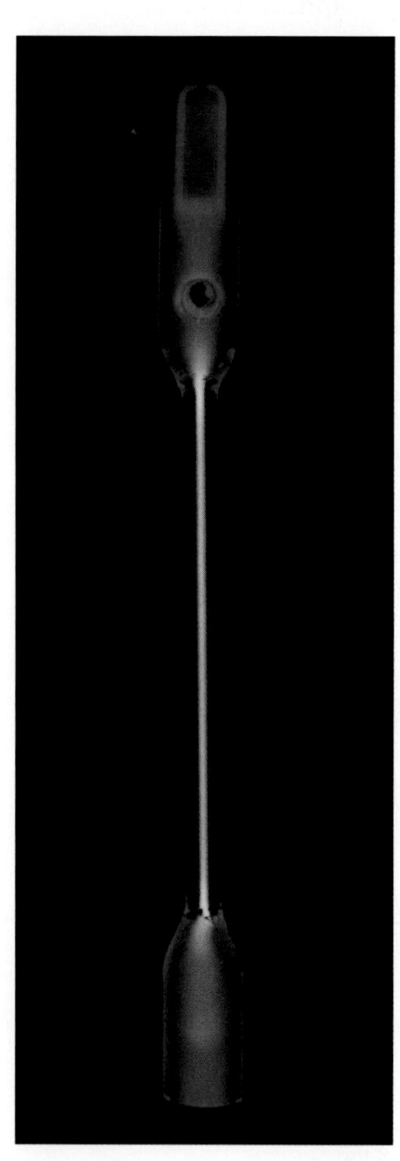

Lumière émise par un tube à argon sous tension.

Solution

On utilise la loi des gaz parfaits pour déterminer le volume qui correspond à chaque ensemble de conditions.

État 1	État 2
$n_1 = 0{,}35$ mol	$n_2 = 0{,}35$ mol
$P_1 = 568\ \text{torr} \times \dfrac{101{,}3\ \text{kPa}}{760\ \text{torr}} = 75{,}7\ \text{kPa}$	$P_2 = 897\ \text{torr} \times \dfrac{101{,}3\ \text{kPa}}{760\ \text{torr}} = 120\ \text{kPa}$
$T_1 = 13\ °\text{C} + 273 = 286\ \text{K}$	$T_2 = 56\ °\text{C} + 273 = 329\ \text{K}$

En résolvant l'équation qui décrit la loi des gaz parfaits, on obtient

$$V_1 = \frac{n_1RT_1}{P_1} = \frac{(0{,}35\ \text{mol})(8{,}315\ \text{kPa}\cdot\text{L/K}\cdot\text{mol})(286\ \text{K})}{(75{,}7\ \text{kPa})} = 11\ \text{L}$$

et

$$V_2 = \frac{n_2RT_2}{P_2} = \frac{(0{,}35\ \text{mol})(8{,}315\ \text{kPa}\cdot\text{L/K}\cdot\text{mol})(329\ \text{K})}{(120\ \text{kPa})} = 8{,}0\ \text{L}$$

De l'état 1 à l'état 2, le volume passe de 11 L à 8,0 L. La variation de volume ΔV (Δ est la lettre grecque delta) est alors

$$\Delta V = V_2 - V_1 = 8{,}0\ \text{L} - 11\ \text{L} = -3\ \text{L}$$

La *variation* du volume est négative, étant donné que le volume diminue. Dans ce problème (contrairement à celui de l'exemple 4.9), on doit exprimer les pressions en kilopascals (et non en torrs) comme l'exigent les unités de R, puisqu'on calcule séparément chaque volume et que le facteur de conversion ne s'annule pas.

Voir l'exercice 4.36

4.4 Stœchiométrie des gaz

Soit une mole de gaz parfait à 0 °C (273,2 K) et à 101,3 kPa. Selon la loi des gaz parfaits, le volume du gaz est

$$V = \frac{nRT}{P} = \frac{(1{,}000\ \text{mol})(8{,}315\ \text{kPa}\cdot\text{L})(273{,}2\ \text{K})}{101{,}3\ \text{kPa}} = 22{,}42\ \text{L}$$

Le volume de 22,42 L est appelé **volume molaire** d'un gaz parfait (à 0° C et 101,3 kPa). Le tableau 4.2 présente les volumes molaires de plusieurs gaz. On remarque que les valeurs des volumes molaires de certains gaz sont très voisines de la valeur idéale, alors que d'autres s'en éloignent de façon notable. Plus loin dans ce chapitre, nous expliquerons les raisons de ces écarts.

TABLEAU 4.2 Volumes molaires de divers gaz, à 0 °C et à 101,3 kPa

Gaz	Volume molaire (L)
oxygène, O_2	22,397
azote, N_2	22,402
hydrogène, H_2	22,433
hélium, He	22,434
argon, Ar	22,397
dioxyde de carbone, CO_2	22,260
ammoniac, NH_3	22,079

FIGURE 4.11
Une mole d'un gaz quelconque occupe un volume d'environ 22,4 L, dans les conditions TPN.

TPN : 0 °C et 101,3 kPa

On appelle **température et pression normales** (**TPN**) les conditions expérimentales suivantes : température de 0 °C et pression de 101,3 kPa (1,00 atm). On détermine souvent les propriétés des gaz dans ces conditions : par exemple, le volume molaire d'un gaz parfait est de 22,42 L uniquement dans les conditions TPN (*voir la figure 4.11*).

Exemple 4.11

Stœchiométrie des gaz I

Un échantillon d'azote occupe un volume de 1,75 L, dans les conditions TPN. Quel nombre de moles de N_2 cet échantillon contient-il ?

Solution

Pour résoudre ce problème, on peut utiliser l'équation des gaz parfaits ; cependant, on y arrive plus rapidement en utilisant l'expression du volume molaire d'un gaz parfait. Puisque, dans les conditions TPN, 1 mol de gaz parfait occupe un volume de 22,42 L, 1,75 L correspond à moins de 1 mol. Pour trouver le nombre de moles, on utilise le rapport entre 1 mol N_2 et 22,42 L.

$$1{,}75\ \cancel{\text{L}\,\text{N}_2} \times \frac{1\ \text{mol N}_2}{22{,}42\ \cancel{\text{L}\,\text{N}_2}} = 7{,}81 \times 10^{-2}\ \text{mol N}_2$$

Voir les exercices 4.38 et 4.39

Les gaz participent à de nombreuses réactions chimiques. En supposant que ces gaz aient un comportement idéal, on peut effectuer des calculs stœchiométriques quand on connaît la pression, le volume et la température de ces gaz.

Exemple 4.12

Stœchiométrie des gaz II

Grâce à la décomposition thermique du carbonate de calcium, $CaCO_3$, on obtient de la chaux vive, CaO. Calculez le volume de CO_2 produit par la décomposition de 152 g de $CaCO_3$, dans les conditions TPN. La réaction est la suivante :

$$CaCO_3(s) \longrightarrow CaO(s) + CO_2(g)$$

Solution

On résout ce genre de problème de la même façon que les problèmes de stœchiométrie étudiés précédemment dans ce volume. Autrement dit, on calcule le nombre de moles de $CaCO_3$ utilisées dans la réaction et le nombre de moles de CO_2 produites. On peut ensuite convertir le nombre de moles de CO_2 en volume, en utilisant la formule du volume molaire d'un gaz parfait.

À partir de la masse molaire du $CaCO_3$ (100,09 g/mol), on peut calculer le nombre de moles de $CaCO_3$.

$$152 \text{ g } CaCO_3 \times \frac{1 \text{ mol } CaCO_3}{100{,}09 \text{ g } CaCO_3} = 1{,}52 \text{ mol } CaCO_3$$

Puisque 1 mol de $CaCO_3$ produit 1 mol de CO_2, il y a production de 1,52 mol de CO_2. À l'aide du volume molaire d'un gaz, on calcule le volume de CO_2, dans les conditions TPN.

$$1{,}52 \text{ mol } CO_2 \times \frac{22{,}42 \text{ L } CO_2}{1 \text{ mol } CO_2} = 34{,}1 \text{ L } CO_2$$

La décomposition de 152 g de $CaCO_3$ produit donc 34,1 L de CO_2, dans les conditions TPN.

Voir les exercices 4.40 à 4.42

Le volume molaire d'un gaz parfait est de 22,42 L, *uniquement* aux conditions TPN.

La dernière étape de la résolution du problème de l'exemple 4.12 consiste à calculer le volume d'un gaz à partir de son nombre de moles. Puisque ce gaz se trouve dans les conditions TPN, on peut utiliser le volume molaire d'un gaz dans les conditions TPN. Si, par contre, les conditions sont différentes des conditions TPN, il faut, pour calculer le volume du gaz, recourir à la loi des gaz parfaits.

Exemple 4.13 Stœchiométrie des gaz III

On mélange 2,80 L de méthane, à 25 °C et à 167 kPa, à 35,0 L d'oxygène, à 31 °C et à 127 kPa. On enflamme le mélange pour produire du dioxyde de carbone et de l'eau. Calculez le volume de CO_2 produit à 253 kPa et à 125 °C.

Solution

Selon la description de la réaction, l'équation non équilibrée est

$$CH_4(g) + O_2(g) \longrightarrow CO_2(g) + H_2O(g)$$

et l'équation équilibrée

$$CH_4(g) + 2O_2(g) \longrightarrow CO_2(g) + 2H_2O(g)$$

Il faut repérer le réactif limitant ; pour ce faire, on calcule le nombre de moles de chaque réactif. On convertit donc en moles les volumes de méthane et d'oxygène, en utilisant la loi des gaz parfaits.

$$n_{CH_4} = \frac{PV}{RT} = \frac{(167 \text{ kPa})(2{,}80 \text{ L})}{(8{,}315 \text{ kPa}\cdot\text{L/K}\cdot\text{mol})(298 \text{ K})} = 0{,}189 \text{ mol}$$

$$n_{O_2} = \frac{PV}{RT} = \frac{(127 \text{ kPa})(35{,}0 \text{ L})}{(8{,}315 \text{ kPa}\cdot\text{L/K}\cdot\text{mol})(304 \text{ K})} = 1{,}76 \text{ mol}$$

Selon l'équation équilibrée, on sait que 1 mol de CH_4 nécessite 2 mol de O_2. On peut donc calculer le nombre de moles de O_2 que nécessite 0,189 mol de CH_4.

$$0{,}189 \text{ mol } CH_4 \times \frac{2 \text{ mol } O_2}{1 \text{ mol } CH_4} = 0{,}378 \text{ mol } O_2$$

Puisqu'il y a 1,76 mol de O_2, O_2 est en excès. Le réactif limitant est donc CH_4. Il faut par conséquent utiliser le nombre de moles de CH_4 dont on dispose pour déterminer le nombre de moles de CO_2 produites.

$$0{,}189 \text{ mol } CH_4 \times \frac{1 \text{ mol } CO_2}{1 \text{ mol } CH_4} = 0{,}189 \text{ mol } CO_2$$

Étant donné que les conditions ne sont pas les conditions TPN, il faut, pour calculer le volume, utiliser la loi des gaz parfaits.

$$V = \frac{nRT}{P}$$

Dans ce cas, on sait que $n = 0{,}189$ mol, $T = 125\ °C + 273 = 398$ K, $P = 253$ kPa et $R = 8{,}315$ kPa · L/K · mol. Par conséquent

$$V = \frac{(0{,}189 \text{ mol})(8{,}315 \text{ kPa} \cdot \text{L/K} \cdot \text{mol})(398 \text{ K})}{253 \text{ kPa}} = 2{,}47 \text{ L}$$

C'est le volume de CO_2 produit dans ces conditions.

Voir les exercices 4.43 et 4.44

Masse molaire des gaz

Une application importante de la loi des gaz parfaits est le calcul de la masse molaire d'un gaz à partir de la valeur expérimentale de sa masse volumique. Pour déterminer la relation qui existe entre la masse volumique d'un gaz et sa masse molaire, exprimons le nombre de moles de gaz, n, de la façon suivante :

$$n = \frac{\text{masse}}{\text{masse molaire}} = \frac{m}{M}$$

où M est la masse molaire du gaz (g/mol). En remplaçant n par sa valeur dans l'équation des gaz parfaits, on obtient

$$P = \frac{nRT}{V} = \frac{(m/M)RT}{V} = \frac{mRT}{VM}$$

Or, m/V est la masse volumique du gaz, ρ (g/L). Alors

$$P = \frac{\rho RT}{M}$$

soit

$$M = \frac{\rho RT}{P} \tag{4.1}$$

Par conséquent, lorsqu'on connaît la masse volumique d'un gaz à une température et à une pression données, on peut en calculer la masse molaire.

Exemple 4.14

Masse volumique/masse molaire d'un gaz

La masse volumique d'un gaz, à 152 kPa et à 27 °C, est de 1,95 g/L. Calculez la masse molaire de ce gaz.

Solution

À l'aide de l'équation 4.1, on calcule la masse molaire.

$$\text{Masse molaire} = \frac{\rho RT}{P} = \frac{\left(1{,}95 \frac{\text{g}}{\text{L}}\right)\left(8{,}315 \frac{\text{kPa} \cdot \text{L}}{\text{K} \cdot \text{mol}}\right)(300 \text{ K})}{152 \text{ kPa}} = 32{,}0 \text{ g/mol}$$

Vérification Les unités sont bien celles d'une masse molaire.

Voir les exercices 4.46 à 4.49

On peut toujours mémoriser l'équation qui fait intervenir la masse volumique d'un gaz et sa masse molaire, mais il est beaucoup plus simple de se rappeler l'équation des gaz parfaits, la définition de la masse volumique et la relation qui existe entre le nombre de moles et la masse molaire. On peut ainsi retrouver l'équation en cas de besoin. On montre alors qu'on a bien compris les concepts, et on a une équation de moins à mémoriser !

4.5 Loi des pressions partielles de Dalton

Parmi les expériences qui ont amené John Dalton à formuler sa théorie atomique, on trouve celles qui ont porté sur les mélanges de gaz. En 1803, Dalton résuma ainsi ses observations : *La pression totale qu'exerce un mélange de gaz enfermé dans un contenant est égale à la somme des pressions que chaque gaz exercerait s'il était seul dans ce contenant.* On peut exprimer cet énoncé, connu sous le nom de **loi des pressions partielles de Dalton**, de la façon suivante :

$$P_{\text{TOTALE}} = P_1 + P_2 + P_3 + \cdots + P_n$$

où les indices représentent les gaz individuels (gaz 1, gaz 2, etc.). On appelle **pressions partielles** les pressions P_1, P_2, P_3, etc. ; c'est-à-dire que chacune de ces pressions est celle que chaque gaz exercerait s'il était seul dans le contenant.

En supposant que chaque gaz soit un gaz parfait, on peut calculer la pression partielle de chacun d'eux à partir de la loi des gaz parfaits ; ainsi

$$P_1 = \frac{n_1RT}{V}, \qquad P_2 = \frac{n_2RT}{V}, \qquad P_3 = \frac{n_3RT}{V}, \qquad \cdots$$

On peut alors représenter la pression totale du mélange, P_{TOTALE}, de la façon suivante :

$$\begin{aligned} P_{\text{TOTALE}} = P_1 + P_2 + P_3 + \cdots &= \frac{n_1RT}{V} + \frac{n_2RT}{V} + \frac{n_3RT}{V} + \cdots \\ &= (n_1 + n_2 + n_3 + \cdots)\left(\frac{RT}{V}\right) \\ &= n_{\text{TOTAL}}\left(\frac{RT}{V}\right) \end{aligned}$$

où n_{TOTAL} est la somme des nombres de moles des différents gaz. Ainsi, pour un mélange de gaz parfaits, c'est le *nombre total de moles de particules* qui est important, et non la nature ni la composition des particules individuelles de gaz. La figure 4.12 illustre ce principe.

Grâce à cet important résultat expérimental, on peut préciser quelques caractéristiques fondamentales d'un gaz parfait. Le fait que la pression exercée par un gaz parfait

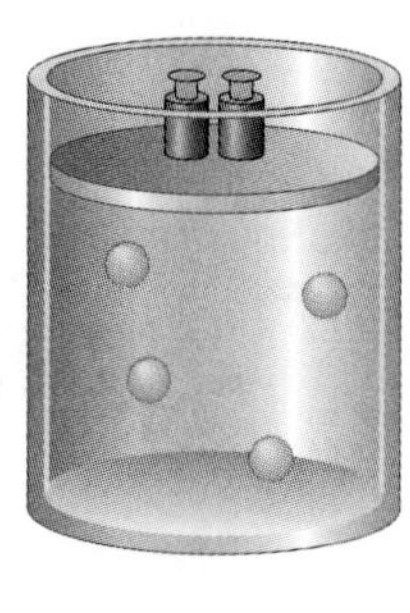

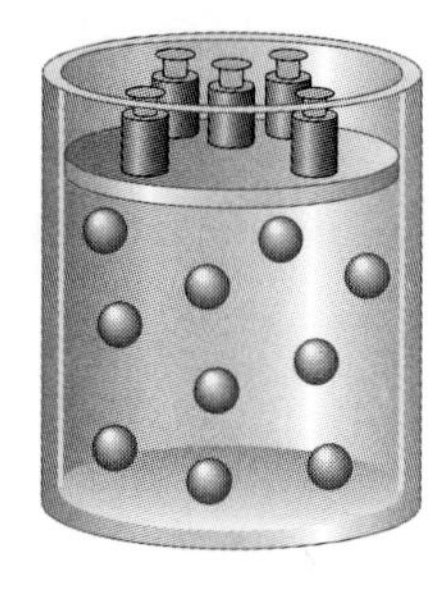

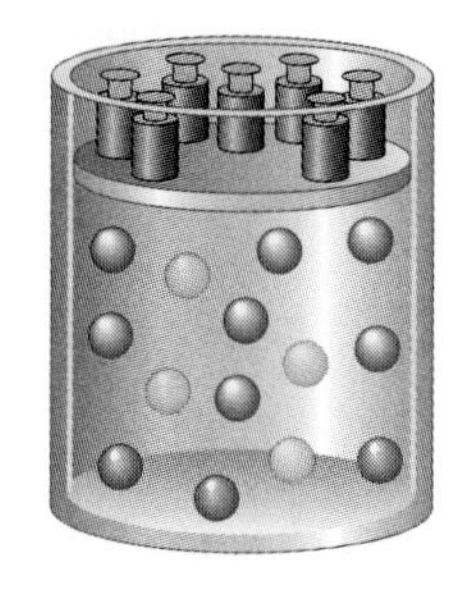

FIGURE 4.12
Dans un contenant, la pression partielle de chacun des gaz d'un mélange varie en fonction du nombre de moles de ce gaz. La pression totale est la somme des pressions partielles : elle varie en fonction du nombre total de particules de gaz en présence, quelle que soit leur nature.

ne soit pas fonction de sa nature ni, par conséquent, de la structure de ses particules, permet de tirer deux conclusions : 1. Le volume de chaque particule de gaz ne doit pas être important ; 2. Les forces qui s'exercent entre les particules ne doivent pas être importantes. En effet, si ces facteurs étaient importants, la pression exercée par le gaz serait fonction de la nature de ses particules individuelles. Ces observations exercent une influence notable sur la théorie qu'on peut formuler pour expliquer le comportement des gaz parfaits.

Il faut à présent définir ce qu'est la **fraction molaire**. C'est *le rapport entre le nombre de moles d'un composant donné d'un mélange et le nombre total de moles présentes dans le mélange*. Pour représenter la fraction molaire, on utilise le symbole χ (la lettre grecque khi). Par exemple, pour un composant donné d'un mélange, la fraction molaire, χ_1 est

$$\chi_1 = \frac{n_1}{n_{\text{TOTAL}}} = \frac{n_1}{n_1 + n_2 + n_3 + \ldots}$$

Exemple 4.15

Loi de Dalton I

Pour prévenir l'apparition des *bends*, on utilise, dans les bonbonnes de plongée sous-marine, un mélange d'hélium et d'oxygène. Pour une plongée donnée on a comprimé, dans une bonbonne de 5,0 L, 46 L de He, à 25 °C et à 101,3 kPa, et 12 L de O_2, à 25 °C et à 101,3 kPa. Calculez la pression partielle de chacun des gaz et la pression totale dans la bonbonne, à 25 °C.

Solution

On calcule d'abord le nombre de moles de chacun des gaz, en utilisant la loi des gaz parfaits exprimée sous la forme suivante :

$$n = \frac{PV}{RT}$$

$$n_{\text{He}} = \frac{(101{,}3\ \cancel{\text{kPa}})(46\ \cancel{\text{L}})}{(8{,}315\ \cancel{\text{kPa}} \cdot \cancel{\text{L}}/\cancel{\text{K}} \cdot \text{mol})(298\ \cancel{\text{K}})} = 1{,}9\ \text{mol}$$

$$n_{O_2} = \frac{(101{,}3\ \cancel{\text{kPa}})(12\ \cancel{\text{L}})}{(8{,}315\ \cancel{\text{kPa}} \cdot \cancel{\text{L}}/\cancel{\text{K}} \cdot \text{mol})(298\ \cancel{\text{K}})} = 0{,}49\ \text{mol}$$

Le volume de la bonbonne est de 5,0 L et sa température de 25 °C. On peut utiliser ces données et la loi des gaz parfaits pour calculer la pression partielle de chacun des gaz.

$$P = \frac{nRT}{V}$$

$$P_{\text{He}} = \frac{(1{,}9\ \cancel{\text{mol}})(8{,}315\ \text{kPa} \cdot \cancel{\text{L}}/\cancel{\text{K}} \cdot \cancel{\text{mol}})(298\ \cancel{\text{K}})}{5{,}0\ \cancel{\text{L}}} = 940\ \text{kPa}$$

$$P_{O_2} = \frac{(0{,}49\ \cancel{\text{mol}})(8{,}315\ \text{kPa} \cdot \cancel{\text{L}}/\cancel{\text{K}} \cdot \cancel{\text{mol}})(298\ \cancel{\text{K}})}{5{,}0\ \cancel{\text{L}}} = 240\ \text{kPa}$$

La pression totale est la somme des pressions partielles ; alors

$$P_{\text{TOTALE}} = P_{\text{He}} + P_{O_2} = 940\ \text{kPa} + 240\ \text{kPa} = 1180\ \text{kPa}$$

Voir l'exercice 4.50

IMPACT

La séparation des gaz

Imaginez que vous travaillez pour une compagnie pétrolière qui possède un immense réservoir de gaz naturel contenant un mélange de méthane et d'azote gazeux. En fait, la teneur en azote du mélange est tellement élevée que le gaz est inutilisable comme carburant. Votre travail consiste à séparer l'azote, N_2, du méthane, CH_4. Comment pouvez-vous accomplir cette tâche ? Manifestement, il vous faut une sorte de « filtre moléculaire » qui retient les molécules de méthane, légèrement plus grosses (taille ≈ 430 pm), et laisse passer les molécules d'azote (taille ≈ 410 pm). La séparation de molécules de taille aussi semblable nécessitera un « filtre » très sélectif.

La bonne nouvelle, c'est qu'il en existe un. Les travaux récents de Steven Kuznick et Valerie Bell de l'Engelhard Corporation, au New Jersey, ainsi que ceux de Michael Tsapatsis de l'Université du Massachusetts ont permis de fabriquer un « tamis moléculaire » dans lequel la taille des pores peut être ajustée avec suffisamment de précision pour séparer les molécules de N_2 des molécules de CH_4. Le matériau en jeu est un composé spécial de titanosilicate hydraté (il contient : H_2O, Ti, Si, O et Sr) breveté par Engelhard sous le nom de ETS-4 (Engelhard TitanoSilicate-4). Lorsqu'on remplace les ions strontium dans l'ETS-4 par des ions sodium et que le nouveau matériau est soigneusement déshydraté, il se produit une réduction uniforme et contrôlable de la taille des pores (*voir la figure*). Les chercheurs ont démontré que le matériau peut servir à séparer N_2 (≈ 410 pm) de O_2 (≈ 390 pm). Ils ont également démontré qu'il est possible de réduire la teneur en azote du gaz naturel de 18 % à moins de 5 % avec une récupération du méthane efficace à 90 %.

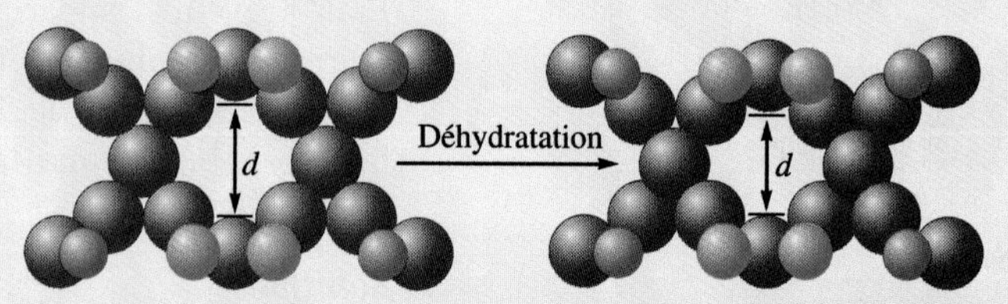

La structure du tamis moléculaire composé d'atomes de titane (en bleu), de silicium (en vert) et d'oxygène (en rouge) se contracte par chauffage. (À température ambiante [à gauche], d = 4,27 Å ; à 250 °C [à droite], d = 3,94 Å.)

L'équation qui décrit la loi des gaz parfaits révèle que le nombre de moles d'un gaz est directement proportionnel à la pression de ce gaz, étant donné que

$$n = P\left(\frac{V}{RT}\right)$$

Autrement dit, pour chaque composant du mélange,

$$n_1 = P_1\left(\frac{V}{RT}\right), \qquad n_2 = P_2\left(\frac{V}{RT}\right), \qquad \cdots$$

À l'aide de ces équations, on peut exprimer la fraction molaire en termes de pressions ; ainsi

$$\chi_1 = \frac{n_1}{n_{\text{TOTAL}}} = \frac{\overbrace{P_1(V/RT)}^{n_1}}{\underbrace{P_1(V/RT)}_{n_1} + \underbrace{P_2(V/RT)}_{n_2} + \underbrace{P_3(V/RT)}_{n_3} + \cdots}$$

$$= \frac{(V/RT)P_1}{(V/RT)(P_1 + P_2 + P_3 + \cdots)}$$

$$= \frac{P_1}{P_1 + P_2 + P_3 + \cdots} = \frac{P_1}{P_{\text{TOTALE}}}$$

Par conséquent, la fraction molaire d'un composant donné d'un mélange de gaz idéaux est directement associée à sa pression partielle :

$$\chi_2 = \frac{n_2}{n_{\text{TOTAL}}} = \frac{P_2}{P_{\text{TOTALE}}}$$

IMPACT

La chimie des sacs gonflables

La plupart des experts sont d'avis que les sacs gonflables constituent un très important dispositif de sécurité dans les automobiles. Ces sacs, cachés dans le volant ou dans le tableau de bord, sont conçus pour se gonfler rapidement (en moins de 40 ms) en cas d'accident, ce qui empêche les occupants du siège avant de se frapper la tête. Le sac se dégonfle immédiatement pour permettre aux occupants de voir et de se déplacer après l'accident. À la suite d'une décélération brusque (un impact), le sac se gonfle : une bille d'acier comprime un ressort qui déclenche l'allumage électronique d'un détonateur, lequel provoque la décomposition explosive d'azoture de sodium (NaN_3) en sodium et en azote gazeux.

$$2NaN_3(s) \longrightarrow 2Na(s) + 3N_2(g)$$

Ce système fonctionne très bien et ne demande qu'une quantité relativement faible d'azoture de sodium (100 g produisent 56 L de $N_2(g)$, à 25 °C et à 101,3 kPa).

Quand un véhicule contenant des sacs gonflables atteint la fin de sa vie utile, il faut se débarrasser de façon appropriée de l'azoture de sodium présent dans les activateurs. L'azoture de sodium, en plus d'être explosif, a une toxicité comparable à celle du cyanure de sodium. Il forme également de l'acide hydrazoïque (HN_3), un liquide toxique et explosif, en présence d'acide.

Le sac gonflable représente une application de la chimie qui, cela va sans dire, pourra sauver des milliers de vies chaque année.

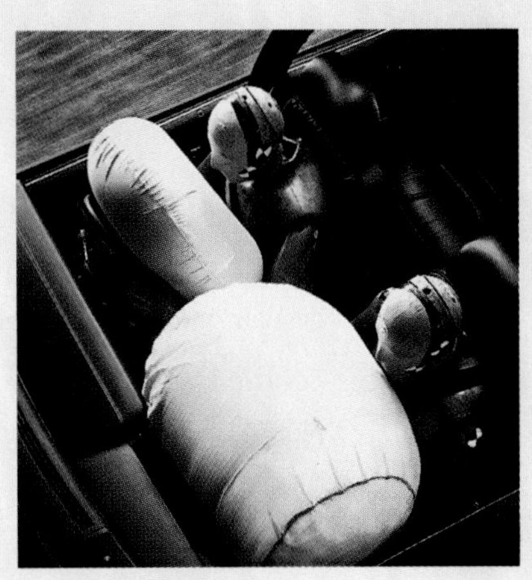

Sacs protecteurs gonflés.

Exemple 4.16 Loi de Dalton II

La pression partielle de l'oxygène de l'air est de 20,8 kPa quand la pression atmosphérique est de 99,1 kPa. Calculez la fraction molaire de O_2.

Solution

Pour calculer la fraction molaire de O_2, on utilise l'équation suivante :

$$\chi_{O_2} = \frac{P_{O_2}}{P_{TOTALE}} = \frac{20{,}8\ \cancel{kPa}}{99{,}1\ \cancel{kPa}} = 0{,}210$$

On remarque que la fraction molaire n'a pas d'unité.

Voir l'exercice 4.52

À partir de l'expression de la fraction molaire

$$\chi_1 = \frac{P_1}{P_{TOTALE}}$$

on peut écrire

$$P_1 = \chi_1 \times P_{TOTALE}$$

Autrement dit, *la pression partielle d'un composant donné d'un mélange gazeux est égale à la fraction molaire de ce composé multipliée par la pression totale.*

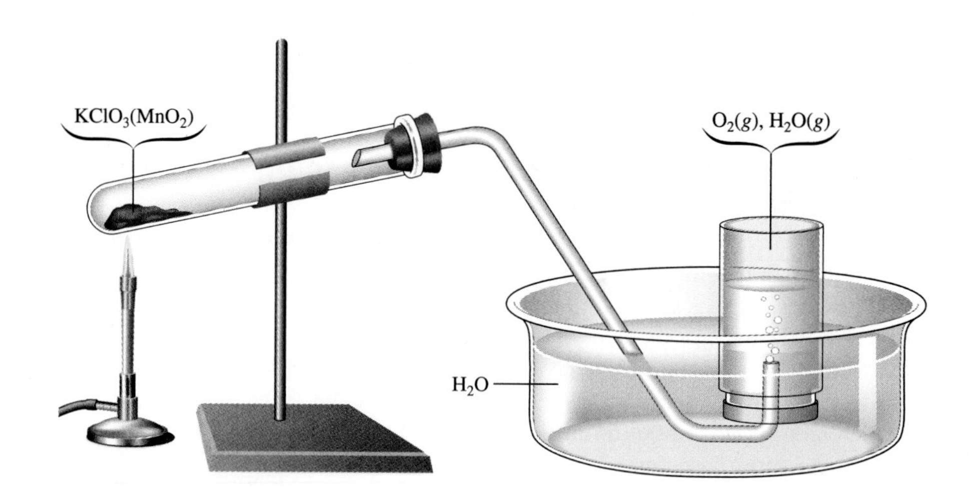

FIGURE 4.13
Production d'oxygène par décomposition thermique de $KClO_3$. On mélange du MnO_2 au $KClO_3$ pour accélérer la réaction.

Exemple 4.17

Loi de Dalton III

La fraction molaire de l'azote de l'air est de 0,7808. Calculez la pression partielle de N_2 de l'air quand la pression atmosphérique est de 101,3 kPa.

Solution

On calcule la pression partielle de N_2 de la façon suivante :

$$P_{N_2} = \chi_{N_2} \times P_{TOTALE} = 0{,}7808 \times 101{,}3 \text{ kPa} = 79{,}11 \text{ kPa}$$

Voir l'exercice 4.53

Collecte de gaz par déplacement d'eau

Nous aborderons en détail, au chapitre 8, l'étude de la pression de vapeur. À la section 8.8, se trouve une table des valeurs des pressions de vapeur de l'eau.

Chaque fois qu'on recueille un gaz à l'aide d'un déplacement d'eau, on obtient un mélange de gaz. La figure 4.13 montre, par exemple, comment on recueille l'oxygène produit par la réaction de décomposition du chlorate de potassium solide. Le gaz ainsi obtenu est un mélange de vapeur d'eau et de gaz produit par la réaction. On trouve de la vapeur d'eau parce que des molécules d'eau quittent la surface du liquide et s'accumulent dans l'espace situé au-dessus du liquide. D'autres molécules d'eau retournent par contre à la phase liquide. Quand la vitesse de sortie des molécules d'eau est égale à leur vitesse d'entrée, le nombre de molécules d'eau présentes dans la phase vapeur ne varie plus ; par conséquent, la pression de la vapeur d'eau demeure constante. Cette pression, qui dépend de la température, est appelée « pression de vapeur d'eau ».

Exemple 4.18

Collecte de gaz par déplacement d'eau

Dans une éprouvette (*voir la figure 4.13*), on fait chauffer un échantillon de chlorate de potassium solide, $KClO_3$, qui se décompose conformément à la réaction suivante :

$$2KClO_3(s) \longrightarrow 2KCl(s) + 3O_2(g)$$

On recueille l'oxygène ainsi produit par déplacement de l'eau, à 22 °C et à une pression totale de 100,5 kPa. Le volume de gaz obtenu est de 0,650 L, et la pression de vapeur de l'eau, à 22 °C, est de 2,80 kPa. Calculez la pression partielle de O_2 dans le gaz recueilli et la quantité de $KClO_3$ décomposée.

Solution

Pour déterminer la valeur de la pression partielle de O_2, on utilise la loi des pressions partielles de Dalton.

$$P_{TOTALE} = P_{O_2} + P_{H_2O} = P_{O_2} + 2{,}80 \text{ kPa} = 100{,}5 \text{ kPa}$$

Par conséquent

$$P_{O_2} = 100{,}5\ \text{kPa} - 2{,}80\ \text{kPa} = 97{,}7\ \text{kPa}$$

On peut maintenant utiliser la loi des gaz parfaits pour calculer le nombre de moles de O_2.

$$n_{O_2} = \frac{P_{O_2}V}{RT}$$

Dans ce cas, on a

$$P_{O_2} = 97{,}7\ \text{kPa}$$

$$V = 0{,}650\ \text{L}$$

$$T = 22\ ^\circ\text{C} + 273 = 295\ \text{K}$$

et

$$R = 8{,}315\ \text{kPa} \cdot \text{L/K} \cdot \text{mol}$$

Alors

$$n_{O_2} = \frac{(97{,}7\ \cancel{\text{kPa}})(0{,}650\ \cancel{\text{L}})}{(8{,}315\ \cancel{\text{kPa}} \cdot \cancel{\text{L}}/\cancel{\text{K}} \cdot \text{mol})(295\ \cancel{\text{K}})} = 2{,}59 \times 10^{-2}\ \text{mol}$$

Il faut à présent calculer le nombre de moles de $KClO_3$ nécessaires pour qu'il y ait production de cette quantité de O_2. Selon l'équation équilibrée de la réaction de décomposition du $KClO_3$, on sait qu'il faut deux moles de $KClO_3$ pour produire trois moles de O_2. On peut donc calculer le nombre de moles de $KClO_3$ de la façon suivante :

$$2{,}59 \times 10^{-2}\ \cancel{\text{mol O}_2} \times \frac{2\ \text{mol KClO}_3}{3\ \cancel{\text{mol O}_2}} = 1{,}73 \times 10^{-2}\ \text{mol KClO}_3$$

À partir de la masse molaire du $KClO_3$ (122,6 g/mol), on calcule la masse de $KClO_3$.

$$1{,}73 \times 10^{-2}\ \cancel{\text{mol KClO}_3} \times \frac{122{,}6\ \text{g KClO}_3}{1\ \cancel{\text{mol KClO}_3}} = 2{,}12\ \text{g KClO}_3$$

L'échantillon initial contient donc 2,12 g de $KClO_3$.

Voir les exercices 4.54 à 4.56

4.6 Théorie cinétique des gaz

Jusqu'à maintenant, nous avons considéré le comportement des gaz uniquement d'un point de vue expérimental. Selon les données obtenues dans différents types d'expériences, la plupart des gaz se comportent comme des gaz parfaits à des pressions inférieures à 101,3 kPa. Il faut donc à présent élaborer un modèle qui puisse expliquer ce comportement.

Avant d'aller plus loin, résumons brièvement en quoi consiste la méthode scientifique. Tout d'abord, rappelons qu'une loi permet de généraliser un comportement observé dans de nombreuses expériences. Les lois sont à ce titre très utiles, car elles permettent de prédire le comportement de systèmes semblables à ceux qui sont observés. Si un chimiste prépare un nouveau produit gazeux, il peut, en mesurant la masse volumique de ce gaz, à une température et à une pression données, calculer avec une certaine précision la valeur de la masse molaire de ce composé.

Cependant, même si les lois décrivent les comportements observés, elles n'indiquent pas *pourquoi* la nature se comporte de cette façon. Or, c'est précisément ce qui intéresse les scientifiques. Pour tenter de répondre à cette question, on élabore des théories (ou modèles). En chimie, on tente ainsi d'imaginer quel comportement des molécules ou des atomes individuels pourrait être responsable du comportement observé expérimentalement des systèmes macroscopiques (ensembles d'un très grand nombre d'atomes ou de molécules).

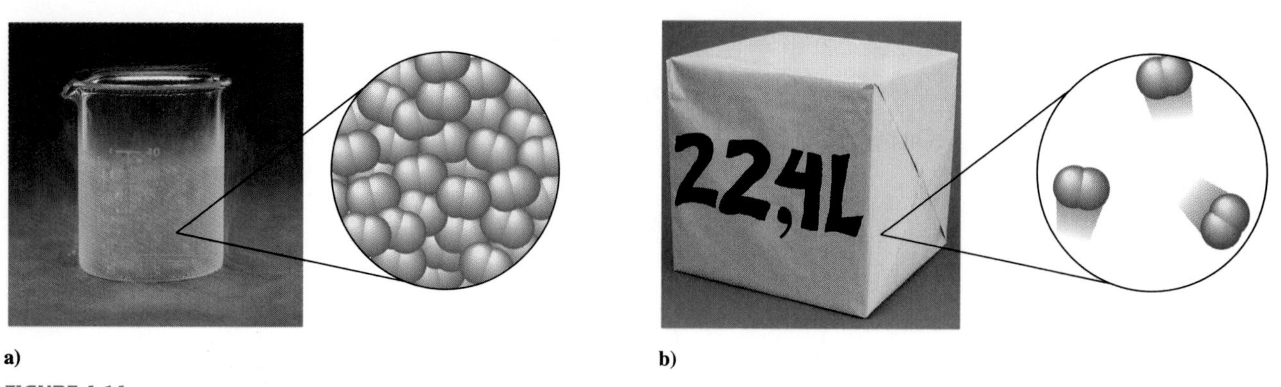

a) b)

FIGURE 4.14
a) Une mole de $N_2(l)$ occupe un volume d'environ 35 mL et a une masse volumique de 0,81 g/mL. b) Une mole de $N_2(g)$ occupe un volume de 22,4 L (TPN) et a une masse volumique de $1{,}2 \times 10^{23}$ g/mL. Par conséquent, le rapport entre les volumes de N_2 gazeux et N_2 liquide est de 22,4/0,035 = 640 et l'espacement entre les molécules est neuf fois plus grand dans $N_2(g)$.

On juge qu'un modèle est acceptable s'il permet d'expliquer le comportement observé et de prédire adéquatement les résultats d'expériences ultérieures. Il est toutefois important de comprendre qu'un modèle ne peut jamais être absolument vrai. En fait, *tout modèle est, de par sa nature même, une approximation et, à ce titre, voué à être remis un jour en question.* Les modèles varient de très simples à extraordinairement complexes. Les modèles simples permettent de prédire un comportement approximativement mesurable, alors que les modèles beaucoup plus complexes permettent de décrire de façon très précise un comportement quantitativement mesurable observé. Dans ce volume, nous faisons surtout appel à des modèles simples, dans le but de décrire ce qui pourrait avoir lieu et d'expliquer les résultats expérimentaux les plus importants.

La **théorie cinétique des gaz** est un exemple de modèle simple qui permet d'expliquer les propriétés d'un gaz parfait. Ce modèle est basé sur des hypothèses qui concernent le comportement des particules individuelles de gaz (atomes ou molécules). Nous présentons ici les postulats de la théorie cinétique appliquée aux particules d'un gaz parfait :

1. Les particules sont si petites par rapport aux distances qui les séparent que *le volume des particules individuelles est jugé négligeable (nul).* (*Voir la figure 4.14.*)
2. *Les particules sont en mouvement constant. Les collisions entre les particules et les parois du contenant expliquent la pression exercée par le gaz.*
3. *Les particules n'exercent aucune force l'une sur l'autre* ; elles ne s'attirent ni ne se repoussent.
4. *L'énergie cinétique moyenne d'un groupe de particules de gaz est directement proportionnelle à la température de ce gaz exprimée en kelvins.*

Évidemment, les molécules d'un gaz réel ont des volumes définis et exercent réellement des forces les unes sur les autres. Ainsi, les gaz réels ne satisfont pas à tous ces postulats ; cependant, nous allons voir que ces postulats permettent de bien expliquer le comportement des gaz *idéaux*.

Un modèle n'est valable que si ses prédictions correspondent aux observations expérimentales. Selon les postulats de la théorie cinétique des gaz, un gaz idéal est constitué de particules au volume nul et qui n'exercent aucune attraction les unes sur les autres ; par ailleurs, la pression exercée sur le contenant résulte des collisions entre les particules et les parois du contenant.

Considérons comment ce modèle rend compte des propriétés des gaz telles que l'exprime la loi des gaz parfaits : $PV = nRT$.

Pression et volume (loi de Boyle-Mariotte)

Nous savons déjà que, pour un échantillon de gaz donné, à une température donnée (n et T sont constants), la pression augmente si le volume du gaz diminue :

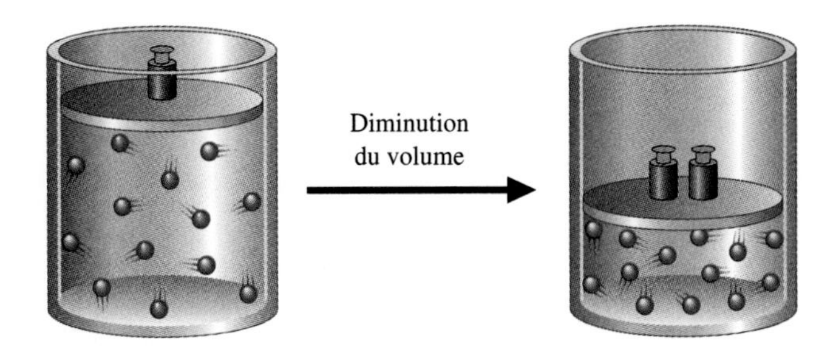

FIGURE 4.15
Effets de la diminution du volume d'un échantillon de gaz à température constante.

$$P = (nRT)\frac{1}{V}$$

↑
Constante

Cela a du sens selon la théorie cinétique des gaz, car une diminution de volume signifie que les particules de gaz heurteront la paroi plus souvent, d'où l'augmentation de pression, comme l'illustre la figure 4.15.

Pression et température

Selon la loi des gaz parfaits, on peut prédire que, pour un échantillon donné d'un gaz parfait à volume constant, la pression sera directement proportionnelle à la température :

$$P = \left(\frac{nR}{V}\right)T$$

↑
Constante

La théorie cinétique des gaz rend bien compte de ce comportement, car, quand la température d'un gaz augmente, la vitesse des particules augmente ; les particules heurtent la paroi avec plus de force et à une plus grande fréquence. Étant donné que le volume demeure le même, il en résulte nécessairement une augmentation de pression, comme l'illustre la figure 4.16.

Volume et température (loi de Charles)

Selon la loi des gaz parfaits, pour un échantillon donné de gaz à pression constante, le volume d'un gaz est directement proportionnel à la température exprimée en kelvins :

$$V = \left(\frac{nR}{P}\right)T$$

↑
Constante

C'est ce que nous permet de prédire la théorie cinétique des gaz, comme l'illustre la figure 4.17. Quand un gaz est chauffé, la vitesse de ses molécules augmente et ces dernières frappent les parois plus souvent et avec plus de force. Le seul moyen de maintenir la pression constante dans un tel cas est d'augmenter le volume du contenant. Cette modification compense l'augmentation de la vitesse des particules.

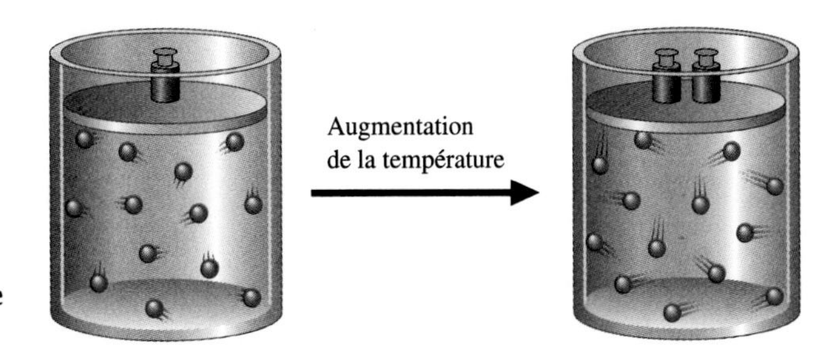

FIGURE 4.16
Effets d'une augmentation de la température d'un échantillon de gaz à volume constant.

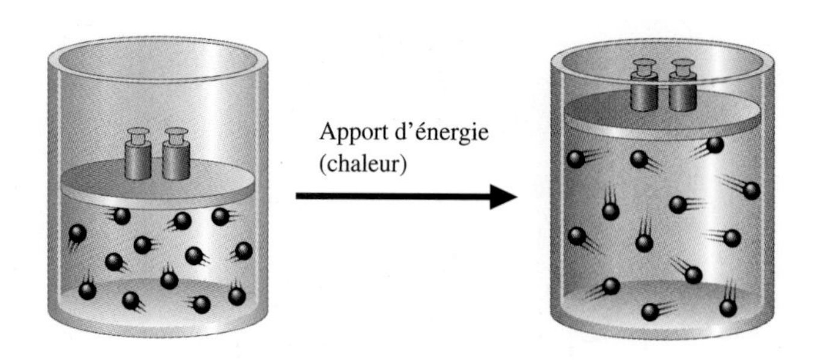

FIGURE 4.17
Effets de l'augmentation de la température d'un échantillon de gaz à pression constante.

Volume et nombre de moles (loi d'Avogadro)

Selon la loi des gaz parfaits, le volume d'un gaz à température et à pression constantes dépend directement du nombre de particules de gaz présentes :

$$V = \underbrace{\left(\frac{RT}{P}\right)}_{\text{Constante}} n$$

Cela a du sens d'après la théorie cinétique des gaz, car une augmentation du nombre de particules à la même température causera une augmentation de pression si le volume demeure constant (*voir la figure 4.18*). Le seul moyen de garder la pression à sa valeur originale est d'augmenter le volume.

Il est important de réaliser que le volume d'un gaz (à P et T constantes) dépend uniquement du *nombre* de particules de gaz présentes. Les volumes individuels des particules n'entrent pas en jeu, car ces volumes sont très petits comparativement à la distance qui sépare les particules (pour un gaz dit parfait).

Mélange de gaz (loi de Dalton)

Il n'est pas étonnant que la pression totale exercée par un mélange de gaz soit la somme des pressions des gaz individuels, car, selon la théorie cinétique des gaz, toutes les particules sont indépendantes les unes des autres, et le volume des particules individuelles est négligeable. Par conséquent, la nature des particules de gaz n'a aucune importance.

Formulation de la loi des gaz parfaits

Il a été démontré qualitativement que les hypothèses de la théorie cinétique des gaz rendent parfaitement compte du comportement observé d'un gaz parfait. On peut même pousser plus loin. En appliquant les principes de physique aux hypothèses de la théorie cinétique, il est possible d'arriver à formuler la loi des gaz parfaits.

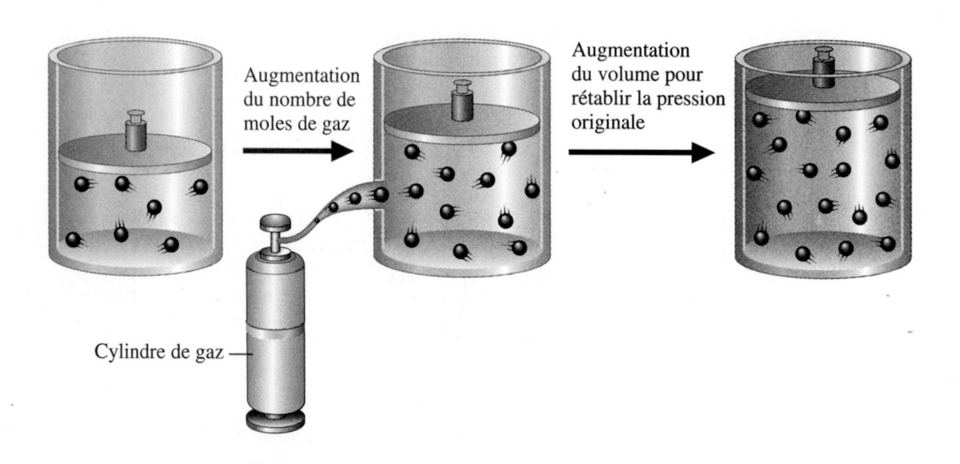

FIGURE 4.18
Effets d'une augmentation du nombre de moles de particules de gaz à température et à pression constantes.

Comme il est expliqué en détail dans l'annexe 2, on peut utiliser les définitions de la vitesse, du moment, de la force et de la pression pour un ensemble de particules d'un gaz parfait. On *obtient* alors l'expression de la pression suivante :

$$P = \frac{2}{3}\left[\frac{nN_A\left(\frac{1}{2}m\overline{u^2}\right)}{V}\right]$$

où P est la pression du gaz, n, le nombre de moles de gaz, N_A, le nombre d'Avogadro, m, la masse de chaque particule, $\overline{u^2}$, la moyenne des carrés des vitesses des particules et V, le volume du contenant.

La quantité $\frac{1}{2}m\overline{u^2}$ représente l'énergie cinétique moyenne d'une particule de gaz. En multipliant la valeur de l'énergie cinétique moyenne d'une particule de gaz par N_A, le nombre de particules présentes dans une mole, on obtient l'énergie cinétique moyenne d'une mole de particules de gaz, $\frac{1}{2}m\overline{u^2}$, soit

$$\overline{K} = N_A\left(\tfrac{1}{2}m\overline{u^2}\right)$$

L'énergie cinétique, K, donnée par l'équation $K = \frac{1}{2}m\overline{u^2}$, est l'énergie due au déplacement d'une particule.

À partir de cette définition, on peut reformuler l'expression de la pression de la façon suivante :

$$P = \frac{2}{3}\left(\frac{n\overline{K}}{V}\right)$$

soit

$$\frac{PV}{n} = \frac{2}{3}\overline{K}$$

Selon le quatrième postulat de la théorie cinétique des gaz, l'énergie cinétique moyenne des particules présentes dans un échantillon de gaz est directement proportionnelle à la température exprimée en kelvins. Alors, étant donné que $\overline{K} \propto T$, on peut écrire

$$\frac{PV}{n} = \frac{2}{3}\overline{K} \propto T$$

soit

$$\frac{PV}{n} \propto T$$

On a *obtenu* cette expression à partir des postulats de la théorie cinétique des gaz. Peut-on comparer cette expression à celle de la loi des gaz parfaits, obtenue expérimentalement ? Comparons la loi des gaz parfaits

$$\frac{PV}{n} = RT \quad \text{(à partir d'expériences)}$$

a)

b)

c)

a) Un ballon rempli d'air à la température ambiante. **b)** Le ballon est plongé dans de l'azote liquide à 77 K. **c)** Le ballon s'affaisse, car les molécules qui se trouvent à l'intérieur ralentissent à cause d'une diminution de température. Des molécules plus lentes exercent une pression plus faible.

à l'expression obtenue à partir de la théorie cinétique des gaz

$$\frac{PV}{n} \propto T \quad \text{(à partir de la théorie)}$$

Si on assimile R, la constante molaire des gaz, à la constante de proportionnalité de la deuxième équation, les deux expressions sont identiques.

L'accord entre les résultats obtenus à partir de la loi des gaz parfaits et ceux obtenus à partir de la théorie cinétique des gaz confère une certaine crédibilité au modèle proposé. Les caractéristiques des particules de gaz parfaits doivent correspondre, au moins dans certaines conditions, à leur comportement réel.

Signification de la température

Nous avons montré que l'hypothèse de la théorie cinétique des gaz, selon laquelle la température exprimée en kelvins est une mesure de l'énergie cinétique moyenne des particules de gaz, est confirmée par l'accord entre le modèle et la loi des gaz parfaits. En fait, on peut obtenir la relation exacte qui existe entre la température et l'énergie cinétique moyenne en regroupant les équations qui représentent cette loi et cette théorie.

$$\frac{PV}{n} = RT = \frac{2}{3}\overline{K}$$

d'où

$$\overline{K} = \frac{3}{2}RT$$

Cette relation est très importante. Elle confère à la température exprimée en kelvins une signification particulière : la température exprimée en kelvins est un indice des mouvements aléatoires des particules de gaz ; plus la température est élevée, plus l'agitation est forte. (Nous démontrerons au chapitre 8 que la température est un indice des mouvements aléatoires des particules aussi bien dans les solides et dans les liquides que dans les gaz.)

Vitesse quadratique moyenne

Dans l'équation de la théorie cinétique des gaz, la vitesse moyenne des particules de gaz est une moyenne particulière. Le symbole $\overline{u^2}$ désigne en effet la moyenne des *carrés* des vitesses des particules. On appelle la racine carrée de $\overline{u^2}$ **vitesse quadratique moyenne** (symbole : u_{quadr}).

$$u_{\text{quadr}} = \sqrt{\overline{u^2}}$$

On peut déterminer la valeur de u_{quadr} à l'aide des équations suivantes :

$$\overline{K} = N_A\left(\tfrac{1}{2}m\overline{u^2}\right) \quad \text{et} \quad \overline{K} = \frac{3}{2}RT$$

En regroupant ces équations, on obtient

$$N_A\left(\tfrac{1}{2}m\overline{u^2}\right) = \frac{3}{2}RT$$

soit

$$\overline{u^2} = \frac{3RT}{N_A m}$$

Lorsqu'on extrait la racine carrée de chacun des membres de cette dernière équation, on obtient

$$\sqrt{\overline{u^2}} = u_{\text{quadr}} = \sqrt{\frac{3RT}{N_A m}}$$

Dans cette expression, m représente la masse (kg) d'une particule de gaz individuelle. Quand on multiplie N_A (le nombre de particules présentes dans une mole) par m, on obtient la masse d'une *mole* de particules de gaz, soit la masse molaire, M, de ce gaz exprimée en kg/mol. En remplaçant $N_A m$ par M dans l'équation ci-dessus, on obtient

$$u_{quadr} = \sqrt{\frac{3RT}{M}}$$

$R = 8{,}3145 \frac{\text{L} \cdot \text{atm}}{\text{K} \cdot \text{mol}}$

$R = 8{,}3145 \frac{\text{J}}{\text{K} \cdot \text{mol}}$

Cependant, avant d'utiliser cette équation, il faut prendre en considération les unités de R. Jusqu'à maintenant, on a assigné à R la valeur de 8,3145 kPa · L/K · mol. Or, pour obtenir les unités désirées de u_{quadr} (m/s), il faut recourir à d'autres unités pour exprimer R. L'unité d'énergie la plus souvent utilisée dans le SI est le **joule, J**, qui correspond à 1 kilogramme-mètre carré par seconde carrée, kg · m^2/s^2. Quand on exprime R avec des unités qui comportent des joules, sa valeur devient 8,3145 J/K · mol. Si on utilise cette dernière valeur de R dans l'expression $\sqrt{3RT/M}$ les unités de u_{quadr} deviennent des mètres par seconde, comme on le souhaitait.

Exemple 4.19

Vitesse quadratique moyenne

Calculez la vitesse quadratique moyenne des atomes d'un échantillon d'hélium, à 25 °C.

Solution

L'expression de la vitesse quadratique moyenne est

$$u_{quadr} = \sqrt{\frac{3RT}{M}}$$

On sait que T = 25 °C + 273 = 298 K et que R = 8,3145 J/K · mol. Quant à M, la masse d'une mole d'hélium, exprimée en kg, elle est de

$$M = 4{,}00 \frac{\cancel{\text{g}}}{\text{mol}} \times \frac{1\ \text{kg}}{1000\,\cancel{\text{g}}} = 4{,}00 \times 10^{-3}\ \text{kg/mol}$$

Par conséquent

$$u_{quadr} = \sqrt{\frac{3\left(8{,}3145 \frac{\text{J}}{\cancel{\text{K}} \cdot \cancel{\text{mol}}}\right)(298\ \cancel{\text{K}})}{4{,}00 \times 10^{-3} \frac{\text{kg}}{\cancel{\text{mol}}}}} = \sqrt{1{,}86 \times 10^6 \frac{\text{J}}{\text{kg}}}$$

Puisque les unités de J sont des kg · m^2/s^2, cette expression devient

$$\sqrt{1{,}86 \times 10^6 \frac{\cancel{\text{kg}} \cdot \text{m}^2}{\cancel{\text{kg}} \cdot \text{s}^2}} = 1{,}36 \times 10^3\ \text{m/s}$$

Il est à remarquer que les unités obtenues (m/s) conviennent à l'expression d'une vitesse.

Voir les exercices 4.62 à 4.64

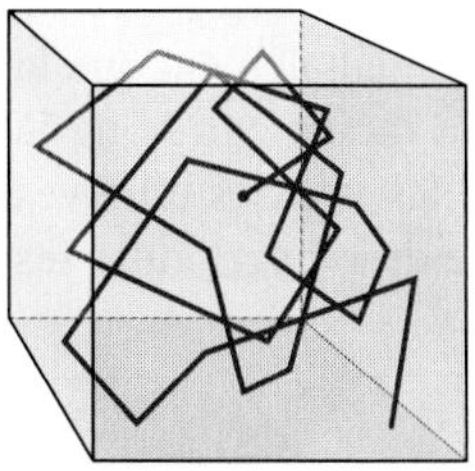

FIGURE 4.19
Déplacement d'une particule de gaz. Toute particule change continuellement de direction, étant donné qu'elle entre en collision avec les autres particules ou avec les parois du contenant.

Jusqu'à présent, nous n'avons pas parlé des vitesses réelles des particules de gaz. Dans un gaz réel, de nombreuses collisions entre les particules ont lieu. Par exemple, comme nous allons le voir dans la prochaine section, lorsqu'on laisse un gaz odorant, comme l'ammoniac, s'échapper d'un flacon, il faut un certain temps avant que l'odeur se répande dans l'air. On impute ce retard aux collisions entre les molécules NH_3 et les molécules N_2 et O_2 de l'air, qui ralentissent grandement le processus de mélange.

Si on pouvait suivre la trajectoire d'une particule de gaz, on se rendrait compte qu'elle est très irrégulière (*voir la figure 4.19*). Dans un échantillon de gaz donné, la distance moyenne parcourue par une particule entre les collisions est appelée le *libre parcours moyen* ; c'est une distance très petite (1×10^{-7} m pour O_2 à TPN). Parmi les effets des nombreuses collisions qui ont lieu entre les particules de gaz, on trouve la production d'une vaste gamme de vitesses due aux collisions et à l'échange d'énergie cinétique entre les particules. Même si, pour l'oxygène, u_{quadr} est d'environ 500 m/s, dans des conditions TPN, la plupart des molécules O_2 ont une vitesse différente de cette valeur. La figure 4.20 représente la répartition réelle des vitesses des molécules d'oxygène dans des conditions TPN. On y indique les nombres relatifs de molécules de gaz qui se déplacent à une vitesse donnée.

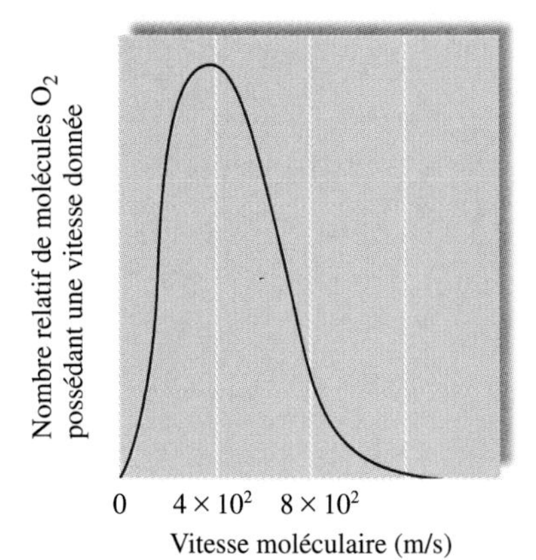

FIGURE 4.20
Distribution du nombre relatif de molécules O_2 qui possèdent une vitesse donnée, dans les conditions TPN.

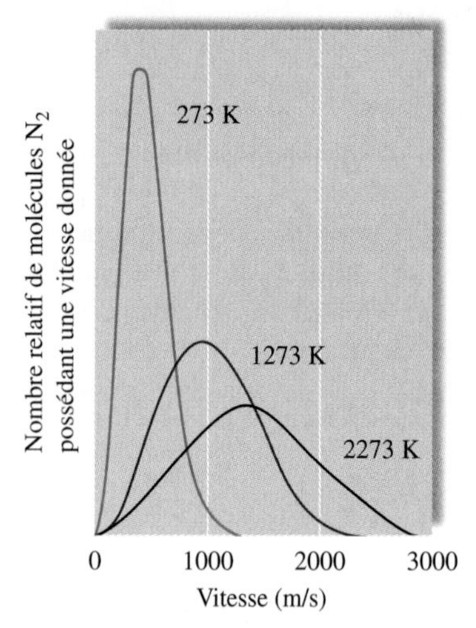

FIGURE 4.21
Distribution du nombre relatif de molécules N_2 qui possèdent une vitesse donnée, à trois températures différentes. On remarque que, au fur et à mesure que la température augmente, la vitesse moyenne (qui correspond au sommet de la courbe) et la dispersion des vitesses augmentent toutes deux.

On doit également s'intéresser à l'influence de la *température* sur la répartition des vitesses des molécules de gaz. La figure 4.21 illustre la répartition des vitesses des molécules d'azote à trois températures différentes. On remarque que, au fur et à mesure que la température augmente, le sommet de la courbe (qui indique la vitesse moyenne) atteint de plus hautes valeurs de vitesse, ce qui entraîne une augmentation de la gamme des vitesses. Le sommet de la courbe représente la vitesse la plus probable (la vitesse la plus souvent observée pour diverses particules de gaz). Il est normal que le pic de la courbe augmente de valeur quand la température du gaz augmente, parce que l'énergie cinétique augmente avec la température.

4.7 Effusion et diffusion

L'équation qui combine les postulats de la théorie cinétique des gaz aux principes physiques appropriés rend adéquatement compte du comportement expérimental d'un gaz parfait. Deux autres phénomènes qui font intervenir des gaz permettent également de vérifier l'exactitude de ce modèle.

Lorsqu'on décrit le mélange des gaz, on utilise le terme **diffusion**. Ainsi, dans les premiers rangs d'une classe, quand on laisse s'échapper d'un flacon une petite quantité d'ammoniac à l'odeur âcre, il faut un certain temps avant que chacun perçoive cette odeur, puisqu'il faut un certain temps à l'ammoniac pour se mélanger à l'air. La vitesse de diffusion est donc la vitesse de mélange des gaz. Pour désigner le passage d'un gaz, par un très petit orifice, d'un compartiment à un autre dans lequel on a fait le vide, on utilise le terme **effusion** (*voir la figure 4.22*). La vitesse d'effusion est la vitesse à laquelle un gaz passe dans le compartiment .

Effusion

Le chimiste écossais Thomas Graham (1805-1869) découvrit expérimentalement que la vitesse d'effusion d'un gaz était inversement proportionnelle à la racine carrée de la masse des particules de ce gaz. En d'autres termes, le rapport entre les vitesses relatives d'effusion de deux gaz, à la même température, est égal à l'inverse du rapport entre les racines carrées des masses des particules de ces gaz.

$$\frac{\text{Vitesse d'effusion du gaz 1}}{\text{Vitesse d'effusion du gaz 2}} = \frac{\sqrt{M_2}}{\sqrt{M_1}}$$

Dans la loi de Graham, on peut exprimer la masse molaire aussi bien en g/mol qu'en kg/mol, étant donné que les unités s'annulent dans le rapport $\sqrt{M_2}/\sqrt{M_1}$.

où M_1 et M_2 sont les masses molaires des gaz. C'est ce qu'on appelle la **loi de la vitesse d'effusion de Graham**.

Exemple 4.20 Vitesses d'effusion

Calculez le rapport des vitesses d'effusion de l'hydrogène, H_2, et de l'hexafluorure d'uranium, UF_6, un gaz produit au cours du processus d'enrichissement qu'on utilise pour

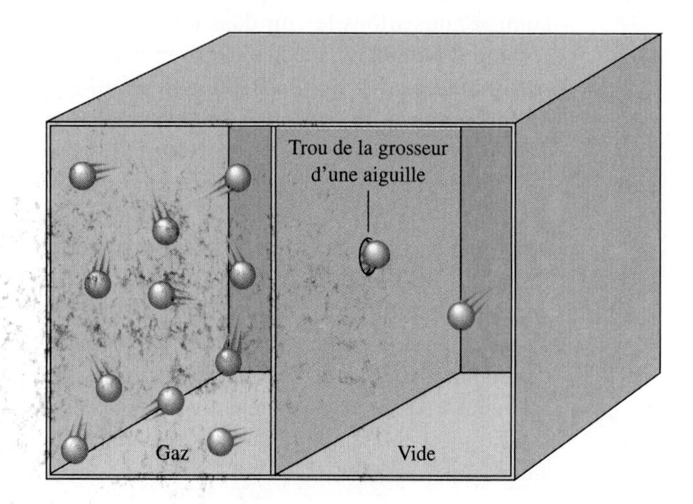

FIGURE 4.22
Effusion d'un gaz dans un compartiment dans lequel on a fait le vide. La vitesse d'effusion (vitesse à laquelle le gaz traverse la cloison par un trou de la grosseur d'une aiguille) est inversement proportionnelle à la racine carrée de la masse molaire du gaz.

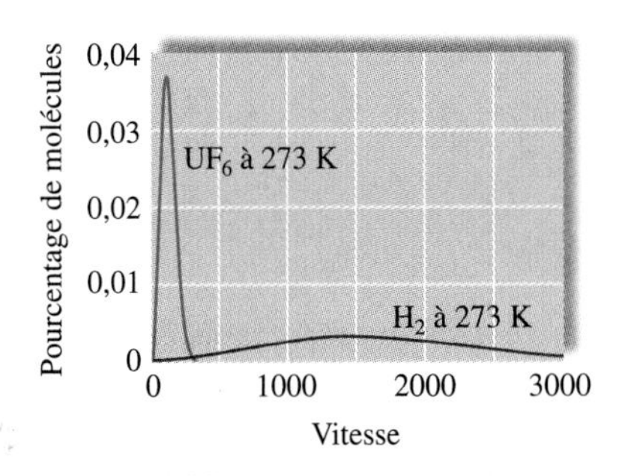

FIGURE 4.23
Distribution des vitesses moléculaires relatives de H_2 et de UF_6.

obtenir le combustible nécessaire au fonctionnement d'un réacteur nucléaire (*voir la figure 4.23*).

Solution

Il faut d'abord calculer les masses molaires : celle de H_2 est de 2,016 g/mol et celle de UF_6, de 352,02 g/mol. Selon la loi de Graham

$$\frac{\text{Vitesse d'effusion de H}_2}{\text{Vitesse d'effusion de UF}_6} = \frac{\sqrt{M_{\text{UF}_6}}}{\sqrt{M_{\text{H}_2}}} = \sqrt{\frac{352{,}02}{2{,}016}} = 13{,}2$$

La vitesse d'effusion des molécules de H_2, très légères, est environ 13 fois supérieure à celle des molécules de UF_6, très lourdes.

Voir les exercices 4.68 à 4.71

Est-ce que la théorie cinétique des gaz permet de prédire les vitesses d'effusion relatives des gaz décrites par la loi de Graham ? Pour répondre à cette question, il faut d'abord savoir que la vitesse d'effusion d'un gaz est directement fonction de la vitesse moyenne de ses particules. Plus les particules se déplacent rapidement, plus elles ont de chances de passer par le petit orifice. Selon ce raisonnement, on peut *prédire* que, pour deux gaz à la même température T,

$$\frac{\text{Vitesse d'effusion du gaz 1}}{\text{Vitesse d'effusion du gaz 2}} = \frac{u_{\text{quadr}} \text{ du gaz 1}}{u_{\text{quadr}} \text{ du gaz 2}} = \frac{\sqrt{\dfrac{3RT}{M_1}}}{\sqrt{\dfrac{3RT}{M_2}}} = \frac{\sqrt{M_2}}{\sqrt{M_1}}$$

C'est précisément la loi de Graham ; par conséquent, la théorie cinétique des gaz est conforme aux résultats expérimentaux de l'effusion des gaz.

Diffusion

Pour illustrer le phénomène de diffusion, on recourt souvent à l'expérience montrée à la figure 4.24 : deux tampons d'ouate imbibés respectivement d'ammoniac et d'acide chlorhydrique sont placés simultanément à chacune des extrémités d'un long tube. Quelques minutes plus tard, il y a formation d'un anneau blanc de chlorure d'ammonium, NH_4Cl, là où les vapeurs de NH_3 et de HCl se rencontrent.

$$NH_3(g) + HCl(g) \longrightarrow \underset{\text{Solide blanc}}{NH_4Cl(s)}$$

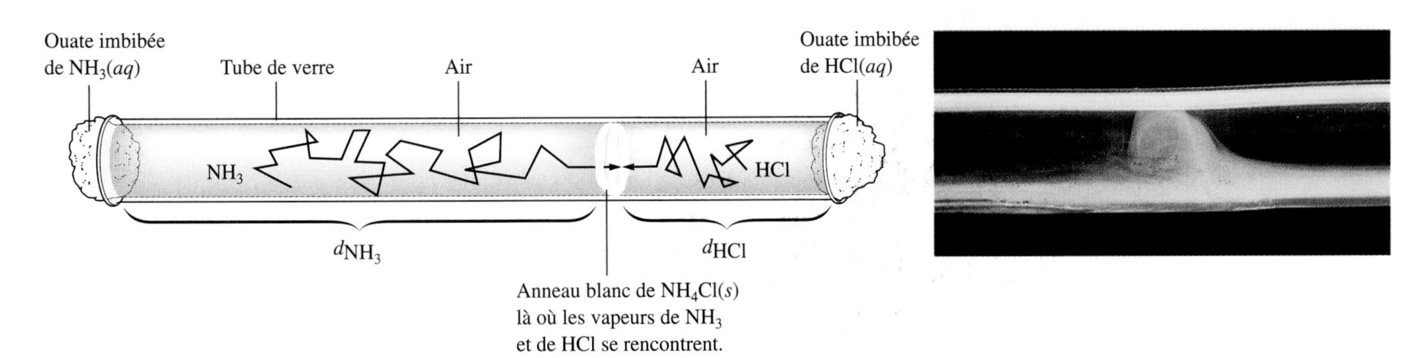

FIGURE 4.24
(Droite) Au point de rencontre du HCl(g) et du NH_3(g), il se forme un anneau blanc de NH_4Cl(s). (Gauche) Démonstration des vitesses relatives de diffusion des molécules NH_3 et HCl dans l'air. Deux bouchons de coton, l'un trempé dans le HCl(aq) et l'autre dans du NH_3(aq) sont placés simultanément à chacune des extrémités d'un tube. Les vapeurs de NH_3 et de HCl qui s'échappent des bouchons de coton diffusent l'une vers l'autre et, au point de rencontre, réagissent pour former du NH_4Cl(s).

Comme première approximation, on peut s'attendre à ce que les distances relatives parcourues par les deux types de molécules soient directement associées à leurs vitesses relatives.

$$\frac{\text{Distance parcourue par } NH_3}{\text{Distance parcourue par HCl}} = \frac{u_{quadr} \text{ de } NH_3}{u_{quadr} \text{ de HCl}} = \sqrt{\frac{M_{HCl}}{M_{NH_3}}} = \sqrt{\frac{36{,}5}{17}} = 1{,}5$$

Des expériences minutieuses permettent toutefois d'observer un rapport inférieur à 1,5, ce qui indique qu'une analyse quantitative de la diffusion exige une approche analytique beaucoup plus complexe.

La diffusion des gaz dans le tube est étonnamment lente lorsqu'on la compare aux vitesses des molécules HCl et NH_3 à 25 °C, qui sont respectivement d'environ 450 et 660 m/s. Comment peut-on expliquer qu'il faille aussi longtemps aux molécules NH_3 et HCl pour se rencontrer ? C'est que le tube contient de l'air ; par conséquent, les molécules NH_3 et HCl entrent en collision de nombreuses fois avec les molécules O_2 et N_2 de l'air au fur et à mesure qu'elles se déplacent dans le tube. La diffusion est finalement un phénomène très complexe à décrire théoriquement.

4.8 Caractéristiques de quelques gaz réels

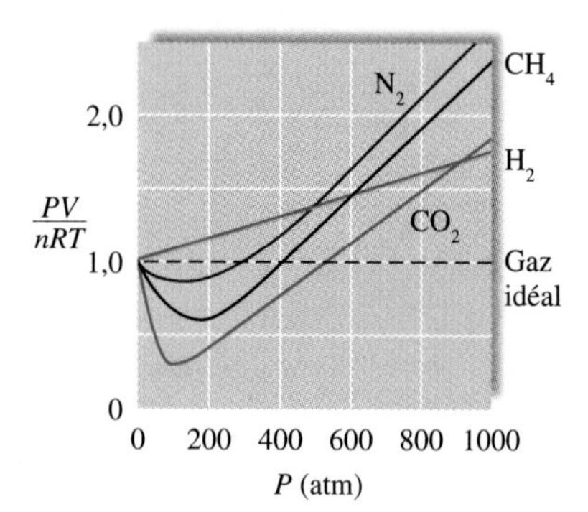

FIGURE 4.25
Variations de *PV/nRT* en fonction de *P* pour divers gaz. Les écarts par rapport au comportement idéal (*PV/nRT* = 1) sont importants. Le comportement des gaz se rapproche du comportement idéal uniquement à basse pression (moins de 1 atm).

Le gaz parfait est un concept théorique. Aucun gaz n'obéit *exactement* à la loi des gaz parfaits, même si le comportement de nombreux gaz s'approche du comportement idéal à basses pressions. On peut donc dire que le comportement d'un gaz parfait est le comportement dont *s'approchent les gaz réels* dans certaines conditions.

On peut fort bien expliquer le comportement d'un gaz parfait à l'aide d'un modèle simple, la théorie cinétique des gaz, à la condition toutefois de poser certaines hypothèses plutôt importantes (aucune interaction entre les particules ; un volume des particules égal à zéro). Il est cependant important d'étudier le comportement des gaz réels pour déterminer jusqu'à quel point il diffère du comportement prévu par la loi des gaz parfaits et quelles modifications il faudrait apporter à la théorie cinétique des gaz pour rendre compte du comportement observé. Tout modèle étant une approximation – et inévitablement, il sera un jour pris en défaut – il faut tirer profit de tels échecs. En fait, les faiblesses d'un modèle ou d'une théorie nous en apprennent souvent plus sur la nature que ses réussites.

Examinons d'abord le comportement expérimental des gaz réels. Pour ce faire, on mesure habituellement la pression, le volume, la température et le nombre de moles de gaz, puis on étudie la variation de *PV/nRT* en fonction de la pression. La figure 4.25 représente la variation de *PV/nRT* en fonction de *P* pour plusieurs gaz. Dans le cas d'un gaz parfait, *PV/nRT* = 1, et ce, quelles que soient les conditions. Or, dans le cas d'un gaz réel, la valeur de *PV/nRT* n'avoisine 1 qu'à de très basses pressions (généralement à moins de 1 atm). Pour illustrer l'influence de la température, représentons graphiquement la variation de *PV/nRT* en fonction de *P*, pour l'azote, à plusieurs températures (*voir la figure 4.26*). On remarque que le comportement du gaz se rapproche du comportement idéal au fur et à mesure que la température augmente. La plus importante conclusion qu'on puisse tirer de l'étude de ces graphiques est la suivante : le comportement d'un gaz réel se rapproche d'autant plus du comportement d'un gaz idéal que sa *pression est faible* et sa *température élevée.*

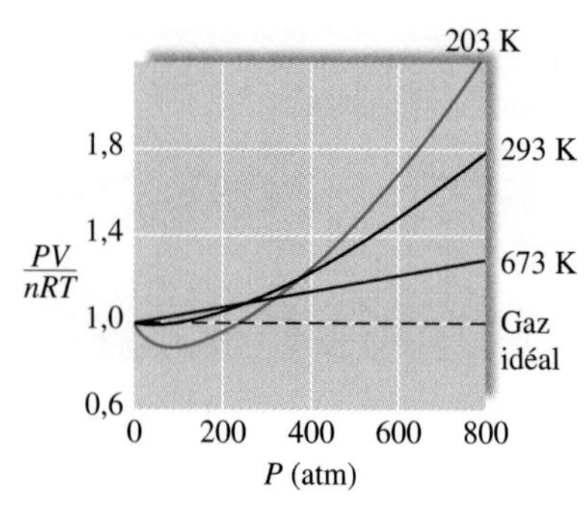

FIGURE 4.26
Variations de *PV/nRT* en fonction de *P* pour l'azote, à trois températures différentes. On remarque que, même si le comportement n'est pas idéal dans chacun des cas, les écarts diminuent quand la température augmente.

L'une des démarches les plus importantes en science consiste à adapter les modèles à mesure que nous obtenons de nouveaux résultats. Nous comprendrons mieux comment les gaz se comportent réellement si nous savons comment corriger le modèle simple qui explique la loi des gaz parfaits, afin que le nouveau modèle s'ajuste au comportement des gaz réels que nous observons. Alors, la question qu'il faut se poser est : Quelles modifications faut-il apporter aux hypothèses de la théorie cinétique des gaz pour rendre compte du comportement des gaz réels ? Johannes Van der Waals (1837-1923), professeur de physique à l'Université d'Amsterdam, a, le premier, effectué des travaux importants dans ce domaine. En hommage à ses travaux, on lui décerna le prix Nobel en 1910. Pour comprendre sa démarche, commençons par analyser la loi des gaz parfaits.

$$P = \frac{nRT}{V}$$

Il faut se rappeler que cette équation décrit le comportement d'un gaz hypothétique composé de particules qui n'ont aucun volume et qui n'interagissent pas. Par contre, un gaz réel est composé d'atomes ou de molécules qui ont un volume bien déterminé. Cela signifie que, dans un gaz réel, le volume dont dispose une particule donnée est inférieur au volume du contenant, puisque les molécules de gaz occupent elles-mêmes un certain volume. Pour prendre ce phénomène en considération, Van der Waals affirme que le volume dont disposent les particules est égal à la différence entre le volume du contenant, V, et un facteur de correction qui rend compte du volume occupé par les molécules, nb : n est le nombre de moles de gaz et b, une constante déterminée empiriquement (par ajustement de l'équation aux résultats expérimentaux). Ainsi, on exprime le volume *dont dispose réellement* une molécule de gaz donné par la différence $V - nb$.

En apportant cette modification à l'équation des gaz parfaits, on obtient l'équation suivante :

P' tient compte du volume réel des particules. On ne prend pas encore en considération les forces d'attraction.

$$P' = \frac{nRT}{V - nb}$$

On a ainsi pris en considération le volume occupé par les molécules de gaz.

À l'étape suivante, on tient compte des attractions qui existent entre les particules d'un gaz réel. Ces attractions exercent une influence telle que la pression observée, P_{obs}, est inférieure à celle qui existerait si les particules n'interagissaient pas.

$$P_{obs} = (P' - \text{facteur de correction}) = \left(\frac{nRT}{V - nb} - \text{facteur de correction}\right)$$

Nous aborderons, au chapitre 8, l'étude des forces d'attraction entre les molécules.

Pour comprendre cette influence, on peut utiliser le modèle suivant : quand deux particules de gaz s'approchent l'une de l'autre, les forces d'attraction qui s'exercent entre elles font en sorte que ces particules heurtent la paroi avec légèrement moins de puissance qu'elles ne le feraient en l'absence de toute interaction (*voir la figure 4.27*).

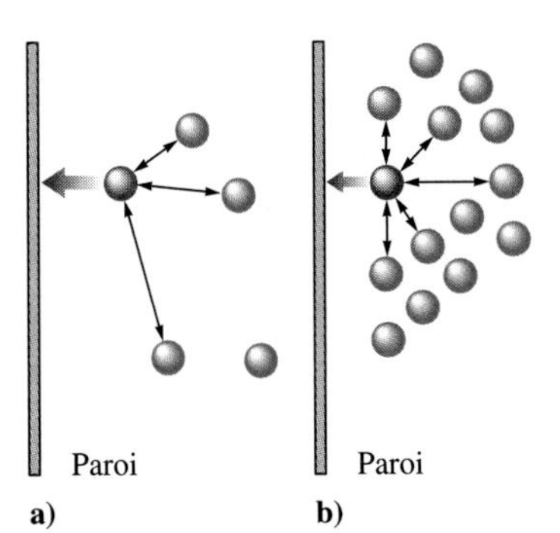

FIGURE 4.27
a) Gaz à faible concentration. Il y a relativement peu d'interactions des particules. La particule de gaz illustrée exerce sur la paroi une pression qui se rapproche de celle prédite pour un gaz parfait. **b)** Gaz à forte concentration. Il y a de nombreuses interactions des particules. La particule de gaz illustrée exerce sur la paroi une pression bien plus faible que celle prévue en l'absence d'interactions.

L'importance du facteur de correction dépend donc de la concentration des molécules de gaz, n/V, exprimée en moles de particules par litre. Plus la concentration est élevée, plus il y a de chances que deux particules de gaz soient situées suffisamment près l'une de l'autre pour s'attirer mutuellement. Pour un nombre très élevé de particules, le nombre de *paires* de particules qui interagissent est fonction du carré du nombre de particules et, par conséquent, du carré de la concentration $(n/V)^2$. En voici la preuve. Dans un échantillon de gaz qui contient N particules, chaque particule dispose de $N - 1$ partenaires (*voir la figure 4.28*). Puisque la paire ① ··· ② est la même que la paire ② ··· ① on a compté chaque paire deux fois. Ainsi, pour N particules, on retrouve $N(N - 1)/2$ paires possibles ; si N est un très grand nombre, $N - 1$ est approximativement égal à N ; il y a donc $N^2/2$ paires possibles.

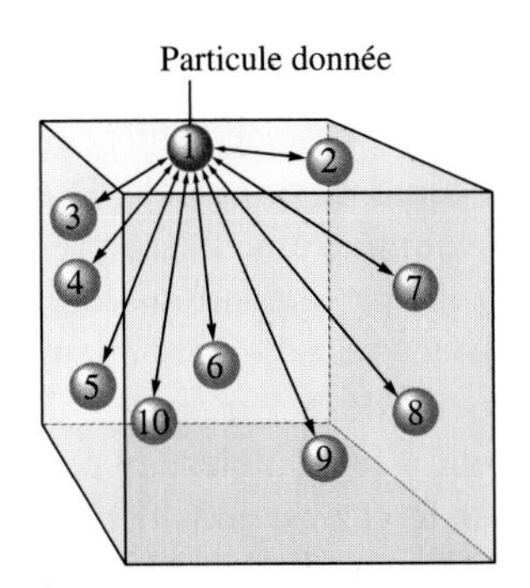

FIGURE 4.28
Illustration d'interactions pairées de particules de gaz. Dans un échantillon qui contient 10 particules, chaque particule a 9 partenaires possibles, ce qui donne 10(9)/2 = 45 paires différentes. Le facteur de $\frac{1}{2}$ s'explique par le fait que, lorsque la particule ① est celle qui nous intéresse, on compte la paire ① ··· ② et quand c'est la particule ② qui nous intéresse, on compte la paire ② ··· ① . Cependant il s'agit toujours de la même paire et nous l'avons comptée deux fois. Il faut donc diviser le nombre réel de paires par 2.

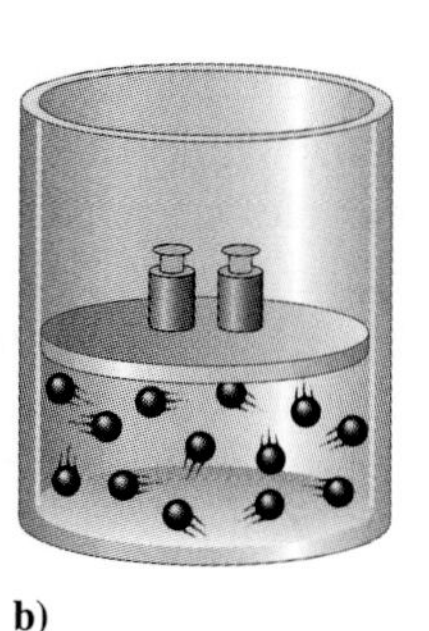

FIGURE 4.29
Le volume occupé par les particules de gaz est relativement moins important en **a)** (grand volume, faible pression) qu'en **b)** (petit volume, forte pression).

Par conséquent, la correction à apporter à la pression idéale pour tenir compte de l'attraction mutuelle des particules prend la forme suivante :

$$P_{\text{obs}} = P' - a\left(\frac{n}{V}\right)^2$$

où a est une constante de proportionnalité (qui tient compte du facteur $\frac{1}{2}$ provenant de $N^2/2$). La valeur de a pour un gaz réel donné peut être déterminée en observant le comportement d'un gaz réel. Lorsqu'on apporte les corrections appropriées en ce qui concerne le volume des particules et les attractions entre les particules, l'équation prend la forme suivante :

$$P_{\text{obs}} = \frac{nRT}{V - nb} - a\left(\frac{n}{V}\right)^2$$

Pression observée (P_{obs}) ; Volume du contenant (V) ; Correction applicable au volume (nb) ; Correction applicable à la pression ($a\left(\frac{n}{V}\right)^2$)

On a, à présent, tenu compte et du volume réel des particules et des forces d'attraction qui s'exercent entre elles.

Finalement, on peut réarranger l'équation pour obtenir l'**équation de Van der Waals**, soit

$$\underbrace{\left[P_{\text{obs}} + a\left(\frac{n}{V}\right)^2\right]}_{\substack{\text{Pression corrigée} \\ P_{\text{idéale}}}} \times \underbrace{(V - nb)}_{\substack{\text{Volume corrigé} \\ V_{\text{idéal}}}} = nRT$$

Pour désigner P_{obs}, on utilise habituellement P.

TABLEAU 4.3 Valeurs des constantes *a* et *b* de l'équation de Van der Waals pour quelques gaz courants

Gaz	$a\left(\frac{\text{kPa}\cdot\text{L}^2}{\text{mol}^2}\right)$	$b\left(\frac{\text{L}}{\text{mol}}\right)$
He	3,45	0,0237
Ne	21,4	0,0171
Ar	137	0,0322
Kr	235	0,0398
Xe	425	0,0511
H_2	24,7	0,0266
N_2	141	0,0391
O_2	138	0,0318
Cl_2	658	0,0562
CO_2	364	0,0427
CH_4	228	0,0428
NH_3	423	0,0371
H_2O	553	0,0305

Pour déterminer les valeurs des facteurs de pondération a et b, on ajuste l'équation, pour un gaz donné, en fonction des valeurs expérimentales. Autrement dit, on modifie les valeurs de a et de b jusqu'à ce que la valeur de la pression calculée soit la plus voisine possible de la valeur expérimentale, dans diverses conditions. Le tableau 4.3 présente la liste des valeurs de a et de b pour divers gaz.

Des études expérimentales montrent que les modifications apportées par Van der Waals aux hypothèses de base de la théorie cinétique des gaz corrigent effectivement les principales imperfections de ce modèle. D'abord, considérons l'influence du volume. Dans le cas d'un gaz soumis à une basse pression (volume important), le volume du contenant est gigantesque par rapport au volume des particules de gaz. Autrement dit, le volume dont dispose le gaz est essentiellement égal au volume du contenant ; le gaz a donc un comportement idéal. Par contre, dans le cas d'un gaz soumis à une haute pression (faible volume), le volume des particules prend une importance telle que le volume dont dispose le gaz est considérablement inférieur au volume du contenant (*voir la figure 4.29*). On constate au tableau 4.3 que la valeur de la constante b (qu'on utilise pour effectuer la correction applicable au volume) augmente en général en fonction de la grosseur de la molécule de gaz, ce qui confirme la validité de l'argumentation avancée.

Le modèle de Van der Waals permet également d'expliquer qu'un gaz réel tend à se comporter de façon idéale à haute température. En effet, à haute température, les particules se déplacent si rapidement que l'influence des interactions des particules perd de l'importance.

Étant donné que les corrections apportées par Van der Waals à la théorie cinétique des gaz sont logiques, on peut quasiment affirmer qu'on comprend maintenant les principes fondamentaux qui sous-tendent le comportement des gaz au niveau moléculaire. Cela est d'autant plus capital que de nombreuses réactions chimiques importantes ont lieu dans l'air. D'ailleurs, le mélange de gaz appelé « atmosphère » est essentiel à la vie. À la section 4.9, nous étudierons certaines réactions importantes qui ont lieu dans l'atmosphère.

4.9 Réactions chimiques dans l'atmosphère

Les gaz qui revêtent la plus grande importance pour les systèmes vivants sont certainement les gaz présents dans l'**atmosphère** qui entoure la Terre. Les principaux gaz en présence sont N_2 et O_2, mais l'atmosphère contient également de nombreux autres gaz importants, comme H_2O et CO_2. Le tableau 4.4 présente la composition moyenne de l'atmosphère au niveau de la mer, abstraction faite de la vapeur d'eau. À cause de l'influence de la gravitation, la composition de l'atmosphère terrestre n'est pas constante : les molécules les plus lourdes ont tendance à demeurer près de la surface de la Terre, alors que les molécules plus légères migrent vers les hautes altitudes et, finalement, s'échappent dans l'espace. L'atmosphère constitue un système dynamique très complexe ; cependant, pour plus de commodité, on la divise en plusieurs couches, déterminées à partir des variations de température en fonction de l'altitude. (La couche la plus basse, appelée troposphère, est indiquée à la figure 4.30.) On remarque que, contrairement à la température, qui varie en fonction de l'altitude de façon très complexe dans l'atmosphère, la pression diminue très régulièrement.

TABLEAU 4.4 Composition de l'atmosphère au niveau de la mer (air sec)*

Composant	Fraction molaire
N_2	0,780 84
O_2	0,209 48
Ar	0,009 34
CO_2	0,000 315
Ne	0,000 018 18
He	0,000 005 24
CH_4	0,000 001 68
Kr	0,000 001 14
H_2	0,000 000 5
NO	0,000 000 5
Xe	0,000 000 087

* L'atmosphère contient des quantités variables de vapeur d'eau ; tout dépend des conditions atmosphériques.

Les réactions chimiques qui ont lieu dans la haute atmosphère sont principalement déterminées par l'influence des radiations à haute énergie et des particules provenant du Soleil et d'autres endroits de l'espace. En fait, la haute atmosphère joue le rôle d'un important bouclier qui empêche les radiations à haute énergie d'atteindre la Terre, où elles pourraient causer des dommages importants aux molécules relativement fragiles essentielles au maintien de la vie. Par exemple, dans la haute atmosphère, l'ozone empêche les radiations ultraviolettes à haute énergie de parvenir à la Terre. Actuellement, on effectue des recherches intensives dans le but de déterminer quels facteurs naturels modifient la concentration de l'ozone et quel rôle jouent les produits chimiques libérés dans l'atmosphère dans ces modifications.

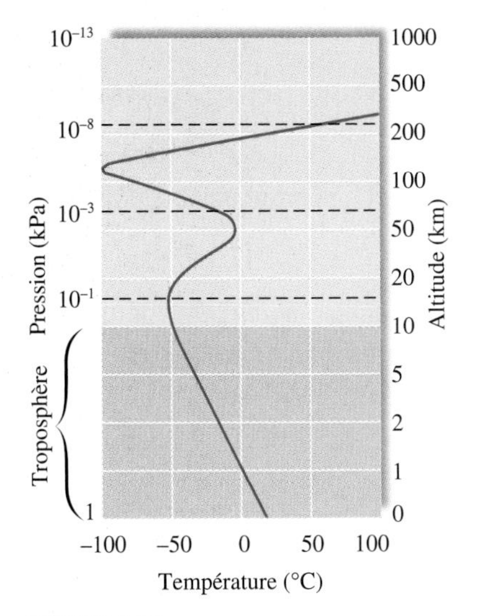

FIGURE 4.30
Variations de la température (en bleu) et de la pression (ligne pointillée) en fonction de l'altitude. La pression décroît de façon régulière avec l'altitude, alors que la température varie de façon très irrégulière.

Les réactions chimiques qui ont lieu dans la *troposphère* (la couche de l'atmosphère la plus voisine de la surface de la Terre) sont fortement influencées par l'activité humaine. En effet, des millions de tonnes de gaz et de particules sont libérées dans la troposphère, conséquence de l'industrialisation poussée de notre société. Il est même surprenant que l'atmosphère puisse absorber autant de produits sans être davantage affectée de modifications permanentes (jusqu'à présent).

Des modifications significatives ont cependant eu lieu. On trouve ainsi une **pollution atmosphérique** importante autour de nombreuses grandes cités, et il est même probable que des modifications à long terme de la température de la planète soient en train de s'instaurer. Dans cette section, nous traiterons des effets à court terme et localisés de la pollution.

Les deux principales sources de pollution sont les moyens de transport et les centrales électriques thermiques. Dans les gaz d'échappement des automobiles, on trouve du CO, du CO_2, du NO et du NO_2, ainsi que des molécules d'hydrocarbures non consumées. Quand un tel mélange stagne près du sol, des réactions ont lieu qui entraînent la formation de produits chimiques irritants et dangereux pour les systèmes vivants.

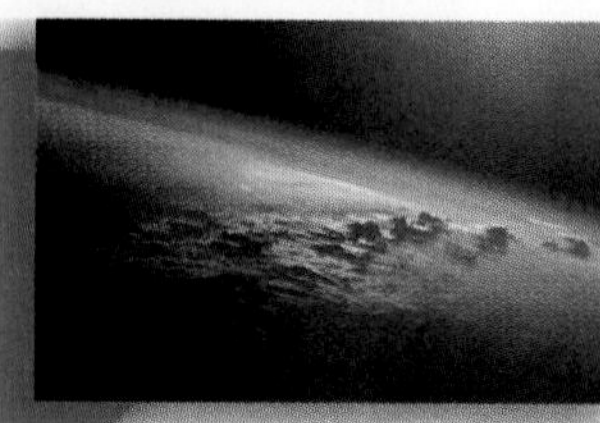

IMPACT

Les pluies acides : un problème de plus en plus important

La pluie, même dans les régions les plus sauvages, est légèrement acide, car une partie du dioxyde de carbone présent dans l'atmosphère s'y dissout pour produire des ions H^+ d'après la réaction suivante :

$$H_2O(l) + CO_2(g) \longrightarrow H^+(aq) + HCO_{3-}(aq)$$

Ce phénomène n'est responsable que d'une faible concentration des ions H^+ dans la pluie. Des gaz comme le NO_2 et le SO_2, sous-produits de l'utilisation de combustibles, peuvent produire des concentrations nettement plus élevées d'ions H^+. Le dioxyde d'azote réagit avec l'eau pour donner un mélange d'acide nitreux et d'acide nitrique.

$$2NO_2(g) + H_2O(l) \longrightarrow HNO_2(aq) + HNO_3(aq)$$

Le dioxyde de soufre, quant à lui, est oxydé en trioxyde de soufre, qui réagit avec l'eau pour former de l'acide sulfurique.

$$2SO_2(g) + O_2(g) \longrightarrow 2SO_3(g)$$
$$SO_3(g) + H_2O(l) \longrightarrow H_2SO_4(aq)$$

Le dommage causé par l'acide formé dans l'air pollué est un sujet de préoccupation croissante à l'échelle mondiale. Les lacs se meurent en Norvège, les forêts sont compromises en Allemagne et, partout dans le monde, les édifices et les statues se détériorent.

Le Field Museum, à Chicago, possède plus de marbre de Géorgie que tout autre édifice au monde. Mais près de 70 ans d'exposition aux éléments ont laissé des traces sur cet édifice. Récemment, on a commencé à coups de millions de dollars à remplacer le marbre endommagé.

Comment expliquer chimiquement la détérioration du marbre par l'acide sulfurique ? Le marbre, c'est le produit de transformation, à des températures et à des pressions élevées, du calcaire, roche sédimentaire formée par le dépôt lent du carbonate de calcium provenant des coquillages. Le calcaire et le marbre sont donc chimiquement identiques ($CaCO_3$), mais ils possèdent des propriétés physiques différentes : le calcaire est composé de petites particules de carbonate de calcium ; il est donc plus poreux et plus facile à travailler. Bien que le calcaire et le marbre soient utilisés pour construire les édifices, le marbre peut être poli et est souvent utilisé de préférence à des fins décoratives.

Le marbre et le calcaire réagissent tous deux avec l'acide sulfurique pour former du sulfate de calcium. La réaction peut être décrite très simplement de la façon suivante :

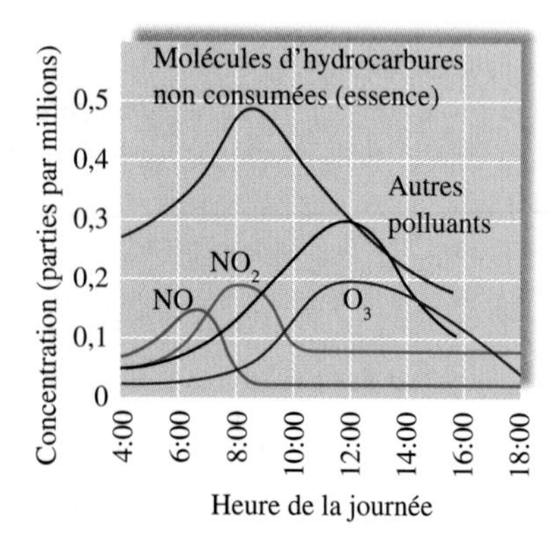

FIGURE 4.31
Variations de la concentration (nombre de molécules par million de molécules d'« air ») de quelques composants du smog photochimique en fonction de l'heure du jour.

(Tiré de « Photochemistry of Air Pollution », par P. A. Leighton, dans *Physical Chemistry: A Series of Monographs*, publié sous la direction de Eric Hutchison et P. Van Rysselberghe, tous droits réservés 1961 et 1989, Elsevier Science (USA), reproduit avec la permission de l'éditeur.)

La chimie complexe de la pollution de l'air gravite autour des oxydes d'azote, NO_x. Aux hautes températures qui existent dans les moteurs des camions et des automobiles, les gaz N_2 et O_2 réagissent pour produire une petite quantité de NO, qui est libéré dans l'air avec les gaz d'échappement (*voir la figure 4.31*). Dans l'air, NO est oxydé en NO_2 qui, à son tour, absorbe de l'énergie solaire et se scinde en oxyde nitrique et en atomes d'oxygène libres.

$$NO_2(g) \xrightarrow{\text{Énergie radiante}} NO(g) + O(g)$$

Les atomes d'oxygène, très réactifs, peuvent se combiner à O_2 pour produire de l'*ozone*.

$$O(g) + O_2(g) \longrightarrow O_3(g)$$

L'ozone est également très réactif et peut réagir directement avec d'autres polluants ; il peut aussi absorber la lumière et se dissocier pour former une molécule O_2 excitée (O_2*) et un atome d'oxygène excité (O*). Ce dernier réagit rapidement avec une molécule d'eau pour former deux radicaux hydroxyles (OH) :

$$O^* + H_2O \longrightarrow 2OH$$

Le radical hydroxyle est un agent oxydant très réactif. Par exemple, OH peut réagir avec NO_2 pour donner de l'acide nitrique :

$$OH + NO_2 \longrightarrow HNO_3$$

Le radical OH n'a aucune charge ; il possède un électron de moins que l'ion hydroxyde (OH^-).

Le radical OH peut aussi réagir avec les hydrocarbures non consumés de l'air pollué, ce qui entraîne la formation de produits chimiques irritants pour les yeux et dangereux pour l'appareil respiratoire.

$$CaCO_3(s) + H_2SO_4(aq) \longrightarrow Ca^{2+}(aq) + SO_4^{2-}(aq) + H_2O(l) + CO_2(g)$$

Dans cette équation, le sulfate de calcium est représenté par des ions hydratés distincts, car le sulfate de calcium, soluble dans l'eau, se dissout dans l'eau de pluie. Alors, dans les régions où il pleut beaucoup, le marbre se dissout lentement.

Dans les parties d'un édifice protégées de la pluie, le sulfate de calcium peut former du gypse minéral ($CaSO_4 \cdot 2H_2O$). Le $\cdot\, 2H_2O$ de la formule indique la présence de deux molécules d'eau (appelées *eau d'hydratation*) pour chaque $CaSO_4$ de la formule. La surface lisse du marbre est alors remplacée par une mince couche de gypse, matériel plus poreux auquel adhèrent la suie et la poussière.

Que faire pour protéger les structures de marbre et de calcaire de ce genre de dommage ? Évidemment, on pourrait abaisser les émissions de dioxyde de soufre provenant de centrales électriques (*voir la figure 4.33*). De plus, les scientifiques en sont à expérimenter des revêtements qui protégeraient le marbre de l'atmosphère acide. Cependant, un tel revêtement pourrait être plus dommageable à moins qu'il ne permette au calcaire de « respirer ». Si l'humidité emprisonnée sous le revêtement gèle, l'expansion de la glace provoquera l'effritement du marbre. Point n'est besoin de dire qu'il sera difficile de trouver un revêtement qui permettra à l'eau, et non à l'acide, de passer. Toutefois, les recherches continuent.

On remarque les effets des pluies acides en comparant les deux photos de cette statue du Field Museum, à Chicago. La première photo a été prise vers 1920, la seconde en 1990.

Ce processus aboutit souvent à la formation du **smog photochimique**, ainsi appelé à cause de la nécessité de la présence de lumière pour amorcer quelques-unes des réactions qui y ont lieu. On comprend plus facilement la production du smog photochimique lorsqu'on examine les réactions ci-dessous.

$$\begin{aligned} NO_2(g) &\longrightarrow NO(g) + O(g) \\ O(g) + O_2(g) &\longrightarrow O_3(g) \\ NO(g) + \tfrac{1}{2}O_2(g) &\longrightarrow NO_2(g) \\ \hline \text{Réaction globale :} \quad \tfrac{3}{2}O_2(g) &\longrightarrow O_3(g) \end{aligned}$$

Bien qu'on le représente comme étant O_2, l'oxydant réel de NO est OH ou un peroxyde organique tel que CH_3COO, formé par oxydation des polluants organiques.

On remarque que les molécules NO_2 contribuent à la formation de l'ozone sans être elles-mêmes utilisées. L'ozone produit alors d'autres agents polluants, tel OH.

On peut étudier ce processus en analysant l'air pollué à différents moments de la journée (*voir la figure 4.31*). Lorsque les gens se rendent au travail en voiture (entre 6 et 8 heures), les quantités de NO, de NO_2 et de molécules d'hydrocarbures non consumées augmentent. Plus tard, au fur et à mesure qu'a lieu la décomposition du NO_2, il y a augmentation de la concentration d'ozone et des autres polluants. Les efforts actuels déployés pour combattre la formation du smog photochimique visent la diminution de la quantité de molécules d'hydrocarbures non consumées émises par les automobiles et la mise au point de moteurs qui produisent moins d'oxyde nitrique.

L'autre source importante de pollution est la combustion du charbon dans les centrales électriques. (Aux États-Unis, la plus grande partie de l'électricité est produite par des centrales thermiques au charbon ou au pétrole.) La plus grande partie du charbon qui provient du Midwest contient des quantités importantes de soufre, qui, lorsqu'il est brûlé, produit du dioxyde de soufre.

$$S_{(\text{dans le charbon})} + O_2(g) \longrightarrow SO_2(g)$$

FIGURE 4.32
Une agente environnementale prend des mesures de pH de l'eau, au pays de Galles.

Une oxydation plus poussée transforme, dans l'air, le dioxyde de soufre en trioxyde de soufre.*

$$2SO_2(g) + O_2(g) \longrightarrow 2SO_3(g)$$

La production du trioxyde de soufre est préoccupante, car il peut réagir, dans l'air, avec des gouttelettes d'eau et produire de l'acide sulfurique.

$$SO_3(g) + H_2O(l) \longrightarrow H_2SO_4(aq)$$

L'acide sulfurique est un produit très corrosif, tant pour les êtres vivants que pour les matériaux de construction. La formation de **pluies acides** est une autre conséquence de cette pollution. Dans plusieurs régions du nord-est des États-Unis et du sud-est du Canada, les pluies acides ont entraîné une telle acidification des lacs d'eau douce qu'aucune vie n'est plus possible (*voir la figure 4.32*).

La crise de l'énergie a amplifié davantage le problème de la pollution par le dioxyde de soufre. En effet, au fur et à mesure que l'approvisionnement en pétrole diminuait et que les prix augmentaient, l'économie américaine devenait de plus en plus dépendante du charbon. Étant donné que les sources de charbon à faible teneur en soufre étaient épuisées, on a dû utiliser le charbon à haute teneur en soufre. Pour pouvoir utiliser ce type de charbon sans nuire davantage à la qualité de l'air, il faut éliminer des gaz d'échappement le dioxyde de soufre formé, avant sa sortie de la cheminée, grâce à un système appelé « laveur de gaz ». Dans une des méthodes courantes de *lavage* des gaz, on injecte de la pierre à chaux, $CaCO_3$, pulvérisée dans la chambre de combustion, où elle est transformée en chaux et en dioxyde de carbone.

$$CaCO_3(s) \longrightarrow CaO(s) + CO_2(g)$$

La chaux se combine alors au dioxyde de soufre pour produire du sulfite de calcium.

$$CaO(s) + SO_2(g) \longrightarrow CaSO_3(s)$$

Afin d'éliminer le sulfite de calcium et la totalité du dioxyde de soufre qui n'a pas réagi, on injecte une suspension de chaux dans la chambre de combustion et dans la cheminée, de façon à obtenir la production d'une *bouillie* (suspension épaisse) (*voir la figure 4.33*).

Malheureusement, cette opération de lavage entraîne de nombreux problèmes. Les systèmes utilisés sont complexes et très coûteux, car ils consomment beaucoup d'énergie. Les énormes quantités de sulfite de calcium produites posent un problème d'élimination. Dans un laveur de gaz typique, il y a production, chaque année, d'environ une tonne de sulfite de calcium par personne desservie par la centrale électrique ! Puisqu'on n'a toujours pas trouvé d'utilisation à ce sulfite de calcium, on l'enfouit. Toutes ces difficultés font que la pollution de l'air par le dioxyde de soufre demeure un problème important, problème qui a de lourdes conséquences aussi bien en ce qui concerne les dommages à l'environnement et à la santé humaine que les coûts.

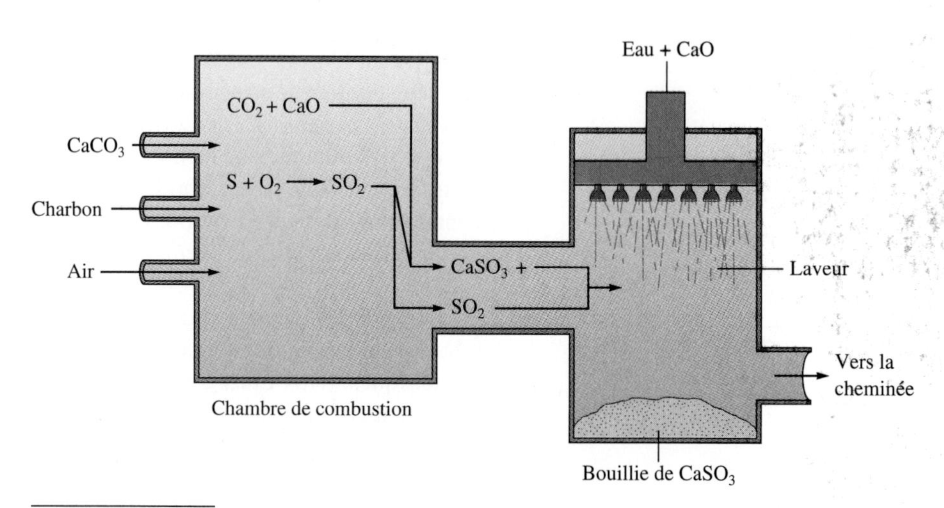

FIGURE 4.33
Représentation schématique du processus utilisé pour laver les gaz produits par les centrales électriques du dioxyde de soufre qu'ils contiennent.

* Cette réaction est très lente, à moins que des particules solides soient présentes.

Mots clés

Section 4.1
baromètre
manomètre
mm Hg
torr
atmosphère standard
pascal (Pa)

Section 4.2
loi de Boyle-Mariotte
gaz idéal
loi de Charles
zéro absolu
loi d'Avogadro

Section 4.3
constante molaire des gaz
loi des gaz parfaits

Section 4.4
volume molaire
température et pression normales (TPN)

Section 4.5
loi des pressions partielles de Dalton
pression partielle
fraction molaire

Section 4.6
théorie cinétique des gaz
vitesse quadratique moyenne
joule (J)

Section 4.7
diffusion
effusion
loi de la vitesse d'effusion de Graham

Section 4.8
gaz réel
équation de Van der Waals

Section 4.9
atmosphère
pollution atmosphérique
smog photochimique
pluies acides

Synthèse

État gazeux

- On peut décrire un gaz complètement en déterminant sa pression (P), son volume (V), sa température (T) et le nombre de moles de gaz présentes (n).
- Pression
  - Unités courantes
    1 torr = 1 mm Hg
    1 atm = 760 torr
  - Unités du SI : pascal
    1 atm = 101,325 kPa

Lois des gaz

- Découvertes par observation des propriétés des gaz
- Loi de Boyle-Mariotte : $PV = k$
- Loi de Charles : $V = bT$
- Loi d'Avogadro : $V = an$
- Loi des gaz parfaits : $PV = nRT$
- Loi des pressions partielles de Dalton : $P_{\text{TOTALE}} = P_1 + P_2 + P_3 + \cdots$, où P_n représente la pression partielle du composant n dans un mélange de gaz.

Théorie cinétique des gaz

- Modèle qui rend compte du comportement des gaz parfaits.
- Postulats de la théorie cinétique des gaz :
  - le volume des particules de gaz est nul
  - aucune interaction des particules
  - les particules sont en mouvement constant, et la pression résulte des collisions entre les particules et les parois du contenant
  - l'énergie cinétique moyenne des particules de gaz est directement proportionnelle à la température du gaz exprimée en kelvins.

Propriétés des gaz

- Dans tout échantillon de gaz, les particules ont une gamme de vitesse.
- La vitesse quadratique moyenne pour un gaz représente la moyenne des carrés des vitesses des particules.

$$u_{\text{quadr}} = \sqrt{\frac{3RT}{M}}$$

- Diffusion : mélange de deux ou de plusieurs gaz.
- Effusion : le passage d'un gaz, par un très petit orifice, d'un compartiment à un autre dans lequel on a fait le vide.

Comportement des gaz réels

- Se rapproche de celui des gaz parfaits uniquement à haute température et à basse pression.
- Comprendre comment il faut modifier l'équation des gaz parfaits pour rendre compte du comportement des gaz réels nous aide à comprendre comment les gaz se comportent au niveau moléculaire.
- Van der Waals a trouvé que pour décrire le comportement des gaz réels, il faut prendre en compte les interactions entre les particules et les volumes des particules.

QUESTIONS DE RÉVISION

1. Expliquez comment fonctionnent un baromètre et un manomètre pour mesurer la pression de l'air ou la pression d'un gaz dans un contenant.
2. Énoncez la loi de Boyle-Mariotte, la loi de Charles et la loi d'Avogadro. Quelles représentations graphiques présentent une relation linéaire pour chacune des lois ?

3. Démontrez comment les lois de Boyle-Mariotte, de Charles et d'Avogadro sont des cas spéciaux de la loi des gaz parfaits. En vous servant de la loi des gaz parfaits, montrez la relation entre P et n (V et T constants) et entre P et T (V et n constants).
4. Expliquez les observations suivantes.
   a) Un contenant d'aérosol peut exploser s'il est chauffé.
   b) On peut boire à l'aide d'une paille.
   c) Une cannette voit ses parois minces s'affaisser si l'on y fait le vide.
   d) À basse altitude, on n'utilise pas les mêmes balles de tennis qu'à haute altitude.
5. Soit l'équation équilibrée suivante dans laquelle un gaz X forme un gaz X_2.

$$2X(g) \rightarrow X_2(g)$$

   On place des nombres égaux de moles de X dans deux contenants distincts. Le premier est rigide de sorte que son volume ne peut pas changer ; le second est flexible de sorte que le volume change pour maintenir la pression interne égale à la pression externe. La réaction ci-dessus a lieu dans les deux contenants. Qu'arrive-t-il à la pression et à la masse volumique du gaz à l'intérieur de chaque contenant quand les réactifs sont convertis en produits ?
6. À l'aide des postulats de la théorie cinétique des gaz, expliquez pourquoi la loi de Boyle-Mariotte, la loi de Charles, la loi d'Avogadro et la loi des pressions partielles de Dalton se vérifient pour des gaz parfaits. Servez-vous de la théorie cinétique des gaz pour expliquer la relation entre P et n (V et T constants) et la relation entre P et T (V et n constants).
7. Soit les courbes de distribution de vitesses A et B suivantes.

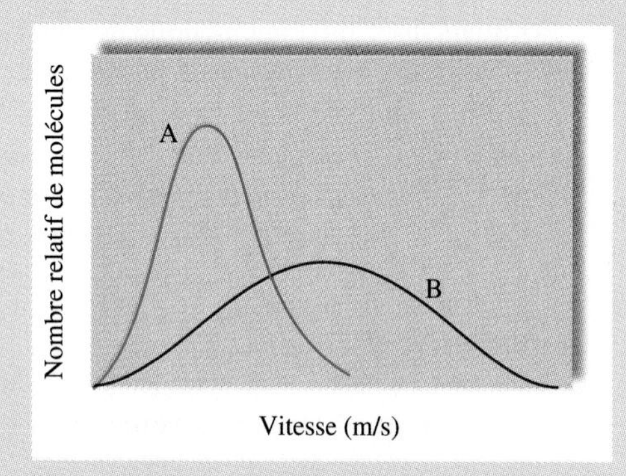

   a) Si les courbes représentent la distribution des vitesses de 1,0 L de He(g) à TPN comparée à 1,0 L de $Cl_2(g)$ à TPN, quelle courbe représente chaque gaz ? Expliquez votre raisonnement.
   b) Si les courbes représentent la distribution de vitesses de 1,0 L de $O_2(g)$ à une température de 273 K comparée à 1273 K, quelle courbe représente chacune des températures ? Expliquez votre raisonnement. Dans quelle condition de température le comportement de l'échantillon de $O_2(g)$ se rapproche le plus de celui des gaz parfaits ? Expliquez.
8. Décrivez brièvement deux méthodes possibles pour déterminer la masse molaire d'un gaz nouvellement synthétisé, de formule moléculaire inconnue.
9. Dans l'équation de Van der Waals, pourquoi y a-t-il un terme ajouté à la pression observée et pourquoi y a-t-il un terme soustrait du volume du contenant pour corriger le comportement d'un gaz non idéal ?
10. Pourquoi les gaz réels ne se comportent-ils pas toujours comme des gaz parfaits ? Dans quelles conditions, le comportement d'un gaz réel se rapproche-t-il le plus de celui d'un gaz parfait ? Pourquoi ?

Questions et exercices

Questions à discuter en classe

Ces questions sont conçues pour être abordées en petits groupes. Par des discussions et des enseignements mutuels, elles permettent d'exprimer la compréhension des concepts.

1. Soit l'appareil suivant : une éprouvette recouverte d'une membrane élastique imperméable se trouve dans un contenant fermé par un bouchon, à travers lequel passe l'aiguille d'une seringue.

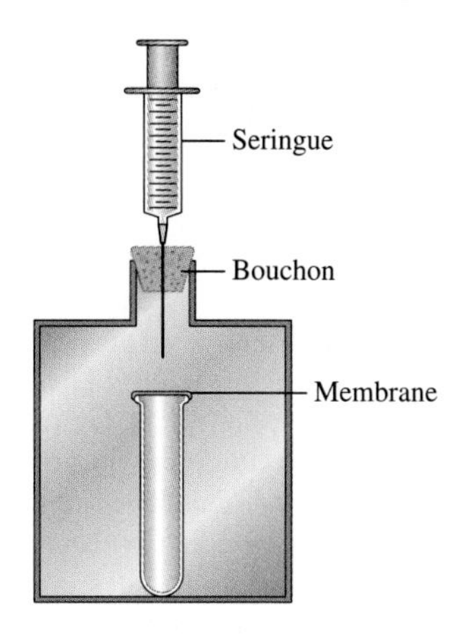

a) Si l'on enfonce le piston de la seringue, comment réagit la membrane qui recouvre l'éprouvette ?

b) On arrête d'appuyer sur la seringue tout en la maintenant en position. Qu'arrive-t-il à la membrane après quelques secondes ?

2. À la figure 4.2, on peut voir un baromètre. Laquelle des phrases suivantes explique le mieux le fonctionnement du baromètre ?

a) La pression de l'air à l'extérieur du tube fait bouger le mercure dans celui-ci jusqu'à ce que les pressions de l'air à l'extérieur et à l'intérieur du tube soient égales.

b) La pression de l'air contenu dans le tube fait bouger le mercure jusqu'à ce que les pressions de l'air à l'intérieur et à l'extérieur du tube soient égales.

c) La pression de l'air à l'extérieur du tube fait contrepoids au mercure contenu dans le tube.

d) La capillarité du mercure le fait monter dans le tube.

e) Le vide formé dans la partie supérieure du tube maintient le mercure en position.

Justifiez votre choix de réponse et dites pourquoi les autres suggestions ne sont pas acceptables. Une image vaut mille mots, alors servez-vous-en.

3. Le baromètre de gauche montre le niveau de mercure à une pression atmosphérique donnée. Indiquez à quel niveau sera le mercure dans chacun des autres baromètres à la même pression atmosphérique. Expliquez vos réponses.

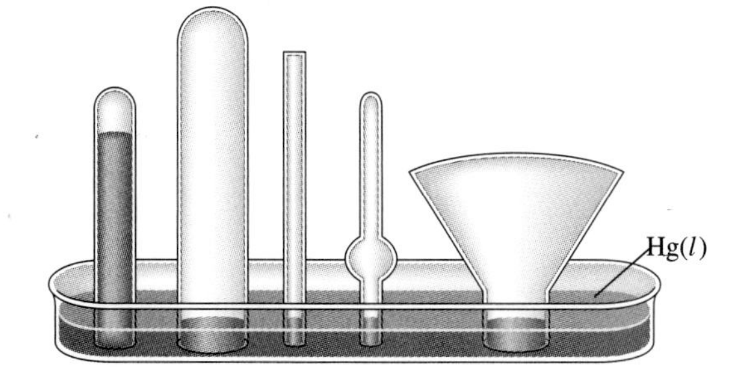

4. Quand on augmente la température d'un gaz dans un contenant rigide scellé, qu'arrive-t-il à la masse volumique de ce gaz ? Le résultat serait-il le même si le contenant était muni d'un piston et maintenu à pression constante ?

5. Voici comment on illustre un flacon rempli d'air dans un livre de chimie.

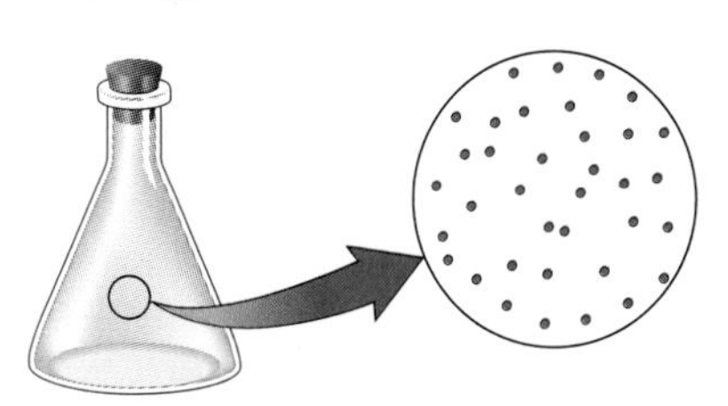

Qu'y a-t-il entre les points (les points représentent les molécules d'air) ?

a) De l'air.

b) De la poussière.

c) Des polluants.

d) De l'oxygène.

e) Rien.

6. Si on plonge une paille dans l'eau, qu'on bouche son extrémité du haut avec le doigt et qu'on la sort de l'eau, il reste de l'eau dans la paille. Expliquez.

7. Un étudiant en chimie raconte qu'il a dû aller à la station-service gonfler ses pneus. Ce faisant, il s'est mis à penser à la théorie cinétique des gaz. S'il a remarqué qu'il manquait d'air dans ses pneus, c'est qu'ils étaient moins volumineux ; mais en les gonflant, il augmentait à la fois la pression de l'air et le volume des pneus. Il se dit : « Euh ! Cela va à l'encontre de ce que j'ai appris en chimie, à savoir que la pression et le volume étaient inversement proportionnels. » Qu'est-ce qui est déficient dans la logique de cet étudiant ? Pourquoi dit-on que la pression et le volume sont inversement proportionnels ? (Recourez à des illustrations et utilisez la théorie cinétique des gaz.)

8. Les substances X et Y (deux gaz) réagissent pour former le gaz XY, mais il faut un certain temps à la réaction pour se produire. On place X et Y dans un contenant muni d'un piston mobile et on note le volume. À mesure que la réaction se produit, qu'arrive-t-il au volume du contenant ?

9. Laquelle des affirmations suivantes explique le mieux pourquoi une montgolfière monte lorsque l'air du ballon est chauffé ?

a) Selon la loi de Charles, la température d'un gaz est directement proportionnelle à son volume. Par conséquent, le volume du ballon augmente, diminuant ainsi sa masse volumique, ce qui fait monter la montgolfière.

b) L'air chaud monte à l'intérieur du ballon, ce qui fait monter la montgolfière.

c) La température d'un gaz est directement proportionnelle à sa pression. Par conséquent, la pression augmente, ce qui fait monter la montgolfière.

d) Une certaine quantité de gaz s'échappe par le bas du ballon, ce qui fait diminuer la masse de gaz qui s'y trouve. Par conséquent, la masse volumique du gaz contenu dans le ballon diminue, ce qui fait monter la montgolfière.

e) La température est proportionnelle à la vitesse quadratique moyenne des molécules de gaz. Les molécules circulent donc plus rapidement et heurtent davantage la paroi du ballon, ce qui fait monter la montgolfière.

Justifiez votre choix de réponse et dites pourquoi les autres suggestions ne sont pas acceptables.

10. Si on lâche un ballon rempli d'hélium, il monte en flèche jusqu'à ce qu'il éclate. Expliquez ce phénomène.

11. Supposons deux contenants de même taille contenant chacun un gaz différent, à la même pression et à la même température. Que peut-on dire à propos des moles de ces gaz ? Pourquoi est-ce vrai ?

12. Expliquez l'apparente contradiction suivante. Supposons deux gaz, *A* et *B*, dans des contenants de même taille ; leur pression et leur température sont égales. Les nombres de moles de ces gaz devraient donc être égaux. Les températures étant égales, les énergies cinétiques moyennes des deux échantillons sont égales. Ainsi, puisque l'énergie d'un tel système est convertie en mouvement de translation (c'est-à-dire, le déplacement des molécules), les vitesses quadratiques moyennes des deux échantillons sont égales ; par conséquent, les particules de chaque échantillon se déplacent en moyenne à la même vitesse relative. Par contre, puisque *A* et *B* sont deux gaz différents, leurs masses molaires doivent être différentes. Or, si la masse molaire de *A* est supérieure à celle de *B*, les particules de *A* doivent heurter les parois du contenant avec plus de force. Donc, la pression dans le contenant du gaz *A* doit être supérieure à celle dans le contenant du gaz *B*. Pourtant, une de nos prémisses voulait que les pressions soient égales.

Une question ou un exercice précédés d'un numéro en bleu indiquent que la réponse se trouve à la fin de ce livre.

Questions

13. Expliquez les observations suivantes.
a) Un contenant d'aérosol peut exploser s'il est chauffé.
b) On peut boire à l'aide d'une paille.
c) Une cannette voit ses parois minces s'affaisser si l'on y fait le vide.
d) À basse altitude, on n'utilise pas les mêmes balles de tennis qu'à haute altitude.

14. À la température ambiante, l'eau est un liquide dont le volume molaire est de 18 mL. À 105 °C et 1 atm, l'eau est un gaz dont le volume molaire est supérieur à 30 L. Expliquez cette différence importante de volume.

15. Si on utilise de l'eau (ρ = 1,0 g/cm^3) à la place du mercure (ρ = 13,6 g/cm^3) pour fabriquer un baromètre, la colonne d'eau serait-elle plus haute, plus basse ou à la même hauteur que la colonne de mercure à 101,3 kPa ? Si le niveau est différent, de quel ordre de grandeur est-elle ? Expliquez.

16. On peut représenter graphiquement la loi de Boyle-Mariotte de plusieurs façons. Parmi les courbes suivantes, lesquelles ne représentent pas correctement la loi de Boyle-Mariotte (en supposant *T* et *n* constants) ? Expliquez.

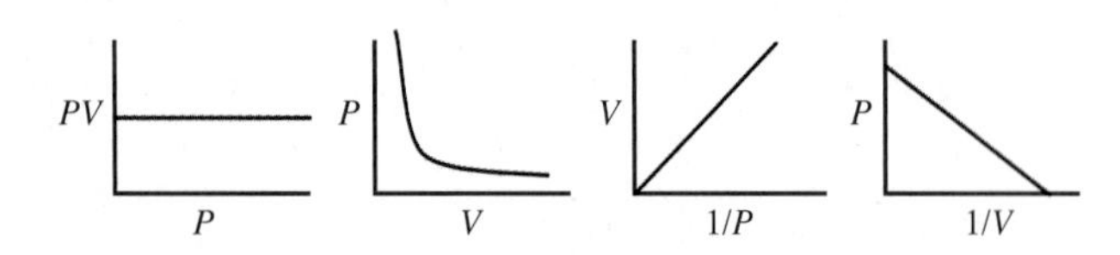

17. Quand les ballons-sondes météorologiques quittent la surface terrestre, la pression atmosphérique diminue, ce qui cause l'expansion du volume du ballon. Cependant, dans la haute atmosphère, la température est beaucoup plus faible qu'au niveau de la mer. Est-ce que cet effet de température provoque l'expansion ou la contraction du ballon ? En fait, les ballons-sondes prennent de l'expansion en s'élevant. Que pouvez-vous conclure de cette information ?

18. Soit deux contenants remplis tous les deux avec 2 moles de Ne(*g*). Le premier est rigide et son volume est constant. L'autre contenant est flexible (comme un ballon) et son volume peut changer pour équilibrer les pressions externe et interne. Si vous élevez la température dans les deux contenants, qu'arrive-t-il à la pression et à la masse volumique du gaz à l'intérieur de chaque contenant ? Supposez une pression externe constante.

19. À 273 K, l'énergie cinétique est-elle la même pour toutes les molécules dans un échantillon contenant 1 mol de $CH_4(g)$? À 546 K, la vitesse est-elle la même pour toutes les molécules dans un échantillon contenant 1 mol de $N_2(g)$? Expliquez.

20. Quand $NH_3(g)$ se décompose en azote et en hydrogène gazeux à température et à pression constantes, le volume des produits gazeux recueillis est le double du volume de NH_3 qui a réagi. Expliquez. Quand $NH_3(g)$ se décompose en azote et en hydrogène gazeux à volume et à température constants, la pression totale augmente d'un certain facteur. Pourquoi la pression augmente-t-elle, et par quel facteur la pression totale augmente-t-elle, quand la conversion des réactifs en produits est complète ? Comment se comparent les pressions partielles des produits gazeux les unes par rapport aux autres et par rapport à la pression initiale de NH_3 ?

21. Parmi les énoncés suivants, dites lequel (ou lesquels) est (sont) vrai(s). Corrigez les énoncés qui sont faux.
a) À température constante, plus les molécules d'un gaz sont légères, plus leur vitesse moyenne est grande.
b) À température constante, plus les molécules d'un gaz sont lourdes, plus leur énergie cinétique moyenne est grande.
c) Un gaz réel se comporte le plus comme un gaz parfait quand le volume du contenant est relativement grand et que les molécules de gaz se déplacent relativement rapidement.
d) Quand la température augmente, l'effet des interactions entre les particules sur le comportement d'un gaz augmente.
e) À *V* et à *T* constants, quand on ajoute des molécules de gaz dans un contenant, le nombre de collisions par unité de surface augmente, ce qui cause l'augmentation de la pression.
f) La théorie cinétique des gaz prédit que la pression est inversement proportionnelle à la température, quand le volume et le nombre de moles de gaz sont constants.

Exercices

Dans la présente section, les exercices similaires sont regroupés.

Pressions

22. On utilise couramment du fréon-12, CF_2Cl_2, comme réfrigérant dans les systèmes d'air climatisé domestiques. La pression initiale dans le système est de 70 lb/po^2. Convertissez cette pression en :
a) mm Hg
b) atm
c) Pa
d) kPa
e) MPa

---

23. On peut utiliser un manomètre semblable à celui illustré à la page suivante pour mesurer des pressions inférieures à la pression atmosphérique. Lorsqu'on fait le vide dans la partie du tube située au-dessus du mercure et dans le ballon, les niveaux de mercure dans les deux branches du tube en U sont les mêmes. Lorsqu'on place un échantillon de gaz dans le ballon, les niveaux de mercure sont différents. La différence de hauteur, h, est une mesure de la pression du gaz dans le ballon. Si h = 6,5 cm, calculez la pression dans le ballon, en torrs, en pascals et en atmosphères.

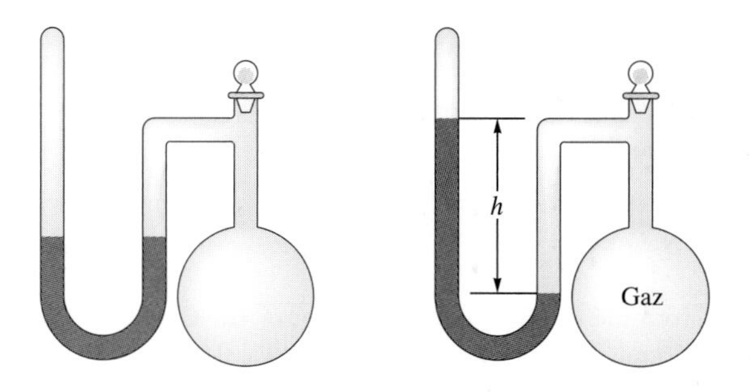

24. Voici le schéma d'un manomètre à tube ouvert.

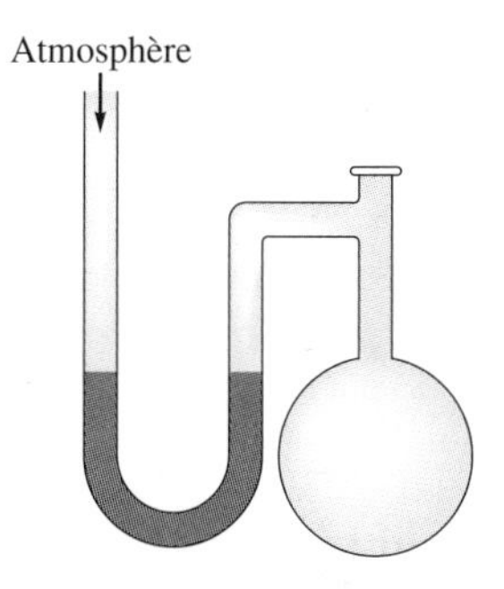

Si le ballon est ouvert, les niveaux de mercure dans les deux branches du tube sont les mêmes. Dans chacune des situations illustrées ci-dessous, le ballon contient un gaz. Calculez la pression dans le ballon en torrs, en atmosphères et en pascals.

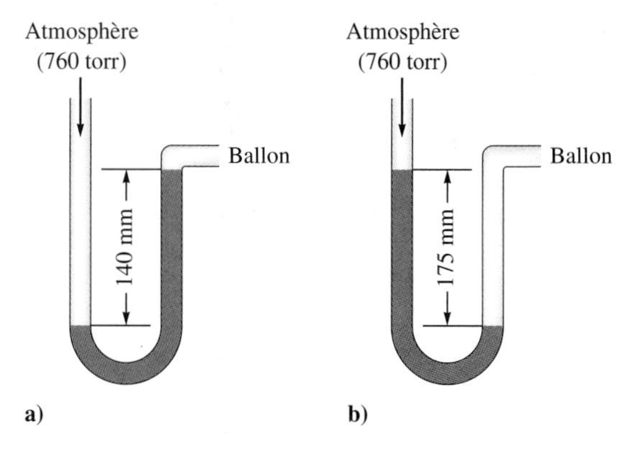

c) Exprimez, en torrs, les pressions dans les ballons en **a)** et en **b)** lorsque la pression atmosphérique est de 610 torr.

25. Un certain ballon ne peut être gonflé à un volume supérieur à 2,5 L. Si ce ballon est rempli de 2,0 L d'hélium au niveau de la mer, qu'il est relâché et monte à une altitude où la pression atmosphérique n'est que de 500 mm Hg, est-ce que le ballon éclatera ? (Supposez que la température soit constante.)

Lois des gaz

26. On remplit un ballon jusqu'à ce que son volume atteigne, à 20,0 °C, $7{,}00 \times 10^2$ mL. On amène alors la température du ballon à $1{,}0 \times 10^2$ K. Quel est le volume final du ballon ?

27. Si 0,500 mol d'azote occupe 11,2 L à 0 °C, quel volume occupera 2,00 mol d'azote à la même température et à la même pression ?

28. Soit la réaction chimique suivante :

$$2NO_2(g) \longrightarrow N_2O_4(g)$$

Si 25,0 mL de NO_2 est transformé complètement en N_2O_4 dans les mêmes conditions, quel volume occupera le N_2O_4 ?

29. Complétez le tableau suivant comme s'il s'agissait d'un gaz parfait.

	P	V	n	T
a)	875 torr	275 mL	0,0105 mol	
b)		0,100 L	0,200 mol	38 °C
c)	2,50 atm		3,00 mol	565 °C
d)	688 torr	986 mL		565 K

30. On remplit séparément deux réservoirs de 200,0 L avec de l'hélium et de l'hydrogène gazeux. Quelle masse de chacun des gaz est nécessaire pour produire une pression de 135 atm dans leur réservoir respectif à 24 °C ?

31. Un ballon ne peut pas supporter une pression interne supérieure à 2500 torr. Il est rempli avec un gaz à 21,0 °C et à 758 torr, puis il est chauffé. À quelle température le ballon éclatera-t-il ?

32. Un contenant de 2,50 L est rempli de 175 g d'argon.
a) Si la pression y est de 10,0 atm, quelle est la température ?
b) Si la température y est de 225 K, quelle est la pression ?

33. Un échantillon contenant 1,50 mol d'un gaz à 25 °C exerce une pression de 400 torr. On *ajoute* un peu de gaz au même contenant et on augmente la température à 50 °C. Si la pression augmente à 800 torr, combien de moles de gaz ont été ajoutées au contenant ?

34. Un contenant est rempli d'un gaz parfait à 40,0 atm et 0 °C.
a) Quelle sera la pression du gaz si on le chauffe à 45 °C ?
b) À quelle température la pression sera-t-elle de $1{,}50 \times 10^2$ atm ?
c) À quelle température la pression sera-t-elle de 25,0 atm ?

35. Un gaz parfait occupe un cylindre de $5{,}0 \times 10^2$ mL de volume ; la température est de 30,0 °C et la pression de 95 kPa. On ramène le volume du gaz à 25 mL et on augmente la température à 820 °C. Quelle est la nouvelle pression ?

36. On remplit un ballon d'hélium, à 25 °C. Le ballon se gonfle à un volume de 855 L jusqu'à ce que la pression soit égale à la pression barométrique (720 torr). Ce ballon s'élève à une altitude de 1830 m, où la pression est de 605 torr et la température, de 15 °C. Quel est le volume du ballon à cette altitude, par rapport à son volume initial ?

37. Un ballon à air chaud est rempli de $4{,}00 \times 10^3$ m^3 d'air à 745 torr et à 21 °C. L'air dans le ballon est ensuite chauffé à 62 °C, ce qui cause l'expansion du ballon jusqu'à un volume

de $4{,}20 \times 10^3$ m^3. Quel est le rapport entre le nombre de moles d'air dans le ballon chauffé et le nombre initial de moles d'air dans le ballon ? (*Élément de réponse :* Des ouvertures dans le ballon permettent à l'air de sortir et d'entrer. Ainsi, la pression dans le ballon est toujours égale à la pression atmosphérique.)

Masse volumique, masse molaire et stœchiométrie réactionnelle

38. Soit la réaction suivante :

$$4Al(s) + 3O_2(g) \longrightarrow 2Al_2O_3(s)$$

Il faut 2,00 L d'oxygène pur à TPN pour réagir complètement avec un certain échantillon d'aluminium. Quelle masse d'aluminium a réagi ?

39. Une étudiante met 4,00 g de glace sèche (CO_2 solide) dans un ballon vide. Quel sera le volume du ballon dans des conditions TPN une fois que la glace sèche se sera sublimée (convertie en CO_2 gazeux) ?

40. À la suite d'un impact, les sacs gonflables se gonflent : une bille d'acier comprime un ressort qui déclenche l'allumage électronique d'un détonateur, lequel provoque la décomposition explosive d'azoture de sodium (NaN_3), conformément à la réaction suivante :

$$2NaN_3(s) \longrightarrow 2Na(s) + 3N_2(g)$$

Quelle masse de $NaN_3(s)$ doit réagir pour gonfler le sac à un volume de 70,0 L à TPN ?

41. Des traces d'ions de métaux de transition (comme Mn ou Fe) provoquent la décomposition explosive du peroxyde d'hydrogène :

$$2H_2O_2(aq) \longrightarrow 2H_2O(l) + O_2(g)$$

Quel volume de $O_2(g)$ pur, recueilli à 27 °C et à 746 torr, est généré par la décomposition de 125 g d'une solution à 50,0 % en masse de peroxyde d'hydrogène ? Ne tenez pas compte de la présence possible de vapeur d'eau.

42. En 1897, l'explorateur suédois Andrée a essayé d'atteindre le pôle Nord en ballon. Ce dernier était rempli d'hydrogène. On avait préparé l'hydrogène en faisant réagir des copeaux de fer avec de l'acide sulfurique dilué. La réaction en cause est la suivante :

$$Fe(s) + H_2SO_4(aq) \longrightarrow FeSO_4(aq) + H_2(g)$$

Le volume du ballon était de 4800 m^3 et la perte d'hydrogène durant le remplissage a été évaluée à 20 %. Quelles masses de fer et de H_2SO_4 à 98 % (en masse) ont été nécessaires pour gonfler complètement le ballon ? Supposez une température de 0 °C, une pression de 1,0 atm durant le remplissage et un rendement de 100 %.

43. Faisons réagir 50,0 mL de méthanol liquide, CH_3OH (masse volumique = 0,850 g/mL), et 22,8 L de O_2 à 27 °C et à 2,00 atm. Les produits de la réaction sont CO_2 (g) et H_2O (g). Calculez le nombre de moles de H_2O formées si la réaction est complète.

44. Dans les engrais, l'azote est souvent présent sous forme d'urée, H_2NCONH_2. Commercialement, on produit l'urée en faisant réagir de l'ammoniac et du dioxyde de carbone.

$$2NH_3(g) + CO_2(g) \xrightarrow[\text{Pression}]{\text{Chaleur}} H_2NCONH_2(s) + H_2O(g)$$

L'ammoniac, à 223 °C et à 90 atm, pénètre dans le réacteur à une vitesse de 500 L/min. Le dioxyde de carbone à 223 °C et 45 atm pénètre dans le réacteur à une vitesse de 600 L/min. Quelle masse d'urée est produite par minute par cette réaction, en supposant un rendement de 100 % ?

45. On prépare commercialement le cyanure d'hydrogène en faisant réagir du méthane, $CH_4(g)$, de l'ammoniac, $NH_3(g)$, et de l'oxygène, $O_2(g)$, à haute température. L'autre produit formé est de la vapeur d'eau.

a) Écrivez l'équation chimique de cette réaction.

b) Quel volume de $HCN(g)$ peut être obtenu à partir de 20,0 L de $CH_4(g)$, 20,0 L de $NH_3(g)$ et 20,0 L de $O_2(g)$? Les volumes de tous les gaz seront mesurés à la même température et à la même pression.

46. Un gaz diatomique inconnu a une masse volumique de 3,164 g/L à TPN. Quel est ce gaz ?

47. La formule empirique d'un composé est CHCl. Un ballon de 256 mL contient, à 373 K et à 100 kPa, 0,80 g de ce composé à l'état gazeux. Quelle est la formule moléculaire de ce composé ?

48. À la température ambiante, l'hexafluorure d'uranium est un solide ; sa température d'ébullition est de 56 °C. Quelle est la masse volumique de l'hexafluorure de sodium à 60 °C et à 745 torr ?

49. Un échantillon d'air est composé d'azote, d'oxygène et d'argon. Sachant que les fractions molaires sont 78 % N_2, 21 % O_2 et 1,0 % Ar, quelle est la masse volumique de l'air à température et à pression normales ?

50. On place un bloc de glace sèche (du dioxyde de carbone solide) de 5,6 g dans un contenant de 4,0 L, qui ne contient rien d'autre, à 27 °C. Quand la totalité du dioxyde de carbone est passée à l'état gazeux, quelle est la pression dans le contenant ? Si on place les 5,6 g de dioxyde de carbone solide dans le même contenant, mais que celui-ci contienne déjà de l'air à 99 kPa, quelle est la pression partielle du dioxyde de carbone et la pression totale dans le contenant quand la totalité du dioxyde de carbone est passée à l'état gazeux ?

51. Soit le ballon illustré ci-dessous. Quelles sont les pressions partielles finales de H_2 et de N_2 après qu'on a ouvert le robinet situé entre les deux ballons ? (Supposez que le volume total soit de 3,00 L.) Quelle est la pression totale (en torr) ?

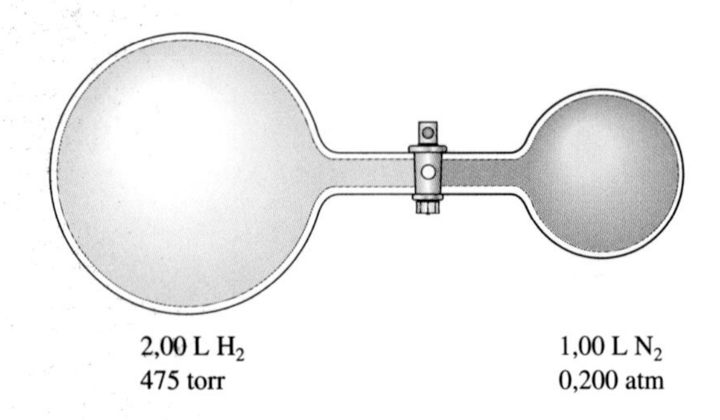

52. Soit un mélange de deux gaz : $CH_4(g)$ et $O_2(g)$. La pression partielle du premier est de 0,175 atm et celle du second, de 0,250 atm.

a) Quelle est la fraction molaire de chaque gaz dans le mélange ?

b) Si ce mélange occupe un volume de 10,5 L à 65 °C, calculez le nombre total de moles de gaz dans le mélange.

c) Calculez la masse de chaque gaz dans le mélange.

53. Un échantillon de gaz de 1,00 L à 100 °C et 600 torr contient 50,0 % d'hélium et 50,0 % de xénon en masse. Quelles sont les pressions partielles de chacun des gaz ?

54. On peut préparer au laboratoire des petites quantités d'hydrogène gazeux en ajoutant de l'acide chlorhydrique aqueux à du zinc métallique

$$Zn(s) + 2HCl(aq) \longrightarrow ZnCl_2(aq) + H_2(g)$$

Généralement, on recueille, par déplacement d'eau, l'hydrogène qui devient saturé de vapeur d'eau. Supposez qu'à 30 °C, on recueille par ce procédé 240 mL d'hydrogène et que la pression totale du gaz est de 1,032 atm. Quelle est la pression partielle de l'hydrogène dans l'échantillon ? Combien de grammes de zinc doivent avoir réagi pour produire cette quantité d'hydrogène ? (La pression de vapeur de l'eau est de 32 torr à 30 °C.)

55. On recueille l'hélium par déplacement d'eau à 25 °C et à 1,00 atm de pression totale. Quel volume total de gaz doit-on recueillir pour obtenir 0,586 g d'hélium ? (À 25 °C, la pression de vapeur de l'eau est de 23,8 torr.)

56. À haute température, le chlorate de sodium se décompose en chlorure de sodium et en oxygène. Un échantillon de 0,8765 g de chlorate de sodium impur est chauffé jusqu'à ce que la production d'oxygène cesse. L'oxygène est recueilli par déplacement d'eau et occupe un volume de 57,2 mL, à 22 °C et à 734 torr. Calculez le pourcentage massique de $NaClO_3$ dans l'échantillon original. (À 22 °C, la pression de vapeur d'eau est de 19,8 torr.)

57. Le xénon et le fluor réagissent ensemble pour former des composés binaires quand on chauffe un mélange de ces deux gaz à 400 °C, dans un réacteur en nickel. Un contenant en nickel de 100,0 mL est rempli de xénon et de fluor, à des pressions partielles de 1,24 atm et 10,10 atm, respectivement, à une température de 25 °C. Le réacteur est chauffé à 400 °C pour permettre à la réaction de se produire, puis il est refroidi à une température à laquelle F_2 est un gaz et le fluorure de xénon produit est un solide non volatil. Le F_2 gazeux est transféré dans un autre contenant en nickel de 100,0 mL, dans lequel la pression de F_2 à 25 °C est de 7,62 atm. En supposant que tout le xénon ait réagi, quelle est la formule du produit ?

58. L'azoture d'hydrogène, HN_3, se décompose par chauffage selon la réaction *non équilibrée* suivante :

$$HN_3(g) \longrightarrow N_2(g) + H_2(g)$$

Si 3,0 atm de $HN_3(g)$ pur se décompose initialement, quelle est la pression totale finale dans le réacteur ? Quelles sont les pressions partielles de l'azote et de l'hydrogène ? Supposez que le volume et la température du contenant de la réaction soient constants.

59. Certains carburants pour fusée très efficaces sont composés de liquides légers. Le carburant composé de diméthylhydrazine [$(CH_3)_2N_2H_2$] mélangé au tétraoxyde de diazote a servi à propulser le module lunaire lors de sa mission sur la Lune. Les deux composants réagissent selon la réaction suivante :

$$(CH_3)_2N_2H_2(l) + 2N_2O_4(l) \longrightarrow 3N_2(g) + 4H_2O(g) + 2CO_2(g)$$

Si 150 g de diméthylhydrazine réagissent avec un excès de tétraoxyde de diazote et que les gaz produits sont recueillis à 27 °C dans un réservoir de 250 L dans lequel ont a fait le vide, quelle est la pression partielle de l'azote produit et quelle est la pression totale dans le réservoir, en supposant que le rendement de la réaction soit de 100 % ?

Théorie cinétique des gaz et gaz réels

60. Calculez l'énergie cinétique moyenne des molécules CH_4 à 273 K et à 546 K.

61. Un ballon de 100 L contient un mélange de méthane, CH_4, et d'argon, à 25 °C. La masse d'argon présent est de 228 g et la fraction molaire du méthane dans le mélange est 0,650. Calculez l'énergie cinétique totale du mélange gazeux.

62. Calculez la vitesse quadratique moyenne des molécules CH_4 à 273 K et à 546 K.

63. Calculez la vitesse quadratique moyenne des molécules N_2 à 273 K et à 546 K.

64. Soit des échantillons distincts de 1,0 L de He(g) et de $UF_6(g)$, tous les deux à 1,00 atm et contenant le même nombre de moles. Quel rapport de température pour les deux échantillons produirait la même vitesse quadratique moyenne ?

65. Soit un ballon de 1,0 L contenant du néon, dans les conditions TPN. Est-ce que l'énergie cinétique moyenne, la vitesse quadratique moyenne, la fréquence des collisions entre les molécules de gaz et les parois du ballon, et l'énergie des collisions entre les molécules de gaz et les parois du ballon augmentent, diminuent ou demeurent les mêmes dans les différentes conditions suivantes ?

a) Augmentation de la température à 100 °C.
b) Diminution de la température à 50 °C.
c) Compression du volume à 0,5 L.
d) Doublement du nombre de moles du néon.

66. Soit deux gaz, A et B, chacun dans un contenant de 1,0 L ; les deux gaz sont à la même température et à la même pression. Dans le contenant, la masse du gaz A est de 0,34 g et celle du gaz B, de 0,48 g.

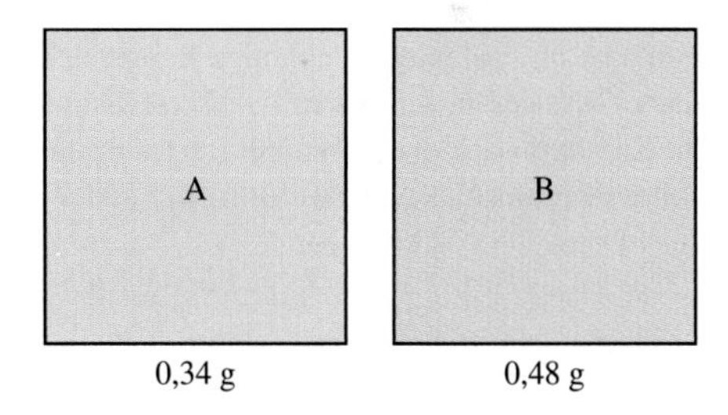

a) Quel échantillon de gaz contient le plus de molécules ? Expliquez.
b) Dans quel échantillon de gaz l'énergie cinétique moyenne est-elle la plus élevée ? Expliquez.
c) Dans quel échantillon la vitesse moyenne est-elle la plus élevée ? Expliquez.
d) Comment les pressions dans les deux contenants peuvent-elles s'équilibrer étant donné que les molécules du gaz B, plus grosses, effectuent des collisions plus violentes avec les parois du contenant ?

67. Soit trois ballons identiques remplis de gaz différents :
Ballon A : CO, à 760 torr et à 0 °C ;
Ballon B : N_2, à 250 torr et à 0 °C ;
Ballon C : H_2, à 760 torr et à 0 °C.

a) Dans quel ballon l'énergie cinétique moyenne des molécules est-elle la plus élevée ?
b) Dans quel ballon la vitesse moyenne des molécules est-elle la plus élevée ?

68. On utilise du fréon-12 comme réfrigérant dans les systèmes d'air climatisé domestiques. La vitesse relative d'effusion du fréon-12 par rapport au fréon-11 (masse molaire = 137,4 g/mol) est 1,07:1. La formule du fréon-12 est l'une des suivantes : CF_4, CF_3Cl, CF_2Cl_2, $CFCl_3$ ou CCl_4. Quelle est la bonne formule du fréon-12 ?

69. La vitesse d'effusion d'un gaz donné est évaluée à 24,0 mL/min. Dans les mêmes conditions, la vitesse d'effusion du méthane pur (CH_4) est de 47,8 mL/min. Quelle est la masse molaire du gaz inconnu ?

70. Pour séparer les isotopes d'oxygène, on peut recourir à l'effusion du monoxyde de carbone. Calculez les vitesses d'effusion relatives de $^{12}C^{16}O$, de $^{12}C^{17}O$ et de $^{12}C^{18}O$. Identifiez les avantages et les inconvénients d'utiliser l'effusion gazeuse du dioxyde de carbone au lieu de celle du monoxyde de carbone, pour séparer les isotopes d'oxygène.

71. Il faut 4,5 minutes à 1,0 L d'hélium pour qu'il y ait effusion à travers une paroi poreuse. Combien faudra-t-il de temps à 1,0 L de Cl_2 pour en faire autant dans des conditions identiques ?

72. Calculez la pression exercée par 0,5000 mol de N_2 dans un contenant de 1,0000 L, à 25,0 °C
a) selon la loi des gaz parfaits ;
b) selon l'équation de Van der Waals.
Comparez ces deux résultats.

73. Calculez la pression exercée par 0,5000 mol de N_2 dans un contenant de 10,000 L, à 25,0 °C
a) selon la loi des gaz parfaits ;
b) selon l'équation de Van der Waals.
Comparez les résultats obtenus. Comparez également ces résultats à ceux de l'exercice 72.

Chimie de l'atmosphère

74. À l'aide des données du tableau 4.4, calculez la pression partielle du NO dans l'air sec, en supposant que la pression totale soit de 1,0 atm. En supposant que la température soit de 0 °C, calculez le nombre de molécules NO par centimètre cube.

75. Écrivez les réactions qui dans l'atmosphère donnent naissance à l'acide nitrique et à l'acide sulfurique.

76. Écrivez les réactions qui décrivent l'action des acides nitrique et sulfurique présents dans les pluies acides avec le marbre et le calcaire. (Le marbre et le calcaire sont tous deux du carbonate de calcium.)

Exercices supplémentaires

77. Tracez un graphique qui montre la variation de la première variable en fonction de la variation de la seconde dans les cas suivants. (Supposez qu'il y ait 1 mol de gaz idéal et que T soit en kelvins.)
a) PV en fonction de V, à T constante.
b) P en fonction de T, à V constant.
c) T en fonction de V, à P constante.
d) P en fonction de V, à T constante.
e) P en fonction de $1/V$, à T constante.
f) PV/T en fonction de P.

78. Dans des conditions TPN, 1,0 L de Br_2 réagit totalement avec 3,0 L de F_2, donnant naissance à 2,0 L d'un produit. Quelle est la formule de ce produit ? (Toutes ces substances sont des gaz.)

79. Une des formulations de la loi de Boyle-Mariotte est $PV = k$ (T et n constants). Le tableau 4.1 présente des données réelles issues d'expériences de Robert Boyle. La valeur de k dans la plupart des expériences est de $14,1 \times 10^2$ po Hg · po^3. Exprimez k en unités atm · L. Dans l'exemple 4.3, k a été déterminée pour NH_3 à divers volumes et pressions. Donnez des raisons pour lesquelles les différences entre les valeurs de k de l'exemple 4.3 et celles du tableau 4.1 sont si grandes.

80. Un contenant sphérique flexible rempli d'un gaz parfait a un rayon de 1,00 cm à 7 °C. On chauffe le gaz à 88 °C, à pression constante. Déterminez le rayon du contenant sphérique après que le gaz ait été chauffé. (Volume d'une sphère = $4/3\pi r^3$.)

81. On fait réagir un échantillon de manganèse métallique pesant 2,747 g avec un excès de HCl gazeux pour produire 3,22 L de $H_2(g)$ à 373 K et à 0,951 atm, et un chlorure de manganèse ($MnCl_x$). Quelle est la formule du chlorure de manganèse produit par la réaction ?

82. Dans un récipient flexible, on mélange des nombres égaux de moles d'hydrogène gazeux et d'oxygène gazeux. Une étincelle déclenche la réaction et il y a formation d'eau à l'état gazeux. En supposant que la réaction soit complète, quel est le rapport entre le volume final et le volume initial du mélange de gaz, si les deux volumes sont mesurés à la même température et à la même pression ?

83. Un réservoir de 15,0 L est rempli de H_2 à une pression de $2,00 \times 10^2$ atm. Combien de ballons (chacun ayant un volume de 2,00 L) peuvent être gonflés à une pression de 1,00 atm, à partir de ce réservoir ? Supposez qu'il n'y ait aucun changement de température et que la pression dans le réservoir ne puisse être inférieure à 1,00 atm.

84. Un contenant en verre sphérique de volume inconnu renferme de l'hélium à 25 °C et à 1,960 atm. On prélève une petite partie de cet hélium : à 25 °C et 1,00 atm, son volume est de 1,75 cm^3. Ce prélèvement fait que la pression à l'intérieur du contenant en verre est abaissée à 1,710 atm. Calculez le volume de ce contenant.

85. On recueille 2,00 L de $O_2(g)$ par déplacement d'eau à une pression totale de 785 torr et à 25 °C. Une fois le $O_2(g)$ asséché (les vapeurs d'eau enlevées), le gaz occupe un volume de 1,94 L, à 25 °C et à 785 torr. Calculez la pression de la vapeur d'eau à 25 °C.

86. Dans un contenant en acier inoxydable de 20,0 L, on introduit 2,00 atm d'hydrogène gazeux et 3,00 atm d'oxygène gazeux. Une étincelle déclenche la réaction et il y a production d'eau. Quelle est la pression dans le réservoir à 25 °C ? à 125 °C ?

87. On peut produire du molybdène métallique à partir d'un minerai, la molybdénite, MoS_2. Le minerai est d'abord oxydé dans l'air en trioxyde de molybdène et en dioxyde de soufre. Le trioxyde de molybdène est ensuite réduit en molybdène métallique à l'aide d'hydrogène gazeux. Les équations équilibrées sont les suivantes :

$$MoS_2(s) + \frac{7}{2}O_2(g) \longrightarrow MoO_3(s) + 2SO_2(g)$$

$$MoO_3(s) + 3H_2(g) \longrightarrow Mo(s) + 3H_2O(l)$$

Calculez les volumes d'air et d'hydrogène gazeux à 17 °C et à 1,00 atm nécessaires pour produire $1,00 \times 10^3$ kg de molybdène pur à partir de MoS_2. Supposez que l'air contienne 21 % d'oxygène en volume et que chaque réaction s'effectue avec un rendement de 100 %.

88. Selon la « méthode champenoise », on fait fermenter le jus de raisin dans une bouteille pour obtenir un vin pétillant. La réaction est

$$C_6H_{12}O_6(aq) \longrightarrow 2C_2H_5OH(aq) + 2CO_2(g)$$

Si, dans une bouteille de 825 mL, on fait fermenter 750 mL de jus de raisin (masse volumique = 1,0 g/cm^3) jusqu'à ce que la teneur en éthanol, C_2H_5OH, soit de 12 %, par masse, et si on suppose que le CO_2 est insoluble dans H_2O (ce qui, en fait, est une supposition erronée), quelle est la pression du CO_2 présent dans la bouteille, à 25 °C ? (La masse volumique de l'éthanol est de 0,79 g/cm^3.)

89. Au cours du XIXe siècle, un des sujets de controverse concernait l'élément béryllium, Be. Selon Berzelius, le béryllium était un élément trivalent (formant des ions Be^{3+}), dont l'oxyde avait pour formule Be_2O_3, ce qui conférait au béryllium une masse atomique calculée de 13,5. Lorsqu'il établit son tableau périodique, Mendeleïev considéra le béryllium comme un élément divalent (formant des ions (Be^{2+}), dont l'oxyde avait pour formule BeO. La masse atomique du béryllium était alors de 9,0. En 1894, A. Combes (*Comptes rendus*, 1894, p. 1221) fit réagir du béryllium avec l'anion $C_5H_7O_2^-$ et calcula la masse volumique du produit gazeux obtenu. Voici les résultats obtenus par Combes, pour deux expériences distinctes.

	I	II
masse	0,2022 g	0,2224 g
volume	22,6 cm^3	26,0 cm^3
température	13 °C	17 °C
pression	765,2 mm Hg	764,6 mm Hg

Si le béryllium est un métal divalent, la formule moléculaire du produit est $Be(C_5H_7O_2)_2$; par contre, s'il est trivalent, la formule est $Be(C_5H_7O_2)_3$. Montrez comment les résultats de Combes ont permis de confirmer que le béryllium est un métal divalent.

90. Pour déterminer la teneur en azote d'un composé organique, on peut utiliser la méthode de Dumas. On fait d'abord passer le composé organique en question sur du CuO(*s*) chaud.

$$\text{Composé} \xrightarrow[\text{CuO}(s)]{\text{chaleur}} N_2(g) + CO_2(g) + H_2O(g)$$

On fait ensuite barboter le produit gazeux dans une solution concentrée de KOH, afin d'en éliminer le CO_2. Après cette opération, le gaz ne contient que du N_2 et de la vapeur d'eau. Au cours d'une expérience, un échantillon de 0,253 g d'un composé a produit 31,8 mL de N_2 saturé de vapeur d'eau, à 25 °C et à 96,89 kPa. Quel est le pourcentage massique de l'azote présent dans ce composé ? (La pression de vapeur d'eau à 25 °C est de 3,17 kPa.)

91. Les seuls éléments d'un composé sont : C, H et N. Pour analyser ce composé, un chimiste effectue les expériences décrites ci-dessous.

1. Il oxyde complètement 35,0 mg de ce composé. Il obtient 33,5 mg de CO_2 et 41,1 mg de H_2O.
2. Pour déterminer la teneur en azote d'un échantillon de 65,2 mg de ce composé, il utilise la méthode de Dumas. Il obtient 35,6 mL de N_2, à 98,7 kPa et à 25 °C.
3. Il détermine que la vitesse d'effusion du composé est de 24,6 mL/min. (La vitesse d'effusion de l'argon, dans des conditions identiques, est de 26,4 mL/min.)

Quelle est la formule de ce composé ?

92. Considérez le diagramme suivant :

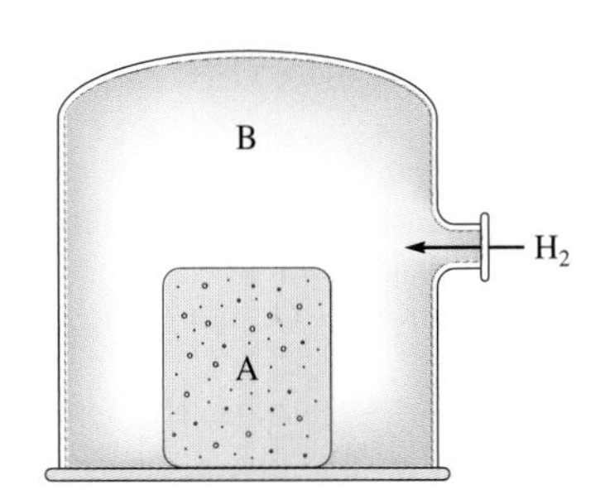

Le contenant A (aux parois poreuses) est rempli d'air dans des conditions TPN. Il est ensuite placé dans un plus grand contenant (B) dont on remplace toute l'atmosphère par $H_2(g)$. Qu'arrivera-t-il à la pression dans le contenant A ? Expliquez votre réponse.

Problèmes défis

93. Un des principaux procédés de production de l'acrylonitrile, C_3H_3N, est représenté par la réaction suivante :

$$2C_3H_6(g) + 2NH_3(g) + 3O_2(g) \longrightarrow 2C_3H_3N(g) + 6H_2O(g)$$

On charge un réacteur d'une capacité de 150 L, aux pressions partielles suivantes, à 25 °C :

$$P_{C_3H_6} = 0{,}500 \text{ MPa}$$
$$P_{NH_3} = 0{,}800 \text{ MPa}$$
$$P_{O_2} = 1{,}500 \text{ MPa}$$

Quelle masse d'acrylonitrile peut-on produire à partir de ce mélange ?

94. Un chimiste pèse 5,14 g d'un mélange contenant des quantités inconnues de BaO(*s*) et de CaO(*s*) qu'il place dans un ballon de 1,50 L contenant du $CO_2(g)$ à 30,0 °C et 750 torr. Une fois que la réaction qui donne naissance au $BaCO_3(s)$ et au $CaCO_3(s)$ est terminée, la pression du $CO_2(g)$ résiduel est de 230 torr. Calculez les pourcentages massiques de CaO(*s*) et de BaO(*s*) dans le mélange.

95. On fait réagir un mélange de chrome et de zinc pesant 0,362 g avec un excès d'acide chlorhydrique. Une fois que tous les métaux ont réagi, on recueille 225 mL d'hydrogène sec, à 27 °C et à 750 torr. Déterminez le pourcentage massique de Zn dans l'échantillon de métal. (Le zinc réagit avec l'acide chlorhydrique pour former du chlorure de zinc et de l'hydrogène gazeux ; le chrome réagit avec de l'acide chlorhydrique pour donner du chlorure de chrome(III) et de l'hydrogène.)

96. Soit un échantillon d'un hydrocarbure (un composé ne contenant que du carbone et de l'hydrogène) à 0,959 atm et à 298 K. La combustion complète de l'échantillon dans l'oxygène vous permet d'obtenir un mélange de dioxyde de carbone gazeux et de vapeur d'eau à 1,51 atm et à 375 K. Le mélange a une masse volumique de 1,391 g/L et occupe un volume quatre fois plus grand que celui de l'hydrocarbure pur. Déterminez la formule moléculaire de l'hydrocarbure.

97. Dans un contenant muni d'un piston, vous avez un mélange équimolaire de SO_2 et de O_2 gazeux en présence d'une petite quantité de He. La masse volumique du mélange à TPN est de 1,924 g/L. Supposez que la température et la pression soient constantes et que les gaz se comportent comme des gaz parfaits.
   a) Quelle est la fraction molaire de He dans le mélange initial?
   b) SO_2 et O_2 réagissent complètement pour former SO_3. Quelle est la masse volumique du mélange gazeux une fois la réaction complétée?

98. Du méthane (CH_4) est introduit dans une chambre de combustion à une vitesse de 200 L/min, à 1,50 atm et à la température ambiante. De l'air est ajouté à la chambre à une pression de 1,00 atm et à la même température. On fait ensuite réagir le mélange.
   a) Pour s'assurer de la combustion complète du CH_4 en $CO_2(g)$ et en $H_2O(g)$, on fait réagir trois fois plus d'oxygène qu'il n'en faut. En supposant que l'air renferme 21 % (en moles) de O_2 et 79 % de N_2, calculez le débit de l'air nécessaire pour apporter la quantité requise d'oxygène.
   b) Dans des conditions identiques à celles décrites en **a)**, la combustion du méthane n'est pas complète, car il se forme un mélange de $CO_2(g)$ et de $CO(g)$. On détermine que 95,0 % du carbone dans les gaz d'échappement se trouve dans le CO_2. Le reste se trouve dans le CO. Calculez la composition du gaz d'échappement en termes de fraction molaire de CO, CO_2, O_2, N_2 et H_2O. Supposez que le CH_4 ait réagi complètement et que le N_2 n'ait pas réagi.

99. Un cylindre d'acier contient 5,00 mol de graphite (carbone pur) et 5,00 mol de O_2. Le mélange est enflammé et le graphite réagit totalement. La combustion produit un mélange de CO et de CO_2 gazeux. Une fois le cylindre refroidi à sa température initiale, on trouve que la pression dans le cylindre a augmenté de 17,0 %. Calculez les fractions molaires de CO, CO_2 et O_2 dans le mélange de gaz final.

100. On calcule la masse totale que peut soulever un ballon en faisant la différence entre la masse de l'air déplacé par le ballon et la masse du gaz que contient ce ballon. Soit un ballon de forme sphérique rempli d'air chaud: son diamètre est d'environ 5,0 m et l'air y est maintenu à 65 °C. La température de l'air ambiant est de 21 °C. La pression dans le ballon est identique à la pression atmosphérique, soit 99 kPa.
   a) Quelle masse totale peut soulever ce ballon? Supposez que la masse molaire moyenne de l'air soit de 29,0 g/mol. (*Élément de réponse :* L'air chaud est moins dense que l'air froid.)
   b) Si le ballon était rempli d'hélium, toutes les autres conditions étant identiques, quelle masse le ballon pourrait-il soulever?
   c) Quelle masse le ballon d'air chaud décrit en **a)** peut-il soulever s'il est situé au niveau du sol à Denver (Colorado), où la pression atmosphérique normale est de l'ordre de 84 kPa?

101. Un ballon flexible fermé hermétiquement contient de l'argon gazeux. La pression atmosphérique est de 1,00 atm et la température de 25 °C. L'air a une fraction molaire de 0,790, le reste étant de l'oxygène.
   a) Expliquez pourquoi le ballon flotte s'il est chauffé. N'oubliez pas de mentionner quels sont les facteurs qui changent et ceux qui demeurent constants, et pourquoi ils sont importants. Donnez des explications complètes.
   b) Au-dessus de quelle température vous faut-il chauffer le ballon pour qu'il flotte?

102. Un ballon contient de l'hélium à 1,00 atm et à 25 °C. Vous voulez fabriquer un ballon à air chaud qui possède le même volume et la même portance que le ballon d'hélium. Supposez que l'air est composé de 79,0 % d'azote et de 21,0 % d'oxygène par volume. La «portance» d'un ballon est calculée en faisant la différence entre la masse de l'air déplacé par le ballon et la masse du gaz que contient le ballon.
   a) La température dans le ballon doit-elle être supérieure ou inférieure à 25 °C? Expliquez.
   b) Calculez la température de l'air requise pour que le ballon à air chaud ait la même portance que le ballon d'hélium à 1,00 atm et à 25 °C. Supposez que les conditions atmosphériques soient à 1,00 atm et à 25 °C.

103. C'est à basse pression et à haute température que la loi des gaz parfaits s'applique le mieux. Montrez comment l'équation de Van der Waals se rapproche de la loi des gaz parfaits, dans ces conditions.

104. L'azote gazeux, N_2, réagit avec l'hydrogène gazeux, H_2, pour former de l'ammoniac gazeux, NH_3. Un contenant de 15,0 L muni d'un piston mobile (le piston permet au volume du contenant de changer de façon à garder la pression constante à l'intérieur du contenant) est rempli d'azote et d'hydrogène. Au départ, la pression partielle de chacun des réactifs gazeux est de 1,00 atm. Supposez que la température soit constante et que la réaction soit complète.
   a) Calculez la pression partielle de l'ammoniac dans le contenant, une fois la réaction complétée.
   b) Calculez le volume du contenant, une fois la réaction complétée.

Problèmes d'intégration

Ces problèmes requièrent l'intégration d'une multitude de concepts pour trouver la solution.

105. Le silane, SiH_4, est un analogue au silicium du méthane, CH_4. En industrie, il est synthétisé conformément aux réactions suivantes:

$$Si(s) + 3HCl(g) \longrightarrow HSiCl_3(l) + H_2(g)$$
$$4HSiCl_3(l) \longrightarrow SiH_4(g) + 3SiCl_4(l)$$

   a) Quel est le pourcentage de rendement en $HSiCl_3$ si on isole 156 mL de $HSiCl_3$ ($\rho = 1,34$ g/mL), quand on utilise 15,0 mL de HCl à 10,0 atm et à 35 °C?
   b) Quel volume de SiH_4 obtient-on à 10,0 atm et à 35 °C, si le pourcentage de rendement de la réaction est de 93,1 %, quand on chauffe 156 mL de $HSiCl_3$?

106. Le point d'ébullition du fluorure de thorium(IV) solide est de 1680 °C. Quelle est la masse volumique d'un échantillon de fluorure de thorium(IV) gazeux à son point d'ébullition sous une pression de 2,5 atm dans un contenant de 1,7 L? Quel gaz aura une vitesse d'effusion plus rapide à 1680 °C: le fluorure de thorium(IV) ou le fluorure d'uranium(III)? Combien de fois est-il plus rapide?

107. Le gaz naturel est un mélange d'hydrocarbures, principalement du méthane, CH_4, et de l'éthane, C_2H_6. Un mélange type pourrait avoir $\chi_{méthane} = 0,915$ et $\chi_{éthane} = 0,085$. Quelles sont les pressions partielles des deux gaz dans un contenant de gaz naturel de 15,00 L à 10 °C et à 1,44 atm? En supposant que la combustion des deux gaz dans l'échantillon de gaz naturel soit complète, quelle est la masse totale d'eau formée?

Problème de synthèse*

Ce problème fait appel à plusieurs concepts et techniques de résolution de problèmes. Les problèmes de synthèse peuvent être utilisés en classe par des groupes d'étudiants pour leur faciliter l'acquisition des habiletés nécessaires à la résolution de problèmes.

108. Un contenant en verre vide a une masse de 658,57 g. Une fois le contenant rempli d'azote à une pression de 790 torr et à une température de 15 °C, sa masse passe à 659,45 g. Quand le contenant est vidé et rempli d'un autre élément (A) à une pression de 745 torr et à une température de 26 °C, sa masse est de 660,6 g. Le composé B, un composé organique gazeux formé à 85,6 % de carbone et à 14,4 % d'hydrogène, en masse, est introduit dans un récipient en acier inoxydable (10,68 L) en présence d'un excès d'oxygène. Le récipient est placé dans un bain à température constante de 22 °C. La pression dans le récipient est de 11,98 atm. Au fond du récipient se trouve un contenant rempli d'*Ascarite* et d'un agent dessiccatif. Ascarite est la marque déposée de l'amiante sodée qui sert à retenir quantitativement le gaz carbonique :

$$2NaOH(s) + CO_2(g) \longrightarrow Na_2CO_3(s) + H_2O(l)$$

L'agent dessiccatif est du perchlorate de magnésium anhydre, qui absorbe quantitativement l'eau produite par la réaction de combustion, de même que l'eau produite par la réaction ci-dessus. Ni l'Ascarite ni l'agent dessiccatif ne réagissent avec le composé B ni avec l'oxygène. La masse totale du contenant, Ascarite et agent dessiccatif compris, est de 765,3 g. La réaction est déclenchée à l'aide d'une étincelle. La pression monte rapidement, puis commence à diminuer pour atteindre la valeur stable de 6,02 atm. On ouvre délicatement le récipient en acier inoxydable, et la masse du contenant situé à l'intérieur est évaluée à 846,7 g. A et B réagissent quantitativement dans un rapport molaire de 1:1 pour former une mole d'un seul produit, le gaz C.

a) Quelle masse de C sera produite si 10,0 L de A et 8,6 L de B (chacun dans des conditions TPN) réagissent à l'ouverture d'un robinet reliant les deux échantillons ?

b) Quelle sera la pression totale du système ?

* Avec la permission du *Journal of Chemical Education,* vol. 68, n° 11, 1991, p. 919 à 922 ; © 1991, Division of Chemical Education, Inc.

5 Structure de l'atome et périodicité

Contenu

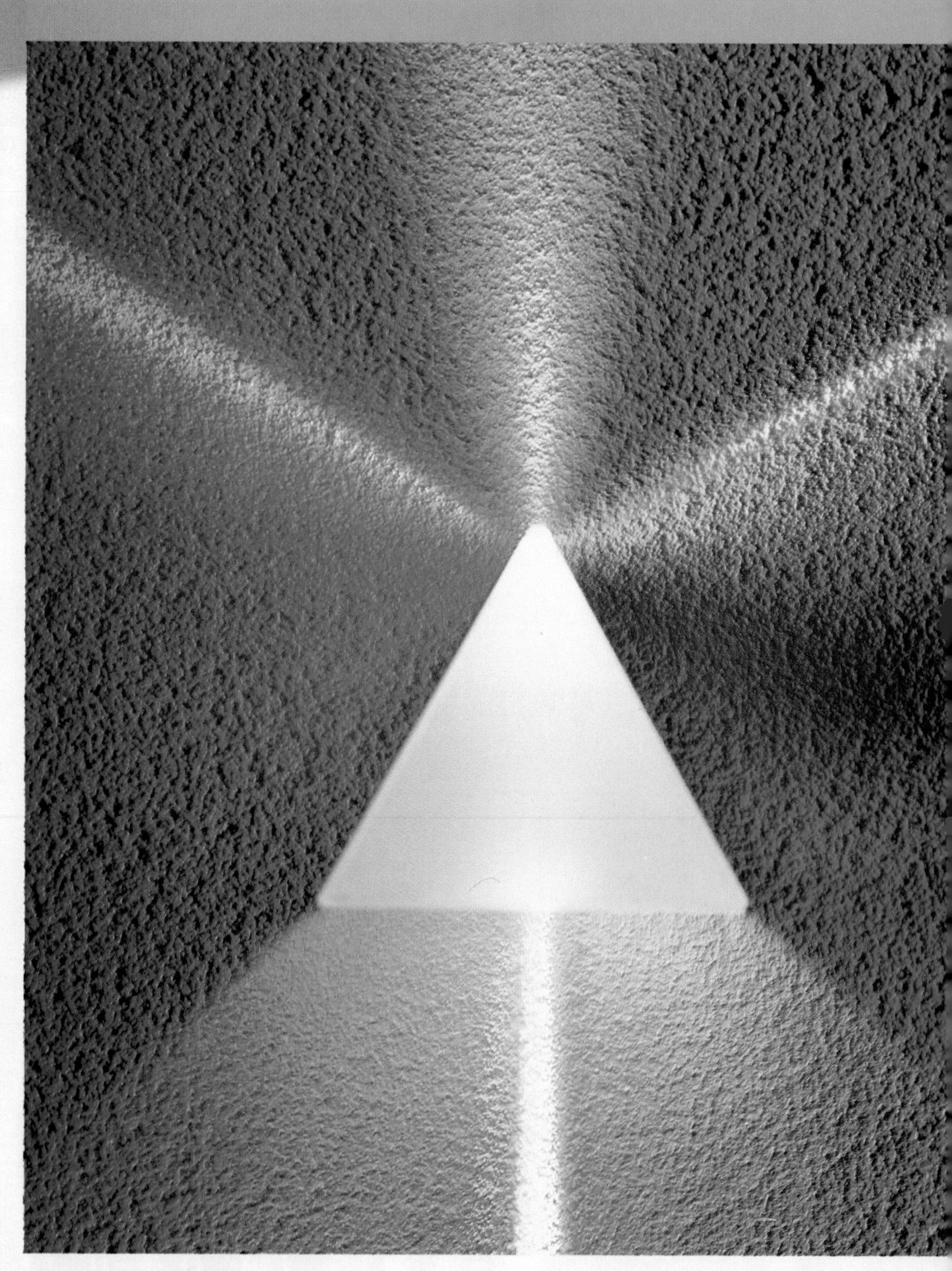

Réfraction de la lumière à travers un prisme.

On a accumulé, depuis 200 ans, de nombreuses preuves expérimentales qui militent en faveur du modèle atomique. Cette théorie s'est révélée à la fois très utile, tout en étant physiquement vraisemblable. Au Ve siècle avant notre ère, les philosophes grecs Démocrite et Leucippe ont introduit la notion d'atome. Au cours des 20 siècles qui ont suivi, aucune preuve expérimentale n'a confirmé l'existence des atomes. En fait, le concept d'atome était alors plus une intuition qu'une réalité. C'est à Lavoisier et à d'autres chercheurs qu'on doit les premiers résultats quantitatifs relatifs à des réactions chimiques. Les résultats de telles expériences stœchiométriques ont amené John Dalton à proposer la première théorie atomique systématique. Bien qu'elle soit rudimentaire, la théorie de Dalton a subi l'épreuve des ans avec succès. Jusqu'à aujourd'hui, le modèle atomique a conservé toute sa valeur.

Une fois convaincus de l'existence des atomes, les chercheurs se sont tout naturellement demandé quelle était la nature de l'atome et si ce dernier était divisible – et, le cas échéant, quels en étaient les composants. Nous avons déjà parlé de certaines des expériences les plus importantes qui ont permis de faire la lumière sur la nature de l'atome (*voir le chapitre 2*). Nous étudierons à présent comment la théorie a évolué jusqu'à nos jours.

La périodicité des propriétés constitue sans doute un des aspects les plus saisissants de la chimie des éléments. Plusieurs groupes d'éléments ont en effet des propriétés chimiques similaires. Ces similitudes sont à l'origine de l'élaboration du tableau périodique des éléments (*voir le chapitre 2*). Dans le présent chapitre, nous montrerons que la théorie moderne de la structure atomique permet d'expliquer la périodicité par la configuration électronique.

Toutefois, avant d'aborder la structure atomique, nous examinerons la révolution qu'a connue le domaine de la physique au cours des 30 premières années du XXe siècle. Des résultats d'expériences effectuées durant cette période ne pouvaient être expliqués par les théories de la physique classique développées par Isaac Newton et bien d'autres après lui. Une toute nouvelle théorie dite *mécanique quantique* a vu le jour pour expliquer le comportement de la lumière et des atomes. Cette «nouvelle physique» réserve bien des surprises à ceux qui travaillent généralement au niveau macroscopique, mais elle rend compte parfaitement (dans les limites des approximations qui s'imposent) du comportement de la matière.

Comme première étape dans notre exploration de cette révolution scientifique, nous considérerons les propriétés de la lumière, plus correctement appelée *radiation électromagnétique*.

5.1 Radiation électromagnétique

La **radiation** (ou onde) **électromagnétique** est une des formes de déplacement de l'énergie dans l'espace. La lumière du soleil, l'énergie nécessaire à la cuisson des aliments dans un four à micro-ondes, les rayons X utilisés par les dentistes et la chaleur radiante d'un foyer constituent autant d'exemples de radiations électromagnétiques. Même si ces formes d'énergie radiante semblent différentes, elles adoptent toutes le même type de comportement ondulatoire et se déplacent toutes, dans le vide, à la vitesse de la lumière.

Pour caractériser une onde, on utilise trois paramètres : la longueur d'onde, la fréquence et la vitesse. La **longueur d'onde** (symbole : lettre grecque lambda, λ) est *la distance qui sépare deux crêtes consécutives, ou deux creux consécutifs, d'une onde* (*voir la figure 5.1, page 172*). La **fréquence** (symbole : lettre grecque nu, ν) est *le nombre de longueurs d'onde (cycles) qui se succèdent par seconde en un point donné de l'espace.* Étant donné que toutes les radiations électromagnétiques se propagent à la vitesse de la lumière, celle dont la longueur d'onde est petite a une fréquence élevée. C'est ce qu'illustre la figure 5.1, qui montre trois ondes se propageant entre deux points à une vitesse constante. On constate que la radiation de plus petite longueur d'onde (λ_3) possède la fréquence

La longueur d'onde, λ, et la fréquence, ν, sont inversement proportionnelles.

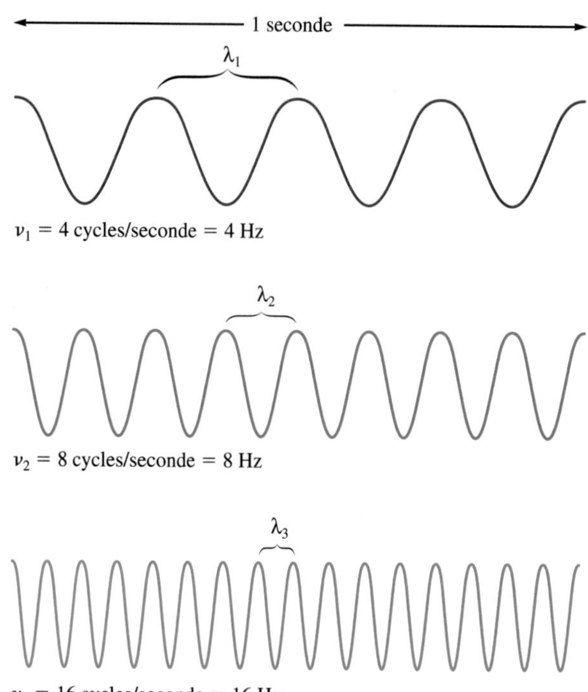

FIGURE 5.1
Nature des ondes. Plus la fréquence de l'onde est élevée, plus sa longueur d'onde est courte.

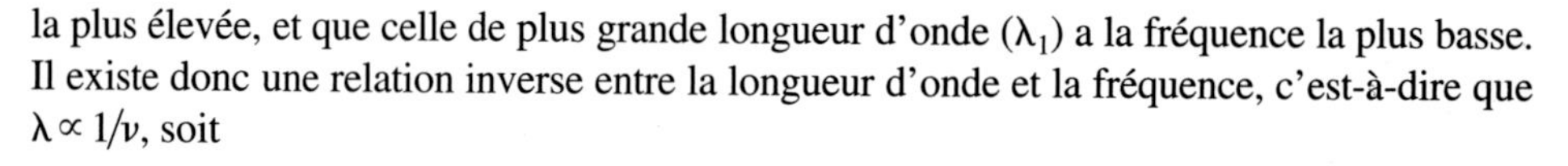

la plus élevée, et que celle de plus grande longueur d'onde (λ_1) a la fréquence la plus basse. Il existe donc une relation inverse entre la longueur d'onde et la fréquence, c'est-à-dire que $\lambda \propto 1/\nu$, soit

c = vitesse de la lumière = $2{,}9979 \times 10^8$ m/s

$$\lambda\nu = c$$

où λ est la longueur d'onde (m), ν, la fréquence en cycles par seconde (s) et c, la vitesse de la lumière ($2{,}9979 \times 10^8$ m/s). Dans le SI, on omet le mot «cycles» dans l'expression de la fréquence ; l'unité devient alors 1/s, ou s^{-1}, et on l'appelle *hertz* (Hz).

La figure 5.2 illustre le spectre des radiations électromagnétiques, qui constituent un moyen privilégié de transférer l'énergie. Par exemple, l'énergie solaire nous parvient sous forme de radiations visibles et ultraviolettes ; les bûches rougeoyantes d'un foyer transmettent leur énergie sous forme de radiations infrarouges. Dans un four à micro-ondes, les molécules d'eau des aliments sont activées par l'absorption des micro-ondes ; cette énergie est transférée à d'autres types de molécules par des collisions, ce qui entraîne une augmentation de la température des aliments. Au fur et à mesure que nous progresserons dans l'étude de la chimie, nous traiterons du nombre de types de radiations électromagnétiques, ainsi que de leur influence sur la matière.

Les ondes associées à la lumière ne sont pas visibles à l'œil nu ; les vagues de l'océan, elles, constituent un lieu de récréation familier.

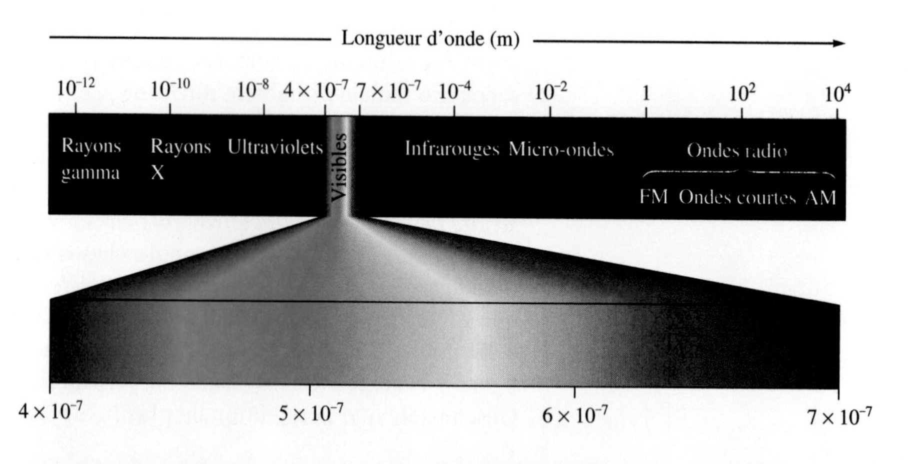

FIGURE 5.2
Spectre électromagnétique. Adaptation autorisée. Spectre tiré de C. W. Keenan, D. C. Kleinfelter et J. H. Wood, *General College Chemistry*, 6th ed. (New York : Harper & Row, 1980).

IMPACT

Les colorants qui tuent

Les drosophiles de la Méditerranée et du Mexique constituent un important fléau qui peut causer de très lourds dommages à la récolte de fruits. C'est la raison pour laquelle, dans le sud de la Californie, on a procédé avec grand tapage publicitaire, dans les régions résidentielles, à des pulvérisations du malathion, insecticide couramment utilisé dans la lutte contre les drosophiles. De nos jours, il y a un meilleur moyen de tuer ces mouches : on utilise un mélange de deux colorants courants (le rouge n° 28 et le jaune n° 8), colorants utilisés depuis longtemps pour colorer les médicaments et les cosmétiques. Ce qu'il y a d'intéressant avec ce nouvel insecticide, c'est qu'il est activé par la lumière. Une fois qu'un insecte a ingéré le mélange des deux colorants, ces derniers absorbent la lumière (qui traverse son corps transparent) et deviennent des agents oxydants qui s'attaquent aux protéines et aux membranes cellulaires de l'insecte. La mort survient en moins de deux heures.

La lumière du soleil qui déclenche la toxicité du colorant une fois que l'insecte l'a ingéré dégrade également ce colorant dans l'environnement, le rendant relativement sécuritaire. Fort vraisemblablement, dans un avenir assez rapproché, les drosophiles seront éliminées sans causer de grands dommages à l'environnement.

Exemple 5.1

Fréquence d'une radiation électromagnétique

Quand on met le feu à une solution de sel de strontium dans du méthanol (contenant un peu d'eau), il se forme une flamme rouge brillante. Cette couleur rouge s'explique par l'émission de lumière qui accompagne le retour des électrons, excités par l'énergie du méthanol en flammes, à leur état fondamental.

Les rouges brillants des feux d'artifice sont dus à l'émission de lumière dont la longueur d'onde avoisine 650 nm. Cette lumière est produite lorsqu'on chauffe des sels de strontium, comme $Sr(NO_3)_2$ et $SrCO_3$. (On peut facilement constater ce phénomène en laboratoire. Il suffit de dissoudre un de ces sels dans du méthanol contenant un peu d'eau et d'enflammer le tout.) Quelle est la fréquence de la lumière rouge de 650 nm de longueur d'onde ?

Solution

On peut calculer la fréquence à partir de la longueur d'onde en utilisant la relation

$$\lambda\nu = c \qquad \text{soit} \qquad \nu = \frac{c}{\lambda}$$

où $c = 2{,}9979 \times 10^8$ m/s. Dans ce cas, $\lambda = 650 \times 10^2$ nm. Alors

$$6{,}50 \times 10^2\,\cancel{\text{nm}} \times \frac{1\text{ m}}{10^9\,\cancel{\text{nm}}} = 6{,}50 \times 10^{-7}\text{ m}$$

et

$$\nu = \frac{c}{\lambda} = \frac{2{,}9979 \times 10^8\,\cancel{\text{m}}/\text{s}}{6{,}50 \times 10^{-7}\,\cancel{\text{m}}} = 4{,}61 \times 10^{14}\text{ s}^{-1} = 4{,}61 \times 10^{14}\text{ Hz}$$

Voir les exercices 5.25 et 5.26

5.2 Nature de la matière

On peut sans conteste affirmer que les physiciens de la fin du XIXe siècle étaient plus que satisfaits d'eux-mêmes. Ils pouvaient en effet expliquer des phénomènes aussi variés que le mouvement des planètes ou la dispersion de la lumière visible par un prisme. Des rumeurs couraient, selon lesquelles on décourageait les étudiants d'amorcer une carrière de physicien, sous prétexte que tous les grands problèmes étaient résolus, ou au moins expliqués par la physique classique.

À la fin du XIXe siècle, on croyait que matière et énergie étaient distinctes, c'est-à-dire que la matière était particulaire et que l'énergie était lumineuse (radiation électromagnétique) et ondulatoire. Les particules avaient une masse et occupaient une position bien déterminée dans l'espace. Les radiations, par contre, n'avaient ni masse ni position précise. On croyait même que matière et lumière ne pouvaient pas être reliées. Toutes les connaissances acquises avant 1900 concordaient fort bien avec ces idées.

Quand on applique un courant alternatif de 110 volts à un cornichon à l'aneth, le cornichon devient lumineux. Le courant circulant entre les électrodes (fourchettes), qui est rendu possible par la présence d'ions Na^+ et Cl^-, amène apparemment certains ions sodium à un niveau d'énergie plus élevé. Quand ces atomes reviennent à leur état fondamental, ils émettent une lumière visible à 589 nm, lumière jaune qui nous rappelle les ampoules à vapeur de sodium.

Cependant, au début du XXe siècle, certains résultats expérimentaux laissaient planer un doute sur l'exactitude de telles conceptions. Les premiers doutes apparurent après les expériences effectuées en 1900 par le physicien allemand Max Planck (1858-1947). En étudiant les radiations émises par des solides incandescents, Planck se rendit compte que la physique classique ne pouvait expliquer ses résultats ; selon cette physique, la matière pouvait absorber ou émettre n'importe quelle quantité d'énergie. Planck ne pouvait toutefois expliquer ses observations qu'en supposant que l'énergie n'était transférée qu'en quantités exprimées sous la forme de *multiples entiers* d'une quantité $h\nu$ – où h, **constante de Planck**, a une valeur expérimentale de $6{,}626 \times 10^{-34}$ J · s. Autrement dit, on pouvait représenter la variation d'énergie, ΔE, d'un système de la façon suivante :

$$\Delta E = nh\nu$$

où n est un entier (1, 2, 3, ..., n), h, la constante de Planck et ν, la fréquence de la radiation électromagnétique absorbée ou émise.

Valeur de la constante de Planck : $h = 6{,}626 \times 10^{-34}$ J · s

L'énergie se gagne ou se perd uniquement par multiples entiers de $h\nu$.

Les résultats de Planck étaient pour le moins surprenants : alors qu'on avait toujours cru que l'énergie était continue (c'est-à-dire que le transfert de n'importe quelle quantité d'énergie était possible), il devenait de plus en plus évident qu'on devait plutôt parler de **quantification** : l'énergie était dont quantifiée, c'est-à-dire constituée de petits «paquets» appelés *quanta*. Un *quantum*, unité discrète d'énergie, équivaut à $h\nu$. Ainsi, l'énergie d'un système était uniquement transférée en quanta entiers ; elle était donc dotée de propriétés corpusculaires.

Exemple 5.2 L'énergie d'un photon

On obtient souvent la couleur bleue des feux d'artifice en chauffant du chlorure de cuivre(I), CuCl, à environ 1200 °C. Le composé émet alors de la lumière bleue de 450 nm de longueur d'onde. Calculez l'énergie du quantum émis à 450×10^2 nm par CuCl.

Solution

L'équation $\Delta E = h\nu$ permet de calculer la valeur du quantum d'énergie. On calcule la fréquence ν à l'aide de l'équation suivante :

$$\nu = \frac{c}{\lambda} = \frac{2{,}9979 \times 10^{8}\,\cancel{\text{m}}/\text{s}}{4{,}50 \times 10^{-7}\,\cancel{\text{m}}} = 6{,}66 \times 10^{14}\ \text{s}^{-1}$$

Par conséquent

$$\Delta E = h\nu = (6{,}626 \times 10^{-34}\ \text{J} \cdot \cancel{\text{s}})(6{,}66 \times 10^{14}\,\cancel{\text{s}}^{-1}) = 4{,}41 \times 10^{-19}\ \text{J}$$

Quand une lumière de 450 nm est émise par le chauffage du CuCl, la perte d'énergie n'a lieu que par «paquets» de $4{,}41 \times 10^{-19}$ J, soit la valeur d'un quantum dans le cas présent.

Voir l'exercice 5.27

On doit la seconde étape clé, en ce qui concerne la connaissance de la structure atomique, à Albert Einstein (*voir la figure 5.3*), qui postula qu'on pouvait quantifier même la radiation électromagnétique, autrement dit que celle-ci était formée d'un flux de «particules», appelées **photons**, dont l'énergie était

$$E_{\text{photon}} = h\nu = \frac{hc}{\lambda}$$

Dans cette expression, h est la constante de Planck, ν, la fréquence de la radiation et λ, la longueur d'onde de la radiation.

FIGURE 5.3
Albert Einstein (1879-1955) est né en Allemagne. Rien dans son enfance ne laissait présager son génie : à 9 ans, il s'exprimait encore avec difficulté ; ses parents craignaient même qu'il ne fût handicapé. Quand on lui demandait quelle carrière Einstein pouvait envisager, le directeur de l'école répondait : « Peu importe, il ne fera rien de bon. » À l'âge de 10 ans, Einstein entra au lycée Luitpold, où régnait la discipline de fer caractéristique des écoles allemandes de l'époque. C'est là qu'il commença à se méfier de l'autorité et à développer son sens critique, ce qui l'amena à la remise en question et au doute – qualités indispensables à tout scientifique. En 1905, alors qu'il était préposé aux brevets, en Suisse, il publia un article dans lequel il expliquait l'effet photoélectrique en se basant sur la théorie quantique. Cette interprétation novatrice lui valut le prix Nobel en 1921. À partir de ce moment, il fut très estimé et il travailla en Allemagne jusqu'en 1933, date à laquelle l'antisémitisme d'Hitler le força à s'enfuir. Il émigra alors aux États-Unis, où il travailla à l'*Institute for Advanced Studies de la Princeton University*, et ce, jusqu'à sa mort, en 1955.

Einstein fut sans doute le plus grand physicien de notre époque. Même si la théorie de la relativité avait été le fruit du travail d'un autre physicien, Einstein aurait mérité la seconde place à cause de ses autres découvertes. Les concepts qu'il élabora à 26 ans bouleversèrent l'idée qu'on se faisait du temps et de l'espace. À partir de ce moment, il nourrit un grand rêve qui, cependant, ne se réalisa pas : trouver une théorie unitaire qui expliquerait tous les phénomènes physiques de l'Univers.

Effet photoélectrique

Einstein arriva à cette conclusion grâce à son analyse de l'**effet photoélectrique** (qui lui valut plus tard le prix Nobel). L'effet photoélectrique désigne un phénomène au cours duquel un métal exposé à la lumière émet des électrons. Voici quelques observations qui caractérisent l'effet photoélectrique.

1. Des expériences dans lesquelles on fait varier la fréquence de la lumière ont démontré que, sous un certain seuil de fréquence, ν_0, aucun électron ne quitte la surface métallique.
2. Si la fréquence de la lumière est inférieure au seuil de fréquence, aucun électron n'est éjecté, quelle que soit l'intensité de la lumière.
3. À des fréquences supérieures au seuil de fréquence, le nombre d'électrons éjectés augmente avec l'intensité de la lumière.
4. À des fréquences supérieures au seuil de fréquence, l'énergie cinétique des électrons éjectés augmente de manière linéaire avec la fréquence de la lumière.

Ces observations peuvent s'expliquer en supposant que le rayonnement électromagnétique est quantifié (est constitué de photons), et que la fréquence seuil représente l'énergie minimale requise pour libérer les électrons de la surface métallique.

$$\text{Énergie minimale nécessaire pour libérer un électron} = E_0 = h\nu_0$$

Une lumière dont la fréquence est inférieure à la fréquence seuil ne produit aucun électron parce qu'un photon d'énergie inférieure à E_0 ($\nu < \nu_0$) ne peut pas libérer un électron. Par ailleurs, pour une lumière dont la fréquence $\nu > \nu_0$, l'énergie qui dépasse la valeur nécessaire pour libérer l'électron est transmise à cet électron sous forme d'énergie cinétique (E_c) :

$$E_{c\,(\text{de l'électron})} = \frac{1}{2}mv^2 = h\nu - h\nu_0$$

Masse de l'électron (m) ; Vitesse de l'électron (v) ; Énergie du photon incident ($h\nu$) ; Énergie requise pour libérer l'électron de la surface métallique ($h\nu_0$)

Étant donné que dans cette description l'intensité de la lumière est une mesure du nombre de photons présents dans une partie donnée du faisceau, une intensité plus grande signifie que plus de photons sont disponibles pour libérer des électrons (pourvu que $\nu > \nu_0$ pour la radiation).

Dans le même ordre d'idées, Einstein établit, dans sa *théorie de la relativité restreinte* (publiée en 1905), la célèbre équation

$$\boldsymbol{E = mc^2}$$

La principale signification de cette équation, c'est que *l'énergie possède une masse*, ce qui paraît plus évident lorsqu'on réarrange l'équation ainsi

$$m = \frac{E}{c^2}$$

Masse (m) ; Énergie (E) ; Vitesse de la lumière (c)

IMPACT

La chimie qui vous permet de voir dans l'obscurité

Dans le monde animal, la capacité de voir la nuit offre aux prédateurs un avantage certain sur leur proie. Grâce aux derniers progrès dans la technologie de la vision nocturne, les forces armées et les corps policiers, partout dans le monde, peuvent également bénéficier d'un tel avantage.

Tous les types d'équipements de vision de nuit sont des dispositifs électro-optiques qui amplifient la lumière existante. Une lentille reçoit la lumière et la concentre sur un intensificateur d'image. Le fonctionnement de ce dispositif électronique repose sur l'effet photoélectrique, un phénomène par lequel des substances libèrent des électrons par l'action de la lumière sur la matière. Les intensificateurs de vision nocturne utilisent des matériaux semi-conducteurs qui produisent un grand nombre d'électrons pour une réception de photons donnée. Les électrons émis sont alors dirigés sur un écran recouvert d'éléments phosphorescents (ils deviennent luminescents sous l'impact d'un faisceau d'électrons). Alors que dans les téléviseurs les tubes cathodiques renferment différents luminophores pour produire des images en couleurs, les dispositifs de vision nocturne, pour leur part, utilisent des luminophores verts, parce que l'œil humain peut distinguer plus de teintes de vert que de toute autre couleur. L'écran montre alors une image qui, autrement, serait invisible à l'œil nu au cours d'une visualisation de nuit.

Les dispositifs courants de vision nocturne utilisent des intensificateurs à l'arséniure de gallium (GaAs) qui peuvent amplifier la lumière incidente jusqu'à 50 000 fois. Ces dispositifs sont tellement sensibles qu'ils peuvent utiliser la lumière des étoiles pour produire une image. Un autre moyen pour créer une image consiste à utiliser une lumière (infrarouge) que l'œil humain ne peut pas percevoir.

Cette technologie, qui a d'abord été mise au point pour des applications militaires et policières, est maintenant à la disposition des consommateurs. Cadillac, par exemple, offrait en option un dispositif de vision nocturne sur ses automobiles de l'an 2000. À mesure que les techniques de vision nocturne s'améliorent et que les coûts des instruments deviennent moins prohibitifs, tout un monde nouveau s'ouvre aux technophiles... après le coucher du soleil.

Photo montrant la vision de nuit d'un ravitaillement en vol d'un avion de l'armée de l'air américaine.

Exprimée sous cette forme, l'équation permet de calculer la masse associée à une quantité donnée d'énergie. On peut donc ainsi calculer la masse *apparente* d'un photon. Pour une radiation électromagnétique de longueur d'onde λ, l'énergie de chaque photon est donnée par

La masse apparente d'un photon est fonction de sa longueur d'onde. Bien qu'on n'ait jamais observé de photon au repos, on pense que sa masse est alors de zéro.

$$E_{\text{photon}} = \frac{hc}{\lambda}$$

Par conséquent, la masse d'un photon de lumière de longueur d'onde λ est

$$m = \frac{E}{c^2} = \frac{hc/\lambda}{c^2} = \frac{h}{\lambda c}$$

Les photons ont-ils réellement une masse ? La réponse *serait oui.* En 1922, le physicien américain Arthur Compton (1892-1962) prouva, grâce à des expériences relatives à des collisions entre rayons X et électrons, que les photons possédaient effectivement la masse prédite par la relation ci-dessus. Cependant, il est clair que les photons ne possèdent pas une masse au sens classique. Un photon ne possède une masse que dans un sens relativiste – il n'a pas de masse au repos.

Aspect ondulatoire de la lumière

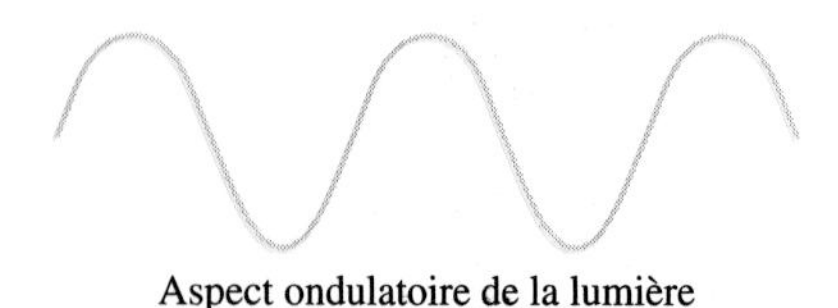

Aspect corpusculaire de la lumière (flux de photons)

FIGURE 5.4
Propriétés ondulatoires et corpusculaires d'une radiation électromagnétique. L'énergie de chaque photon est fonction de la longueur d'onde de la radiation et de sa fréquence, conformément à l'équation $E_{\text{photon}} = h\nu = hc/\lambda$.

Voici, en résumé, les principales conclusions des travaux de Planck et d'Einstein:

L'énergie est quantifiée. Elle ne se manifeste que sous la forme d'unités discrètes appelées «quanta».

La radiation électromagnétique, à laquelle on n'accordait que des propriétés ondulatoires, est également dotée de caractéristiques corpusculaires. C'est pourquoi on parle de la **double nature de la lumière** (*voir la figure 5.4*).

Ainsi, la lumière, qu'on croyait être uniquement une onde, possède également des caractéristiques corpusculaires. Or, l'inverse est-il vrai? La matière, présumée corpusculaire, n'aurait-elle pas des propriétés ondulatoires? Un jeune physicien français, Louis de Broglie, souleva ce problème en 1923. Son raisonnement découle de la relation qui existe entre la masse et la longueur d'onde d'une radiation électromagnétique: $m = h/\lambda c$. Pour une particule qui se déplace à la vitesse v, la relation devient

Ne pas confondre ν (fréquence) et v (vitesse).

$$m = \frac{h}{\lambda v}$$

soit

$$m = \frac{h}{mv}$$

Cette relation, appelée *équation de De Broglie,* permet de calculer la longueur d'onde associée à une particule (*voir l'exemple 5.3*).

Exemple 5.3

Calcul de la longueur d'onde

Comparez la longueur d'onde d'un électron (masse = $9{,}11 \times 10^{-31}$ kg) qui voyage à la vitesse de $1{,}0 \times 10^{7}$ m/s à celle d'une balle de 0,10 kg qui se déplace à 35 m/s.

Solution

On utilise la relation $\lambda = h/mv$, où

$$h = 6{,}626 \times 10^{-34}\ \text{J} \cdot \text{s} \quad \text{soit} \quad 6{,}626 \times 10^{-34}\ \text{kg} \cdot \text{m}^2/\text{s}$$

étant donné que

$$1\ \text{J} = 1\ \text{kg} \cdot \text{m}^2/\text{s}^2$$

Pour l'électron, on a

$$\lambda_e = \frac{6{,}626 \times 10^{-34}\ \frac{\cancel{\text{kg}}\cdot\cancel{\text{m}}\cdot\text{m}}{\cancel{\text{s}}}}{(9{,}11 \times 10^{-31}\ \cancel{\text{kg}})(1{,}0 \times 10^{7}\ \cancel{\text{m}/\text{s}})} = 7{,}27 \times 10^{-11}\ \text{m}$$

et, pour la balle,

$$\lambda_b = \frac{6{,}626 \times 10^{-34}\ \frac{\cancel{\text{kg}}\cdot\cancel{\text{m}}\cdot\text{m}}{\cancel{\text{s}}}}{(0{,}10\ \cancel{\text{kg}})(35\ \cancel{\text{m}/\text{s}})} = 1{,}9 \times 10^{-34}\ \text{m}$$

Voir les exercices 5.33 à 5.35

La longueur d'onde associée à la balle (*voir l'exemple 5.3*) est incroyablement courte. D'autre part, celle associée à l'électron, bien qu'elle soit courte, est du même ordre de grandeur que la distance qui sépare les atomes d'un cristal ordinaire. Cette observation est importante, car elle permet de vérifier la relation de De Broglie.

IMPACT

C'est nouveau !

Depuis l'avènement de la télévision, il y a environ 75 ans, les téléviseurs comportaient des tubes à rayons cathodiques (TRC) dans lesquels un « canon » projette des électrons sur un écran recouvert de luminophores (substances émettant de la lumière de couleur sous l'effet d'une excitation par une source d'énergie). Bien que les téléviseurs TRC produisent d'excellentes images, les téléviseurs à grand écran sont lourds et encombrants. Aujourd'hui, plusieurs nouvelles technologies permettent de réduire le volume des moniteurs couleur. L'une de ces méthodes fait appel à des écrans plats à plasma. Comme leur nom l'indique, le principal avantage de ces écrans est d'être très minces et relativement légers.

Tous les moniteurs couleur fonctionnent par traitement de millions de pixels, chacun d'entre eux contenant des luminophores producteurs des couleurs rouge, bleue et verte. En combinant ces trois couleurs fondamentales selon diverses pondérations, on peut générer toutes les couleurs de l'arc-en-ciel, produisant ainsi des images couleur sur le moniteur. Les différents types de moniteurs se distinguent par la source d'énergie qui sert à l'excitation des luminophores. Tandis qu'un moniteur TRC utilise un canon à électrons comme source d'énergie, un moniteur plasma utilise une tension appliquée pour produire des ions en phase gazeuse et des électrons, qui, en se recombinant, émettent un rayonnement ultraviolet. Cette lumière, quant à elle, excite les luminophores.

Les moniteurs plasma possèdent des compartiments à pixels qui contiennent du xénon et du néon gazeux. Chaque pixel est constitué de trois sous-pixels, chacun contenant un luminophore rouge, un vert et un bleu. Deux séries d'électrodes perpendiculaires sont organisées suivant une matrice autour des sous-pixels :

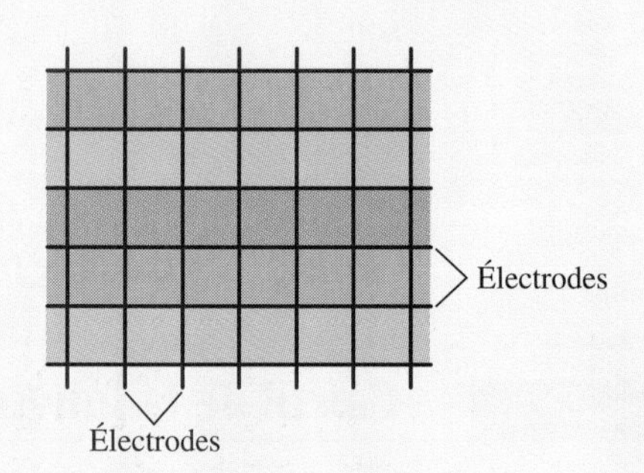

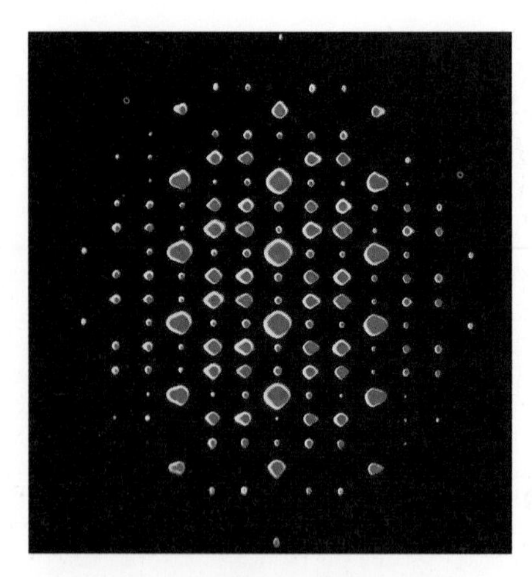

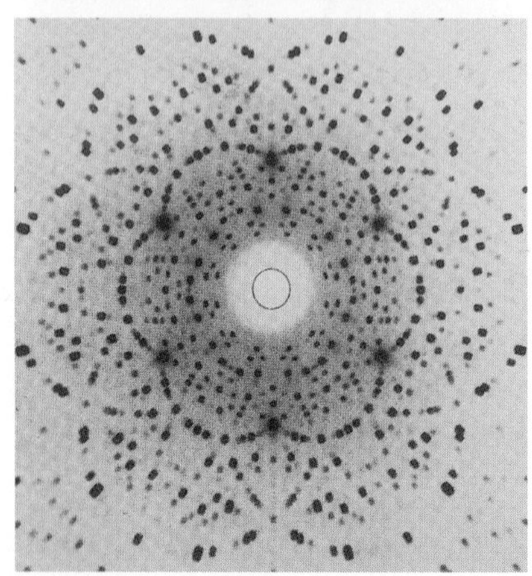

(en haut) Figure produite par la diffraction des électrons d'un alliage au titane-nickel.
(en bas) Figure produite par la diffraction des rayons X d'un cristal de béryl.

La **diffraction** résulte de la dispersion de la lumière par un agencement régulier de points ou de lignes. Vous avez probablement déjà remarqué la diffraction de la lumière par les sillons d'un disque compact : la variété de couleurs provient du fait que les différentes longueurs d'onde de la lumière visible ne sont pas toutes dispersées de la même façon. Il y a une espèce de « séparation » des couleurs, comme après le passage de la lumière à travers un prisme. Tout comme la disposition régulière des creux et des crêtes du disque produit une diffraction, l'agencement régulier des atomes dans un cristal a le même effet, comme il est illustré dans les photographies ci-contre. Par exemple, lorsqu'on dirige un faisceau de rayons X sur un cristal de chlorure de sodium, NaCl, dans lequel les ions Na^+ et Cl^- sont répartis de façon très régulière, la dispersion des radiations produit, sur une plaque photographique, une **figure de diffraction** composée de taches claires et de zones sombres (*voir la figure 5.5a*). Les taches claires proviennent d'une interférence constructive de la lumière dispersée (*voir la figure 5.5b* ; les ondes sont en phase), tandis que les zones sombres résultent d'une interférence destructive (*voir la figure 5.5c* ; le creux d'une onde correspond à la crête d'une autre).

Puisque seules les ondes peuvent expliquer les figures de diffraction, ce phénomène constitue une épreuve permettant de vérifier l'existence d'une onde associée à une particule comme l'électron. On l'a vu à l'exemple 5.3, un électron qui se déplace à la vitesse de 10^7 m/s (vitesse qu'on obtient facilement par accélération des électrons au moyen d'un champ électrique) possède une longueur d'onde d'environ 10^{-10} m, soit environ la distance qui sépare les ions d'un cristal (par exemple, le chlorure de sodium). Cette correspondance est importante, étant donné que la diffraction est d'autant plus efficace que la distance qui sépare les points de dispersion est du même ordre de grandeur que la longueur d'onde incidente. Dans ce cas, si une longueur d'onde est réellement associée aux électrons, un cristal devrait diffracter un faisceau d'électrons. En 1927, C. J. Davisson et L. H. Germer, des laboratoires Bell, voulurent vérifier cette hypothèse :

Une série d'électrodes est située au-dessus des pixels, et la série perpendiculaire est en bas des pixels. Quand l'ordinateur gérant l'image place une différence de tension à travers un sous-pixel donné, des électrons sont arrachés aux atomes de xénon et de néon présents pour former un plasma (cations et électrons). Lorsque les cations se recombinent avec les électrons, des photons de lumière sont émis et absorbés par les substances luminophores, qui émettent alors de la lumière rouge, verte ou bleue. En modulant la tension sur un sous-pixel donné, un pixel peut produire une variété de couleurs. Quand tous les pixels sont excités de façon appropriée, une image couleur est produite.

L'affichage plasma permet d'avoir un écran de grand format tout en étant relativement mince. Étant donné que chaque pixel est alimenté individuellement, cet écran présente une image précise et claire, qui peut être regardée sous presque n'importe quel angle. Le principal inconvénient de cette technologie est son coût assez élevé. Cependant, à mesure que des progrès sont réalisés, les prix chutent de façon importante ; les moniteurs TRC pourraient bientôt n'intéresser que les collectionneurs d'antiquités.

Un écran plasma de Sony.

ils dirigèrent un faisceau d'électrons sur un cristal de nickel et obtinrent une figure de diffraction semblable à celle obtenue à l'aide des rayons X. Ces résultats confirmaient la validité de la relation de De Broglie, du moins en ce qui concernait les électrons. La longueur d'onde associée à des particules plus grosses que les électrons (par exemple, des balles) est tellement courte (*voir l'exemple 5.3*) qu'il est impossible de confirmer expérimentalement cette relation. On croit cependant que la relation de De Broglie s'applique à toute particule de matière.

La boucle était bouclée. Il était prouvé que la radiation électromagnétique, qu'on considérait comme une onde pure au début du XXe siècle, possédait en fait des propriétés corpusculaires. Aux électrons qu'on ne croyait être que des particules, on avait associé une onde. Toutes ces données allaient dans le même sens : matière et énergie étaient dotées des mêmes propriétés.

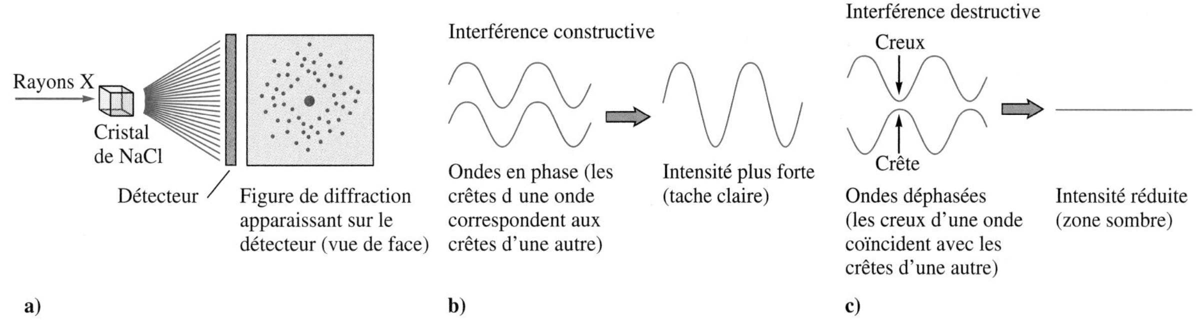

FIGURE 5.5
a) Il y a diffraction quand la radiation électromagnétique est dispersée par des objets disposés de façon régulière, comme les ions dans un cristal de chlorure de sodium. La grosse tache au centre est due au principal faisceau de rayons X incidents. **b)** Les taches claires de la figure de diffraction sont causées par l'*interférence constructive* des ondes. Celles-ci sont en phase : leurs crêtes coïncident. **c)** Les zones sombres sont causées par l'*interférence destructive* des ondes, qui sont déphasées : les crêtes d'une onde coïncident avec les creux d'une autre onde.

L'énergie est réellement une forme de matière, et toute matière présente les mêmes types de propriétés. Autrement dit, *toute particule de matière possède à la fois des caractéristiques ondulatoires et corpusculaires*. De gros « morceaux » de matière (par exemple des balles de tennis) ont surtout des propriétés corpusculaires ; la longueur d'onde qui leur est associée est tellement courte qu'on ne peut pas la détecter. Par ailleurs, d'infimes parcelles de matière (par exemple des photons) sont surtout dotées de propriétés ondulatoires, en plus de quelques propriétés particulaires. Quant aux parcelles de matière de masse intermédiaire (par exemple les électrons), elles possèdent les deux types de propriétés de la matière : corpusculaire et ondulatoire.

Un bel arc-en-ciel.

5.3 Spectre de l'atome d'hydrogène

Nous avons vu au chapitre 2 que plusieurs expériences réalisées au début du XXe siècle avaient fourni des renseignements clés sur l'atome. Rappelons, entre autres, celles qui ont mené à la découverte de l'électron par Thomson et à la découverte du noyau par Rutherford. Une autre expérience importante concerne l'étude de l'émission de lumière par des atomes d'hydrogène excités. Quand on soumet de l'hydrogène gazeux à une décharge électrique de forte intensité, les molécules H_2 absorbent de l'énergie, et un certain nombre de liaisons H–H sont rompues. Ces atomes d'hydrogène sont excités : ils possèdent un excédent d'énergie, qu'ils libèrent en émettant de la lumière à différentes longueurs d'onde ; c'est ce qu'on appelle le *spectre d'émission* de l'atome d'hydrogène.

Pour bien maîtriser la signification du spectre d'émission de l'hydrogène, il faut d'abord comprendre ce qu'est le **spectre continu** qui résulte du passage de la lumière blanche à travers un prisme (*voir la figure 5.6a*). Ce spectre, semblable à l'arc-en-ciel produit par la dispersion de la lumière du soleil par les gouttes de pluie, est formé de

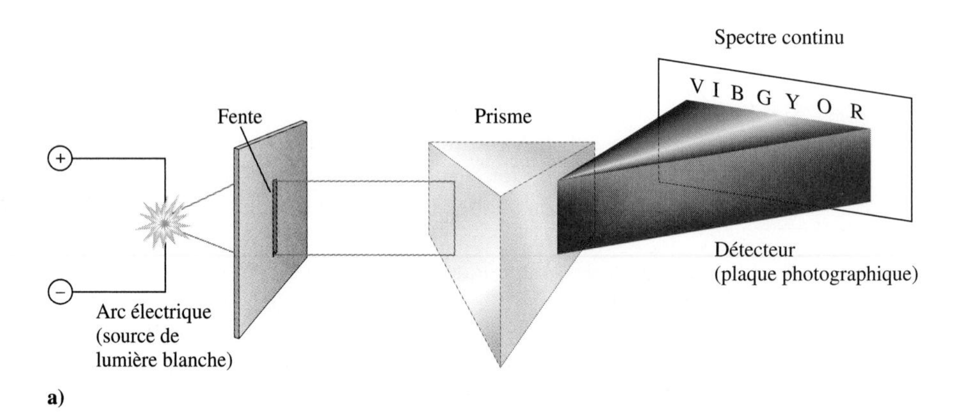

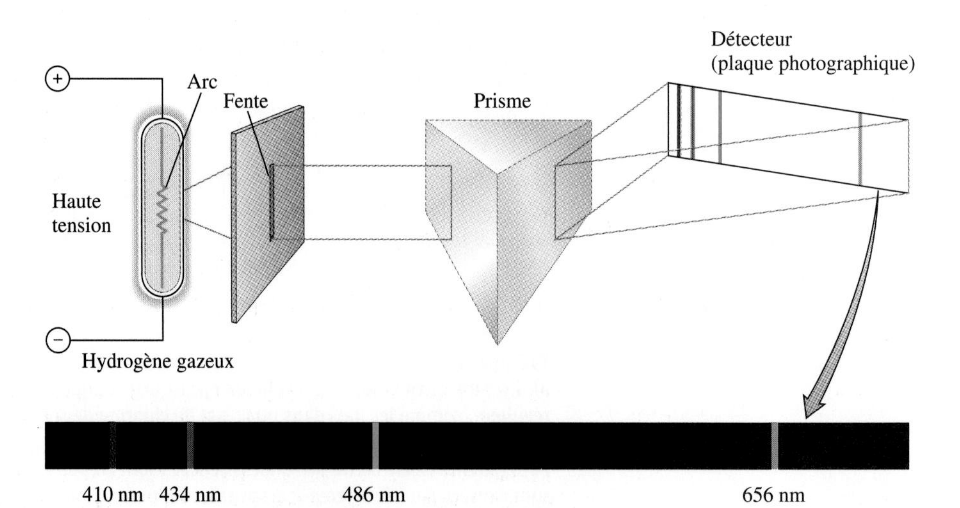

FIGURE 5.6
a) Spectre continu qui comporte toutes les longueurs d'onde de la lumière visible (identifiées par les initiales de chacune des couleurs de l'arc-en-ciel). **b)** Spectre de raies de l'hydrogène qui ne comporte que quelques longueurs d'onde bien déterminées.

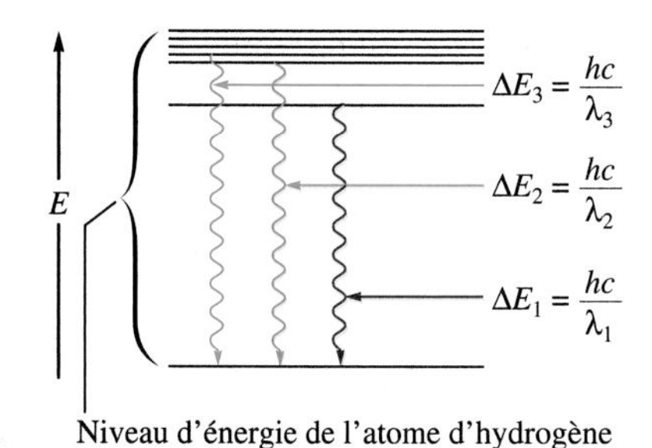

FIGURE 5.7
Quand un électron passe d'un niveau supérieur à un niveau inférieur, il y a émission d'un photon lumineux.

toutes les longueurs d'onde de la lumière visible. Par contre, lorsqu'on fait passer à travers un prisme la lumière émise par des atomes d'hydrogène excités, on ne détecte que quelques raies (*voir la figure 5.6b*), chacune de ces raies correspondant à une longueur d'onde déterminée. On appelle **spectre de raies** un spectre d'émission semblable à celui de l'hydrogène.

Le spectre de l'hydrogène est un spectre de raies parce que *l'électron de l'atome d'hydrogène n'a accès qu'à certains niveaux d'énergie*. En d'autres termes, l'énergie de l'électron de l'atome d'hydrogène est quantifiée, ce qui concorde parfaitement avec les postulats de Max Planck (*voir la section 5.2*). Quand, dans un atome d'hydrogène, l'électron passe d'un niveau d'énergie supérieur à un niveau inférieur, il émet une lumière d'une longueur d'onde déterminée (*voir la figure 5.7*), qu'on peut calculer à l'aide de l'équation de Planck, soit

$$\Delta E = h\nu = \frac{hc}{\lambda}$$

Variation d'énergie (ΔE) ; Fréquence de la lumière émise (ν) ; Longueur d'onde de la lumière émise (λ)

Le spectre de raies de l'hydrogène indique que seuls certains niveaux d'énergie peuvent exister, c'est-à-dire que les niveaux d'énergie de l'électron sont quantifiés. En effet, si tous les niveaux d'énergie pouvaient exister, le spectre d'émission serait continu.

5.4 Modèle atomique de Bohr

En 1913, le physicien danois Niels Bohr, qui connaissait les résultats expérimentaux présentés ci-dessus, élabora un **modèle quantique** de l'atome d'hydrogène. Selon ce modèle, *l'électron de l'atome d'hydrogène ne gravite autour du noyau que selon certaines orbites circulaires bien déterminées ou permises*. Il calcula même le rayon de ces orbites en utilisant certaines théories de la physique classique et en émettant de nouvelles hypothèses.

Selon la physique classique, tout corps en mouvement se déplace en ligne droite et, si un corps parcourt une trajectoire circulaire, il existe une force qui l'attire vers le centre du cercle. Sachant cela, Bohr fit le raisonnement suivant : la tendance de l'électron à s'échapper de l'atome doit être exactement compensée par l'attraction qu'exerce sur l'électron le noyau de charge positive. Toujours selon la physique classique, une particule chargée soumise à une accélération dégage de l'énergie. Étant donné qu'un électron qui gravite autour du noyau change constamment de direction, il est soumis en permanence à une accélération ; il devrait donc émettre de la lumière et perdre de l'énergie, pour finalement s'écraser dans le noyau. Or, cela ne concorde absolument pas avec l'existence d'atomes stables.

Bohr ne pouvait donc pas construire un modèle atomique vraisemblable en se basant uniquement sur la physique classique. Selon lui, un tel modèle devait tenir compte des résultats expérimentaux relatifs à l'existence du spectre de l'hydrogène, résultats qui prouvaient sans équivoque que seuls certains niveaux d'énergie (donc seules certaines orbites) électroniques étaient permis. Pour que son modèle puisse expliquer les résultats expérimentaux, Bohr devait présumer que le moment angulaire de l'électron (le moment angulaire est le produit de la masse par la vitesse et le rayon de l'orbite) ne pouvait avoir que certaines valeurs. Sans pouvoir en expliquer clairement le fondement, Bohr put, grâce à cette hypothèse, proposer un modèle atomique présentant des niveaux d'énergie correspondant au spectre d'émission de l'hydrogène. La figure 5.8 présente un schéma du modèle de Bohr applicable à l'atome d'hydrogène.

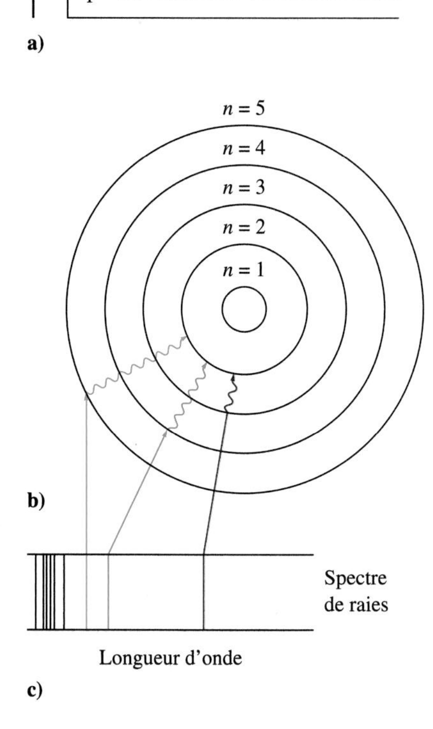

FIGURE 5.8
Transitions de l'électron dans l'atome d'hydrogène, selon le modèle de Bohr.
a) Diagramme des niveaux d'énergie permis pour les transitions de l'électron. b) Diagramme des orbites permises, conformément au spectre de raies. (Notez que les orbites ne sont illustrées que de façon schématique et non à l'échelle.) c) Spectre de raies de l'atome d'hydrogène observé sur une plaque photographique. Remarquez que les lignes dans la région visible du spectre correspondent aux transitions des niveaux plus élevés vers le niveau $n = 2$.

Dans l'équation 5.1, J est le symbole des joules.

Jeune garçon, Niels Hendrik David Bohr (1885-1962) a vécu dans l'ombre de son frère plus jeune, Harald, qui a joué en 1908 dans l'équipe olympique danoise de soccer et qui devint plus tard un éminent mathématicien. À l'école, Bohr a reçu ses plus mauvaises notes en composition et a lutté toute sa vie avec la rédaction. En fait, il écrivait si mal qu'il a été forcé de dicter sa thèse de doctorat à sa mère. Malgré tout, Bohr fut un brillant physicien. Après avoir obtenu son doctorat au Danemark, il élabore un modèle quantique pour l'atome d'hydrogène, dès l'âge de 27 ans. Bien qu'il ait été par la suite démontré que son modèle était inexact, Bohr est resté un personnage central dans la poursuite de la compréhension de l'atome. Il a reçu le prix Nobel de physique en 1922.

Bien que nous n'en montrions pas la dérivation ici, la plus importante équation découlant du modèle de Bohr est celle exprimant les *niveaux d'énergie accessibles à l'électron dans l'atome d'hydrogène* :

$$E = -2{,}178 \times 10^{-18}\ \mathrm{J}\left(\frac{Z^2}{n^2}\right) \tag{5.1}$$

dans laquelle n est un entier (plus n est grand, plus le rayon de l'orbite est grand) et Z, la charge du noyau. Grâce à l'équation 5.1, Bohr put calculer les niveaux d'énergie de l'atome d'hydrogène, lesquels correspondaient exactement aux valeurs obtenues expérimentalement.

Dans l'équation 5.1, le signe négatif signifie simplement que l'énergie de l'électron est plus faible à proximité du noyau qu'à une distance infinie ($n = \infty$), où, en l'absence de toute interaction, l'énergie est nulle, c'est-à-dire que

$$E = -2{,}178 \times 10^{-18}\ \mathrm{J}\left(\frac{Z^2}{\infty}\right) = 0$$

C'est pourquoi la valeur de l'énergie de l'électron placé sur n'importe quelle orbite est négative par rapport à cette valeur de référence ($E = 0$).

L'équation 5.1 permet de calculer la variation d'énergie d'un électron, ainsi que la longueur d'onde de la lumière absorbée ou émise par l'électron lorsqu'il change d'orbite. Par exemple, considérons que l'électron d'un atome d'hydrogène excité, situé au niveau $n = 6$, revienne à son niveau d'énergie le plus bas, $n = 1$, ou **état fondamental**. Dans l'équation 5.1, $Z = 1$, puisque le noyau de l'atome d'hydrogène contient un seul proton. Les énergies qui correspondent à ces états sont

$$\text{pour } n = 6: \quad E_6 = -2{,}178 \times 10^{-18}\ \mathrm{J}\left(\frac{1^2}{6^2}\right) = -6{,}050 \times 10^{-20}\ \mathrm{J}$$

$$\text{pour } n = 1: \quad E_1 = -2{,}178 \times 10^{-18}\ \mathrm{J}\left(\frac{1^2}{1^2}\right) = -2{,}178 \times 10^{-18}\ \mathrm{J}$$

On constate que, pour $n = 1$, l'électron possède une énergie plus négative que pour $n = 6$, ce qui signifie que l'électron est lié plus fortement au noyau lorsqu'il gravite dans la plus petite orbite permise.

Quand l'électron passe de $n = 6$ à $n = 1$, la variation d'énergie, ΔE, est la suivante :

$$\begin{aligned}\Delta E &= \text{énergie de l'état final} - \text{énergie de l'état initial}\\ &= E_1 - E_6 = (-2{,}178 \times 10^{-18}\ \mathrm{J}) - (-6{,}050 \times 10^{-20}\ \mathrm{J})\\ &= -2{,}117 \times 10^{-18}\ \mathrm{J}\end{aligned}$$

Le signe négatif de la *variation* d'énergie indique que l'atome a *perdu* de l'énergie en passant à un niveau de plus grande stabilité. Cette énergie est libérée sous forme d'émission d'un photon.

On calcule la longueur d'onde du photon émis au moyen de l'équation

$$\Delta E = h\left(\frac{c}{\lambda}\right) \qquad \text{soit} \qquad \lambda = \frac{hc}{\Delta E}$$

où ΔE représente la variation d'énergie de l'atome, qui est égale à l'énergie du photon émis. On obtient ainsi

$$\lambda = \frac{hc}{\Delta E} = \frac{(6{,}626 \times 10^{-34}\ \cancel{\mathrm{J}} \cdot \cancel{\mathrm{s}})(2{,}9979 \times 10^{8}\ \mathrm{m}/\cancel{\mathrm{s}})}{2{,}117 \times 10^{-18}\ \cancel{\mathrm{J}}} = 9{,}383 \times 10^{-8}\ \mathrm{m}$$

Pour effectuer ce calcul, on utilise la valeur absolue de ΔE. En effet, le seul fait de parler de l'*émission* d'un photon de longueur d'onde $9{,}383 \times 10^{-8}$ m permet de connaître le sens du transfert d'énergie. Si, dans le calcul ci-dessus, on utilisait la valeur de ΔE affectée du signe négatif, la longueur d'onde aurait une valeur négative, ce qui est physiquement invraisemblable.

Exemple 5.4

Quantification de l'énergie dans l'atome d'hydrogène

Quelle est l'énergie requise pour déplacer l'électron d'un atome d'hydrogène du niveau $n = 1$ au niveau $n = 2$? Quelle est la longueur d'onde de la lumière qu'un atome d'hydrogène doit absorber pour passer de son état fondamental à cet état excité* ?

Solution

En posant $Z = 1$ dans l'équation 5.2, on obtient

$$E_1 = -2{,}178 \times 10^{-18}\ \mathrm{J}\left(\frac{1^2}{1^2}\right) = -2{,}178 \times 10^{-18}\ \mathrm{J}$$

$$E_2 = -2{,}178 \times 10^{-18}\ \mathrm{J}\left(\frac{1^2}{2^2}\right) = -5{,}445 \times 10^{-19}\ \mathrm{J}$$

$$\Delta E = E_2 - E_1 = (-5{,}445 \times 10^{-19}\ \mathrm{J}) - (-2{,}178 \times 10^{-18}\ \mathrm{J}) = 1{,}633 \times 10^{-18}\ \mathrm{J}$$

La valeur positive de ΔE révèle qu'il y a gain d'énergie pour le système. La longueur d'onde de la lumière qui doit être *absorbée* pour que ce changement ait lieu est

$$\lambda = \frac{hc}{\Delta E} = \frac{(6{,}626 \times 10^{-34}\ \cancel{\mathrm{J}} \cdot \cancel{\mathrm{s}})(2{,}9979 \times 10^{8}\ \mathrm{m}/\cancel{\mathrm{s}})}{1{,}633 \times 10^{-18}\ \cancel{\mathrm{J}}}$$
$$= 1{,}216 \times 10^{-7}\ \mathrm{m}$$

En reportant cette valeur dans la figure 5.2, on voit que la lumière nécessaire pour faire passer l'électron du niveau $n = 1$ à $n = 2$ dans l'atome d'hydrogène appartient à la région des ultraviolets.

Voir l'exercice 5.36

Il est capital, à ce stade, d'attirer l'attention sur deux aspects importants du modèle de Bohr :

1. Le modèle décrit bien les niveaux d'énergie quantifiés de l'atome d'hydrogène ; par ailleurs, selon ce modèle, seules certaines orbites circulaires sont permises à l'électron.
2. L'énergie de l'électron est d'autant plus négative par rapport à l'énergie de l'état de référence – qui est nulle, l'électron étant à une distance infinie du noyau – que l'électron est près du noyau. Au fur et à mesure que l'électron se rapproche du noyau, il y a libération d'énergie.

À partir de l'équation 5.1, on peut trouver une expression générale qui permet de décrire le passage de l'électron d'un niveau n_{initial} à un autre n_{final}, soit

$$\begin{aligned}\Delta E &= \text{énergie du niveau } n_{\text{final}} - \text{énergie du niveau } n_{\text{initial}}\\ &= E_{\text{finale}} - E_{\text{initiale}}\\ &= (-2{,}178 \times 10^{-18}\ \mathrm{J})\left(\frac{1^2}{n_{\text{final}}^2}\right) - (-2{,}178 \times 10^{-18}\ \mathrm{J})\left(\frac{1^2}{n_{\text{initial}}^2}\right)\\ &= -2{,}178 \times 10^{-18}\ \mathrm{J}\left(\frac{1}{n_{\text{final}}^2} - \frac{1}{n_{\text{initial}}^2}\right) \qquad (5.2)\end{aligned}$$

On peut utiliser l'équation 5.2 pour calculer *n'importe quelle* variation d'énergie entre deux niveaux dans un atome d'hydrogène (*voir l'exemple 5.5*).

* À partir du prochain exemple, on n'indiquera plus les annulations d'unités ; on continuera néanmoins de procéder à ces annulations.

IMPACT

Les feux d'artifice

L'utilisation de mélanges de produits chimiques pour fabriquer des explosifs est un art ancien. Ainsi, plus de 1000 ans avant notre ère, les Chinois recouraient déjà à la poudre noire, un mélange de nitrate de potassium, de charbon et de soufre. Au cours des siècles qui suivirent, on utilisa la poudre noire à plusieurs fins : militaires (bombes), industrielles (dynamitage) et récréatives (feux d'artifice). La compagnie Du Pont, de nos jours un important fabricant de produits chimiques, fabriqua d'abord de la poudre noire. Son fondateur, M. Éleuthère Du Pont, apprit d'ailleurs cette technique de nul autre que Lavoisier lui-même.

Avant le XIXe siècle, les feux d'artifice se résumaient à des fusées éclairantes et à de fortes détonations, les colorations orange et jaune étant dues à la présence de limaille de fer et de charbon. Toutefois, grâce aux importants progrès accomplis par la chimie au cours du XIXe siècle, les feux d'artifice bénéficièrent de l'apparition de nouveaux produits chimiques : à l'aide de sels de cuivre, de strontium et de baryum, on put ainsi produire des couleurs vives ; avec le magnésium et l'aluminium, on obtint une lumière blanche aveuglante. Depuis, la technologie des feux d'artifice a peu évolué.

À quoi sont dues les couleurs vives et les fortes détonations des feux d'artifice ? En fait, seuls quelques produits chimiques sont à l'origine de la plupart de ces effets spectaculaires. L'emploi d'un oxydant et d'un combustible (un agent réducteur) permet de produire bruits et éclairs. En général, on utilise le perchlorate de potassium, $KClO_4$, comme oxydant, et l'aluminium et le soufre comme combustibles. L'oxydation du combustible par le perchlorate est une réaction fortement exothermique : il y a production d'une lumière vive due à l'aluminium, et d'une forte détonation imputable à l'expansion rapide des gaz libérés. Pour obtenir diverses colorations, on ajoute des éléments dont le spectre d'émission est coloré. N'oublions pas, en effet, que l'absorption d'énergie par un atome peut être utilisée par les électrons pour atteindre des orbitales de plus haut niveau. L'atome excité libère ensuite cet excédent d'énergie en émettant de la lumière à des longueurs d'onde bien déterminées, souvent localisées dans la partie visible du spectre. Dans le cas des feux d'artifice, c'est la réaction entre l'oxydant et le combustible qui fournit l'énergie nécessaire à l'excitation des atomes.

La coloration jaune des feux d'artifice provient de l'émission des ions sodium, à 589 nm ; la coloration rouge est due à l'émission des sels de strontium, à 606 et 636-688 nm (les torches de détresse utilisées par les automobilistes en cas d'urgence fonctionnent selon le même principe) ; la coloration verte, quant à elle, provient des raies d'émission (entre 505 et 535 nm) des sels de baryum. Or, il est très difficile d'obtenir une belle coloration bleue ; pour ce faire, on recourt à des sels de cuivre qui émettent dans la zone de 420-460 nm. Cependant, leur utilisation pose certains problèmes : le chlorate de potassium, $KClO_3$, un autre agent oxydant couramment utilisé, réagit en effet avec les sels de cuivre pour produire du chlorate de cuivre, un composé très explosif dont l'entreposage comporte certains risques). (L'utilisation de $KClO_3$ dans les feux d'artifice a d'ailleurs été en grande partie abandonnée à cause des risques d'explosion.) On utilisa autrefois le vert de Paris, ou vert de Schweinfurth (l'acéto-arsénite de cuivre), mais on a cessé aujourd'hui, à cause de la trop grande toxicité de ce produit.

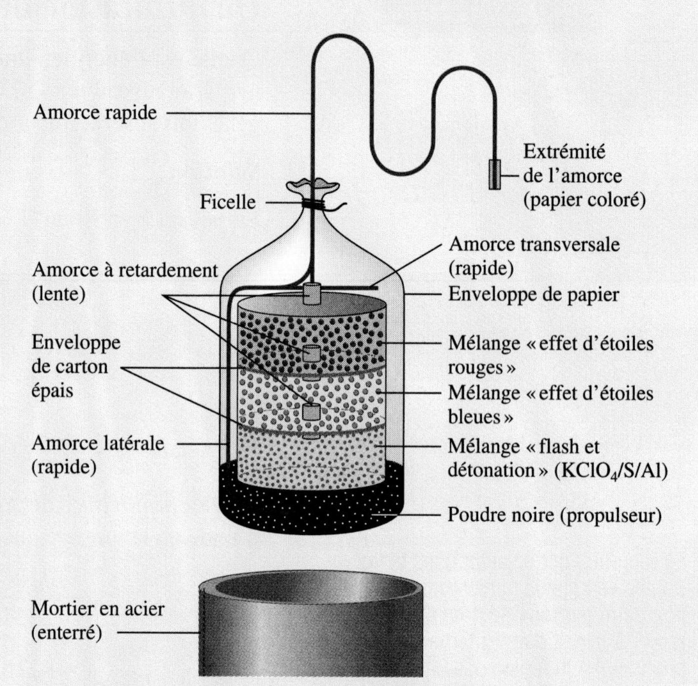

Obus aérien typique utilisé dans des feux d'artifice. Des amorces à retardement font en sorte que les différentes couches de l'obus explosent à des moments différents. Dans le cas ci-dessus, il y aura d'abord un effet d'étoiles rouges, puis un effet d'étoiles bleues et, enfin, un flash accompagné d'une forte détonation.

(Selon *Chemical and Engineering News*, 29 juin 1981, page 24. Reproduction autorisée, Copyright 1981 American Chemical Society.)

Au cours des dernières années, les couleurs produites par les feux d'artifice sont devenues plus intenses à cause de la formation de chlorures de métaux durant le processus de combustion. Ces molécules de chlorures de métaux gazeux

Festival des feux d'artifice, à Montréal.

produisent des couleurs beaucoup plus brillantes que les atomes de métaux eux-mêmes. Par exemple, le chlorure de strontium produit un rouge beaucoup plus brillant que les atomes de strontium. C'est pourquoi de nombreux obus de feux d'artifice contiennent maintenant des composés donneurs de chlorures.

Le diagramme illustre schématiquement un obus typique : un mortier (tube d'acier) guide le lancement de l'obus, et la poudre noire sert de propulseur. Pour obtenir la mise à feu différée des divers compartiments de l'obus, on utilise des amorces à retardement. Le tableau fournit une liste des produits chimiques généralement employés pour la fabrication de pièces d'artifice.

La chimie de la pyrotechnie peut sembler de prime abord simple ; cependant, il faut effectuer des mélanges complexes de produits chimiques pour obtenir un flash d'une blancheur éblouissante ou des couleurs vives. Par exemple, à cause de la très haute température produite par le flash blanc, les autres couleurs perdent de leur éclat. Pour produire des feux colorés, on doit fournir aux oxydants, comme $KClO_4$, des combustibles qui produisent une flamme de température relativement faible. Une autre difficulté peut surgir : la manipulation des perchlorates est plutôt risquée du fait qu'il y a souvent une mise à feu accidentelle. L'utilisation de sels de sodium entraîne également des problèmes : à cause de l'extrême brillance du jaune émis par les atomes et les ions du sodium, il est impossible d'utiliser ces sels lorsqu'on veut ajouter d'autres couleurs. Les combustibles organiques sont également d'une utilisation limitée, en raison de la flamme jaune intense qu'ils produisent et qui masque les autres couleurs. Finalement la fabrication des pièces pyrotechniques doit allier la sécurité d'utilisation à l'obtention de l'effet recherché.

Espérons que ces quelques connaissances chimiques vous aideront à mieux apprécier les feux d'artifice de la prochaine fête nationale ou ceux, si spectaculaires, de la compétition internationale de Montréal.

Produits chimiques couramment utilisés pour la fabrication de pièces d'artifice

Oxydant	Combustible	Effets spéciaux
nitrate de potassium	aluminium	flamme rouge – nitrate de strontium, carbonate de strontium
chlorate de potassium	magnésium	flamme verte – nitrate de baryum, chlorate de baryum
perchlorate de potassium	titane	flamme bleue – carbonate de cuivre, sulfate de cuivre, oxyde de cuivre
perchlorate d'ammonium	charbon	flamme jaune – oxalate de sodium, cryolite (Na_3AlF_6)
nitrate de baryum	soufre	flamme blanche – magnésium, aluminium
chlorate de baryum	sulfure d'antimoine	étincelles dorées – limaille de fer, charbon
nitrate de strontium	dextrine	étincelles blanches – aluminium, magnésium, alliage d'aluminium et de magnésium, titane
	rouge d'eucalyptus	sifflement – benzoate de potassium ou salicylate de sodium
	chlorure de polyvinyle	fumée blanche – mélange de soufre et de nitrate de potassium
		fumée colorée – mélange de soufre, de chlorate de potassium et de colorants organiques

Exemple 5.5 Énergie des électrons

Quelle est l'énergie nécessaire pour arracher l'électron d'un atome d'hydrogène à l'état fondamental ?

Solution

Arracher l'électron d'un atome d'hydrogène à l'état fondamental correspond à faire passer l'électron de $n_{\text{initial}} = 1$ à $n_{\text{final}} = \infty$. Ainsi

$$\Delta E = -2{,}178 \times 10^{-18}\ \text{J}\left(\frac{1}{n_{\text{final}}^2} - \frac{1}{n_{\text{initial}}^2}\right)$$

$$= -2{,}178 \times 10^{-18}\ \text{J}\left(\frac{1}{\infty} - \frac{1}{1^2}\right)$$

$$= -2{,}178 \times 10^{-18}\ \text{J}(0 - 1) = 2{,}178 \times 10^{-18}\ \text{J}$$

L'énergie nécessaire pour arracher l'électron d'un atome d'hydrogène à l'état fondamental est de $2{,}178 \times 10^{-18}$ J.

Voir les exercices 5.40 et 5.41

Même si le modèle de Bohr permet d'expliquer les niveaux d'énergie de l'atome d'hydrogène, il est fondamentalement erroné.

De prime abord, le modèle de Bohr semblait très prometteur. Les valeurs des niveaux d'énergie calculées par Bohr correspondaient parfaitement à celles du spectre d'émission de l'hydrogène. Toutefois, lorsqu'on tentait d'appliquer le modèle de Bohr à d'autres atomes que l'hydrogène, plus rien n'allait. Après quelques tentatives infructueuses d'adaptation de ce modèle basées sur des orbites elliptiques, on en arriva à la conclusion qu'il était fondamentalement erroné. Le modèle de Bohr revêt néanmoins une grande importance historique, car il prouva qu'on pouvait expliquer la quantification de l'énergie des atomes au moyen d'hypothèses assez simples. Le modèle de Bohr montra ainsi la voie à d'autres théories. Il faut toutefois savoir que la théorie actuelle relative à la structure de l'atome n'est aucunement tributaire du modèle de Bohr. En effet, comme nous le verrons plus loin dans ce chapitre, les électrons ne décrivent *pas* d'orbites circulaires autour du noyau.

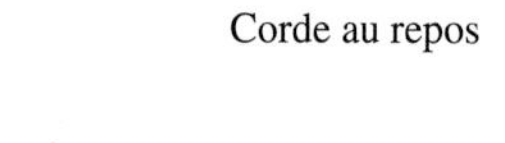

Corde au repos

1 demi-longueur d'onde

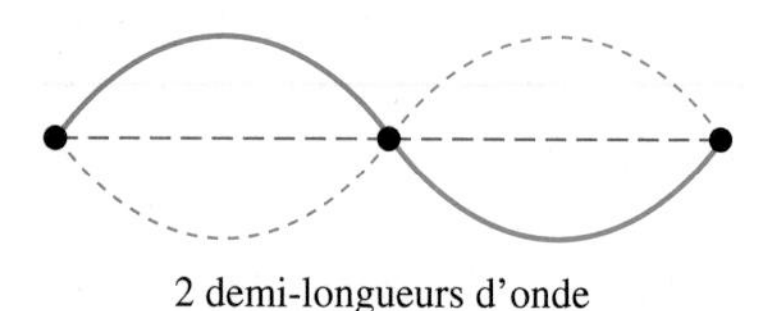

2 demi-longueurs d'onde

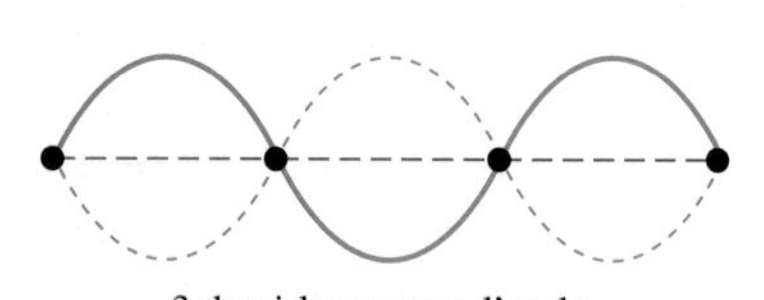

3 demi-longueurs d'onde

FIGURE 5.9
Ondes stationnaires produites par la vibration d'une corde de guitare fixée à ses deux extrémités. Les points représentent des nœuds (zones immobiles). Le mouvement complexe de la corde résulte de l'addition de plusieurs ondes stationnaires.

5.5 Modèle atomique basé sur la mécanique ondulatoire

Vers 1925, on s'était déjà rendu compte que le modèle de Bohr ne correspondait pas à la réalité. Il fallut donc envisager une toute nouvelle approche. Trois physiciens y travaillèrent : Werner Heisenberg (1901-1976), Louis de Broglie (1892-1987) et Erwin Schrödinger (1867-1961). L'approche qu'ils ont développée a pris le nom de *mécanique ondulatoire* ou, plus communément, *mécanique quantique.* On sait déjà que c'est de Broglie qui proposa l'idée que l'électron était doté non seulement de propriétés corpusculaires, mais également de propriétés ondulatoires. Un physicien autrichien, Schrödinger, décida d'exploiter cette idée et d'étudier la structure atomique en mettant davantage l'accent sur les propriétés ondulatoires de l'électron. Selon de Broglie et Schrödinger, on pouvait assimiler l'électron lié au noyau à une **onde stationnaire** ; ils entreprirent donc des travaux concernant un **modèle atomique basé sur la mécanique ondulatoire**.

Le meilleur exemple d'ondes stationnaires est fourni par les instruments à cordes, comme la guitare ou le violon, dans lesquels le son est produit par la vibration de cordes

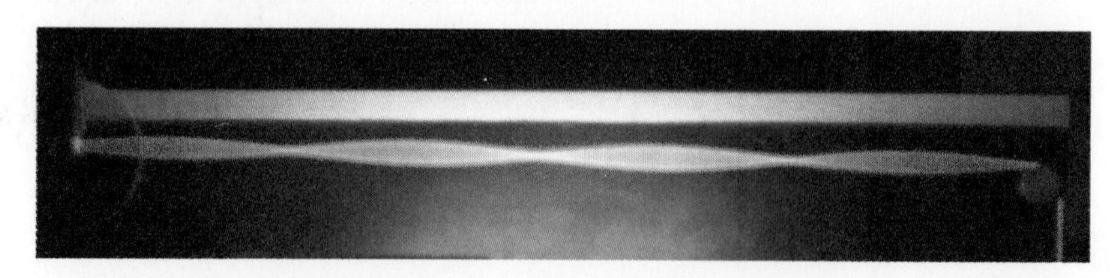

Un appareil générateur d'ondes.

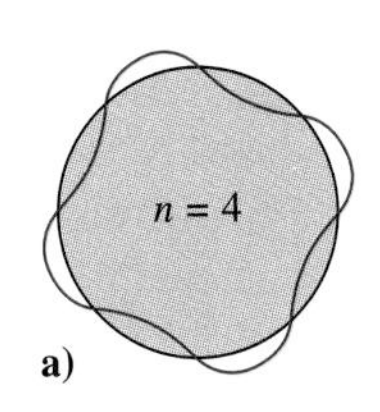

a)

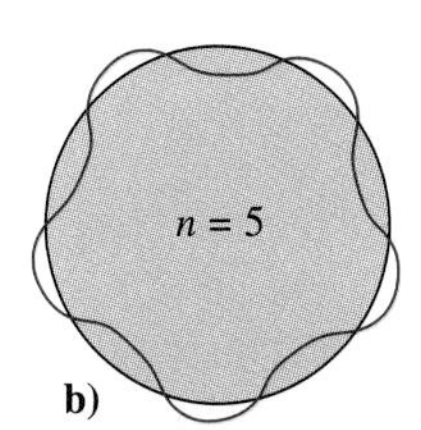

b)

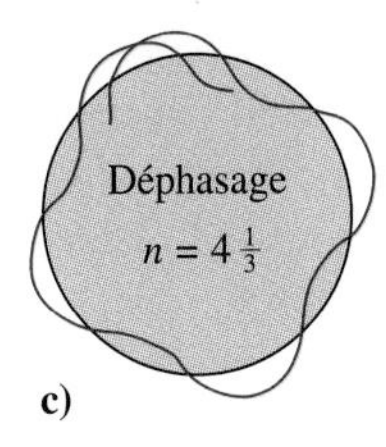

c)

FIGURE 5.10
Électron de l'atome d'hydrogène, considéré comme une onde stationnaire qui entoure le noyau. La circonférence d'une orbite circulaire donnée doit correspondre à un multiple entier de longueurs d'onde, comme en **a)** ou en **b)** ; faute de quoi, il y a interférence destructive, comme en **c)**. Ces représentations concordent bien avec la notion de quantification de l'atome : seuls certains niveaux d'énergie sont permis ; l'atome est quantifié. (Même si cette hypothèse permet aux scientifiques d'utiliser la théorie ondulatoire, cela ne signifie pas pour autant que l'électron emprunte *réellement* une orbite circulaire.)

fixées à leurs deux extrémités. L'onde ne se déplace pas le long de la corde, elle est stationnaire : les mouvements de la corde résultent d'une combinaison d'ondes simples semblables à celles illustrées à la figure 5.9 ; les points représentent les nœuds, ou zones sans déplacement latéral, d'une onde donnée. Signalons cependant qu'une onde stationnaire ne possède que certaines longueurs d'onde permises. D'abord, étant donné que la corde est fixée à ses deux extrémités, chacune d'elles constitue un nœud ; il en découle que toute vibration de la corde ne peut être représentée que par un multiple de la *demi-longueur* d'onde (*voir la figure 5.9*). La photo ci-dessus montre un générateur d'ondes qui permet d'illustrer des ondes stationnaires.

Il en serait également ainsi pour l'électron de l'atome d'hydrogène si on le considérait comme une onde stationnaire. Comme on le voit à la figure 5.10, seules certaines orbites circulaires ont une circonférence dont la longueur est un multiple de la longueur de « l'électron-onde stationnaire » ; toute autre orbite serait « interdite » à « l'électron-onde stationnaire », car il y aurait interférence destructrice de l'onde avec elle-même. Pour Schrödinger, cette notion d'onde stationnaire constituait une explication plausible de la quantification de l'énergie de l'atome d'hydrogène. Il élabora donc un modèle relatif à l'atome d'hydrogène, dans lequel l'électron était assimilé à une onde stationnaire.

Toutefois Schrödinger ne pouvait pas être certain du bon « fonctionnement » de son modèle. Il lui fallait vérifier si sa théorie expliquait bien le spectre de raies de l'atome d'hydrogène, entre autres. Quand il entreprit, en 1925, l'élaboration de son modèle, on connaissait déjà bien les principes physiques qui décrivent les ondes stationnaires. (Le traitement mathématique du modèle de Schrödinger étant très complexe, on ne l'abordera pas dans cet ouvrage.) L'équation de Schrödinger est la suivante :

$$\hat{H}\psi = E\psi$$

où ψ appelée **fonction d'onde**, est une fonction des coordonnées x, y et z de la position de l'électron dans un espace tridimensionnel et $\hat{H}$, un *opérateur* (c'est-à-dire un symbole qui désigne une série d'opérations mathématiques). Dans ce cas, l'opérateur comporte des termes mathématiques qui, appliqués à la fonction d'onde, permettent de calculer la valeur de l'énergie totale de l'atome. E représente l'énergie totale de l'atome, c'est-à-dire la somme de l'énergie cinétique de l'électron en mouvement et de l'énergie potentielle résultant de l'attraction entre le proton et l'électron. Il existe de nombreuses solutions à cette équation : chacune d'elles est une fonction d'onde, ψ, caractérisée par une valeur particulière de E. On appelle souvent **orbitale** une fonction d'onde spécifique.

Pour bien comprendre les aspects fondamentaux du modèle de la **mécanique quantique**, ou *mécanique ondulatoire,* considérons la fonction d'onde qui correspond au plus bas niveau d'énergie de l'atome d'hydrogène, l'orbitale dite 1*s*. Précisons d'abord le sens du mot *orbitale*. Comme nous le verrons, ce n'est pas sans importance. Une chose est claire : une orbitale *n'est pas* une orbite de Bohr ; dans l'orbitale 1*s*, l'électron de l'atome d'hydrogène ne décrit pas une orbite circulaire autour du noyau. Comment se déplace donc l'électron ? La réponse peut surprendre : *on ne le sait pas* ; la fonction d'onde ne fournit aucune précision sur la trajectoire de l'électron, ce qui est pour le moins étonnant, puisqu'on peut aisément prédire la trajectoire d'une grosse particule. Par exemple, lorsque deux boules de billard, qui se déplacent à des vitesses connues, entrent en collision, on peut prédire leur trajectoire après la collision. Or, on ne peut pas décrire la trajectoire de l'électron à partir de la fonction de l'orbitale 1*s*. Ce phénomène n'invalide pas pour autant la théorie : on sait simplement, au départ, que le comportement d'un électron ne peut pas être assimilé à celui d'une boule de billard. Avant donc de rejeter la théorie, examinons-la plus attentivement.

Werner Heisenberg, celui-là même qui participa à l'élaboration du modèle atomique basé sur la mécanique ondulatoire, découvrit une relation très importante qui permet de comprendre la signification d'une orbitale : le **principe d'incertitude d'Heisenberg**. À la suite de son analyse mathématique du problème, Heisenberg en arriva à la surprenante conclusion suivante : *il existe une limite à notre connaissance de la vitesse exacte et de la position exacte d'une particule en mouvement, à un moment donné*. Mathématiquement, on peut exprimer ce principe d'incertitude sous la forme suivante :

$$\Delta x \cdot \Delta(mv) \geq \frac{h}{4\pi}$$

où Δx est l'incertitude relative à la position de l'électron, $\Delta(mv)$, l'incertitude relative à son moment et h, la constante de Planck. L'incertitude minimale du produit $\Delta \cdot \Delta(mv)$ est $h/4\pi$: autrement dit, plus on connaît avec précision la position de la particule, moins on connaît avec précision sa vitesse, et vice versa. Pour une balle de tennis ou une boule de billard, ce niveau d'incertitude est si faible qu'il ne modifie en rien la réalité à l'échelle macroscopique. Toutefois, en ce qui concerne des particules aussi petites que l'électron, il devient important. Selon ce principe, on ne peut donc pas connaître avec précision la trajectoire de l'électron autour du noyau. Par conséquent, on ne peut pas supposer que l'électron décrit une orbite bien définie, comme le fait le modèle de Bohr.

Signification physique de la fonction d'onde

La probabilité correspond aux chances qu'a un événement de se produire.

Compte tenu des limites imposées par le principe d'incertitude, quelle est la signification physique de la fonction d'onde d'un électron ? Autrement dit, qu'est-ce qu'une orbitale atomique ? Bien qu'on puisse difficilement se représenter la fonction d'onde elle-même, le carré de cette fonction a une signification physique : *le carré de la fonction d'onde indique la probabilité de trouver un électron en un point donné de l'espace.* Par exemple, soit deux points dans l'espace dont la position est déterminée par les coordonnées suivantes : x_1, y_1, z_1 et x_2, y_2, z_2. On peut calculer la probabilité relative de trouver l'électron en 1 et en 2 en remplaçant, dans la fonction d'onde, x, y et z par leurs valeurs aux deux points, en élevant la valeur de la fonction au carré et en calculant le rapport suivant :

$$\frac{[\psi(x_1, y_1, z_1)]^2}{[\psi(x_2, y_2, z_2)]^2} = \frac{N_1}{N_2}$$

Le rapport N_1/N_2 représente le rapport des probabilités de présence de l'électron en 1 et en 2. Par exemple, un rapport N_1/N_2 égal à 100 signifie que l'électron a 100 fois plus de chances d'être situé en 1 qu'en 2. Cependant, le modèle ne précise pas à quel moment l'électron sera présent à telle ou telle position, ni quelle est sa trajectoire entre les deux points. Ces imprécisions concordent bien avec le principe d'incertitude d'Heisenberg.

On représente habituellement le carré de la fonction d'onde par une **distribution des probabilités**, dans laquelle l'intensité de la couleur varie en fonction de la valeur de la probabilité en un point donné de l'espace. La figure 5.11a) illustre la distribution des probabilités de présence de l'électron de l'atome d'hydrogène dans l'orbitale 1*s* (ou nuage électronique). Pour mieux comprendre ce schéma, on peut l'assimiler à une photographie en pose de l'espace, sur laquelle l'électron est une petite lumière mobile. Le film est d'autant plus exposé que l'électron passe plus souvent par le même point. Ainsi l'intensité d'un point donné reflète la probabilité de trouver l'électron en ce point. On appelle quelquefois ce schéma *carte de densité électronique*, *densité électronique* étant synonyme de *probabilité de présence de l'électron*. Quand un chimiste utilise le terme orbitale atomique, il est fort probablement en train de parler d'une carte de densité électronique de ce type.

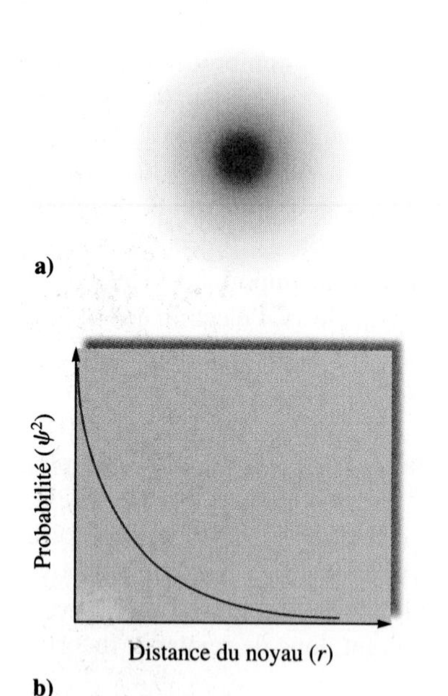

FIGURE 5.11
a) Distribution des probabilités de présence de l'électron de l'atome d'hydrogène dans l'orbitale 1*s* (espace à trois dimensions).
b) Variation des probabilités de présence de l'électron de l'atome d'hydrogène dans l'orbitale 1*s* en fonction de la position de cet électron sur une droite quelconque qui s'éloigne radialement du noyau d'hydrogène.

Il existe une autre représentation de la distribution des probabilités de présence de l'électron dans l'orbitale 1*s* : on utilise la probabilité de présence en des points situés sur une droite qui s'éloigne radialement du noyau (*voir la figure 5.11b*). On remarque que la probabilité de présence de l'électron est plus élevée près du noyau, et qu'elle décroît rapidement au fur et à mesure qu'on s'en éloigne. On cherche également à connaître la probabilité *totale* de présence de l'électron de l'atome d'hydrogène à une certaine *distance* du noyau. Pour ce faire, on divise l'espace qui entoure le noyau de l'atome d'hydrogène en une série de minces couches sphériques, comme les couches d'un oignon (*figure 5.12a*). Si on représente graphiquement la variation de la probabilité totale de présence de l'électron dans chacune de ces couches en fonction de la distance qui les sépare du noyau, on obtient une **distribution radiale de probabilités** (*voir la figure 5.12b*).

La valeur maximale est la résultante des valeurs de deux phénomènes opposés : l'augmentation de la probabilité de présence de l'électron au fur et à mesure qu'on se rapproche du noyau et l'augmentation du volume de la couche au fur et à mesure qu'on s'en éloigne. Par conséquent, plus on s'éloigne du noyau, moins on a de chances de trouver l'électron en un point donné, mais plus le nombre de points où il peut se trouver augmente.

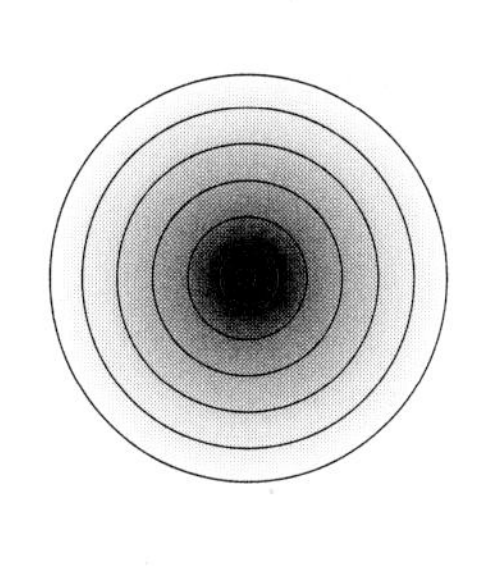

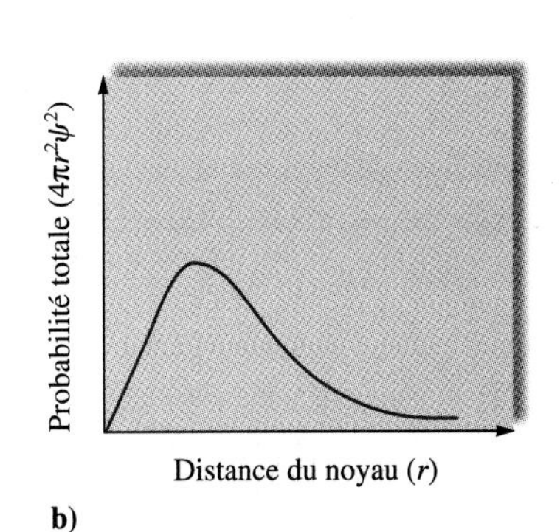

a) b)

FIGURE 5.12
a) Coupe transversale de la distribution des probabilités de présence de l'électron dans l'orbitale 1*s* divisée en une succession de minces couches sphériques.
b) Distribution radiale de la probabilité de présence. Représentation graphique de la variation de la probabilité dans chaque mince couche sphérique en fonction de la distance du noyau.

La probabilité totale augmente donc jusqu'à une certaine valeur de r (le rayon), puis elle diminue, étant donné que la probabilité de présence de l'électron en chaque point devient de plus en plus faible. Pour l'orbitale 1*s* de l'atome d'hydrogène, la probabilité radiale maximale (la distance à laquelle on a le plus de chances de trouver l'électron) apparaît à une distance de 5,29 pm, valeur exacte du rayon de la première orbite de l'atome selon le modèle de Bohr. Cependant, dans le modèle de Bohr, l'électron emprunte une orbite circulaire : il doit donc *toujours* être situé à cette distance du noyau. Selon le modèle basé sur la mécanique ondulatoire, les mouvements précis de l'électron ne sont pas connus : cette distance est donc celle à laquelle il est *le plus probable* qu'on trouve l'électron.

Il existe une autre caractéristique importante de l'orbitale 1*s* de l'atome d'hydrogène : sa taille (*voir la figure 5.11*). On sait qu'il est impossible de déterminer avec précision la taille de cette orbitale, puisque la probabilité de présence de l'électron n'atteint jamais la valeur zéro (même si elle devient infiniment petite pour des valeurs élevées de r). Par conséquent, l'orbitale 1*s* de l'atome d'hydrogène n'a pas de taille précise. Toutefois, il est bien utile de définir la taille relative d'une orbitale : *on définit arbitrairement la taille de l'orbitale 1*s *de l'atome d'hydrogène comme le rayon d'une sphère à l'intérieur de laquelle la probabilité totale de présence de l'électron est de 90 %*. Autrement dit, pendant 90 % du temps, l'électron évolue dans cette sphère.

Jusqu'à maintenant, nous avons décrit une seule fonction d'onde de l'atome d'hydrogène : celle de l'orbitale 1*s*, qui possède la plus faible énergie. L'atome d'hydrogène comporte cependant plusieurs autres orbitales, que nous étudierons à la section suivante. Toutefois, avant d'aller plus loin, il serait bon de résumer ce que nous avons dit jusqu'à présent de l'orbitale atomique. Dans un cours d'introduction, il n'est pas aisé de définir l'orbitale. Techniquement, c'est une fonction d'onde ; cependant, il est beaucoup plus pratique de la décrire comme une carte de densité électronique à trois dimensions. Autrement dit, la probabilité de présence d'un électron sur une orbitale atomique particulière serait indiquée par la carte de l'orbitale.

5.6 Nombres quantiques

En ce qui concerne l'atome d'hydrogène, il existe de nombreuses solutions, ou fonctions d'onde (orbitales), à l'équation de Schrödinger. Chacune de ces orbitales est caractérisée par une série de nombres, appelés **nombres quantiques**, qui décrivent différentes propriétés de l'orbitale en question.

Le **nombre quantique principal**, n, peut prendre des valeurs entières égales ou supérieures à 1, soit 1, 2, 3, 4, ..., n. Le nombre quantique n définit la taille de l'orbitale et l'énergie qui lui est associée. Au fur et à mesure que n augmente, la taille de l'orbitale augmente (l'électron est donc plus souvent situé loin du noyau) et la valeur de l'énergie devient moins négative, étant donné que l'électron est moins fortement lié au noyau.

Le **nombre quantique secondaire ou azimutal**, ℓ, peut prendre toutes les valeurs entières comprises entre 0 et $n - 1$. Ce nombre quantique définit la forme de l'orbitale. Pour désigner chaque forme d'orbitale (chaque valeur de ℓ), on recourt

TABLEAU 5.1 Nombres quantiques secondaires et lettres correspondantes utilisées pour désigner les orbitales atomiques

Valeur de ℓ	0	1	2	3	4
Lettre correspondante	*s*	*p*	*d*	*f*	*g*

Nombre d'orbitales par sous-couche

$s = 1$
$p = 3$
$d = 5$
$f = 7$
$g = 9$

TABLEAU 5.2 Nombres quantiques des quatre premières orbitales de l'atome d'hydrogène

n	ℓ	Désignation de l'orbitale	m_ℓ	Nombre d'orbitales
1	0	1*s*	0	1
2	0	2*s*	0	1
	1	2*p*	−1, 0, +1	3
3	0	3*s*	0	1
	1	3*p*	−1, 0, 1	3
	2	3*d*	−2, −1, 0, 1, 2	5
4	0	4*s*	0	1
	1	4*p*	−1, 0, 1	3
	2	4*d*	−2, −1, 0, 1, 2	5
	3	4*f*	−3, −2, −1, 0, 1, 2, 3	7

généralement à une lettre : $\ell = 0$ devient *s*, $\ell = 1$, *p*, $\ell = 2$, *d*, $\ell = 3$, *f*. Cette façon de faire (*voir le tableau 5.1*) date des premières études spectrales.

Le **nombre quantique magnétique**, m_ℓ, peut prendre toutes les valeurs entières comprises entre $-\ell$ et $+\ell$, y compris zéro. Ce nombre quantique définit l'orientation de l'orbitale dans l'espace par rapport à celle des autres orbitales de l'atome.

$n = 1, 2, 3, \ldots$
$\ell = 0, 1, \ldots (n-1)$
$m_\ell = -\ell, \ldots 0, \ldots +\ell$

Le tableau 5.2 présente les quatre premiers niveaux d'orbitales de l'atome d'hydrogène, ainsi que leurs nombres quantiques. Pour désigner chaque ensemble d'orbitales pour lequel ℓ a une valeur donnée (cet ensemble est quelquefois appelé **sous-couche**), on utilise le chiffre qui indique la valeur de *n*, suivi de la lettre qui correspond à la valeur de ℓ. Par exemple 2*p* désigne une orbitale pour laquelle $n = 2$ et $\ell = 1$. En fait, il existe trois orbitales 2*p*, chacune ayant une orientation différente dans l'espace, que nous étudierons à la prochaine section.

Exemple 5.6 Sous-couches électroniques

Si le nombre quantique principal *n* est de 5, combien y a-t-il de sous-couches (c'est-à-dire de valeurs différentes de ℓ) ? Donnez l'expression de ces sous-couches.

Solution

Pour $n = 5$, ℓ prend toutes les valeurs entières de 0 à 4 ($n - 1 = 5 - 1$). On désigne respectivement les sous-couches $\ell = 0$, $\ell = 1$, $\ell = 2$, $\ell = 3$ et $\ell = 4$ par 5*s*, 5*p*, 5*d*, 5*f* et 5*g*.

Voir les exercices 5.45 à 5.47

5.7 Formes des orbitales et niveaux d'énergie

Nous avons vu que la distribution des probabilités, ou nuage électronique, constituait le meilleur moyen de représenter une orbitale. Chaque orbitale de l'atome d'hydrogène possède sa propre distribution. On connaît en outre une autre façon de représenter une orbitale par une surface qui englobe 90 % de la probabilité totale de présence de l'électron. La figure 5.13 illustre ces deux modes de représentation des orbitales 1*s*, 2*s* et 3*s* de l'hydrogène. On y remarque la forme sphérique caractéristique des orbitales *s*. Les orbitales 2*s* et 3*s* comportent des zones de forte probabilité de présence de l'électron, séparées par des zones de probabilité nulle, appelées **zones nodales** ou, tout simplement, **nœuds**. Le nombre de nœuds augmente au fur et à mesure que *n* augmente. Pour une orbitale *s*, le nombre de zones nodales est $n - 1$. Pour le moment, on ne considère les orbitales *s* que comme des sphères dont le volume augmente avec la valeur de *n*.

La figure 5.14 montre les deux façons de représenter les orbitales 2*p*. Celles-ci n'ont pas la forme sphérique caractéristique des orbitales *s* ; leur forme rappelle plutôt celle de deux lobes séparés par un nœud situé au noyau. On identifie les orbitales *p* en fonction de l'axe du système de coordonnées *xyz* selon lequel l'orbitale est orientée. Si, par exemple, les lobes de l'orbitale 2*p* sont orientés selon l'axe des *x*, on parle de l'orbitale $2p_x$.

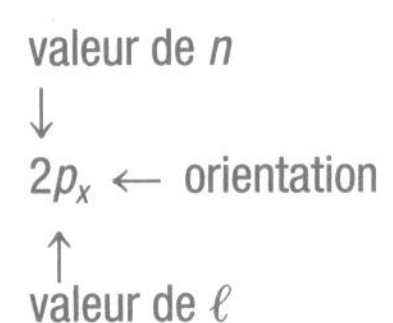

Il est utile de rappeler ici que les fonctions mathématiques ont des signes. Par exemple, une simple onde sinusoïdale (*voir la figure 5.1*) oscille entre le négatif et le positif et répète cette forme. Les fonctions des orbitales atomiques ont également des signes. Les fonctions pour les orbitales *s* sont positives partout dans l'espace tridimensionnel. En d'autres mots, quand on évalue une fonction d'une orbitale *s* en un point donné de l'espace, il en résulte un nombre positif. Par contre, les fonctions des orbitales *p* ont des signes différents selon les régions de l'espace. Par exemple, l'orbitale p_z a un signe positif dans toutes les régions de l'espace dans lesquelles *z* est positif et a un signe négatif, quand *z* est négatif. Ce comportement est indiqué dans la figure 5.14b) par les signes positif et négatif à l'intérieur de leurs surfaces externes. Il est important de comprendre que ce sont des signes mathématiques et non des charges. Tout comme une onde sinusoïdale possède en alternance des phases positives et négatives, de même les orbitales *p* ont des phases positives et négatives. La figure 5.14b) illustre les phases des orbitales p_x, p_y et p_z.

Comme le laissait supposer l'étude des orbitales *s*, le nuage électronique des orbitales 3*p* est plus complexe que celui des orbitales 2*p* (*voir la figure 5.15*) ; on peut toutefois les représenter au moyen des formes des surfaces externes, surfaces qui augmentent en fonction de la valeur de *n*.

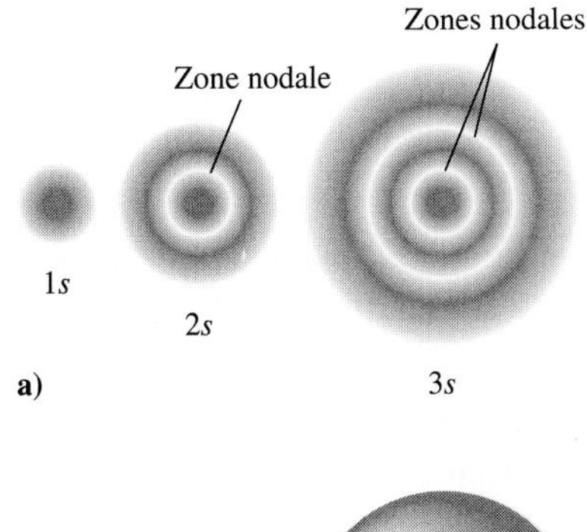

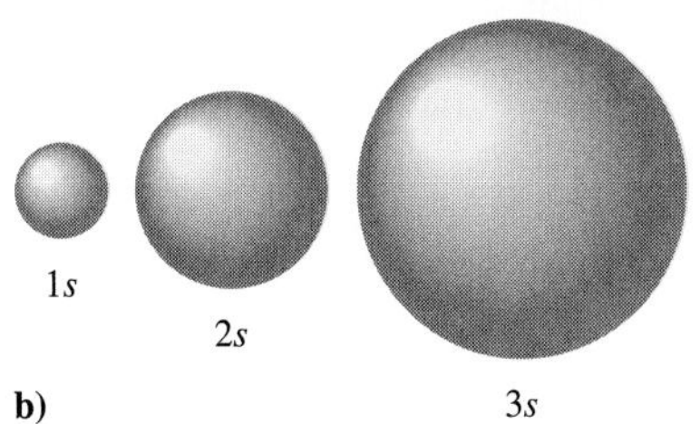

FIGURE 5.13
Deux façons de représenter les orbitales 1*s*, 2*s* et 3*s* de l'atome d'hydrogène.
a) Distribution de la probabilité de présence de l'électron. **b)** Surface qui englobe 90 % de la probabilité de présence totale de l'électron (par définition, c'est la taille de l'orbitale).

Il n'y a pas d'orbitale *d* qui corresponde aux deux premiers nombres quantiques principaux $n = 1$ et $n = 2$. On ne les rencontre qu'à partir de $n = 3$ ($\ell = 2$). La figure 5.16 illustre les formes des 5 orbitales 3*d*. Les orbitales *d* existent sous deux formes de base : quatre des cinq orbitales 3*d* ont quatre lobes orientés selon le plan des axes indiqués (d_{xz}, d_{yz}, d_{xy} et $d_{x^2-y^2}$). On remarque que les orbitales d_{xy} et $d_{z^2-y^2}$ sont toutes deux situées dans le plan *xy* ; cependant, les lobes de l'orbitale $d_{x^2-y^2}$ sont disposés le long des axes *x* et *y*, alors que ceux de l'orbitale d_{xy} sont situés *entre* les axes. Quant à la cinquième orbitale, d_{z^2}, elle a une forme particulière : deux lobes sont orientés selon l'axe *z*, de part et d'autre d'un anneau situé dans le plan *xy*. Les orbitales *d* de niveau supérieur à $n = 3$ ressemblent à celles de niveau 3, mais leurs lobes sont plus volumineux.

Les orbitales *f* apparaissent à partir du niveau $n = 4$, et leurs formes sont encore plus complexes que celles des orbitales *d*. La figure 5.17 illustre les formes des différentes orbitales 4*f* ($\ell = 3$), ainsi que leurs représentations symboliques. Ces orbitales ne participent aux liaisons d'aucun produit étudié dans ce manuel. On ne les mentionne donc ici que pour compléter le tableau descriptif des orbitales.

Jusqu'à présent, il n'a été question que de la forme des orbitales de l'atome d'hydrogène. Qu'en est-il de leur énergie ? Dans le cas de l'atome d'hydrogène, l'énergie d'une orbitale donnée est fonction de sa valeur de *n*. Donc, *toutes* les orbitales qui ont la même valeur de *n* possèdent la *même énergie* : on parle alors de **dégénérescence**. La figure 5.18 illustre ce concept pour les trois premiers niveaux quantiques de l'atome d'hydrogène.

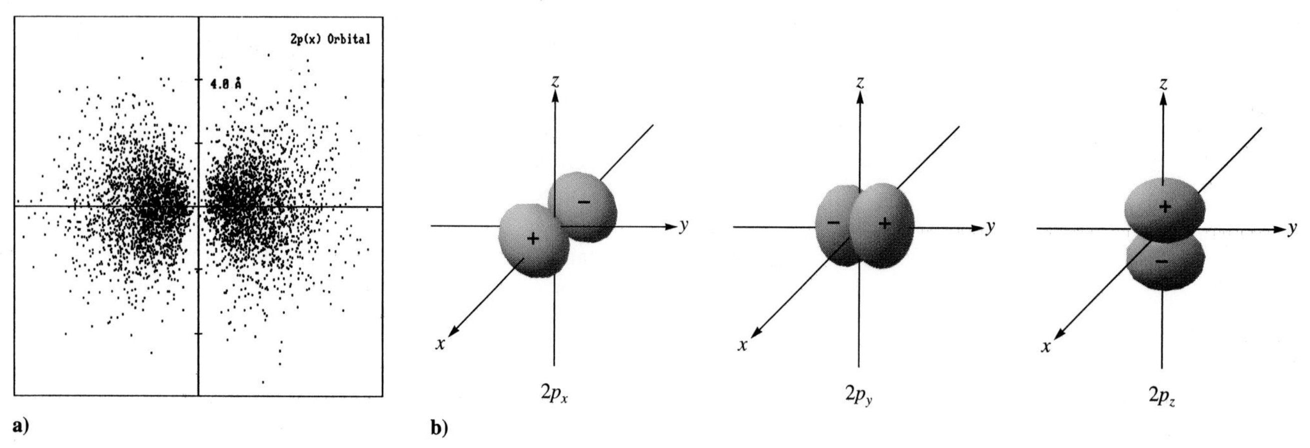

FIGURE 5.14
Représentation des orbitales $2p$. **a)** Distribution de la probabilité de présence de l'électron (nuage électronique) d'une orbitale $2p$.
(Générée à l'aide d'un programme par Robert Allendoerfer sur un disque PC 2402 du Projet SERAPHIM ; reproduction autorisée.)
b) Les trois orbitales $2p$ et leur surface externe. L'indice indique l'orientation spatiale des lobes en fonction du système de coordonnées xyz.

L'électron unique de l'atome d'hydrogène peut être situé dans n'importe quelle orbitale. Cependant, à l'*état fondamental* (l'état de moindre énergie), l'électron occupe l'orbitale $1s$. Si on fournit de l'énergie à l'atome, l'électron passe dans une orbitale d'énergie supérieure : on parle alors d'*état excité*.

Atome d'hydrogène : résumé

- Le modèle atomique basé sur la mécanique ondulatoire assimile l'électron à une onde stationnaire. Ainsi, pour décrire les niveaux d'énergie et les sites privilégiés de présence de l'électron, on a recours à une série de fonctions d'onde (orbitales).
- Conformément au principe d'incertitude d'Heisenberg, ce modèle ne permet pas de connaître la trajectoire détaillée de l'électron. Le carré de la fonction d'onde permet cependant de décrire la distribution des probabilités de présence de l'électron. On peut par ailleurs représenter une orbitale au moyen d'un nuage électronique, ou carte de densité électronique.
- On définit arbitrairement la taille d'une orbitale comme étant le rayon d'une sphère à l'intérieur de laquelle la probabilité totale de présence de l'électron est de 90 %.
- Il existe plusieurs types d'orbitales en ce qui concerne l'atome d'hydrogène. À l'état fondamental, l'électron unique occupe l'orbitale $1s$. À l'état excité, c'est-à-dire s'il a reçu de l'énergie, l'électron passe dans une autre orbitale dont le niveau d'énergie est supérieur.

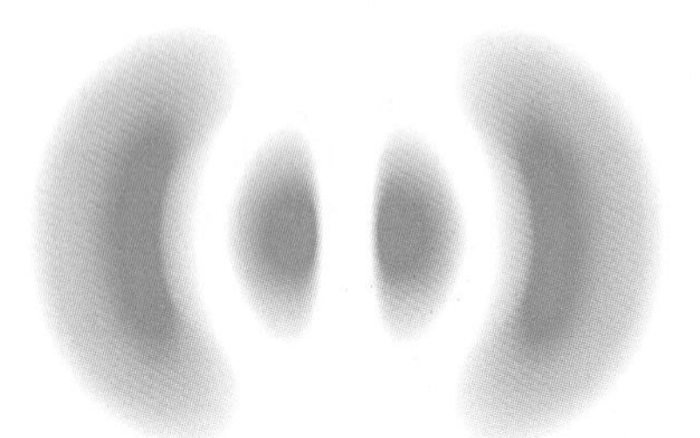

FIGURE 5.15
Coupe transversale du nuage électronique d'une orbitale $3p$.

5.8 Spin de l'électron et principe d'exclusion de Pauli

Il existe une autre propriété importante de l'électron : le **spin de l'électron**. Samuel Goudsmit et George Uhlenbeck poursuivaient leurs études de troisième cycle à l'Université de Leyden (Pays-Bas) lorsqu'ils élaborèrent le concept selon lequel l'électron tournait sur lui-même. En 1925, ils découvrirent ainsi que, pour expliquer certains détails des spectres d'émission des atomes, on devait définir un quatrième nombre quantique (en plus de n, ℓ et m_ℓ). Les résultats de ces spectres indiquent que l'électron possède un moment

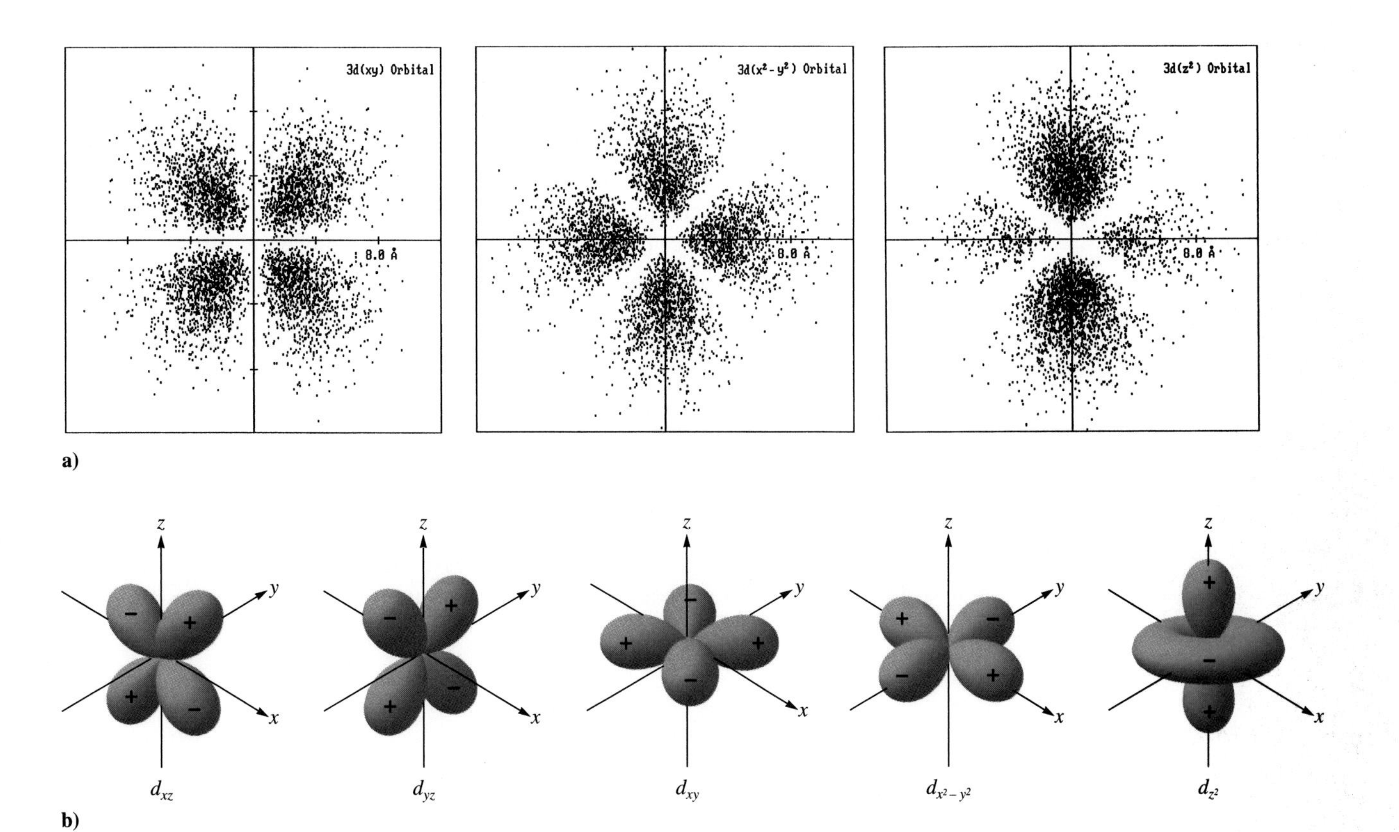

FIGURE 5.16

a) Graphique de la densité électronique de certaines orbitales 3*d*.

(Généré à l'aide d'un programme par Robert Allendoerfer sur un disque PC 2402 du Projet SERAPHIM ; reproduction autorisée.)

b) Surfaces externes de toutes les orbitales 3*d* (5), avec les signes (phases) indiqués.

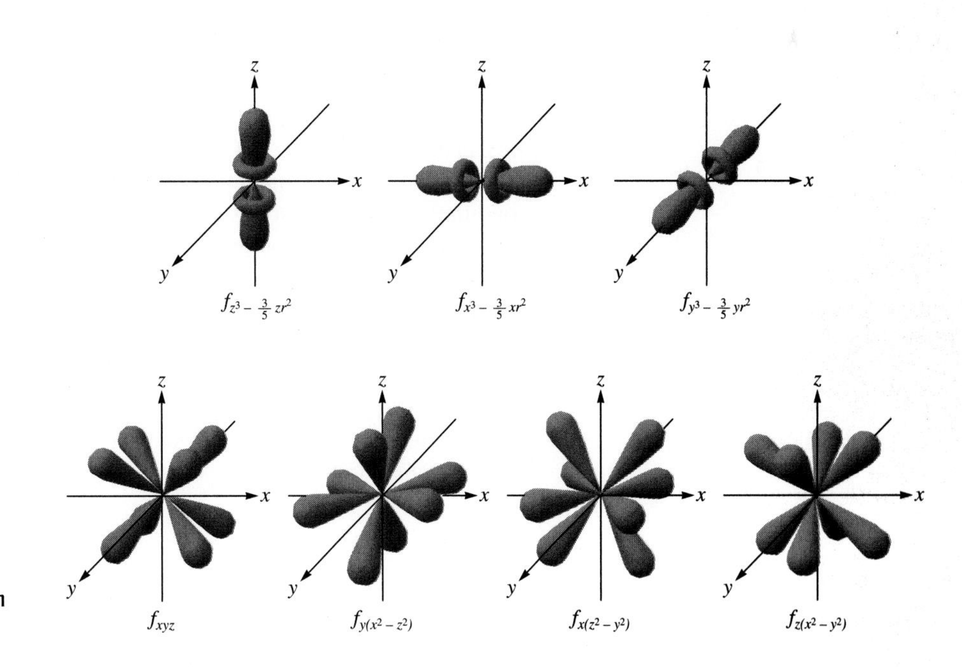

FIGURE 5.17

Représentation des orbitales 4*f* au moyen des surfaces externes.

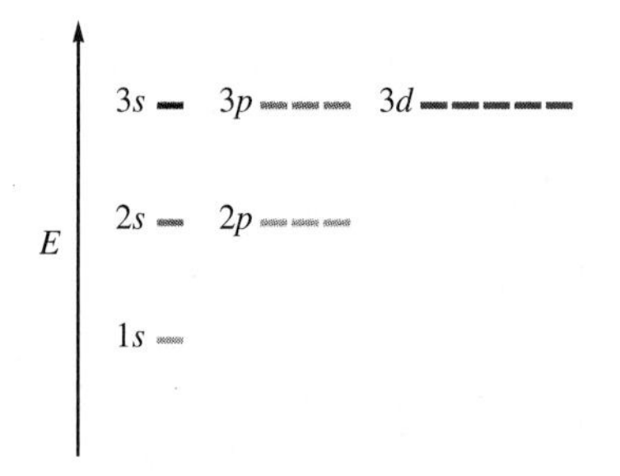

FIGURE 5.18
Niveaux d'énergie des orbitales de l'atome d'hydrogène.

magnétique n'ayant que deux orientations possibles quand cet atome est placé dans un champ magnétique externe. Puisqu'ils savaient que, en physique classique, une charge qui tourne sur elle-même produit un moment magnétique, il a semblé raisonnable de supposer que l'électron pouvait avoir deux états de spin, produisant ainsi deux moments magnétiques de directions opposées (*voir la figure 5.19*).

Ce nouveau nombre quantique, le **nombre quantique de spin**, m_s, ne peut prendre que deux valeurs : $+\frac{1}{2}$ et $-\frac{1}{2}$, ce qui semble correspondre au fait que l'électron tourne sur lui-même dans l'une ou l'autre des deux directions, bien que d'autres interprétations existent.

Pour le moment, il suffit de savoir que la signification principale du spin de l'électron est associée au postulat formulé par le physicien autrichien Wolfgang Pauli (1900-1958) : *dans un atome donné, deux électrons ne peuvent pas être caractérisés par le même ensemble de nombres quantiques* (n, ℓ, m_ℓ et m_s). C'est ce qu'on appelle le **principe d'exclusion de Pauli**. Puisque les électrons d'une même orbitale ont les mêmes valeurs de n, de ℓ et de m_ℓ, ils doivent nécessairement avoir des valeurs différentes de m_s. Donc, m_s n'admettant que deux valeurs, *une orbitale peut comporter au plus deux électrons, qui doivent être de spins opposés*. Ce principe a des conséquences importantes quand on utilise le modèle atomique pour expliquer la configuration électronique des éléments du tableau périodique.

$m_s = +\frac{1}{2}$ ou $-\frac{1}{2}$

Chaque orbitale peut être occupée au maximum par deux électrons.

5.9 Atomes polyélectroniques

La description de l'atome d'hydrogène basée sur la mécanique ondulatoire correspond fort bien aux résultats expérimentaux. Cependant, un tel modèle ne serait pas d'une très grande utilité s'il ne permettait pas d'expliquer également les propriétés de tous les autres atomes.

Afin de comprendre comment le modèle s'applique aux **atomes polyélectroniques**, ou atomes à plusieurs électrons, considérons l'atome d'hélium, composé de deux protons (dans le noyau) et de deux électrons.

$(2+)\begin{matrix} e^- \\ e^- \end{matrix}$

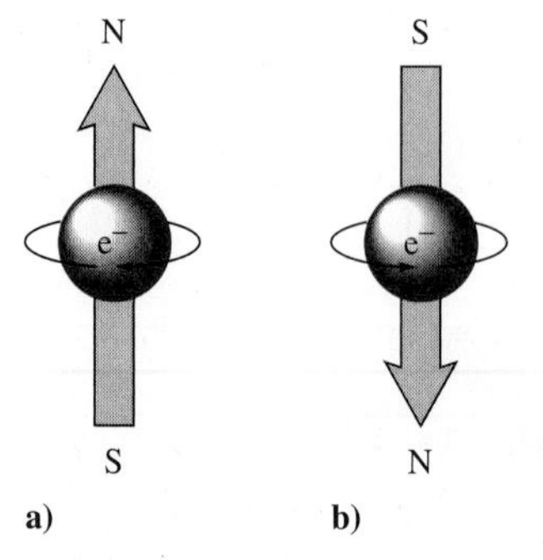

FIGURE 5.19
Représentation du spin d'un électron. En tournant sur lui-même dans la direction indiquée, l'électron produit un champ magnétique orienté comme en **a**). Si l'électron tourne dans le sens contraire, le champ magnétique a une orientation opposée comme en **b**).

Pour décrire l'atome d'hélium, on doit tenir compte de trois types d'énergies : 1. L'énergie cinétique des électrons qui gravitent autour du noyau ; 2. L'énergie d'attraction potentielle entre les électrons et le noyau ; 3. L'énergie de répulsion potentielle entre les deux électrons.

Même si on peut facilement décrire cet atome à l'aide du modèle basé sur la mécanique ondulatoire, on ne peut pas résoudre, de façon précise, l'équation de Schrödinger. En effet, on ne peut pas calculer la répulsion entre les électrons quand on ignore leur trajectoire. C'est ce qu'on appelle le *problème de corrélation des électrons.*

Ce problème de corrélation concerne tous les atomes polyélectroniques. Pour appliquer le modèle atomique basé sur la mécanique ondulatoire à ces systèmes, on doit effectuer des approximations. De façon générale, on considère que *chaque électron se déplace dans un champ électrique qui est la résultante nette de l'attraction des électrons par le noyau et de la répulsion moyenne entre tous les autres électrons.*

Prenons, par exemple, l'atome de sodium, qui possède 11 électrons :

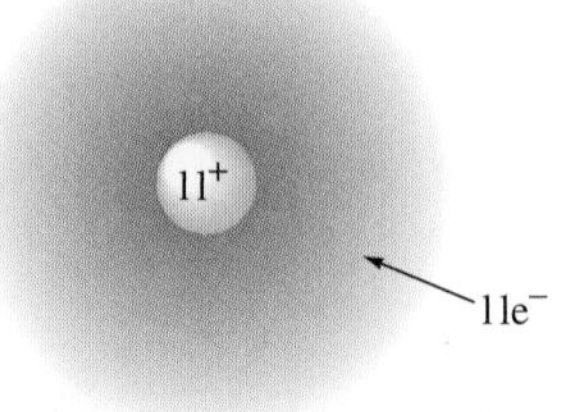

Maintenant, prenons l'électron externe et voyons les forces auxquelles il est soumis. De toute évidence, l'électron est attiré par le noyau fortement chargé. Cependant, ce même

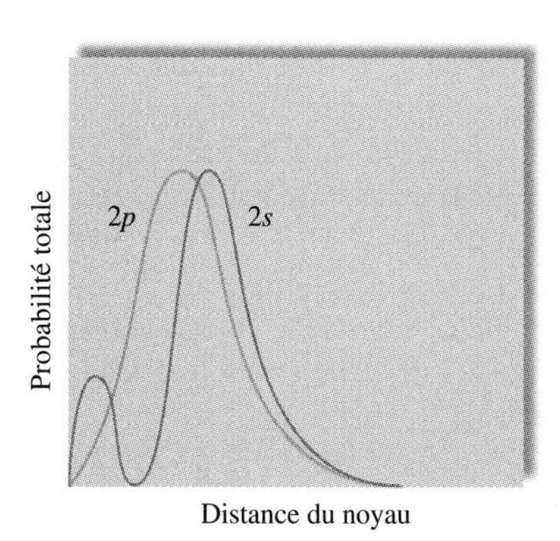

FIGURE 5.20
Comparaison des distributions radiales de la probabilité pour les orbitales 2*s* et 2*p*.

électron est également repoussé par les 10 autres électrons. On constate que cet électron n'est pas attiré aussi fortement par le noyau qu'il le serait en l'absence de tous les autres électrons. On dit alors qu'il y a un *effet d'écran,* autrement dit l'attraction par la charge nucléaire est réduite à cause de la répulsion des autres électrons.

Cette vision d'un atome polyélectronique nous amène à parler d'*orbitales hydrogénoïdes* pour ces atomes. Elles ont la même forme générale que les orbitales de l'hydrogène, mais elles se différencient par leurs tailles et leurs énergies. Ces différences résultent de l'interférence entre l'attraction du noyau et la répulsion des électrons.

Mentionnons une des différences très importantes entre les atomes polyélectroniques et l'atome d'hydrogène : dans l'atome d'hydrogène, toutes les orbitales d'un niveau quantique donné ont la même énergie (elles sont dites *dégénérées*). Tel n'est pas le cas dans les atomes polyélectroniques, où, pour un niveau quantique donné, les orbitales ont une énergie qui varie :

$$E_{ns} < E_{np} < E_{nd} < E_{nf}$$

En d'autres termes, quand les électrons sont placés à un niveau quantique donné, ils occupent d'abord les orbitales *s*, *p*, *d* et finalement *f*. Pourquoi en est-il ainsi ? Même si le concept d'énergie orbitale est complexe, il est possible de comprendre qualitativement pourquoi l'orbitale 2*s* a une énergie inférieure à l'orbitale 2*p* dans un atome polyélectronique en observant les courbes de probabilité de ces orbitales (*voir la figure 5.20*). On note que, pour l'orbitale 2*p*, la probabilité maximale est située plus près du noyau que celle de l'orbitale 2*s*. Cela pourrait nous conduire à penser que l'orbitale 2*p* est d'énergie plus basse que l'orbitale 2*s*. Toutefois, on remarque un petit pic de densité électronique correspondant à l'orbitale 2*s* situé très près du noyau. Cela signifie que, même si l'électron de l'orbitale 2*s* passe la plupart de son temps un peu plus loin du noyau que l'électron de l'orbitale 2*p*, il occupe pendant peu de temps, mais de manière significative, un endroit situé près du noyau. On dit alors que l'électron 2*s pénètre* dans la zone du noyau plus que l'électron de l'orbitale 2*p*. Ce *phénomène de pénétration* fait en sorte qu'un électron de l'orbitale 2*s* est plus fortement attiré par le noyau qu'un électron de l'orbitale 2*p*. Autrement dit, l'orbitale 2*s* a une énergie inférieure, dans un atome polyélectronique, qu'une orbitale 2*p*.

Il en est de même pour tous les autres niveaux quantiques. La figure 5.21 présente la distribution radiale de la probabilité de présence d'un électron dans les orbitales 3*s*, 3*p* et 3*d*. Là encore, on remarque le petit pic de la courbe 3*s* situé près du noyau. Le pic de l'orbitale 3*p* qui est le plus près du noyau est plus éloigné du noyau que le pic de l'orbitale 3*s* et cela explique que l'énergie de l'orbitale 3*s* est inférieure à celle de l'orbitale 3*p*. Remarquez que la probabilité maximale de l'orbitale 3*d* est située plus près du noyau que celles des orbitales 3*s* et 3*p*, mais son absence de probabilité près du noyau explique que cette orbitale est, parmi les trois, celle qui a l'énergie la plus élevée. Les énergies relatives des orbitales pour $n = 3$ sont :

$$E_{3s} < E_{3p} < E_{3d}$$

En règle générale, plus l'électron d'une orbitale est pénétrant (il surmonte l'effet d'écran pour se trouver plus près de la charge du noyau), plus l'énergie de cette orbitale est faible.

La figure 5.22 présente un diagramme des niveaux d'énergies associés aux orbitales des atomes polyélectroniques. À la section 5.11, nous utiliserons ces orbitales pour montrer la disposition des électrons dans les atomes polyélectroniques.

Probabilité totale — Distance la plus probable du noyau — Pénétration — Distance du noyau

a)

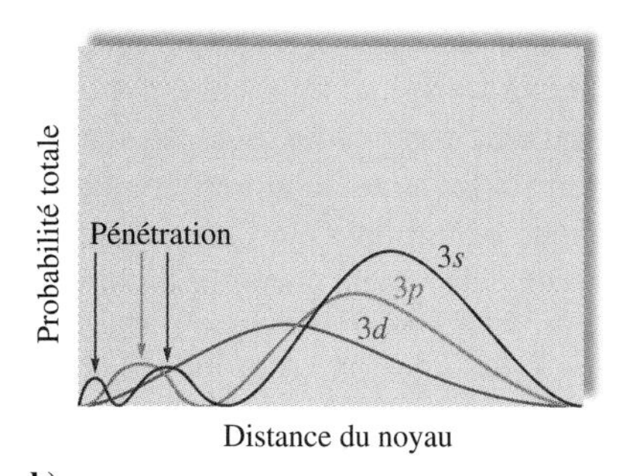

b)

FIGURE 5.21
a) Distribution radiale de la probabilité de présence d'un électron dans une orbitale 3*s*. La plupart du temps, un électron 3*s* est situé loin du noyau. Il arrive cependant qu'il avoisine le noyau (probabilités indiquées par des flèches) ; l'électron 3*s* pénètre alors l'écran formé par les électrons internes.
b) Distribution radiale de probabilité dans le cas des orbitales 3*s*, 3*p* et 3*d*. Les flèches rouges indiquent que les électrons de l'orbitale *s* sont plus « pénétrants » que ceux des orbitales *p* (flèche jaune) ; ces derniers sont, à leur tour, plus « pénétrants » que ceux des orbitales *d* (en bleu).

5.10 Historique du tableau périodique

Le tableau périodique moderne est une véritable mine de renseignements. Dans cette section, nous présentons les origines de cet outil précieux ; un peu plus loin, nous montrons comment le modèle atomique basé sur la mécanique ondulatoire permet d'expliquer la périodicité des propriétés chimiques et, par conséquent, la classification des éléments dans le tableau périodique – classification qui constitue sans conteste son plus grand mérite.

Le tableau périodique a d'abord permis de mettre en relief les ressemblances qui existent entre les propriétés chimiques de certains éléments. Au fil des progrès accomplis

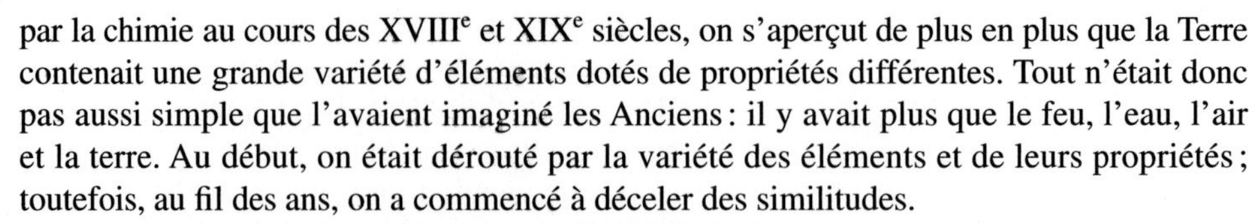

FIGURE 5.22
L'ordre des énergies des orbitales dans les trois premiers niveaux des atomes polyélectroniques.

par la chimie au cours des XVIIIe et XIXe siècles, on s'aperçut de plus en plus que la Terre contenait une grande variété d'éléments dotés de propriétés différentes. Tout n'était donc pas aussi simple que l'avaient imaginé les Anciens : il y avait plus que le feu, l'eau, l'air et la terre. Au début, on était dérouté par la variété des éléments et de leurs propriétés ; toutefois, au fil des ans, on a commencé à déceler des similitudes.

Le chimiste Johann Dobereiner (1780-1849) fut le premier à regrouper, en plusieurs groupes de trois, des éléments dotés de propriétés semblables, comme le chlore, le brome et l'iode. Cependant, lorsqu'il voulut appliquer son modèle des *triades* à tous les autres éléments connus, il découvrit que ce n'était pas possible.

En 1864, le chimiste britannique John Newlands tenta de regrouper les éléments par groupes de huit, ou *octaves*, d'après l'idée que certaines propriétés semblent se répéter tous les huit éléments, comme les notes de la gamme. Même si ce modèle permettait de regrouper bon nombre d'éléments dotés de propriétés semblables, il n'eut pas grand succès.

Dans sa forme actuelle, le tableau périodique est le fruit des recherches entreprises indépendamment par deux chimistes : l'Allemand Julius Lothar Meyer (1830-1895) et le Russe Dimitri Ivanovitch Mendeleïev (1834-1907) (*voir la figure 5.23*). On attribue en général à Mendeleïev la conception du tableau périodique moderne, étant donné que c'est lui qui mit son utilité en évidence pour prédire l'existence et les propriétés d'éléments encore inconnus. Par exemple, quand, en 1872, Mendeleïev publia son tableau périodique (*voir la figure 5.24*), le gallium, le scandium et le germanium étaient inconnus. Mendeleïev put cependant prédire l'existence et les propriétés de ces éléments en fonction des cases vacantes de son tableau périodique. Le tableau 5.3 présente les propriétés du germanium (que Mendeleïev avait appelé *ekasilicium*). On y remarque la concordance entre les valeurs actuelles et celles que Mendeleïev avait prédites en se basant sur les propriétés des autres éléments de la même « famille » que le germanium.

En raison de l'utilité évidente du tableau périodique de Mendeleïev, la quasi-totalité de la communauté scientifique l'a adopté et, de nos jours encore, les chimistes considèrent que c'est un outil indispensable à leur travail. En effet, le tableau périodique permet toujours de prédire les propriétés des éléments encore inconnus (*voir le tableau 5.4*).

À la fin du volume, on trouve une présentation moderne du tableau périodique. La seule différence importante entre cette version et celle de Mendeleïev réside dans l'utilisation des numéros atomiques au lieu de celle des masses atomiques pour ordonner les éléments. (Nous en donnerons la raison quand nous étudierons la configuration électronique de l'atome.) À la section suivante, nous étudierons une autre version du tableau périodique.

Grâce à son tableau, Mendeleïev put corriger la valeur des masses atomiques de plusieurs éléments. Prenons l'exemple de l'indium : à l'origine, on avait établi que sa masse atomique était de 76, en se basant sur la formule de son oxyde, InO. Or, malgré ses propriétés métalliques, cela classait l'indium, à cause de sa masse atomique, parmi les non-métaux. Mendeleïev supposa alors que cette masse atomique était incorrecte, et il proposa comme formule de l'oxyde d'indium, In_2O_3. Selon cette formule, la masse atomique de l'indium est de 113, et avec une telle masse, on peut classer cet élément parmi les métaux. Mendeleïev a en outre corrigé les masses atomiques du béryllium et de l'uranium.

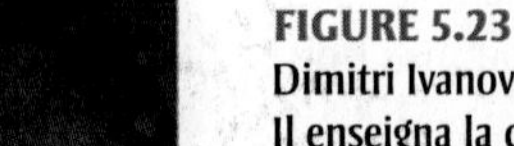

FIGURE 5.23
Dimitri Ivanovitch Mendeleïev (1834-1907), né en Sibérie, était le benjamin d'une famille de 17 enfants. Il enseigna la chimie à l'Université de Saint-Pétersbourg. En 1860, Mendeleïev assista à une conférence prononcée par le chimiste italien Cannizzaro, au cours de laquelle ce dernier présentait une méthode fiable qui permettait de déterminer de façon exacte la masse atomique des éléments. Ces nouvelles connaissances pavèrent la voie à l'importante contribution de Mendeleïev à la chimie : le tableau périodique. De retour à Saint-Pétersbourg, en 1861, Mendeleïev écrivit un livre de chimie organique. Plus tard, en rédigeant un livre de chimie minérale, il fut frappé par l'absence, en chimie minérale, de l'approche systématique caractéristique de la chimie organique. Il s'appliqua dès lors à y remédier, en mettant au point une classification des éléments sous la forme d'un tableau périodique.

Mendeleïev, génie éclectique, s'intéressa à plusieurs domaines scientifiques. Il travailla ainsi à de nombreux projets relatifs aux ressources naturelles de son pays, notamment le charbon, le sel et divers métaux. Son intérêt particulier pour l'industrie pétrolière le conduisit aux États-Unis, en 1876, où il visita les champs pétrolifères de Pennsylvanie. Il s'intéressa également à la météorologie et aux montgolfières. En 1887, il observa une éclipse du Soleil depuis une montgolfière.

TABELLE II

Reihen	Gruppe I. — R^2O	Gruppe II. — RO	Gruppe III. — R^2O^3	Gruppe IV. RH^4 RO^2	Gruppe V. RH^3 R^2O^5	Gruppe VI. RH^2 RO^3	Gruppe VII. RH R^2O^7	Gruppe VIII. — RO^4
1	H=1							
2	Li=7	Be=9,4	B=11	C=12	N=14	O=16	F=19	
3	Na=23	Mg=24	Al=27,3	Si=28	P=31	S=32	Cl=35,5	
4	K=39	Ca=40	—=44	Ti=48	V=51	Cr=52	Mn=55	Fe=56, Co=59, Ni=59, Cu=63.
5	(Cu=63)	Zn=65	—=68	—=72	As=75	Se=78	Br=80	
6	Rb=85	Sr=87	?Yt=88	Zr=90	Nb=94	Mo=96	—=100	Ru=104, Rh=104, Pd=106, Ag=108.
7	(Ag=108)	Cd=112	In=113	Sn=118	Sb=122	Te=125	J=127	
8	Cs=133	Ba=137	?Di=138	?Ce=140	—	—	—	— — — —
9	(—)	—	—	—	—	—	—	
10	—	—	?Er=178	?La=180	Ta=182	W=184	—	Os=195, Ir=197, Pt=198, Au=199.
11	(Au=199)	Hg=200	Tl=204	Pb=207	Bi=208	—	—	
12	—	—	—	Th=231	—	U=240	—	— — — —

FIGURE 5.24
Premier tableau périodique de Mendeleïev, paru en 1872. On remarque la présence d'espaces vides qui correspondent aux éléments de masses atomiques 44, 68, 72 et 100.
(Selon *Annalen der Chemie und Pharmacie,* VIII, supplément de 1872, page 511.)

TABLEAU 5.3 Propriétés du germanium. Comparaison entre les prédictions de Mendeleïev et les observations effectuées en 1886

Propriétés du germanium	Prédictions de Mendeleïev (1871)	Observations de 1886
masse atomique	72	72,3
masse volumique	5,5 g/cm^3	5,47 g/cm^3
chaleur spécifique	0,31 J/(°C · g)	0,32 J/(°C · g)
point de fusion	très élevé	960 °C
formule de l'oxyde	RO_2	GeO_2
masse volumique de l'oxyde	4,7 g/cm^3	4,70 g/cm^3
formule du chlorure	RCl_4	$GeCl_4$
point d'ébullition du chlorure	100 °C	86 °C

TABLEAU 5.4 Propriétés présumées des éléments 113 et 114

Propriété	Élément 113	Élément 114
ressemblance chimique	thallium	plomb
masse atomique	297	298
masse volumique	16 g/mL	14 g/mL
point de fusion	430 °C	70 °C
point d'ébullition	1100 °C	150 °C

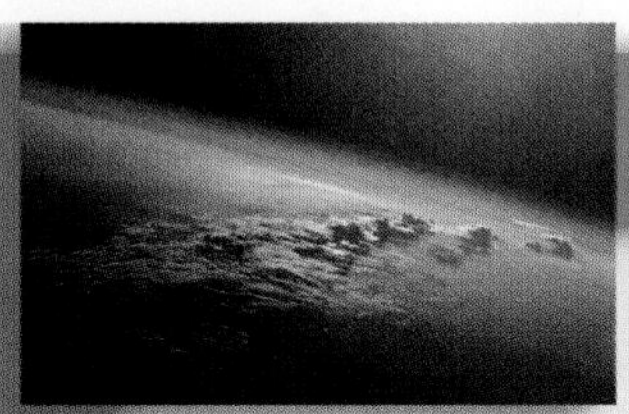

IMPACT

Le tableau périodique en croissance

Le tableau périodique des éléments a subi d'importants changements, depuis la publication par Mendeleïev de sa première version en 1869. Au cours des derniers 60 ans, notamment, 20 nouveaux éléments ont été ajoutés après l'uranium. Ces éléments appelés transuraniens ont tous été synthétisés à l'aide d'accélérateurs de particules.

En 1940, Edwin M. McMillan et Phillip H. Abelson réussissent à synthétiser le premier élément transuranien, le neptunium, (élément 93), à l'Université de Californie, à Berkeley. En 1941, Glenn T. Seaborg synthétise et identifie l'élément 94 (plutonium), et au cours des années qui suivirent, des chercheurs sous sa direction à l'Université de Californie à Berkeley découvrent neuf autres éléments transuraniens. En 1945, Seaborg affirme que les éléments plus lourds que l'élément 89 (actinium) n'étaient pas placés au bon endroit avec les éléments de transition et devaient être déplacés dans le tableau périodique pour occuper une série située sous les éléments de transition (la série des actinides).

Dr Glenn Seaborg.

Seaborg reçut d'ailleurs le prix Nobel de chimie, en 1951, pour ses contributions.

Au cours des dernières années, trois grands centres de recherche ont pris la tête en matière de synthèse de nouveaux

5.11 Principe du aufbau et tableau périodique

À l'aide du modèle atomique basé sur la mécanique ondulatoire, on peut facilement montrer comment la configuration électronique des orbitales hydrogénoïdes de divers atomes permet d'expliquer l'organisation du tableau périodique. Selon l'hypothèse de base, tous les atomes ont des orbitales semblables à celles de l'atome d'hydrogène. *De la même façon qu'on ajoute un à un les protons au noyau pour former de nouveaux éléments, on ajoute les électrons à ces orbitales hydrogénoïdes*. C'est ce qu'on appelle le **principe du *aufbau***.

Aufbau est un mot allemand qui signifie «construction par empilement».

H (Z = 1)
He (Z = 2)
Li (Z = 3)
Be (Z = 4)
B (Z = 5)
etc.

L'atome d'*hydrogène* possède un électron qui, à l'état fondamental, occupe l'orbitale 1*s*. On peut représenter la configuration électronique de l'atome d'hydrogène, qu'on symbolise par $1s^1$, à l'aide de *cases quantiques* de la façon suivante :

	1*s*	2*s*	2*p*
H: $1s^1$	↑		| |

La flèche représente un électron et la direction de cette flèche, l'orientation du spin de l'électron.

L'élément suivant, l'*hélium*, possède deux électrons. Selon le principe d'exclusion de Pauli, deux électrons de spins opposés peuvent occuper la même orbitale ; par conséquent, les deux électrons de l'atome d'hélium, de spins opposés, occupent l'orbitale 1*s*. On a donc la configuration $1s^2$, soit

	1*s*	2*s*	2*p*
He: $1s^2$	↑↓		| |

Le *lithium* possède trois électrons, dont deux occupent l'orbitale 1*s*. Or, étant donné que l'orbitale 1*s* est la seule orbitale permise pour n = 1, le troisième électron doit occuper l'orbitale de plus faible énergie correspondant à n = 2, soit l'orbitale 2*s*. On a donc la configuration $1s^22s^1$.

	1*s*	2*s*	2*p*
Li: $1s^22s^1$	↑↓	↑	| |

éléments. En collaboration avec l'Université de Californie à Berkeley, l'Institut de recherches nucléaires de Doubna, en Russie, et le GSI à Darmstadt, en Allemagne, ont été responsables de la synthèse des éléments 104 à 112, avant la fin de 1996.

Il s'est avéré que nommer les nouveaux éléments a engendré plus de controverse que tout ce qui est en lien avec leur découverte. Traditionnellement, l'attribution d'un nom à un élément revient à celui qui l'a découvert. Cependant, à cause de certains désaccords entre les chercheurs de Berkeley, de Darmstadt et de Doubna quant à savoir qui a réellement découvert les différents éléments, une rivalité s'engagea sur le choix des noms. Après des années de controverse, l'Union internationale de chimie pure et appliquée (UICPA) s'est enfin fixée sur les noms qui apparaissent dans le tableau ci-contre.

Le nom de l'élément 106, donné en 1997 en l'honneur de Glenn Seaborg, a suscité une controverse spéciale parce que jamais auparavant un élément n'avait reçu le nom d'une personne vivante (Glenn Seaborg est mort en 1999). Cependant, en raison de l'importante influence de Seaborg dans la communauté scientifique, seaborgium a été adopté comme nom.

Aucune décision n'a encore été prise concernant les noms des éléments après l'élément 111 ; ces éléments sont représentés dans de nombreux tableaux périodiques par trois lettres qui symbolisent leurs numéros atomiques. Des noms plus traditionnels leur seront sans doute assignés le moment venu (on espère avec un minimum de controverse).

Numéro atomique	Nom	Symbole
104	rutherfordium	Rf
105	dubium	Db
106	seaborgium	Sg
107	bohrium	Bh
108	hassium	Hs
109	meitnerium	Mt
110	darmstadtium	Ds
111	roentgenium	Rg

L'élément suivant, le *béryllium*, possède quatre électrons qui occupent les orbitales 1*s* et 2*s*.

	1*s*	2*s*	2*p*
Be: $1s^2 2s^2$	[↑↓]	[↑↓]	[ ][ ][ ]

Le *bore* possède cinq électrons : quatre d'entre eux occupent les orbitales 1*s* et 2*s*, le cinquième occupant une orbitale 2*p* (deuxième type d'orbitale pour $n = 2$).

	1*s*	2*s*	2*p*
B: $1s^2 2s^2 2p^1$	[↑↓]	[↑↓]	[↑][ ][ ]

Étant donné que toutes les orbitales 2*p* sont dégénérées (elles ont la même énergie), l'orbitale 2*p* qu'occupe l'électron importe peu.

L'élément suivant, le *carbone*, possède six électrons : deux d'entre eux occupent l'orbitale 1*s*, deux, l'orbitale 2*s*, et les deux derniers, des orbitales 2*p*. Puisqu'il existe trois orbitales 2*p* de même énergie, les électrons occupent, à cause de leur répulsion mutuelle, deux orbitales 2*p distinctes*. Ce comportement a fait l'objet d'une règle, appelée **règle de Hund** (d'après le nom du physicien allemand F. H. Hund) : *pour un atome, la configuration de moindre énergie est celle pour laquelle, dans un ensemble donné d'orbitales dégénérées, il y a le plus grand nombre possible d'électrons célibataires permis, conformément au principe d'exclusion de Pauli. En outre, tous ces électrons célibataires ont des spins parallèles* (indiqués par une flèche vers le haut).

Pour un atome possédant des sous-couches non remplies, l'état de moindre énergie est celui pour lequel les électrons occupent chacun une orbitale différente, avec des spins parallèles, conformément au principe d'exclusion de Pauli.

La configuration du carbone est $1s^2 2s^2 2p^1 2p^1$, étant donné que les deux derniers électrons occupent deux orbitales 2*p* distinctes. Cependant, on l'écrit en général $1s^2 2s^2 2p^2$, puisqu'on sait fort bien que les électrons occupent deux orbitales 2*p* distinctes. La représentation de la configuration électronique du carbone à l'aide des cases quantiques est la suivante :

	1*s*	2*s*	2*p*
C: $1s^2 2s^2 2p^2$	[↑↓]	[↑↓]	[↑][↑][ ]

Conformément à la règle de Hund, les électrons non appariés dans les orbitales 2*p* ont des spins parallèles.

La configuration de l'*azote*, qui possède sept électrons, est $1s^22s^22p^3$. Les trois électrons des orbitales $2p$ occupent des orbitales différentes et ont des spins parallèles.

		$1s$	$2s$	$2p$
N:	$1s^22s^22p^3$	⇅	⇅	↑ | ↑ | ↑

La configuration de l'*oxygène*, qui possède huit électrons, est $1s^22s^22p^4$. Une des trois orbitales $2p$ est à présent remplie ; on y trouve deux électrons de spins opposés, conformément au principe d'exclusion de Pauli.

		$1s$	$2s$	$2p$
O:	$1s^22s^22p^4$	⇅	⇅	⇅ | ↑ | ↑

[Ne] est l'expression abrégée de $1s^22s^22p^6$.

Pour le *fluor* (neuf électrons) et le *néon* (dix électrons), on a

		$1s$	$2s$	$2p$
F:	$1s^22s^22p^5$	⇅	⇅	⇅ | ⇅ | ↑
Ne:	$1s^22s^22p^6$	⇅	⇅	⇅ | ⇅ | ⇅

Dans le cas du néon, les orbitales pour lesquelles $n = 1$ et $n = 2$ sont toutes remplies.

Dans le cas du *sodium*, les dix premiers électrons occupent les orbitales $1s$, $2s$ et $2p$. Le onzième électron doit occuper la première orbitale de niveau $n = 3$, soit l'orbitale $3s$. La configuration électronique du sodium est donc $1s^22s^22p^63s^1$. Pour éviter d'écrire la configuration électronique des couches internes, on emploie souvent une forme abrégée, $[Ne]3s^1$, dans laquelle [Ne] remplace la configuration électronique du néon ($1s^22s^22p^6$).

La configuration de l'élément suivant, le *magnésium*, est $1s^22s^22p^63s^2$, soit $[Ne]3s^2$. On obtient la configuration des 6 éléments suivants, de l'*aluminium* à l'*argon*, en ajoutant un électron à la fois aux orbitales $3p$. La figure 5.25 présente la configuration électronique des 18 premiers éléments, ainsi que le nombre d'électrons présents dans le dernier type d'orbitale occupée.

Le sodium métallique est si réactif qu'on le conserve dans du kérosène pour l'empêcher d'entrer en contact avec l'oxygène de l'air.

Il faut à présent aborder la notion d'**électrons de valence**, c'est-à-dire *les électrons dont le nombre quantique principal est le plus élevé dans un atome donné*. Les électrons de valence de l'azote, par exemple, sont ceux des orbitales $2s$ et $2p$. Dans le cas du sodium, l'électron de valence est celui qui occupe l'orbitale $3s$, etc. Pour les chimistes, les électrons de valence (ou *électrons périphériques*) sont les plus importants, car ce sont ceux qui interviennent dans les liaisons chimiques, comme nous le verrons dans les prochains chapitres. On appelle les électrons des couches internes **électrons de cœur**.

À la figure 5.25, on constate qu'un motif important se répète : *les éléments d'un même groupe (une colonne du tableau périodique) ont la même configuration en ce qui concerne leurs électrons de valence*. Il faut se rappeler ici que Mendeleïev avait regroupé les éléments en fonction des ressemblances de leurs propriétés chimiques. On comprend maintenant la raison d'être de ces regroupements : les éléments qui ont la même configuration en ce qui concerne les électrons de valence ont un comportement chimique semblable.

Une ampoule contenant du potassium métallique. L'ampoule scellée contient un gaz inerte pour empêcher que le potassium ne réagisse avec l'oxygène.

H $1s^1$							He $1s^2$
Li $2s^1$	Be $2s^2$	B $2p^1$	C $2p^2$	N $2p^3$	O $2p^4$	F $2p^5$	Ne $2p^6$
Na $3s^1$	Mg $3s^2$	Al $3p^1$	Si $3p^2$	P $3p^3$	S $3p^4$	Cl $3p^5$	Ar $3p^6$

FIGURE 5.25
Configuration électronique des orbitales périphériques des 18 premiers éléments.

Dans le tableau périodique, l'élément qui occupe la case suivante de celle de l'argon est le *potassium*. Étant donné que, dans l'argon, les orbitales $3p$ sont totalement occupées, on peut s'attendre à ce que l'électron suivant occupe une orbitale $3d$ (en effet, pour $n = 3$, on a les orbitales $3s$, $3p$ et $3d$). Or, puisque les propriétés chimiques du potassium ressemblent beaucoup à celles du lithium et du sodium, il semble que l'électron périphérique de l'atome de potassium occupe l'orbitale $4s$, et non une orbitale $3d$. Plusieurs expériences différentes corroborent effectivement cette hypothèse. La configuration électronique du potassium est donc la suivante :

$$\text{K}: \quad 1s^22s^22p^63s^23p^64s^1 \quad \text{soit} \quad [\text{Ar}]4s^1$$

Vient ensuite le *calcium*.

$$\text{Ca}: \quad [\text{Ar}]4s^2$$

Calcium métallique.

L'élément suivant, le *scandium*, est le premier d'une série de 10 éléments (du scandium au zinc), appelés **métaux de transition**. On obtient leur configuration en ajoutant graduellement 10 électrons aux 5 orbitales $3d$. La configuration électronique du scandium est la suivante :

$$\text{Sc}: \quad [\text{Ar}]4s^23d^1$$

Celle du *titane* est

$$\text{Ti}: \quad [\text{Ar}]4s^23d^2$$

et celle du *vanadium*,

$$\text{V}: \quad [\text{Ar}]4s^23d^3$$

L'élément suivant est le *chrome*. On s'attend à ce que sa configuration soit $[\text{Ar}]4s^23d^4$; or, en fait, elle est

$$\text{Cr}: \quad [\text{Ar}]4s^13d^5$$

L'explication de cette particularité dépasse le cadre de cet ouvrage. D'ailleurs, les chimistes eux-mêmes ne s'entendent pas encore sur la cause exacte de cette anomalie. Retenons seulement que l'orbitale $4s$ et les orbitales $3d$ sont toutes à demi occupées.

Le chrome est souvent utilisé pour plaquer les pare-chocs et les ornements du capot, comme cette statue de Mercure trouvée sur une Buick datant de 1929.

Les quatre éléments suivants, le *manganèse*, le *fer*, le *cobalt* et le *nickel*, ont les configurations électroniques prévues.

$$\text{Mn}: \quad [\text{Ar}]4s^23d^5 \qquad \text{Co}: \quad [\text{Ar}]4s^23d^7$$
$$\text{Fe}: \quad [\text{Ar}]4s^23d^6 \qquad \text{Ni}: \quad [\text{Ar}]4s^23d^8$$

La configuration du *cuivre* devrait être $[\text{Ar}]4s^23d^9$; en fait, elle est

$$\text{Cu}: \quad [\text{Ar}]4s^13d^{10}$$

Dans ce cas, les orbitales $3d$ sont toutes remplies, et l'orbitale $4s$ l'est à demi.

Le *zinc* a la configuration électronique prévue.

$$\text{Zn}: \quad [\text{Ar}]4s^23d^{10}$$

La figure 5.26 présente la configuration électronique des métaux de transition.

Viennent ensuite six éléments (du *gallium* au *krypton*) dont les configurations correspondent au remplissage progressif des orbitales $4p$ (*voir la figure 5.26*).

Le tableau périodique complet (*voir la figure 5.27*) indique l'ordre de remplissage des orbitales. La figure 5.28 présente la configuration des électrons de valence. Voici quelques remarques supplémentaires concernant ces deux figures.

L'orbitale $(n + 1)s$ est remplie avant les orbitales nd.

1. Le remplissage des orbitales $(n + 1)s$ précède toujours celui des orbitales nd. Par exemple, dans le rubidium et le strontium, les orbitales $5s$ sont d'abord remplies, avant même les orbitales $4d$ (deuxième rangée des métaux de transition, de l'yttrium au cadmium). Ce remplissage anticipé des orbitales s peut s'expliquer par l'effet de pénétration. Par exemple, l'orbitale $4s$ permet une tellement plus grande pénétration auprès du noyau que son énergie devient inférieure à celle de l'orbitale $3d$. Par

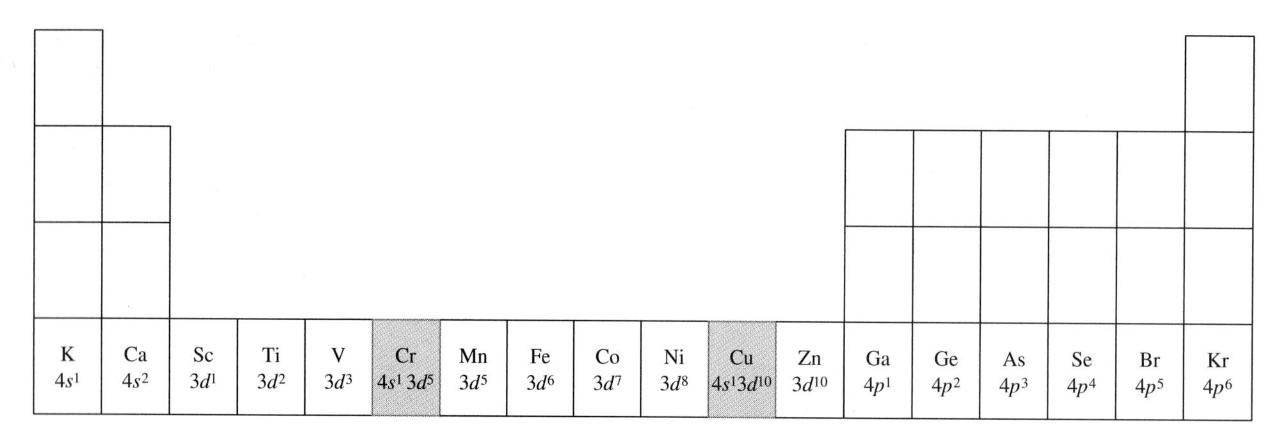

FIGURE 5.26
Configuration électronique des éléments de la quatrième période (du potassium au krypton). La configuration électronique type des métaux de transition (du scandium au zinc) est [Ar]$4s^23d^n$, sauf en ce qui concerne le chrome et le cuivre.

conséquent, l'orbitale $4s$ se remplit avant l'orbitale $3d$. Il en est de même des orbitales $5s$ par rapport à $4d$, $6s$ par rapport à $5d$ et $7s$ par rapport à $6d$.

Le groupe des lanthanides est composé d'éléments caractérisés par le remplissage progressif des orbitales $4f$.

2. Un groupe de 14 éléments, les **lanthanides**, suit immédiatement le lanthane, dont la configuration électronique est [Xe]$6s^25d^1$. Cette série d'éléments correspond au remplissage des sept orbitales $4f$. Il peut toutefois arriver qu'un électron occupe une orbitale $5d$ au lieu d'une orbitale $4f$, étant donné que les niveaux d'énergie de ces orbitales sont très voisins.

Le groupe des actinides est composé d'éléments caractérisés par le remplissage progressif des orbitales $5f$.

3. Un autre groupe de 14 éléments, les **actinides**, suit immédiatement l'actinium, dont la configuration est [Rn]$7s^26d^1$. Cette série correspond au remplissage des sept orbitales $5f$. On remarque que, parfois, un ou deux électrons occupent des orbitales $6d$ au lieu des orbitales $5f$, puisque les niveaux d'énergie de ces orbitales sont très voisins.

Le numéro du groupe indique le nombre total d'électrons de valence que possèdent les éléments de ce groupe.

4. Le numéro des groupes (1A, 2A, 3A, 4A, 5A, 6A, 7A et 8A) indique le *nombre total* d'électrons de valence des éléments de chaque groupe. Par exemple, tous les éléments du groupe 5A ont la configuration ns^2np^3. (En général, on ne considère pas comme électrons de valence les électrons $(n - 1)d^{10}$ des éléments des groupes 3A à 8A des périodes 4, 5 et 6.) La signification des numéros des groupes des métaux de transition n'est pas aussi évidente que celle des éléments des groupes A. (Nous ne traitons d'ailleurs pas des métaux de transition dans ce volume.)

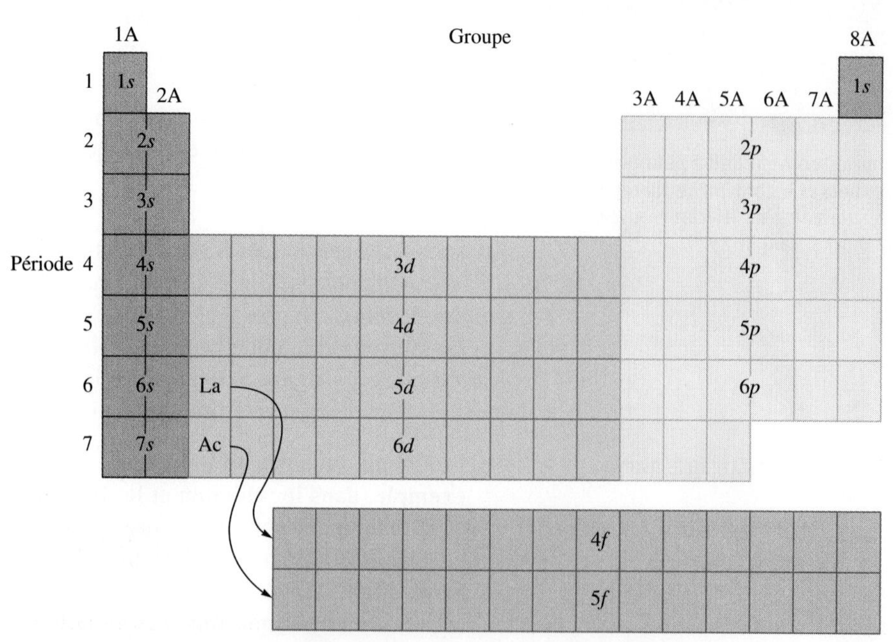

FIGURE 5.27
Orbitales remplies pour les diverses parties du tableau périodique. On remarque que, pour une période donnée, l'orbitale $(n + 1)s$ est remplie avant l'orbitale nd. Le numéro du groupe indique le nombre d'électrons de valence (les électrons ns et np) des éléments de chaque groupe.

5. On appelle couramment **éléments non transitionnels** les éléments des groupes 1A, 2A, 3A, 4A, 5A, 6A, 7A et 8A. Rappelons que, dans un groupe donné, les éléments ont tous la même configuration en ce qui concerne les électrons de valence.

L'UICPA (Union internationale de chimie pure et appliquée), organisme scientifique voué à la normalisation en chimie, a récemment recommandé l'utilisation d'une nouvelle version du tableau périodique (*voir les numéros en bleu dans la figure 5.28*). Selon ce nouveau tableau, le numéro de groupe indique le nombre d'électrons *s*, *p* et *d* qui se sont ajoutés au cortège électronique du dernier gaz rare. (Dans cet ouvrage, nous n'utiliserons pas cette nouvelle version ; il faut cependant savoir que le tableau périodique auquel on est habitué pourrait bientôt changer d'aspect.)

Nous savons à présent que la mécanique ondulatoire permet d'expliquer la classification des éléments du tableau périodique. Grâce à ce modèle, nous comprenons que les propriétés chimiques communes à un groupe d'éléments sont dues au fait que ces derniers ont tous la même configuration en ce qui concerne leurs électrons de valence ; en fait, seul le nombre quantique principal des électrons de valence varie au fur et à mesure qu'on progresse dans un groupe.

Nous ne pouvons que souligner l'importance de pouvoir trouver aisément la configuration électronique des éléments des principaux groupes. Le tableau périodique devient un outil indispensable. Lorsque nous comprenons bien l'organisation générale du tableau,

Éléments non transitionnels (groupes 1–2) — Métaux de transition (*d*) (groupes 3–12) — Éléments non transitionnels (groupes 13–17) — Gaz rares (groupe 18)

Numéro de groupe

Numéro de la période (le plus haut niveau d'énergie à être occupé)

Période	1 1A ns^1	2 2A ns^2	3	4	5	6	7	8	9	10	11	12	13 3A ns^2np^1	14 4A ns^2np^2	15 5A ns^2np^3	16 6A ns^2np^4	17 7A ns^2np^5	18 8A ns^2np^6
1	1 H $1s^1$																	2 He $1s^2$
2	3 Li $2s^1$	4 Be $2s^2$											5 B $2s^22p^1$	6 C $2s^22p^2$	7 N $2s^22p^3$	8 O $2s^22p^4$	9 F $2s^22p^5$	10 Ne $2s^22p^6$
3	11 Na $3s^1$	12 Mg $3s^2$											13 Al $3s^23p^1$	14 Si $3s^23p^2$	15 P $3s^23p^3$	16 S $3s^23p^4$	17 Cl $3s^23p^5$	18 Ar $3s^23p^6$
4	19 K $4s^1$	20 Ca $4s^2$	21 Sc $4s^23d^1$	22 Ti $4s^23d^2$	23 V $4s^23d^3$	24 Cr $4s^13d^5$	25 Mn $4s^23d^5$	26 Fe $4s^23d^6$	27 Co $4s^23d^7$	28 Ni $4s^23d^8$	29 Cu $4s^13d^{10}$	30 Zn $4s^23d^{10}$	31 Ga $4s^24p^1$	32 Ge $4s^24p^2$	33 As $4s^24p^3$	34 Se $4s^24p^4$	35 Br $4s^24p^5$	36 Kr $4s^24p^6$
5	37 Rb $5s^1$	38 Sr $5s^2$	39 Y $5s^24d^1$	40 Zr $5s^24d^2$	41 Nb $5s^14d^4$	42 Mo $5s^14d^5$	43 Tc $5s^14d^6$	44 Ru $5s^14d^7$	45 Rh $5s^14d^8$	46 Pd $4d^{10}$	47 Ag $5s^14d^{10}$	48 Cd $5s^24d^{10}$	49 In $5s^25p^1$	50 Sn $5s^25p^2$	51 Sb $5s^25p^3$	52 Te $5s^25p^4$	53 I $5s^25p^5$	54 Xe $5s^25p^6$
6	55 Cs $6s^1$	56 Ba $6s^2$	57 La* $6s^25d^1$	72 Hf $4f^{14}6s^25d^2$	73 Ta $6s^25d^3$	74 W $6s^25d^4$	75 Re $6s^25d^5$	76 Os $6s^25d^6$	77 Ir $6s^25d^7$	78 Pt $6s^15d^9$	79 Au $6s^15d^{10}$	80 Hg $6s^25d^{10}$	81 Tl $6s^26p^1$	82 Pb $6s^26p^2$	83 Bi $6s^26p^3$	84 Po $6s^26p^4$	85 At $6s^26p^5$	86 Rn $6s^26p^6$
7	87 Fr $7s^1$	88 Ra $7s^2$	89 Ac** $7s^26d^1$	104 Rf $7s^26d^2$	105 Db $7s^26d^3$	106 Sg $7s^26d^4$	107 Bh $7s^26d^5$	108 Hs $7s^26d^6$	109 Mt $7s^26d^7$	110 Ds $7s^26d^8$	111 Rg $7s^16d^{10}$	112 Uub $7s^26d^{10}$	113 Uut $7s^26d^{10}7p^1$	114 Uuq $7s^26d^{10}7p^2$	115 Uup $7s^26d^{10}7p^3$			

Métaux de transition interne (*f*)

*Lanthanides	58 Ce $6s^24f^15d^1$	59 Pr $6s^24f^35d^0$	60 Nd $6s^24f^45d^0$	61 Pm $6s^24f^55d^0$	62 Sm $6s^24f^65d^0$	63 Eu $6s^24f^75d^0$	64 Gd $6s^24f^75d^1$	65 Tb $6s^24f^95d^0$	66 Dy $6s^24f^{10}5d^0$	67 Ho $6s^24f^{11}5d^0$	68 Er $6s^24f^{12}5d^0$	69 Tm $6s^24f^{13}5d^0$	70 Yb $6s^24f^{14}5d^0$	71 Lu $6s^24f^{14}5d^1$
**Actinides	90 Th $7s^25f^06d^2$	91 Pa $7s^25f^26d^1$	92 U $7s^25f^36d^1$	93 Np $7s^25f^46d^1$	94 Pu $7s^25f^66d^0$	95 Am $7s^25f^76d^0$	96 Cm $7s^25f^76d^1$	97 Bk $7s^25f^96d^0$	98 Cf $7s^25f^{10}6d^0$	99 Es $7s^25f^{11}6d^0$	100 Fm $7s^25f^{12}6d^0$	101 Md $7s^25f^{13}6d^0$	102 No $7s^25f^{14}6d^0$	103 Lr $7s^25f^{14}6d^1$

FIGURE 5.28
Tableau périodique : symboles, numéros atomiques et configurations électroniques des électrons de valence.

nous n'avons pas besoin de mémoriser l'ordre de remplissage des orbitales. Il faut bien étudier les figures 5.27 et 5.28 pour comprendre la correspondance qui existe entre les orbitales et la position (période et groupe) d'un élément dans le tableau.

La configuration électronique des métaux de transition (3*d*, 4*d* et 5*d*), des lanthanides (4*f*) et des actinides (5*f*) n'est pas facile à prédire, étant donné qu'il existe de nombreuses exceptions semblables à celles rencontrées pour les métaux de transition de la première rangée (3*d*). Il faut toutefois mémoriser la configuration électronique du cuivre et du chrome (les deux exceptions de la première rangée des métaux de transition), car ce sont des éléments qui participent à de nombreuses réactions.

Dans toute configuration électronique mentionnée dans cet ouvrage, les orbitales sont énumérées selon l'ordre de remplissage.

Cr: $[Ar]4s^13d^5$
Cu: $[Ar]4s^13d^{10}$

À la figure 5.29, nous voyons un diagramme souvent utilisé pour présenter de façon rapide l'ordre dans lequel les orbitales sont remplies dans un atome polyélectronique. Nous avons conçu ce diagramme en énumérant horizontalement les orbitales d'un numéro quantique principal donné, puis en traçant une diagonale pour bien indiquer l'ordre du remplissage.

Exemple 5.7 Configurations électroniques

À l'aide du tableau périodique, donnez la configuration électronique de chacun des atomes suivants : soufre, S, cadmium, Cd, hafnium, Hf, et radium, Ra.

Solution

Le *soufre* (numéro atomique : 16) fait partie des éléments de la troisième période caractérisés par le remplissage des orbitales 3*p* (*voir la figure 5.30*). Le soufre étant le quatrième élément 3*p*, il doit avoir quatre électrons 3*p*. Sa configuration électronique est donc

$$S: \quad 1s^22s^22p^63s^23p^4 \quad \text{soit} \quad [Ne]3s^23p^4$$

Le *cadmium* (numéro atomique : 48) est situé dans la dernière des cases occupées par les éléments de transition 4*d* de la cinquième période (*voir la figure 5.30*). Dixième élément de cette série, le cadmium possède donc 10 électrons dans ses orbitales 4*d*, en plus de 2 électrons dans l'orbitale 5*s*. Sa configuration électronique est donc

$$Cd: \quad 1s^22s^22p^63s^23p^64s^23d^{10}4p^65s^24d^{10} \quad \text{soit} \quad [Kr]5s^24d^{10}$$

L'*hafnium* (numéro atomique : 72), qui fait partie des éléments de la sixième période, est situé immédiatement après les lanthanides (*voir la figure 5.30*). Les orbitales 4*f* sont donc remplies. Deuxième de la série des métaux de transition 5*d*, l'hafnium possède donc deux électrons 5*d*. Sa configuration est

$$Hf: \quad 1s^22s^22p^63s^23p^64s^23d^{10}4p^65s^24d^{10}5p^66s^24f^{14}5d^2 \quad \text{soit} \quad [Xe]6s^24f^{14}5d^2$$

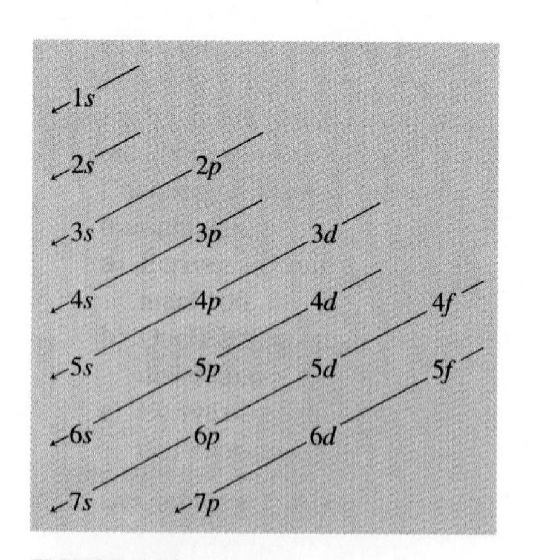

FIGURE 5.29
Diagramme qui résume bien l'ordre dans lequel les orbitales se remplissent dans un atome polyélectronique.

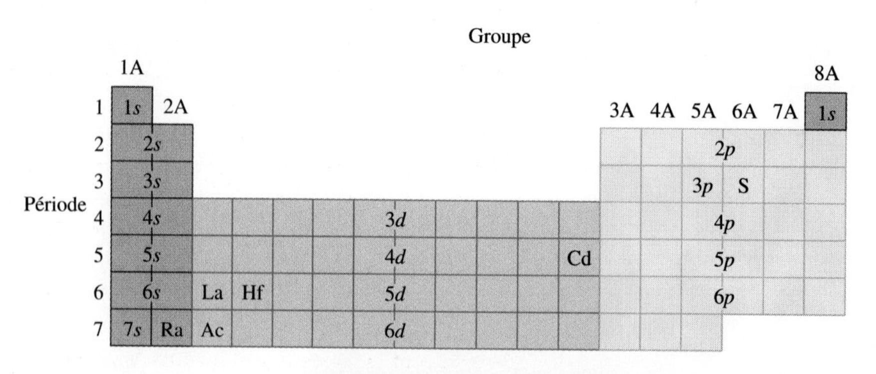

FIGURE 5.30
Place des éléments dont il est question à l'exemple 5.7.

Le *radium* (numéro atomique : 88) fait partie du groupe 2A, dans la septième période (*fig. 5.30*). Le radium a donc deux électrons dans l'orbitale 7*s*. Sa configuration est

$$\text{Ra}: \quad 1s^22s^22p^63s^23p^64s^23d^{10}4p^65s^24d^{10}5p^66s^24f^{14}5d^{10}6p^67s^2 \quad \text{soit} \quad [\text{Rn}]7s^2$$

Voir les exercices 5.56 et 5.57

5.12 Périodicité des propriétés atomiques

Nous avons maintenant une idée assez complète de ce qu'est un atome polyélectronique. Le modèle est certes élémentaire (on y a considéré en bloc les forces d'attraction du noyau et de répulsion entre les électrons), mais il rend très bien compte de la disposition des éléments dans le tableau périodique. Ce modèle permet également d'expliquer les tendances observées dans le cas de plusieurs propriétés atomiques importantes : l'énergie d'ionisation, l'affinité électronique et le rayon atomique.

Énergie d'ionisation

La mise en place du chapeau d'aluminium sur le monument de Washington en 1884. À cette époque, l'aluminium était considéré comme un métal précieux.

L'*énergie d'ionisation* est l'énergie requise pour arracher un électron d'un atome ou d'un ion à l'état gazeux.

$$X(g) \longrightarrow X^+(g) + e^-$$

où X est un atome ou un ion présumément dans son état fondamental.

Pour mieux caractériser l'énergie d'ionisation, considérons l'énergie requise pour arracher successivement plusieurs électrons à l'aluminium gazeux. Les énergies d'ionisation respectives sont les suivantes :

$$\begin{aligned}
\text{Al}(g) &\longrightarrow \text{Al}^+(g) + e^- && I_1 = 580 \text{ kJ/mol}\\
\text{Al}^+(g) &\longrightarrow \text{Al}^{2+}(g) + e^- && I_2 = 1815 \text{ kJ/mol}\\
\text{Al}^{2+}(g) &\longrightarrow \text{Al}^{3+}(g) + e^- && I_3 = 2740 \text{ kJ/mol}\\
\text{Al}^{3+}(g) &\longrightarrow \text{Al}^{4+}(g) + e^- && I_4 = 11\,600 \text{ kJ/mol}
\end{aligned}$$

Ces résultats nous permettent d'illustrer plusieurs points importants. Dans un processus séquentiel d'ionisation, c'est toujours l'électron de niveau d'énergie le plus élevé (celui qui est retenu le plus faiblement) qui est arraché. L'**énergie de première ionisation** I_1 est l'énergie nécessaire pour arracher d'un atome l'électron de plus grande énergie. Le premier électron arraché d'un atome d'aluminium vient de l'orbitale 3*p* (Al a la configuration électronique $[\text{Ne}]3s^23p^1$). Le deuxième électron vient de l'orbitale 3*s* (étant donné que Al^+ a la configuration $[\text{Ne}]3s^2$. Il faut remarquer que la valeur de I_1 est beaucoup plus petite que la valeur de I_2, l'**énergie de deuxième ionisation**.

Cela semble logique pour plusieurs raisons. Le principal facteur est tout bonnement la charge. Remarquons que le premier électron est arraché d'un atome neutre (Al), alors que le deuxième électron est arraché à un ion de charge 1+ (Al^+). L'augmentation de la charge positive retient les électrons plus fermement, et l'énergie d'ionisation augmente. La même tendance se manifeste dans les troisième (I_3) et quatrième (I_4) énergies d'ionisation, où l'électron est arraché à des ions Al^{2+} et Al^{3+}, respectivement.

On peut également interpréter l'augmentation des énergies d'ionisation successives d'un atome en utilisant notre modèle simple pour les atomes polyélectroniques. L'augmentation de l'énergie d'ionisation de I_1 à I_2 est sensée parce que le premier électron est arraché à une orbitale 3*p*, qui est dans un niveau d'énergie supérieur à celui de l'orbitale 3*s* à laquelle le deuxième électron est arraché. Le plus grand écart dans les énergies d'ionisation se rencontre au passage de la troisième énergie d'ionisation (I_3) à la quatrième énergie d'ionisation (I_4). C'est parce que I_4 correspond à l'ionisation d'un électron de cœur (Al^{3+} a la configuration $1s^22s^22p^6$), et les électrons de cœur sont liés beaucoup plus fortement que les électrons de valence.

Comme on peut le voir dans le tableau 5.5, il y a toujours un bond énorme de l'énergie d'ionisation quand on commence à ioniser les électrons de cœur, ce qui permet de déduire aisément le nombre d'électrons de valence d'un élément donné.

TABLEAU 5.5 Énergies des ionisations successives (kJ/mol) des éléments de la troisième période

Élément	I_1	I_2	I_3	I_4	I_5	I_6	I_7
Na	495	4560					
Mg	735	1445	7730	Électrons de cœur*			
Al	580	1815	2740	11 600			
Si	780	1575	3220	4350	16 100		
P	1060	1890	2905	4950	6270	21 200	
S	1005	2260	3375	4565	6950	8490	27 000
Cl	1255	2295	3850	5160	6560	9360	11 000
Ar	1527	2665	3945	5770	7230	8780	12 000

* Remarquons la différence considérable qui existe entre l'énergie d'ionisation nécessaire à l'arrachement d'un électron de cœur et celle nécessaire à l'arrachement d'un électron de valence.

Augmentation globale (vers le bas) — Augmentation globale (vers la droite)

TABLEAU 5.6 Énergies de première ionisation des métaux alcalins et des gaz rares

Élément	I_1(kJ/mol)
Groupe 1A	
Li	520
Na	495
K	419
Rb	409
Cs	382
Groupe 8A	
He	2377
Ne	2088
Ar	1527
Kr	1356
Xe	1176
Rn	1042

Au fur et à mesure que le numéro atomique augmente, l'énergie de première ionisation augmente dans une période donnée et diminue dans un groupe donné.

La figure 5.30 illustre la variation des valeurs de l'énergie de première ionisation pour les éléments des six premières périodes. On y remarque que, en général, *l'énergie de première ionisation augmente au fur et à mesure qu'on progresse dans une période.* Un tel phénomène correspond bien au fait que, pour un même niveau quantique principal, les électrons ajoutés n'exercent aucun effet d'écran appréciable qui s'oppose à l'attraction croissante du noyau due à l'augmentation du nombre de protons. Par conséquent, les électrons d'un même niveau quantique principal sont généralement plus fortement reliés au fur et à mesure que l'on se déplace vers la droite dans une période, et il y a une augmentation générale des valeurs d'énergie d'ionisation au fur et à mesure que les électrons sont ajoutés à un niveau quantique principal donné.

Par contre, *l'énergie de première ionisation diminue au fur et à mesure que le numéro atomique des éléments d'un même groupe augmente.* Le tableau 5.6 illustre bien ce comportement dans le cas des éléments du groupe 1A (métaux alcalins) et du groupe 8A (gaz rares). Cette diminution de l'énergie d'ionisation est due au fait que l'électron de valence est, en moyenne, situé de plus en plus loin du noyau. Au fur et à mesure que n augmente, la taille de l'orbitale augmente, donc l'électron est plus facile à arracher.

L'examen de la figure 5.30 met en évidence une certaine discontinuité dans l'augmentation de l'énergie de première ionisation à l'intérieur d'une même période. Dans la deuxième période, par exemple, lorsqu'on passe du béryllium au bore, ou de l'azote à l'oxygène, la valeur de l'énergie d'ionisation diminue au lieu d'augmenter. Ces écarts par rapport à la règle générale sont dus à la répulsion des électrons. En effet, dans le cas du bore, cette diminution rend compte du fait que les électrons de l'orbitale 2s exercent un effet d'écran sur l'électron 2p ; dans le cas de l'oxygène, elle correspond au fait que la

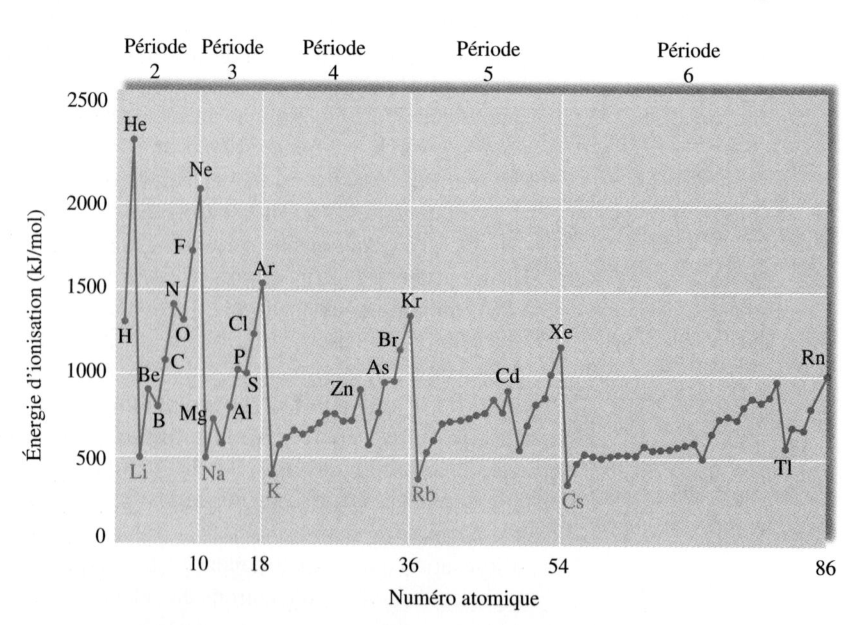

FIGURE 5.31
Variation des valeurs de l'énergie de première ionisation en fonction du numéro atomique, pour les éléments des cinq premières périodes. En général, les valeurs de l'énergie d'ionisation diminuent au fur et à mesure qu'on progresse dans un groupe donné (p. ex. les groupes 1A et 8A). Par ailleurs, les valeurs de l'énergie d'ionisation augmentent au fur et à mesure qu'on progresse dans une période donnée (p. ex. augmentation marquée dans la deuxième période, de Li à Ne).

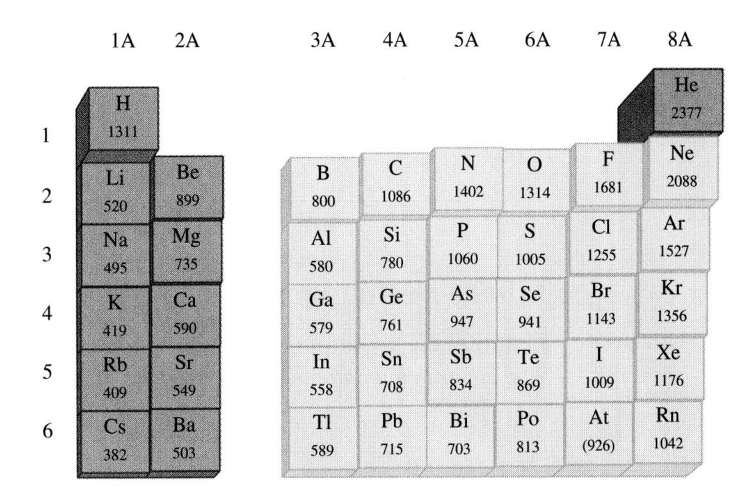

FIGURE 5.32
Tendances des niveaux d'énergie de première ionisation des éléments non transitionnels.

présence d'une orbitale $2p$ remplie – que l'azote ne possède pas – entraîne une répulsion entre les deux électrons qui remplissent cette orbitale.

Les énergies de première ionisation des éléments non transitionnels sont indiquées à la figure 5.31.

Exemple 5.8

Variations dans les énergies d'ionisation

L'énergie de première ionisation du phosphore est de 1060 kJ/mol et celle du soufre, de 1005 kJ/mol. Expliquez cette différence.

Solution

Les configurations des électrons de valence du phosphore et du soufre, éléments voisins dans la troisième période du tableau périodique, sont respectivement $3s^23p^3$ et $3s^23p^4$.

En général, dans une période donnée, l'énergie de première ionisation augmente avec le numéro atomique. L'énergie d'ionisation du soufre devrait donc être supérieure à celle du phosphore. Cependant, puisque le quatrième électron p du soufre doit occuper une orbitale déjà à demi remplie, la répulsion entre les deux électrons regroupés permet d'arracher l'un des deux électrons plus facilement que prévu.

Voir les exercices 5.72 et 5.73

Exemple 5.9

Énergies d'ionisation

Soit les configurations électroniques suivantes :

$$1s^22s^22p^6$$
$$1s^22s^22p^63s^1$$
$$1s^22s^22p^63s^2$$

Pour quel atome l'énergie de première ionisation est-elle le plus élevée ? Pour lequel l'énergie de deuxième ionisation est-elle le plus faible ? Expliquez pourquoi.

Solution

L'atome pour lequel la valeur de I_1 est la plus forte est le néon ($1s^22s^22p^6$) ; en effet, puisqu'il occupe la dernière case de la deuxième période, ses orbitales p sont toutes remplies. Étant donné que les électrons $2p$ ne se masquent pas mutuellement la charge nucléaire de façon importante, la valeur de I_1 est relativement élevée. Dans le cas des autres atomes mentionnés, on remarque la présence d'électrons $3s$. Ces électrons subissent un effet d'écran notable dû aux électrons de cœur, en plus d'être plus éloignés du noyau que les électrons $2p$ du néon. Pour ces atomes, les valeurs de I_1 sont donc plus faibles que pour le néon.

L'atome pour lequel la valeur de I_2 est la plus faible est le magnésium ($1s^22s^22p^63s^2$). Dans ce cas, I_1 et I_2 font toutes deux intervenir les électrons de valence, alors que dans le cas du sodium (Na: $1s^22s^22p^63s^1$), le deuxième électron arraché (qui correspond à I_2) est un électron de cœur qui occupe une orbitale $2p$.

Voir les exercices 5.95 et 5.97

Affinité électronique

Par convention, le signe qui affecte les valeurs de l'affinité électronique obéit aux mêmes règles que celles qui régissent le signe des variations d'énergie.

L'**affinité électronique** est, par définition, *la quantité d'énergie associée à l'addition d'un électron à un atome à l'état gazeux*, soit

$$X(g) + e^- \longrightarrow X^-(g)$$

L'existence de deux conventions différentes en ce qui concerne le signe qui affecte la valeur de l'affinité électronique crée une certaine confusion. Dans de nombreux ouvrages, on définit l'affinité électronique comme l'énergie *libérée* au moment de l'addition d'un électron à un atome gazeux. Par conséquent, si la réaction est exothermique, la valeur de l'énergie doit, en vertu de cette convention, être affectée du signe positif; or, en thermodynamique, on utilise normalement la convention inverse. Dans le présent ouvrage, on définit l'affinité électronique comme une *variation* d'énergie. Ainsi, selon cette définition, si une réaction de capture d'électron est exothermique, la valeur de l'affinité électronique pour cet électron est négative.

La figure 5.32 présente les valeurs de l'affinité électronique pour les éléments qui, parmi les 20 premiers du tableau périodique, forment des ions négatifs stables – autrement dit, les atomes qui captent un électron comme il est illustré ci-dessus. Comme prévu, tous ces éléments ont des affinités électroniques négatives (exothermiques). Remarquez que *plus la valeur de l'énergie est négative*, plus l'énergie libérée est importante. Même si, en général, la valeur de l'affinité électronique décroît au fur et à mesure que le numéro atomique augmente dans une période, il y a plusieurs exceptions à la règle à l'intérieur de chacune des périodes. On peut expliquer la variation de l'affinité électronique en fonction du numéro atomique par une variation de la répulsion interélectronique selon la configuration électronique.

Par exemple, le fait que l'atome d'azote ne forme pas un ion stable $N^-(g)$ isolé, tandis que le carbone forme l'ion $C^-(g)$, traduit une différence de configuration électronique de ces atomes. L'électron ajouté à l'azote ($1s^22s^22p^3$) pour former l'ion $N^-(g)$ ($1s^22s^22p^4$) occuperait une orbitale $2p$ qui contient déjà un électron. La répulsion additionnelle entre ces électrons dans une orbitale doublement occupée rendrait l'ion $N^-(g)$ instable. Quand l'électron est ajouté au carbone ($1s^22s^22p^2$) pour former l'ion $C^-(g)$ ($1s^22s^22p^3$), il n'y a pas de répulsion supplémentaire.

Contrairement à l'atome d'azote, l'atome d'oxygène peut recevoir un électron pour former l'ion stable $O^-(g)$. On croit que la plus grande charge nucléaire de l'oxygène comparativement à celle de l'azote suffit pour contrebalancer la répulsion associée à l'addition d'un deuxième électron dans une orbitale $2p$ déjà occupée. Cependant, il faut noter qu'un second électron n'est jamais capté par un atome d'oxygène [$O^-(g) + e^- \not\rightarrow O^{2-}(g)$] pour former un ion oxyde isolé. Cela est plutôt étonnant vu le grand nombre d'oxydes stables (MgO, Fe_2O_3, etc.) qui sont connus. Comme nous le verrons en détail au chapitre 6, l'ion O^{2-} est stabilisé dans les composés ioniques par la forte attraction qui se produit entre les ions positifs et les ions oxydes.

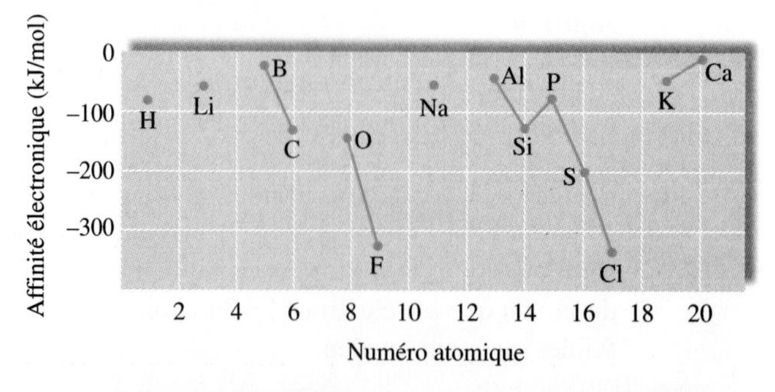

FIGURE 5.33 Valeurs de l'affinité électronique, pour les éléments qui, parmi les 20 premiers, forment des ions X^- stables à l'état isolé. Les lignes relient des éléments voisins. Les discontinuités dans les lignes correspondent aux éléments manquants (He, Be, N, Ne, Mg et Ar), dont les atomes ne forment pas d'ions X^- stables et isolés.

TABLEAU 5.7 Affinité électronique des halogènes

Élément	Affinité électronique (kJ/mol)
F	−327,8
Cl	−348,7
Br	−324,5
I	−295,2

Dans un groupe donné d'éléments, on devrait s'attendre à ce que l'affinité électronique diminue en valeur absolue (moins d'énergie libérée) au fur et à mesure que le numéro atomique augmente, étant donné que l'électron ajouté doit occuper une orbitale de plus en plus éloignée du noyau. Même si c'est en général le cas, on constate que, dans un groupe donné d'éléments, la variation de l'affinité électronique est faible et les exceptions, nombreuses. Prenons, par exemple, l'affinité électronique des éléments du groupe 7A, les halogènes (*voir le tableau 5.7*). On remarque que l'écart entre les valeurs est très restreint, par rapport à celui qu'on constate dans une période ; ainsi, le chlore, le brome et l'iode obéissent à la règle, mais l'énergie libérée à la suite de la capture d'un électron par le fluor est inférieure à la valeur prévue – ce qu'on peut expliquer par la petite taille des orbitales $2p$ de cet élément ; dans ces orbitales, en effet, les électrons sont tellement rapprochés les uns des autres que les forces de répulsion entre électrons sont particulièrement importantes. Dans les autres halogènes, les orbitales sont plus grandes ; par conséquent, les répulsions sont moins fortes.

Rayon atomique

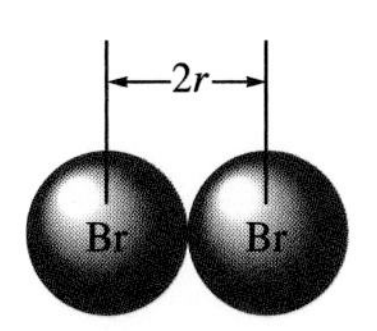

FIGURE 5.34
Définition du rayon atomique : moitié de la distance qui sépare les noyaux des atomes identiques d'une molécule.

De la même façon qu'on ne peut pas définir avec précision la taille d'une orbitale, on ne peut pas connaître avec exactitude les dimensions d'un atome. On peut cependant déterminer la valeur du **rayon atomique** en mesurant la distance qui sépare les noyaux des atomes d'une molécule donnée. Par exemple, dans une molécule de brome, la distance qui sépare les deux noyaux est de 228 pm. Par définition, le rayon de l'atome de brome est égal à la moitié de cette distance, soit 114 pm (*voir la figure 5.33*).

Ces rayons sont souvent appelés *rayons covalents atomiques* en raison de la méthode utilisée pour les mesurer (à partir de la distance séparant des atomes en liaison covalente). Pour les éléments non métalliques qui ne forment pas de molécules diatomiques, on estime leur rayon atomique à partir de divers composés covalents.

On obtient les rayons des atomes métalliques, appelés « rayons métalliques », en divisant la distance entre les atomes métalliques dans un cristal métallique solide par 2.

Les valeurs des rayons atomiques des éléments non transitionnels sont présentées à la figure 5.35. Mentionnons que ces valeurs sont nettement plus faibles que celles que l'on attendrait à partir de 90 % du volume de densité électronique des atomes isolés, parce que, quand les atomes forment des liaisons, leurs « nuages » électroniques s'interpénètrent. Toutefois, ces valeurs forment un tout cohérent qui peut être utilisé pour étudier la variation des rayons atomiques.

On remarque (*voir la figure 5.35*) que le rayon atomique diminue au fur et à mesure que le numéro atomique des éléments d'une période augmente, ce qu'on peut expliquer par l'augmentation concomitante de la charge nucléaire effective. Autrement dit, au fur et à mesure que le numéro atomique augmente, les électrons de valence sont plus fortement attirés par le noyau, ce qui entraîne une diminution de la taille de l'atome.

Dans un groupe donné, le rayon atomique augmente au fur et à mesure que le numéro atomique augmente. Étant donné que le nombre quantique principal des orbitales de valence augmente, la taille des orbitales augmente ; par conséquent, celle de l'atome augmente aussi.

Exemple 5.10

Variations des rayons

Placez les ions suivants selon l'ordre croissant des valeurs de leurs rayons : Be^{2+}, Mg^{2+}, Ca^{2+} et Sr^{2+}.

Solution

Il s'agit là de quatre ions qui appartiennent tous à des éléments du groupe 2A, auxquels on a arraché deux électrons. Étant donné que, du béryllium au strontium, le numéro atomique augmente, il en est également ainsi de la taille des atomes ou des ions. Ces ions sont donc placés selon l'ordre croissant de leur rayon.

$$Be^{2+} < Mg^{2+} < Ca^{2+} < Sr^{2+}$$

↑ Plus petit rayon (Be²⁺) — ↑ Plus grand rayon (Sr²⁺)

Voir les exercices 5.67 et 5.69

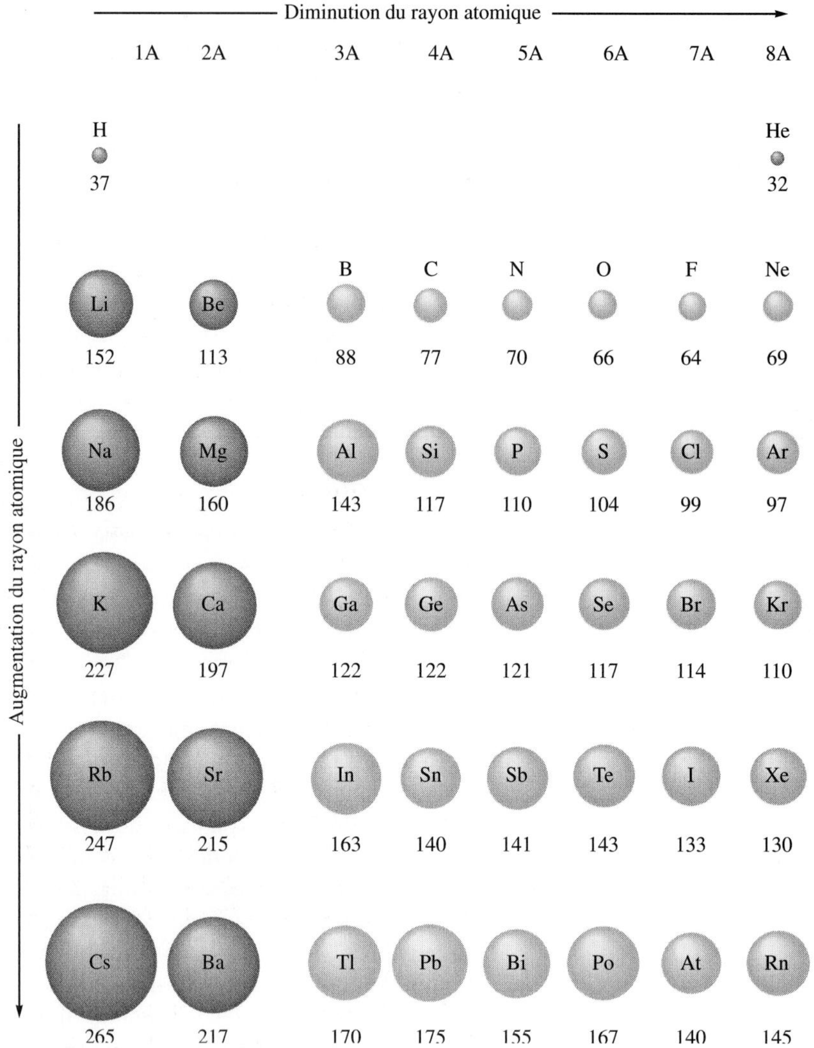

Diminution du rayon atomique →

Augmentation du rayon atomique ↓

1A	2A	3A	4A	5A	6A	7A	8A
H 37							He 32
Li 152	Be 113	B 88	C 77	N 70	O 66	F 64	Ne 69
Na 186	Mg 160	Al 143	Si 117	P 110	S 104	Cl 99	Ar 97
K 227	Ca 197	Ga 122	Ge 122	As 121	Se 117	Br 114	Kr 110
Rb 247	Sr 215	In 163	Sn 140	Sb 141	Te 143	I 133	Xe 130
Cs 265	Ba 217	Tl 170	Pb 175	Bi 155	Po 167	At 140	Rn 145

FIGURE 5.35
Valeurs des rayons atomiques (en picomètres) de certains éléments. On remarque que, au fur et à mesure que le numéro atomique augmente, le rayon atomique diminue dans une période donnée et augmente dans un groupe donné. Les valeurs des gaz rares ne sont qu'estimées parce que leurs atomes ne forment pas aisément des liaisons covalentes.

5.13 Propriétés des éléments d'un groupe donné : les métaux alcalins

Nous savons que le tableau périodique a été conçu dans le but de mettre en évidence les similitudes entre les propriétés des éléments, Mendeleïev ayant été le premier à utiliser son tableau pour prédire les propriétés d'éléments encore inconnus. Dans cette section, nous présentons un résumé des nombreux renseignements que fournit le tableau périodique. Pour mieux illustrer l'utilité de celui-ci, nous traitons des propriétés d'un groupe d'éléments non transitionnels, les métaux alcalins.

Renseignements fournis par le tableau périodique

1. Fondamentalement, le tableau périodique permet de montrer que les propriétés chimiques des groupes d'éléments non transitionnels sont semblables et qu'elles évoluent de façon régulière. Grâce au modèle atomique basé sur la mécanique ondulatoire, on comprend pourquoi les propriétés des éléments d'un groupe sont semblables : ces éléments possèdent tous la même configuration en ce qui concerne les électrons de valence. *C'est donc le nombre d'électrons de valence qui détermine principalement les propriétés chimiques d'un atome.*

2. La configuration électronique d'un élément non transitionnel constitue le renseignement le plus précieux qu'on puisse obtenir de la consultation du tableau périodique. Lorsqu'on comprend bien l'organisation du tableau, il est inutile de mémoriser

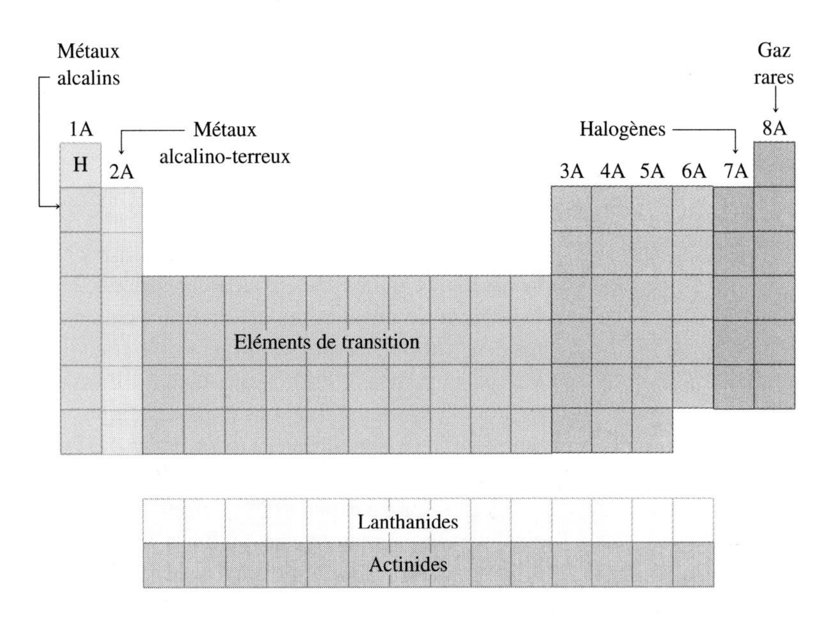

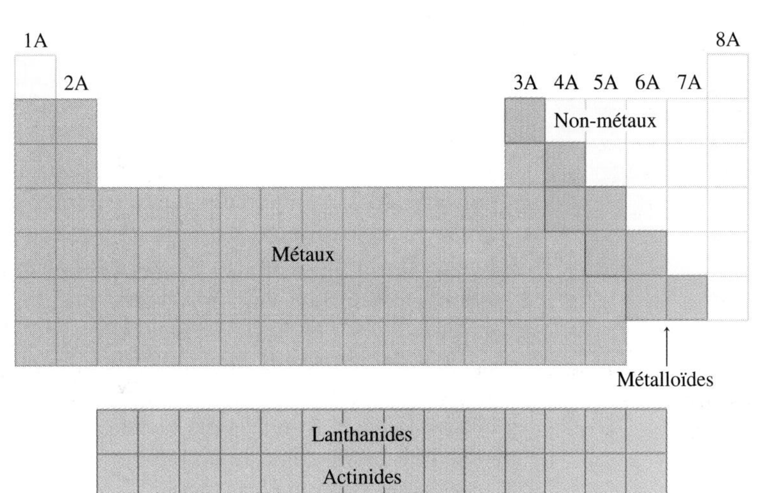

FIGURE 5.36
Appellation courante de certains groupes.

la configuration électronique des éléments. Par ailleurs, si on ne peut pas toujours prédire quelle est la configuration électronique des éléments de transition, il n'y a pas lieu de s'inquiéter, car, en fait, il ne faut absolument mémoriser que la configuration électronique de deux des éléments qui font exception, le chrome et le cuivre – ces éléments de transition 3*d* étant présents dans de nombreux composés importants.

3. Puisque certains groupes d'éléments du tableau périodique ont des noms particuliers (*voir la figure 5.36*), et que ces noms sont d'usage courant, il serait bon de les mémoriser.

Nous avons déjà traité des métaux et des non-métaux au chapitre 2.

4. En somme, on peut diviser le tableau périodique en deux : les métaux et les non-métaux. La principale propriété chimique d'un métal est sa tendance à céder des électrons pour qu'il y ait formation d'un ion positif ; les métaux possèdent en général une faible énergie d'ionisation. On trouve les métaux à la gauche du tableau périodique (*voir la figure 5.36*). Les métaux les plus réactifs, ceux dont l'énergie d'ionisation est la plus faible, sont situés dans le coin inférieur gauche du tableau. La principale propriété d'un non-métal est sa facilité à accepter les électrons d'un métal pour qu'il y ait formation d'un anion. Les non-métaux sont des éléments dont l'énergie d'ionisation est élevée ; leur affinité électronique est la plus négative. On trouve les non-métaux à la droite du tableau périodique, les plus réactifs étant situés dans le coin supérieur droit, exception faite cependant des gaz rares, dont la réactivité est quasi nulle. La division entre métaux et non-métaux (*voir la figure 5.36*) ne constitue

qu'une approximation. En effet, plusieurs éléments limitrophes sont dotés de propriétés qui, dans certaines conditions, relèvent à la fois des métaux et des non-métaux : on les appelle **métalloïdes** ou, parfois, **semi-métaux**.

Métaux alcalins

Nous traiterons plus en profondeur de l'hydrogène au chapitre 9.

Les éléments métalliques du groupe 1A, les métaux alcalins, permettent de bien illustrer la similitude qui existe entre les propriétés des éléments d'un même groupe. Le lithium, le sodium, le potassium, le rubidium, le césium et le francium sont les métaux les plus réactifs. On ne s'attardera pas ici sur le francium, car on ne le trouve dans la nature qu'en infimes quantités. L'hydrogène, bien qu'il fasse partie du groupe 1A, se comporte comme un non-métal. Il est doté des caractéristiques des non-métaux en raison surtout de la très petite taille de son atome (*voir la figure 5.35*). Dans la petite orbitale 1*s*, son électron est fortement lié au noyau.

Le tableau 5.8 présente quelques propriétés importantes des cinq premiers métaux alcalins. On y remarque que, au fur et à mesure que le numéro atomique augmente, l'énergie de première ionisation diminue et le rayon atomique augmente, ce qui est conforme avec les propriétés générales étudiées à la section 5.12.

L'augmentation générale de la masse volumique en fonction du numéro atomique est caractéristique de tous les groupes. En effet, la masse d'un atome augmente en général plus rapidement que son rayon ; à mesure qu'on progresse dans un groupe, il y a donc de plus en plus de masse par unité de volume.

Nous aborderons l'étude des autres groupes aux chapitres 9 et 10.

Par contre, la diminution régulière des valeurs des points d'ébullition et de fusion au fur et à mesure que le numéro atomique augmente n'est pas caractéristique de tous les groupes. Dans la plupart des autres groupes, la situation est plus complexe. On remarque que le point de fusion du césium n'est que de 29 °C : la chaleur de la main suffit à le faire fondre. Il s'agit là d'un cas isolé, étant donné que les métaux possèdent, en général, des points de fusion plutôt élevés : le tungstène, par exemple, fond à 3410 °C. Les seuls autres métaux à faibles points de fusion sont le mercure (–38 °C) et le gallium (30 °C).

La caractéristique fondamentale d'un métal est sa facilité à céder ses électrons de valence. Les éléments du groupe 1A sont très réactifs : la valeur de leur énergie d'ionisation est faible et ils réagissent facilement avec des non-métaux pour produire des solides ioniques. La réaction du sodium et du chlore, qui entraîne la formation de chlorure de sodium, en est un bon exemple.

$$2Na(s) + Cl_2(g) \longrightarrow 2NaCl(s)$$

Le chlorure de sodium ainsi produit est composé d'ions Na^+ et Cl^-. Cette réaction est une réaction d'oxydoréduction au cours de laquelle le chlore oxyde le sodium. Dans les réactions entre métaux et non-métaux, en général, le non-métal agit comme agent oxydant et le métal, comme agent réducteur. En voici quelques exemples :

$$2Na(s) + S(s) \longrightarrow \underset{\text{Composé d'ions } Na^+ \text{ et d'ions } S^{2-}}{Na_2S(s)}$$

TABLEAU 5.8 Propriétés de cinq métaux alcalins

Élément	Configuration de l'électron de valence	Masse volumique à 25 °C (g/cm³)	T_{fus} (°C)	$T_{éb}$ (°C)	Énergie de première ionisation (kJ/mol)	Rayon atomique (covalent) (pm)	Rayon ionique (M^+) (pm)
Li	$2s^1$	0,53	180	1330	520	152	60
Na	$3s^1$	0,97	98	892	495	186	95
K	$4s^1$	0,86	64	760	419	227	133
Rb	$5s^1$	1,53	39	668	409	247	148
Cs	$6s^1$	1,87	29	690	382	265	169

IMPACT

Le potassium – Trop d'une bonne chose peut tuer

Le potassium est généralement reconnu comme un élément essentiel. En fait, notre besoin quotidien en potassium est deux fois plus élevé que celui en sodium. Étant donné que la plupart des aliments contiennent du potassium, les carences graves chez les humains sont rares. Toutefois, la carence en potassium peut être causée par le mauvais fonctionnement du rein ou par l'utilisation de certains diurétiques ; elle provoque la faiblesse musculaire, un rythme cardiaque irrégulier et la dépression.

Le venin d'un serpent, le mamba noir, tue en bloquant les canaux potassium dans les cellules nerveuses des victimes.

Le potassium est présent dans les fluides corporels sous la forme d'ion K^+, et sa présence est essentielle au fonctionnement de notre système nerveux. La transmission des influx le long des nerfs nécessite le passage de K^+ (et de Na^+) à travers des canaux dans les membranes des neurones. La défaillance de ce flux ionique empêche les transmissions nerveuses et conduit à la mort. Le mamba noir, par exemple, est un serpent qui tue ses victimes en injectant un venin qui bloque les canaux potassiques dans les neurones.

Bien qu'un apport stable de potassium soit essentiel pour la vie, ironiquement, trop de potassium peut être mortel. En fait, l'ingrédient mortel dans le mélange de drogues utilisé pour exécuter les criminels est le chlorure de potassium. L'injection d'une grande quantité d'une solution de chlorure de potassium produit un excès d'ions K^+ dans les fluides entourant les cellules et empêche le flux essentiel de K^+ hors des cellules pour que l'impulsion nerveuse ait lieu, ce qui provoque un arrêt cardiaque. Contrairement à d'autres formes d'exécution, la mort par injection de chlorure de potassium n'endommage pas les organes du corps. Ainsi, les criminels condamnés qui sont exécutés de cette façon pourraient faire don de leurs organes pour la transplantation. Cette idée est toutefois très controversée.

$$6Li(s) + N_2(g) \longrightarrow 2Li_3N(s)$$

Composé d'ions Li^+ et d'ions N^{3-}

$$2Na(s) + O_2(g) \longrightarrow Na_2O_2(s)$$

Composé d'ions Na^+ et d'ions O_2^{2-}

Le potassium réagit violemment avec l'eau.

Dans le cas des types de réactions présentés ci-dessus, on peut prédire le pouvoir réducteur relatif des métaux alcalins en utilisant la valeur de leur énergie de première ionisation (*voir le tableau 5.8*). Puisqu'il est beaucoup plus facile d'arracher un électron à un atome de césium qu'à un atome de lithium, le césium devrait être un meilleur agent réducteur. Ainsi, l'ordre décroissant du pouvoir réducteur des métaux alcalins devrait être le suivant :

$$Cs > Rb > K > Na > Li$$

C'est effectivement ce qu'on observe expérimentalement dans le cas de réactions directes entre un métal alcalin solide et un non-métal. Toutefois, tel n'est pas le cas quand les métaux alcalins réagissent en solution aqueuse. Par exemple, la réduction de l'eau par un métal alcalin est une réaction très violente et exothermique.

$$2M(s) + 2H_2O(l) \longrightarrow H_2(g) + 2M^+(aq) + 2OH^-(aq) + \text{énergie}$$

TABLEAU 5.9 Énergie d'hydratation des ions Li^+, Na^+ et K^+

Ion	Énergie d'hydratation (kJ/mol)
Li^+	−510
Na^+	−402
K^+	−314

Pour cette réaction, l'ordre décroissant du pouvoir réducteur des trois premiers éléments alcalins est le suivant :

$$Li > K > Na$$

En phase gazeuse, le potassium cède un électron plus facilement que le sodium, qui le fait lui-même plus facilement que le lithium. Il est donc surprenant de constater que le lithium soit le meilleur agent réducteur de l'eau.

On peut expliquer ce renversement de situation par la forte influence qu'exerce l'hydratation des ions M^+ par les molécules polaires de l'eau sur la formation des ions M^+ en milieu aqueux. L'*énergie d'hydratation* d'un ion correspond à la variation d'énergie qui résulte de l'association de molécules d'eau à l'ion M^+. Le tableau 5.9 présente les valeurs de l'énergie d'hydratation des ions Li^+, Na^+ et K^+ ; le signe négatif indique que, dans chaque cas, la réaction est exothermique. L'hydratation de l'ion Li^+ libère cependant près de deux fois plus d'énergie que celle de l'ion K^+, ce qui est imputable à la taille des atomes : étant donné que l'ion Li^+ est beaucoup plus petit que l'ion K^+, sa *charge volumique* (charge par unité de volume) est beaucoup plus importante ; c'est pourquoi l'attraction des molécules d'eau polaires par le petit ion Li^+ est plus forte. En conséquence, la formation de l'ion Li^+, fortement hydraté, à partir de l'atome de lithium est plus facile à obtenir que la formation de l'ion K^+ à partir de l'atome de potassium. Même si, en phase gazeuse, l'atome de potassium cède son électron de valence plus facilement que l'atome de lithium, c'est la situation inverse qui prévaut en milieu aqueux. Cette anomalie constitue un bon exemple de l'influence de la polarité des molécules d'eau dans les réactions qui ont lieu en milieu aqueux.

Il existe un autre fait étonnant en ce qui concerne les réactions fortement exothermiques des métaux alcalins avec l'eau. L'expérience montre que, dans l'eau, le lithium est le meilleur agent réducteur. On devrait donc s'attendre à ce que la réaction du lithium avec l'eau soit la plus violente. Or, il n'en est rien. Le sodium et le potassium réagissent beaucoup plus fortement que le lithium. Pourquoi ? À cause du point de fusion relativement élevé du lithium par rapport à celui des deux autres métaux alcalins. Quand le sodium et le potassium réagissent avec l'eau, l'énergie libérée provoque la fusion de ces métaux, ce qui augmente leur surface de contact avec l'eau. Par contre, comme le lithium ne fond pas à cette température, il réagit donc moins rapidement. Cet exemple illustre le principe important selon lequel l'énergie dégagée par une réaction donnée n'est pas directement proportionnelle à la vitesse de cette réaction.

Dans cette section, nous avons vu que la périodicité des propriétés atomiques, si bien illustrée par le tableau périodique, pouvait permettre de comprendre le comportement chimique des éléments. Nous reviendrons sans cesse sur ce fait au fur et à mesure que nous progresserons dans l'étude de la chimie.

Mots clés

Section 5.1
radiation électromagnétique
longueur d'onde
fréquence

Section 5.2
constante de Planck
quantification
photon
effet photoélectrique
$E = mc^2$
double nature de la lumière
diffraction
figure de diffraction

Section 5.3
spectre continu
spectre de raies

Section 5.4
modèle quantique
état fondamental

Section 5.5
onde stationnaire
modèle atomique basé sur la mécanique ondulatoire
fonction d'onde
orbitale
principe d'incertitude d'Heisenberg
distribution des probabilités
distribution radiale de probabilités

Section 5.6
nombres quantiques
nombre quantique principal
nombre quantique secondaire ou azimutal
nombre quantique magnétique
sous-couche

Section 5.7
zone nodale
nœud
lobe
dégénérescence

Section 5.8
spin de l'électron
nombre quantique de spin
principe d'exclusion de Pauli

Section 5.9
atomes polyélectroniques

Section 5.11
principe du aufbau
règle de Hund
électrons de valence
électrons de cœur
métaux de transition
lanthanides
actinides
éléments non transitionnels

Synthèse

Radiation électromagnétique

- Caractérisée par sa longueur d'onde, λ sa fréquence, ν et sa vitesse ($c = 2{,}9979 \times 10^8$ m/s)

$$\lambda\nu = c$$

- Peut être vue comme un flux de « particules » appelées photons, chacun avec une énergie $h\nu$, où h est la constante de Planck ($6{,}626 \times 10^{-34}$ J · s).

Effet photoélectrique

- Quand la lumière frappe une surface métallique, des électrons sont éjectés.
- L'analyse de l'énergie cinétique et des nombres d'électrons éjectés ont conduit Einstein à proposer que la radiation électromagnétique soit considérée comme un flux de photons.

Spectre de l'hydrogène

- Le spectre d'émission de l'hydrogène présente des longueurs d'onde discontinues.
- Indique que l'hydrogène a des niveaux d'énergie discontinus.

Modèle atomique de Bohr de l'atome d'hydrogène

- À l'aide des données du spectre de l'hydrogène et en postulant un moment angulaire quantifié, Bohr formula un modèle dans lequel les électrons se déplacent sur des orbites circulaires.
- Bien qu'innovateur, ce modèle s'avéra tout à fait erroné.

Modèle de la mécanique ondulatoire (mécanique quantique)

- Un électron est décrit comme une onde stationnaire.
- Le carré de la fonction d'onde (souvent appelé orbitale) correspond à la probabilité de présence d'un électron en un point donné de l'espace.
- On ne peut pas connaître avec exactitude la position de l'électron à un instant donné ; cette conclusion est compatible avec le principe d'incertitude d'Heisenberg : on ne peut pas connaître à la fois la position et la quantité de mouvement précises d'une particule à un instant donné.
- Les distributions de probabilités permettent de déterminer la forme des orbitales.
- Les orbitales sont caractérisées par les nombres quantiques n, ℓ et m_ℓ.

Spin de l'électron

- Décrit par le nombre quantique de spin, m_s, qui peut prendre les valeurs $\pm\frac{1}{2}$
- Le principe d'exclusion de Pauli : deux électrons ne peuvent pas avoir les mêmes quatre nombres quantiques.
- Seulement deux électrons de spins opposés peuvent occuper une orbitale donnée.

Tableau périodique

- En remplissant les orbitales selon le modèle de la mécanique ondulatoire (principe du *aufbau*), on peut expliquer la forme du tableau périodique.
- Selon le modèle de la mécanique ondulatoire, les électrons de valence (électrons périphériques) des atomes d'un groupe donné ont la même configuration.
- L'attraction nucléaire, la répulsion électronique, l'effet d'écran et le phénomène de pénétration permettent d'expliquer la périodicité des propriétés atomiques comme l'énergie d'ionisation, l'affinité électronique et le rayon atomique.

QUESTIONS DE RÉVISION

1. L'ultraviolet, les micro-ondes, les rayons gamma et le visible sont quatre types de radiations électromagnétiques. On peut caractériser tous ces types par la longueur d'onde, la fréquence, l'énergie des photons et la vitesse de déplacement. Définissez ces termes et classez les quatre types de radiations électromagnétiques par ordre croissant de longueur d'onde, de fréquence, d'énergie des photons et de vitesse.

Section 5.12
énergie de première ionisation
énergie de deuxième ionisation
affinité électronique
rayon atomique

Section 5.13
métalloïdes (semi-métaux)

2. Donnez les caractéristiques du modèle atomique de Bohr. Dans le modèle de Bohr, que signifie le terme «quantification»? Comment le modèle de Bohr de l'atome d'hydrogène explique-t-il le spectre d'émission de l'hydrogène? Pourquoi le modèle de Bohr est-il inexact?

3. Quels résultats expérimentaux ont conduit à la formulation de la théorie quantique de la lumière?

4. Dressez la liste des concepts les plus importants du modèle atomique basé sur la mécanique ondulatoire. Incluez dans votre exposé les termes ou les noms suivants: *fonction d'onde, orbitale, principe d'incertitude d'Heisenberg, de Broglie, Schrödinger* et *probabilité de distribution.*

5. Dites ce que sont les nombres quantiques. Quels renseignements nous fournissent les valeurs des nombres quantiques n, ℓ et m_ℓ? On a déterminé un nombre quantique de spin (m_s), mais a-t-on une preuve que l'électron tourne vraiment sur lui-même?

6. En quoi deux orbitales $2p$ diffèrent-elles les unes des autres? En quoi les orbitales $2p$ et $3p$ diffèrent-elles les unes des autres? Qu'appelle-t-on zone nodale dans une orbitale atomique? Qu'est-ce qui est incorrect dans les orbitales $1p$, $1d$, $2d$, $1f$ et $3f$? Qu'entend-on par: «un électron $4s$ est plus pénétrant qu'un électron $3d$».

7. Le tableau périodique comporte quatre blocs d'éléments qui correspondent au remplissage de différentes orbitales. Quels sont ces quatre blocs et les orbitales correspondantes? Comment obtient-on l'ordre d'énergie des orbitales atomiques à partir du tableau périodique? Qu'est-ce que le principe du *aufbau*? la règle de Hund? le principe d'exclusion de Pauli? Parmi les éléments 1 à 36, il existe deux exceptions communes dans la configuration électronique à l'état fondamental, tel qu'il est prédit par le tableau périodique: quelles sont-elles?

8. Quelle est la différence entre les électrons de cœur et les électrons de valence? Pourquoi accorde-t-on tant d'importance aux électrons de valence quand on traite des propriétés d'un atome? Quelle est la relation entre les électrons de valence et les éléments dans un même groupe du tableau périodique?

9. En utilisant le phosphore comme exemple, écrivez l'équation d'un processus au cours duquel le changement d'énergie correspond à l'énergie d'ionisation et à l'affinité électronique.

Expliquez pourquoi l'énergie de première ionisation tend à augmenter au fur et à mesure que l'on progresse dans une période. Pourquoi l'énergie de première ionisation de l'aluminium est-elle inférieure à celle du magnésium, et celle du soufre inférieure à celle du phosphore?

Pourquoi les énergies d'ionisation successives d'un atome augmentent-elles toujours? Voyez les énergies d'ionisation successives du silicium au tableau 5.5. Si l'on continuait d'enlever les électrons, un par un, au-delà de ceux qui sont indiqués dans le tableau, devrait-on rencontrer à nouveau un saut important dans les valeurs d'énergie?

10. La variation du rayon et la variation de l'énergie d'ionisation sont exactement opposées. Est-ce logique? Définissez l'affinité électronique. Les valeurs de l'affinité électronique sont exothermiques (négatives) et endothermiques (positives). Expliquez.

Questions et exercices

Questions à discuter en classe

Ces questions sont conçues pour être abordées en petits groupes. Par des discussions et des enseignements mutuels, elles permettent d'exprimer la compréhension des concepts.

1. Que signifie avoir un caractère ondulatoire ? un caractère particulaire ? Les radiations électromagnétiques peuvent s'expliquer en termes de particule et d'onde. Expliquez comment il est possible de vérifier expérimentalement ces deux points de vue.
2. Portez-vous à la défense du modèle de Bohr. Était-il logique de proposer un tel modèle et quelles sont les preuves que ce modèle est valable ? Pourquoi ne lui faisons-nous plus confiance aujourd'hui ?
3. Voici les énergies des quatre premières ionisations des éléments *X* et *Y*. Leurs valeurs ne sont toutefois pas exprimées en kJ/mol.

	X	*Y*
première	170	200
deuxième	350	400
troisième	1800	3500
quatrième	2500	5000

Dites quels sont les éléments *X* et *Y*. (Il peut y avoir plus d'une bonne réponse, alors fournissez des explications détaillées.)

4. Comparez les énergies de première et de deuxième ionisations de l'hélium (n'oubliez pas que les deux électrons proviennent d'une orbitale 1*s*). Expliquez cette différence sans recourir aux valeurs fournies dans le texte.
5. Lequel, du lithium ou du béryllium, a l'énergie de deuxième ionisation le plus élevée ? Expliquez.
6. Expliquez pourquoi la variation de l'énergie d'ionisation en fonction du nombre atomique des éléments d'une même période n'est pas linéaire. Quels sont les cas d'exception et pourquoi font-ils exception ?
7. Sans recourir au manuel, dites quelle serait la variation de l'énergie de deuxième ionisation des éléments allant du sodium à l'argon. Comparez à la réponse du tableau 5.5. Expliquez toute divergence.
8. Expliquez pourquoi la ligne départageant les métaux des non-métaux dans le tableau périodique est une diagonale allant vers le coin inférieur droit, plutôt qu'une droite horizontale ou verticale.
9. Expliquez ce que signifie *électron* en mécanique quantique. Abordez le problème en traitant des rayons atomiques, des probabilités et des orbitales.
10. Choisissez, parmi les solutions proposées, celle qui répond le mieux à l'énoncé suivant : l'énergie d'ionisation de l'atome de chlore a la même valeur que l'affinité électronique de :
    a) l'atome Cl.
    b) l'ion Cl^-.
    c) l'ion Cl^+.
    d) l'atome F.
    e) aucune des solutions proposées.

    Expliquez chacun de vos choix. Justifiez-le et pour les choix que vous n'avez pas retenus, expliquez ce qui est faux.
11. « L'énergie d'ionisation de l'atome de potassium a une valeur négative, puisque, en perdant un électron pour devenir K^+, il acquiert la configuration d'un gaz inerte. » Indiquez tout ce qui est vrai dans cet énoncé. Indiquez tout ce qui est faux. Corrigez la partie fausse de l'énoncé et expliquez la correction apportée.
12. En allant de gauche à droite dans une rangée du tableau périodique, le nombre d'électrons augmente, de même que généralement l'énergie d'ionisation. En descendant dans une colonne du tableau périodique, le nombre d'électrons augmente, mais l'énergie d'ionisation diminue. Expliquez.
13. Comment la probabilité s'accorde-t-elle avec la description de l'atome ?
14. Que signifie le mot « orbitale » ?

Une question ou un exercice précédés d'un numéro en bleu indiquent que la réponse se trouve à la fin de ce livre.

Questions

15. Le tableau périodique est constitué de quatre blocs d'éléments qui correspondent au remplissage des orbitales *s*, *p*, *d* et *f*. Après les orbitales *f*, viennent les orbitales *g* et *h*. En théorie, si un bloc *g* et un bloc *h* des éléments existaient, quelle serait la longueur des rangées d'éléments *g* et *h* dans ce tableau périodique théorique ?
16. À plusieurs reprises, on a affirmé que des sous-couches à demi remplies étaient particulièrement stables. Comment peut-on justifier cet énoncé du point de vue physique ?
17. Les éléments qui possèdent des énergies d'ionisation élevées ont tendance à posséder également des affinités électroniques très exothermiques. Expliquez. Quel groupe d'éléments devrait être une exception à cet énoncé ?
18. Les variations de l'affinité électronique en descendant dans un groupe du tableau périodique ne sont pas tout à fait aussi importantes que les variations des énergies d'ionisation. Pourquoi ?
19. Pourquoi est-il beaucoup plus difficile d'expliquer les spectres de ligne d'atome et d'ions polyélectroniques que ceux de l'hydrogène et des ions hydrogénoïdes ?
20. Les scientifiques utilisent le spectre d'émission pour confirmer la présence d'un élément dans un matériau de composition inconnue. Pourquoi est-ce possible ?
21. Est-ce que le fait de réduire le plus possible la répulsion entre électrons correspond bien à la règle de Hund ?
22. Dans quel état est l'atome d'hydrogène lorsque $n = \infty$ et $E = 0$?
23. Le travail d'extraction est l'énergie nécessaire à l'extraction d'un électron de la surface d'un métal. En quoi cette définition diffère-t-elle de celle de l'énergie d'ionisation ?
24. Il y a beaucoup plus de sels de lithium anhydres qui sont hygroscopiques (qui absorbent facilement l'eau) qu'il y en a pour tous les autres métaux alcalins. Expliquez.

Exercices

Matière et lumière

25. La photosynthèse utilise la lumière de 660 nm pour convertir CO_2 et H_2O en glucose et en O_2. Calculez la fréquence de cette lumière.

26. Une station de radio FM émet à 99,5 MHz. Quelle est la longueur d'onde de ces ondes radio ?

---

27. La longueur d'onde d'une radiation micro-onde est de l'ordre de 1,0 cm. Calculez la fréquence et l'énergie d'un seul photon de cette radiation. Quelle est l'énergie d'une quantité de photons égale au nombre d'Avogadro ?

28. Soit les ondes suivantes représentant une radiation électromagnétique :

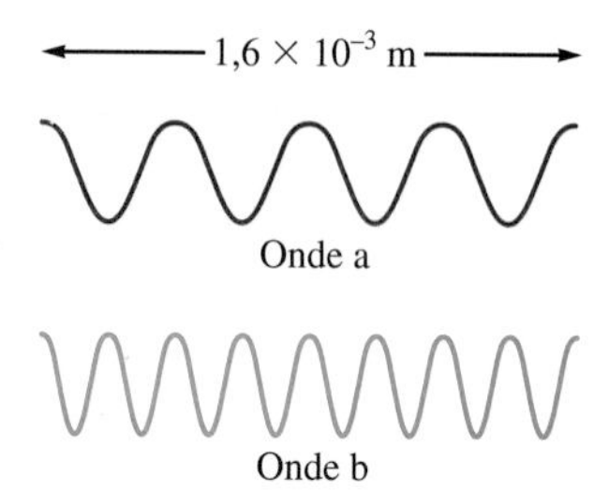

Quelle onde a la plus grande longueur d'onde ? Calculez cette longueur d'onde. Quelle onde a la plus haute fréquence et l'énergie des photons la plus élevée ? Calculez ces valeurs. Quelle onde a la vitesse la plus grande ? Quels types de radiation électromagnétique sont illustrés ?

---

29. Un type de radiation électromagnétique a une fréquence de 107,1 MHz, un autre type a une longueur d'onde de $2,12 \times 10^{-10}$ m et un autre a des photons dont l'énergie est de $3,97 \times 10^{19}$ J/photon. Identifiez chaque type de radiation électromagnétique et classez-les par ordre croissant d'énergie des photons et par ordre croissant de fréquence.

30. Le carbone absorbe de l'énergie à une longueur d'onde de 150 nm. La quantité totale d'énergie émise par un échantillon de carbone est de $1,98 \times 10^5$ J. Calculez le nombre d'atomes de carbone présents dans l'échantillon, en supposant que chaque atome émet un photon.

---

31. Une liaison double carbone-oxygène dans une molécule organique absorbe une radiation qui a une fréquence de $6,0 \times 10^{13}$ s^{-1}.
    a) Quelle est la longueur d'onde de cette radiation ?
    b) À quelle région du spectre appartient cette radiation ?
    c) Quelle est l'énergie par photon de cette radiation ? par mole de photons ?
    d) Une liaison carbone-oxygène dans une molécule différente absorbe une radiation dont la fréquence est de $5,4 \times 10^{13}$ s^{-1}. Cette radiation est-elle plus ou moins énergétique ?

32. Le travail d'extraction correspond à l'énergie requise pour arracher un électron de la surface d'un solide. Le travail d'extraction du lithium est de 279,7 kJ/mol (autrement dit, il faut fournir 279,7 kJ d'énergie pour enlever une mole d'électrons à une mole d'atomes de Li à la surface du métal Li). Calculez la longueur d'onde maximale de la radiation qui permettrait d'arracher un électron à un atome de lithium métallique.

---

33. Calculez la longueur d'onde associée à chacune des espèces suivantes :
    a) Un neutron qui se déplace à une vitesse égale à 5 % de la vitesse de la lumière.
    b) Une balle de 147 g lancée à 163,3 km/h (vitesse la plus rapide enregistrée au baseball).

34. La diffraction des neutrons est utilisée dans la détermination de la structure des molécules.
    a) Calculez la longueur d'onde associée d'un neutron dont la vitesse est égale à 1,00 % de la vitesse de la lumière.
    b) Calculez la vitesse d'un neutron dont la longueur d'onde est de 75 pm (1 pm = 10^{-12} m).

---

35. La vitesse d'une particule s'élève à 90 % de la vitesse de la lumière. Si la longueur d'onde de la particule est de $1,5 \times 10^{-15}$ m, calculez la masse de la particule.

Atome d'hydrogène : le modèle de Bohr

36. Quelle est la longueur d'onde de la lumière émise, pour chacune des transitions spectrales suivantes de l'atome d'hydrogène :
    a) $n = 3 \rightarrow n = 2$
    b) $n = 4 \rightarrow n = 2$
    c) $n = 2 \rightarrow n = 1$

---

37. Indiquez par des traits verticaux, sur le diagramme des niveaux d'énergie de l'atome d'hydrogène (*voir la figure 5.8*), les transitions spectrales mentionnées à l'exercice 36.

38. Un photon de lumière visible ($\lambda \approx 400$ à 700 nm) a-t-il une énergie suffisante pour exciter un électron dans un atome d'hydrogène à partir du niveau d'énergie $n = 1$ à $n = 5$? du niveau $n = 2$ à $n = 6$?

---

39. Dans un atome d'hydrogène, un électron passe de l'état fondamental $n = 1$ à l'état $n = 3$. Parmi les énoncés suivants, lesquels sont vrais ? Corrigez les énoncés faux pour qu'ils deviennent vrais.
    a) Il faut plus d'énergie pour ioniser l'électron au niveau $n = 3$ qu'au niveau $n = 1$.
    b) L'électron est en moyenne plus loin du noyau à $n = 3$ qu'à $n = 1$.
    c) La longueur d'onde de la lumière émise si l'électron passe de $n = 3$ à $n = 2$ sera plus courte que la longueur d'onde de la lumière émise si l'électron passe de $n = 3$ à $n = 1$.
    d) La longueur d'onde émise quand l'électron retourne à son état fondamental à partir de $n = 3$ sera la même que la longueur d'onde absorbée s'il passe de $n = 1$ à $n = 3$.
    e) Pour $n = 3$, l'électron est à son premier état d'excitation.

40. Quelle est la longueur d'onde maximale de la radiation nécessaire pour arracher l'électron d'un atome d'hydrogène à partir des niveaux d'énergie $n = 1$ et $n = 2$?

---

41. Soit un électron d'un atome d'hydrogène à l'état excité. La longueur d'onde maximale de la radiation électromagnétique qui peut arracher complètement (ioniser) un électron de l'atome H est de 1460 nm. Quel est le niveau excité initial de l'électron ($n = ?$) ?

42. L'électron d'un atome d'hydrogène excité est dans le niveau $n = 5$; il émet une lumière ayant une fréquence de $6,90 \times 10^{14}$ s^{-1}. Déterminez le niveau quantique principal pour l'état final dans cette transition électronique.

Mécanique ondulatoire, nombres quantiques et orbitales

43. À l'aide de l'expression du principe d'incertitude, calculez Δx pour chacun des cas suivants :

a) un électron ayant une $\Delta v = 0{,}100$ m/s.
b) une balle de baseball (masse = 145 g) ayant une Δv = 0,100 m/s.
c) Comment la valeur de la partie **a)** se compare-t-elle à la taille de l'atome d'hydrogène ?
d) Comment la valeur de la partie **b)** se compare-t-elle à la taille d'une balle de baseball ?

44. On peut exprimer le principe d'incertitude d'Heisenberg de la façon suivante :

$$\Delta E \cdot \Delta t \geqslant \frac{h}{4\pi}$$

où E représente l'énergie et t le temps. Montrez que les unités pour cette forme de représentation sont les mêmes que les unités pour la forme utilisée dans ce chapitre :

$$\Delta x \cdot \Delta(mv) \geqslant \frac{h}{4\pi}$$

45. Quelles sont les valeurs possibles des nombres quantiques n, ℓ et m_ℓ ?

46. Lesquelles de ces notations d'orbitales sont incorrectes : $1s$, $1p$, $7d$, $9s$, $3f$, $4f$, $2d$?

47. Parmi les ensembles de nombres quantiques suivants, repérez ceux qui correspondent à des états « interdits » à l'atome d'hydrogène. Le cas échéant, précisez ce qui ne va pas.
a) $n = 3, \ell = 2, m_\ell = 2$
b) $n = 4, \ell = 3, m_\ell = 4$
c) $n = 0, \ell = 0, m_\ell = 0$
d) $n = 2, \ell = -1, m_\ell = 1$

48. Parmi les ensembles de nombres quantiques suivants, trouvez ceux qu'un électron peut prendre. Expliquez pourquoi il ne peut pas prendre les autres.
a) $n = 1, \ell = 0, m_\ell = 2, m_s = +\frac{1}{2}$
b) $n = 9, \ell = 7, m_\ell = -6, m_s = -\frac{1}{2}$
c) $n = 2, \ell = 1, m_\ell = 0, m_s = 0$
d) $n = 1, \ell = 1, m_\ell = 1, m_s = +\frac{1}{2}$
e) $n = 3, \ell = 2, m_\ell = -3, m_s = +\frac{1}{2}$
f) $n = 4, \ell = 0, m_\ell = 0, m_s = -\frac{1}{2}$

49. Quelle est la signification de la valeur de ψ^2 en un point donné ?

50. Pour déterminer la taille d'une orbitale, pourquoi utilise-t-on une valeur arbitraire qui correspond à 90 % des probabilités de présence de l'électron autour du noyau ?

Atomes polyélectroniques

51. Dans un atome, combien d'orbitales peuvent être dites : $5p$, $3d_{z^2}$, $4d$, $n = 5$, $n = 4$?

52. Dans un atome, combien d'électrons peuvent être dits $1p$, $6d_{x^2-y^2}$, $4f$, $7p_y$, $2s$, $n = 3$?

53. Dans un atome donné, quel est le nombre maximal d'électrons qui peuvent prendre les nombres quantiques suivants :
a) $n = 4$
b) $n = 5, m_\ell = +1$
c) $n = 5, m_s = +\frac{1}{2}$
d) $n = 3, \ell = 2$
e) $n = 2, \ell = 1$
f) $n = 0, \ell = 0, m_\ell = 0$
g) $n = 2, \ell = 1, m_\ell = -1, m_s = -\frac{1}{2}$

54. Dessinez les cases quantiques représentant la configuration électronique à l'état fondamental pour chacun des éléments suivants.
a) Na
b) Co
c) Kr
Combien d'électrons célibataires sont présents dans chacun des éléments ?

55. Pour les éléments 1 à 36, il existe deux exceptions dans l'ordre de remplissage des orbitales, tel qu'il est prédit par le tableau périodique. Dessinez les cases quantiques pour ces deux exceptions et indiquez combien d'électrons célibataires sont présents.

56. Les éléments Si, Ga, As, Ge, Al, Cd, S et Se sont tous utilisés dans la fabrication de divers systèmes semi-conducteurs. Écrivez la configuration électronique attendue de ces atomes.

57. Donnez la configuration électronique des éléments suivants : Sc, Fe, S, P, Cs, Eu, Pt, Xe, Br, Se.

58. Écrivez la configuration électronique prévue pour les éléments suivants à l'état fondamental :
a) l'élément ayant un électron $5p$ célibataire et qui forme un composé covalent avec le fluor, F_2.
b) le métal alcalino-terreux (pas encore découvert) qui suit le radium.
c) le gaz rare ayant des électrons dans les orbitales $4f$.
d) le métal de la première série de métaux de transition ayant le plus d'électrons célibataires.

59. En vous servant uniquement du tableau périodique des éléments à la fin du volume, écrivez les configurations électroniques à l'état fondamental pour :
a) le troisième élément dans le groupe 5A.
b) l'élément 116.
c) un élément ayant trois électrons $5d$ célibataires.
d) l'halogène ayant des électrons dans les orbitales atomiques $6p$.

60. Dans l'état fondamental du mercure, Hg :
a) combien d'électrons occupent les orbitales atomiques avec $n = 3$?
b) combien d'électrons occupent les orbitales atomiques d ?
c) combien d'électrons occupent les orbitales atomiques p_z ?
d) combien d'électrons ont des spins parallèles $+\frac{1}{2}$ (flèches orientées vers le haut) ?

61. Donnez un ensemble de valeurs pour les quatre nombres quantiques de tous les électrons de l'atome de bore et de l'atome d'azote, chacun à l'état fondamental.

62. La configuration électronique d'un atome d'oxygène est $1s^2 2s^2 2p_x^2 2p_y^2$. Combien d'électrons célibataires y a-t-il ? S'agit-il d'un état excité de l'oxygène ? En passant de cet état à l'état fondamental, y aurait-il émission ou absorption d'énergie ?

63. Parmi les configurations électroniques suivantes, repérez celles qui correspondent à un état excité. Nommez les atomes en question et donnez leur configuration électronique à l'état fondamental.
a) $1s^2 2s^2 3p^1$
b) $1s^2 2s^2 2p^6$
c) $1s^2 2s^2 2p^4 3s^1$
d) $[Ar]4s^2 3d^5 4p^1$

64. Parmi les éléments 1 à 36, lesquels ont deux électrons célibataires à l'état fondamental ?

65. Un élément de preuve confirmant que le modèle de la mécanique ondulatoire est « correct » se trouve dans les propriétés magnétiques de la matière. Les atomes ayant des électrons non appariés (ou célibataires) sont attirés par des champs magnétiques et présentent donc ce qu'on appelle du *paramagnétisme*. Le degré auquel cet effet est observé dépend directement du nombre d'électrons célibataires présents dans l'atome. Soit la configuration électronique à l'état fondamental pour Li, N, Ni, Te, Ba et Hg. Lesquels parmi ces atomes devraient être paramagnétiques, et combien d'électrons célibataires y a-t-il dans chaque atome paramagnétique ?

66. Combien y a-t-il d'électrons non appariés (ou électrons célibataires) dans chacune des espèces suivantes, à l'état fondamental : O, O^+, O^-, Fe, Mn, S, F et Ar ?

Tableau périodique et périodicité des propriétés

67. Placez selon l'ordre croissant de taille les atomes des éléments de chacun des groupes suivants :

a) Be, Mg, Ca.
b) Te, I, Xe.
c) Ga, Ge, In.

68. Placez les atomes mentionnés à l'exercice 67 selon l'ordre croissant d'énergie de première ionisation.

69. Dans chacun des groupes suivants, repérez l'atome ou l'ion dont le rayon est le plus petit.

a) H, He.
b) Cl, In, Se.
c) Élément 120, élément 119, élément 117.
d) Nb, Zn, Si.
e) Na^-, Na, Na^+.

70. Dans chacun des groupes suivants, repérez l'atome ou l'ion qui possède la plus faible énergie d'ionisation.

a) Cs, Ba, La.
b) Zn, Ga, Ge.
c) Tl, In, Sn.
d) Tl, Sn, As.
e) O, O^-, O^{2-}.

71. En 1994, à la réunion annuelle de l'American Chemical Society, on a proposé que l'élément 106 soit nommé seaborgium, Sg, en l'honneur de Glenn Seaborg, le découvreur du premier élément transuranien.

a) Écrivez la configuration électronique attendue pour l'élément 106.
b) Quel élément aurait les propriétés les plus semblables à celles de l'élément 106 ?
c) Écrivez la formule d'un oxyde et d'un oxanion possible de l'élément 106.

72. Les énergies de première ionisation de Ge, de As et de Se sont respectivement de 0,7622, 0,944 et 0,9409 MJ/mol. Justifiez ces valeurs à l'aide des configurations électroniques.

73. Classez les éléments suivants par ordre croissant de première énergie d'ionisation : Be, B, C, N et O. Expliquez votre raisonnement.

74. Pour chacune des paires d'éléments suivantes

(C et N) (Ar et Br)

choisissez l'atome qui a :

a) l'affinité électronique la plus favorable (exothermique) ;
b) l'énergie d'ionisation la plus élevée ;
c) la taille la plus importante.

75. Les affinités électroniques des éléments allant de l'aluminium au chlore sont -44, -120, -74, $-200{,}4$ et $-384{,}7$ kJ/mol, respectivement. Expliquez la variation de ces valeurs.

76. Comment peut-on expliquer que l'affinité électronique du soufre soit supérieure (plus exothermique) à celle de l'oxygène ?

77. Classez les atomes des ensembles suivants par ordre croissant de leur affinité électronique exothermique.

a) F, Cl, Br, I.
b) N, O, F.

78. Lequel, de l'ion O^- ou de l'atome d'oxygène, a l'affinité électronique la plus favorable (c'est-à-dire la plus négative) ? Justifiez votre réponse.

79. Écrivez des équations correspondant aux énoncés suivants :

a) L'énergie de quatrième ionisation de Se.
b) L'affinité électronique de S^-.
c) L'affinité électronique de Fe^{3+}.
d) L'énergie d'ionisation de Mg.

80. Utilisez les données présentées dans ce chapitre pour déterminer :

a) l'énergie d'ionisation de Cl^- ;
b) l'énergie d'ionisation de Cl ;
c) l'affinité électronique de Cl^+.

Les alcalins et les alcalino-terreux

81. Un composé ionique formé de potassium et d'oxygène a la formule empirique KO. D'après vous, ce composé est-il l'oxyde de potassium(II) ou le peroxyde de potassium ? Expliquez.

82. Donnez le nom et écrivez la formule de chacun des composés binaires formés des éléments suivants :

a) Li et N.
b) Na et Br.
c) K et S.

83. En 1860, R. W. Bunsen et G. R. Kirchhoff découvrent, à l'aide du spectroscope qu'ils avaient inventé l'année précédente, le césium dans des eaux minérales naturelles. Le nom vient du latin *cæsius* (« bleu ciel ») à cause de l'importante ligne bleue observée pour cet élément à 455,5 nm. Calculez la fréquence et l'énergie d'un photon de cette lumière.

84. Prédisez le numéro atomique de l'élément alcalin qui viendrait après le francium et décrivez sa configuration électronique à l'état fondamental.

85. Complétez et équilibrez les équations pour les réactions suivantes.

a) $Li(s) + O_2(g)$
b) $K(s) + S(s)$

Exercices supplémentaires

86. Les lentilles photochromatiques grises contiennent, incorporées au verre, de petites quantités de chlorure d'argent. Lorsque la lumière frappe les particules de AgCl, la réaction suivante a lieu :

$$AgCl(s) \xrightarrow{h\nu} Ag(s) + Cl$$

C'est la formation d'argent métallique qui est responsable du noircissement de la lentille. La variation d'enthalpie de cette réaction est de 310 kJ/mol. En supposant que la lumière soit la seule source d'énergie en jeu, quelle est la longueur d'onde maximale d'une radiation susceptible de provoquer cette réaction ?

87. Un four à micro-ondes fournit une puissance de 750 watts (joule/s) à une tasse de café contenant 50,0 g d'eau à 25,0 °C. Si la longueur d'onde des micro-ondes dans le four est de 9,75 cm, combien de temps faut-il pour faire bouillir l'eau et combien de photons doivent être absorbés ? La chaleur spécifique de l'eau est de 4,18 J/°C · g. Supposez que seule l'eau absorbe l'énergie des micro-ondes.

88. Mars est à une distance d'environ 60 millions de km de la Terre. Combien de temps faut-il à un signal radio en provenance de la Terre pour atteindre Mars ?

89. Soit le spectre de la lumière visible suivant :

Longueur d'onde: 7×10^{-5} | 6×10^{-5} | 5×10^{-5} | 4×10^{-5} cm

Infrarouge	Rouge	Orange	Jaune	Vert	Bleu	Violet	Ultraviolet

Le baryum émet de la lumière dans la région visible du spectre. Si chaque photon émis par le baryum a une énergie de $3{,}59 \times 10^{-19}$, quelle couleur de lumière est émise dans le visible ?

90. Une des raies visibles dans le spectre d'émission de l'hydrogène correspond à la transition électronique de $n = 6$ à $n = 2$. Quelle est la couleur de la lumière correspondant à cette transition ? Voir l'exercice 89.

91. À l'aide de la figure 5.27, énumérez les éléments (ignorez les lanthanides et les actinides) dont la configuration électronique à l'état fondamental diffère de celle que l'on serait en droit d'attendre de par leur emplacement dans le tableau périodique.

92. Les énoncés suivants sont-ils vrais pour l'atome d'hydrogène seulement, vrais pour tous les atomes ou vrais pour aucun atome ?
a) Le nombre quantique principal détermine complètement l'énergie d'un électron donné.
b) Le nombre quantique secondaire, ℓ, définit la forme des orbitales atomiques.
c) Le nombre quantique magnétique, m_ℓ, définit l'orientation des orbitales dans l'espace.

93. Jusqu'à aujourd'hui, aucun élément connu ne possède d'électron dans les orbitales *g*, à l'état fondamental. Il est possible, cependant, qu'on finisse par en découvrir un ou que des électrons d'un atome connu occupent, à l'état excité, des orbitales *g*. Dans le cas des orbitales *g*, $\ell = 4$. Pour quelle valeur de *n* trouve-t-on les premières orbitales *g* ? Quelles sont les valeurs possibles de m_ℓ ? Combien d'électrons peuvent occuper les orbitales *g* ?

94. Le graphique ci-dessous représente les distributions radiales de probabilité totale de présence des électrons des atomes d'hélium, de néon et d'argon. Interprétez ces courbes en fonction de la configuration électronique de ces éléments, de leurs nombres quantiques et de leur charge nucléaire effective.

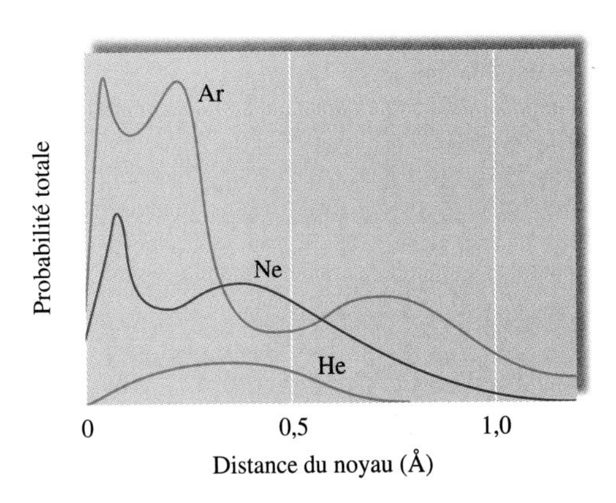

95. Le graphique ci-dessous présente la première, la deuxième et la troisième énergie d'ionisation pour Mg, Al et Si.

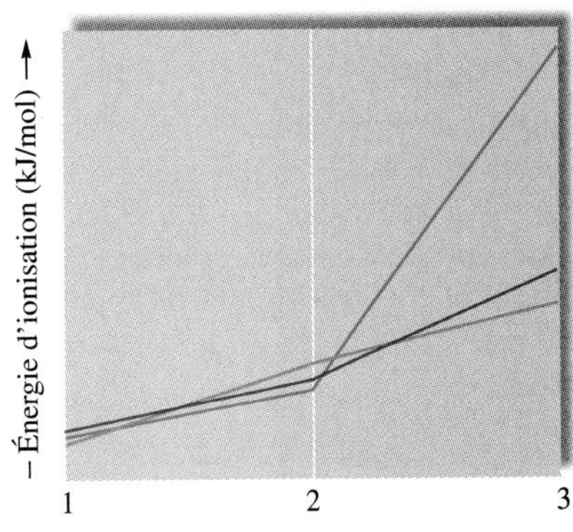

Sans recourir au manuel, dites quel tracé correspond à chaque élément ? Dans un des tracés, il y a un saut d'énergie important entre I_2 et I_3, contrairement aux autres tracés. Expliquez ce phénomène.

96. Un ion de charge 4+ et de masse égale à 49,9 *u* possède deux électrons pour $n = 1$, 8 électrons pour $n = 2$ et 10 électrons pour $n = 3$. Fournissez les propriétés suivantes de cet ion à partir des renseignements donnés. Indice : Pour former des ions, les électrons 4*s* partent avant les électrons 3*d*.
a) Le numéro atomique.
b) Le nombre total d'électrons *s*.
c) Le nombre total d'électrons *p*.
d) Le nombre total d'électrons *d*.
e) Le nombre de neutrons dans le noyau.
f) La configuration électronique à l'état fondamental de l'atome neutre.

97. Les énergies d'ionisation successives pour un élément inconnu sont :
$I_1 = 896$ kJ/mol
$I_2 = 1752$ kJ/mol
$I_3 = 14\,807$ kJ/mol
$I_4 = 17\,948$ kJ/mol
À quelle famille du tableau périodique cet élément appartient-il très probablement ?

98. Un élément inconnu est un non-métal et la configuration de ses électrons de valence est ns^2np^4.
a) Combien d'électrons de valence cet élément a-t-il ?
b) Quels sont les éléments possibles correspondant à cette configuration ?
c) Quelle est la formule du composé que cet élément formerait avec le potassium ?

d) Cet élément aurait-il un rayon plus grand ou plus petit que celui du baryum ?

e) Cet élément aurait-il une énergie d'ionisation plus grande ou plus petite que celle du fluor ?

99. À l'aide des renseignements fournis dans ce chapitre, calculez le changement d'énergie attendu pour chacune des réactions suivantes :

a) $Na(g) + Cl(g) \rightarrow Na^+(g) + Cl^-(g)$

b) $Mg(g) + F(g) \rightarrow Mg^+(g) + F^-(g)$

c) $Mg^+(g) + F(g) \rightarrow Mg^{2+}(g) + F^-(g)$

d) $Mg(g) + 2F(g) \rightarrow Mg^{2+}(g) + 2F^-(g)$

Problèmes défis

100. Une des lignes spectrales pour l'élément Be^{3+} a une longueur d'onde de 253,4 nm pour une transition électronique qui commence à $n = 5$. Quel est le nombre quantique principal de l'état de plus faible énergie correspondant à cette émission ?

101. Lorsqu'un électron excité d'un atome d'hydrogène passe de $n = 5$ à $n = 2$, un photon de lumière bleue est émis. Si un électron excité dans He^+ quitte $n = 4$, à quel niveau d'énergie doit-il tomber pour qu'une lumière bleue semblable (à celle de l'hydrogène) soit émise ? Donnez-en la preuve. (*Voir l'exercice 100.*)

102. La fonction d'onde de l'orbitale $2p_z$ dans l'atome d'hydrogène est

$$\psi_{2p_z} = \frac{1}{4\sqrt{2\pi}}\left(\frac{Z}{a_0}\right)^{3/2}\sigma e^{-\sigma/2}\cos\theta$$

où a_0 est la valeur du rayon de la première orbite de Bohr en mètres ($5{,}29 \times 10^{-11}$), σ est $Z(r/a_0)$, r est la valeur de la distance du noyau en mètres et θ est un angle. Calculez la valeur de $\psi_{2p_z}^2$ à $r = a_0$ pour $\theta = 0$ (axe des z) et $\theta = 90°$ (plan xy).

103. Pour répondre aux questions suivantes, supposez que m_s puisse avoir trois valeurs plutôt que deux et que les règles qui s'appliquent pour n, ℓ et m_ℓ soient normales.

a) Combien d'électrons peuvent se loger sur une orbitale ?

b) Combien d'éléments se trouveraient dans la première et la seconde période du tableau périodique ?

c) Combien d'éléments se trouveraient dans la première série des métaux de transition ?

d) Combien d'électrons l'ensemble des orbitales $4f$ peut-il contenir ?

104. Supposons que nous sommes dans un autre univers où les lois de la physique sont différentes. Les électrons dans cet univers sont décrits par quatre nombres quantiques dont la signification est semblable à celle que nous utilisons. Nous appellerons ces nombres quantiques p, q, r et s. Les règles pour ces nombres quantiques sont les suivantes :

$p = 1, 2, 3, 4, 5, ...$

q est un nombre entier impair positif et $q \leq p$.

r prend toutes les valeurs entières paires de $-q$ à $+q$ (zéro est considéré comme un nombre pair)

$s = +\frac{1}{2}$ ou $-\frac{1}{2}$.

a) Représentez l'allure des quatre premières périodes du tableau périodique pour les éléments de cet univers.

b) Quels seraient les numéros atomiques des quatre premiers éléments qui seraient les moins réactifs ?

c) Donnez un exemple, en utilisant les éléments des quatre premières rangées, de composés ioniques ayant les formules suivantes : XY, XY_2, X_2Y, XY_3 et X_2Y_3.

d) Combien d'électrons peuvent avoir les valeurs $p = 4$, $q = 3$?

e) Combien d'électrons peuvent avoir les valeurs $p = 3$, $q = 0$ et $r = 0$?

f) Combien d'électrons peuvent avoir la valeur $p = 6$?

105. Sans consulter les données dans le volume, tracez un graphique qualitatif de la troisième énergie d'ionisation en fonction du numéro atomique pour l'élément Na jusqu'à l'élément Ar, et expliquez votre graphique.

106. Les nombres suivants sont les rapports entre la deuxième énergie d'ionisation et la première énergie d'ionisation :

Na : 9,2
Mg : 2,0
Al : 3,1
Si : 2,0
P : 1,8
S : 2,3
Cl : 1,8
Ar : 1,8

Expliquez ces nombres relatifs.

107. En général, dans un groupe donné, le rayon atomique augmente au fur et à mesure que le numéro atomique augmente. Comment peut-on expliquer que l'hafnium déroge à cette règle ?

Rayon atomique (pm)			
Sc	157	Ti	147,7
Y	169,3	Zr	159,3
La	191,5	Hf	147,6

108. Soit les énergies d'ionisation suivantes pour l'aluminium :

$$Al(g) \longrightarrow Al^+(g) + e^- \quad I_1 = 580\ kJ/mol$$
$$Al^+(g) \longrightarrow Al^{2+}(g) + e^- \quad I_2 = 1815\ kJ/mol$$
$$Al^{2+}(g) \longrightarrow Al^{3+}(g) + e^- \quad I_3 = 2740\ kJ/mol$$
$$Al^{3+}(g) \longrightarrow Al^{4+}(g) + e^- \quad I_4 = 11\ 600\ kJ/mol$$

a) Expliquez la variation des valeurs des énergies d'ionisation.

b) Expliquez l'importante augmentation entre I_3 et I_4.

c) Lequel des quatre ions a la plus grande affinité électronique ? Expliquez.

d) Classez les quatre ions de l'aluminium mentionnés ci-dessus par ordre croissant de taille et expliquez votre classement. Indice : Se rappeler que la majeure partie de la taille d'un atome ou d'un élément est due à ses électrons.

109. Même si Mendeleïev a prédit l'existence de divers éléments non encore découverts à son époque, il n'a pas prévu l'existence des gaz rares, des lanthanides ni des actinides. Proposez des explications à cette incapacité de Mendeleïev de prédire l'existence des gaz rares.

110. La vitesse d'un atome d'un élément particulier correspond à 1,00 % de la vitesse de la lumière. La longueur d'onde de De Broglie est de $3{,}31 \times 10^{-3}$ pm. Quel est cet élément ? Prouvez-le.

Problèmes d'intégration

Ces problèmes requièrent l'intégration d'une multitude de concepts pour trouver la solution.

111. En tant qu'officier de l'armement à bord du vaisseau spatial *Chimie*, votre mission consiste à armer une torpille à photons pour arracher un électron de la nacelle d'un vaisseau ennemi. Vous savez que le travail d'extraction (l'énergie de liaison de l'électron) de la nacelle du vaisseau ennemi est de $7{,}52 \times 10^{-19}$ J.

a) Quelle doit être la longueur d'onde de votre photon pour qu'il puisse arracher un électron ?

b) Vous trouvez une torpille à photons supplémentaire ayant une longueur d'onde de 259 nm et vous tirez sur le vaisseau ennemi. Cette torpille à photons endommagera-t-elle le vaisseau (arrachera-t-elle un électron) ?

c) Si la nacelle du vaisseau ennemi est construite avec l'élément ayant la configuration électronique $[Ar]4s^13d^{10}$, quel est ce métal ?

112. Le francium, Fr, est un élément radioactif présent dans certains minerais d'uranium et se forme par désintégration radioactive de l'actinium.

a) Quelles sont les configurations électroniques du francium et de son ion le plus courant ?

b) Il a été évalué qu'en tout temps, il n'y a qu'une (1,0) once de francium sur Terre. En supposant que ce soit vrai, combien d'atomes de francium y a-t-il sur Terre ?

c) L'isotope du francium qui a la plus longue durée de vie est ^{223}Fr. Quelle est la masse totale en grammes des neutrons dans un atome de cet isotope ?

113. Répondez aux questions suivantes en vous basant sur les configurations électroniques données et nommez les éléments.

a) Classez ces atomes par ordre croissant de taille : $[Kr]5s^24d^{10}5p^6$; $[Kr]5s^24d^{10}5p^1$; $[Kr]5s^24d^{10}5p^3$.

b) Classez ces atomes par ordre décroissant de première énergie d'ionisation : $[Ne]3s^23p^5$; $[Ar]4s^23d^{10}4p^3$; $[Ar]4s^23d^{10}4p^5$.

Problème de synthèse

Ce problème fait appel à plusieurs concepts et techniques de résolution de problèmes. Les problèmes de synthèse peuvent être utilisés en classe par des groupes d'étudiants pour leur faciliter l'acquisition des habiletés nécessaires à la résolution de problèmes.

114. À partir des renseignements fournis ci-dessous, nommez l'élément X.

a) La longueur d'onde radio émise par une station FM émettant à 97,1 MHz est 30 millions ($3{,}00 \times 10^7$) de fois plus grande que la longueur d'onde correspondant à la différence d'énergie entre un état particulier d'un atome d'hydrogène et son état fondamental.

b) Supposons que V représente le nombre quantique principal pour l'électron de valence de l'élément X. Si un électron de l'atome d'hydrogène passe de la couche V à la sous-couche correspondant à l'état excité mentionné en **a)**, la longueur d'onde de la lumière émise est la même que la longueur d'onde d'un électron se déplaçant à une vitesse de 570 m/s.

c) Le nombre d'électrons célibataires de l'élément X est le même que le nombre maximal d'électrons d'un atome qui a les nombres quantiques suivants : $n = 2$, $m_\ell = -1$ et $m_s = -\frac{1}{2}$.

d) Supposons que A est égal à la charge de l'ion stable que formerait l'élément 120, que l'on n'a pas encore découvert, dans un composé ionique. Cette valeur de A représente également le nombre quantique secondaire pour la sous-couche où se trouvent le ou les électrons non pairés de l'élément X.

6 Liaisons chimiques : concepts généraux

Contenu

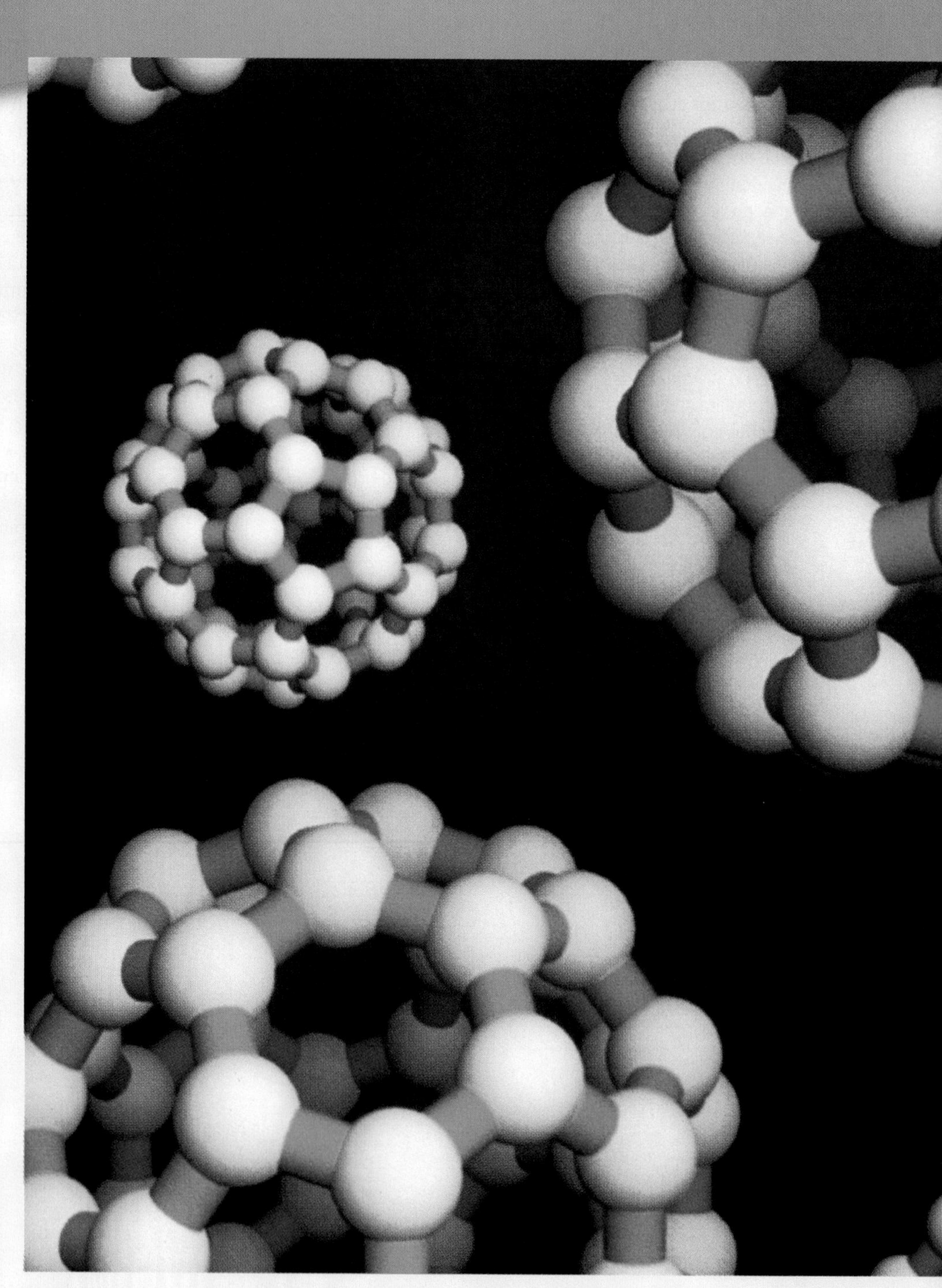

Le carbone peut former des molécules sphériques très stables de 60 atomes (C_{60}).

En examinant le monde environnant, on constate qu'il est presque totalement constitué de composés et de mélanges de composés : roches, charbon, sol, pétrole, arbres et êtres humains constituent en effet autant de mélanges complexes de produits chimiques composés de différents types d'atomes liés les uns aux autres. Dans la nature, on peut toutefois rencontrer des substances constituées d'atomes non liés ; ces dernières sont cependant très rares : l'argon présent dans l'atmosphère et l'hélium présent dans les réserves de gaz naturel en sont des exemples.

La façon dont les atomes sont liés les uns aux autres influence considérablement les propriétés physiques et chimiques d'un composé. Le graphite, par exemple, est un matériau mou et onctueux qu'on utilise comme lubrifiant dans les serrures ; on utilise par ailleurs le diamant – un des matériaux les plus durs qui existent et qu'on a élevé au rang de pierre précieuse – comme outil tranchant dans l'industrie. Or, comment se fait-il que ces deux matériaux, pourtant composés uniquement d'atomes de carbone, possèdent des propriétés si différentes ? La réponse réside dans la nature des liaisons qui existent entre les atomes.

Dans le tableau périodique, le silicium et le carbone sont deux éléments voisins du groupe 4A. Compte tenu de la périodicité des propriétés, on devrait s'attendre à ce que SiO_2 et CO_2 soient très semblables. Or, ce n'est pas le cas. En effet, SiO_2 est la formule empirique de la silice, qu'on trouve dans le sable et le quartz, alors que CO_2 (le dioxyde de carbone) est un gaz, un produit de la respiration. Pourquoi ces deux composés sont-ils si différents ? On pourra répondre à cette question après avoir étudié les différents types de liaisons.

Les liaisons et la structure d'une molécule jouent un rôle déterminant dans les cheminements de toutes les réactions chimiques, dont plusieurs sont essentielles à la survie de l'être humain. Comment les enzymes facilitent-ils certaines réactions chimiques complexes ? Comment les caractères héréditaires sont-ils transmis ? Comment l'hémoglobine du sang transporte-t-elle l'oxygène dans l'ensemble de l'organisme. Toutes ces réactions chimiques fondamentales dépendent de la structure géométrique des molécules : parfois, une différence minime dans la forme de la molécule suffit à orienter une réaction chimique vers une voie plutôt que vers une autre.

Nombre de problèmes qui préoccupent de nos jours l'humanité exigent fondamentalement des réponses d'ordre chimique : maladies, pollution, recherche de nouvelles sources énergétiques, mise au point de nouveaux engrais (pour accroître les récoltes),

Le quartz cristallise en formant de très beaux cristaux réguliers.

amélioration du contenu protéique de différentes céréales de base, etc. Pour bien comprendre le comportement des matériaux naturels, il est sans conteste essentiel de comprendre la nature des liaisons chimiques et des facteurs qui déterminent la structure des composés.

Dans ce chapitre, nous étudierons plusieurs classes de composés, dans le but d'illustrer les différents types de liaisons. Nous présenterons ensuite les modèles qui permettent de décrire la structure et les liaisons caractéristiques des matériaux naturels. Finalement, nous utiliserons ces modèles pour mieux faire comprendre les réactions chimiques.

6.1 Types de liaisons chimiques

Qu'est-ce qu'une liaison chimique ? Il n'existe aucune réponse à la fois simple et complète à cette question. On sait que la liaison est la force qui retient un groupe d'atomes ensemble et qui en fait une unité fonctionnelle (*voir le chapitre 2*).

On peut effectuer de nombreux types d'expériences pour connaître la nature fondamentale des matériaux ; par exemple, il est possible d'en étudier les propriétés physiques : point de fusion, dureté, conductibilité électrique, conductibilité thermique, etc. On peut par ailleurs en étudier les caractéristiques de solubilité et les propriétés de leurs solutions. Pour connaître la distribution des charges dans une molécule, on peut étudier le comportement de celle-ci lorsqu'on la soumet à un champ électrique ou obtenir des renseignements sur la force des liaisons en mesurant l'énergie requise pour les rompre, c'est-à-dire l'**énergie de liaison**.

Les atomes peuvent interagir de plusieurs façons pour former des agrégats. Grâce à plusieurs exemples spécifiques, nous illustrerons les différents types de liaisons chimiques.

Lorsque le chlorure de sodium est dissous dans l'eau, il produit une solution qui conduit l'électricité, ce qui prouve qu'il est composé d'ions Na^+ et Cl^-. Ainsi, quand le sodium et le chlore réagissent pour former du chlorure de sodium, il y a transfert d'électrons entre les atomes de sodium et de chlore, ce qui entraîne la formation des ions Na^+ et Cl^- qui s'agrègent alors pour produire du chlorure de sodium solide. On peut expliquer cette réaction simplement : *le système peut, de cette façon, atteindre le niveau d'énergie le plus bas possible*. La quête par un atome de chlore d'un électron supplémentaire et la très grande force d'attraction mutuelle qui existe entre des ions de charges opposées constituent la force agissante de ce processus. Le produit de la réaction, le chlorure de sodium solide, est un matériau très solide, dont le point de fusion est voisin de 800 °C. Les forces de liaison responsables de cette grande stabilité thermique sont dues à l'attraction électrostatique entre des ions très rapprochés et de charges opposées. C'est là un exemple de **liaison ionique**. Il y a formation d'une substance ionique quand un atome qui cède facilement des électrons réagit avec un atome dont l'affinité pour les électrons est très grande. En d'autres termes, un **composé ionique** est le produit de la réaction d'un métal avec un non-métal.

Pour calculer l'énergie de l'interaction d'une paire d'ions, on utilise la **loi de Coulomb**, soit

$$E = 2{,}31 \times 10^{-19}\ \text{J} \cdot \text{nm} \left(\frac{Q_1 Q_2}{r}\right)$$

où E est l'énergie (J), r, la distance qui sépare les centres des ions (nm) et Q_1 et Q_2, les charges numériques des ions.

Dans le cas du chlorure de sodium solide, la distance qui sépare les centres des ions Na^+ et Cl^- étant de 0,276 nm, l'énergie ionique par paire d'ions est de

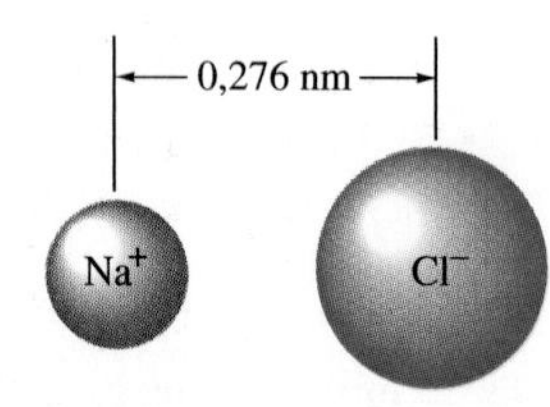

$$E = 2{,}31 \times 10^{-19}\ \text{J} \cdot \text{nm} \left[\frac{(+1)(-1)}{0{,}276\ \text{nm}}\right] = -8{,}37 \times 10^{-19}\ \text{J}$$

Le signe négatif indique qu'il s'agit d'une force d'attraction. Autrement dit, *l'énergie de la paire d'ions est inférieure à celle des ions pris séparément*.

On peut également utiliser la loi de Coulomb pour calculer l'énergie de répulsion entre deux ions rapprochés et de charge identique. Dans ce cas, la valeur calculée de l'énergie est affectée du signe positif.

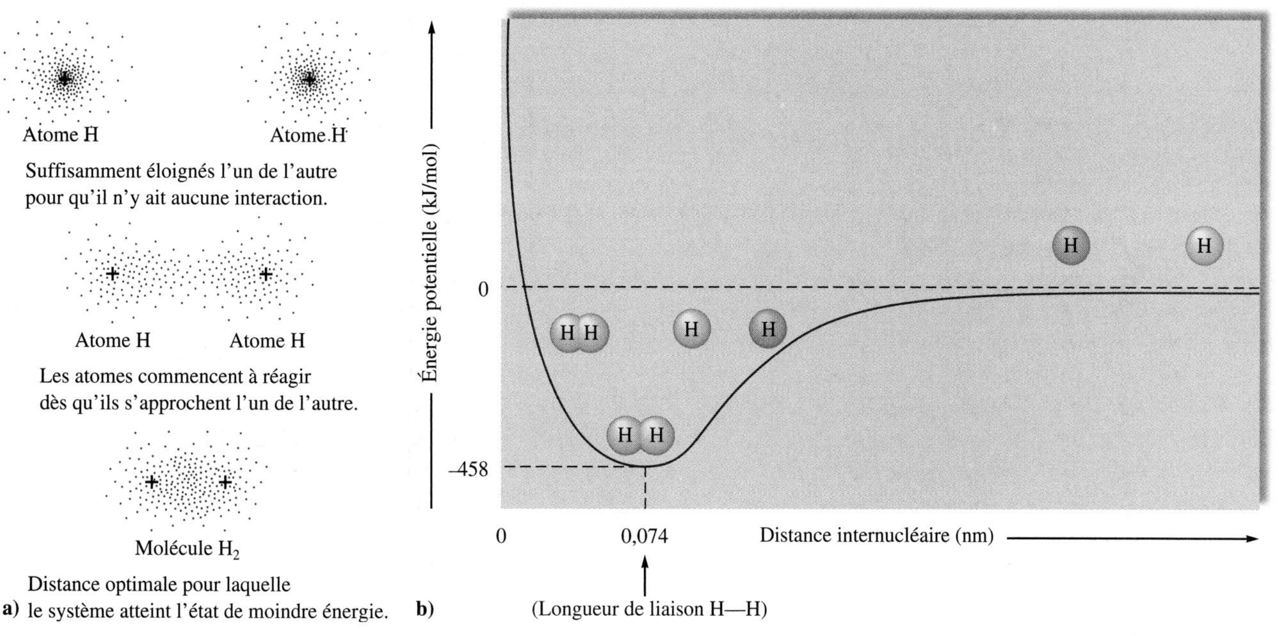

FIGURE 6.1
a) Interaction entre deux atomes d'hydrogène. b) Variation de l'énergie potentielle en fonction de la distance qui sépare les noyaux des atomes d'hydrogène. Au fur et à mesure que les noyaux se rapprochent l'un de l'autre, l'énergie diminue jusqu'à ce que la distance soit de 0,074 nm (74 pm); après quoi, elle augmente au fur et à mesure que les atomes se rapprochent davantage, à cause de la répulsion entre les noyaux.

Comme on vient de le voir, une force de liaison apparaît quand deux types différents d'atomes réagissent pour former des ions de charges opposées. Or, comment une force de liaison peut-elle exister entre deux atomes identiques ?

Étudions ce problème d'un point de vue très simple en examinant les facteurs énergétiques qui interviennent quand deux atomes d'hydrogène se rapprochent l'un de l'autre (*voir la figure 6.1a*). Dans ce cas, deux forces opposées entrent en jeu. Deux facteurs énergétiques sont défavorables : la répulsion proton-proton et la répulsion électron-électron ; un facteur est favorable : l'attraction proton-électron. Dans quelles conditions l'apparition d'une molécule H_2 est-elle favorisée par rapport à l'existence des atomes d'hydrogène individuels ? En d'autres termes, quelles conditions favorisent la formation d'une liaison ? La réponse réside dans le fait que la nature recherche toujours l'état de moindre énergie. Il y a formation d'une liaison, c'est-à-dire que les atomes d'hydrogène forment une molécule, si l'énergie totale du système diminue.

Il y a formation d'une liaison si l'énergie du groupe d'atomes est inférieure à la somme de celles des atomes individuels.

Dans ce cas, les atomes d'hydrogène se placent de façon à ce que le niveau d'énergie du système soit le plus bas possible, c'est-à-dire que la somme des facteurs énergétiques positifs (répulsion) et du facteur énergétique négatif (attraction) soit le plus faible possible. On appelle la distance à laquelle cette énergie est minimale la **longueur de la liaison**. La figure 6.1b illustre graphiquement la variation de l'énergie totale du système en fonction de la distance qui sépare les noyaux des atomes d'hydrogène. On y remarque les caractéristiques importantes suivantes :

L'énergie en question est l'énergie potentielle nette qui résulte de l'attraction et de la répulsion entre des particules chargées de même que de l'énergie cinétique due au déplacement des électrons.

On considère que la valeur de l'énergie est nulle quand les atomes sont infiniment éloignés l'un de l'autre.

À très faible distance, l'énergie augmente de façon très rapide, à cause de l'importance des forces de répulsion qui accompagnent le rapprochement des noyaux.

La longueur d'une liaison est la distance qui sépare les noyaux quand le niveau énergétique du système est le plus bas.

Dans la molécule H_2, les électrons sont surtout situés dans l'espace qui sépare les deux noyaux, là où ils sont attirés simultanément par les deux protons. C'est précisément

IMPACT

Crayons à mine sans plomb

Vous êtes-vous déjà demandé pourquoi on dit que les crayons sont à mine de « plomb » ? Les crayons ne contiennent plus de plomb – en fait, ils n'en ont jamais contenu. Il semble que l'association entre l'écriture et l'élément plomb soit apparue au cours de l'Empire romain, alors que des tiges de plomb étaient utilisées comme outils d'écriture, parce qu'ils laissent une trace grise sur le papier. De nombreux siècles plus tard, en 1564, la découverte à Borrowdale, en Angleterre, d'un dépôt d'une substance noire s'avéra très utile pour l'écriture. Carl Scheele, un chimiste suédois, a démontré en 1879 que cette substance, appelée à l'origine « plombagine », était en réalité une forme de carbone ; on lui donna alors le nom de graphite, d'après le mot grec *graphein*, qui signifie « écrire ».

Au départ, des bouts de graphite de Borrowdale, appelés pierres à marquer, sont utilisés comme outils d'écriture. Plus tard, ce sont des bâtonnets de graphite qui furent utilisés. Étant donné que le graphite est cassant, les bâtonnets avaient besoin de renforcement. Ils furent d'abord enveloppés dans une corde, que l'on déroulait à mesure que le cylindre central s'usait. Par la suite, les bâtonnets de graphite furent attachés entre deux lamelles de bois ou insérés entre deux moitiés de cylindre en bois, ce qui donna naissance aux premiers crayons rudimentaires.

Bien que le graphite de Borrowdale était assez pur pour être utilisé sans traitement, la plus grande partie du graphite devait être mélangé à d'autres matériaux pour être utile comme instrument d'écriture. En 1795, Nicolas Jacques Conté, un chimiste français, invente un procédé dans lequel il mélange le graphite avec de l'argile et de l'eau pour produire une « mine » de crayon, une recette encore en usage de nos jours. Dans la fabrication moderne des crayons, le graphite et l'argile sont mélangés et broyés en fine poudre à laquelle on ajoute de l'eau. Cette boue grise est mélangée pendant

cette position des électrons qui confère à la molécule H_2 la stabilité dont sont dépourvus les deux atomes d'hydrogène individuels.

L'énergie potentielle de chaque électron diminue à cause de l'accroissement des forces d'attraction dans cette zone. Il y a formation d'une liaison entre deux atomes d'hydrogène parce que la molécule H_2 est plus stable que deux atomes d'hydrogène séparés et qu'il existe une différence d'énergie (énergie de liaison) entre ces deux états.

On peut également étudier une liaison en ce qui concerne les forces. L'attraction simultanée de chaque électron par les deux protons génère une force qui attire les protons l'un vers l'autre, et qui contrebalance exactement les forces de répulsion proton-proton et les forces de répulsion électron-électron, à la distance qui correspond à la longueur de la liaison.

Ce type de liaison, qu'on trouve dans la molécule d'hydrogène et dans de nombreuses autres molécules et dans laquelle *les électrons sont partagés par les noyaux*, s'appelle une **liaison covalente**.

Les liaisons ioniques et covalentes constituent les types extrêmes de liaisons.

Jusqu'à maintenant, nous n'avons étudié que les deux types extrêmes de liaisons. Dans la liaison ionique, les atomes qui participent sont si différents qu'il y a transfert d'un ou plusieurs électrons pour que des ions de charges opposées soient formés ; la liaison résulte alors d'interactions électrostatiques. Dans le cas d'une liaison covalente, deux atomes identiques se partagent également les électrons ; la liaison résulte d'une attraction mutuelle des deux noyaux sur les électrons à partager. Entre ces deux extrêmes, on trouve de nombreux cas intermédiaires, dans lesquels les atomes ne sont pas différents au point qu'il y ait un transfert net d'électrons, mais suffisamment différents pour qu'il y ait un partage inégal des électrons – et, par conséquent, formation de ce qu'on appelle une **liaison covalente polaire**. La liaison qu'on trouve dans la molécule de fluorure d'hydrogène, HF, en est un exemple. Quand on soumet un échantillon de fluorure d'hydrogène gazeux à l'action d'un champ électrique, les molécules ont tendance à s'orienter de la façon illustrée à la figure 6.2 : l'atome de fluor est orienté vers le pôle positif et l'atome d'hydrogène, vers le pôle négatif. Donc, dans la molécule HF, la distribution des charges a lieu de la façon suivante :

$$\underset{\delta+}{\mathrm{H}}\text{—}\underset{\delta-}{\mathrm{F}}$$

où δ (delta) est une charge partielle.

plusieurs jours, puis elle est séchée, broyée de nouveau et mélangée à davantage d'eau pour donner une pâte grise. La pâte est extrudée à travers un tube métallique pour former de fines tiges qui sont alors coupées de la longueur d'un crayon. On appelle ces tiges, des mines qui sont ensuite cuites dans un four à 1000 °C jusqu'à ce qu'elles soient lisses et dures. La proportion d'argile et de graphite est ajustée afin de varier la dureté de la mine – plus il y a d'argile dans le mélange, plus la mine est dure et plus le trait qu'elle laisse est léger.

Les crayons sont fabriqués à partir d'une lamelle de bois contenant plusieurs rainures afin de retenir les mines. Une lamelle creusée semblable est alors placée par-dessus et collée pour former un « sandwich » que l'on coupe pour faire des crayons individuels ; les crayons sont ensuite poncés pour les rendre lisses, puis peints. De nombreux types de bois ont été utilisés au cours des années, mais celui qui a la préférence actuellement est le cèdre à rayons originaire des montagnes de la Sierra Nevada, en Californie.

Les crayons modernes sont des instruments simples, mais amusants. Un crayon moyen peut écrire environ 45 000 mots, ce qui équivaut à une ligne d'environ 55 kilomètres de long. Le graphite d'un crayon est facilement transféré au papier parce qu'il contient des couches d'atomes de carbone reliées entre elles dans une structure semblable à celle de la « broche à poulet ». La liaison *au sein* de chaque couche est très forte, mais le lien *entre* les couches est faible, ce qui donne au graphite sa nature glissante et douce. En ce sens, le graphite est très différent du diamant, l'autre forme élémentaire du carbone. Dans le diamant, les atomes de carbone sont fortement liés dans les trois dimensions, ce qui le rend très dur – la substance naturelle la plus dure.

Les crayons sont très utiles (notamment pour faire des problèmes de chimie) parce qu'il est possible d'effacer nos erreurs. La plupart des crayons fabriqués aux États-Unis sont munis de gomme à effacer (fixées aux crayons pour la première fois en 1858), mais, en Europe, la plupart des crayons n'en ont pas. Placés bout à bout, les crayons fabriqués chaque année aux États-Unis pourraient faire le tour de la Terre environ 15 fois. Les crayons illustrent bien qu'une simple substance comme le graphite peut être très utile.

Selon l'explication la plus plausible, l'existence de charges partielles positives et négatives dans les atomes (polarité de liaison) de molécules telles que HF et H_2O découle du fait que les électrons de liaison ne sont pas également partagés entre les atomes. On peut ainsi expliquer la polarité de la molécule HF en supposant que l'affinité de l'atome de fluor pour les électrons de liaison est supérieure à celle de l'atome d'hydrogène. De la même façon, dans la molécule H_2O, l'atome d'oxygène semble attirer plus fortement les électrons de liaison que ne le font les atomes d'hydrogène. Étant donné que la polarité de liaison joue un très grand rôle en chimie, il est important de quantifier l'attraction d'un atome envers les électrons de liaison. C'est précisément ce que nous apprendrons à la section suivante.

6.2 Électronégativité

Afin de décrire l'affinité des atomes pour les électrons de liaison, on utilise le terme **électronégativité**, c'est-à-dire la *capacité d'attraction d'un atome envers les électrons de liaison.*

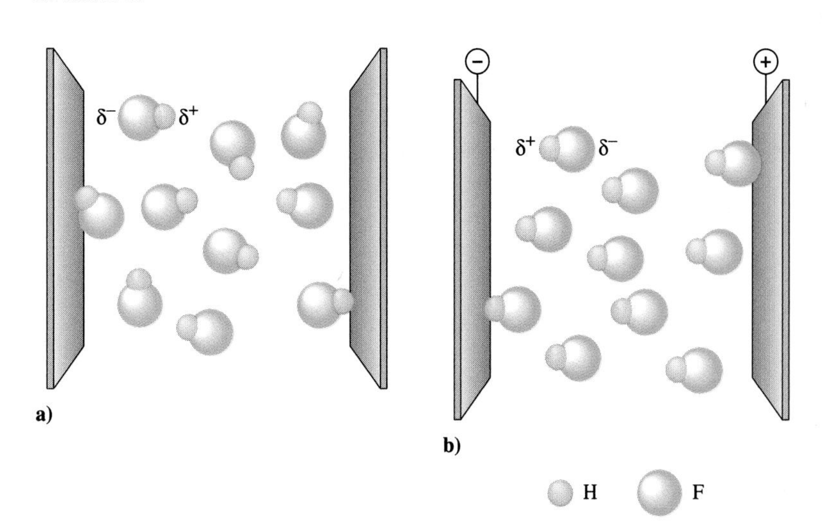

FIGURE 6.2
Influence d'un champ électrique sur des molécules de fluorure d'hydrogène. **a)** En l'absence de champ électrique, les molécules sont orientées au hasard. **b)** En présence d'un champ électrique, les molécules ont tendance à s'aligner en orientant leur extrémité négative vers le pôle positif et leur extrémité positive vers le pôle négatif.

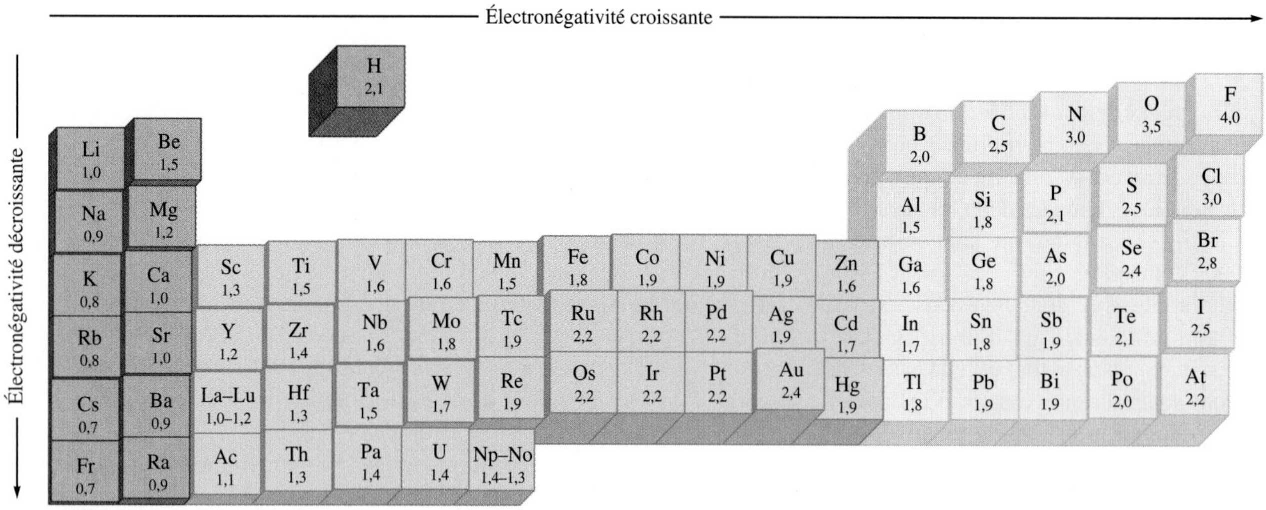

Électronégativité croissante

Électronégativité décroissante

H 2,1

Li 1,0 | Be 1,5 | B 2,0 | C 2,5 | N 3,0 | O 3,5 | F 4,0

Na 0,9 | Mg 1,2 | Al 1,5 | Si 1,8 | P 2,1 | S 2,5 | Cl 3,0

K 0,8 | Ca 1,0 | Sc 1,3 | Ti 1,5 | V 1,6 | Cr 1,6 | Mn 1,5 | Fe 1,8 | Co 1,9 | Ni 1,9 | Cu 1,9 | Zn 1,6 | Ga 1,6 | Ge 1,8 | As 2,0 | Se 2,4 | Br 2,8

Rb 0,8 | Sr 1,0 | Y 1,2 | Zr 1,4 | Nb 1,6 | Mo 1,8 | Tc 1,9 | Ru 2,2 | Rh 2,2 | Pd 2,2 | Ag 1,9 | Cd 1,7 | In 1,7 | Sn 1,8 | Sb 1,9 | Te 2,1 | I 2,5

Cs 0,7 | Ba 0,9 | La–Lu 1,0–1,2 | Hf 1,3 | Ta 1,5 | W 1,7 | Re 1,9 | Os 2,2 | Ir 2,2 | Pt 2,2 | Au 2,4 | Hg 1,9 | Tl 1,8 | Pb 1,9 | Bi 1,9 | Po 2,0 | At 2,2

Fr 0,7 | Ra 0,9 | Ac 1,1 | Th 1,3 | Pa 1,4 | U 1,4 | Np–No 1,4–1,3

FIGURE 6.3
Valeurs de l'électronégativité selon Pauling. L'électronégativité augmente en général à mesure qu'on progresse dans une période (de gauche à droite) et diminue à mesure qu'on progresse dans un groupe (de haut en bas).

Pour déterminer les valeurs de l'électronégativité, on utilise en général la méthode de Linus Pauling (1901-1995), scientifique américain qui fut lauréat de deux prix Nobel, celui de chimie et celui de la paix. Expliquons donc en quoi consiste le modèle de Pauling à l'aide d'une molécule hypothétique, HX. Pour déterminer les électronégativités relatives des atomes H et X, on compare la valeur expérimentale de l'énergie de la liaison H—X, à sa valeur théorique, qui est égale à la moyenne des énergies de liaison H—H et X—X, soit

$$\text{Énergie de liaison H—X théorique} = \frac{\text{Énergie de liaison H—H} + \text{Énergie de liaison X—X}}{2}$$

La différence, Δ, entre les valeurs expérimentale et théorique des énergies de liaison est

$$\Delta = (\text{H—X})_{\text{exp}} - (\text{H—X})_{\text{théor}}$$

Si les électronégativités de H et de X sont identiques, $(\text{H—X})_{\text{exp}}$ et $(\text{H—X})_{\text{théor}}$ sont les mêmes, et $\Delta = 0$. Par contre, si l'électronégativité de X est supérieure à celle de H, les électrons partagés ont tendance à être situés plus près de l'atome X. Dans ce cas, la molécule est polaire, et la distribution des charges est la suivante :

$$\underset{\delta+}{\text{H}}\text{—}\underset{\delta-}{\text{X}}$$

Cette liaison possède un caractère à la fois ionique et covalent. L'attraction électrostatique entre les atomes H et X partiellement chargés (de charges opposées) génère une force de liaison plus grande : ainsi, $(\text{H—X})_{\text{exp}}$ est supérieur à $(\text{H—X})_{\text{théor}}$. Plus la différence d'électronégativité entre les atomes est importante, plus le caractère ionique de la liaison est important et plus grande est la valeur de Δ. On peut donc, à partir des valeurs de Δ, déterminer les électronégativités relatives de H et de X.

De cette façon, on peut calculer la valeur de l'électronégativité de presque tous les éléments (*voir la figure 6.3*). On constate que l'électronégativité augmente en général au fur et à mesure qu'on se déplace vers la droite dans une période, et qu'elle diminue au fur et à mesure qu'on descend dans un groupe. Les valeurs de l'électronégativité varient de 4,0 (pour le fluor) à 0,7 (pour le césium).

Le tableau 6.1 présente la relation qui existe entre l'électronégativité et le type de liaison chimique. Pour des atomes identiques (différence d'électronégativité = 0), les électrons sont partagés également ; il n'y a aucune polarité. Quand deux atomes d'électronégativités très différentes réagissent, il y a transfert d'électrons et, par conséquent, production des ions qui constituent la substance ionique. Entre ces deux extrêmes, il existe des liaisons covalentes polaires dans lesquelles il y a partage inégal des électrons.

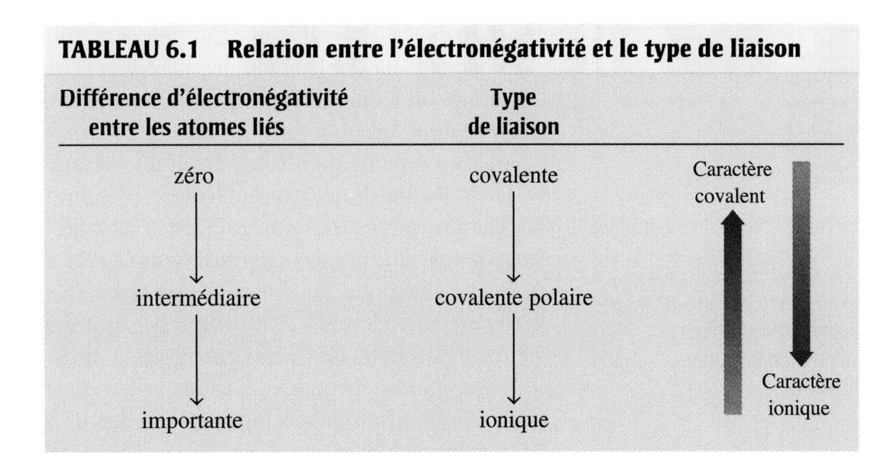

TABLEAU 6.1 Relation entre l'électronégativité et le type de liaison

Différence d'électronégativité entre les atomes liés	Type de liaison
zéro	covalente
↓	↓
intermédiaire	covalente polaire
↓	↓
importante	ionique

Exemple 6.1 Polarités relatives des liaisons

Placez les liaisons suivantes selon l'ordre croissant de polarité : H—H, O—H, Cl—H, S—H et F—H.

Solution

La polarité d'une liaison augmente au fur et à mesure que la différence d'électronégativité entre les atomes augmente. En se basant sur les valeurs de l'électronégativité présentées à la figure 6.3, on obtient le classement suivant (la valeur de l'électronégativité figure entre parenthèses pour chaque élément) :

$$\underset{(2,1)(2,1)}{\text{H—H}} < \underset{(2,5)(2,1)}{\text{S—H}} < \underset{(3,0)(2,1)}{\text{Cl—H}} < \underset{(3,5)(2,1)}{\text{O—H}} < \underset{(4,0)(2,1)}{\text{F—H}}$$

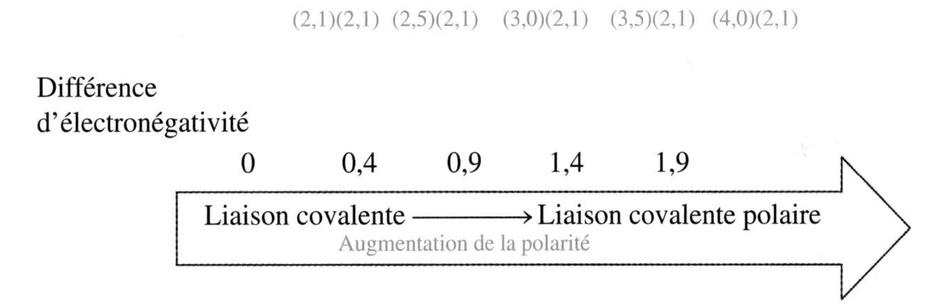

Voir les exercices 6.27 et 6.28

6.3 Polarité de la liaison et moments dipolaires

Lorsqu'on soumet du fluorure d'hydrogène à un champ électrique, les molécules adoptent une orientation précise (*voir la figure 6.2*), ce qui s'explique par la distribution des charges dans la molécule HF : une extrémité est légèrement positive et l'autre, légèrement négative. On dit qu'une molécule comme HF, qui possède un foyer de charge positive et un foyer de charge négative, est *dipolaire*, ou qu'elle a un **moment dipolaire**. Pour représenter le caractère dipolaire d'une molécule, on utilise une flèche dont la pointe symbolise le foyer de charge négative et les ailerons, le foyer de charge positive ; ainsi

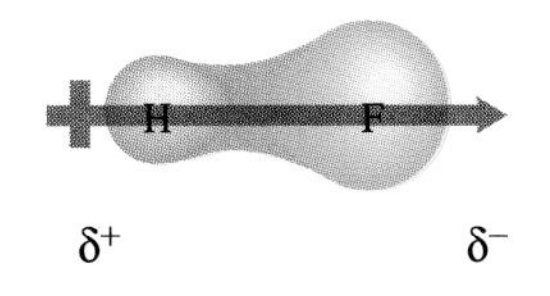

Un diagramme de potentiel électrostatique constitue une autre façon de représenter la distribution des charges dans HF (*voir la figure 6.4*). Pour obtenir cette représentation, les couleurs de la lumière visible sont utilisées afin de montrer la variation de la distribution

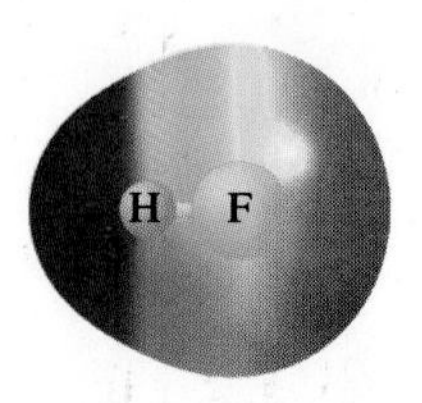

FIGURE 6.4
Un diagramme de potentiel électrostatique de HF. La couleur rouge indique la région la plus riche en électrons (l'atome de fluor) alors que la couleur bleue indique la région la plus pauvre en électrons (l'atome d'hydrogène).

des charges. La couleur rouge indique la région de la molécule la plus riche en électrons alors que la couleur bleue indique la région la plus pauvre en électrons.

Toute molécule diatomique (composée de deux atomes) dont la liaison est polaire possède donc un moment dipolaire. Les molécules polyatomiques peuvent également avoir des moments dipolaires. Étant donné que l'électronégativité de l'atome d'oxygène de la molécule d'eau est supérieure à celle des atomes d'hydrogène, la distribution des charges pour cette molécule est semblable à celle illustrée à la figure 6.5a. À cause de cette distribution des charges, la molécule d'eau se comporte, lorsqu'on la soumet à un champ électrique, comme si elle possédait deux foyers de charge, un positif et un négatif (*voir la figure 6.5b*). La molécule d'eau a donc un moment dipolaire. On observe le même phénomène en ce qui concerne la molécule NH_3 (*voir la figure 6.6*). Toutefois, certaines molécules ont des liaisons polaires sans pour autant posséder de moment dipolaire, ce qui a lieu quand les polarités des liaisons individuelles sont placées de façon à s'annuler mutuellement. La molécule CO_2 en est un exemple : c'est une molécule linéaire pour laquelle la distribution des charges est semblable à celle présentée à la figure 6.7. Dans ce cas, les polarités opposées s'annulent ; par conséquent, la molécule de dioxyde de carbone ne possède pas de moment dipolaire. Lorsqu'on la soumet à un champ électrique, cette molécule n'adopte aucune position particulière. Essayez de trouver une orientation préférentielle pour bien comprendre ce concept.

Outre le dioxyde de carbone, il existe de nombreuses autres molécules pour lesquelles les polarités des liaisons, opposées, s'annulent mutuellement. Le tableau 6.2 présente quelques types communs de molécules possédant des liaisons polaires mais aucun moment dipolaire.

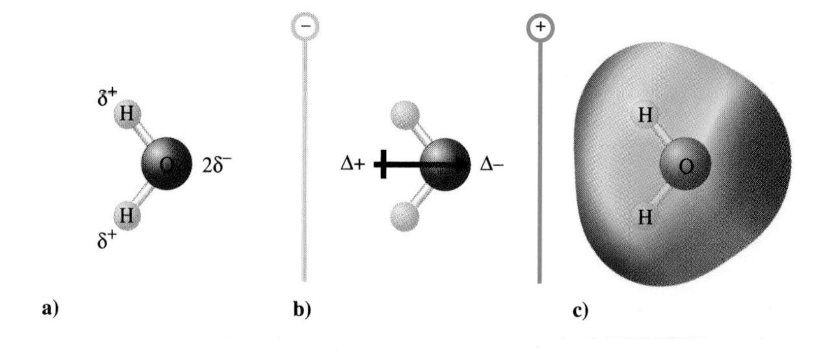

FIGURE 6.5
a) Répartition des charges dans une molécule d'eau. **b)** Orientation d'une molécule d'eau dans un champ électrique. **c)** Diagramme de potentiel électrostatique de la molécule d'eau.

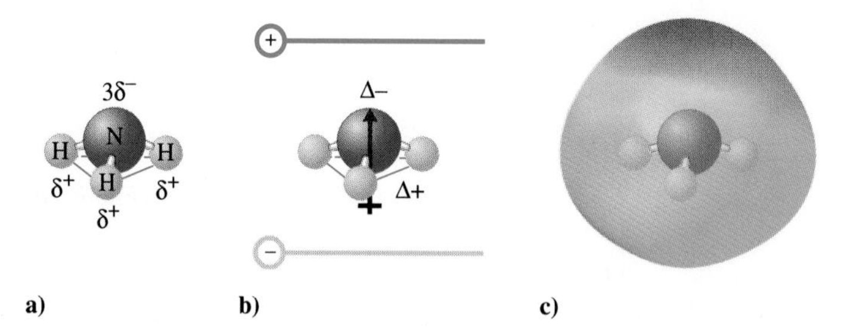

FIGURE 6.6
a) Structure d'une molécule d'ammoniac et répartition des charges. La polarité de la liaison N—H est due au fait que l'électronégativité de l'azote est supérieure à celle de l'hydrogène. **b)** Moment dipolaire d'une molécule d'ammoniac orientée dans un champ électrique. **c)** Diagramme de potentiel électrostatique de la molécule d'ammoniac.

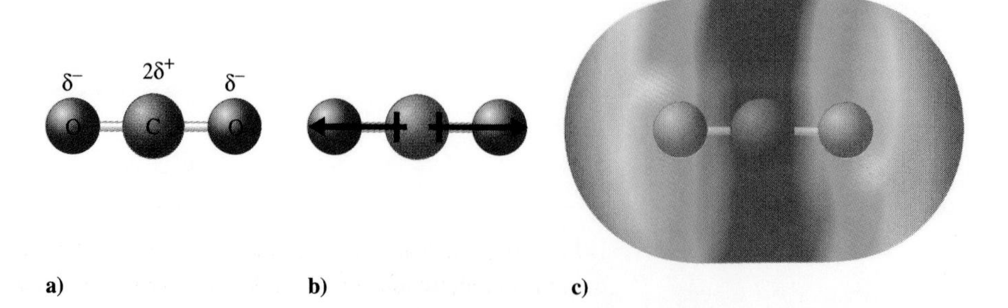

FIGURE 6.7
a) Molécule de dioxyde de carbone. **b)** Les polarités des liaisons opposées s'annulent ; la molécule de dioxyde de carbone ne possède par conséquent aucun moment dipolaire global. **c)** Diagramme de potentiel électrostatique de la molécule de dioxyde de carbone.

TABLEAU 6.2 Types de molécules possédant des liaisons polaires, mais aucun moment dipolaire global

Type		Annulation des moments dipolaires	Exemple	Modèle du type boules et bâtonnets
molécule linéaire possédant deux liaisons identiques	B—A—B	⟵+ +⟶	CO_2	
molécule plane possédant trois liaisons identiques séparées par un angle de 120°	B, A, B, B, 120°		SO_3	
molécule tétraédrique possédant quatre liaisons identiques séparées par un angle de 109,5°	B, A, B, B, B		CCl_4	

Exemple 6.2 Polarité d'une liaison et moment dipolaire

Pour chacune des molécules suivantes, indiquez la polarité de chaque liaison et trouvez lesquelles possèdent un moment dipolaire: HCl, Cl_2, SO_3 (molécule plane dans laquelle les atomes d'oxygène sont répartis uniformément autour de l'atome central de soufre), CH_4 (molécule de forme tétraédrique [*voir le tableau 6.2*] dans laquelle l'atome central est le carbone) et H_2S (molécule en forme de V dans laquelle l'atome de soufre occupe la pointe du V).

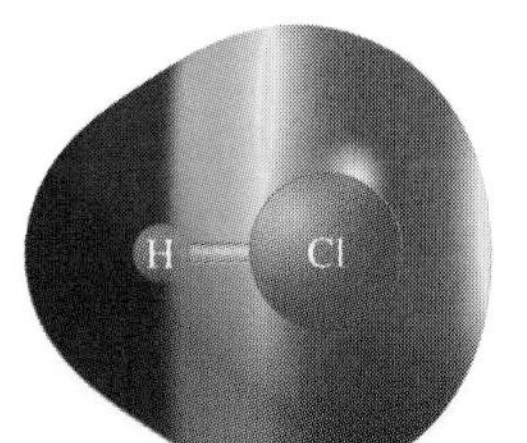

Solution

Molécule HCl. L'électronégativité du chlore (3,0) est supérieure à celle de l'hydrogène (2,1). (*Voir la figure 6.3.*) Le chlore est donc partiellement négatif et l'hydrogène, partiellement positif. La molécule HCl possède donc un moment dipolaire.

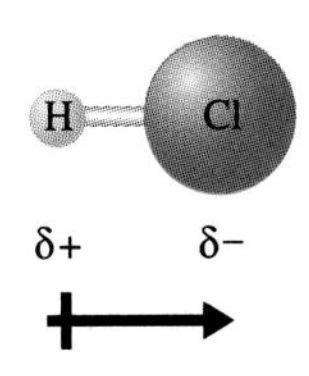

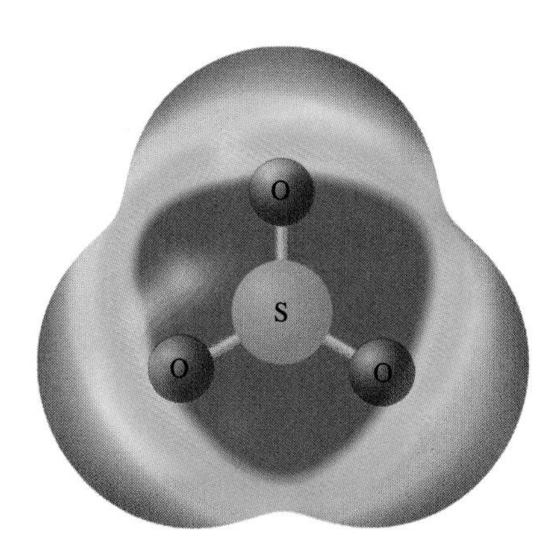

Molécule Cl_2. Les deux atomes de chlore se partagent également les électrons. Il n'y a aucune liaison polaire, et la molécule Cl_2 ne possède pas de moment dipolaire.

Molécule SO_3. L'électronégativité de l'oxygène (3,5) est supérieure à celle du soufre (2,5). Chaque atome d'oxygène a donc une charge négative partielle.

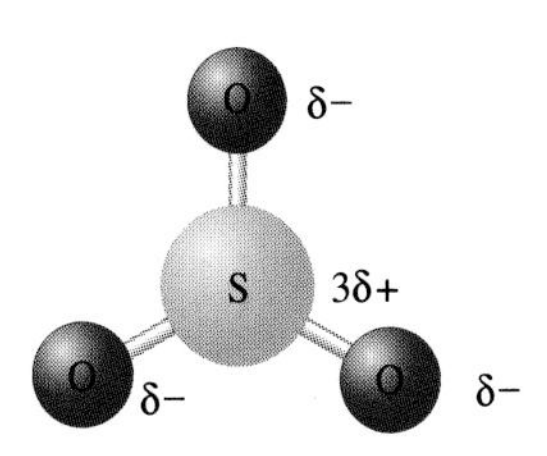

Étant donné que les moments polaires sont disposés de façon symétrique, ils s'annulent. Cette molécule est un exemple du second type présenté au tableau 6.2.

La présence de liaisons polaires ne confère pas nécessairement à la molécule un moment dipolaire.

Molécule CH_4. L'électronégativité du carbone (2,5) est légèrement supérieure à celle de l'hydrogène (2,1). L'atome d'hydrogène a donc une charge positive partielle et l'atome de carbone, une charge négative partielle.

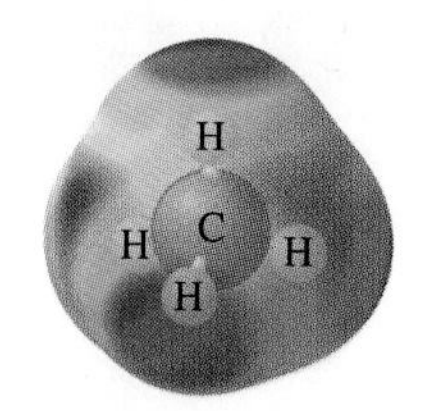

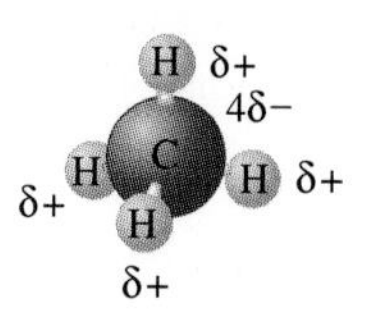

Cette molécule est un exemple du troisième type présenté au tableau 6.2 ; les polarités de liaison s'annulent. La molécule ne possède donc aucun moment dipolaire.

Molécule H_2S. Puisque le soufre a une électronégativité (2,5) supérieure à celle de l'hydrogène (2,1), le soufre a une charge négative partielle et chacun des atomes d'hydrogène, une charge positive partielle.

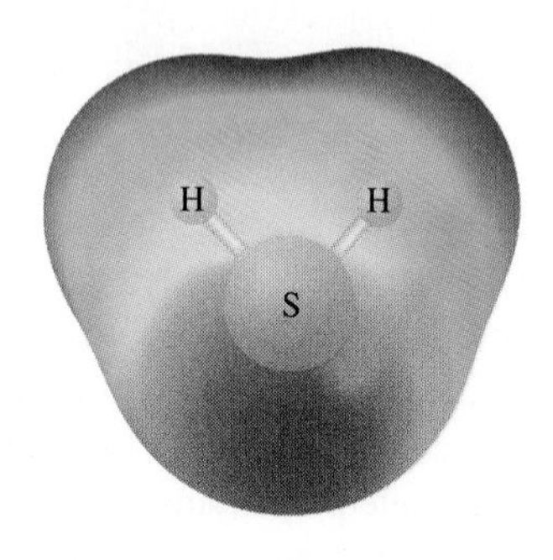

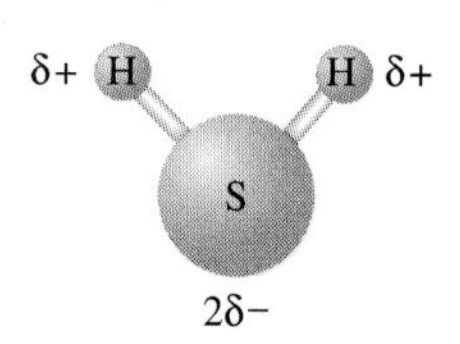

Dans cette molécule, semblable à la molécule d'eau, les liaisons polaires créent un moment dipolaire orienté de la façon suivante :

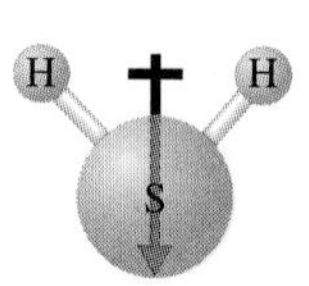

Voir l'exercice 6.78

6.4 Configurations électroniques et tailles des ions

La description de la disposition des électrons dans les atomes, attribuable à la mécanique quantique (ou mécanique ondulatoire), permet de mieux comprendre ce qu'est un composé stable. Les atomes d'un composé stable possèdent presque toujours la configuration électronique d'un gaz rare. Pour être dotés d'une telle configuration, les non-métaux peuvent soit partager des électrons avec d'autres non-métaux pour former une liaison covalente, soit arracher des électrons à des métaux pour former des ions. Dans ce dernier cas, les non-métaux forment des anions et les métaux, des cations. Voici les principes généraux applicables à la configuration électronique des composés stables.

Les atomes présents dans un composé stable possèdent en général une configuration électronique semblable à celle d'un gaz rare.

- Quand *deux non-métaux* réagissent pour former une liaison covalente, ils se partagent les électrons de telle façon que leurs couches de valence sont remplies. Autrement dit, les deux non-métaux possèdent une configuration électronique identique à celle d'un gaz rare.
- Quand *un non-métal et un métal* non transitionnel réagissent pour former un composé ionique binaire, la formation des ions a lieu de telle façon que la couche de valence

du non-métal est remplie et celle du métal, inoccupée. Ainsi, les deux ions possèdent une configuration électronique identique à celle d'un gaz rare.

À quelques exceptions près, on peut appliquer ces principes généraux à la grande majorité des composés ; c'est pourquoi il est très important de s'en rappeler. (Nous traiterons en détail des liaisons covalentes plus loin.) Pour le moment, étudions les conséquences de ces principes sur les composés ioniques.

À l'état solide, les ions d'un composé ionique sont relativement près les uns des autres et de nombreux ions interagissent simultanément :

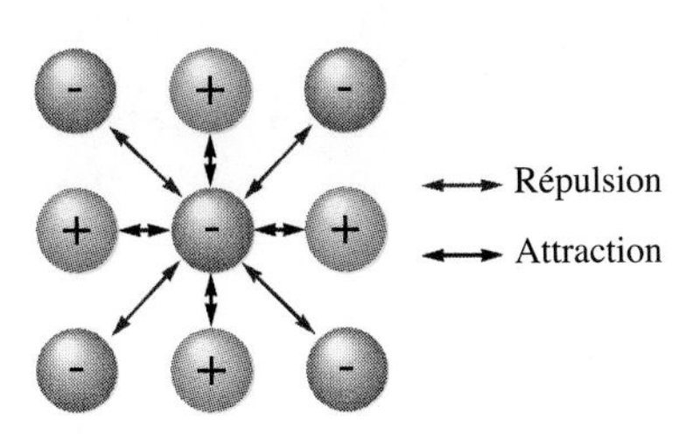

En phase gazeuse, les ions d'une substance ionique sont relativement éloignés les uns des autres et ne forment que rarement des regroupements :

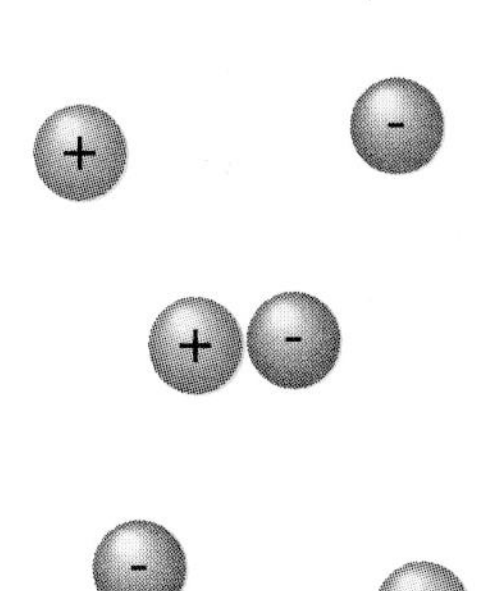

Établissement des formules des composés ioniques

Insistons d'abord sur le fait que l'utilisation du terme *composé ionique* se réfère habituellement à l'état solide de ce composé. À l'état solide, les ions sont très près les uns des autres. C'est dire qu'un composé ionique solide contient un grand nombre d'ions positifs et d'ions négatifs regroupés de façon telle que les répulsions ⊖··⊖ et ⊕··⊕ sont réduites au maximum et que les attractions ⊕··⊖ sont maximisées. En phase gazeuse, la situation est tout autre, car les ions sont très éloignés les uns des autres. Il peut arriver que deux ions soient suffisamment près pour réagir, mais il n'y existe pas de regroupement d'ions, comme dans un solide ionique. Alors, quand nous parlerons de stabilité d'un composé ionique, nous ferons toujours référence à l'état solide, là où les importantes forces d'attraction entre ions de charges opposées tendent à stabiliser (former) les ions. Ainsi, comme nous l'avons déjà mentionné au chapitre précédent, l'ion O^{2-} isolé n'est pas stable, en phase gazeuse, mais il est très stable dans de nombreux composés ioniques solides. Par exemple, MgO(*s*), qui contient les ions Mg^{2+} et O^{2-} est très stable à l'état solide, mais l'existence de la paire d'ions $Mg^{2+} \cdot\cdot O^{2-}$ en phase gazeuse n'est pas énergétiquement favorisée comparativement aux atomes gazeux neutres. Alors, il ne faut jamais oublier que, dans cette section, et dans la plupart des cas où il sera question de la nature des composés ioniques, nous faisons généralement référence à l'état solide, là où de nombreux ions interagissent simultanément.

Pour illustrer les principes qui régissent la détermination de la configuration électronique des composés stables, considérons la formation d'un composé ionique constitué de calcium et d'oxygène. On peut prédire la nature de ce composé en examinant la configuration de la couche de valence des deux atomes.

$$\text{Ca}: \quad [\text{Ar}]4s^2$$
$$\text{O}: \quad [\text{Ar}]2s^2 2p^4$$

L'électronégativité (3,5) de l'oxygène est de beaucoup supérieure à celle (1,0) du calcium (*voir la figure 6.3*). À cause de cette grande différence, des électrons passent du calcium à l'oxygène ; il y a donc formation de l'anion oxygène et du cation calcium. Combien d'électrons sont transférés ? On peut baser les prédictions sur le fait que la configuration électronique des gaz rares est la plus stable. Pour posséder la configuration du néon ($1s^2 2s^2 2p^6$) – c'est-à-dire pour que les orbitales $2s$ et $2p$ soient remplies –, l'atome d'oxygène doit recevoir deux électrons ; le calcium, quant à lui, doit perdre deux électrons pour avoir la configuration de l'argon. Il y a donc transfert de deux électrons :

$$\underbrace{\text{Ca} + \text{O}}_{2e^-} \longrightarrow \text{Ca}^{2+} + \text{O}^{2-}$$

Pour prédire la formule d'un composé ionique, il faut se rappeler qu'un composé chimique est toujours électriquement neutre : il possède la même quantité de charges positives et de charges négatives. Dans le cas étudié ici, le nombre d'ions Ca^{2+} doit être égal au nombre d'ions O^{2-} ; c'est pourquoi la formule empirique du composé est CaO.

On peut appliquer ce même principe à de nombreux autres produits. Considérons, par exemple, un composé formé d'aluminium et d'oxygène. La configuration électronique de l'aluminium est $[Ne]3s^2 3p^1$. Pour posséder la configuration électronique du néon, l'aluminium doit donc perdre trois électrons et devenir l'ion Al^{3+}.

Une mine de bauxite. La bauxite contient de l'Al_2O_3, principale source d'aluminium.

Par conséquent les ions sont Al^{3+} et O^{2-}. Étant donné qu'un composé est électriquement neutre, le composé étudié doit avoir trois ions O^{2-} pour deux ions Al^{3+} ; sa formule empirique est donc Al_2O_3.

Le tableau 6.3 présente une liste d'éléments non transitionnels courants qui, dans des composés ioniques, forment des ions dont la configuration électronique est semblable à celle d'un gaz rare. Pour former des cations, les métaux du groupe 1A perdent un électron, ceux du groupe 2A en perdent deux, et ceux du groupe 3A, trois. Pour former des anions, les non métaux du groupe 7A (les halogènes) gagnent un électron et ceux du groupe 6A, deux électrons. L'hydrogène, qui se comporte de façon caractéristique comme un non-métal, peut gagner un électron pour former l'ion hydrure, H^-, lequel possède une configuration électronique semblable à celle de l'hélium.

Il existe cependant quelques exceptions importantes aux règles présentées ci-dessus. Par exemple, l'étain peut former des ions Sn^{2+} ou des ions Sn^{4+}, le plomb, des ions Pb^{2+} ou des ions Pb^{4+}, le bismuth, des ions Bi^{3+} ou Bi^{5+}, et le thallium, des ions Tl^+ ou Tl^{3+}. On ne connaît malheureusement aucune explication simple à l'existence de deux types d'ions pour ces éléments. Pour le moment, contentons-nous de noter que ce sont des exceptions à la règle très utile selon laquelle les ions adoptent en général, dans un composé ionique, une configuration électronique semblable à celle d'un gaz rare. Nous nous limiterons donc ici à l'étude des métaux non transitionnels, les métaux de transition ayant en cette matière un comportement complexe dont l'analyse dépasse le cadre de ce livre.

Tailles des ions

La taille des ions joue un rôle important en ce qui concerne la structure et la stabilité des solides ioniques, les propriétés des ions en milieu aqueux et leurs effets biologiques. Comme pour les atomes, il est impossible de connaître de façon précise la taille d'un ion.

TABLEAU 6.3 Ions possédant une configuration semblable à celle d'un gaz rare et couramment présents dans les composés ioniques

Groupe 1A	Groupe 2A	Groupe 3A	Groupe 6A	Groupe 7A	Configuration électronique
H^-, Li^+	Be^{2+}				[He]
Na^+	Mg^{2+}	Al^{3+}	O^{2-}	F^-	[Ne]
K^+	Ca^{2+}		S^{2-}	Cl^-	[Ar]
Rb^+	Sr^{2+}		Se^{2-}	Br^-	[Kr]
Cs^+	Ba^{2+}		Te^{2-}	I^-	[Xe]

La plupart du temps, on détermine les rayons ioniques à partir des distances mesurées entre les centres des ions d'un composé ionique. Cette façon de faire présuppose évidemment que l'on sait comment la distance doit être partagée entre les deux ions. C'est pourquoi d'ailleurs on observe un grand désaccord entre la taille des ions selon les sources consultées. Mais ce qui nous intéresse tout particulièrement ici, c'est beaucoup plus la variation du rayon des ions que leur taille absolue.

Différents facteurs influencent la taille des ions. Considérons d'abord les tailles relatives d'un ion et de son atome d'origine. Puisque la formation d'un ion positif (cation) résulte de la perte d'électrons, ce cation est plus petit que l'atome d'origine. Dans le cas de la formation des anions, c'est le contraire : étant donné que la formation d'un anion résulte de la capture d'un électron, l'anion est plus gros que l'atome d'origine.

Il est également important de savoir comment la taille des ions varie en fonction de la position des éléments dans le tableau périodique. La figure 6.7 montre la variation de la taille des ions les plus importants (chacun ayant une configuration semblable à celle d'un gaz rare) en fonction de leur position dans le tableau périodique. On y remarque que la taille de l'ion augmente au fur et à mesure qu'on progresse dans un groupe. En ce qui concerne la variation de la taille de l'ion dans une période, elle est beaucoup plus complexe, car on passe des métaux (côté gauche du tableau) aux non-métaux (côté droit du tableau). En effet, dans une période donnée, on trouve à la fois des éléments qui cèdent des électrons de valence pour former des cations et des éléments qui en captent pour former des anions.

Il existe un fait important à ne pas oublier en ce qui concerne les tailles relatives des ions d'une série d'**ions isoélectroniques** (*ions qui possèdent le même nombre d'électrons*). Considérons les ions O^{2-}, F^-, Na^+, Mg^{2+} et Al^{3+}. Chacun de ces ions possède une configuration électronique semblable à celle du néon. Comment, dans ce cas, leur taille varie-t-elle ? En général, on doit prendre en considération deux données importantes quand on veut prédire les tailles relatives des ions : le nombre d'électrons et le nombre de protons. Puisque, ici, les ions en question sont isoélectroniques, ils possèdent tous le même nombre d'électrons, soit 10 : la répulsion entre électrons devrait donc être, dans chaque cas, à peu près du même ordre de grandeur. Cependant, lorsqu'on passe de O^{2-} à Al^{3+}, le nombre de protons augmente de 8 (ions O^{2-}) à 13 (ions Al^{3+}) ; par conséquent, les 10 électrons sont soumis à une attraction plus forte imputable à l'augmentation de la charge positive du noyau ; il y a donc contraction du volume de l'ion (*voir la figure 6.7*). En général, pour une série d'ions isoélectroniques, la taille diminue au fur et à mesure que la charge nucléaire, Z, augmente.

La taille des ions isoélectroniques diminue au fur et à mesure que Z augmente.

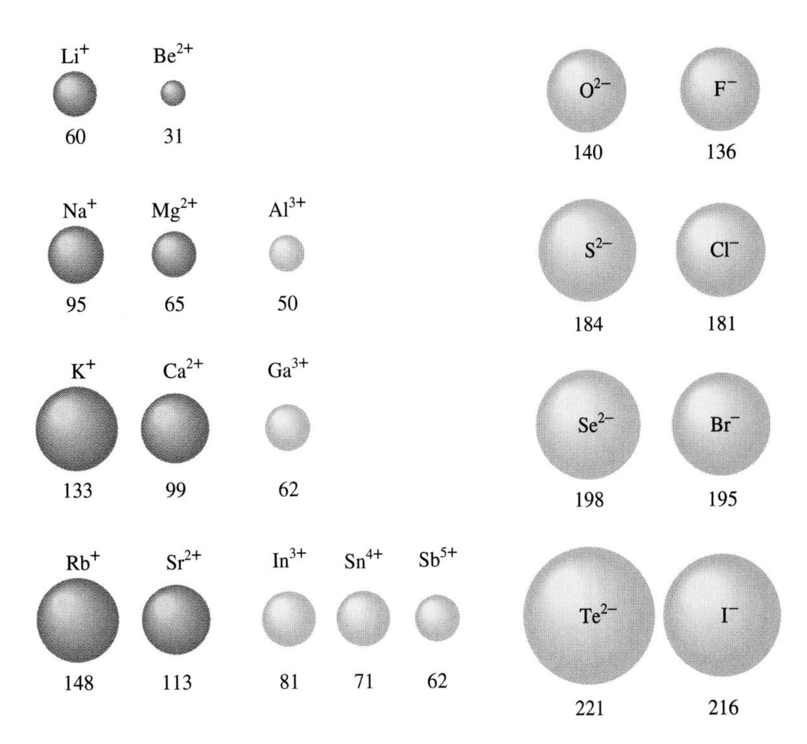

FIGURE 6.8
Tailles des ions en fonction de la position de leurs éléments d'origine dans le tableau périodique. La taille augmente en général au fur et à mesure qu'on progresse dans un groupe ; dans une série d'ions isoélectroniques, la taille diminue au fur et à mesure que le numéro atomique augmente. Les mesures des rayons ioniques sont exprimées en picomètres (pm).

Exemple 6.3

Taille relative des ions I

Placez les ions Se^{2-}, Br^-, Rb^+ et Sr^{2+} selon l'ordre décroissant de taille.

Solution

C'est là une série d'ions isoélectroniques qui possèdent une configuration électronique semblable à celle du krypton. Puisque tous ces ions possèdent le même nombre d'électrons, leur taille n'est fonction que de la charge nucléaire, Z. Les valeurs de Z sont : 34 pour Se^{2-}, 35 pour Br^-, 37 pour Rb^+ et 38 pour Sr^{2+}. Puisque l'ion Sr^{2+} a la plus importante charge nucléaire, c'est l'ion le plus petit. L'ion Se^{2-}, pour lequel Z a la plus petite valeur, est le plus grand. On a donc

$$\underset{\text{Le plus grand}}{\underset{\uparrow}{Se^{2-}}} > Br^- > Rb^+ > \underset{\text{Le plus petit}}{\underset{\uparrow}{Sr^{2+}}}$$

Voir les exercices 6.32 et 6.33

Exemple 6.4

Taille relative des ions II

Repérez l'ion le plus grand dans chacun des groupes suivants :

a) Li^+, Na^+, K^+, Rb^+, Cs^+
b) Ba^{2+}, Cs^+, I^-, Te^{2-}

Solution

a) Ce sont tous des éléments du groupe 1A. L'ion Cs^+ est le plus grand puisque la taille augmente au fur et à mesure qu'on progresse dans un groupe (l'ion qui possède le plus grand nombre d'électrons étant le plus grand).

b) C'est là une série d'ions isoélectroniques, ions qui possèdent tous une configuration électronique semblable à celle du xénon. L'ion qui possède la plus petite charge nucléaire est le plus grand. Alors

$$\underset{Z=52}{Te^{2-}} > \underset{Z=53}{I^-} > \underset{Z=55}{Cs^+} > \underset{Z=56}{Ba^{2+}}$$

Voir l'exercice 6.34

6.5 Composés ioniques binaires

Dans cette section, nous traitons des facteurs qui influent sur la formation et la structure des composés ioniques binaires. Lorsque les métaux et les non-métaux réagissent, il y a transfert d'électrons et formation de cations et d'anions qui s'attirent mutuellement. Il y a formation d'un solide ionique parce que l'énergie de l'agrégat de charges ioniques opposées qui en résulte est inférieure à celle des éléments de départ. Pour désigner la force d'attraction que les ions exercent les uns sur les autres, on utilise l'expression **énergie de réseau**, c'est-à-dire la *variation d'énergie qui accompagne la transformation d'ions individuels à l'état gazeux en un solide ionique*.

$$M^+(g) + X^-(g) \longrightarrow MX(s)$$

Nous traiterons en détail la structure des solides ioniques au chapitre 8.

On définit par ailleurs souvent l'énergie de réseau comme l'énergie *libérée* au moment de la formation d'un solide ionique à partir de ses ions. Dans cet ouvrage, cependant, on détermine le signe qui affecte la valeur de l'énergie de réseau du point de vue systémique : cette valeur est négative si le processus est exothermique, et positive s'il est endothermique. Alors, d'après cette convention, l'énergie de réseau est affectée d'un signe négatif.

Pour illustrer les variations d'énergie qui accompagnent la formation d'un solide ionique, considérons la formation du fluorure de lithium solide à partir de ses éléments. La réaction est la suivante :

$$Li(s) + \tfrac{1}{2}F_2(g) \longrightarrow LiF(s)$$

Pour connaître les facteurs énergétiques associés à ce processus, on tire parti du fait que l'énergie est une fonction d'état : on décompose donc la réaction en ses différentes étapes, la somme de ces étapes représentant l'équation générale.

1 Sublimation (passage direct de l'état solide à l'état gazeux) du lithium solide.

$$\text{Li}(s) \longrightarrow \text{Li}(g)$$

Fluorure de lithium.

L'enthalpie de sublimation du Li(s) est de 161 kJ/mol.

2 Ionisation des atomes de lithium qui entraîne la formation des ions Li^+ en phase gazeuse.

$$\text{Li}(g) \longrightarrow \text{Li}^+(g) + e^-$$

Ce processus correspond à l'énergie de première ionisation du lithium, soit 520 kJ/mol.

3 Dissociation des molécules de fluor. Pour qu'il y ait formation d'une mole d'atomes de fluor, il faut qu'il y ait rupture des liaisons F—F dans $\frac{1}{2}$ mole de molécules de F_2.

$$\tfrac{1}{2}\text{F}_2(g) \longrightarrow \text{F}(g)$$

La valeur de l'énergie nécessaire pour rompre cette liaison est de 154 kJ/mol. Étant donné qu'il faut rompre les liaisons de $\frac{1}{2}$ mole de fluor, l'énergie requise est de (154 kJ)/2, soit 77 kJ.

4 Formation d'ions F^- à partir d'atomes de fluor en phase gazeuse.

$$\text{F}(g) + e^- \longrightarrow \text{F}^-(g)$$

La variation d'énergie associée à ce processus est l'affinité électronique du fluor, soit −328 kJ/mol.

5 Formation du fluorure de lithium solide à partir des ions Li^+ et F^- en phase gazeuse.

$$\text{Li}^+(g) + \text{F}^-(g) \longrightarrow \text{LiF}(s)$$

L'énergie requise est l'énergie de réseau pour LiF, soit −1047 kJ/mol.

Étant donné que la somme de ces cinq processus représente la réaction globale, la somme des variations d'énergie individuelles représente la variation globale d'énergie de cette réaction ($\Delta H_{\text{réaction}}$).

Processus	Variation d'énergie (kJ)
$\text{Li}(s) \rightarrow \text{Li}(g)$	161
$\text{Li}(g) \rightarrow \text{Li}^+(g) + e^-$	520
$\frac{1}{2}\text{F}_2(g) \rightarrow \text{F}(g)$	77
$\text{F}(g) + e^- \rightarrow \text{F}^-(g)$	−328
$\text{Li}^+(g) + \text{F}^-(g) \rightarrow \text{LiF}(s)$	−1047
Bilan : $\text{Li}(s) + \frac{1}{2}\text{F}_2(g) \rightarrow \text{LiF}(s)$	−617 kJ (par mole de LiF)

La figure 6.9 résume ce processus sous forme de cycle énergétique. On remarque que la formation du fluorure de lithium solide à partir de ses éléments est fortement exothermique, ce qui est principalement dû à la valeur négative importante de l'énergie de réseau. Quand les ions s'associent pour former le solide, il y a libération d'une quantité d'énergie très élevée. En fait, quand on ajoute un électron à un atome de fluor pour former l'ion F^-, l'énergie libérée (328 kJ/mol) n'est pas suffisante pour arracher un électron au lithium (520 kJ/mol). Autrement dit, quand un atome de lithium métallique réagit avec un atome de fluor non métallique pour former des ions *isolés*, conformément à la réaction suivante :

$$\text{Li}(g) + \text{F}(g) \longrightarrow \text{Li}^+(g) + \text{F}^-(g)$$

le processus est endothermique ; par conséquent, il n'est pas favorisé. S'il y a, dans ce cas-ci, formation d'un composé ionique plutôt que d'un composé covalent, c'est sans

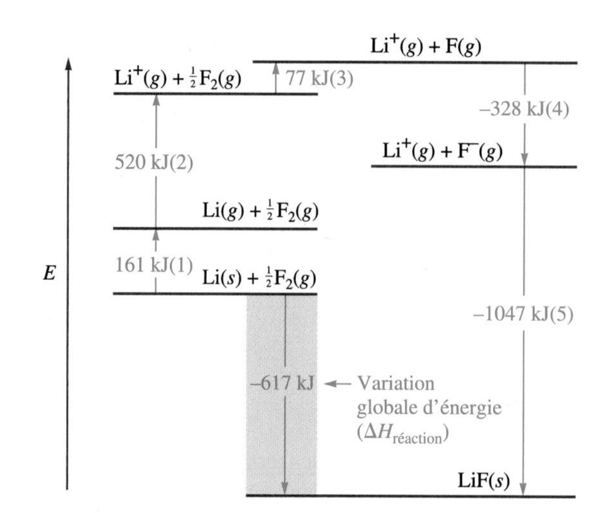

FIGURE 6.9
Variations d'énergie associées à la formation du fluorure de lithium solide à partir de ses éléments. Les chiffres entre parenthèses réfèrent aux étapes de réaction discutées dans le texte.

conteste à cause de la forte attraction mutuelle des ions Li^+ et F^- dans le solide : l'énergie de réseau est le facteur énergétique dominant.

La figure 6.10 illustre la structure du fluorure de lithium solide. On y remarque l'alternance des ions Li^+ et F^-, ainsi que le fait que chaque ion Li^+ est entouré de six ions F^- et chaque ion F^-, de six ions Li^+. On peut expliquer cette structure en supposant que les ions se comportent comme des sphères rigides qui s'empilent de façon telle que l'attraction entre les ions de charges opposées est maximale et la répulsion entre les ions de charge identique, minimale.

Tous les composés ioniques binaires qui résultent de l'interaction d'un métal alcalin et d'un halogène ont une structure semblable à celle de la figure 6.10, à l'exception des sels de césium. On appelle cette disposition des ions *structure chlorure de sodium*, car le chlorure de sodium est le composé le plus courant qui possède cette structure.

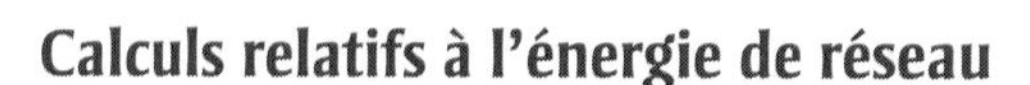

Calculs relatifs à l'énergie de réseau

Quand nous avons abordé le calcul de l'énergie de formation du fluorure de lithium solide, nous avons insisté sur la contribution importante de l'énergie de réseau à la stabilité des solides ioniques. Nous pouvons exprimer l'énergie de réseau à l'aide de la loi de Coulomb

$$\text{Énergie de réseau} = k\left(\frac{Q_1Q_2}{r}\right)$$

où k est une constante de proportionnalité qui dépend de la structure du solide et de la configuration électronique des ions, Q_1 et Q_2, les charges des ions et r, la plus petite distance qui sépare les centres des anions et des cations. On remarque que l'énergie de réseau est négative quand Q_1 et Q_2 sont de signes contraires, ce qui est normal, étant donné que le rapprochement de cations et d'anions est un processus exothermique. D'ailleurs, le processus est d'autant plus exothermique que les charges ioniques augmentent et que les distances qui séparent les ions dans le solide diminuent.

Pour illustrer l'importance de la charge dans les solides ioniques, comparons les énergies de formation de NaF(*s*) et de MgO(*s*), dans lesquels tous les ions (Na^+, F^-, Mg^{2+} et O^{2-}) sont isoélectroniques. La figure 6.11 illustre le cycle énergétique de la formation de ces deux solides ioniques. Il est important de retenir les caractéristiques suivantes.

> Lorsque les ions Mg^{2+} et O^{2-} à l'état gazeux réagissent pour former MgO(*s*), l'énergie libérée est beaucoup plus importante (plus de quatre fois) que celle libérée lorsque ce sont les ions Na^+ et F^- à l'état gazeux qui réagissent pour former NaF(*s*).

> La valeur de l'énergie requise pour arracher deux électrons à un atome de magnésium (735 kJ/mol pour le premier électron et 1445 kJ/mol pour le second, soit un total de 2180 kJ/mol) est beaucoup plus élevée que celle de l'énergie requise pour arracher un électron à un atome de sodium (495 kJ/mol).

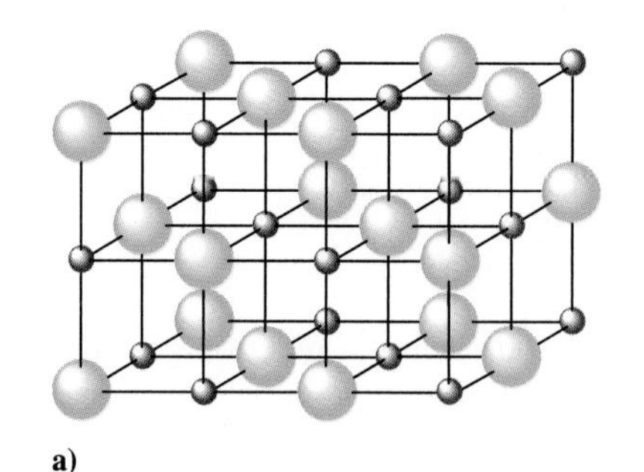

a)

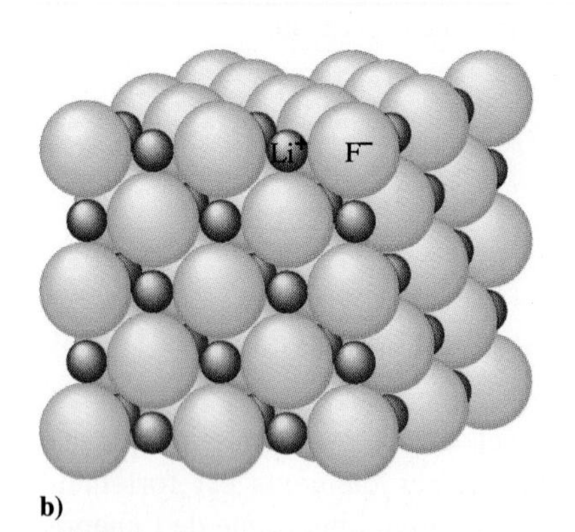

b)

FIGURE 6.10
Structure du fluorure de lithium.
a) Représentation à l'aide du modèle boules et bâtonnets. On remarque que chaque ion Li^+ est entouré de six ions F^- et que chaque ion F^- est entouré de six ions Li^+. **b)** Représentation des ions par des sphères. La structure correspond à l'empilement des ions sphériques, empilement dans lequel les attractions ioniques sont maximales et les répulsions ioniques, minimales.

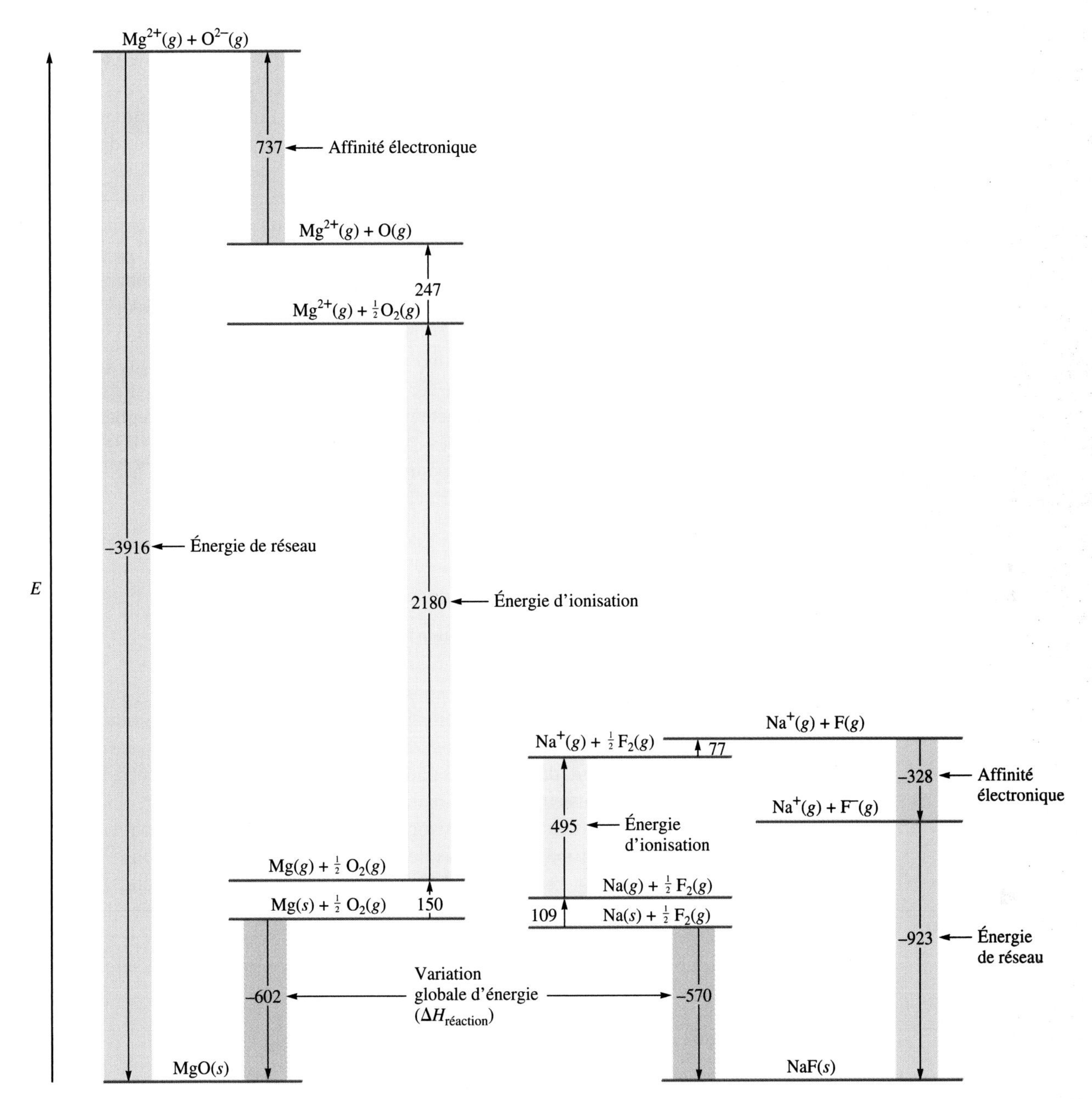

FIGURE 6.11
Comparaison entre les variations d'énergie associées à la formation du fluorure de sodium solide et à celle de l'oxyde de magnésium solide. L'énergie de réseau de l'oxyde de magnésium (dans laquelle des ions bivalents s'associent) est beaucoup plus importante que celle du fluorure de sodium (dans laquelle des ions monovalents s'associent).

Pour ajouter deux électrons à un atome d'oxygène à l'état gazeux, il faut fournir une énergie de 737 kJ/mol : l'addition du premier électron est un processus exothermique (−141 kJ/mol), alors que l'addition du second est fortement endothermique (878 kJ/mol). La valeur de cette énergie doit être obtenue indirectement puisque l'ion O^{2-} (*g*) est instable.

Compte tenu du fait que, pour arracher le deuxième électron à un atome de magnésium, il faut fournir une énergie deux foix supérieure à celle requise pour arracher le premier et que l'addition d'un électron à l'ion O^- gazeux est fortement endothermique, il est pour le moins surprenant que l'oxyde de magnésium soit composé d'ions Mg^{2+} et O^{2-} plutôt que d'ions Mg^+ et O^-. C'est l'énergie de réseau qui permet d'expliquer cette bizarrerie : pour former MgO(*s*) à partir des ions Mg^{2+} et O^{2-} à l'état gazeux, l'énergie de réseau est plus négative de 3000 kJ/mol que celle associée à la formation de NaF(*s*)

À partir du produit Q_1Q_2 de l'équation d'énergie de réseau, on peut estimer que l'énergie de réseau pour un solide ayant des ions 2+ et des ions 2− devrait être quatre fois celle d'un solide ayant des ions 1+ et des ions 1−. Autrement dit :

$$\frac{(+2)(-2)}{(+1)(-1)} = 4$$

Pour les produits MgO et NaF, le rapport observé des énergies de réseau (voir la figure 6.11) est :

$$\frac{-3916 \text{ kJ}}{-923 \text{ kJ}} = 4{,}24$$

à partir des ions Na^+ et F^- à l'état gazeux. Par conséquent, l'énergie libérée au moment de la formation d'un solide qui contient des ions Mg^{2+} et O^{2-} plutôt que des ions Mg^+ et O^- fait plus que compenser l'énergie nécessaire pour former les ions Mg^{2+} et O^{2-}.

Si le gain d'énergie de réseau est si important lorsqu'on passe d'ions monovalents à des ions bivalents dans le cas de l'oxyde de magnésium, pourquoi le fluorure de sodium solide ne contient-il pas des ions Na^{2+} et F^{2-} plutôt que des ions Na^+ et F^- ? Simplement parce que la configuration électronique de la couche de valence des deux ions Na^+ et F^- est semblable à celle du néon. L'arrachement d'un électron à un ion Na^+ nécessiterait une quantité d'énergie excessivement élevée, (4560 kJ/mol) étant donné qu'il s'agit d'un électron $2p$. Par ailleurs, l'électron qu'on ajouterait à l'ion F^- devrait occuper une orbitale $3s$ relativement éloignée du noyau ; c'est là un autre processus non favorisé. Dans le cas du fluorure de sodium, l'énergie supplémentaire requise pour former des ions bivalents est de beaucoup supérieure au gain d'énergie de réseau qui en résulterait.

Cette comparaison entre les énergies de formation du fluorure de sodium et de l'oxyde de magnésium montre que de nombreux facteurs entrent en jeu lorsqu'on veut déterminer la composition et la structure des composés ioniques. Le plus important de ces facteurs est la compensation des énergies requises pour former des ions très chargés par l'énergie libérée lorsque ces ions s'associent pour former un solide.

6.6 Caractère partiellement ionique des liaisons covalentes

Quand des atomes d'électronégativités différentes réagissent pour former des composés, ils ne se partagent pas également les électrons de liaison. Il peut y avoir soit formation d'une liaison covalente polaire, soit, dans le cas d'une très grande différence d'électronégativité, transfert complet d'un ou plusieurs électrons et formation d'ions (*voir la figure 6.12*).

Comment peut-on différencier une liaison ionique d'une liaison covalente polaire ? Honnêtement, il n'existe probablement pas de liaison tout à fait ionique pour une *paire isolée d'atomes,* ce que prouve le calcul du pourcentage du caractère ionique de divers composés binaires en phase gazeuse. Pour effectuer ce calcul, on compare la valeur expérimentale des moments dipolaires des molécules du type X—Y à la valeur théorique de l'espèce complètement ionique X^+Y^-. On obtient le pourcentage du caractère ionique d'une telle liaison à l'aide de la relation suivante :

Pourcentage du caractère ionique d'une liaison =

$$\left(\frac{\text{Valeur expérimentale du moment dipolaire de X—Y}}{\text{Valeur théorique du moment dipolaire de } X^+Y^-}\right) \times 100\ \%$$

L'application de cette définition à divers composés (en phase gazeuse) donne les résultats présentés à la figure 6.13 à l'aide de la représentation graphique de la variation du pourcentage du caractère ionique en fonction de la différence d'électronégativité entre X et Y. Comme on pouvait s'y attendre, le caractère ionique augmente en fonction de la différence d'électronégativité. Aucun des composés ne possède cependant un caractère ionique à 100 % et ce, y compris les composés formés des éléments pour lesquels la différence d'électronégativité connue est la plus élevée. Par conséquent, selon cette définition, aucun composé n'est totalement ionique ; or, cette conclusion est en contradiction avec la classification habituelle de ces composés (en tant que solides). Tous les composés de la figure 6.13 qui possèdent un caractère ionique supérieur à 50 % sont en général considérés comme des produits ioniques. Toutefois, rappelez-vous que les résultats de la figure 6.13 concernent les molécules en phase gazeuse, là où les molécules XY individuelles existent. Ces résultats ne peuvent pas nécessairement s'appliquer à l'état solide, là où l'existence des ions est favorisée par des interactions multiples entre ions.

En outre, il est difficile de définir les composés ioniques parce que de nombreuses substances contiennent des ions polyatomiques. Par exemple, NH_4Cl contient des ions NH_4^+ et Cl^- et Na_2SO_4, des ions Na^+ et SO_4^{2-}. La cohésion des ions ammonium et sulfate

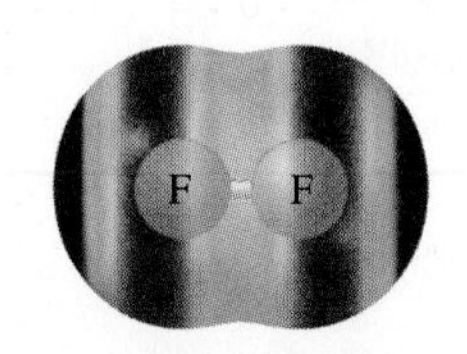

a)

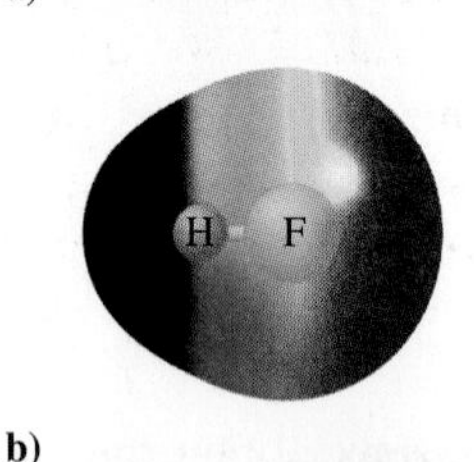

b)

c)

FIGURE 6.12
Les trois types possibles de liaisons :
a) Liaison covalente formée entre deux atomes F identiques ; **b)** liaison covalente polaire de HF, dont le caractère est à la fois ionique et covalent ; **c)** liaison ionique, dans laquelle il n'y a aucun partage d'électrons.

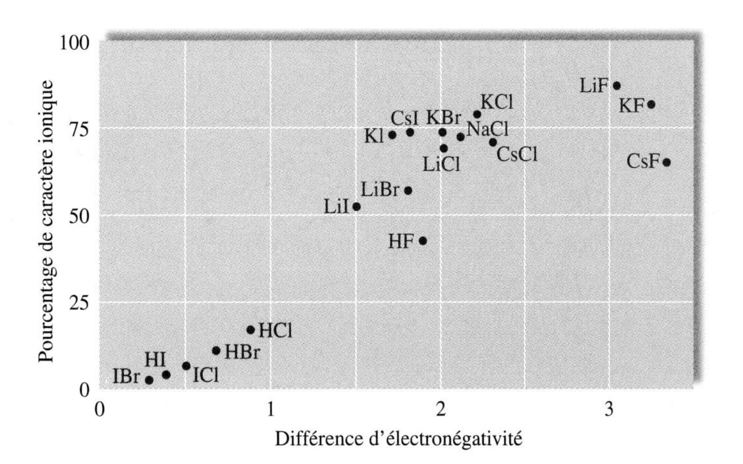

FIGURE 6.13
Variation du pourcentage du caractère ionique d'une liaison covalente en fonction de la différence d'électronégativité entre les atomes liés. On remarque que les composés ayant un caractère ionique supérieur à 50 % sont normalement considérés comme des composés ioniques.

est assurée par des liaisons covalentes. Il est donc quelque peu ambigu d'affirmer que NH_4Cl et Na_2SO_4 sont des composés ioniques.

Pour contourner ces difficultés, nous adopterons une définition opérationnelle : *tout solide qui, une fois fondu, permet le passage du courant électrique est appelé « composé ionique »*.

6.7 Liaisons covalentes : un modèle théorique

Avant d'aborder les théories spécifiques applicables à la liaison covalente, résumons quelques-uns des concepts présentés jusqu'à maintenant dans ce chapitre.

Qu'est-ce qu'une liaison chimique ? Une liaison chimique est une force qui retient un groupe d'atomes ensemble.

Pourquoi une liaison chimique se forme-t-elle ? Du point de vue naturel, une liaison n'est intrinsèquement ni « bonne » ni « mauvaise » ; *elle résulte simplement de la tendance d'un système à rechercher le niveau d'énergie le plus faible possible.* En simplifiant, il y a formation d'une liaison si les atomes sont plus stables (énergie plus basse) lorsqu'ils sont groupés que séparés. Par exemple, pour transformer une mole de molécules de méthane, CH_4, en atomes séparés C et H, il faut fournir une énergie d'environ 1652 kJ. Inversement, il y a libération de 1652 kJ chaque fois qu'il y a formation d'une mole de méthane à partir de 1 mol d'atomes C gazeux et de 4 mol d'atomes H gazeux. Le contenu énergétique de 1 mol de molécules de CH_4 en phase gazeuse est donc inférieur de 1652 kJ à la somme des contenus énergétiques de 1 mol d'atomes de carbone et de 4 mol d'atomes d'hydrogène. Le méthane est par conséquent une molécule stable par rapport aux atomes séparés.

Un tétraèdre possède quatre faces triangulaires identiques.

Pour rendre compte de la stabilité moléculaire, on recourt à un concept fort pratique, celui de *liaison chimique*. Pour bien comprendre la raison d'être de ce concept, examinons de nouveau le méthane, dont les quatre atomes d'hydrogène, situés aux quatre coins d'un tétraèdre, entourent l'atome de C.

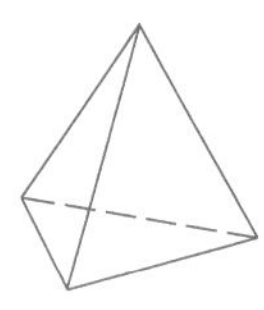

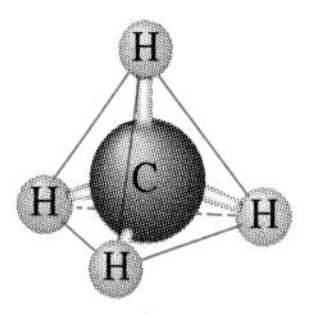

Une telle structure permet naturellement d'imaginer qu'il existe quatre interactions (*liaisons*) individuelles C—H. L'énergie de stabilisation de la molécule de CH_4 est répartie également entre chacune de ces interactions, et l'énergie de liaison moyenne C—H par mole de liaison C—H est de

$$\frac{1652 \text{ kJ/mol}}{4} = 413 \text{ kJ/mol}$$

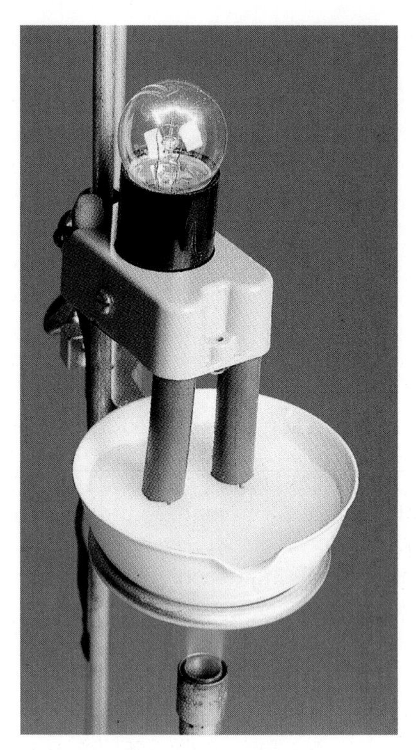

Le NaCl fondu permet le passage d'un courant électrique, indice de la présence d'ions mobiles Na^+ et Cl^-.

Considérons maintenant le chlorure de méthyle, CH_3Cl, dont la structure est la suivante :

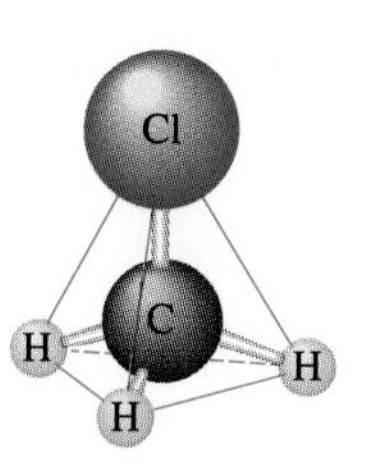

Expérimentalement, on a déterminé qu'il fallait fournir environ 1578 kJ pour transformer 1 mol de molécules CH_3Cl gazeux en atomes d'hydrogène, de chlore et de carbone gazeux. On peut représenter le processus inverse de la façon suivante :

$$C(g) + Cl(g) + 3H(g) \longrightarrow CH_3Cl(g) + 1578 \text{ kJ/mol}$$

L'énergie d'une mole de chlorure de méthyle gazeux est inférieure de 1578 kJ à la somme des énergies de ses atomes séparés à l'état gazeux. Par conséquent, une mole de chlorure de méthyle est maintenue ensemble par 1578 kJ d'énergie. Ici encore, il est utile de répartir cette énergie entre les liaisons individuelles. On peut se représenter le chlorure de méthyle comme s'il comportait une liaison C—Cl et trois liaisons C—H. Si on suppose, arbitrairement, que toute interaction C—H représente la même quantité d'énergie quel que soit le site où elle a lieu (autrement dit que la force d'une liaison C—H est indépendante de son environnement moléculaire), on peut établir le bilan suivant :

$$\text{1 mol de liaisons C—Cl} + \text{3 mol de liaisons C—H} = 1578 \text{ kJ}$$
$$\text{Énergie de liaison de C—Cl} + 3(\text{énergie moyenne de liaison C—H}) = 1578 \text{ kJ}$$
$$\text{Énergie de liaison de C—Cl} + 3(413 \text{ kJ/mol}) = 1578 \text{ kJ}$$
$$\text{Énergie de liaison de C—Cl} = 1578 - 1239 = 339 \text{ kJ/mol}$$

Ces suppositions permettent d'attribuer des quantités données d'énergie aux liaisons C—H et C—Cl.

Il est important de savoir que le concept de liaison est une création de l'esprit. Les liaisons ne constituent qu'une façon commode de représenter la distribution de l'énergie associée à la formation d'une molécule stable à partir de ses atomes constituants. Alors, dans un tel contexte, une liaison représente une quantité d'énergie obtenue, d'une manière plutôt arbitraire, à partir de l'énergie moléculaire globale de stabilisation. Cela ne signifie pas pour autant que le concept de liaison soit farfelu. Au contraire, le concept moderne de liaison chimique, qu'on doit aux chimistes américains G. N. Lewis et Linus Pauling, est un des concepts les plus utiles que les chimistes aient imaginés.

Vue d'ensemble des théories

Comme toute science, la chimie a recours à des théories (ou des modèles), c'est-à-dire à des tentatives d'explications du fonctionnement de la nature au niveau microscopique – explications basées sur des expériences effectuées au niveau macroscopique. Pour bien comprendre la chimie, il est essentiel de comprendre ces théories et de savoir les utiliser. Nous nous baserons ici sur le concept de liaison pour revoir les caractéristiques importantes des théories, y compris leur origine, leur structure et leurs utilisations.

La liaison n'est qu'un concept qui permet d'expliquer la stabilité des molécules.

C'est à partir de l'observation des propriétés de la nature qu'on crée des théories. Le concept de liaison, par exemple, découle de l'observation du fait que la plupart des réactions chimiques font intervenir des groupes d'atomes et qu'elles consistent en des réorganisations d'atomes. C'est pourquoi, pour comprendre les réactions, on doit comprendre les forces qui retiennent les atomes ensemble.

La nature recherche toujours le plus bas niveau d'énergie possible. Il y a donc formation de groupes d'atomes si, dans cet état, leur énergie est inférieure à la somme de celles des atomes individuels. Pourquoi en est-il ainsi ? On l'a vu précédemment, pour expliquer adéquatement les variations d'énergie, on fait appel soit à des atomes qui partagent des électrons, soit à des atomes qui transfèrent des électrons pour qu'il y ait formation d'ions. Dans le cas du partage d'électrons, il est commode de supposer que des liaisons individuelles soient formées entre des paires d'atomes. Examinons l'à-propos d'une telle supposition, ainsi que son utilité.

Dans une molécule diatomique comme H_2, il est naturel de supposer qu'une liaison retienne ensemble les atomes. Il est également utile de supposer que des liaisons individuelles existent dans des molécules polyatomiques comme CH_4. Ainsi, au lieu de considérer CH_4 comme une entité indivisible qui possède une énergie de stabilisation de 1652 kJ par mole, on présume que la molécule CH_4 comporte quatre liaisons C—H, chacune d'elles ayant une énergie de 413 kJ par mole de liaisons. Si on ne faisait pas appel à ce concept de liaison individuelle dans les molécules, l'étude de la chimie serait désespérément complexe. Il existe en effet des millions de composés chimiques différents ; s'il fallait considérer chacun d'eux comme une entité distincte, on ne pourrait pas comprendre la chimie.

Le concept de liaison fournit donc un cadre qui permet de systématiser les réactions chimiques en considérant que les molécules sont constituées de groupes de composants fondamentaux communs. Par exemple, une molécule biologique comme une protéine, qui contient des centaines d'atomes, peut paraître excessivement complexe. Cependant, lorsqu'on considère qu'elle est constituée des liaisons individuelles C—C, C—H, C—N, C—O, N—H, etc., il est plus facile de prédire et de comprendre les propriétés d'une protéine. L'idée fondamentale peut se formuler ainsi : quel que soit l'environnement moléculaire, on s'attend à ce qu'une liaison donnée se comporte toujours de la même façon. Le concept de liaison chimique a alors permis aux chimistes de systématiser les réactions dans lesquelles interviennent les millions de composés connus.

Ce concept de liaison est non seulement utile, il est également vraisemblable. Il est en effet logique de supposer que les atomes forment des groupes stables en partageant des électrons. L'énergie de ces électrons partagés est plus faible, étant donné que ces électrons sont attirés simultanément par deux noyaux.

Comme nous le verrons à la section suivante, les données relatives aux énergies de liaison confirment l'existence de liaisons discrètes relativement indépendantes de l'environnement moléculaire. Toutefois, n'oublions pas que le concept de liaison chimique n'est qu'une théorie. De plus, même si le concept de liaison discrète dans les molécules concorde avec de nombreux résultats expérimentaux, certaines propriétés moléculaires exigent qu'on considère la molécule comme un tout, avec des électrons libres de se déplacer dans l'ensemble de la molécule. C'est ce qu'on appelle le phénomène de *délocalisation* des électrons, concept que nous aborderons dans le prochain chapitre.

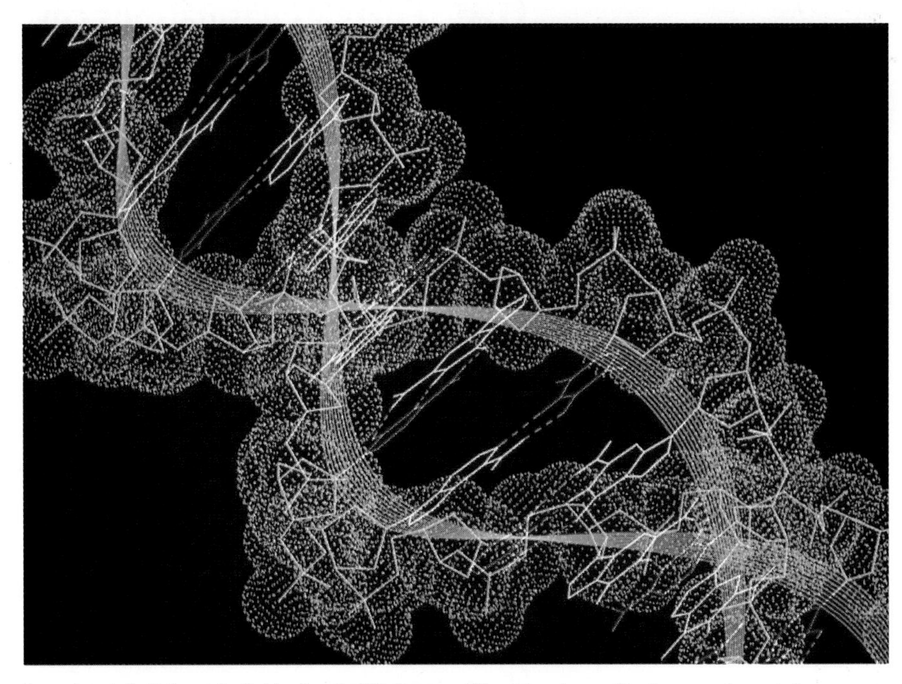

Le concept de liaisons individuelles facilite la compréhension des molécules complexes telles que l'ADN. Illustration d'un petit segment d'une molécule d'ADN.

Propriétés fondamentales des théories

- Les théories sont des créations humaines toujours basées sur une compréhension incomplète du fonctionnement de la nature. *Une théorie n'est pas synonyme de réalité.*
- Les théories sont souvent erronées : cette propriété découle de la première. Les théories, basées sur des spéculations, sont toujours des simplifications outrancières.
- Les théories tendent à devenir plus complexes avec le temps. Au fur et à mesure qu'on y découvre des failles, on y remédie en ajoutant de nouvelles suppositions.
- Il est important de comprendre les hypothèses sur lesquelles repose une théorie donnée avant de l'utiliser pour interpréter des observations ou pour effectuer des prédictions. Les théories simples, basées en général sur des suppositions très restrictives, ne fournissent le plus souvent que des informations qualitatives. Vouloir fournir une explication précise à partir d'une théorie simple, c'est comme vouloir déterminer la masse précise d'un diamant à l'aide d'un pèse-personne.

  Pour bien utiliser une théorie, il faut en connaître les points forts et les points faibles, et ne poser que les questions appropriées. Pour illustrer ce point, prenons le principe simple du *aufbau* utilisé pour expliquer la configuration électronique des éléments. Même si, à l'aide de ce principe, on peut adéquatement prédire la configuration électronique de la plupart des éléments, il ne s'applique pas au chrome ni au cuivre. Des études détaillées ont en effet montré que les configurations électroniques du chrome et du cuivre résultaient d'interactions électroniques complexes dont la théorie ne tient pas compte. Cela ne veut pas dire pour autant qu'il faille rejeter ce principe simple si utile pour la plupart des éléments. Il faut plutôt l'utiliser avec discernement et ne pas s'attendre à ce qu'il soit applicable à chaque cas.
- Quand on découvre qu'une théorie est erronée, on en apprend souvent beaucoup plus que lorsqu'elle est exacte ; si, en utilisant une théorie, on effectue une prédiction qui se révèle fausse, cela signifie en général qu'il existe certaines caractéristiques fondamentales de la nature qu'on ne comprend toujours pas. On apprend souvent de ses erreurs. (Gardez cela à l'esprit quand vous recevrez le résultat de votre prochain contrôle de chimie.)

6.8 Énergies des liaisons covalentes et réactions chimiques

Dans cette section, nous traitons des énergies associées à divers types de liaisons, ainsi que de l'utilité du concept de liaison pour aborder l'étude des énergies de réaction. Il est important de déterminer la sensibilité d'un type particulier de liaison à son environnement moléculaire. Considérons, par exemple, la décomposition graduelle du méthane présentée ci-dessous.

Processus	Énergie requise (kJ/mol)
$CH_4(g) \rightarrow CH_3(g) + H(g)$	435
$CH_3(g) \rightarrow CH_2(g) + H(g)$	453
$CH_2(g) \rightarrow CH(g) + H(g)$	425
$CH(g) \rightarrow C(g) + H(g)$	339
	Total = 1652

$$\text{Moyenne} = \frac{1652}{4} = 413$$

Même si, dans chacun des cas, il y a eu rupture d'une liaison C—H, l'énergie requise ne varie pas systématiquement, donc la liaison C—H est, d'une certaine façon, influencée par son environnement. On utilise par conséquent une *moyenne* des énergies de dissociation de ces différentes liaisons, même si ce n'est là qu'une valeur approchée de l'énergie associée à une liaison C—H dans une molécule donnée. Pour illustrer le degré de sensibilité

TABLEAU 6.4 Valeurs moyennes des énergies de liaison (kJ/mol)

Liaison simple						Liaison multiple	
H—H	432	N—H	391	I—I	149	C=C	614
H—F	565	N—N	160	I—Cl	208	C≡C	839
H—Cl	427	N—F	272	I—Br	175	O=O	495
H—Br	363	N—Cl	200			C=O*	745
H—I	295	N—Br	243	S—H	347	C≡O	1072
		N—O	201	S—F	327	N=O	607
C—H	413	O—H	467	S—Cl	253	N=N	418
C—C	347	O—O	146	S—Br	218	N≡N	941
C—N	305	O—F	190	S—S	266	C≡N	891
C—O	358	O—Cl	203			C=N	615
C—F	485	O—I	234	Si—Si	340		
C—Cl	339			Si—H	393		
C—Br	276	F—F	154	Si—C	360		
C—I	240	F—Cl	253	Si—O	452		
C—S	259	F—Br	237				
		Cl—Cl	239				
		Cl—Br	218				
		Br—Br	193				

*C=O(CO_2) = 799

d'une liaison à son environnement moléculaire, on peut aussi comparer les valeurs expérimentales de l'énergie requise pour briser le lien C—H dans les molécules suivantes :

Molécule	Énergie (kJ/mol) nécessaire pour briser la liaison C—H
$HCBr_3$	380
$HCCl_3$	380
HCF_3	430
C_2H_6	410

Ces données montrent clairement que la force de la liaison C—H varie grandement en fonction de l'environnement moléculaire, mais le concept d'une force moyenne de liaison C—H demeure toutefois utile aux chimistes. Les valeurs moyennes des énergies de liaison pour différents types de liaisons apparaissent au tableau 6.4.

Jusqu'à présent, nous n'avons traité que des liaisons comportant une seule paire d'électrons de liaison, c'est-à-dire des **liaisons simples**. Or, comme nous le verrons plus loin, certains atomes partagent quelquefois deux paires d'électrons (dans ce cas, il s'agit d'une **liaison double**), voire même trois paires d'électrons (**liaison triple**). Les énergies de liaison relatives à ces *liaisons multiples* sont présentées également au tableau 6.4.

Il existe en outre une relation entre le nombre de paires d'électrons partagés (ou électrons de liaison) et la longueur de la liaison : au fur et à mesure que le nombre d'électrons de liaison augmente, la longueur de la liaison diminue (*voir le tableau 6.5*).

Énergie de liaison et enthalpie

On peut utiliser les valeurs de l'énergie de liaison pour calculer approximativement celles des énergies associées aux réactions. Pour illustrer une telle utilisation, calculons la variation d'énergie qui accompagne la réaction suivante :

$$H_2(g) + F_2(g) \longrightarrow 2HF(g)$$

Dans cette réaction, il y a rupture d'une liaison H—H et d'une liaison F—F, et formation de deux liaisons H—F. Pour briser des liaisons, il faut *fournir* de l'énergie ; le processus est donc endothermique. Par conséquent, le facteur énergétique associé à une rupture de liaison est affecté du signe *positif*. Par contre, la formation d'une liaison *libère* de l'énergie (processus exothermique) ; le facteur énergétique associé à la formation

TABLEAU 6.5 Longueurs de quelques liaisons

Liaison	Type de liaison	Longueur de la liaison (pm)	Énergie de liaison (kJ/mol)
C—C	simple	154	347
C=C	double	134	614
C≡C	triple	120	839
C—O	simple	143	358
C=O	double	123	745
C—N	simple	143	305
C=N	double	138	615
C≡N	triple	116	891

d'une liaison est donc affecté du signe *négatif*. On peut exprimer la variation d'enthalpie d'une réaction de la façon suivante :

ΔH = Énergies nécessaires à la rupture des liaisons existantes (signes positifs) + Énergies libérées par la formation de nouvelles liaisons (signes négatifs)

soit

$$\Delta H = \underbrace{\Sigma D \text{ (liaisons rompues)}}_{\text{Énergie requise}} - \underbrace{\Sigma D \text{ (liaisons formées)}}_{\text{Énergie libérée}}$$

où Σ est une sommation et D, l'énergie de liaison par mole de liaisons (D est *toujours* affectée du signe positif).

Dans le cas de la réaction de formation de HF, on a

$$\begin{aligned}\Delta H &= D_{H-H} + D_{F-F} - 2D_{H-F} \\ &= 1 \text{ mol} \times \frac{432 \text{ kJ}}{\text{mol}} + 1 \text{ mol} \times \frac{154 \text{ kJ}}{\text{mol}} - 2 \text{ mol} \times \frac{565 \text{ kJ}}{\text{mol}} \\ &= -544 \text{ kJ}\end{aligned}$$

Par conséquent, si 1 mol $H_2(g)$ et 1 mol $F_2(g)$ réagissent pour former 2 mol $HF(g)$, il doit y avoir libération de 544 kJ d'énergie.

On peut comparer ce résultat avec le calcul du ΔH de cette réaction à partir de l'enthalpie standard de formation de HF (−271 kJ/mol) :

$$\Delta H° = 2 \text{ mol} \times (-271 \text{ kJ/mol}) = -542 \text{ kJ}$$

Exemple 6.5 Calcul de ΔH à partir des énergies de liaison

À l'aide des valeurs des énergies de liaison présentées au tableau 6.4, calculez la valeur de ΔH pour la réaction de synthèse du fréon-12, CF_2Cl_2, à partir du méthane, du chlore et du fluor.

$$CH_4(g) + 2Cl_2(g) + 2F_2(g) \longrightarrow CF_2Cl_2(g) + 2HF(g) + 2HCl(g)$$

Solution

Il s'agit ici de rompre les liaisons des molécules de réactifs pour obtenir des atomes individuels, puis d'assembler ces atomes pour former des produits en créant de nouvelles liaisons.

$$\text{Réactifs} \xrightarrow[\text{requise}]{\text{Énergie}} \text{atomes} \xrightarrow[\text{libérée}]{\text{Énergie}} \text{produits}$$

Pour calculer la valeur de ΔH, on additionne toutes les variations d'énergie, conformément à la relation suivante :

ΔH = Énergie requise pour rompre les liaisons − Énergie libérée au cours de la formation des liaisons

Le signe moins est le signe approprié pour représenter un processus exothermique.

Liaisons rompues dans les réactifs

CH_4: 4 mol C—H $\quad 4 \text{ mol} \times \frac{413 \text{ kJ}}{\text{mol}} = 1652 \text{ kJ}$

$2Cl_2$: 2 mol Cl—Cl $\quad 2 \text{ mol} \times \frac{239 \text{ kJ}}{\text{mol}} = 478 \text{ kJ}$

$2F_2$: 2 mol F—F $\quad 2 \text{ mol} \times \frac{154 \text{ kJ}}{\text{mol}} = 308 \text{ kJ}$

Énergie totale requise = 2438 kJ

Liaisons formées dans les produits

CF_2Cl_2: 2 mol C—F $\quad 2 \text{ mol} \times \frac{485 \text{ kJ}}{\text{mol}} = 970 \text{ kJ}$

et

2 mol C—Cl $\quad 2 \text{ mol} \times \frac{339 \text{ kJ}}{\text{mol}} = 678 \text{ kJ}$

HF: 2 mol H—F $\quad 2 \text{ mol} \times \frac{565 \text{ kJ}}{\text{mol}} = 1130 \text{ kJ}$

HCl: 2 mol H—Cl $\quad 2 \text{ mol} \times \frac{427 \text{ kJ}}{\text{mol}} = 854 \text{ kJ}$

Énergie totale libérée = 3632 kJ

On peut donc calculer la valeur de ΔH

ΔH = Énergie requise pour rompre les liaisons − Énergie libérée au cours de la formation des liaisons

= 2438 kJ − 3632 kJ

= −1194 kJ

Étant donné que la variation d'enthalpie est négative, il y a libération de 1194 kJ par mole de CF_2Cl_2 formée.

Voir les exercices 6.43 à 6.46

6.9 Théorie des électrons localisés

Jusqu'à présent, nous avons étudié les caractéristiques générales de la théorie de la liaison chimique et nous avons vu que des propriétés comme la longueur de la liaison et la polarité pouvaient être assignées à des liaisons individuelles. Dans la présente section, nous présentons une théorie spécifique utilisée pour décrire la liaison covalente. Cette théorie est simple : elle doit s'appliquer même aux molécules très complexes et pouvoir être utilisée couramment par le chimiste pour expliquer et organiser la grande variété des phénomènes chimiques qu'il étudie.

La théorie qui satisfait à ces exigences porte le nom de **théorie des électrons localisés (EL)**. C'est une théorie selon laquelle *une molécule est composée d'atomes retenus ensemble par le partage de doublets d'électrons à partir des orbitales des atomes liés*. Les paires d'électrons de la molécule sont situées soit dans l'environnement d'un atome donné, soit dans l'espace qui sépare deux atomes. Les paires d'électrons qui appartiennent à un seul atome sont appelées **doublets libres** et celles que deux atomes partagent, **doublets liants**.

On applique cette théorie des électrons localisés en trois étapes.

1. Description de l'agencement des électrons de valence dans la molécule à l'aide des diagrammes de Lewis (*voir la section suivante*).

2. Prédiction des caractéristiques géométriques de la molécule à l'aide de la théorie de la répulsion des paires d'électrons de valence (RPEV). (*Voir la section 6.13.*)
3. Description des types d'orbitales atomiques utilisées par les atomes pour partager des électrons ou former des doublets libres. Cette description sera faite au chapitre 7.

6.10 Diagrammes de Lewis

Le **diagramme de Lewis** [en l'honneur de G. N. Lewis (*voir la figure 6.14*)] d'une molécule permet de représenter la répartition des électrons de valence entre les atomes de cette molécule. Les règles d'écriture des diagrammes de Lewis sont basées sur l'observation de milliers de molécules, observation qui a permis de déduire que, *pour former un composé stable, les atomes doivent avoir une configuration électronique semblable à celle d'un gaz rare.*

Lorsque des métaux et des non-métaux réagissent pour former des composés ioniques binaires, il y a transfert d'électrons, et les ions qui en résultent ont une configuration électronique semblable à celle d'un gaz rare. La formation du KBr en est un exemple : l'ion K^+ possède une configuration électronique semblable à celle de Ar et l'ion Br^-, à celle de Kr. Quand on écrit des diagrammes de Lewis, il faut se rappeler qu'*on ne représente que les électrons de valence.* Lorsqu'on utilise des points pour représenter les électrons, le diagramme de Lewis du KBr est

Dans un diagramme de Lewis, on ne fait figurer que les électrons de valence.

K ← 1+ Charge   :Br: ← 1− Charge

Il n'y a aucun point autour de l'ion K^+, puisqu'il ne possède aucun électron de valence. L'ion Br^- est entouré de huit électrons, étant donné que sa couche de valence est remplie.

Considérons maintenant les diagrammes de Lewis relatifs à des molécules d'éléments des périodes 1 ou 2, molécules dont les atomes sont retenus ensemble par des liaisons covalentes. Pour ces éléments aussi, les atomes doivent avoir une configuration électronique semblable à celle d'un gaz rare.

- L'hydrogène forme des molécules stables chaque fois qu'il partage deux électrons ; autrement dit, il est régi par la **règle du doublet**. Quand, par exemple, deux atomes d'hydrogène, dont chacun possède un électron, se combinent pour former une molécule H_2, on a

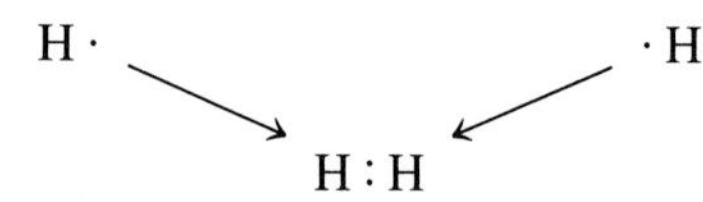

Par le partage des électrons, chaque atome d'hydrogène, dans H_2, possède en fait deux électrons ; autrement dit, la couche de valence de chaque atome d'hydrogène est remplie.

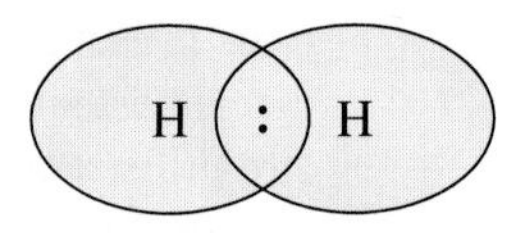

- L'hélium ne forme pas de liaison, puisque sa couche de valence est déjà remplie : c'est un gaz rare. Le diagramme de Lewis de l'hélium, dont la configuration électronique est $1s^2$, est

He :

- Les non-métaux de la deuxième période (de C jusqu'à F) forment des composés stables quand leurs orbitales de valence (l'orbitale $2s$ et les 3 orbitales $2p$) sont remplies. Puisqu'il faut huit électrons pour remplir ces orbitales, ces éléments sont régis de façon caractéristique par la **règle de l'octet** : ils sont entourés de huit électrons. La molécule F_2 en est un exemple ; son diagramme de Lewis est

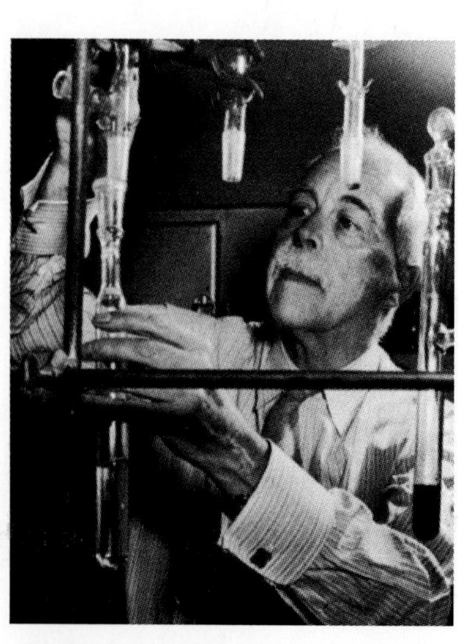

FIGURE 6.14
G. N. Lewis (1875–1946).

Les atomes de carbone, d'azote, d'oxygène et de fluor sont toujours régis par la règle de l'octet dans les molécules stables.

$:\ddot{\underset{..}{F}}\cdot \longrightarrow :\ddot{\underset{..}{F}}:\ddot{\underset{..}{F}}: \longleftarrow \cdot\ddot{\underset{..}{F}}:$

Atome F avec 7 électrons de valence — Molécule F_2 — Atome F avec 7 électrons de valence

On remarque que chaque atome de fluor, dans F_2, est effectivement entouré de huit électrons, mais qu'il en partage deux avec l'autre atome. Ces deux électrons forment le *doublet liant*. Chaque atome de fluor possède donc en outre trois paires d'électrons qui ne participent pas à la liaison : ce sont des *doublets libres*.

- Le néon ne forme pas de liaison, puisqu'il possède déjà huit électrons de valence (c'est un gaz rare). Son diagramme de Lewis est

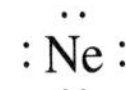

Remarquez que seuls les électrons de valence de l'atome de néon ($2s^22p^6$) figurent dans le diagramme de Lewis ; en effet, les électrons $1s^2$, électrons de cœur, ne sont pas montrés.

Compte tenu de ce qui précède, on peut formuler les règles d'écriture ci-dessous applicables aux diagrammes de Lewis des molécules qui contiennent des atomes appartenant aux deux premières périodes.

Règles d'écriture relatives aux diagrammes de Lewis

➡ 1 **Faire la somme des électrons de valence de tous les atomes. Ce qui est important, c'est le nombre *total* d'électrons et non l'atome dont ils proviennent.**

➡ 2 **Utiliser un doublet d'électrons pour former une liaison entre chaque paire d'atomes liés.**

➡ 3 **Répartir les électrons résiduels de façon telle que l'hydrogène soit régi par la règle du doublet et les éléments de la deuxième période, par la règle de l'octet.**

Pour apprendre à appliquer ces règles, écrivons les diagrammes de Lewis relatifs à quelques molécules. Considérons d'abord la molécule d'eau et appliquons-lui les règles présentées ci-dessus.

➡ 1 La somme des électrons de *valence*, pour H_2O, est

$$\underset{H}{1} + \underset{H}{1} + \underset{O}{6} = 8 \text{ électrons de valence}$$

➡ 2 En utilisant un doublet d'électrons par liaison, on peut représenter deux liaisons simples O—H ; ainsi

H—O—H

Pour représenter chaque doublet liant, on utilise, par convention, une ligne au lieu d'une paire de points.

➡ 3 On répartit ensuite les électrons résiduels autour des atomes de façon à ce que chaque atome ait une configuration électronique semblable à celle d'un gaz rare. Puisqu'on a utilisé quatre électrons pour former les deux liaisons, il reste quatre électrons (8 − 4) à répartir. Or, pour que leurs configurations électroniques soient semblables à celle d'un gaz rare, l'hydrogène n'a besoin que de deux électrons (règle du doublet), alors que l'oxygène en a besoin de huit (règle de l'octet). Par conséquent, on répartit les quatre électrons résiduels autour de l'atome d'oxygène, sous forme de deux doublets libres.

H—O—H représente H:O:H.

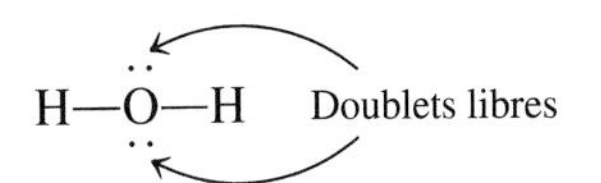

C'est là le diagramme de Lewis approprié en ce qui concerne la molécule d'eau. Chaque atome d'hydrogène possède bien deux électrons et chaque atome d'oxygène, huit électrons, comme le montre le diagramme ci-dessous.

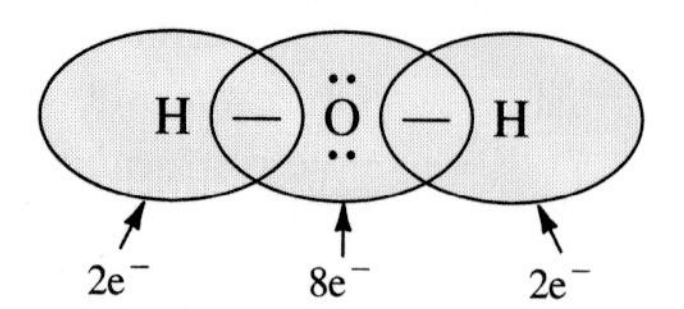

Considérons à présent le dioxyde de carbone. La somme des électrons de valence est

$$4 + 6 + 6 = 16$$

C O O

On forme une liaison entre le carbone et chaque atome d'oxygène.

O—C—O

On répartit les électrons résiduels de façon à ce que chaque atome ait une configuration semblable à celle d'un gaz rare. Dans ce cas, il y a 12 électrons (16 − 4) résiduels. Pour répartir ces électrons, on procède par tâtonnement. On a six paires d'électrons à mettre en place. Supposons qu'on assigne trois paires d'électrons à chaque atome d'oxygène : on obtient

:Ö—C—Ö:

Est-ce là une répartition adéquate ? Pour répondre à cette question, il faut vérifier les deux points suivants :

1. Le nombre total d'électrons. Il y a 16 électrons de valence dans ce diagramme, ce qui est juste.
2. Le respect de la règle de l'octet pour chaque atome. Chaque atome d'oxygène possède bien huit électrons, mais l'atome de carbone n'en possède que quatre. Par conséquent, ce diagramme de Lewis n'est pas juste.

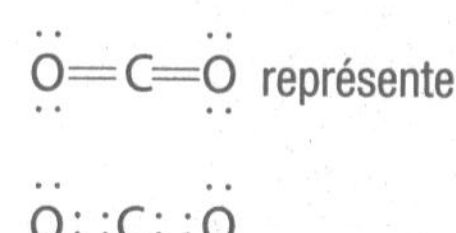

Comment peut-on alors répartir les 16 électrons dont on dispose pour que chaque atome possède 8 électrons ? Supposons qu'il y ait deux doublets liants entre l'atome de carbone et chaque atome d'oxygène ; dans ce cas, on a

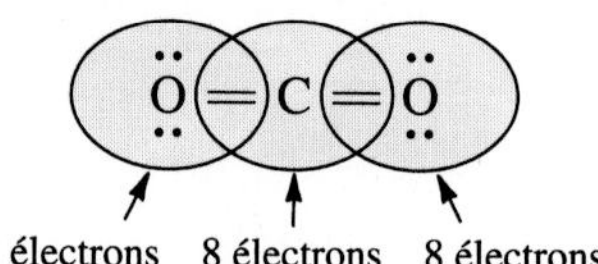

Chaque atome est ainsi entouré de 8 électrons, et le nombre total d'électrons est de 16, ce qui est conforme aux exigences mentionnées ci-dessus. C'est donc là le diagramme de Lewis approprié relatif au dioxyde de carbone, diagramme dans lequel on trouve deux liaisons doubles.

Finalement, considérons l'ion CN^- (cyanure). La somme des électrons de valence est

CN^-

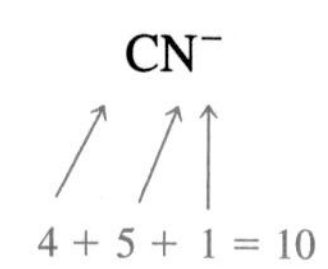

On remarque que la présence d'une charge négative signifie qu'on doit ajouter un électron. On forme ensuite une liaison simple, C—N. Enfin, on répartit les électrons résiduels de façon que chaque atome ait une configuration électronique semblable à celle d'un gaz rare. Il existe plusieurs façons de répartir les huit électrons résiduels, par exemple :

C—N (avec paires d'électrons libres)

Ce diagramme est incorrect, car C et N possèdent chacun six électrons et non huit. La répartition exacte est

$$[:C\equiv N:]^-$$

(Vérifiez que l'azote et le carbone possèdent bien huit électrons chacun.)

Exemple 6.6 Écriture des diagrammes de Lewis

Écrivez les diagrammes de Lewis relatifs à chacune des structures ci-dessous.

a) HF **d)** CH_4
b) N_2 **e)** CF_4
c) NH_3 **f)** NO^+

Solution

Dans chacun des cas, on doit appliquer les trois règles d'écriture des diagrammes de Lewis, sans oublier qu'on utilise des lignes pour représenter les doublets de liaison et des points pour représenter les doublets non liants, ou doublets libres. Les résultats sont présentés dans le tableau suivant.

	Nombre total d'électrons de valence	Tracé des liaisons simples	Calcul du nombre d'électrons résiduels	Utilisation des électrons résiduels pour obtenir des configurations semblables à celles des gaz rares	Vérification atomes électrons
a) HF	1 + 7 = 8	H—F	6	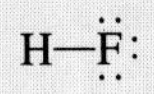 H—F̤̈:	H, 2 F, 8
b) N_2	5 + 5 = 10	N—N	8	:N≡N:	N, 8
c) NH_3	5 + 3(1) = 8	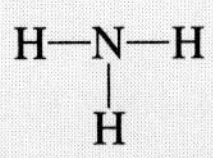 H—N—H │ H	2	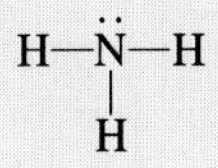 H—N̈—H │ H	H, 2 N, 8
d) CH_4	4 + 4(1) = 8	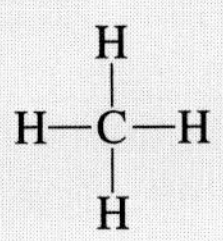 H │ H—C—H │ H	0	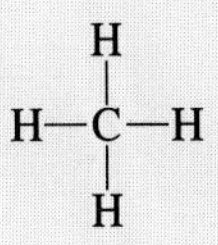 H │ H—C—H │ H	H, 2 C, 8
e) CF_4	4 +4(7) = 32	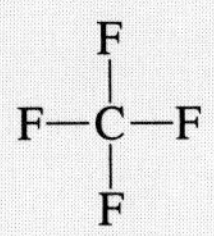 F │ F—C—F │ F	24	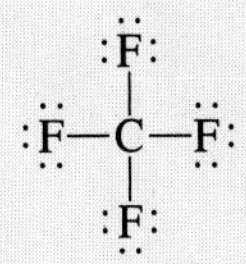 :F̈: │ :F̤̈—C—F̤̈: │ :F̤:	F, 8 C, 8
f) NO^+	5 + 6 − 1 = 10	N—O	8	$[:N\equiv O:]^+$	N, 8 O, 8

Voir les exercices 6.49 et 6.50

Quand on écrit les diagrammes de Lewis, il importe peu de savoir de quels atomes proviennent les électrons ; il vaut mieux considérer la molécule comme une nouvelle entité qui utilise tous les électrons de valence dont elle dispose pour atteindre le plus bas niveau d'énergie possible*. Les électrons de valence appartiennent donc plutôt

* Dans un certain sens, cette approche permet de corriger le fait que, selon la théorie des électrons localisés, une molécule n'est que la somme de ses parties – autrement dit, que chaque atome conserve son identité propre dans la molécule.

IMPACT

L'azote sous pression

L'azote est un élément qui existe aux températures et pressions normales sous la forme d'un gaz constitué de N_2, une molécule comportant une liaison triple très forte. En phase gazeuse, les molécules diatomiques se déplacent indépendamment les unes des autres, sans presque aucune tendance à s'associer. Sous une pression élevée, toutefois, l'azote prend une forme tout à fait différente. C'est à cette conclusion que sont arrivés Mikhail Erements et ses collègues du Carnegie Institution, à Washington, après avoir soumis l'azote à une pression de 2,4 millions d'atmosphères dans une cellule à enclumes en diamant spéciale. Sous cette pression considérable, les liaisons des molécules de N_2 se rompent et il se forme une substance contenant un agrégat d'atomes d'azote. En d'autres mots, sous une pression élevée, l'azote élémentaire passe d'une substance contenant des molécules diatomiques à une substance contenant de nombreux atomes d'azote liés les uns aux autres. Fait digne de remarque, cette substance reste intacte même une fois que la pression a chuté – pourvu que la température demeure à 100 K. Cette nouvelle forme d'azote possède une énergie potentielle très élevée par rapport à celle de N_2. Ainsi, cette substance pourrait constituer un agent propulsif ou un explosif d'une puissance extraordinaire si la quantité produite était suffisante. Cette nouvelle forme d'azote est également un semi-conducteur de l'électricité ; l'azote gazeux normal est un isolant.

Cette forme d'azote nouvellement découverte est importante pour plusieurs raisons. En premier lieu, cela peut contribuer à comprendre la nature de l'intérieur des planètes gazeuses géantes comme Jupiter. Et en plus, la réussite de la transformation de l'azote en un solide atomique encourage les spécialistes des hautes pressions qui essaient de réaliser le même but avec l'hydrogène. Il est surprenant que l'azote, qui est constitué de molécules diatomiques contenant des liaisons deux fois plus fortes que celles de l'hydrogène, forme un solide atomique à ces pressions, mais que l'hydrogène ne le fasse pas. L'hydrogène demeure un solide moléculaire à des pressions beaucoup plus élevées que l'azote ne peut le supporter.

Une cellule à enclumes en diamant pour étudier des substances à des pressions très élevées.

à la molécule qu'aux atomes individuels. Il suffit ainsi de répartir tous les électrons de valence de façon à respecter les diverses règles, sans tenir compte de l'origine de chaque électron donné.

6.11 Exceptions à la règle de l'octet

La théorie des électrons localisés, bien qu'elle soit simple, fonctionne fort bien, et les règles qui régissent l'écriture des diagrammes de Lewis s'appliquent à la plupart des molécules. Cependant, à cause de cette simplicité, les exceptions sont inévitables. Le bore, par exemple, a tendance à former des composés dans lesquels son atome possède moins de huit électrons ; autrement dit, son octet n'est pas complet. Le trifluorure de bore, BF_3, un gaz aux température et pression normales, réagit violemment avec des molécules qui possèdent des doublets libres, comme l'eau et l'ammoniac. La forte réactivité du BF_3 avec des molécules riches en électrons est due au fait que l'atome de bore est déficient en électrons. Le trifluorure de bore possède 24 électrons de valence. Le diagramme de Lewis qui semble le mieux représenter les propriétés du BF_3 est le suivant :

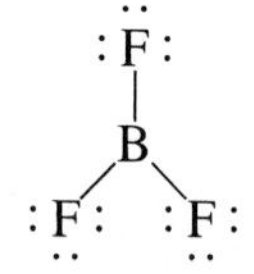

On remarque que, dans ce diagramme, le bore ne possède que six électrons. On peut bien sûr lui en affecter huit, à la condition toutefois de créer une liaison double ; on obtient alors

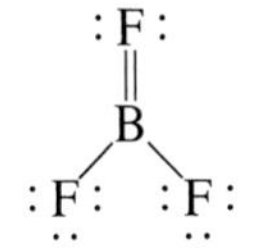

Des études récentes ont montré que la double liaison pouvait jouer un rôle important dans BF_3. Toutefois, l'atome de bore dans BF_3 se comporte certainement comme s'il lui manquait un électron, comme le montre la réactivité de BF_3 avec des molécules riches en électrons, par exemple sa réactivité avec NH_3, pour former H_3NBF_3.

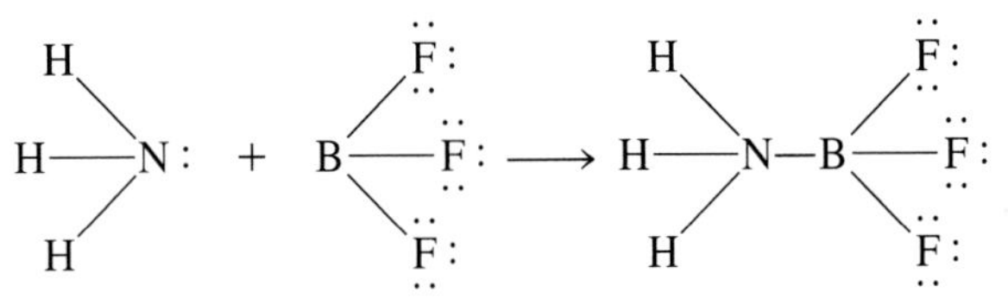

Dans ce composé stable, le bore possède huit électrons de valence.

C'est une des caractéristiques du bore de former des molécules dans lesquelles son atome est déficient en électrons. Par contre, les atomes de carbone, d'azote, d'oxygène et de fluor respectent à la lettre la règle de l'octet.

Il existe par ailleurs plusieurs composés dans lesquels certains atomes possèdent plus de huit électrons. On observe notamment ce comportement avec les éléments de la troisième période du tableau périodique, et au-delà. Pour bien comprendre ce phénomène, considérons le diagramme de Lewis relatif à l'hexafluorure de soufre, SF_6, une molécule fort connue et très stable. La somme des électrons de valence est

$$6 + 6(7) = 48 \text{ électrons}$$

En formant des liaisons simples, on obtient le diagramme de gauche :

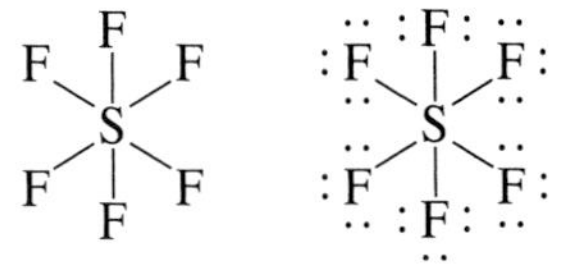

Puisqu'il a fallu utiliser 12 électrons pour former les liaisons S—F, on a 36 électrons résiduels. Étant donné que l'atome de fluor respecte toujours la règle de l'octet, on attribue à chacun des six atomes de fluor le nombre de doublets nécessaires : on obtient ainsi le diagramme de droite. Dans ce diagramme, on utilise bien les 48 électrons de valence du SF_6, mais l'atome de soufre possède 12 électrons. Ce nombre *excède* donc le nombre requis par la règle de l'octet. Comment cela est-il possible ?

Pour répondre à cette question, il faut étudier les différents types d'orbitales de valence caractéristiques des éléments des deuxième et troisième périodes. Les éléments de la deuxième période ont des orbitales de valence 2*s* et 2*p*, et ceux de la troisième période, des orbitales de valence 3*s*, 3*p* et 3*d*. Les orbitales 3*s* et 3*p* se remplissent au fur et à mesure qu'on passe du sodium à l'argon, alors que les orbitales 3*d* demeurent inoccupées. Par exemple, le diagramme relatif aux orbitales de valence, pour l'atome de soufre, est

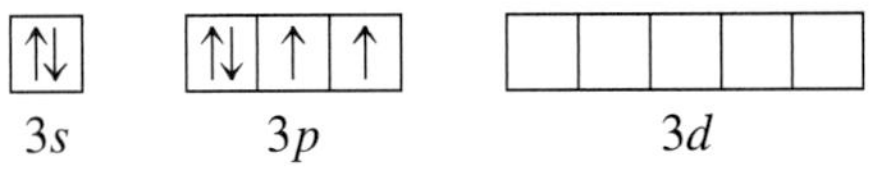

Les éléments de la troisième période peuvent excéder la règle de l'octet.

Selon la théorie des électrons localisés, les orbitales 3*d* peuvent être occupées par des électrons supplémentaires. L'atome de soufre, dans SF_6, peut donc posséder 12 électrons : 8 électrons occupent l'orbitale 3*s* et les 3 orbitales 3*p* et les 4 électrons supplémentaires, des orbitales 3*d* auparavant inoccupées. *Les éléments de la deuxième période ne possèdent jamais plus de huit électrons, car leurs orbitales de valence (*2s *et* 2p*) ne peuvent pas être occupées par plus de huit électrons. Par contre, les éléments de la troisième période, même s'ils sont le plus souvent régis par la règle de l'octet, peuvent souvent* *accepter plus de huit électrons, les électrons excédentaires occupant alors leurs orbitales* d *auparavant inoccupées.*

Quand on écrit le diagramme de Lewis relatif à une molécule, il faut d'abord appliquer la règle de l'octet à chacun des atomes. S'il reste des électrons, on les répartit entre les éléments qui possèdent des orbitales *d* inoccupées, éléments qu'on rencontre à partir de la troisième période.

La théorie selon laquelle les atomes qui possèdent des électrons excédentaires (supérieurs au nombre requis par la règle de l'octet) occupent réellement leurs orbitales *d* ne fait pas l'unanimité parmi les chimistes théoriciens. C'est un sujet toutefois que nous n'aborderons pas dans ce livre.

Diagrammes de Lewis : Commentaires concernant la règle de l'octet

- **Les éléments de la deuxième période C, N, O et F sont toujours considérés comme des éléments qui respectent la règle de l'octet.**
- **Les éléments de la deuxième période B et Be possèdent souvent moins de huit électrons dans les composés dont ils font partie. Ces composés déficients en électrons sont très réactifs.**
- **Les éléments de la deuxième période ne dérogent jamais à la règle de l'octet, puisque leurs orbitales de valence (2*s* et 2*p*) ne peuvent recevoir plus de huit électrons.**
- **À partir de la troisième période, la règle de l'octet est souvent respectée, mais il arrive que le nombre d'électrons excède ceux prescrits par la règle de l'octet ; ils occupent alors les orbitales de valence *d* jusqu'alors inoccupées.**
- **Quand on écrit le diagramme de Lewis d'une molécule, il faut d'abord appliquer la règle de l'octet à chacun des atomes. S'il reste des électrons, on les répartit entre les éléments qui possèdent des orbitales *d* non occupées (éléments rencontrés à partir de la troisième période).**

Exemple 6.7

Diagrammes de Lewis pour les molécules qui font exception à la règle de l'octet I

Écrivez le diagramme de Lewis relatif à la molécule PCl_5.

Solution

Procédons étape par étape, comme précédemment pour l'hexafluorure de soufre.

1 Calculez le nombre total d'électrons de valence.

$$\underset{\mathrm{P}}{\underset{\uparrow}{5}} + 5(\underset{\mathrm{Cl}}{\underset{\uparrow}{7}}) = 40 \text{ électrons}$$

2 Tracez des liaisons simples entre les atomes liés.

Cl Cl
| /
Cl—P
| \
Cl Cl

3 Répartissez les électrons résiduels. Ce nombre, dans ce cas, est de $(40 - 10) = 30$. On les répartit de façon à ce que chaque atome de chlore respecte la règle de l'octet. Le diagramme de Lewis final est alors le suivant :

:C̈l: :C̈l:
| /
:C̈l—P
| \
:C̈l: :C̈l:

On remarque que le phosphore, élément de la troisième période, possède deux électrons de plus que ne le prévoit la règle de l'octet.

Voir les exercices 6.53 et 6.54

Dans les molécules PCl_5 et SF_6, ce sont les atomes centraux (respectivement P et S) qui doivent posséder les électrons supplémentaires. Cependant, dans les molécules constituées de plus d'un atome pouvant accepter plus de huit électrons, il n'est pas toujours facile de déterminer à quel atome il faut attribuer les électrons supplémentaires. Considérons le diagramme de Lewis relatif à l'ion triiodure, I_3^-, qui possède

$$\underset{\substack{\uparrow \\ \text{I}}}{3(7)} + \underset{\substack{\uparrow \\ 1-\text{charge}}}{1} = 22 \text{ électrons de valence}$$

Lorsqu'on forme des liaisons simples, la molécule prend l'allure suivante : I—I—I. Il reste 18 électrons (22 − 4) résiduels. Par tâtonnement, on en arrive à la conclusion qu'un des atomes d'iode doit posséder plus de huit électrons, mais *lequel* ?

La règle à respecter dans un tel cas est la suivante : *s'il faut attribuer plus de huit électrons à un des éléments de la troisième période, ou au-delà, c'est toujours à l'atome central qu'on assigne les électrons supplémentaires.*

Ainsi, dans le cas de I_3^-, le diagramme de Lewis est

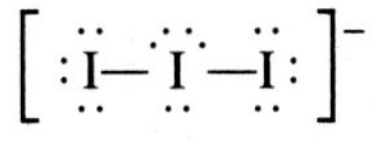

$$\left[:\ddot{\underset{..}{I}}-\ddot{\underset{..}{I}}-\ddot{\underset{..}{I}}: \right]^-$$

C'est l'atome d'iode central qui n'est pas régi par la règle de l'octet. Ce diagramme correspond d'ailleurs fort bien aux propriétés connues de l'ion I_3^-.

Exemple 6.8 Diagrammes de Lewis pour les molécules qui ne respectent pas la règle de l'octet II

Écrivez le diagramme de Lewis relatif à chaque molécule ou ion ci-dessous.

a) ClF_3 **b)** XeO_3 **c)** $RnCl_2$ **d)** $BeCl_2$ **e)** ICl_4^-

Solution

a) L'atome de chlore (élément de la troisième période) peut accepter des électrons supplémentaires.

(Diagramme : Cl central avec deux doublets libres, lié par liaisons simples à trois atomes F portant chacun trois doublets libres.)

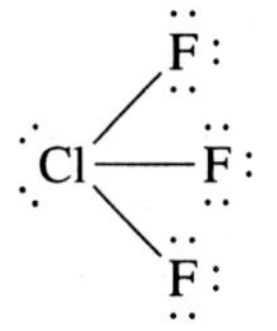

b) Tous les atomes respectent la règle de l'octet.

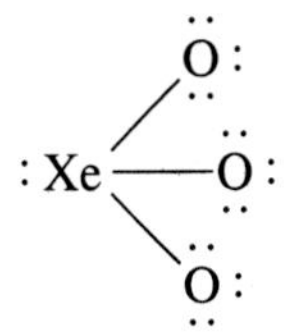

(Diagramme : :Xe central avec un doublet libre, lié par liaisons simples à trois atomes O portant chacun trois doublets libres.)

c) Le radon, gaz rare de la sixième période, peut accepter des électrons supplémentaires.

$$:\ddot{\underset{..}{Cl}}-\ddot{\underset{..}{Rn}}-\ddot{\underset{..}{Cl}}:$$

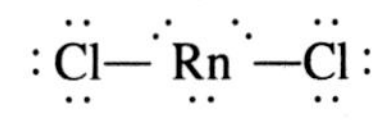

d) Le béryllium a un déficit en électrons.

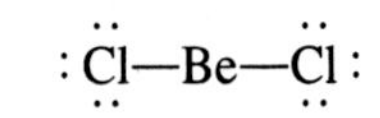

$$:\ddot{\underset{..}{Cl}}-Be-\ddot{\underset{..}{Cl}}:$$

e) L'iode possède plus de huit électrons.

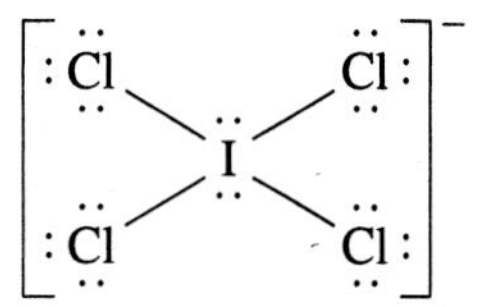

(Diagramme : $[ICl_4]^-$ — I central avec deux doublets libres, lié par liaisons simples à quatre atomes Cl portant chacun trois doublets libres, entre crochets, charge −.)

(Voir les exercices 6.53 et 6.54)

6.12 Résonance

Il arrive quelquefois qu'on puisse écrire plus d'un diagramme de Lewis (un diagramme qui respecte les règles étudiées) applicable à une molécule donnée. Considérons, par exemple, le diagramme de Lewis relatif à l'ion nitrate (NO_3^-), qui possède 24 électrons de valence. Pour que chaque atome possède huit électrons, il faut une structure semblable à la suivante.

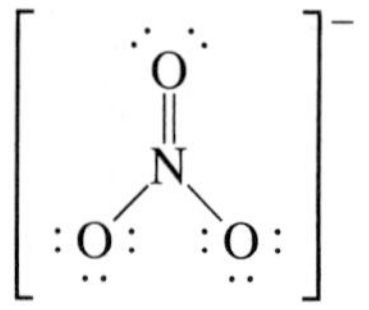

Si ce diagramme représente adéquatement les liaisons dans NO_3^-, cela signifie qu'il existe deux types de liaison N—O dans cette molécule : une liaison plus courte (liaison double) et deux liaisons plus longues identiques (liaisons simples). Les résultats des expériences révèlent cependant qu'on ne retrouve, dans NO_3^-, qu'*un seul* type de liaison N—O, dont la longueur et la force ont des valeurs situées entre celles d'une liaison simple et celles d'une liaison double. Par conséquent, même si le diagramme ci-dessus satisfait aux règles d'écriture d'un diagramme de Lewis, il ne reflète *pas* la réalité en ce qui concerne les liaisons dans NO_3^-. Cela pose un sérieux problème ; la théorie doit donc être modifiée.

Considérons le diagramme de Lewis. Il n'y a aucune raison d'assigner la liaison double à un atome d'oxygène en particulier. En fait, il existe trois diagrammes possibles.

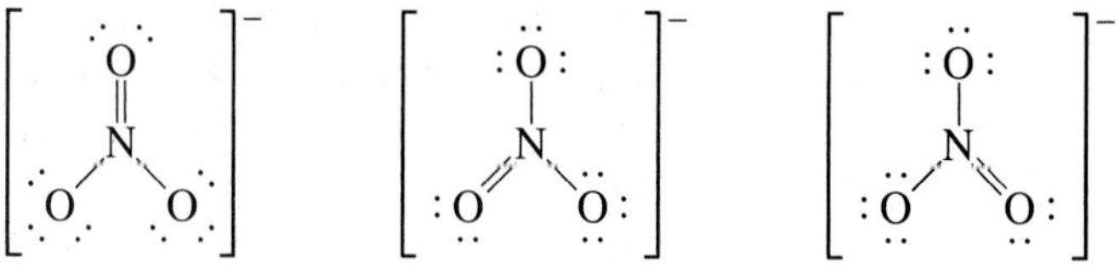

Est-ce que l'un de ces diagrammes représente adéquatement la liaison dans NO_3^- ? Non, car NO_3^- ne possède pas une liaison double et deux liaisons simples ; il possède *trois* liaisons *équivalentes*. Pour surmonter cette difficulté, on suppose que la description exacte de NO_3^- *n'est donnée par aucun* des trois diagrammes de Lewis, mais qu'elle l'est uniquement par *la superposition des trois diagrammes*.

L'ion nitrate n'existe pas sous l'une ou l'autre de ces formes extrêmes, mais plutôt sous une forme qui est la moyenne de ces trois diagrammes. On dit qu'il y a **résonance** *quand on peut écrire plus d'un diagramme de Lewis pour une molécule donnée*. La structure électronique de la molécule correspond à la moyenne des **structures de résonance**. Pour représenter une telle situation, on utilise en général des flèches à deux pointes.

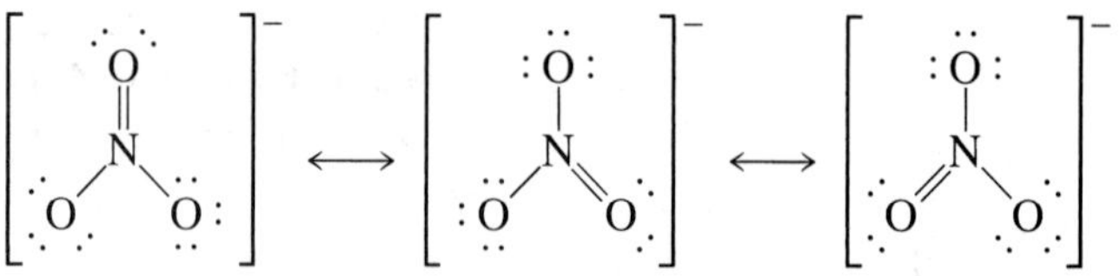

On remarque que dans toutes ces structures de résonance, la disposition des noyaux demeure la même, seul l'emplacement des électrons diffère. Les flèches ne signifient pas que les molécules passent d'une structure de résonance à une autre ; elles représentent simplement le fait que *la structure réelle est une moyenne de ces trois structures de résonance.*

Le concept de résonance est nécessaire parce que, selon la théorie des électrons localisés, les électrons sont situés entre une paire donnée d'atomes. La nature, cependant, ne fonctionne pas de cette façon : les électrons sont en fait délocalisés ; ils peuvent se déplacer dans l'ensemble de la molécule. Dans l'ion NO_3^-, les électrons de valence sont situés de telle façon que les trois liaisons N—O sont équivalentes. Le concept de résonance compense en fait les déficiences des hypothèses de la théorie des électrons localisés. Cependant, cette théorie est si utile qu'on préfère la conserver et lui adjoindre le concept de résonance pour expliquer l'existence d'espèces comme NO_3^-.

Exemple 6.9

Structures de résonance

Décrivez la disposition des électrons dans l'anion nitrite, NO_2^-, à l'aide de la théorie des électrons localisés.

Solution

Adoptons la procédure habituelle pour écrire le diagramme de Lewis relatif à l'ion NO_2^-.

Dans l'ion NO_2^-, il y a 5 + 2(6) + 1 = 18 électrons de valence. En repérant les liaisons simples, on obtient la structure suivante :

O—N—O

On peut répartir les (18 − 4) = 14 électrons résiduels de la façon suivante :

$$\left[:\ddot{O}{=}\ddot{N}{-}\ddot{\underset{..}{O}}: \right]^- \longleftrightarrow \left[:\ddot{\underset{..}{O}}{-}\ddot{N}{=}\ddot{O}: \right]^-$$

On constate que, dans ce cas, il y a résonance, puisqu'on peut écrire deux diagrammes de Lewis équivalents. *La structure électronique de cette molécule n'est représentée correctement par aucune des structures de résonance ; elle l'est plutôt par la moyenne des deux.* Il y a en fait deux liaisons N—O équivalentes, chacune d'elles étant intermédiaire entre une liaison simple et une liaison double.

Voir les exercices 6.55 à 6.57

Molécules à nombre impair d'électrons

Il existe relativement peu de molécules formées de non-métaux qui contiennent un nombre impair d'électrons. L'oxyde nitrique, NO, formé quand l'azote et l'oxygène réagissent à haute température dans les moteurs d'automobiles, en est un exemple courant. L'oxyde nitrique émis dans l'air réagit immédiatement avec l'oxygène pour former du dioxyde d'azote gazeux, NO_2, une autre molécule à nombre impair d'électrons.

La théorie des électrons localisés étant basée sur des doublets d'électrons, on peut difficilement l'appliquer à des molécules à nombre impair d'électrons. Pour expliquer l'existence de telles molécules, il faut recourir à une théorie plus complexe.

Charge formelle

Les diagrammes de Lewis équivalents contiennent le même nombre de liaisons simples et multiples. Par exemple, les structures de résonance de O_3

$$:\ddot{\underset{..}{O}}{-}\ddot{O}{=}\ddot{O} \quad \text{et} \quad \ddot{O}{=}\ddot{O}{-}\ddot{\underset{..}{O}}:$$

sont des diagrammes de Lewis équivalents. Ils sont également utiles dans la description des liaisons dans la molécule O_3. Les diagrammes de Lewis non équivalents contiennent, eux, des nombres différents de liaisons simples et multiples.

Les molécules ou ions polyatomiques qui contiennent des atomes ayant des électrons excédentaires (plus que n'en admet la règle de l'octet) ont souvent plusieurs diagrammes de Lewis non équivalents, et chacun d'eux respecte les règles d'écriture de ces diagrammes. Par exemple, comme nous le verrons en détail plus loin, l'ion sulfate a un diagramme de Lewis comportant uniquement des liaisons simples et plusieurs diagrammes de Lewis qui contiennent des liaisons doubles. Comment choisir parmi les nombreux diagrammes de Lewis possibles celui (ou ceux) qui décrit le mieux les liaisons réelles dans l'ion sulfate ? Une des façons de procéder consiste à évaluer la charge de chacun des atomes dans les différents diagrammes possibles et à utiliser ces charges comme critères pour choisir le diagramme le plus approprié. Nous verrons plus loin comment procéder, mais d'abord il faut convenir de la méthode à utiliser pour assigner les charges atomiques dans une molécule.

Pour évaluer les charges dans les diagrammes de Lewis, on utilise le concept de charge formelle. La **charge formelle** d'un atome dans une molécule est *la différence entre le nombre d'électrons de valence sur un atome neutre et le nombre d'électrons de valence assignés à cet atome dans la molécule.*

Par conséquent, pour déterminer la charge formelle d'un atome donné dans une molécule, il nous faut deux renseignements:

1. le nombre d'électrons de valence sur l'atome neutre libre (lequel a une charge nette de zéro parce que le nombre d'électrons est égal au nombre de protons);
2. le nombre d'électrons de valence «appartenant» à l'atome dans la molécule.

On compare ensuite ces deux nombres. Si, dans la molécule, l'atome a le même nombre d'électrons de valence qu'à l'état libre, les charges positive et négative s'annulent, et la charge formelle est zéro. Par contre, si l'atome a un électron de valence de plus dans la molécule que dans l'atome libre, sa charge formelle est de -1, et ainsi de suite. Dès lors, on peut définir la charge formelle sur un atome dans une molécule de la façon suivante:

$$\text{Charge formelle} = (\text{Nombre d'électrons de valence sur l'atome neutre}) - (\text{Nombre d'électrons de valence assignés à l'atome dans la molécule})$$

On assigne les électrons de valence d'une molécule aux divers atomes en supposant que:

1. les doublets libres appartiennent aux atomes qui les portent;
2. les doublets liants sont *répartis équitablement* entre les deux atomes de la liaison.

Donc, le nombre d'électrons de valence assignés à un atome donné est calculé de la façon suivante:

$$(\text{Électrons de valence})_{\text{assignés}} = (\text{Nombre d'électrons dans les doublets libres}) + \tfrac{1}{2}\,(\text{Nombre d'électrons partagés})$$

Pour illustrer la façon de calculer la charge formelle, nous utiliserons deux diagrammes de Lewis pour l'ion sulfate, qui possède 32 électrons. Pour le diagramme de Lewis suivant:

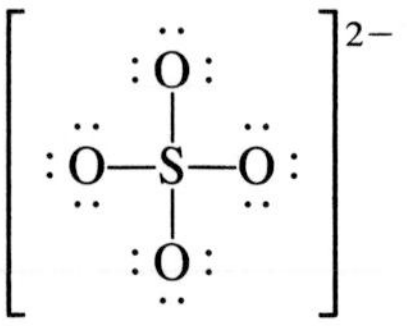

```
        ..
       :O:
  ..    |    ..
 :O—————S————O:
  ..    |    ..
       :O:
        ..        ]2−
```

chaque atome d'oxygène possède six électrons dans ses doublets libres et partage un doublet avec l'atome de soufre. En utilisant les suppositions précédentes, on assigne à chaque oxygène sept électrons de valence:

$$\text{Électrons de valence pour chaque atome d'oxygène} = 6 + \tfrac{1}{2}(2) = 7$$

6 ↑ Électrons des doublets libres

$\tfrac{1}{2}(2)$ ↑ Électrons des doublets liants

$$\text{Charge formelle sur l'oxygène} = 6 - 7 = -1$$

6 ↑ Électrons de valence sur l'atome O neutre

7 ↑ Électrons de valence pour chaque O dans SO_4^{2-}

La charge formelle sur chaque oxygène est de -1.

Pour l'atome de soufre, il n'y a aucun doublet libre, mais seulement huit électrons partagés avec les atomes d'oxygène. Par conséquent, pour le soufre,

Les électrons de valence assignés au soufre $= 0 + \frac{1}{2}(8) = 4$

↑ Électrons des doublets libres — ↑ Électrons des doublets liants

Charge formelle sur l'atome de soufre $= 6 - 4 = 2$

↑ Électrons de valence sur l'atome S neutre — ↑ Électrons de valence assignés à S dans SO_4^{2-}

Voici un deuxième diagramme de Lewis possible :

$$\left[\begin{array}{c} \ddot{O} \\ \| \\ :\ddot{O}-S-\ddot{O}: \\ \| \\ \ddot{O} \end{array}\right]^{2-}$$

Dans ce cas, les charges formelles sont les suivantes :

Pour les atomes d'oxygène participant à une liaison simple :

Électrons de valence assignés $= 6 + \frac{1}{2}(2) = 7$

Charge formelle $= 6 - 7 = -1$

Pour les atomes d'oxygène participant à des liaisons doubles :

Électrons de valence assignés $= 4 + \frac{1}{2}(4) = 6$

↑ Chaque liaison double possède 4 électrons

Charge formelle $= 6 - 6 = 0$

Pour l'atome de soufre :

Électrons de valence assignés $= 0 + \frac{1}{2}(12) = 6$

Charge formelle $= 6 - 6 = 0$

Pour choisir le bon diagramme de Lewis, convenons de deux principes fondamentaux concernant les charges formelles :

1. Les atomes d'une molécule ont tendance à prendre la charge formelle le plus près de zéro possible.
2. Toute charge formelle négative sera considérée comme appartenant à l'atome le plus électronégatif.

On peut utiliser ces principes pour évaluer les deux diagrammes de Lewis de l'ion sulfate donné. Fait à noter, dans la structure où il n'y a que des liaisons simples, chaque atome d'oxygène a une charge formelle de -1, alors que l'atome de soufre a une charge formelle de $+2$. Par contre, dans la structure où il y a deux liaisons doubles et deux liaisons simples, le soufre et deux atomes d'oxygène ont une charge formelle de 0, alors que les deux autres atomes d'oxygène ont une charge formelle de -1. Si l'on se base sur les principes admis précédemment, la structure ayant deux doubles liaisons serait la plus probable : les charges formelles sont les plus basses et les charges formelles -1 appartiennent aux atomes d'oxygène électronégatifs. Par conséquent, dans le cas de l'ion sulfate, on devrait s'attendre à ce que les structures de résonance, à la page suivante :

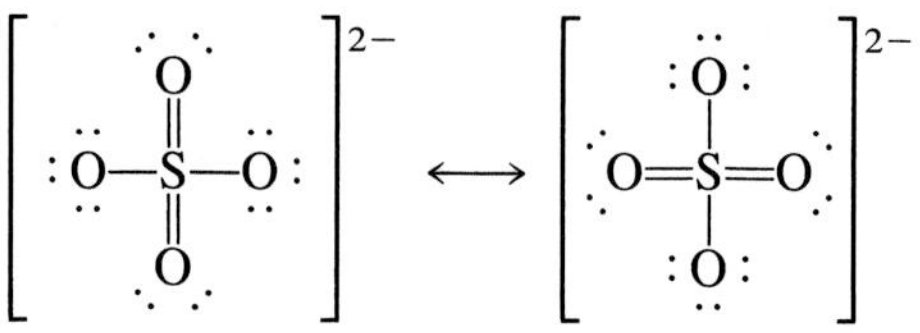

rendent mieux compte des liaisons que le diagramme de Lewis n'ayant que des liaisons simples.

Règles concernant la charge formelle

- **Pour calculer la charge formelle d'un atome :**
  1. **Additionner le nombre d'électrons dans les doublets libres à la moitié du nombre d'électrons dans les doublets liants. Cela constitue le nombre d'électrons de valence assignés à cet atome dans la molécule.**
  2. **Soustraire le nombre d'électrons assignés du nombre d'électrons de valence sur l'atome neutre. Le résultat est la charge formelle.**
- **La somme des charges formelles de tous les atomes dans une molécule ou un ion donné doit équivaloir à la charge globale de cette espèce.**
- **Si, pour une espèce donnée, il existe des diagrammes de Lewis non équivalents, ceux dont la charge formelle est le plus près de zéro et dont les charges formelles négatives appartiennent aux atomes les plus électronégatifs sont ceux qui décrivent le mieux les liaisons dans cette molécule ou cet ion.**

Exemple 6.10

Charges formelles

Écrivez les diagrammes de Lewis possibles pour la molécule XeO_3, un composé explosif du xénon. Lequel ou lesquels des diagrammes de Lewis seraient le(s) meilleur(s) selon les charges formelles ?

Solution

Pour XeO_3 (26 électrons de valence), on peut écrire les diagrammes de Lewis possibles suivants (les charges formelles sont indiquées entre parenthèses) :

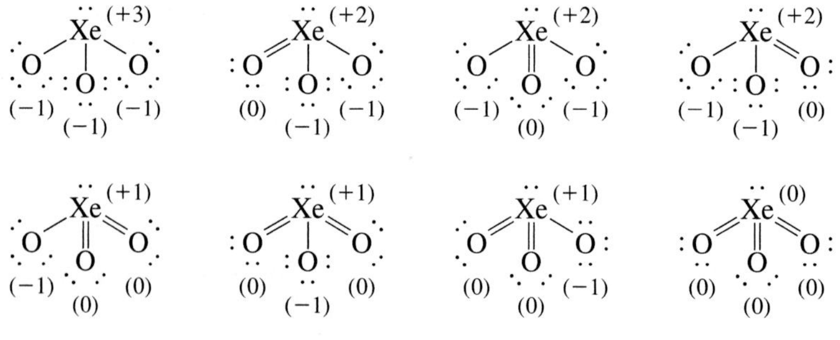

Selon la notion de charge formelle, on peut prédire que les diagrammes de Lewis présentant les valeurs de charge formelle les plus basses seraient ceux qui décriraient le mieux les liaisons dans XeO_3.

Voir les exercices 6.59 à 6.62

Pour terminer, voici quelques mises en garde à ne pas oublier concernant la charge formelle. Premièrement, bien qu'elles soient plus près des charges atomiques réelles dans les molécules que ne le sont les états d'oxydation, les charges formelles ne constituent qu'une *estimation* de la charge ; elles ne devraient pas être considérées comme des charges atomiques réelles. Deuxièmement, l'évaluation des diagrammes de Lewis à partir de la notion de charge formelle peut mener à des prédictions erronées. Il faut se baser sur des expériences pour décider en dernier ressort de la meilleure description des liaisons dans une molécule ou un ion polyatomique.

6.13 Structure moléculaire : théorie RPEV

La structure d'une molécule permet d'en expliquer en grande partie les propriétés chimiques. Ce fait est particulièrement important dans le cas des molécules biologiques ; une légère modification de la structure d'une grosse biomolécule peut en effet rendre cette dernière totalement inutile pour une cellule ; elle peut même transformer une cellule normale en cellule cancéreuse.

Il existe de nos jours de nombreuses méthodes qui permettent de déterminer la **structure moléculaire**, c'est-à-dire l'agencement tridimensionnel des atomes dans une molécule. On doit recourir à ces méthodes pour obtenir des renseignements précis concernant la structure d'un composé. Cependant, il est souvent utile de prédire la structure moléculaire approximative d'une molécule. Dans cette section, nous présentons une théorie simple qui permet d'adopter une telle approche. Cette théorie, appelée **théorie de la répulsion des paires d'électrons de valence** (**RPEV**), permet de prédire les caractéristiques géométriques des molécules formées de non-métaux. Le postulat fondamental de cette théorie est le suivant : *l'agencement des électrons d'un atome donné correspond à celui pour lequel la répulsion entre les doublets d'électrons de valence est minimale.* Cela signifie en fait que les doublets liants et non liants, autour d'un atome donné, sont situés aussi loin que possible les uns des autres. Pour bien comprendre cette théorie, considérons d'abord la molécule $BeCl_2$, dont le diagramme de Lewis est le suivant :

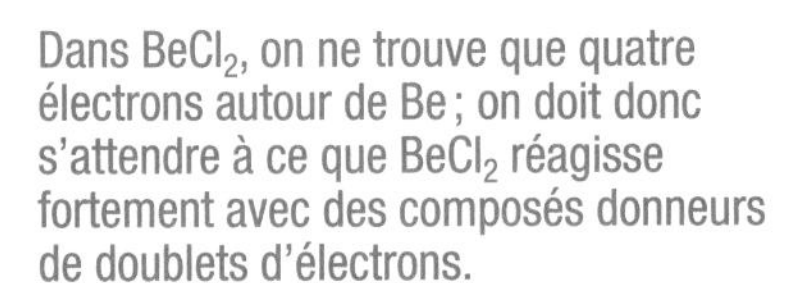
Dans $BeCl_2$, on ne trouve que quatre électrons autour de Be ; on doit donc s'attendre à ce que $BeCl_2$ réagisse fortement avec des composés donneurs de doublets d'électrons.

$$:\ddot{\underset{..}{Cl}}—Be—\ddot{\underset{..}{Cl}}:$$

On voit que l'atome de béryllium possède deux paires d'électrons. Comment peut-on disposer ces doublets d'électrons pour qu'ils soient situés le plus loin possible l'un de l'autre, autrement dit pour que leur répulsion soit minimale ? C'est, cela va de soi, en plaçant les deux doublets de chaque côté de l'atome de béryllium, à 180° l'un de l'autre.

—Be—
180°

C'est là l'éloignement maximal qui existe entre deux doublets d'électrons. Une fois qu'on a déterminé la disposition optimale des doublets d'électrons autour de l'atome central, on peut déterminer avec davantage de précision la structure moléculaire du $BeCl_2$, c'est-à-dire les positions respectives des atomes. Puisque l'atome de béryllium partage chaque doublet d'électrons avec un atome de chlore, la molécule a une **structure linéaire**, dont l'angle de liaison est de 180°.

Cl—Be—Cl
180°

Considérons à présent la molécule BF_3, dont le diagramme de Lewis est le suivant :

$$:\ddot{F}: \quad | \quad :\ddot{\underset{..}{F}}—B—\ddot{\underset{..}{F}}:$$

Ici, l'atome de bore est entouré de trois doublets d'électrons. Comment peut-on placer ces doublets pour que leur répulsion réciproque soit minimale ? En les plaçant à 120° l'un de l'autre.

B
120°

Puisque l'atome de bore partage chaque doublet d'électrons avec un atome de fluor, la structure moléculaire est la suivante :

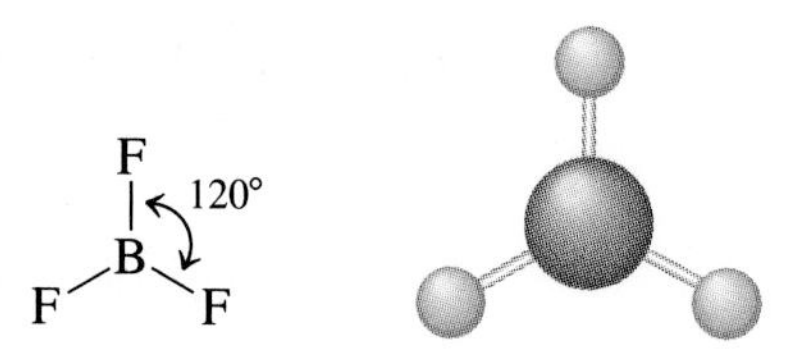

On dit que cette molécule a une **structure plane triangulaire**.

Considérons finalement la molécule de méthane, dont le diagramme de Lewis est le suivant :

$$\begin{array}{c} H \\ | \\ H-C-H \\ | \\ H \end{array}$$

Il y a quatre doublets d'électrons autour de l'atome de carbone central. Quelle disposition correspond à une répulsion minimale ? Essayons d'abord une structure plane carrée.

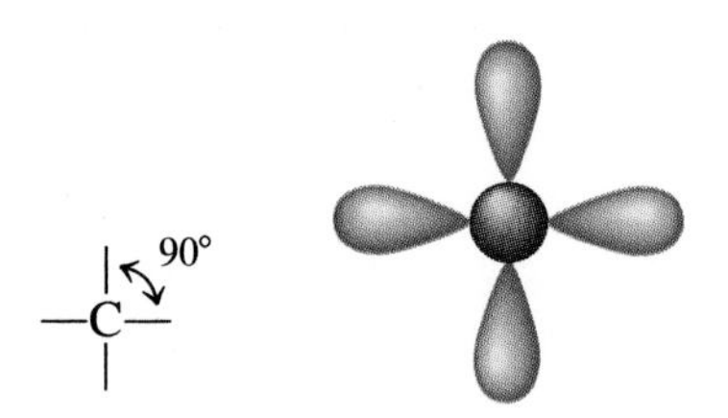

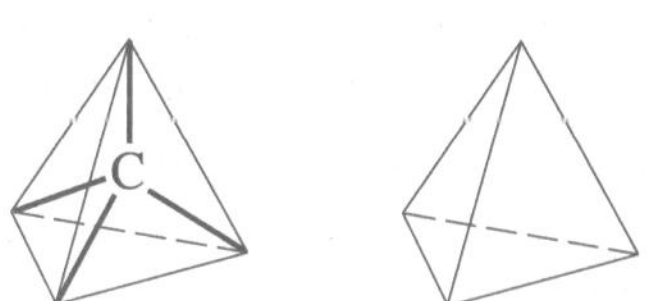

L'atome de carbone et les doublets d'électrons étant situés dans un même plan, l'angle entre chaque doublet est de 90°.

Existe-t-il un agencement pour lequel les angles sont supérieurs à 90°, c'est-à-dire pour lequel les doublets d'électrons sont encore plus éloignés les uns des autres ? Oui, dans une **structure tétraédrique**, les angles sont d'environ 109,5°.

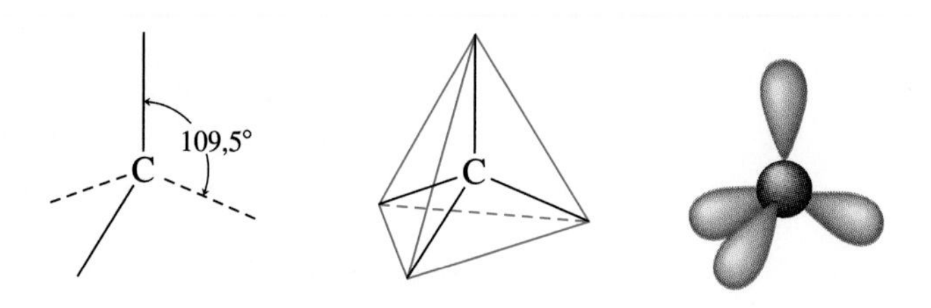

On peut montrer que cet agencement des doublets est celui qui permet d'obtenir l'éloignement maximal. Donc, *chaque fois qu'il y a quatre doublets d'électrons autour d'un atome, la structure est tétraédrique*.

Maintenant qu'on connaît l'agencement qui permet d'obtenir la répulsion minimale, on peut déterminer les positions relatives des atomes et, par conséquent, la structure moléculaire de CH_4. Dans le méthane, l'atome de carbone partage chacun des doublets d'électrons avec un atome d'hydrogène. Par conséquent, les atomes d'hydrogène sont placés de la façon illustrée à la figure 6.15 : la molécule a une structure tétraédrique, et l'atome de carbone est l'atome central.

Il est important de ne pas oublier que, selon le principe fondamental de la théorie RPEV, il faut déterminer quel agencement des doublets d'électrons autour de l'atome central permet de réduire au maximum les forces de répulsion. Après quoi, on peut trouver la structure moléculaire, puisqu'on sait comment l'atome central partage les doublets d'électrons avec les atomes périphériques. En fait, pour prédire la structure d'une molécule à l'aide de la théorie RPEV, il faut suivre les étapes résumées à la page suivante.

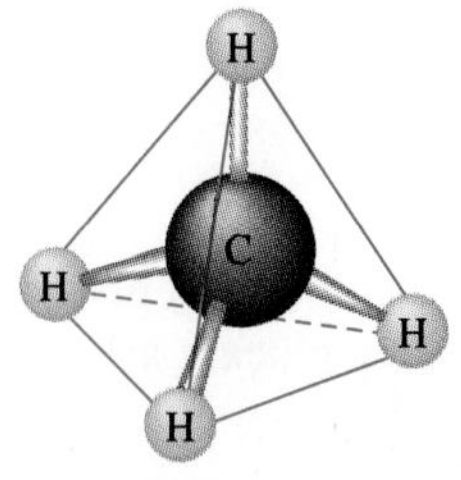

FIGURE 6.15
Structure moléculaire du méthane. À cause de la disposition tétraédrique des doublets d'électrons, les atomes d'hydrogène sont situés aux quatre coins du tétraèdre.

Étapes pour appliquer la théorie RPEV

1. **Écrire le diagramme de Lewis relatif à la molécule en question.**
2. **Calculer le nombre de paires d'électrons et les disposer de façon à ce que leur répulsion soit minimale (autrement dit, placer les doublets aussi loin que possible les uns des autres).**
3. **Déterminer la position des atomes en fonction de celle des doublets d'électrons.**
4. **Nommer la structure moléculaire en se rappelant qu'elle tire son nom de la position des *atomes* et non de celle des doublets.**

Utilisons donc cette approche pour prédire la structure de l'ammoniac, NH_3.

Si on assemble quatre ballons identiques en les attachant, ils prennent spontanément une forme tétraédrique.

1 Écrire le diagramme de Lewis.

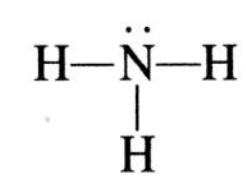

2 Calculer le nombre de doublets d'électrons et les disposer de façon à ce que leur répulsion soit minimale. La molécule NH_3 possède quatre paires d'électrons : trois doublets liants et un doublet non liant, ou libre. Lors de l'étude de la molécule de méthane, nous avons vu que l'éloignement maximal de quatre doublets d'électrons était assuré par une structure tétraédrique (*voir la figure 6.16a*).

3 Déterminer la position des atomes. L'atome N partage trois doublets d'électrons avec les trois atomes H de la façon illustrée à la figure 6.16b.

4 Nommer la structure moléculaire. Il est important de se rappeler que le nom de la structure moléculaire découle toujours de la *position des atomes*. C'est l'emplacement des doublets d'électrons qui détermine la structure moléculaire, mais c'est de celui des atomes que le nom en dérive. Par conséquent il est inexact de dire que la molécule de NH_3 est tétraédrique. Il est vrai que la disposition des doublets d'électrons est tétraédrique ; or celle des atomes ne l'est pas. L'ammoniac a donc une **structure pyramidale à base triangulaire** (une face est différente des trois autres) et non une structure tétraédrique, tel qu'il est qu'illustré à la figure 6.16c.

Exemple 6.11 Prédiction de la structure moléculaire I

Décrivez la structure moléculaire de la molécule d'eau.

Solution

Le diagramme de Lewis relatif à la molécule d'eau est

H—Ö—H (avec deux doublets libres sur O)

On trouve quatre doublets d'électrons : deux doublets liants et deux doublets non liants. Pour que la répulsion entre les électrons soit réduite au minimum, ces derniers doivent

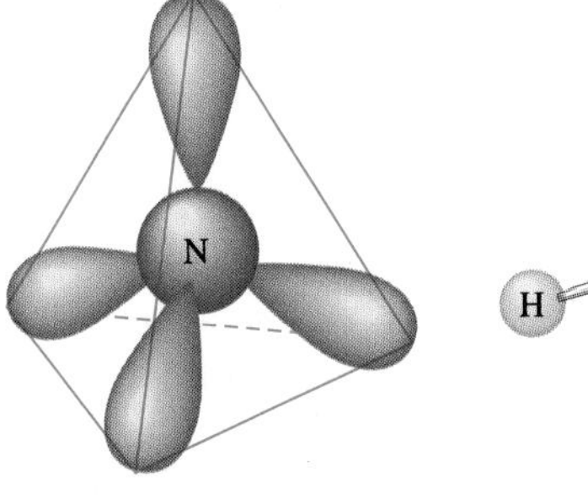

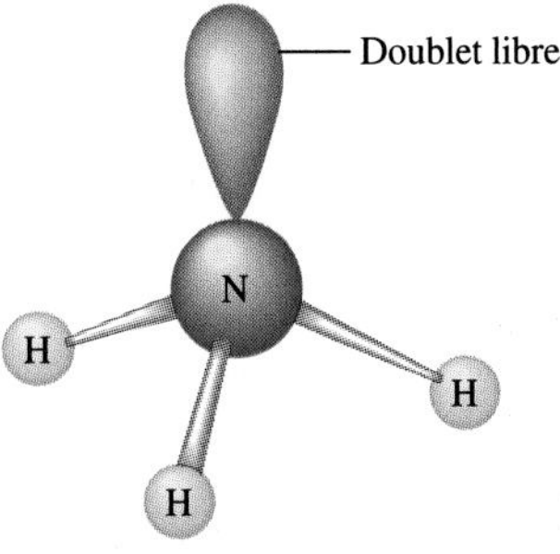

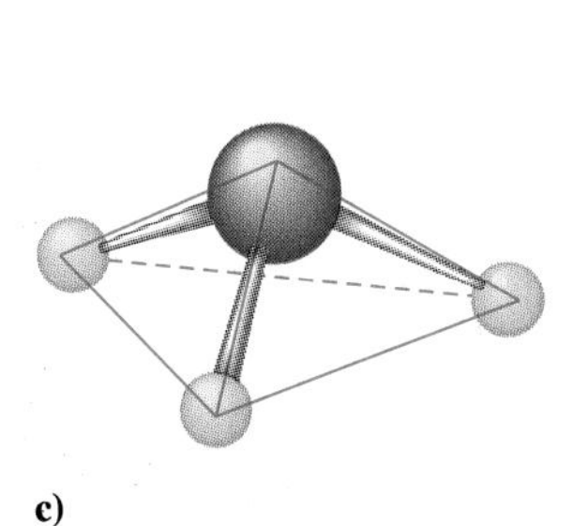

FIGURE 6.16
a) Disposition tétraédrique des doublets d'électrons autour de l'atome d'azote dans la molécule d'ammoniac. **b)** Trois des doublets d'électrons présents autour de l'atome d'azote proviennent d'un partage d'électrons entre cet atome et un atome d'hydrogène, le quatrième étant un doublet libre. Même si la disposition des doublets d'électrons est de forme tétraédrique, comme dans la molécule de méthane, les atomes d'hydrogène de la molécule d'ammoniac n'occupent que trois des sommets du tétraèdre ; le quatrième sommet est occupé par le doublet libre. **c)** On remarque que la géométrie moléculaire est pyramidale à base triangulaire et non tétraédrique.

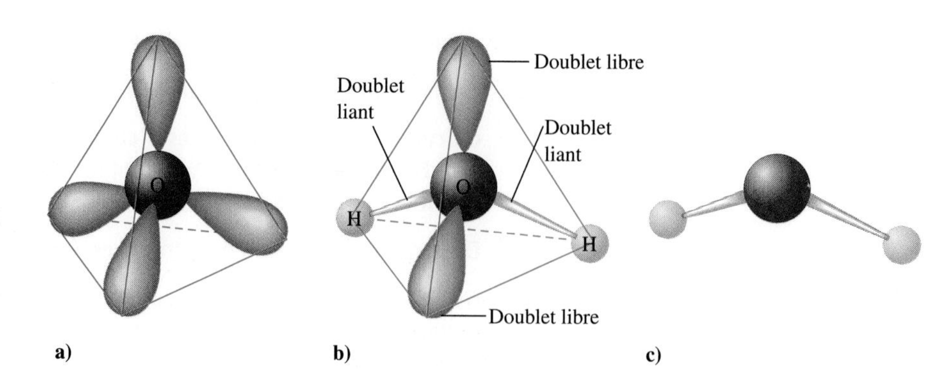

FIGURE 6.17
a) Disposition tétraédrique des quatre doublets d'électrons autour de l'atome d'oxygène dans la molécule d'eau. **b)** Deux des doublets d'électrons proviennent d'un partage d'électrons avec les atomes d'hydrogène, les deux autres étant des doublets libres. **c)** Structure moléculaire en forme de V de la molécule d'eau.

être situés aux quatre coins d'un tétraèdre (*voir la figure 6.17a*). Or, même si les doublets d'électrons sont disposés de façon tétraédrique dans la molécule de H_2O, cette molécule n'est pas elle-même de forme tétraédrique. Les atomes, dans la molécule de H_2O, épousent la forme d'un V (*voir les figures 6.17b et 6.17c*).

Voir l'exercice 6.66

On remarque que la molécule de H_2O a la forme d'un V, à cause de la présence des doublets libres (*voir l'exemple 6.11*). En l'absence de doublets libres, la molécule serait linéaire, les liaisons polaires seraient annulées, et il n'existerait aucun moment dipolaire dans la molécule. Une telle molécule d'eau serait bien différente de la substance polaire qu'on connaît.

Compte tenu de ce qui précède, on pourrait être tenté de prédire que l'angle de liaison H—*X*—H (où *X* est l'atome central) dans CH_4, NH_3 ou H_2O est un angle de 109,5°, angle caractéristique d'un tétraèdre. Or, tel n'est pas le cas (*voir la figure 6.18*). Comment peut-on concilier ces valeurs expérimentales avec la théorie RPEV ? D'un côté, on pourrait se satisfaire du fait que la valeur des angles soit si voisine de celle de l'angle caractéristique d'un tétraèdre. D'un autre côté, on pourrait penser que les écarts sont suffisamment importants pour justifier l'apport de modifications à cette théorie, ce qui permettrait d'expliquer d'autres cas semblables. Optons pour cette deuxième voie.

Examinons les données suivantes

	CH_4	NH_3	H_2O
nombre de doublets libres	0	1	2
angle de liaison	109,5°	107°	104,5°

Pour expliquer la diminution de la valeur de l'angle de liaison, on pourrait dire que les doublets libres exigent davantage d'espace que les doublets liants (en d'autres termes, que les doublets liants sont de plus en plus rapprochés au fur et à mesure que le nombre de doublets libres augmente).

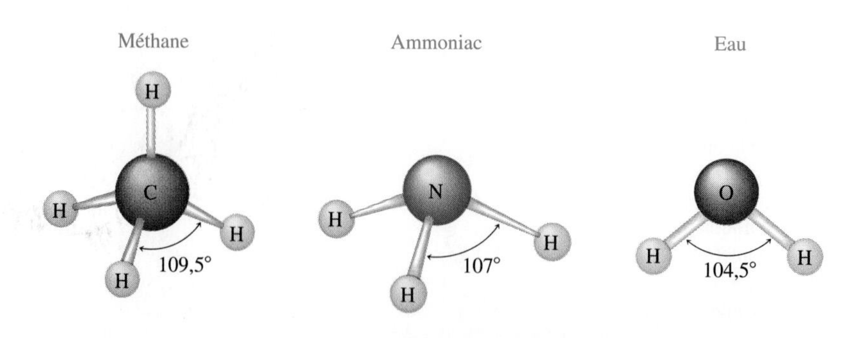

FIGURE 6.18
Angles de liaison dans les molécules CH_4, NH_3 et H_2O. On remarque que l'angle de liaison entre les doublets liants diminue au fur et à mesure que le nombre de doublets libres augmente. On remarque que tous les angles dans CH_4 sont de 109,5 degrés et tous ceux dans NH_3 sont de 107 degrés.

a)

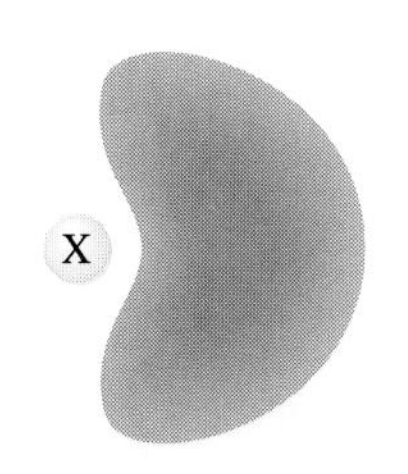

b)

FIGURE 6.19
a) Dans un doublet liant, les électrons sont partagés par deux noyaux. **b)** Dans un doublet libre, les deux électrons ne sont voisins que d'un seul noyau ; ils occupent en général davantage d'espace autour de l'atome.

Cette interprétation est vraisemblable lorsqu'on considère le problème de la façon suivante : un doublet liant étant partagé par deux noyaux, les électrons peuvent être confinés à l'espace qui sépare les deux noyaux ; un doublet libre n'appartenant qu'à un noyau, les deux électrons tendent à se coller sur ce noyau (*voir la figure 6.19*). Cette illustration permet de comprendre pourquoi un doublet libre peut exiger davantage d'espace autour d'un atome qu'un doublet liant.

Après ces observations, il faut ajouter une précision au postulat fondamental de la théorie RPEV : *un doublet libre exige davantage d'espace qu'un doublet liant et a tendance à réduire l'angle entre les doublets liants.*

Jusqu'à présent, nous n'avons étudié que des atomes centraux qui possèdent deux, trois ou quatre doublets d'électrons (*voir le tableau 6.6*).

Le tableau 6.7 présente un résumé des structures possibles pour les molécules dont l'atome central, lié à divers nombres d'atomes, est entouré de quatre doublets. On remarque que les molécules qui possèdent quatre doublets d'électrons autour de l'atome central peuvent présenter l'une des structures suivantes : tétraédrique (AB_4), pyramidale à base triangulaire (AB_3) ou en forme de V (AB_2).

Dans le cas d'atomes qui possèdent cinq doublets d'électrons, on peut placer les doublets de plusieurs façons ; toutefois, la structure qui correspond à la répulsion minimale est la **structure bipyramidale à base triangulaire**, dans laquelle on trouve deux angles différents : 90° et 120° (*voir le tableau 6.6*). Comme son nom l'indique,

TABLEAU 6.6 Disposition des doublets d'électrons correspondant à la répulsion minimale

Nombre de doublets d'électrons	Disposition géométrique des doublets d'électrons	Exemple
2	linéaire	
3	plane triangulaire	
4	tétraédrique	
5	bipyramidale à base triangulaire (90°, 120°)	
6	octaédrique (90°, 90°)	

TABLEAU 6.7 Structures des molécules dont l'atome central s'entoure de quatre doublets d'électrons

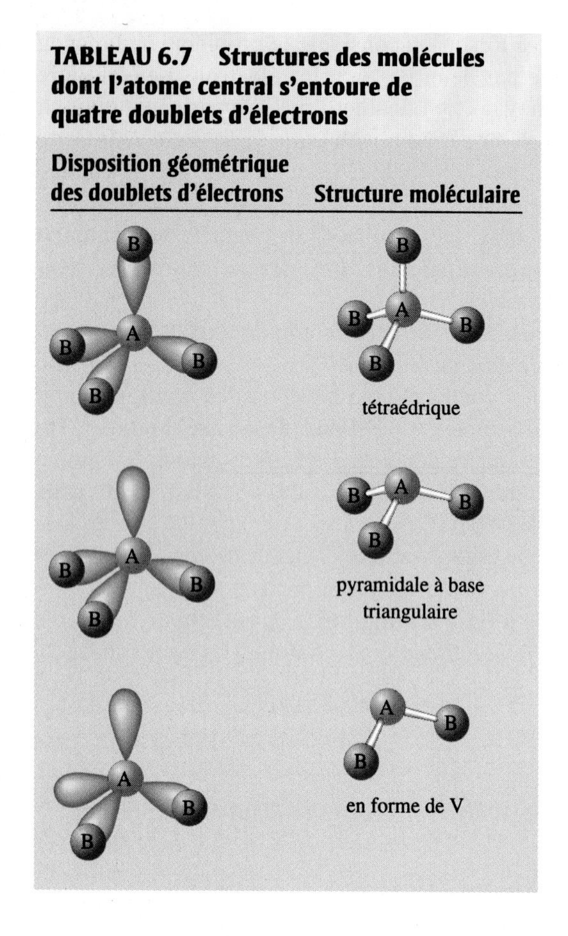

TABLEAU 6.8 Structures des molécules dont l'atome central s'entoure de cinq doublets d'électrons

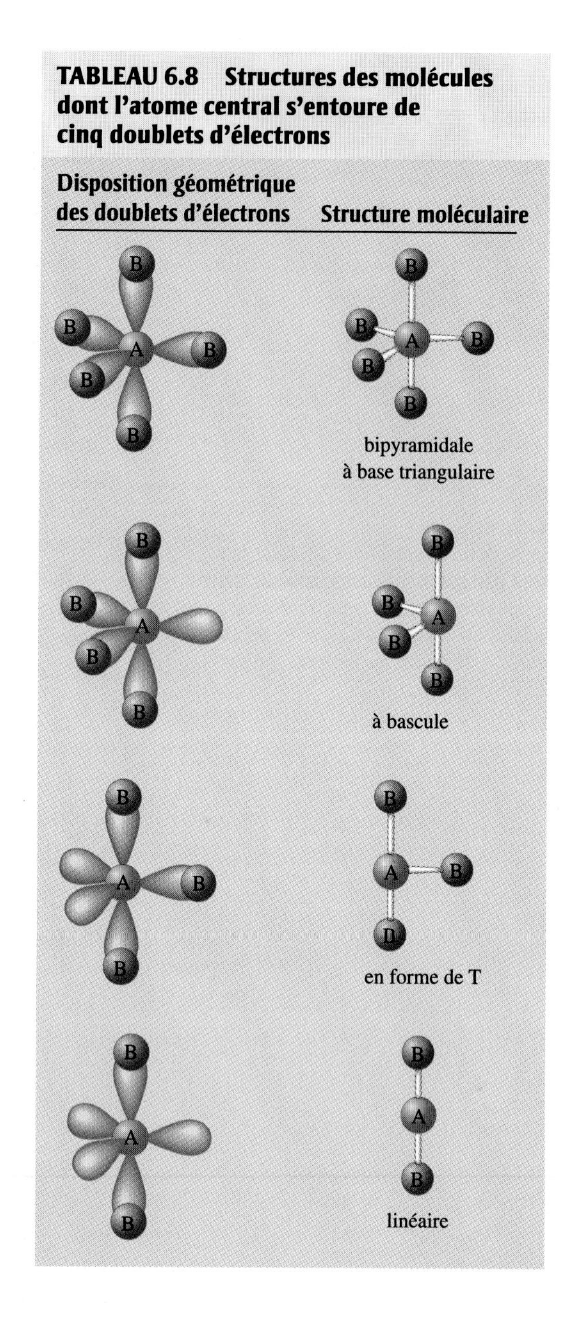

la structure formée par la disposition des doublets correspond à deux pyramides triangulaires réunies par leurs bases. Le tableau 6.8 présente un résumé des structures possibles pour les molécules dont l'atome central, lié à divers nombres d'atomes, est entouré de cinq doublets. On remarque que les molécules qui possèdent cinq doublets d'électrons autour de l'atome central peuvent présenter l'une des structures suivantes : bipyramidale à base triangulaire (AB_5), à bascule (AB_4), en forme de T (AB_3) ou linéaire (AB_2).

Dans le cas d'un atome qui possède six doublets d'électrons, ces derniers sont répartis aux sommets d'une **structure octaédrique** ; ils forment avec l'atome central, et entre eux, des angles de 90° (*voir le tableau 6.6*).

Pour déterminer la structure géométrique des molécules à l'aide de la théorie RPEV, il faut se rappeler quelle forme géométrique correspond le mieux à un nombre donné de doublets d'électrons de valence.

Exemple 6.12

Prédiction de la structure moléculaire II

Quand le phosphore réagit avec un excès de chlore gazeux, il y a formation de pentachlorure de phosphore, PCl_5. À l'état gazeux et à l'état liquide, cette substance est constituée de molécules PCl_5 ; à l'état solide, toutefois, elle consiste en un mélange 1:1 d'ions PCl_4^+ et PCl_6^-. Prédisez la structure géométrique de PCl_5, de PCl_4^+ et de PCl_6^-.

Solution

Soit le diagramme de Lewis relatif au PCl_5. La présence de cinq doublets d'électrons autour de l'atome de phosphore exige une structure bipyramidale à base triangulaire (*voir le tableau 6.6*). Avec cinq atomes de chlore, on obtient en effet une molécule de forme bipyramidale à base triangulaire :

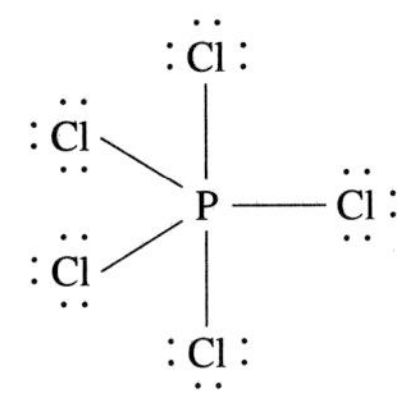

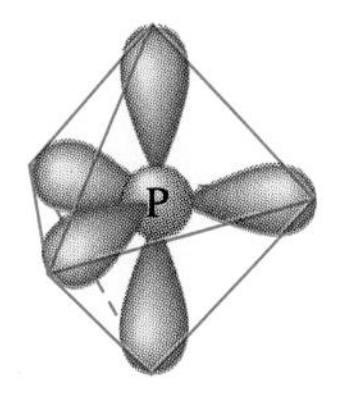

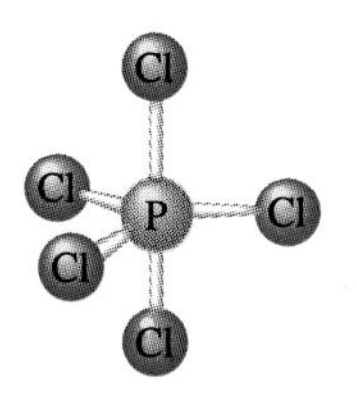

Le diagramme de Lewis relatif à l'ion PCl_4^+ [5 + 4(7) − 1 = 32 électrons de valence] est illustré ci-dessous. Dans l'ion PCl_4^+, la présence de quatre doublets d'électrons autour de l'atome de phosphore exige une structure tétraédrique. Puisque chaque doublet est partagé par un atome de chlore, le cation PCl_4^+ a une structure tétraédrique.

Le diagramme de Lewis relatif à l'ion PCl_6^- [5 + 6(7) + 1 = 48 électrons de valence] est

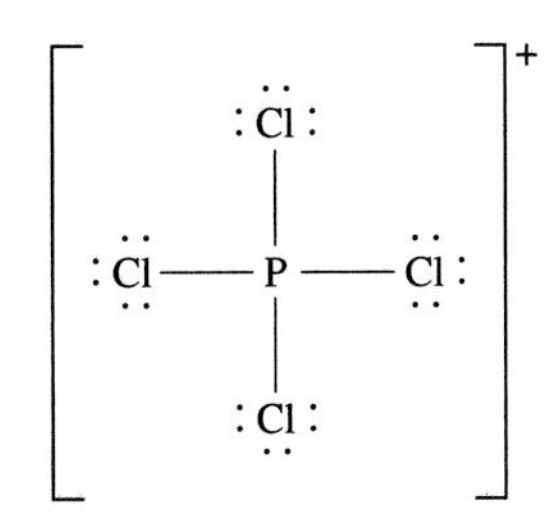

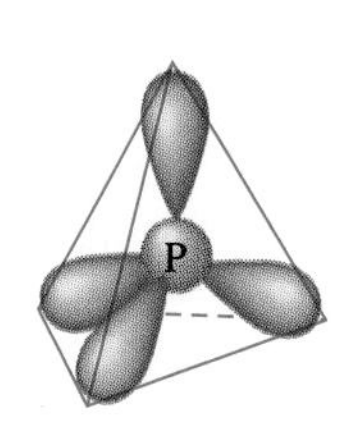

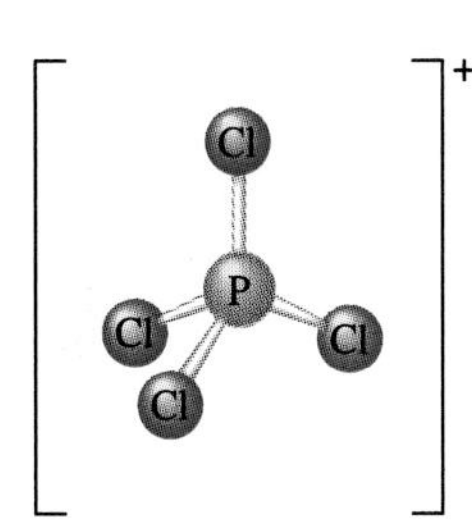

Puisque l'atome de phosphore est entouré de six doublets d'électrons, il faut une structure octaédrique pour que la répulsion entre les électrons soit réduite au minimum. Chaque doublet d'électrons étant partagé par un atome de chlore, l'anion PCl_6^- a une structure octaédrique.

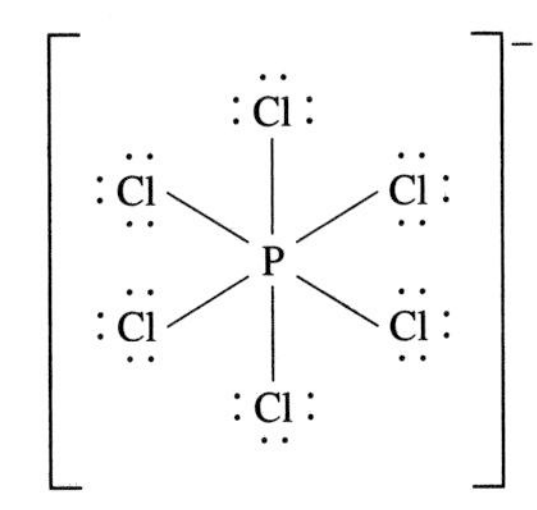

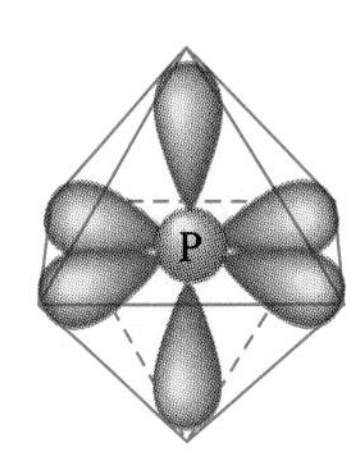

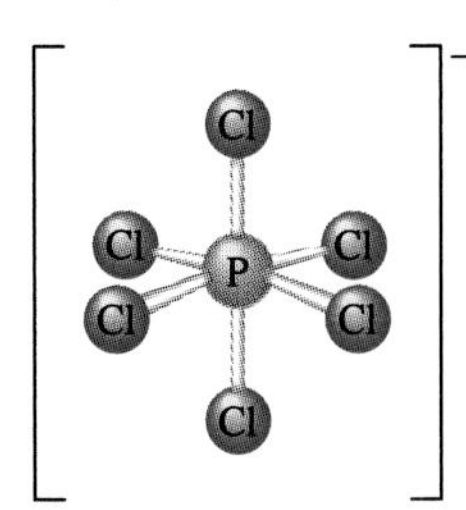

Voir les exercices 6.64, 6.65 et 6.67

Exemple 6.13

Prédiction de la structure moléculaire III

Dans les gaz rares, les orbitales de valence *s* et *p* étant remplies, on a longtemps cru que ces espèces n'étaient pas réactives chimiquement. C'est d'ailleurs la raison pour laquelle, pendant des années, on a appelé ces éléments *gaz inertes*. Au début des années 1960, cependant, on a réussi à synthétiser plusieurs composés du krypton, du xénon et du radon.

Une équipe de chimistes de l'Argonne National Laboratory a ainsi synthétisé un composé stable incolore, le tétrafluorure de xénon, XeF_4. Prédisez sa structure et dites s'il possède un moment dipolaire.

Solution

Le diagramme de Lewis relatif au XeF_4 est

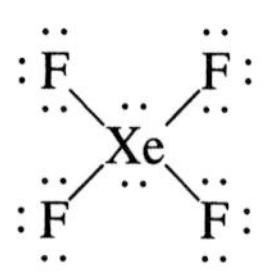

Dans cette molécule, l'atome de xénon est entouré de six doublets d'électrons, ce qui signifie que la structure est octaédrique.

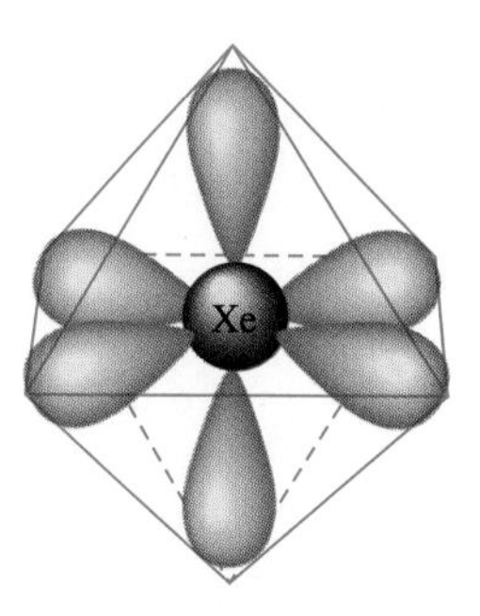

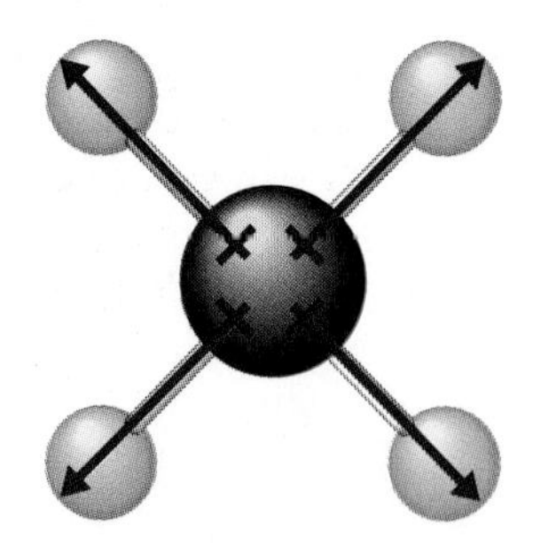

En fait, la structure proposée pour cette molécule dépend de la façon dont les doublets libres et les doublets de liaison sont disposés. Considérons les deux possibilités illustrées à la figure 6.20. On repère les doublets liants grâce à la présence d'atomes de fluor. Étant donné que les structures obtenues diffèrent, il faut choisir celle qui convient le mieux. La solution découle de l'observation des doublets libres. Dans la structure illustrée en a), l'angle entre les deux doublets libres est de 90° ; dans la structure en b), il est de 180°. Les doublets libres exigeant davantage d'espace que les doublets liants, la structure dans laquelle l'angle entre les doublets libres se situe à 90° n'est pas idéale. C'est donc la disposition de la figure 6.20b qui convient le mieux : par conséquent, il s'agit de la **structure plane carrée**.

On ne parle pas de molécule octaédrique ; *c'est la disposition des doublets d'électrons qui est octaédrique*, alors que celle des *atomes* est *plane carrée*.

Même si chaque liaison Xe-F est polaire (le fluor a une électronégativité supérieure à celle du xénon), les polarités sont annulées en raison de la disposition plane carrée de ces liaisons.

Donc XeF_4 ne possède pas de moment dipolaire, comme cela est illustré dans la marge.

Voir les exercices 6.68 et 6.69

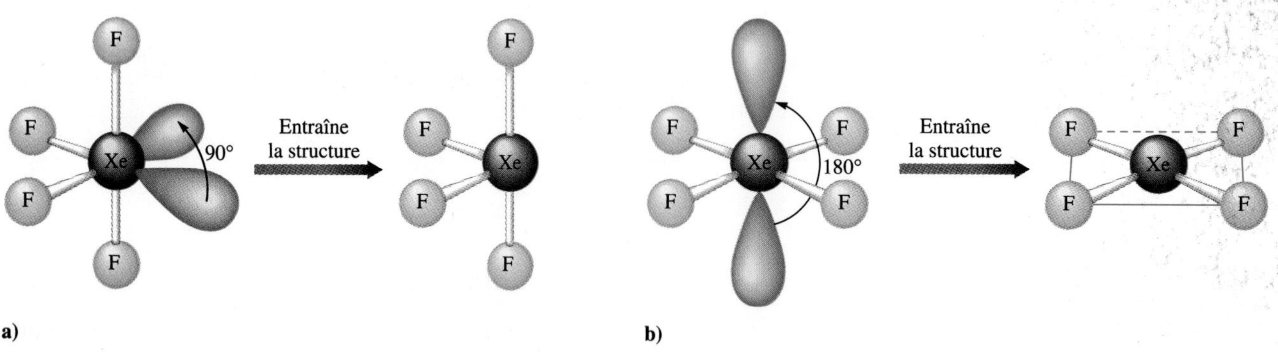

FIGURE 6.20
Dispositions possibles des doublets d'électrons pour XeF_4. Puisque, en **a)**, les doublets libres sont séparés par un angle de 90°, cette disposition est moins probable qu'en **b)**, où les doublets libres sont séparés par un angle de 180°.

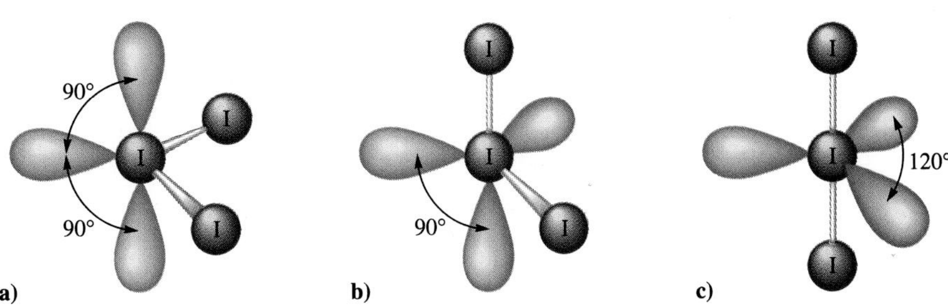

FIGURE 6.21
Trois dispositions possibles des doublets d'électrons dans l'ion I_3^-. C'est en c) que la disposition est la plus probable ; elle seule, en effet, permet aux doublets libres d'éviter des interactions à 90°.

On peut également appliquer la théorie RPEV à des molécules ou à des ions qui possèdent des doublets libres. Considérons, par exemple, l'ion triiodure, I_3^-, dont le diagramme de Lewis est le suivant :

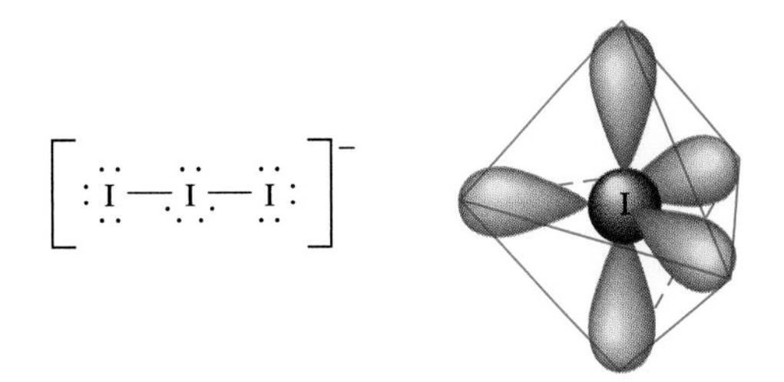

L'atome d'iode central étant entouré de cinq doublets d'électrons, il faut recourir à une structure bipyramidale à base triangulaire. La figure 6.21 illustre plusieurs dispositions possibles des doublets libres : en a) et en b), l'angle entre les doublets libres est de 90° ; en c), tous les angles entre les doublets libres sont de 120°. C'est donc la structure c) qui satisfait le mieux aux exigences énumérées ci-dessus. La structure moléculaire de I_3^- est donc linéaire.

$$[\mathrm{I{-}I{-}I}]^-$$

Théorie RPEV et liaisons multiples

Jusqu'à présent, nous n'avons pas appliqué la théorie RPEV aux molécules à liaisons multiples. Pour déterminer si cela est possible, considérons l'ion NO_3^-, dont on peut décrire la structure électronique à l'aide des trois structures de résonance suivantes :

$$\left[\begin{array}{c} \mathrm{O} \\ \| \\ \mathrm{N} \\ \mathrm{O} \quad \mathrm{O} \end{array}\right]^- \longleftrightarrow \left[\begin{array}{c} \mathrm{O} \\ | \\ \mathrm{N} \\ \mathrm{O} \quad \mathrm{O} \end{array}\right]^- \longleftrightarrow \left[\begin{array}{c} \mathrm{O} \\ | \\ \mathrm{N} \\ \mathrm{O} \quad \mathrm{O} \end{array}\right]^-$$

L'expérience montre que la structure de l'ion NO_3^- est plane triangulaire et que ses angles de liaison sont de 120°.

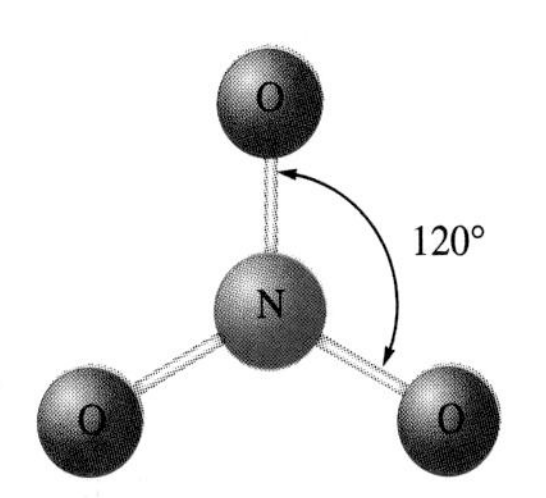

Une telle structure correspond à celle d'un atome entouré de trois doublets d'électrons ; autrement dit, selon la théorie RPEV, *une liaison double équivaut à un doublet d'électrons*, ce qui est logique, puisque les deux doublets d'électrons d'une liaison double *ne sont pas* des doublets indépendants. Pour former une liaison double, les deux doublets doivent être situés entre les noyaux des deux atomes. En d'autres termes, la liaison double joue le rôle d'un foyer unique de densité électronique qui repousse les autres doublets d'électrons. Or, il en est également ainsi pour les liaisons triples. On peut donc formuler une autre règle générale : *selon la théorie RPEV, une liaison multiple équivaut à un doublet d'électrons effectif.*

En examinant la structure moléculaire de l'ion nitrate, on remarque un autre point important : *quand une molécule est représentée par des structures de résonance, on peut utiliser n'importe laquelle de ces structures pour prédire la structure moléculaire selon la théorie RPEV.* À l'exemple 6.14, on utilise ces règles.

Exemple 6.14 Structures de molécules à liaisons multiples

Prédisez la structure moléculaire de la molécule de dioxyde de soufre et dites si cette molécule devrait avoir un moment dipolaire.

Solution

On doit d'abord déterminer le diagramme de Lewis relatif à la molécule SO_2, qui possède 18 électrons de valence. Les structures possibles sont

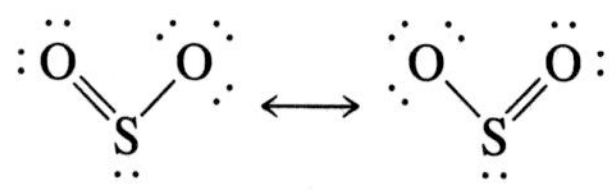

$$:\ddot{O}=\ddot{S}-\ddot{\underset{..}{O}}: \longleftrightarrow :\ddot{\underset{..}{O}}-\ddot{S}=\ddot{O}:$$

Pour déterminer la structure moléculaire, on doit compter le nombre de doublets d'électrons présents autour de l'atome de soufre. Dans chaque structure de résonance, le soufre possède un doublet libre, un doublet qui participe à une liaison simple, et une liaison double. Si on considère que la liaison double est équivalente à un doublet, alors on a autour de l'atome de soufre trois doublets effectifs. Selon le tableau 6.6, la présence de trois doublets exige une structure plane triangulaire, ce qui conduit à une molécule en forme de V.

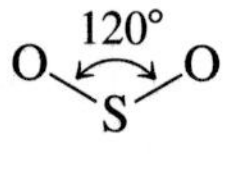

O—S—O (120°)

La structure de la molécule SO_2 a donc la forme d'un V, et son angle de liaison est de 120°. La molécule possède donc un moment dipolaire orienté de la façon suivante :

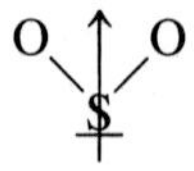

O S O (↑)

La molécule ayant la forme d'un V, les liaisons polaires ne s'annulent pas.

Voir l'exercice 6.70

Un doublet libre séparé des autres doublets par un angle d'au moins 120° n'entraîne aucune distorsion significative des angles des liaisons. Ainsi, dans le cas de la molécule SO_2, l'angle est effectivement assez voisin de 120°. On peut donc ajouter le principe suivant : *un angle de 120° accorde suffisamment d'espace à un doublet libre pour qu'il n'y ait aucune distorsion. Si l'angle est inférieur à 120°, la présence d'un doublet libre entraîne de la distorsion.*

Molécules à plus d'un atome central

Jusqu'à présent, nous n'avons étudié que des molécules constituées d'un seul atome central entouré d'autres atomes. Toutefois, nous pouvons également appliquer la théorie RPEV aux molécules plus complexes, comme le méthanol, CH_3OH, dont le diagramme de Lewis est le suivant :

```
      H
      |   ..
  H—C—O—H
      |   ..
      H
```

Nous pouvons prédire la structure moléculaire du CH_3OH à l'aide de la disposition des doublets autour des atomes de carbone et d'oxygène. Les quatre paires d'électrons, autour de l'atome de carbone, entraînent une structure tétraédrique (*voir la figure 6.22a*). Or, l'atome d'oxygène possède lui aussi quatre paires d'électrons, ce qui entraîne également une structure tétraédrique. Cependant, dans ce cas, le tétraèdre est légèrement déformé à cause du besoin d'espace des doublets libres (*voir la figure 6.22b*). La figure 6.22c illustre les caractéristiques géométriques globales de cette molécule.

Résumé de la théorie RPEV

Voici les règles d'utilisation de la théorie RPEV, qui permet de prédire le type de structure moléculaire.

- **Déterminer le(s) diagramme(s) de Lewis relatif(s) à la molécule en question.**
- **Pour des molécules représentées par des structures de résonance, utiliser n'importe laquelle de ces structures pour prédire la structure moléculaire.**
- **Compter le nombre de doublets d'électrons qui entourent l'atome central.**
- **Quand on compte le nombre de doublets, considérer chaque liaison multiple comme un doublet d'électrons effectif.**
- **Déterminer la disposition des doublets à l'aide de la position qui correspond à la répulsion minimale entre les doublets d'électrons (*voir le tableau 6.6*).**
- **Étant donné que les doublets libres exigent davantage d'espace que les doublets liants, choisir la disposition qui assure aux doublets libres le plus d'espace possible. Ne pas oublier que les doublets libres peuvent entraîner une légère distorsion dans la structure, si les angles sont inférieurs à 120°.**

Adéquation de la théorie RPEV

La théorie RPEV est simple : elle ne comporte que quelques règles faciles à mémoriser qui permettent de prédire adéquatement les structures moléculaires de la plupart des molécules constituées d'éléments non métalliques. On peut déterminer la structure de molécules de toutes tailles en appliquant la théorie RPEV à chacun de leurs atomes (ceux qui sont liés à au moins deux autres atomes). Par conséquent, on peut utiliser cette théorie pour prédire la structure de molécules composées de centaines d'atomes. Il arrive cependant que la théorie ne soit pas applicable.

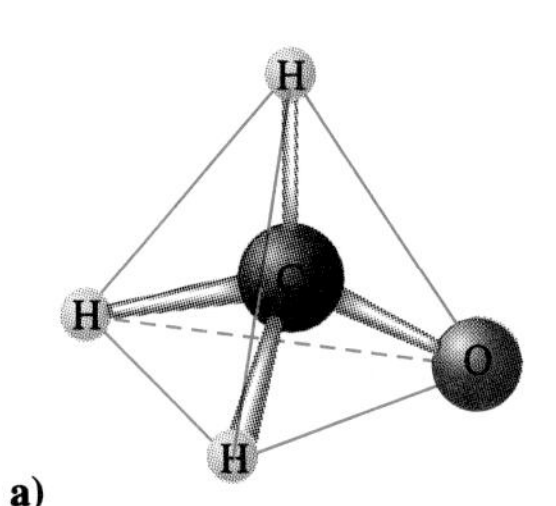

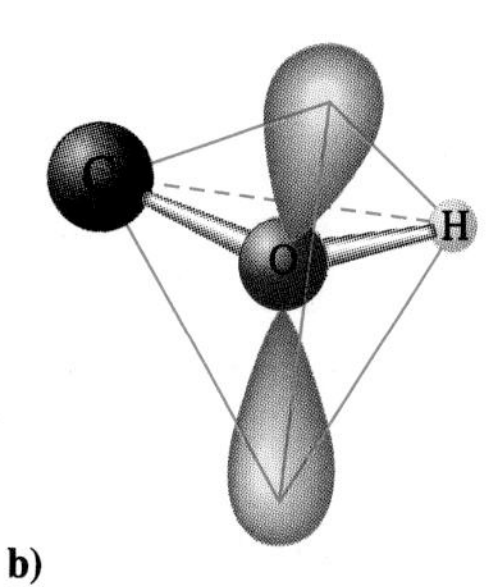

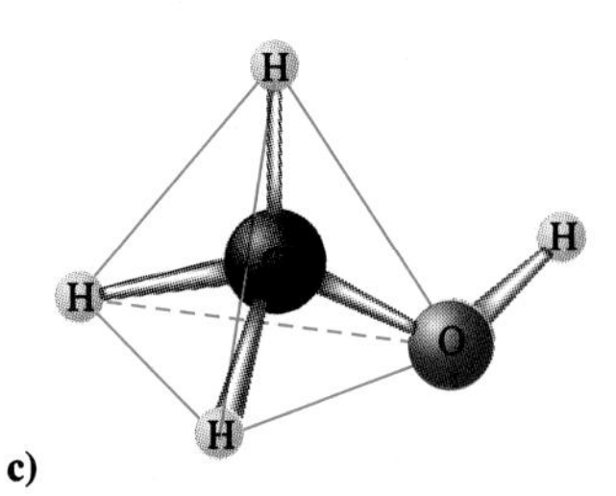

FIGURE 6.22
Structure moléculaire du méthanol. a) Disposition des liaisons et des atomes autour de l'atome de carbone. b) Disposition des liaisons et des doublets libres autour de l'atome d'oxygène. c) Structure moléculaire.

IMPACT

Structure chimique et communication : écomones

Dans ce chapitre, nous avons particulièrement insisté sur l'importance de pouvoir prédire la structure tridimensionnelle d'une molécule. C'est en effet la structure moléculaire d'un composé qui en détermine la réactivité chimique. Cela est particulièrement vrai en ce qui concerne les systèmes biologiques, dans lesquels les réactions doivent être efficaces et très spécifiques. Parmi les centaines de types de molécules présentes dans des liquides biologiques caractéristiques, chaque composé doit pouvoir trouver celui avec lequel il doit réagir ; il doit donc être très sélectif. Or, cette spécificité dépend de la structure : les molécules sont en effet construites de telle façon que seuls les partenaires appropriés peuvent s'en approcher et réagir avec elles.

La reine des abeilles produit une substance qui empêche les ouvrières d'élever une reine concurrente.

Un autre domaine pour lequel la structure moléculaire est importante, c'est celui de l'utilisation des molécules comme moyen de communication. Chez l'être humain, on trouve, parmi les exemples de communications chimiques : la conduction des influx nerveux au niveau des synapses, le contrôle de la fabrication et du stockage des produits chimiques clés dans les cellules, les sens de l'odorat et du goût, etc. Les plantes et les animaux utilisent également la communication à l'aide de produits chimiques. Par exemple, les fourmis laissent sur leur passage un produit chimique, de sorte que les autres fourmis peuvent, en suivant ce chemin, trouver une nourriture donnée. Les fourmis avertissent également les autres ouvrières de l'imminence d'un danger en libérant des produits chimiques.

Ces molécules transmettent des messages en s'adaptant parfaitement à des sites récepteurs spécifiques conçus en fonction de leurs structures. Ainsi, quand une molécule occupe un site récepteur, il y a stimulation des processus chimiques qui produisent la réponse désirée. Il arrive quelquefois que les récepteurs soient « trompés », par exemple lorsqu'on utilise des édulcorants artificiels ; ces molécules, lorsqu'elles occupent les sites récepteurs des bourgeons gustatifs, transmettent au cerveau un stimulus qui correspond à celui d'un mets « sucré » ; cependant, elles ne sont pas métabolisées de la même façon que les sucres naturels. Dans la lutte contre les insectes, on recourt également à une mystification de ce type. Si, dans une région donnée, on vaporise des molécules d'« attractif » sexuel femelle de synthèse, les mâles de l'espèce en question sont si perturbés que l'accouplement n'a pas lieu.

Une molécule qui transmet un message entre les membres d'une même espèce, ou d'espèces différentes, de plantes ou

Par exemple, la phosphine, PH_3, dont le diagramme de Lewis est analogue à celui de l'ammoniac, soit

```
  ..           ..
H—P—H        H—N—H
  |            |
  H            H
```

devrait, selon la théorie RPEV, avoir une structure moléculaire semblable à celle du NH_3, dans laquelle les angles des liaisons sont d'environ 107°. En fait, dans la phosphine, les angles des liaisons sont de 94°. On peut bien sûr expliquer quand même cette structure ; toutefois, pour ce faire, il faudrait ajouter d'autres règles à la théorie.

Ce qui précède illustre de nouveau le fait que les théories simples ne peuvent pas tout expliquer. Dans un cours de chimie de base, on utilise des théories simples qui permettent de décrire la majorité des cas ; en effet, il vaut mieux admettre quelques exceptions que de recourir à une théorie complexe. Finalement, aussi simple qu'elle soit, la théorie d'animaux porte le nom de *messager chimique* (ou *écomone*, selon le vocabulaire de l'écologie chimique). On distingue trois groupes d'écomones : les allomones, les kairomones et les phéromones, chacun jouant un grand rôle en ce qui concerne l'écologie.

Les *allomones* sont des produits chimiques qui confèrent un avantage adaptatif à l'espèce qui les synthétise. Par exemple, les feuilles du noyer contiennent un herbicide, le juglon, qui apparaît après la chute des feuilles. Le juglon n'est pas toxique pour les herbes et certaines graminées, mais il l'est pour d'autres espèces végétales, comme les pommiers, qui pourraient entrer en compétition pour l'utilisation des sources d'eau et de nourriture.

Les antibiotiques sont également des allomones, puisque d'autres espèces ne peuvent croître dans le voisinage des micro-organismes qui les produisent.

De nombreuses plantes synthétisent des produits chimiques qui ont un goût très désagréable, ce qui les protège des insectes et des animaux herbivores. La présence de nicotine, par exemple, empêche les animaux de manger les feuilles des plants de tabac ; le mille-pattes émet un message dont le sens est sans équivoque : il arrose son prédateur de benzaldéhyde et de cyanure d'hydrogène.

Les allomones, cependant, ne sont pas uniquement utilisées comme moyens de défense. Les fleurs utilisent ainsi des arômes pour attirer les insectes pollinisateurs : les fleurs de luzerne attirent les abeilles, par exemple, en libérant une série de composés odoriférants.

Les *kairomones* sont des messagers chimiques qui informent le receveur de la présence de facteurs intéressants : le parfum des fleurs, par exemple, constitue pour les abeilles un kairomone. De nombreux prédateurs sont guidés par des kairomones produits par leur nourriture. C'est ainsi que la peau des pommes libère un produit chimique qui attire les larves de la carpocapse de la pomme. Par contre, dans certains cas, les kairomones aident la proie : certains mollusques marins, par exemple, peuvent capter l'« odeur » de leurs prédateurs, les étoiles de mer, et ainsi leur échapper.

Les *phéromones* sont des produits chimiques qui agissent sur les récepteurs des individus qui appartiennent à la même espèce que le donneur. Autrement dit, les phéromones sont spécifiques à une espèce. On distingue les *phéromones à action immédiate* et les *phéromones à action prolongée*. Parmi les phéromones à action immédiate, on trouve les substances responsables de l'attraction sexuelle chez les insectes, substances émises par le mâle chez certaines espèces, par la femelle, chez d'autres. Les plantes et les mammifères pourraient également produire des phéromones sexuelles.

Les *phéromones d'alarme* sont des composés très volatils (qui passent rapidement à l'état gazeux) qu'un individu émet pour avertir les autres d'un danger. Les glandes à venin des abeilles produisent par exemple de l'acétate d'isoamyle, $C_7H_{14}O_2$. En raison de sa grande volatilité, ce composé ne demeure pas une fois que l'alerte est passée. Le comportement social des insectes est également caractérisé par l'utilisation de *phéromones de piste*, qui indiquent où est située une source de nourriture. Les insectes sociaux, comme les abeilles, les fourmis, les guêpes et les termites, utilisent de telles substances. Étant donné que les phéromones de piste sont des composés moins volatils, le message persiste pendant un certain temps.

Les *phéromones à action prolongée*, qui entraînent des modifications à long terme du comportement, sont plus difficiles à isoler et à identifier. La « substance royale » produite par la reine des abeilles en est un exemple. Tous les œufs d'une ruche sont pondus par une seule reine : si on prive la ruche de sa reine, ou si cette dernière meurt, il n'y a plus production de substance royale, ce qui stimule les ouvrières à nourrir les larves de gelée royale (pour qu'une nouvelle reine règne dans la ruche). La substance royale s'oppose en outre au développement des ovaires des ouvrières ; ainsi, seule la reine peut pondre des œufs.

Les phéromones des insectes font l'objet de nombreuses études, car on espère trouver une méthode d'élimination des insectes qui soit plus efficace et plus sûre que l'utilisation des pesticides chimiques.

RPEV n'en permet pas moins de prédire adéquatement la structure d'un grand nombre de molécules.

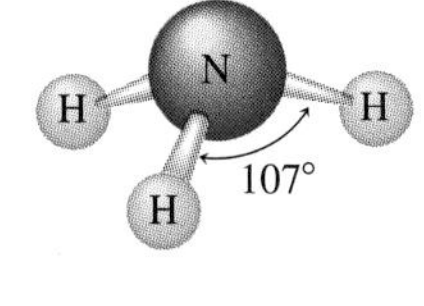

NH_3

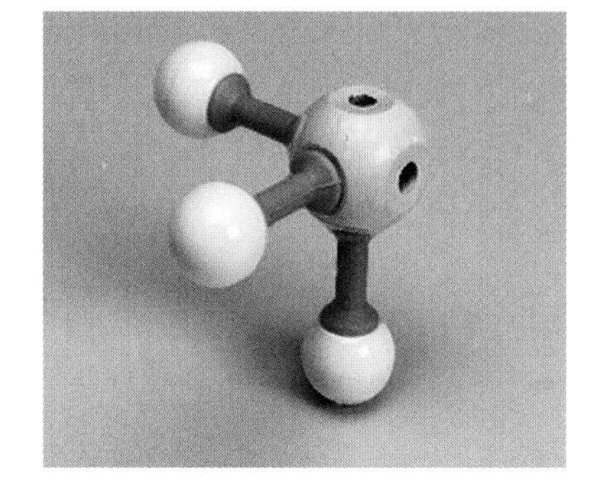

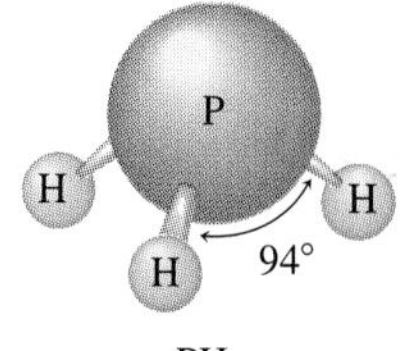

PH_3

Mots clés

Section 6.1
énergie de liaison
liaison ionique
composé ionique
loi de Coulomb
longueur de la liaison
liaison covalente
liaison covalente polaire

Section 6.2
électronégativité

Section 6.3
moment dipolaire

Section 6.4
ions isoélectroniques

Section 6.5
énergie de réseau

Section 6.8
liaison simple
liaison double
liaison triple

Section 6.9
théorie des électrons localisés (EL)
doublets libres
doublets liants

Section 6.10
diagramme de Lewis
règle du doublet
règle de l'octet

Section 6.12
résonance
structure de résonance
charge formelle

Section 6.13
structure moléculaire
théorie de la répulsion des paires d'électrons de valence (RPEV)
structure linéaire
structure plane triangulaire
structure tétraédrique
structure pyramidale à base triangulaire
structure bipyramidale à base triangulaire
structure octaédrique
structure plane carrée

Synthèse

Liaisons chimiques

- Retiennent les atomes ensemble.
- Leur formation a lieu chaque fois qu'un groupe d'atomes peut faire baisser son énergie totale par l'agrégation de ces atomes.
- Types de liaisons chimiques
  - Ionique : transfert d'électrons et formation d'ions
  - Covalente : partage d'électrons
  - Covalente polaire : partage inégal des électrons de liaison.
- Pourcentage de caractère ionique du lien d'une molécule X—Y

$$\text{Pourcentage de caractère ionique} = \left(\frac{\text{Valeur expérimentale du moment dipolaire de X—Y}}{\text{Valeur théorique du moment dipolaire de } X^+ \text{ et } Y^-}\right) \times 100\ \%$$

- Électronégativité : capacité relative d'un atome d'une molécule d'attirer à lui les électrons partagés dans une liaison.
  - La différence d'électronégativité entre les atomes qui participent à une liaison détermine la polarité de cette liaison.
- L'agencement spatial des liaisons polaires détermine la polarité globale, ou moment dipolaire, d'une molécule.

Liaison ionique

- La taille des ions est différente de celle des atomes d'origine.
  - Les anions sont plus gros que les atomes d'origine.
  - Les cations sont plus petits que les atomes d'origine.
- L'énergie de réseau : variation d'énergie qui accompagne l'empilement des ions gazeux pour former un solide ionique.

Énergie de liaison

- Énergie nécessaire pour rompre une liaison covalente.
- Varie en fonction du nombre de doublets d'électrons de liaison.
- On peut utiliser les valeurs des énergies de liaison pour calculer la variation d'enthalpie d'une réaction.

Diagrammes de Lewis

- Indiquent de quelle façon les électrons de valence sont répartis entre les atomes dans une molécule ou un ion polyatomique.
- Les molécules stables contiennent en général des atomes dont les orbitales de valence sont remplies.
  - Ce qui entraîne la règle du doublet.
  - Ce qui entraîne la règle de l'octet pour les éléments de la deuxième période.
  - Les éléments de la troisième période, ou au-delà, peuvent parfois posséder plus de huit électrons.
- Parfois, plusieurs diagrammes de Lewis équivalents peuvent être produits pour une molécule donnée, un concept appelé résonance.
- Quand plusieurs diagrammes de Lewis non équivalents peuvent décrire une molécule, on recourt à la notion de charge formelle pour choisir le(s) diagramme(s) le(s) plus approprié(s).

Théorie RPEV

- Selon le postulat fondamental de cette théorie, la disposition des électrons autour d'un atome donné est déterminée par l'agencement qui réduit au minimum la répulsion entre les doublets d'électrons.
- Permet de prédire les caractéristiques géométriques de la plupart des molécules.

QUESTIONS DE RÉVISION

1. Quelle est la différence entre les termes de chacune des paires suivantes ? *Électronégativité* et *affinité électronique, liaison covalente* et *liaison covalente polaire, liaison covalente polaire* et *liaison ionique.*
2. Lorsqu'un élément forme un ion, que devient le rayon ? Lorsqu'un élément devient un cation, que devient le rayon ? Pourquoi ? Définissez le terme *isoélectronique*. Pourquoi vaut-il mieux, quand on compare la taille des ions d'éléments d'une période donnée du tableau périodique, comparer les espèces isoélectroniques ?
3. Définissez le terme *énergie de réseau.* Pourquoi, en matière d'énergie, les composés ioniques se forment-ils ? La figure 6.11 illustre les variations d'énergie associées à la formation de $MgO(s)$ et de $NaF(s)$. Pourquoi l'énergie de réseau de $MgO(s)$ est-elle si différente de celle de $NaF(s)$? L'oxyde de magnésium est composé des ions Mg^{2+} et O^{2-}. Au point de vue de l'énergie, pourquoi se forme-t-il $Mg^{2+}O^{2-}$ et non $Mg^{+}O^{-}$? Pourquoi $Mg^{3+}O^{3-}$ ne se forme-t-il pas ?
4. Expliquez comment on peut utiliser les énergies de liaison pour calculer approximativement la ΔH d'une réaction. Pourquoi est-ce une évaluation de la valeur de ΔH ? Comparez-les pour une réaction endothermique. Quelle est la relation entre le nombre de liens entre deux atomes et l'énergie de liaison ? entre le nombre de liens entre deux atomes et la longueur de liaison ?
5. Justifiez la règle de l'octet et la règle du doublet pour H en termes d'orbitales. Donnez les étapes pour écrire un diagramme de Lewis d'une molécule ou d'un ion. De façon générale, les molécules et les ions respectent toujours la règle de l'octet à moins que ce soit impossible. Les trois types d'exceptions sont les molécules ou les ions qui ont trop peu d'électrons, les molécules ou les ions à nombre impair d'électrons et les molécules ou les ions qui ont trop d'électrons. Quels atomes sont parfois entourés de moins de huit électrons ? Donnez un exemple. Quels atomes sont parfois entourés de plus de huit électrons ? Donnez quelques exemples. Pourquoi les espèces à nombre impair d'électrons sont-elles généralement très réactives et peu courantes ? Donnez un exemple d'une molécule ayant un nombre impair d'électrons.
6. Expliquez les termes *résonance* et *électrons délocalisés*. Quand une substance présente de la résonance, on dit qu'aucun des diagrammes de Lewis ne décrit de façon exacte les liaisons dans cette substance. Pourquoi écrit-on des structures de résonance ?
7. Définissez la *charge formelle* et expliquez comment la calculer. Quelle est l'utilité de la charge formelle ? Les composés organiques sont constitués surtout de carbone et d'hydrogène, mais ils peuvent avoir aussi de l'oxygène, de l'azote ou des halogènes dans leur formule. Les raisonnements relatifs à la charge formelle fonctionnent très bien pour les composés organiques, quand on dessine les meilleurs diagrammes de Lewis. Comment les atomes C, H, N, O et Cl satisfont-ils à la règle de l'octet dans les composés organiques de façon à avoir une charge formelle de zéro ?
8. Expliquez le principal postulat de la théorie RPEV. Dressez la liste des cinq géométries de base (y compris les angles de liaison) que la plupart des molécules ou ions adoptent pour réduire au minimum les répulsions des doublets d'électrons. Pourquoi les angles de liaison sont-ils parfois légèrement inférieurs à la valeur prédite dans les molécules réelles quand on compare avec les prédictions de la théorie RPEV ?
9. Donnez deux exigences qui doivent être satisfaites pour qu'une molécule soit polaire. Expliquez pourquoi CF_4 et XeF_4 sont des composés non polaires (n'ont pas de moment dipolaire), alors que SF_4 est polaire (a un moment dipolaire). Est-ce que CO_2 est polaire ? Et qu'en est-il de COS ? Expliquez.
10. Soit les composés suivants : CO_2, SO_2, KrF_2, SO_3, NF_3, IF_3, CF_4, SF_4, XeF_4, PF_5, IF_5 et SCl_6. Ces 12 composés sont tous des exemples de structures de molécules différentes. Dessinez les diagrammes de Lewis pour chaque molécule et prédisez leur structure. Prédisez les angles de liaison et la polarité de chacune d'elles. (Une molécule polaire possède un moment dipolaire alors qu'une molécule non polaire n'en a pas.) Voyez les exercices 64 et 65 pour les structures moléculaires basées sur les géométries de la bipyramide à base triangulaire et de l'octaèdre.

Questions et exercices

Questions à discuter en classe

Ces questions sont conçues pour être abordées en petits groupes. Par des discussions et des enseignements mutuels, elles permettent d'exprimer la compréhension des concepts.

1. Expliquez la variation de l'électronégativité dans une période et dans un groupe du tableau périodique. Comparez cette variation avec celles de l'énergie d'ionisation et du rayon atomique. Comment sont-elles reliées ?

2. Soit un composé ionique AB. Les charges sur les ions peuvent être : +1, −1 ; +2, −2 ; +3 ; −3, etc. Quels sont les facteurs qui dictent la charge d'un ion dans un composé ionique ?

3. En vous servant du seul tableau périodique, prédisez l'ion le plus stable de chaque atome suivant : Na, Mg, Al, S, Cl, K, Ca et Ga. Placez-les par ordre décroissant de rayon et expliquez la variation du rayon. Comparez vos prédictions aux valeurs présentées à la figure 6.8.

4. L'énergie de la liaison C—H est d'environ 413 kJ/mol dans CH_4, mais de 380 kJ/mol dans $CHBr_3$. Bien que ces valeurs soient relativement voisines, elles n'en sont pas moins différentes. Est-ce que le fait que l'énergie de liaison soit plus faible dans $CHBr_3$ s'explique ? Dites pourquoi.

5. Soit l'énoncé suivant : « Puisque l'oxygène cherche à avoir deux charges négatives, la deuxième valeur d'affinité électronique est plus négative que la première. » Indiquez tout ce qui dans cet énoncé est correct. Indiquez tout ce qui est incorrect. Corrigez l'énoncé et expliquez.

6. Dans quel ion la longueur de liaison est-elle la plus grande, NO_2^- ou NO_3^- ? Expliquez.

7. Vous attendriez-vous à ce que l'électronégativité du titane soit la même dans les espèces suivantes : Ti, Ti^{2+}, Ti^{3+} et Ti^{4+} ? Expliquez.

8. Les secondes valeurs d'affinité électronique pour l'oxygène et le soufre sont défavorables (endothermiques). Expliquez.

9. Que signifie liaison chimique ? Pourquoi les atomes forment-ils des liaisons entre eux ? Pourquoi certains éléments existent-ils à l'état naturel sous la forme de molécules plutôt que sous la forme d'atomes libres ?

10. Pourquoi certaines liaisons sont-elles ioniques et d'autres covalentes ?

À toute question ou tout exercice précédés d'un numéro en bleu, la réponse se trouve à la fin de ce livre.

Questions

11. $(NH_4)_2SO_4$, $Ca_3(PO_4)_2$, K_2O, P_2O_5 et KCl sont quelques composés servant d'engrais. Lesquels parmi ces composés comportent à la fois des liaisons covalentes et des liaisons ioniques ?

12. Voici quelques propriétés importantes des composés ioniques :
- **i.** Conductibilité électrique faible à l'état solide, mais élevée en solution ou à l'état liquide.
- **ii.** Points de fusion et d'ébullition relativement élevés.
- **iii.** Caractère cassant.
- **iv.** Solubilité dans des solvants polaires.

Comment le concept de liaison ionique décrit dans ce chapitre rend-il compte de ces propriétés ?

13. Qu'est-ce que la variation d'électronégativité ? Où se situe l'hydrogène par rapport à la variation de l'électronégativité pour les autres éléments dans le tableau périodique ?

14. Donnez un exemple d'un composé ayant une structure moléculaire linéaire qui a un moment dipolaire global (est polaire), et un exemple d'un composé qui n'a pas de moment dipolaire global (est non polaire). Faites la même chose pour des molécules ayant des structures plane triangulaire et tétraédrique.

15. Quand on compare les tailles de différents atomes, la variation périodique générale abordée au chapitre 5 n'est généralement pas très utile. Sur quoi vous appuyez-vous pour comparer la taille des ions entre eux ou pour comparer la taille d'un ion avec celle de son atome neutre ?

16. En général, plus la charge est élevée sur les ions dans un composé ionique, plus l'énergie de réseau est favorable. Pourquoi certains composés ioniques stables ont-ils des ions de charge +1, même si les ions de charges +4, +5, +6 avaient une énergie de réseau plus favorable ?

17. Les réactions de combustion des combustibles fossiles fournissent la majeure partie des besoins énergétiques dans le monde. Pourquoi les réactions de combustion des combustibles fossiles sont-elles si exothermiques ?

18. Dites quel(s) énoncé(s) est (sont) vrai(s). Corrigez les énoncés faux.
- **a)** Il est impossible de satisfaire la règle de l'octet pour tous les atomes dans XeF_2.
- **b)** Étant donné que SF_4 existe, OF_4 devrait alors exister parce que l'oxygène appartient à la même famille que le soufre.
- **c)** La liaison dans NO^+ devrait être plus forte que celle dans NO^-.
- **d)** Selon ce que prédisent les deux diagrammes de Lewis pour l'ozone, une liaison oxygène-oxygène est plus forte que l'autre.

19. On peut écrire trois structures de résonance pour CO_2. Quelle structure de résonance est la meilleure du point de vue de la charge formelle ?

20. Dites quel(s) énoncé(s) est (sont) vrai(s) ? Corrigez les énoncés faux.
- **a)** Les molécules SeS_3, SeS_2, PCl_5, $TeCl_4$, ICl_3 et $XeCl_2$ présentent toutes au moins une liaison ayant un angle de 120°.
- **b)** L'angle de liaison dans SO_2 doit être semblable à l'angle de liaison dans CS_2 ou SCl_2.
- **c)** Parmi les composés CF_4, KrF_4 et SeF_4, seul SeF_4 possède un moment dipolaire global (est polaire).
- **d)** Les atomes centraux dans une molécule adoptent une géométrie des atomes liés et des paires d'électrons libres autour de l'atome central, afin d'augmenter au maximum les répulsions électroniques.

Exercices

Dans la présente section, les exercices similaires sont regroupés.

Liaisons chimiques et électronégativité

21. Sans consulter la figure 6.3, placez par ordre croissant d'électronégativité chacun des éléments des groupes suivants.
- **a)** C, N, O.
- **b)** S, Se, Cl.
- **c)** Si, Ge, Sn.
- **d)** Tl, S, Ge.

22. Sans recourir à la figure 6.3, placez par ordre croissant d'électronégativité chacun des éléments des groupes suivants.
a) Na, K, Rb. c) F, Cl, Br.
b) B, O, Ga. d) S, O, F.

23. Sans consulter la figure 6.3, prédisez quelle liaison, dans chacun des groupes suivants, est la plus polaire.
a) C—F, Si—F, Ge—F.
b) P—Cl, S—Cl.
c) S—F, S—Cl, S—Br.
d) Ti—Cl, Si—Cl, Ge—Cl.

24. Sans recourir à la figure 6.3, prédisez quelle liaison dans chacun des groupes suivants sera la plus polaire.
a) C—H, Si—H, SN—H.
b) Al—Br, Ga—Br, In—Br, Tl—Br.
c) C—O ou Si—O.
d) O—F ou O—Cl.

25. Quelles liaisons parmi les suivantes n'illustrent pas la polarité de liaison de façon correcte ? Donnez la polarité de liaison pour celles qui ne le sont pas.
a) $^{\delta+}$H—F$^{\delta-}$ d) $^{\delta+}$Br—Br$^{\delta-}$
b) $^{\delta+}$Cl—I$^{\delta-}$ e) $^{\delta+}$O—P$^{\delta-}$
c) $^{\delta+}$Si—S$^{\delta-}$

26. Indiquez la polarité de la liaison (montrez les charges partielles positives et négatives aux extrémités) dans les liaisons suivantes.
a) C—O d) Br—Te
b) P—H e) Se—S
c) H—Cl

27. L'électronégativité de l'hydrogène se situe entre celle du bore et celle du carbone, et est identique à celle du phosphore. Sachant cela, placez, par ordre décroissant de polarité, les liaisons suivantes : P—H, O—H, N—H, F—H, C—H.

28. Placez par ordre croissant de leur caractère ionique les liaisons suivantes : N—O, Ca—O, C—F, Br—Br, K—F.

Ions et composés ioniques

29. Écrivez les configurations électroniques pour l'ion le plus stable formé par chacun des éléments suivants : Rb, Ba, Se et I.

30. Écrivez les configurations électroniques pour l'ion le plus stable formé par chacun des éléments suivants : Te, Cl, Sr et Li.

31. Parmi les ions suivants, repérez ceux dont la configuration électronique est semblable à celle d'un gaz rare.
a) Fe^{2+}, Fe^{3+}, Sc^{3+}, Co^{3+}.
b) Tl^{+}, Te^{2-}, Cr^{3+}.
c) Pu^{4+}, Ce^{4+}, Ti^{4+}.
d) Ba^{2+}, Pt^{2+}, Mn^{2+}.

32. Donnez trois ions qui ont une structure électronique semblable à celle du néon. Placez-les par ordre croissant de taille.

33. Soit les ions Sc^{3+}, Cl^{-}, K^{+}, Ca^{2+} et S^{2-}. Associez ces ions avec les images suivantes qui représentent les tailles relatives des ions.

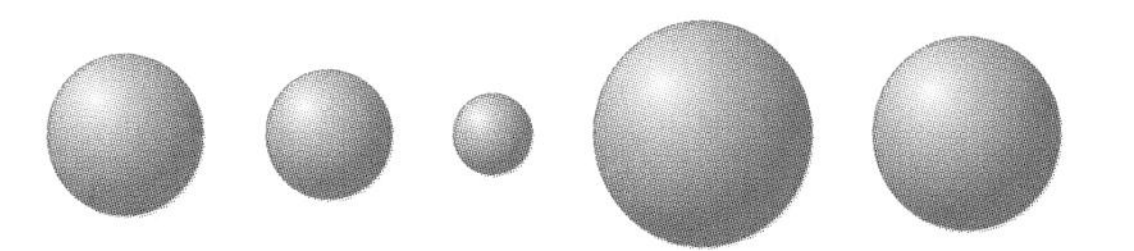

34. Dans chacun des groupes suivants, placez les atomes et les ions selon l'ordre décroissant de taille.
a) Cu, Cu^{+}, Cu^{2+}.
b) Ni^{2+}, Pd^{2+}, Pt^{2+}.
c) O^{2-}, S^{2-}, Se^{2-}.
d) La^{3+}, Eu^{3+}, Gd^{3+}, Yb^{3+}.
e) Te^{2-}, I^{-}, Xe, Cs^{+}, Ba^{2+}, La^{3+}.

35. Prédisez la formule empirique des composés ioniques formés à partir des paires d'éléments ci-dessous. Nommez chacun de ces composés.
a) Li et N.
b) Ga et O.
c) Rb et Cl.
d) Ba et S.

36. Prédisez les formules empiriques des composés ioniques formés des paires d'éléments suivants et nommez-les.
a) Al et Cl.
b) Na et O.
c) Sr et F.
d) Ca et S.

37. Lequel des composés de chacune des paires de substances ioniques suivantes possède l'énergie de réseau la plus importante ? Justifiez votre réponse.
a) NaCl, KCl.
b) LiF, LiCl.
c) $Mg(OH)_2$, MgO.
d) $Fe(OH)_2$, $Fe(OH)_3$.
e) NaCl, Na_2O.
f) MgO, BaS.

38. Utilisez les données suivantes pour établir la valeur de $\Delta H_{\text{réaction}}$ pour la formation du chlorure de sodium.

$$Na(s) + \tfrac{1}{2}Cl_2(g) \longrightarrow NaCl(s)$$

énergie de réseau	−786 kJ/mol
énergie d'ionisation de Na	495 kJ/mol
affinité électronique de Cl	−349 kJ/mol
énergie de liaison de Cl_2	239 kJ/mol
enthalpie de sublimation de Na	109 kJ/mol

39. Soit les variations d'énergie suivantes :

	ΔH (kJ/mol)
$Mg(g) \rightarrow Mg^{+}(g) + e^{-}$	735
$Mg^{+}(g) \rightarrow Mg^{2+}(g) + e^{-}$	1445
$O(g) + e^{-} \rightarrow O^{-}(g)$	−141
$O^{-}(g) + e^{-} \rightarrow O^{2-}(g)$	878

L'oxyde de magnésium a pour formule $Mg^{2+}O^{2-}$ et non $Mg^{+}O^{-}$. Expliquez pourquoi.

40. Comparez l'affinité électronique du fluor à l'énergie d'ionisation du sodium. Le processus par lequel un électron est arraché à l'atome de sodium et ajouté à l'atome de fluor est-il exothermique ou endothermique ? Pourquoi NaF est-il est un composé stable ? Est-ce que la formation globale de NaF est endothermique ou exothermique ? Comment cela peut-il en être ainsi ?

41. $LiI(s)$ a une chaleur de formation de −272 kJ/mol et une énergie de réseau de −753 kJ/mol. L'énergie d'ionisation de $Li(g)$ est de 520 kJ/mol, l'énergie de liaison de $I_2(g)$ est de 151 kJ/mol et l'affinité électronique de $I(g)$ est de −295 kJ/mol. À l'aide de ces données, calculez la chaleur de sublimation de $Li(s)$.

42. Les énergies de réseau des oxydes et des chlorures de fer(II) et de fer(III) sont de −2631, −3865, −5359 et −14 774 kJ/mol. Appariez la formule à l'énergie de réseau correspondante. Expliquez.

Énergie de liaison

43. Utilisez les valeurs de l'énergie de liaison présentées au tableau 6.4 pour calculer ΔH pour chacune des réactions suivantes en phase gazeuse :
a) $H_2 + Cl_2 \rightarrow 2HCl$
b) $N\equiv N + 3H_2 \rightarrow 2NH_3$

44. Utilisez les énergies de liaison (*voir le tableau 6.4*) pour prédire la valeur de ΔH de la réaction d'isomérisation de l'isocyanure de méthyle en acétonitrile :

$$CH_3N\equiv C(g) \longrightarrow CH_3C\equiv N(g)$$

45. Utilisez les énergies de liaison pour prédire la valeur de ΔH pour la combustion de l'acétylène :

$$HC\equiv CH(g) + \tfrac{5}{2}O_2(g) \longrightarrow 2CO_2(g) + H_2O(g)$$

46. La navette spatiale met à profit pour se propulser l'oxydation de la méthylhydrazine par le tétroxyde de diazote :

$$5N_2O_4(l) + 4N_2H_3CH_3(l) \longrightarrow 12H_2O(g) + 9N_2(g) + 4CO_2(g)$$

Utilisez les énergies de liaison pour évaluer la valeur de ΔH pour cette réaction. Les structures des réactifs sont les suivantes :

```
O         O            H         H
  \\     //              \       /
    N—N          +        N—N
  /     \                /     \
O         O            H3C       H
```

47. Soit la réaction suivante :

```
H       H
  >C=C<    (g) + F2(g)  ——>
H       H

          F  F
          |  |
        H—C—C—H(g)        ΔH = −549 kJ
          |  |
          H  H
```

Évaluez l'énergie de la liaison carbone-fluor sachant que l'énergie de la liaison C—C est de 347 kJ/mol, l'énergie de la liaison C=C est de 614 kJ/mol, et l'énergie de la liaison F—F est de 154 kJ/mol.

48. Les enthalpies standards de formation pour $S(g)$, $F(g)$, $SF_4(g)$ et $SF_6(g)$ sont respectivement +278,8, +79,0, −775 et −1209 kJ/mol.
a) À l'aide de ces données, calculez l'énergie d'une liaison S—F.
b) Comparez vos valeurs obtenues par calcul à la valeur présentée au tableau 6.4. Quelles conclusions pouvez-vous en tirer ?
c) Pourquoi les valeurs de ΔH_f° pour $S(g)$ et $F(g)$ ne sont pas égales à zéro, étant donné que le soufre et le fluor sont des éléments ?

Diagrammes de Lewis et résonance

49. Écrivez le diagramme de Lewis qui respecte la règle de l'octet pour chacune des substances suivantes.

a) HCN	**d)** NH_4^+	**g)** CO_2
b) PH_3	**e)** H_2CO	**h)** O_2
c) $CHCl_3$	**f)** SeF_2	**i)** HBr

À l'exception de HCN et de H_2CO, le premier atome indiqué est l'atome central. Dans les cas de HCN et de H_2CO, c'est le carbone qui est l'atome central.

50. Écrivez le diagramme de Lewis relatif à chacune des molécules et à chacun des ions suivants en respectant la règle de l'octet. Dans chaque cas, le premier atome mentionné est l'atome central.
a) $POCl_3$, SO_4^{2-}, XeO_4, PO_4^{3-}, ClO_4^-.
b) NF_3, SO_3^{2-}, PO_3^{3-}, ClO_3^-.
c) ClO_2, SCl_2, PCl_2^-.
d) Compte tenu des réponses obtenues en **a)**, **b)** et **c)**, quelles conclusions peut-on tirer en ce qui concerne la structure des espèces isoélectroniques qui contiennent le même nombre d'atomes et le même nombre d'électrons de valence ?

51. Les composés dont l'atome central s'entoure de moins de huit électrons constituent un type d'exception à la règle de l'octet, dont BeH_2 et BH_3 sont des exemples. Écrivez les diagrammes de Lewis relatifs à BeH_2 et à BH_3.

52. Les diagrammes de Lewis peuvent servir à expliquer pourquoi certaines molécules réagissent d'une certaine façon. Écrivez les diagrammes de Lewis pour les réactifs et les produits des réactions décrites ci-dessous.
a) Le dioxyde d'azote dimérise pour donner du tétroxyde de diazote.
b) Le trifluorure de bore accepte un doublet d'électrons de l'ammoniac pour former BF_3NH_3.
Avancez une explication pour que ces deux réactions puissent survenir.

53. Les composés et les ions dont l'atome central s'entoure de plus de huit électrons constituent le type d'exception le plus courant à la règle de l'octet ; PF_5, SF_4, ClF_3 et Br_3^- en sont des exemples. Écrivez les diagrammes de Lewis relatifs à ces composés ou ions. Quels éléments peuvent, le cas échéant, s'entourer de plus de huit électrons ? Comment rationaliser cela ?

54. SF_6, ClF_5 et XeF_4 sont trois composés dont l'atome central ne respecte pas la règle de l'octet. Écrivez les diagrammes de Lewis relatifs à ces composés.

55. Écrivez les diagrammes de Lewis relatifs aux espèces suivantes. Indiquez toutes les structures de résonance, le cas échéant.
a) NO_2^-, NO_3^-, N_2O_4 (N_2O_4 existe sous la forme de $O_2N—NO_2$.)
b) OCN^-, SCN^-, N_3^- (Le carbone est l'atome central dans OCN^- et SCN^-.)

56. La molécule de benzène, C_6H_6, est constituée d'un cycle formé de six atomes de carbone liés chacun à un atome d'hydrogène. Écrivez le diagramme de Lewis relatif au benzène, y compris les structures de résonance.

57. Le fait qu'il n'y ait que trois structures différentes du dichlorobenzène, $C_6H_4Cl_2$, constitue une importante observation militant en faveur du concept de résonance dans la théorie des électrons localisés. Expliquez comment ce fait milite en faveur du concept de résonance (*voir l'exercice 56*).

58. Placez les espèces suivantes par ordre décroissant de longueur de la liaison carbone-oxygène.

CO, CO_2, CO_3^{2-}, CH_3OH

Placez-les par ordre croissant de force de la liaison carbone-oxygène. (CH_3OH existe sous forme de $H_3C—OH$.)

Charge formelle

59. Écrivez les diagrammes de Lewis respectant la règle de l'octet pour les espèces suivantes. Assignez la charge formelle à chaque atome central.

a) $POCl_3$	**e)** SO_2Cl_2
b) SO_4^{2-}	**f)** XeO_4
c) ClO_4^-	**g)** ClO_3^-
d) PO_4^{3-}	**h)** NO_4^{3-}

60. L'oxydation de l'ion cyanure produit l'ion stable cyanate, OCN^-. L'ion fulminate, CNO^-, par contre, est très instable. Les sels de fulminate explosent sous le choc; $Hg(CNO)_2$ est utilisé dans les détonateurs. Écrivez les diagrammes de Lewis relatifs aux ions cyanate et fulminate et assignez les charges formelles. Pourquoi l'ion fulminate est-il si instable ? (C est l'atome central de OCN^- et N est l'atome central de CNO^-.)

61. Lorsque le soufre fondu réagit avec le chlore gazeux, il se forme un liquide orangé à l'odeur exécrable dont la formule empirique est SCl. La structure de ce composé a une charge formelle de zéro sur tous les éléments dans le composé. Écrivez le diagramme de Lewis relatif à ce liquide orangé à l'odeur exécrable.

62. On peut obtenir trois diagrammes de Lewis relatifs à l'oxyde nitrique, N_2O.

$$:\ddot{N}=N=\ddot{O}: \longleftrightarrow :N\equiv N-\ddot{O}: \longleftrightarrow :\ddot{N}-N\equiv O:$$

À partir des longueurs de liaison suivantes :

N—N	167 pm	N=O	115 pm
N=N	120 pm	N—O	147 pm
N≡N	110 pm		

rationalisez les observations à l'effet que la longueur de la liaison N—N dans N_2O est de 112 pm et celle de N—O, de 119 pm. Assignez des charges formelles aux structures de résonance du N_2O. Pouvez-vous éliminer des structures de résonance en vous basant sur des charges formelles ? Est-ce compatible avec la réalité ?

Structure moléculaire et polarité

63. Prédisez la structure moléculaire et les angles de liaison de chaque molécule ou ion mentionné à l'exercice 49.

64. Il existe plusieurs structures moléculaires basées sur la géométrie bipyramidale à base triangulaire (*voir le tableau 6.6*). Voici trois de ces structures.

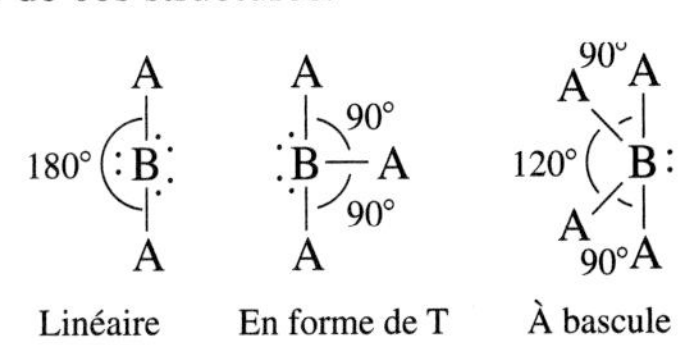

Linéaire — En forme de T — À bascule

Quels composés des exercices 53 et 54 possèdent ces structures moléculaires ?

65. Deux variations de la géométrie octaédrique (*voir le tableau 6.6*) sont illustrées ci-dessous.

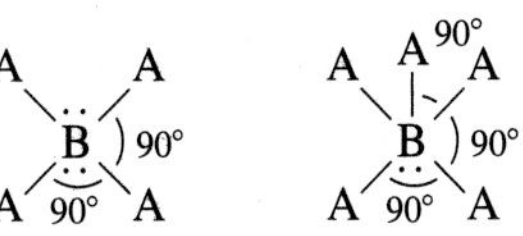

Plane carrée — Pyramidale à base carrée

Quels composés des exercices 53 et 54 possèdent ces structures moléculaires ?

66. Prédisez la structure moléculaire (y compris les angles de liaison) pour chacun des produits suivants.

a) BF_3
b) BeH_2^{2-}

67. Prédisez la structure moléculaire (y compris les angles de liaison) pour chacune des espèces suivantes (*voir les exercices 64 et 65*).

a) XeF_2
b) IF_3
c) IF_4^+
d) SF_5^+

68. Quels molécules ou ions de l'exercice 66 ont un moment dipolaire ?

69. Quels molécules ou ions de l'exercice 67 ont un moment dipolaire ?

70. Écrivez les diagrammes de Lewis relatifs aux espèces suivantes et prédisez-en les structures moléculaires.

a) OCl_2, KrF_2, BeH_2, SO_2.
b) SO_3, NF_3, ClF_3.
c) CF_4, SeF_4, XeF_4.
d) IF_5, AsF_5.

Lesquels de ces composés sont polaires ?

71. Soit le diagramme de Lewis suivant où E est un élément inconnu :

$$\left[:\ddot{O}-\ddot{E}-\ddot{O}: \atop \quad | \atop :\ddot{O}:\right]^-$$

Donnez quelques noms possibles pour l'élément E ? Prédisez la structure moléculaire (incluant les angles de liaison) de cet ion.

72. Soit le diagramme de Lewis suivant où E est un élément inconnu :

$$\left[:\ddot{F}-\ddot{E}\begin{matrix}\diagup \ddot{O}: \\ \diagdown \ddot{F}:\end{matrix}\right]^{2-}$$

Donnez quelques noms possibles pour l'élément E ? Prédisez la structure moléculaire (incluant les angles de liaison) de cet ion. (*Voir les exercices 64 et 65*)

73. Les molécules BF_3, CF_4, CO_2, PF_5 et SF_6 sont non polaires bien qu'elles contiennent toutes des liaisons polaires. Expliquez.

Exercices supplémentaires

74. À l'aide des énergies de liaison du tableau 6.4, des valeurs d'affinités électroniques du tableau 5.7 et de l'énergie d'ionisation de l'hydrogène (1312 kJ/mol), évaluez ΔH pour chacune des réactions suivantes.

a) $HF(g) \rightarrow H^+(g) + F^-(g)$
b) $HCl(g) \rightarrow H^+(g) + Cl^-(g)$
c) $HI(g) \rightarrow H^+(g) + I^-(g)$
d) $H_2O(g) \rightarrow H^+(g) + OH^-(g)$

75. Écrivez les diagrammes de Lewis relatifs à CO_3^{2-}, HCO_3^- et H_2CO_3. Lorsqu'on ajoute un acide à une solution aqueuse contenant des ions carbonate ou bicarbonate, il se forme du dioxyde de carbone gazeux. On dit qu'en général l'acide carbonique, H_2CO_3, est instable. À l'aide des énergies de liaison, évaluez ΔH pour la réaction (en phase gazeuse).

76. Dans chacune des paires ci-dessous, trouvez le composé le plus stable. Justifiez votre réponse.
a) NaBr ou $NaBr_2$.
b) ClO_4 ou ClO_4^-.
c) SO_4 ou XeO_4.
d) OF_4 ou SeF_4.

77. Les ions Br_3^- et I_3^- existent, mais pas l'ion F_3^-. Expliquez pourquoi.

78. Parmi les molécules suivantes, repérez celles qui possèdent un moment dipolaire. Dans le cas des molécules polaires, indiquez la polarité de chaque liaison et la direction du moment dipolaire net de la molécule.
a) CH_2Cl_2, $CHCl_3$, CCl_4.
b) CO_2, N_2O.
c) PH_3, NH_3, AsH_3.

79. La structure de TeF_5^- est :

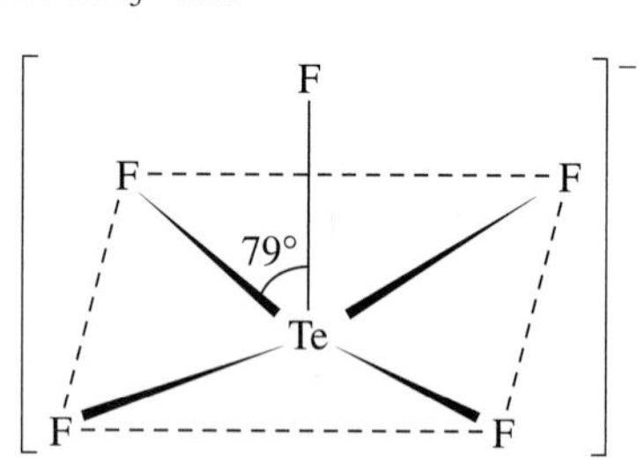

Écrivez un diagramme de Lewis complet pour TeF_5^- et expliquez la distorsion par rapport à la structure pyramidale à base carrée idéale. (*Voir l'exercice 65*)

Problèmes défis

80. À l'aide des informations suivantes,

Chaleur de sublimation de $Li(s)$ = 166 kJ/mol
Énergie de liaison de HCl = 427 kJ/mol
Énergie d'ionisation de $Li(g)$ = 520 kJ/mol
Affinité électronique de $Cl(g)$ = −349 kJ/mol
Énergie de réseau de $LiCl(s)$ = −829 kJ/mol
Énergie de liaison de H_2 = 432 kJ/mol

calculez la variation globale d'énergie de la réaction suivante :

$$2Li(s) + 2HCl(g) \longrightarrow 2LiCl(s) + H_2(g)$$

81. Considérons la formation d'un composé ionique en trois étapes (il s'agit d'une simplification, comme dans toutes les théories) : 1) arrachement d'un électron à un métal ; 2) ajout d'un électron au non-métal ; et 3) association entre le cation du métal et l'anion du non-métal.
a) Quel est le signe de la variation d'énergie de chacun des trois processus ?
b) En général, quel est le signe de la somme des deux premiers processus ? Utilisez des exemples pour appuyer votre réponse.
c) Quel doit être le signe de la somme des deux premiers processus ?
d) Étant donné votre réponse à la question **c**), pourquoi les liaisons ioniques se forment-elles ?
e) Étant donné vos explications ci-dessus, pourquoi NaCl est-il stable, mais pas Na_2Cl ? et pas $NaCl_2$? Qu'en est-il de MgO comparé à MgO_2 et à Mg_2O ?

82. L'acrylonitrile est un important composé qu'on utilise dans la fabrication des matières plastiques, du caoutchouc synthétique et des fibres. Voici trois procédés qui permettent d'effectuer la synthèse industrielle de l'acrylonitrile. À l'aide des valeurs des énergies de liaison (*voir les tableaux 6.4 et 6.5*), calculez ΔH pour chacun de ces procédés.

a)
$$CH_2{-}CH_2 \text{ (pont O)} + HCN \rightarrow HO\overset{H}{\underset{H}{C}}{-}\overset{H}{\underset{H}{C}}{-}C{\equiv}N$$

$$HOCH_2CH_2CN \rightarrow \overset{H}{\underset{H}{}}C{=}C\overset{H}{\underset{C\equiv N}{}} + H_2O$$

b) $$4CH_2{=}CHCH_3 + 6NO \xrightarrow[Ag]{700°C} 4CH_2{=}CHCN + 6H_2O + N_2$$

Dans l'oxyde nitrique, NO, l'énergie de liaison azote-oxygène est de 630 kJ/mol.

c) $$2CH_2{=}CHCH_3 + 2NH_3 + 3O_2 \xrightarrow[425–510°C]{\text{Catalyseur}} 2CH_2{=}CHCN + 6H_2O$$

83. Le composé hexaazaisowurtzitane est l'explosif à énergie la plus haute actuellement connu (*C & E News*, Janv. 17, 1994, p. 26). Cette substance, aussi appelée CL-20, a été synthétisée pour la première fois en 1987. La méthode de synthèse et les données relatives à la performance sont toujours couvertes par le secret lié à la défense, en raison des applications militaires potentielles du CL-20 dans les accélérateurs à poudre et les cônes de charge des armes intelligentes. La structure du CL-20 est :

O_2N NO_2
O_2N N N NO_2
N N
N N
O_2N NO_2

CL-20

Dans ce genre de structures abrégées, chaque intersection entre des lignes représente un atome de carbone. De plus, les hydrogènes liés aux atomes de carbone sont omis ; chacun des six atomes de carbone porte un atome d'hydrogène. Enfin, supposez que les deux atomes O dans les groupements NO_2 sont liés à N par une liaison simple et une liaison double.

Voici trois réactions possibles pour la décomposition explosive du CL-20 :

i. $C_6H_6N_{12}O_{12}(s) \rightarrow 6CO(g) + 6N_2(g) + 3H_2O(g) + \frac{3}{2}O_2(g)$
ii. $C_6H_6N_{12}O_{12}(s) \rightarrow 3CO(g) + 3CO_2(g) + 6N_2(g) + 3H_2O(g)$
iii. $C_6H_6N_{12}O_{12}(s) \rightarrow 6CO(g) + 6N_2(g) + 3H_2(g)$

a) À l'aide des énergies de liaison, évaluez ΔH de ces trois réactions.
b) Laquelle des réactions ci-dessus libère la plus grande quantité d'énergie par kilogramme de CL-20 ?

84. Lorsqu'il y a résonance dans une molécule ou dans un ion, cette espèce est d'une très grande stabilité. Comment ce phénomène peut-il expliquer l'acidité des produits suivants ? (L'hydrogène acide est identifié par un astérisque.)

```
      O                 O        OH*            OH*
      ‖                 ‖        |               |
a) H—C—OH*   b) CH3—C—CH═C—CH3    c) (benzène)
```

85. Le nitrate de peroxyacétyle, ou NPA, est présent dans le smog photochimique. Écrivez les diagrammes de Lewis (y compris les structures de résonance) relatifs au NPA. La structure squelettique est :

```
    H  O
    |  |        O
H—C—C—O—O—N
    |           O
    H
```

86. Décrivez le diagramme de Lewis pour la molécule N, N-diméthylformamide. Sa formule structurale est la suivante :

```
     O
     |
  H—C—N—CH3
       |
       CH3
```

Divers résultats nous amènent à conclure que la liaison C—N possède certaines caractéristiques d'une liaison double. Écrivez une ou plus d'une structure de résonance qui confirmerait cette observation.

87. L'étude des composés du carbone et de leurs propriétés est appelée *chimie organique*. En plus des atomes de carbone, les composés organiques contiennent également des atomes d'hydrogène, d'oxygène et d'azote (ainsi que d'autres types d'atomes). Une caractéristique commune des composés organiques simples est de posséder des diagrammes de Lewis où tous les atomes ont une charge formelle de zéro. Soit le diagramme de Lewis incomplet suivant pour un composé organique appelé *histidine* (un acide aminé, qui est l'unité de structure de toutes les protéines présentes dans notre organisme) :

```
      H—C—N
        |    \
        |     C—H
        |    /
        C—N—H
        |
      H—C—H
  2         1
H—N—C—C—O—H
  |  |  |
  H  H  O
```

Écrivez un diagramme de Lewis complet relatif à l'histidine dans lequel tous les atomes ont une charge formelle de zéro. Quels devraient être les angles approximatifs autour de l'atome de carbone indiqué par 1 et de l'atome d'azote indiqué par 2 ?

88. Soit le modèle de la caféine généré par ordinateur.

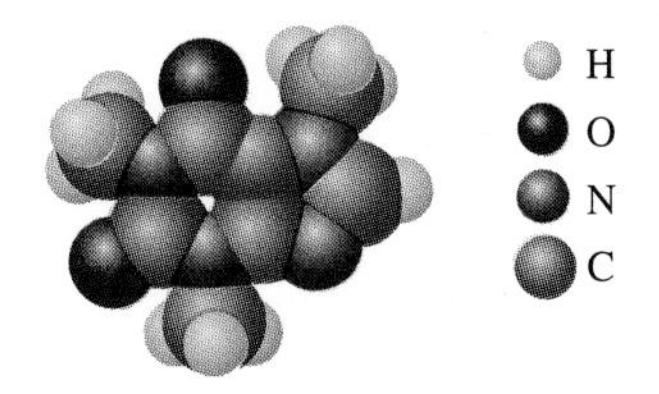

Écrivez un diagramme de Lewis relatif à la caféine dans lequel tous les atomes ont une charge formelle de zéro.

Problèmes d'intégration

Ces problèmes requièrent l'intégration d'une multitude de concepts pour trouver la solution.

89. Un composé, XF_5, est constitué de fluor à 42,81 % en masse. Identifiez l'élément X. Quelle est la structure moléculaire de XF_5 ?

90. Un ion polyatomique est composé de C, de N et d'un élément inconnu X. Le diagramme de Lewis du squelette de cet ion polyatomique est $[X—C—N]^-$. La configuration électronique de l'ion X^{2-} est $[Ar]4s^23d^{10}4p^6$. Quel est l'élément X ? Connaissant le nom de l'élément X, complétez le diagramme de Lewis de l'ion polyatomique, incluant toutes les structures de résonance importantes.

Problème de synthèse

Ce problème fait appel à plusieurs concepts et techniques de résolution de problèmes. Les problèmes de synthèse peuvent être utilisés en classe par des groupes d'étudiants pour leur faciliter l'acquisition des habiletés nécessaires à la résolution de problèmes.

91. Nommez les cinq composés de H, N et O décrits ci-dessous. Pour chaque composé, écrivez un diagramme de Lewis correspondant aux informations données.

a) Tous les composés sont des électrolytes, mais tous ne sont pas des électrolytes forts. Les composés C et D sont ioniques et le composé B est covalent.

b) L'azote se trouve dans son état d'oxydation le plus élevé dans les composés A et C ; l'azote est présent dans son état d'oxydation le plus faible dans les composés C, D et E. La charge formelle des deux atomes d'azote dans le composé C est +1 ; la charge formelle du seul atome d'azote dans le composé B est 0.

c) Les composés A et E existent en solution. Les deux solutions libèrent des gaz. Les solutions concentrées de commerce du composé A sont normalement de 16 mol/L. La solution concentrée de commerce du composé E est de 15 mol/L.

d) Les solutions de commerce du composé E sont désignées sous une fausse appellation qui implique qu'un composé binaire gazeux d'azote et d'hydrogène a réagi avec de l'eau pour produire des ions ammonium et des ions hydroxyde. En fait, cette réaction ne se produit qu'à un moindre degré.

e) Le composé D contient 43,7 % de N et 50,0 % de O par masse. Si le composé D était un gaz à TPN, il aurait une masse volumique de 2,86 g/L.

f) Une unité formulaire du composé C possède un oxygène de plus qu'une unité formulaire du composé D. Les composés C et A ont un ion en commun lorsque le composé A joue le rôle d'un électrolyte fort.

g) Les solutions du composé C sont faiblement acides : les solutions des composés B et E sont basiques. Le titrage de 0,726 g de composé B requiert 21,98 mL de HCl 1,000 mol/L pour une neutralisation complète.

7 Liaison covalente : orbitales

Contenu

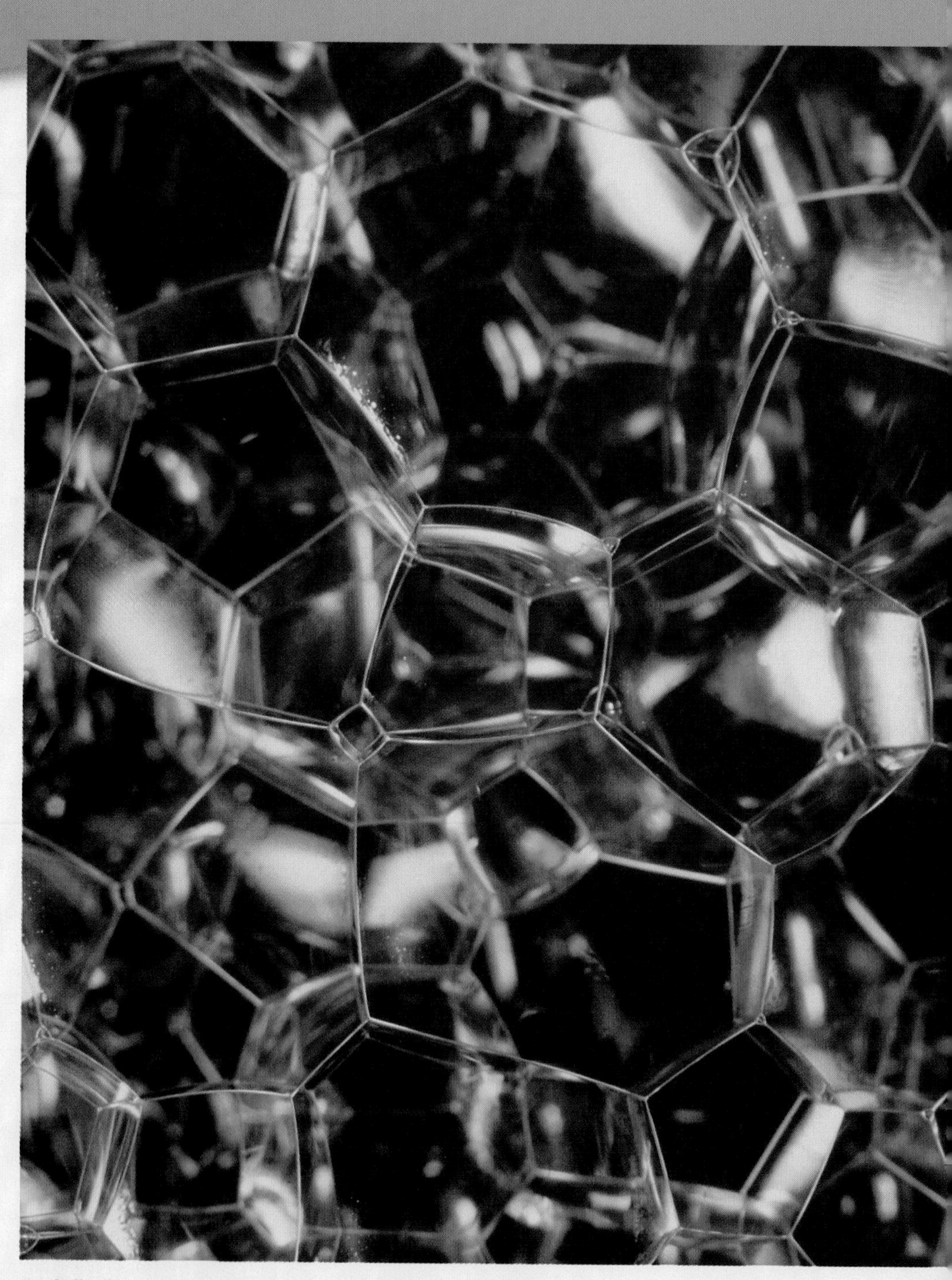

Des bulles de savon en gros plan révèlent leurs formes géométriques.

Au chapitre 6, nous avons étudié les notions fondamentales concernant la liaison chimique. Nous avons présenté la théorie la plus utilisée pour expliquer la liaison covalente : la théorie des électrons localisés. Nous avons constaté jusqu'à quel point le concept de liaison était utile pour systématiser les connaissances en chimie, étant donné qu'il permet d'aborder l'étude des molécules en termes de liaisons individuelles. Nous avons également vu qu'on pouvait prédire la structure d'une molécule en assignant aux doublets d'électrons la position qui correspondait à la répulsion minimale. Dans ce chapitre, nous approfondirons l'étude des théories de la liaison, particulièrement en ce qui concerne le rôle des orbitales.

7.1 Hybridation et théorie des électrons localisés

Selon la théorie des électrons localisés, nous savons maintenant qu'une molécule est constituée d'un groupe d'atomes liés par le partage de leurs électrons dans leurs orbitales atomiques. Le diagramme de Lewis (ou les structures de résonance) permet de déterminer la disposition des électrons de valence, et la théorie RPEV, de prédire les caractéristiques géométriques de la molécule. Dans cette section, nous décrivons les orbitales atomiques utilisées pour le partage de ces électrons et, par conséquent, pour la formation des liaisons.

Hybridation sp^3

Considérons de nouveau les liaisons formées dans le méthane, dont la figure 7.1 présente le diagramme de Lewis et la géométrie moléculaire. En général, on suppose que seules les orbitales de valence participent à la liaison ; donc, dans la molécule de méthane, les atomes d'hydrogène utilisent leur orbitale $1s$ et l'atome de carbone, ses orbitales $2s$ et $2p$ (*voir la figure 7.2*). Or, deux problèmes surgissent quand on essaie de comprendre comment le carbone peut utiliser ses orbitales pour former des liaisons avec les atomes d'hydrogène :

Les orbitales de valence sont les orbitales associées au nombre quantique principal le plus élevé qui contient des électrons dans un atome donné.

1. Si l'atome de carbone utilisait ses orbitales $2s$ et $2p$, il y aurait formation de deux types différents de liaisons C—H : a) un type de liaison qui résulte du recouvrement d'une orbitale $2p$ du carbone et de l'orbitale $1s$ de l'hydrogène (trois liaisons de ce type) ; b) un type de liaison qui résulte du recouvrement de l'orbitale $2s$ du carbone et de l'orbitale $1s$ de l'hydrogène (une liaison de ce type). Or, tel n'est pas le cas : en effet, les quatre liaisons C—H du méthane sont toutes équivalentes.
2. Étant donné que les orbitales $2p$ du carbone sont orthogonales, on peut s'attendre à ce que les trois liaisons C—H formées par ces orbitales soient séparées par des angles de 90°.

H
90°
90° C—H
H 90°

Ici encore, tel n'est pas le cas, puisque les angles de liaison, dans le méthane, sont de 109,5°, ce qui confère à la molécule une forme tétraédrique.

L'hybridation est une modification qu'on apporte à la théorie des électrons localisés dans le but d'expliquer le fait que les atomes semblent souvent utiliser des orbitales atomiques particulières au cours de la formation des molécules.

L'hybridation sp^3 produit un ensemble d'orbitales de structure tétraédrique.

Par conséquent, une des deux conclusions suivantes s'impose : ou la théorie des électrons localisés est totalement fausse, ou le carbone utilise, pour former des liaisons avec les atomes d'hydrogène dans la molécule de méthane, des orbitales atomiques autres que celles que possède le carbone élémentaire ($2s$ et $2p$). C'est la deuxième conclusion

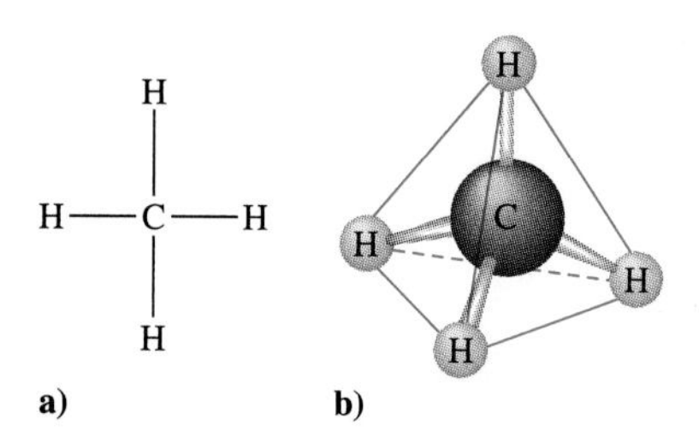

FIGURE 7.1
Représentations de la molécule de méthane : **a)** diagramme de Lewis ; **b)** structure moléculaire tétraédrique.

qui semble la plus vraisemblable, étant donné que la théorie des électrons localisés permet de décrire adéquatement les molécules. Il se pourrait donc fort bien que les orbitales $2s$ et $2p$ d'un atome de carbone *isolé* ne constituent pas nécessairement la meilleure combinaison d'orbitales pour la formation des liaisons ; ainsi, le carbone pourrait utiliser un nouveau type d'orbitales atomiques pour former des molécules. En se basant sur la structure connue du méthane, on doit trouver quatre orbitales atomiques équivalentes, disposées de façon tétraédrique, orbitales qu'on peut facilement obtenir en combinant les orbitales $2s$ et $2p$ de l'atome de carbone (*voir la figure 7.3*). Cette transformation des orbitales atomiques initiales en orbitales d'un nouveau type porte le nom d'**hybridation** ; on appelle les quatre nouvelles orbitales des orbitales sp^3, puisqu'elles proviennent de 1 orbitale $2s$ et de 3 orbitales $2p$ (s^1p^3). On dit alors que l'atome de carbone a été soumis à une **hybridation** sp^3, ou qu'il a été hybridé en sp^3. Les quatre orbitales sp^3 ont des formes identiques : chacune possède un gros lobe et un petit lobe (*voir la figure 7.4*), les quatre gros lobes étant orientés dans l'espace de façon à conférer à l'ensemble une forme tétraédrique (*voir la figure 7.3*).

On peut également représenter l'hybridation des orbitales $2s$ et $2p$ du carbone au moyen d'un diagramme des niveaux d'énergie relatif à ces orbitales (*voir la figure 7.5*). Dans un tel diagramme, on a omis les électrons : en effet, la configuration électronique de chaque atome n'a pas autant d'importance que le nombre total d'électrons et que la configuration électronique de la *molécule*. On suppose par conséquent que les orbitales atomiques du carbone sont agencées de façon à conférer à l'ensemble de la molécule la meilleure configuration électronique qui soit : chaque nouvelle orbitale sp^3 du carbone partage son électron avec l'électron de l'orbitale $1s$ de chaque atome d'hydrogène pour former un doublet (*voir la figure 7.6*).

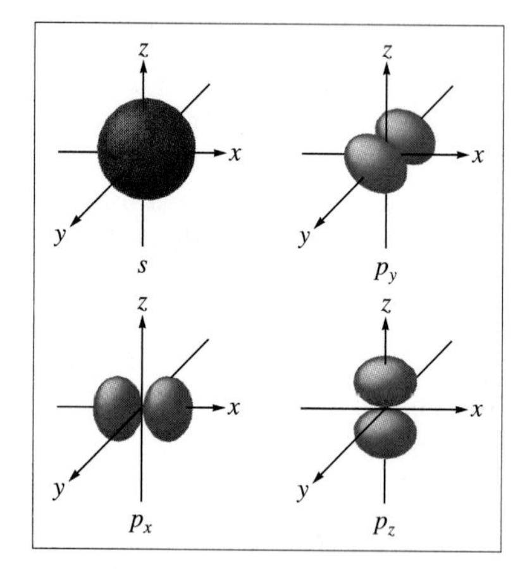

FIGURE 7.2
Orbitales de valence d'un atome de carbone libre : $2s$, $2p_x$, $2p_y$, $2p_z$.

Résumons ce qui concerne les liaisons formées dans la molécule de méthane. On peut expliquer la structure de cette molécule si on suppose que l'atome de carbone possède de nouvelles orbitales atomiques : l'orbitale $2s$ et les trois orbitales $2p$ de l'atome de carbone sont transformées en quatre orbitales hybrides équivalentes sp^3, lesquelles, orientées vers les sommets d'un tétraèdre, forment chacune une liaison avec un atome d'hydrogène. Ces nouvelles orbitales permettent donc d'expliquer la structure tétraédrique connue du méthane.

Par conséquent il faut retenir le principe suivant : *quand un atome exige des orbitales atomiques qui lui confèrent une structure tétraédrique, il forme des orbitales* sp^3 ; l'atome est ainsi hybridé en sp^3.

En fait, il n'y a rien d'étonnant à ce que, à l'intérieur d'une molécule, un atome forme de nouvelles orbitales, dites **orbitales hybrides**, différentes de celles qu'il possède à l'état isolé. En effet, pour que l'énergie minimale soit atteinte, il est raisonnable de penser qu'un atome fasse appel à des orbitales différentes, selon qu'il appartient à une molécule ou qu'il est présent à l'état isolé. Ce phénomène est d'ailleurs compatible avec le concept selon lequel une molécule est supérieure à la somme de ses constituants.

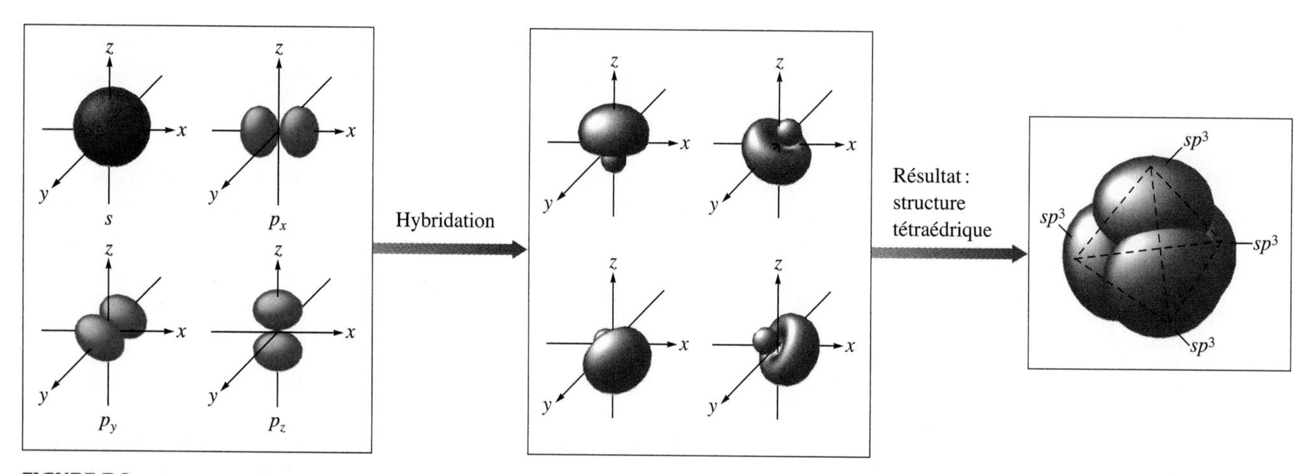

FIGURE 7.3
Les orbitales atomiques initiales (une orbitale $2s$ et trois orbitales $2p$) d'un atome de carbone libre forment un nouvel ensemble de quatre orbitales sp^3. Chaque orbitale sp^3 possède deux lobes, un gros et un petit. On a pris l'habitude, pour plus de clarté, de ne pas représenter les petits lobes sur les diagrammes.

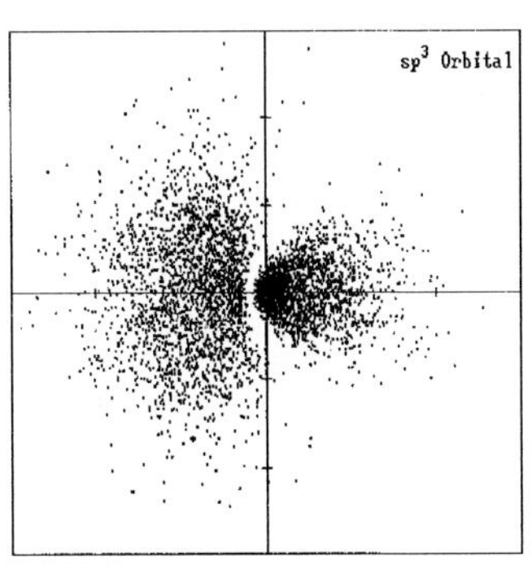

FIGURE 7.4
Coupe transversale d'une orbitale sp^3. Cette figure montre une coupe de la densité électronique des orbitales sp^3 illustrées dans le diagramme au centre de la figure 7.3. (Générée à l'aide d'un programme par Robert Allendoerfer sur un disque PC 2402 du Projet SERAPHIM ; reproduction autorisée.)

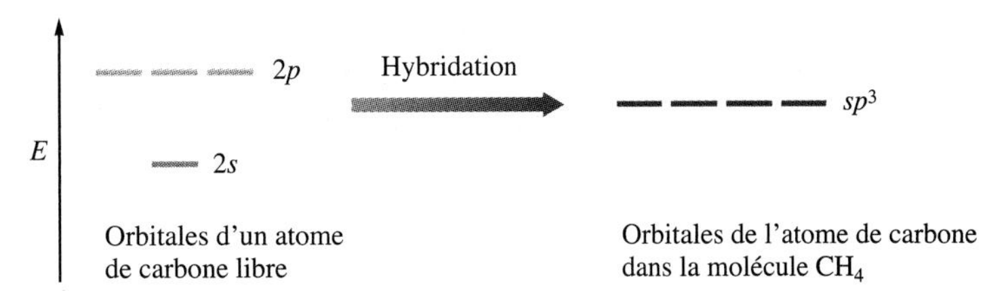

FIGURE 7.5
Diagramme des niveaux d'énergie des orbitales illustrant la formation de quatre orbitales sp^3 équivalentes.

En fait, l'état des atomes avant la formation de la molécule n'a pas autant d'importance que la disposition des électrons dans la molécule. Selon ce modèle, chaque atome doit se comporter de façon à favoriser l'atteinte de l'énergie minimale qu'exige l'existence d'une molécule.

Exemple 7.1 Théorie des électrons localisés I

À l'aide de la théorie des électrons localisés, décrivez les liaisons en présence dans la molécule d'ammoniac.

Solution

Pour effectuer une description complète, on procède selon trois étapes :

1. Écriture du diagramme de Lewis.
2. Détermination de la disposition des doublets d'électrons à l'aide de la théorie RPEV.
3. Détermination du type d'orbitales hybrides qui participent aux liaisons dans la molécule.

Le diagramme de Lewis de NH_3 est

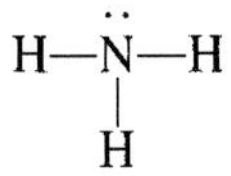

```
   ..
H—N—H
   |
   H
```

L'atome d'azote possède, en périphérie, quatre doublets d'électrons qui doivent occuper les sommets d'un tétraèdre, pour que la répulsion entre doublets soit minimale. On obtient un ensemble tétraédrique d'orbitales hybrides sp^3 en combinant l'orbitale 2s et trois orbitales 2p. Dans la molécule NH_3, trois de ces orbitales forment chacune une liaison avec un atome d'hydrogène ; c'est la quatrième orbitale sp^3 qui possède le doublet d'électrons libres (*voir la figure 7.7*).

Voir l'exercice 7.15

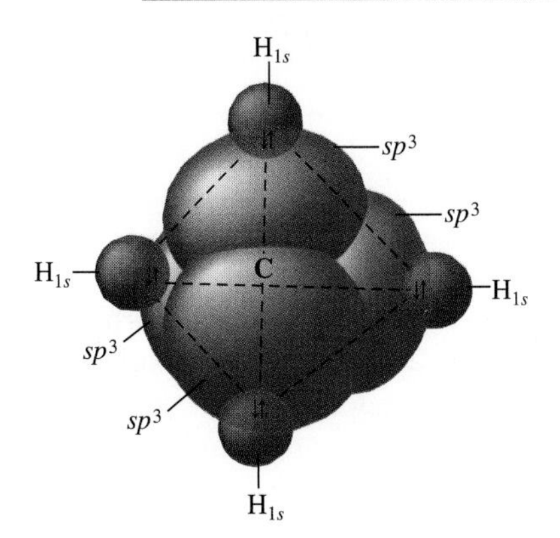

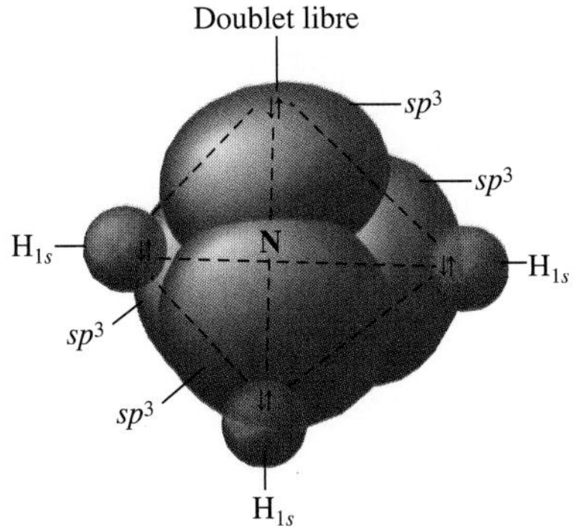

FIGURE 7.6
Les quatre orbitales sp^3 de l'atome de carbone sont utilisées, par le partage de doublets d'électrons avec l'orbitale 1s de chacun des atomes d'hydrogène, pour la formation des quatre liaisons C—H équivalentes. La configuration ainsi obtenue permet d'expliquer la structure tétraédrique connue de la molécule CH_4.

Hybridation sp^2

L'éthylène, C_2H_4, est un composé de base important qu'on utilise dans la fabrication des matières plastiques. La molécule C_2H_4, qui possède 12 électrons de valence, a le diagramme de Lewis suivant :

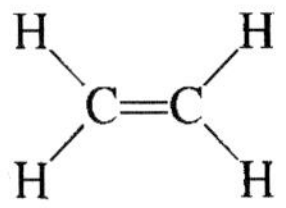

```
H     H
 \   /
  C=C
 /   \
H     H
```

FIGURE 7.7
Dans la molécule d'ammoniac, l'atome d'azote est hybridé en sp^3.

Au chapitre 6, nous avons vu qu'une liaison double se comportait en fait comme un doublet d'électrons ; ainsi, dans la molécule d'éthylène, chaque atome de carbone est entouré de trois doublets d'électrons effectifs. Par conséquent, la molécule doit adopter une structure plane triangulaire, avec des angles de liaisons de 120°. Quels types

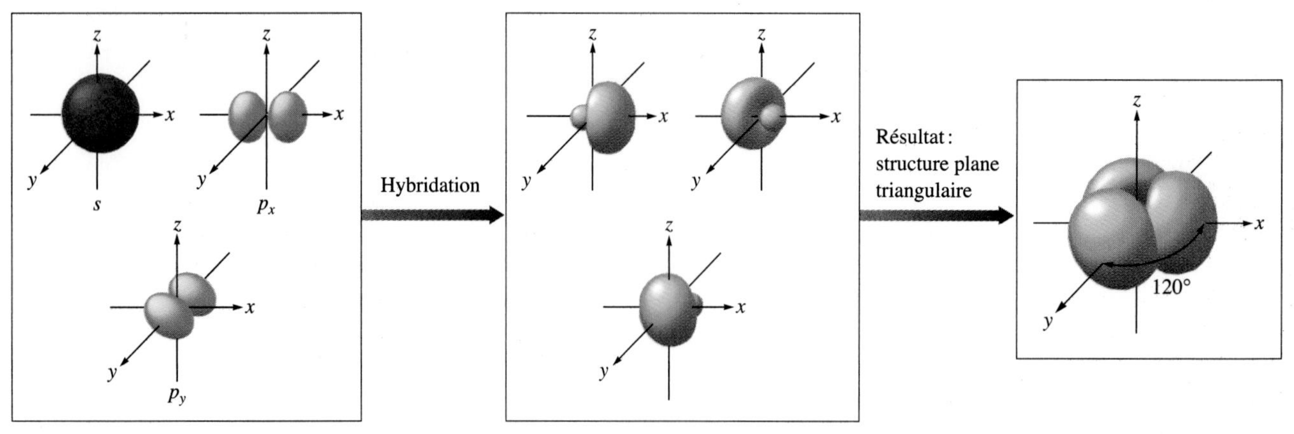

FIGURE 7.8
L'hybridation des orbitales atomiques s, p_x et p_y entraîne la formation de trois orbitales sp^2 situées dans le plan xy. Les gros lobes des orbitales, situés dans le plan xy, forment entre eux des angles de 120° et sont orientés vers les sommets d'un triangle.

Une liaison double se comporte comme un doublet d'électrons effectif.

d'orbitales ces atomes de carbone possèdent-ils ? La géométrie de la molécule exige que les orbitales soient situées dans un même plan et forment entre elles un angle de 120°. Or, puisque les orbitales de valence 2*s* et 2*p* du carbone ne sont pas orientées selon la géométrie exigée, il faut recourir à des orbitales hybrides.

Les orbitales sp^3 présentées ci-dessus ne conviennent pas, étant donné qu'elles forment entre elles des angles de 109,5° (dans la molécule d'éthylène, les angles sont de 120°). Les atomes de carbone doivent donc être hybridés d'une autre façon. On peut obtenir trois orbitales situées dans un même plan et formant entre elles des angles de 120° si on combine 1 orbitale *s* et 2 orbitales *p* de la façon illustrée à la figure 7.8. La figure 7.9 présente le diagramme des niveaux d'énergie relatif à ces orbitales. Puisque les orbitales hybrides résultent de la transformation de 1 orbitale 2*s* et de 2 orbitales 2*p*, on parle dans ce cas d'**hybridation sp^2**. À la figure 7.8, on remarque que le plan des orbitales hybrides sp^2 varie en fonction des orbitales 2*p* soumises à l'hybridation. Ici, on a arbitrairement choisi les orbitales p_x et p_y; les orbitales hybrides sont donc situées dans le plan *xy*.

L'hybridation sp^2 produit un ensemble d'orbitales atomiques de structure plane triangulaire.

À noter: Dans la figure 7.10 et les suivantes, les orbitales hybrides sont représentées avec des lobes plus étroits de façon à mieux faire voir leur orientation.

Étant donné que la formation des orbitales sp^2 n'a nécessité que l'utilisation de deux des trois orbitales 2*p* du carbone, la troisième orbitale *p*, p_z, est perpendiculaire au plan des orbitales sp^2 (*voir la figure 7.10*).

Étudions à présent comment ces orbitales participent aux liaisons dans la molécule d'éthylène. Les trois orbitales sp^2 de chaque atome de carbone y participent en partageant leur électron avec celui d'une orbitale d'un autre atome (*voir la figure 7.11*). Dans chacune de ces liaisons, le doublet partagé occupe une zone située dans l'axe qui relie les atomes. On appelle ce type de liaison covalente une **liaison sigma (σ)**. Dans la molécule d'éthylène, les liaisons formées par les orbitales sp^2 de chaque atome de carbone et l'orbitale 1*s* de chaque atome d'hydrogène sont des liaisons sigma.

Comment peut-on expliquer qu'il y ait une liaison double entre les atomes de carbone ? Dans une liaison σ, le doublet d'électrons est situé entre les atomes de carbone. Par conséquent, la seconde liaison doit résulter obligatoirement du partage d'un doublet d'électrons dans l'espace situé *de part et d'autre* de la liaison σ. Pour former ce nouveau type de liaison, il faut utiliser l'orbitale 2*p*, perpendiculaire au plan des orbitales hybrides sp^2, de chaque atome de carbone (*voir la figure 7.10*). Ces orbitales *p* parallèles peuvent ainsi partager un doublet d'électrons dans l'espace situé de part et d'autre de l'axe qui relie les deux atomes de carbone ; on appelle la liaison ainsi formée une **liaison pi (π)** (*voir la figure 7.12*).

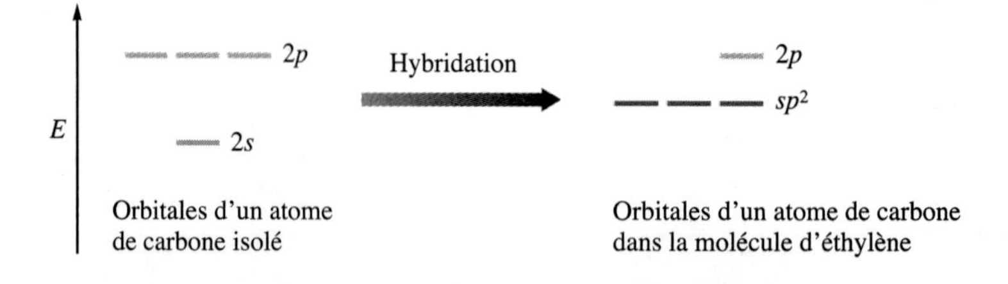

FIGURE 7.9
Diagramme des niveaux d'énergie des orbitales dans le cas d'une hybridation sp^2. On remarque qu'une des orbitales *p* n'est pas transformée.

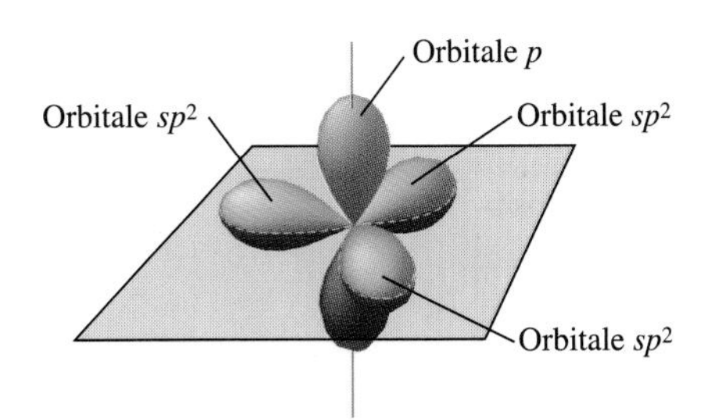

FIGURE 7.10
Quand une orbitale *s* et deux orbitales *p* se combinent pour former trois orbitales sp^2, la troisième orbitale *p* n'est pas transformée; elle demeure inchangée et elle est perpendiculaire au plan des orbitales hybrides. Dans cette figure et dans celles qui suivent, on remarque que les orbitales sont représentées avec des lobes plus étroits, afin de mieux présenter leur orientation.

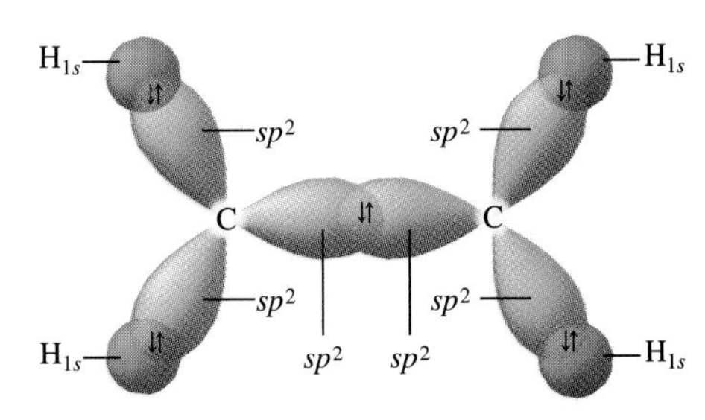

FIGURE 7.11
Liaisons σ de l'éthylène. Dans chaque liaison, les électrons partagés occupent une zone située exactement entre les deux atomes.

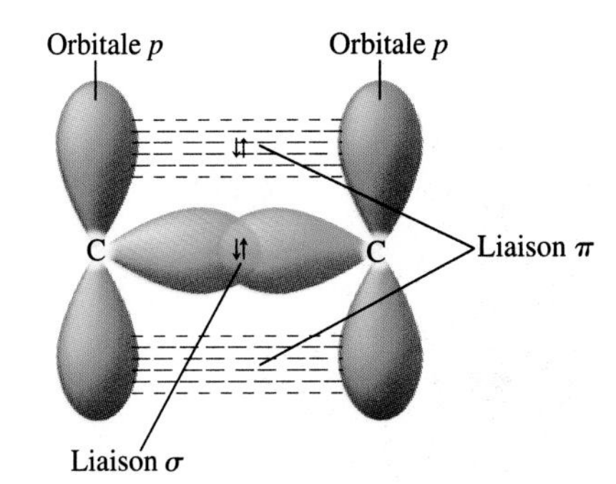

FIGURE 7.12
Une liaison double carbone-carbone est constituée d'une liaison σ et d'une liaison π. Les électrons partagés dans la liaison σ sont situés exactement entre les deux atomes. La liaison π résulte du recouvrement latéral des orbitales *p* non hybridées qui appartiennent aux deux atomes de carbone. Le doublet d'électrons ainsi partagé est situé au-dessus et au-dessous de l'axe qui relie les deux atomes.

On remarque que, dans la liaison σ, les lobes des orbitales sont orientés l'un vers l'autre, alors que, dans la liaison π, ils sont parallèles. *Une double liaison consiste toujours en une liaison σ,* dont le doublet d'électrons est situé dans l'axe entre les deux atomes, *et une liaison π,* dans laquelle le doublet est situé de part et d'autre de la liaison σ.

Selon la théorie, on peut à présent décrire toutes les orbitales utilisées pour former les liaisons de la molécule d'éthylène. Comme le montre la figure 7.13, l'atome de carbone forme des liaisons σ (entre les atomes de carbone ou entre les atomes de carbone et les atomes d'hydrogène) en utilisant ses orbitales sp^2, et une liaison π (entre les atomes de carbone) en utilisant ses orbitales *p*. Cette description correspond parfaitement au diagramme de Lewis relatif à la molécule d'éthylène, qui comporte une liaison double carbone-carbone et des liaisons simples carbone-hydrogène.

Cet exemple illustre bien le principe général de grande importance suivant: *lorsqu'un atome est entouré de trois doublets d'électrons effectifs, il doit posséder des orbitales hybrides sp^2.*

Hybridation *sp*

On rencontre un autre type d'hybridation dans la molécule de dioxyde de carbone, dont le diagramme de Lewis est le suivant:

$$:\ddot{O}=C=\ddot{O}:$$

Dans cette molécule, l'atome de carbone possède en fait deux doublets d'électrons effectifs, qui forment entre eux un angle de 180°. On doit donc avoir deux orbitales orientées dans des directions opposées. Étant donné qu'aucun des deux types d'hybridations étudiés jusqu'à présent, sp^3 et sp^2, ne satisfait à cette exigence, on doit faire appel à un autre type d'hybridation, l'**hybridation *sp*** à laquelle participent une orbitale *s* et une orbitale *p*.

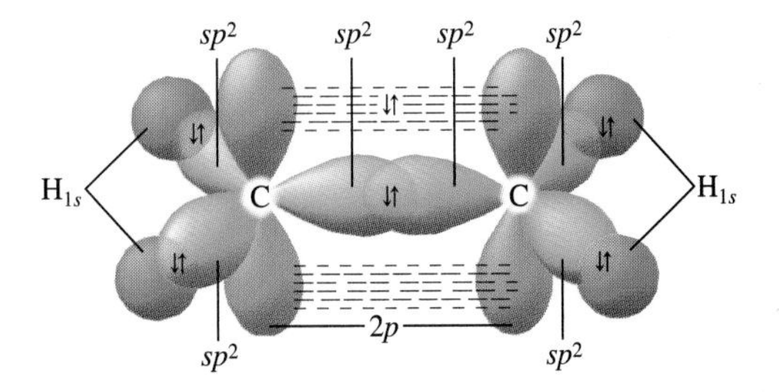

FIGURE 7.13
a) Orbitales qui participent aux liaisons dans la molécule d'éthylène. **b)** Diagramme de Lewis de la molécule d'éthylène.

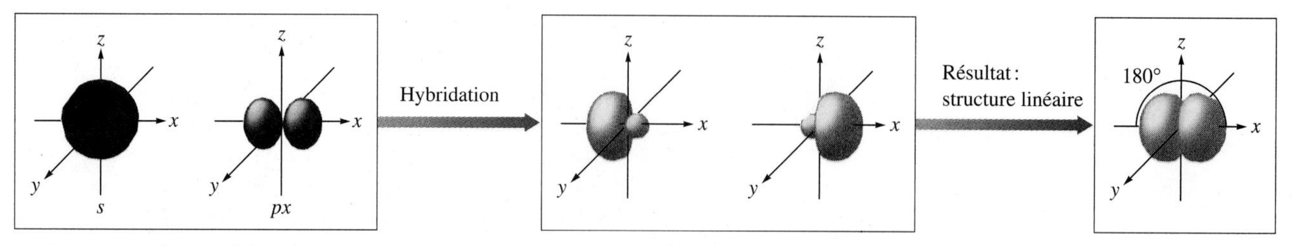

FIGURE 7.14
L'hybridation d'une orbitale *s* et d'une orbitale *p* entraîne la formation de deux orbitales *sp* ayant entre elles un angle de 180°.

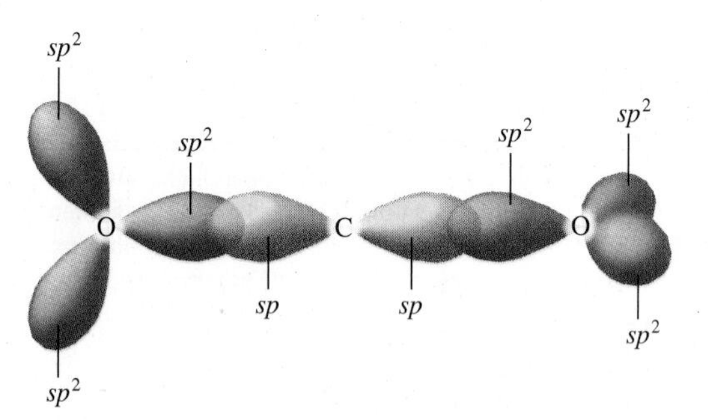

FIGURE 7.15
Orbitales hybrides de la molécule CO_2.

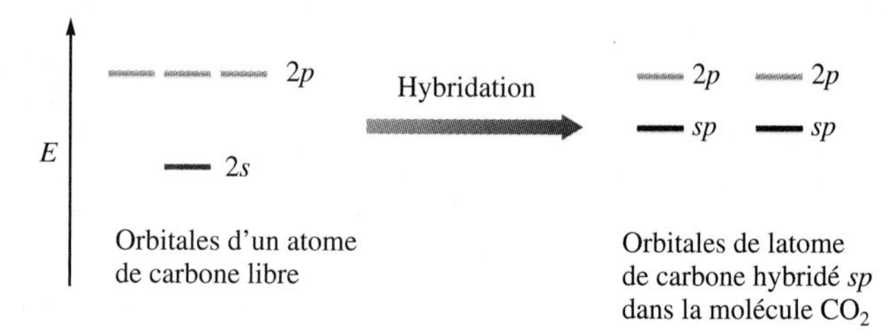

FIGURE 7.16
Diagramme des niveaux d'énergie des orbitales illustrant la formation des orbitales hybrides *sp* d'un atome de carbone.

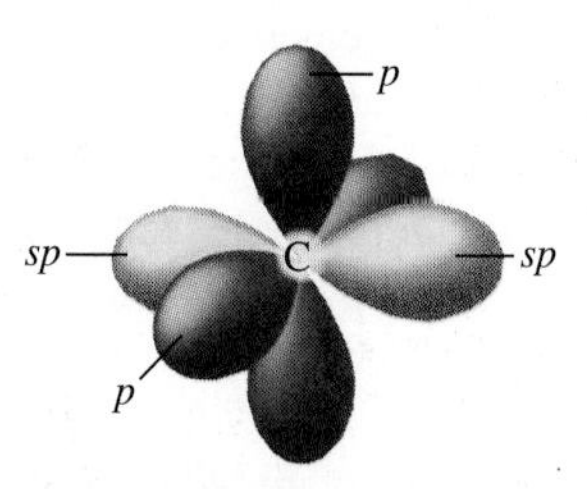

FIGURE 7.17
Orbitales d'un atome de carbone hybridé en *sp*.

Des modèles théoriques plus rigoureux de CO_2 indiquent que chacun des atomes d'oxygène utilise simultanément deux orbitales *p* pour former les liaisons pi avec l'atome de carbone, ce qui entraîne la formation de liaisons C=O exceptionnellement fortes.

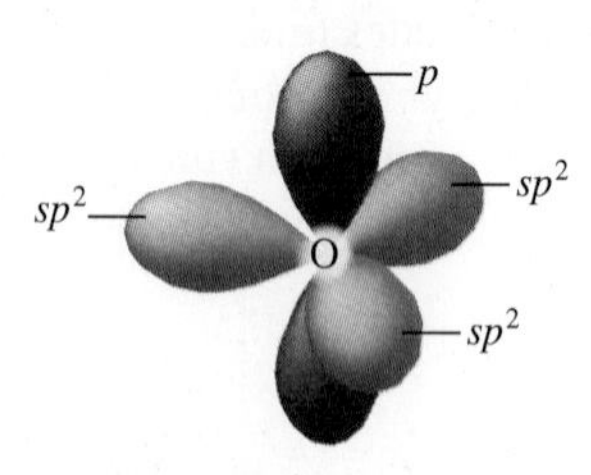

FIGURE 7.18
Orbitales d'un atome d'oxygène hybridé en sp^2.

Les orbitales hybrides *sp* ainsi obtenues forment entre elles un angle de 180° (*voir la figure 7.14*).

Ainsi, *un atome qui possède deux doublets d'électrons effectifs a toujours des orbitales hybrides* sp. La figure 7.15 illustre les orbitales *sp* de l'atome de carbone dans la molécule CO_2. La figure 7.16 présente le diagramme des niveaux d'énergie qui correspond à la formation de ces orbitales hybrides. On remarque que les orbitales hybrides *sp* sont utilisées pour former les liaisons σ entre l'atome de carbone et l'atome d'oxygène, alors que les deux orbitales $2p$ demeurent inchangées dans l'atome de carbone hybridé (elles sont utilisées pour former les liaisons π entre le carbone et l'oxygène).

Dans la molécule CO_2, chaque atome d'oxygène* est entouré de trois doublets d'électrons effectifs, ce qui signifie que sa structure est plane triangulaire. Étant donné que cette géométrie exige une hybridation sp^2, chaque atome d'oxygène est hybridé en sp^2. Dans chacun des atomes d'oxygène, une orbitale *p*, qui demeure inchangée, forme la liaison π avec une orbitale $2p$ de l'atome de carbone.

On peut à présent décrire toutes les liaisons présentes dans la molécule de dioxyde de carbone. Les orbitales *sp* du carbone forment des liaisons σ avec les orbitales sp^2 des deux atomes d'oxygène (*voir la figure 7.15*). Les autres orbitales sp^2 des atomes d'oxygène contiennent des doublets d'électrons libres. Les liaisons π, entre l'atome de carbone et chaque atome d'oxygène, sont formées par des orbitales $2p$ parallèles. On le voit à la figure 7.17, l'atome de carbone hybridé en *sp* possède deux orbitales *p* non hybridées, chacune de ces orbitales participant à la formation d'une liaison π avec un atome d'oxygène (*voir la figure 7.18*). La figure 7.19 montre toutes les liaisons présentes dans la molécule CO_2. Cette représentation des liaisons est parfaitement conforme à la configuration électronique prédite par le diagramme de Lewis.

L'acétylène, C_2H_2 (son nom systématique est *éthyne*) est une autre molécule dont on peut décrire les liaisons par l'hybridation *sp*. Le diagramme de Lewis relatif à l'acétylène est:

$$H{-}C{\equiv}C{-}H$$

* Nous supposerons que réduire au minimum les répulsions est aussi important pour les atomes périphériques dans une molécule et nous appliquerons également la théorie RPEV à ces atomes.

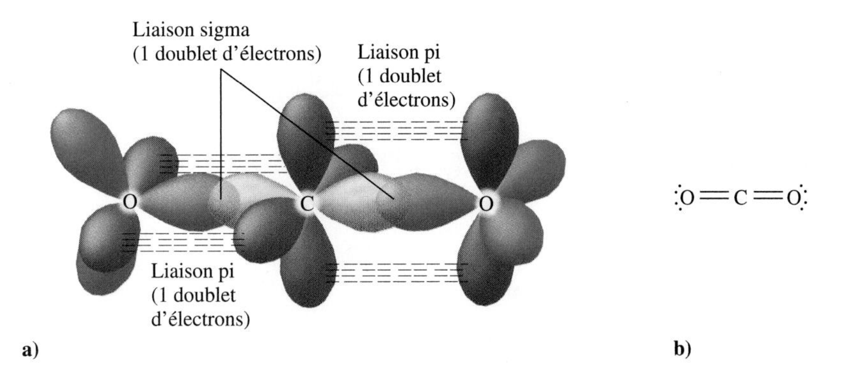

FIGURE 7.19
a) Orbitales qui participent à la formation des liaisons dans une molécule de dioxyde de carbone. Chaque liaison double carbone-oxygène est constituée d'une liaison σ et d'une liaison π. **b)** Diagramme de Lewis du CO_2.

Étant donné que la liaison compte pour une unité effective de répulsion, chaque atome de carbone possède deux doublets effectifs, ce qui requiert un arrangement linéaire. Chaque atome de carbone exige donc une hybridation *sp,* ce qui laisse deux orbitales *p* inchangées (*voir la figure 7.16*). Une des orbitales *sp* orientée dans la direction opposée (*voir la figure 7.14*) est utilisée pour former une liaison avec l'atome d'hydrogène ; l'autre orbitale *sp* effectue un recouvrement avec une autre orbitale *sp* semblable, portée par l'autre atome de carbone pour former une liaison sigma. Les deux liaisons pi se forment par recouvrement des deux orbitales *p* sur chaque carbone. Tout cela explique la triple liaison (une liaison sigma et deux liaisons pi) dans l'acétylène.

Exemple 7.2

Théorie des électrons localisés II

Décrivez les liaisons en présence dans la molécule N_2.

Solution

Le diagramme de Lewis de la molécule d'azote est

$$:N \equiv N:$$

Chaque atome est entouré de deux doublets effectifs (une liaison multiple équivaut à 1 doublet effectif). Dans ce cas, la structure des doublets est linéaire (180°), les deux orbitales étant orientées dans des directions opposées. C'est l'hybridation *sp* qui produit cette structure. Ainsi, chaque atome d'azote de la molécule possède deux orbitales hybrides *sp* et deux orbitales *p* inchangées (*voir la figure 7.20a*). Les orbitales *sp* sont utilisées pour former la liaison σ entre les atomes d'azote, d'une part, et pour recevoir les doublets libres, d'autre part (*voir la figure 7.20b*). Quant aux orbitales *p*, elles forment les deux liaisons π (*voir la figure 7.20c*) ; chacune de ces liaisons, qui résultent du recouvrement latéral des orbitales *p* parallèles, possède un doublet d'électrons. Tout cela est conforme à la configuration électronique obtenue à l'aide du diagramme de Lewis. La liaison triple est donc constituée d'une liaison σ (recouvrement de deux orbitales *sp*) et de deux liaisons π (dans chaque cas, recouvrement de deux orbitales *p*). En outre, chaque atome d'azote comporte une deuxième orbitale hybride *sp* qui possède un doublet d'électrons libres.

Voir l'exercice 7.16

Hybridation sp^3d

La molécule de pentachlorure de phosphore, PCl_5, constitue un excellent exemple qui permet d'étudier les liaisons d'une molécule dont l'atome central ne respecte pas la règle de l'octet. Selon le diagramme de Lewis du PCl_5

```
      ..
     :Cl: ..
  ..  |  /Cl:
 :Cl—P    ..
  ..  |  \Cl:
     :Cl: ..
      ..
```

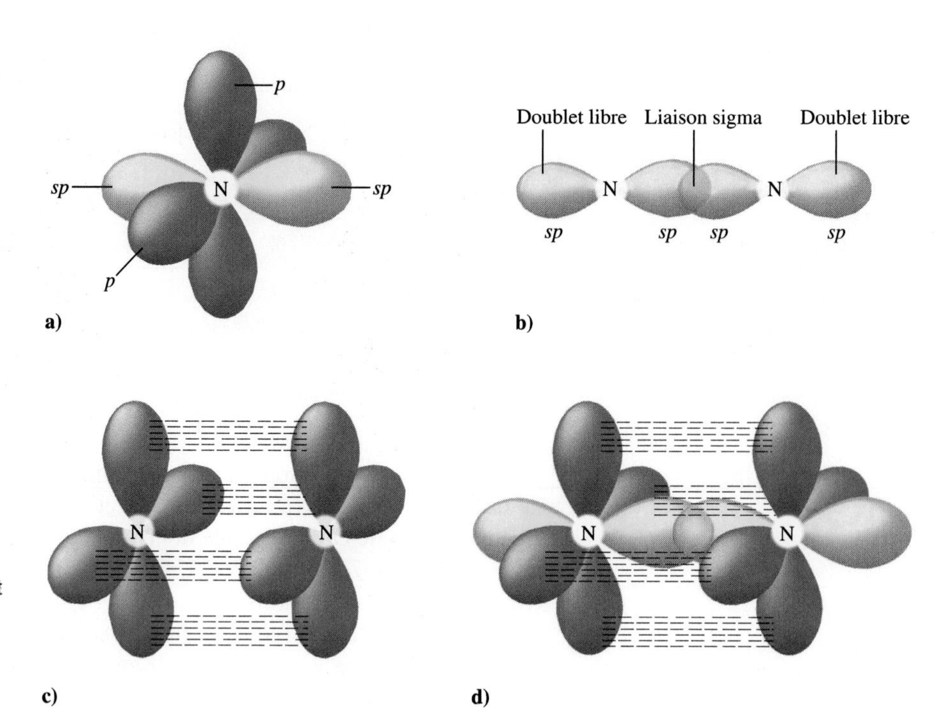

FIGURE 7.20
a) Atome d'azote hybridé *sp*. On trouve deux orbitales hybrides *sp* et deux orbitales *p* non hybridées. **b)** La liaison σ de la molécule N_2. **c)** Les deux liaisons π de N_2 résultent du partage de deux doublets d'électrons entre deux groupes d'orbitales *p* parallèles. **d)** La représentation de l'ensemble des liaisons de la molécule N_2.

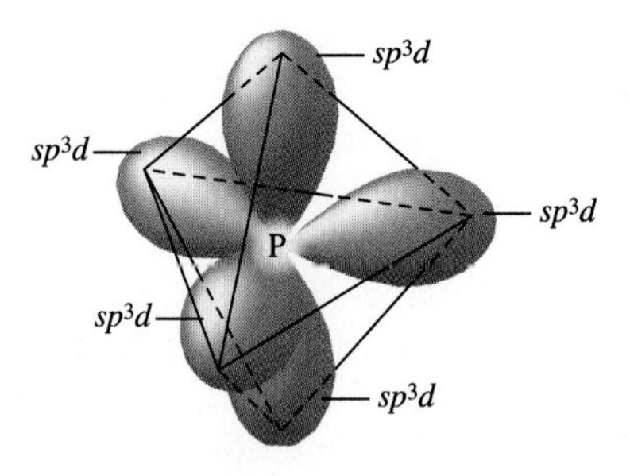

FIGURE 7.21
Orbitales hybrides sp^3d d'un atome de phosphore. L'ensemble des cinq orbitales sp^3d a une structure bipyramidale à base triangulaire. (Chaque orbitale sp^3d possède également un petit lobe, qui n'est pas représenté sur ce diagramme.)

l'atome de phosphore est entouré de cinq doublets d'électrons. Étant donné que cinq doublets d'électrons exigent une structure bipyramidale à base triangulaire, l'atome de phosphore doit posséder un ensemble d'orbitales conforme à cette géométrie. On obtient cet ensemble d'orbitales par **hybridation sp^3d** d'une orbitale *d*, d'une orbitale *s* et de trois orbitales *p* (*voir la figure 7.21*).

Dans l'atome de phosphore hybridé en sp^3d de la molécule PCl_5, les cinq orbitales sp^3d partagent chacune leur électron avec un des cinq atomes de chlore. Ainsi, *un atome entouré de cinq doublets d'électrons effectifs exige une structure bipyramidale à base triangulaire, assurée par l'hybridation* sp^{3}d *de l'atome en question.*

Selon le diagramme de Lewis du PCl_5, chaque atome de chlore possède quatre doublets d'électrons périphériques. L'atome a donc une structure tétraédrique qui exige la présence de quatre orbitales sp^3 dans chaque atome de chlore.

On peut donc à présent décrire les liaisons présentes dans la molécule PCl_5. Chacune des cinq liaisons σ P—Cl résulte du partage d'électrons entre une des orbitales sp^3d* de l'atome de phosphore et une des orbitales sp^3 sur chaque atome de chlore†. Les autres orbitales sp^3 de chaque atome de chlore possèdent des doublets d'électrons libres (*voir la figure 7.22*).

Exemple 7.3 Théorie des électrons localisés III

Décrivez les liaisons en présence dans l'ion triiodure, I_3^-.

Solution

Selon le diagramme de Lewis de I_3^-

$$\left[:\ddot{\underset{..}{I}}-\ddot{\underset{..}{I}}-\ddot{\underset{..}{I}}:\right]^-$$

* La participation des orbitales *d* à la liaison dans ces molécules de façon aussi importante que le prévoit la théorie est un sujet fort contesté. Ce problème dépasse toutefois l'objectif de ce manuel.

† Bien qu'on ne puisse prouver hors de tout doute l'hybridation sp^3 de chaque atome de chlore, on tient pour acquis que la réduction au minimum des répulsions des doublets d'électrons est aussi importante au niveau des atomes périphériques qu'à celui de l'atome central. Il est donc possible d'utiliser la théorie RPEV et d'hybrider tous les atomes.

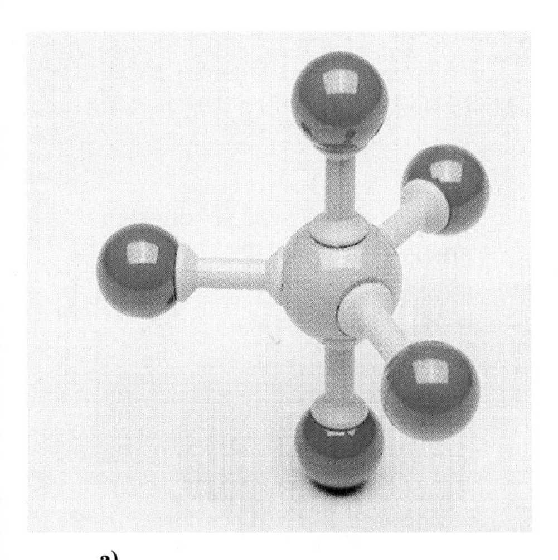

a)

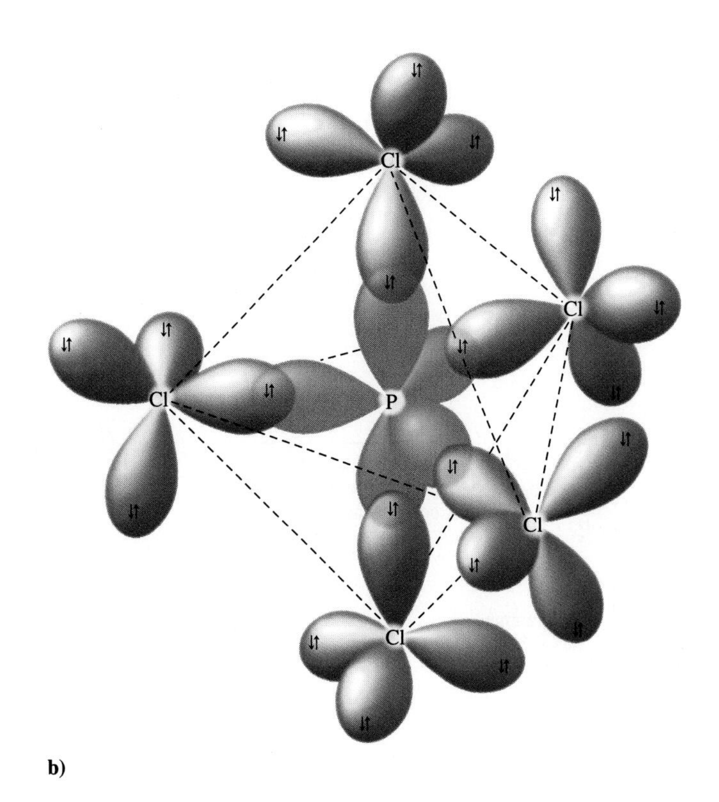

b)

FIGURE 7.22
a) La structure de la molécule PCl_5.
b) Orbitales participant à la formation des liaisons dans la molécule PCl_5. Les cinq orbitales sp^3d du phosphore forment chacune une liaison en partageant des électrons avec une orbitale sp^3de chacun des cinq atomes de chlore. Les autres orbitales sp^3 de chaque atome de chlore possèdent toutes un doublet libre.

il y a cinq doublets d'électrons autour de l'atome d'iode central *(voir la section 6.11)*. Un ensemble de cinq doublets exige une structure bipyramidale à base triangulaire, laquelle requiert à son tour un groupe d'orbitales sp^3d. Quant aux atomes d'iode périphériques, ils possèdent chacun quatre doublets d'électrons. Cette configuration exige une structure tétraédrique et, par conséquent, une hybridation sp^3.

L'atome d'iode central est donc hybridé en sp^3d. Parmi les cinq orbitales hybrides, trois possèdent des doublets libres, les deux autres formant des liaisons σ par recouvrement avec les orbitales sp^3 qui appartiennent aux deux autres atomes d'iode.

Voir l'exercice 7.18

L'hybridation sp^3d^2 produit un ensemble de six orbitales de structure octaédrique.

Hybridation sp^3d^2

Certaines molécules possèdent un atome central entouré de six doublets d'électrons. L'hexafluorure de soufre, SF_6, dont le diagramme de Lewis est le suivant, en est un exemple :

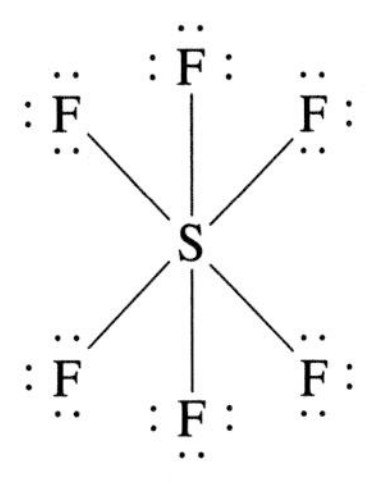

Dans un tel atome, les doublets d'électrons, ainsi que les six orbitales hybrides, doivent avoir une structure octaédrique. L'**hybridation sp^3d^2**, qui permet de satisfaire à cette exigence, résulte de la combinaison de deux orbitales *d*, une orbitale *s* et trois orbitales *p* *(voir la figure 7.23)*. Ainsi, *un atome qui possède six doublets d'électrons périphériques exige toujours une structure octaédrique, assurée par une hybridation sp^3d^2 de l'atome en question*. Chacune des orbitales sp^3d^2 de l'atome de soufre forme une liaison avec un atome de fluor. Puisqu'il y a quatre doublets d'électrons autour de chaque atome de fluor, on suppose que ces atomes sont hybridés en sp^3.

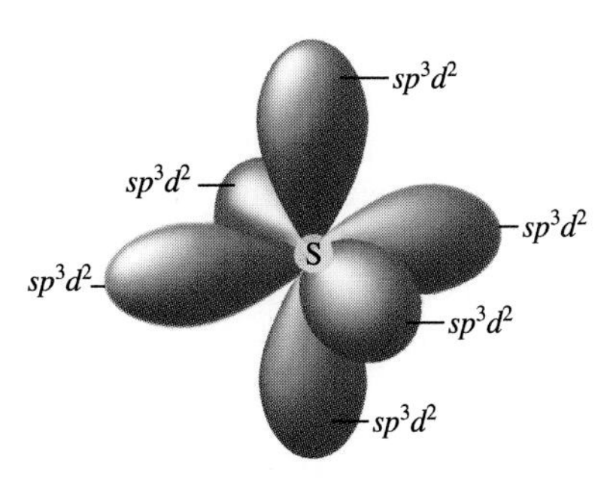

FIGURE 7.23
Structure octaédrique des orbitales sp^3d^2 d'un atome de soufre. Pour plus de clarté, on n'a pas représenté le petit lobe de chaque orbitale hybride.

Exemple 7.4 Théorie des électrons localisés IV

De quelle façon l'atome de xénon est-il hybridé dans la molécule XeF_4 ?

Solution

Comme nous l'avons vu à l'exemple 6.13, l'atome de xénon de XeF_4 possède six doublets d'électrons périphériques qui doivent occuper les sommets d'un octaèdre, pour que la répulsion soit minimale. Par conséquent, pour que les six orbitales hybrides soient orientées vers les sommets d'un octaèdre, l'atome de xénon doit être hybridé en sp^3d^2.

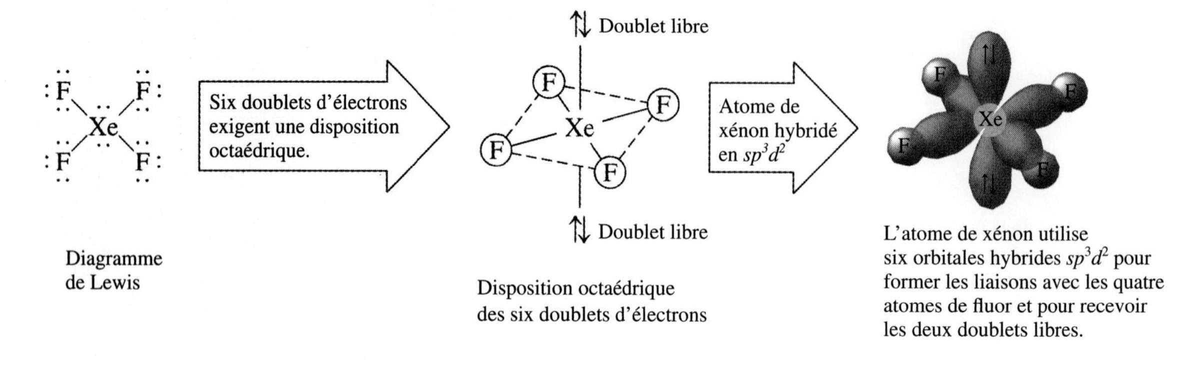

Diagramme de Lewis

Disposition octaédrique des six doublets d'électrons

L'atome de xénon utilise six orbitales hybrides sp^3d^2 pour former les liaisons avec les quatre atomes de fluor et pour recevoir les deux doublets libres.

Voir l'exercice 7.19

Résumé de la théorie des électrons localisés

Pour décrire une molécule à l'aide de la théorie des électrons localisés, on procède selon trois étapes :

Théorie des électrons localisés

1. **Établissement du diagramme de Lewis.**
2. **Détermination des caractéristiques géométriques des doublets d'électrons à l'aide de la théorie RPEV.**
3. **Détermination du type d'orbitales hybrides requises pour satisfaire aux caractéristiques géométriques des doublets d'électrons.**

Il est important d'effectuer ces opérations dans l'ordre. Rappelons que, pour qu'une théorie soit valable, elle doit respecter les priorités de la nature. Dans le cas des liaisons, il semble évident que, pour une molécule, la recherche de l'état de moindre énergie est plus importante que le maintien des propriétés de ses atomes constituants à l'état libre. Les atomes subissent des modifications en fonction des « besoins » de la molécule. Par conséquent, lorsqu'on étudie les liaisons d'une molécule donnée, on doit toujours donner la priorité à la molécule et non à ses atomes constituants. Dans la molécule, les électrons sont donc répartis de façon à conférer à chaque atome une configuration électronique semblable à celle d'un gaz rare, quand cela est possible, tout en réduisant au minimum la répulsion entre les doublets d'électrons. On suppose alors que les atomes hybrident leurs orbitales de façon à ce que l'énergie de la molécule soit minimale.

Quand on utilise la théorie des électrons localisés, on doit se rappeler qu'il ne faut pas attacher trop d'importance aux caractéristiques des atomes libres. Ce n'est pas tant l'origine des électrons de valence qui importe que l'espace qu'ils doivent occuper dans la molécule pour que cette dernière soit stable. Dans le même ordre d'idées, ce ne sont pas tant les orbitales des atomes libres qui importent que les orbitales qui permettent à la molécule d'atteindre le niveau de moindre énergie.

La figure 7.24 présente un résumé des exigences des différents types d'hybridations.

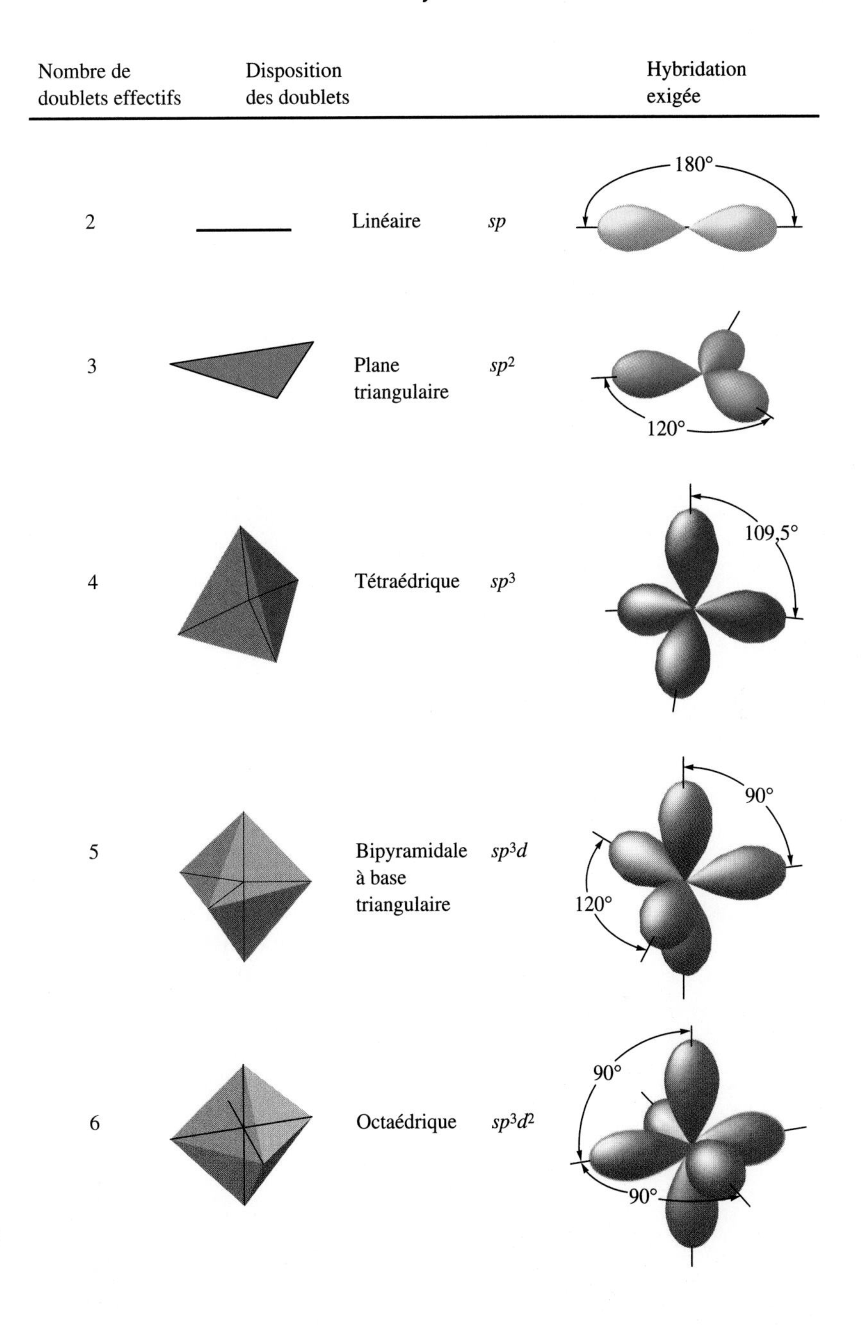

Nombre de doublets effectifs
Disposition des doublets
Hybridation exigée
2
Linéaire
sp
180°
3
Plane triangulaire
sp2
120°
4
Tétraédrique
sp3
109,5°
5
Bipyramidale à base triangulaire
sp3d
90°
120°
6
Octaédrique
sp3d2
90°
90°

FIGURE 7.24
Relations entre le nombre de doublets effectifs, leur disposition dans l'espace et les orbitales hybrides qu'exige cette structure.

Exemple 7.5 Théorie des électrons localisés V

Pour chacun des ions ou molécules suivants, prédisez l'état d'hybridation de chaque atome et décrivez-en la structure moléculaire :

a) CO **b)** BF_4^- **c)** XeF_2

Solution

a) La molécule CO possède dix électrons de valence. Son diagramme de Lewis est le suivant :

$$:C{\equiv}O:$$

Chaque atome possède deux doublets d'électrons effectifs ; donc, ils sont tous deux hybridés en *sp*. La liaison triple est constituée d'une liaison σ, qui résulte du recouvrement de deux orbitales *sp*, et de deux liaisons π, qui résultent du recouvrement latéral d'orbitales 2*p*. Les doublets d'électrons libres occupent des orbitales *sp*. Étant donné que la molécule CO ne possède que deux atomes, elle est obligatoirement linéaire.

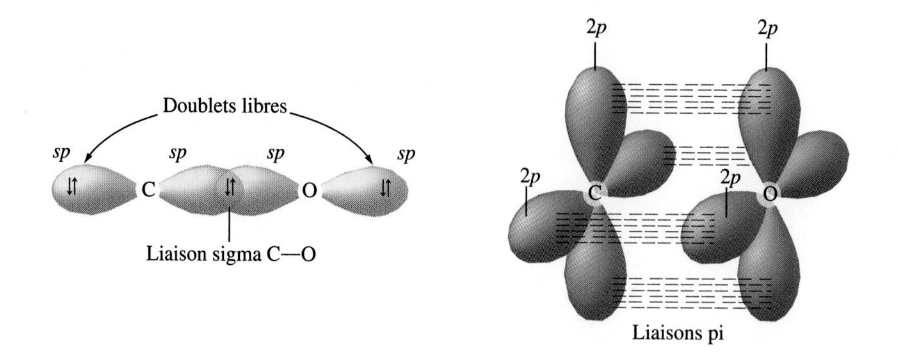

b) L'ion BF_4^- possède 32 électrons de valence. Le diagramme de Lewis révèle la présence de quatre doublets d'électrons autour de l'atome de bore, ce qui entraîne une structure tétraédrique.

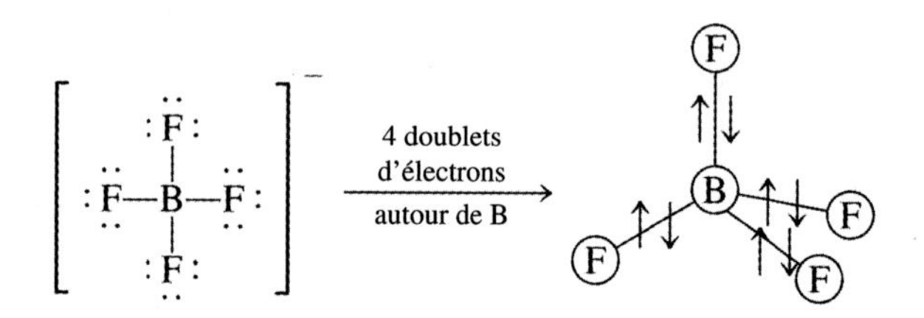

L'atome de bore doit donc être hybridé en sp^3. Chaque atome de fluor, qui possède également quatre doublets d'électrons, doit lui aussi être hybridé en sp^3 (la figure n'illustre qu'une seule orbitale sp^3 par atome de fluor). La structure moléculaire de l'ion BF_4^- est donc tétraédrique.

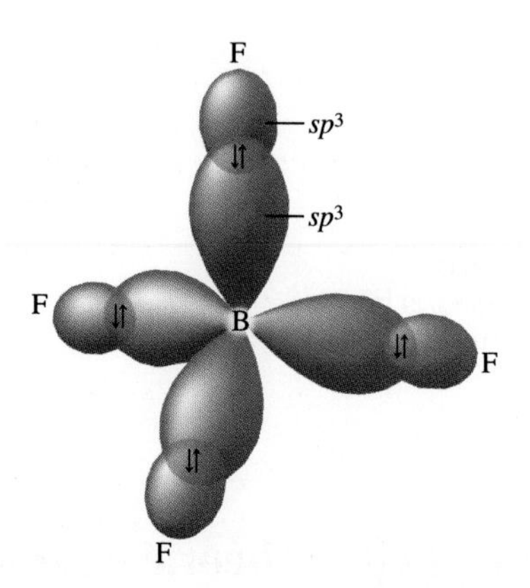

c) La molécule XeF_2 possède 22 électrons de valence. Le diagramme de Lewis révèle la présence de cinq doublets d'électrons autour de l'atome de xénon, ce qui entraîne une structure bipyramidale à base triangulaire.

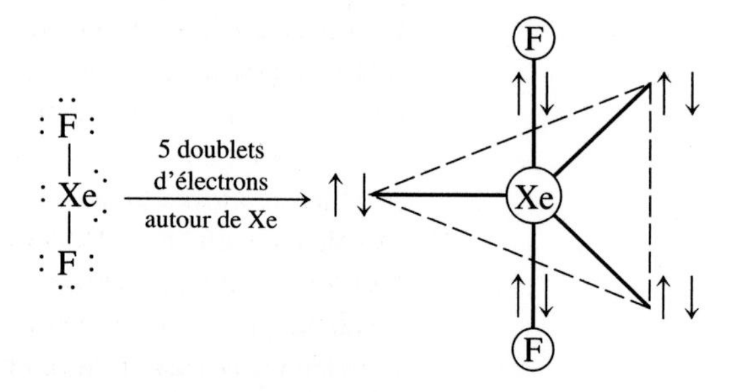

Les doublets d'électrons libres, coplanaires, forment entre eux des angles de 120°. Pour que les cinq doublets d'électrons occupent les sommets d'une bipyramide à base triangulaire, l'atome de xénon doit former un ensemble de cinq orbitales sp^3d. Chaque atome de fluor, qui possède quatre paires d'électrons, doit également être hybridé en sp^3. Le XeF_2 est donc une molécule à structure linéaire.

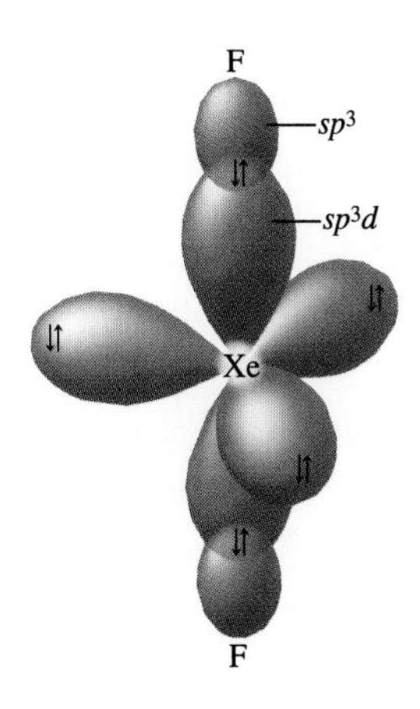

Voir les exercices 7.21 et 7.22

7.2 Théorie des orbitales moléculaires

Nous avons vu que la théorie des électrons localisés permettait de décrire adéquatement la structure et les liaisons d'une molécule. Cette théorie comporte cependant certaines lacunes. D'abord, étant donné que, selon cette théorie – même si cela est inexact –, les électrons sont localisés, on doit introduire la notion de résonance ; ensuite, elle ne s'applique pas bien dans le cas de molécules qui contiennent des électrons non appariés ; enfin, elle ne fournit aucun renseignement relatif aux énergies de liaison.

La théorie des orbitales moléculaires est en quelque sorte l'équivalent de la théorie atomique étudiée au chapitre 5.

La **théorie des orbitales moléculaires** (théorie OM) est une autre théorie à laquelle on fait souvent appel pour décrire les liaisons. L'étude de la molécule la plus simple, H_2, permet de présenter les hypothèses, les méthodes et les résultats relatifs à cette théorie. La molécule H_2, constituée de deux protons et de deux électrons, est d'une grande stabilité : son énergie est inférieure de 432 kJ/mol à la somme de celles des atomes d'hydrogène pris séparément.

Étant donné que la molécule d'hydrogène est constituée – comme le sont d'ailleurs les atomes d'hydrogène libres – de protons et d'électrons, il semble logique, pour décrire cette molécule, de recourir à une théorie semblable à la théorie atomique (*voir le chapitre 5*), théorie selon laquelle les électrons d'un atome occupent des orbitales d'énergie donnée. Peut-on appliquer une telle théorie à la molécule d'hydrogène ? Oui, puisque la mécanique quantique permet de décrire facilement la molécule H_2.

Même si on peut aisément formuler le problème, on ne peut pas le résoudre de façon exacte. La difficulté est en fait du même ordre que celle rencontrée lors de l'étude des atomes polyélectroniques : on a encore affaire ici au problème de corrélation des électrons. Étant donné qu'on ne connaît pas en détail la trajectoire des électrons, on ne peut pas étudier avec précision les interactions électron-électron. Pour résoudre le problème, on doit par conséquent effectuer des approximations. Pour évaluer la justesse des approximations, il faut toujours comparer les prédictions basées sur la théorie aux résultats expérimentaux. Dans le cas de H_2, la théorie OM simplifiée s'applique parfaitement.

De la même manière que les orbitales atomiques ont permis de résoudre le problème posé par l'étude des atomes, au moyen de la mécanique quantique (mécanique ondulatoire), les **orbitales moléculaires** permettent de résoudre celui posé par l'étude des molécules, au moyen de la même théorie. Les orbitales moléculaires ont d'ailleurs plusieurs points communs avec les orbitales atomiques ; parmi les plus importants, citons : a) deux électrons de spins opposés peuvent occuper une même orbitale moléculaire ;

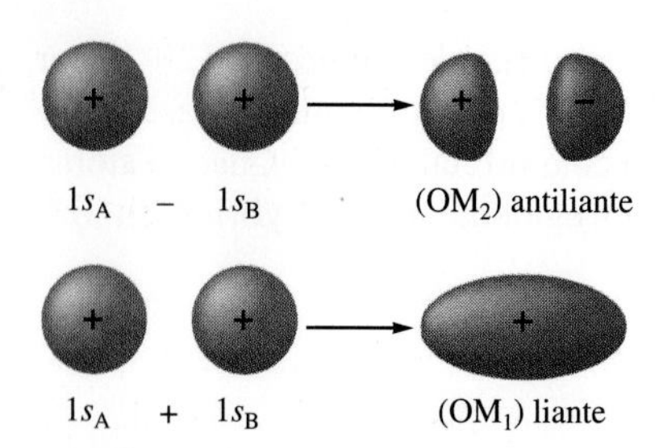

FIGURE 7.25
Formation d'orbitales moléculaires à partir des orbitales atomiques 1*s* de l'hydrogène. Les phases des orbitales sont indiquées par des signes à l'intérieur des surfaces. Quand les orbitales sont additionnées, les phases appariées produisent une interférence constructive, ce qui augmente la probabilité de la présence de l'électron entre les noyaux : cela donne naissance à une orbitale moléculaire liante. Si une orbitale est soustraite de l'autre, il se produit une interférence destructive entre les phases opposées, produisant une zone nodale entre les noyaux : c'est une OM antiliante.

b) le carré de la fonction d'onde d'une orbitale moléculaire indique la probabilité de présence de l'électron.

Décrivons à présent les liaisons présentes dans une molécule d'hydrogène à l'aide de la théorie des orbitales moléculaires. Dans la première étape, on identifie les orbitales, ce qui est relativement simple à effectuer lorsqu'on suppose que ces orbitales moléculaires peuvent être formées à partir des orbitales atomiques 1*s* de l'hydrogène.

Dans le cas de la molécule d'hydrogène, lorsqu'on résout les équations de la mécanique quantique, on trouve deux solutions, ou deux orbitales moléculaires, soit

$$OM_1 = 1s_A + 1s_B$$
$$OM_2 = 1s_A - 1s_B$$

où $1s_A$ et $1s_B$ représentent les orbitales 1*s* de chacun des atomes d'hydrogène pris séparément. La figure 7.25 illustre ce processus.

Les propriétés les plus intéressantes des orbitales sont leur taille, leur forme (déterminée par la distribution des probabilités de présence de l'électron) et leur énergie. En étudiant la figure 7.26, qui illustre les propriétés des orbitales moléculaires de H_2, on remarque plusieurs points importants.

1. L'axe des noyaux constitue l'axe de symétrie des probabilités de présence de l'électron. Pour OM_1, on trouve la densité électronique maximale *entre* les noyaux, alors que pour OM_2, on la trouve de *chaque côté* des noyaux. On parle alors d'une distribution électronique *sigma* (σ), comme dans la théorie des électrons localisés. Par conséquent, on appelle OM_1 et OM_2 des **orbitales moléculaires sigma (σ)**.

2. Dans la molécule, les électrons ne peuvent occuper que les orbitales moléculaires. Les orbitales atomiques 1*s* des atomes d'hydrogène n'existent plus ; elles ont fait place à de nouvelles orbitales qui appartiennent en propre à la molécule H_2.

3. Le niveau d'énergie de OM_1 est inférieur à la somme de ceux des orbitales 1*s* des atomes individuels d'hydrogène, alors que celui de OM_2 leur est supérieur. Ce phénomène exerce une influence importante sur la stabilité de la molécule H_2. En effet, si les deux électrons (chacun provenant d'un atome d'hydrogène) occupent OM_1, leur niveau d'énergie est moindre que dans les atomes individuels, ce qui favorise la formation de la molécule, puisque la nature recherche toujours le niveau d'énergie le plus bas. Autrement dit, si le niveau d'énergie de l'orbitale moléculaire occupée par deux électrons est inférieur à la somme de ceux des orbitales atomiques des atomes individuels, il y a formation d'une molécule. Dans ce cas, on dit que les électrons occupent un niveau *liant*.

   Si, par contre, les deux électrons sont contraints d'occuper l'orbitale OM_2, d'énergie supérieure, ils sont en situation *antiliante*. Le niveau d'énergie des électrons étant plus bas dans les atomes individuels que dans la molécule, c'est l'existence des atomes individuels qui est favorisée. Or, étant donné que OM_1 est disponible, les électrons l'occupent, et il y a ainsi formation d'une molécule stable.

   Il existe donc deux types d'orbitales moléculaires pour la molécule H_2 : l'orbitale liante et l'orbitale antiliante. Une **orbitale moléculaire liante** est *celle dont le niveau d'énergie est inférieur à celui des orbitales atomiques des atomes qui constituent la molécule*. Si des électrons occupent cette orbitale, l'énergie du système diminue, ce qui favorise la formation de la liaison, donc de la molécule. Une **orbitale moléculaire antiliante** est *celle dont le niveau d'énergie est supérieur à celui des orbitales atomiques des atomes qui constituent la molécule*. Si des électrons (dits antiliants) occupent cette orbitale, c'est l'existence des atomes individuels qui est favorisée. La figure 7.27 illustre ces deux possibilités.

4. Dans le cas de l'orbitale moléculaire liante de H_2, on trouvait la plus grande probabilité de présence des électrons entre les noyaux (*voir la figure 7.26*). C'est précisément ce à quoi on s'attend, étant donné que l'énergie du système est minimale quand les électrons sont soumis à l'attraction simultanée des deux noyaux. Par contre, dans le cas de l'orbitale moléculaire antiliante, la distribution des probabilités de présence des électrons est concentrée à l'extérieur de la zone internucléaire. On ne s'attend donc pas à ce qu'une telle distribution favorise l'apparition d'une force de liaison.

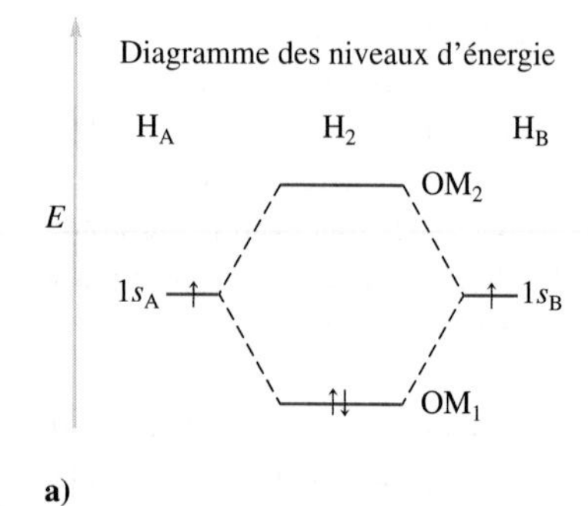

Distribution des probabilités de présence des électrons

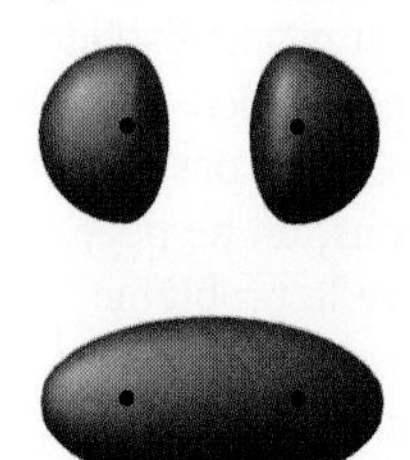

FIGURE 7.26
a) Diagramme des niveaux d'énergie des orbitales moléculaires de H_2. b) Structures des orbitales moléculaires correspondant au carré des fonctions d'onde de OM_1 et de OM_2. Les positions des noyaux sont indiquées par •.

Il y a formation d'une liaison si le niveau d'énergie de la molécule est inférieur à la somme de ceux des atomes individuels.

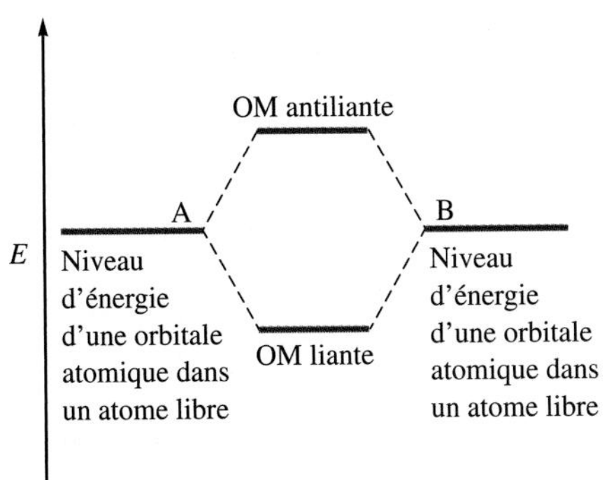

FIGURE 7.27
Orbitales moléculaires (OM) liante et antiliante.

En fait, dans cet état, l'énergie du système est supérieure à la somme de celles des atomes individuels. Ainsi, dans la théorie des orbitales moléculaires, les distributions des probabilités de présence des électrons et les niveaux d'énergie sont parfaitement conformes aux concepts de base relatifs aux liaisons, ce qui confirme que la théorie est vraisemblable.

5. Le système d'identification des orbitales moléculaires permet d'en connaître la symétrie (forme), le type d'orbitales atomiques qui les ont formées, et la nature (liante ou antiliante) ; on ajoute un astérisque à une orbitale antiliante. Dans la molécule H_2, les deux OM possèdent une symétrie σ et sont formées d'orbitales atomiques 1*s* de l'hydrogène. On identifie donc les orbitales moléculaires de H_2 de la façon suivante :

$$OM_1 = \sigma_{1s}$$
$$OM_2 = \sigma_{1s}^*$$

6. Pour représenter la configuration électronique d'une molécule, on peut utiliser des symboles semblables à ceux utilisés pour représenter celle d'un atome : la molécule H_2 possédant deux électrons dans l'orbitale moléculaire σ, on désigne sa configuration par σ_{1s}^2.
7. Chaque orbitale moléculaire peut accepter deux électrons ; ceux-ci doivent cependant posséder des spins opposés.
8. Le nombre d'orbitales est conservé. Autrement dit, il existe autant d'orbitales moléculaires que d'orbitales atomiques qui ont contribué à leur formation.

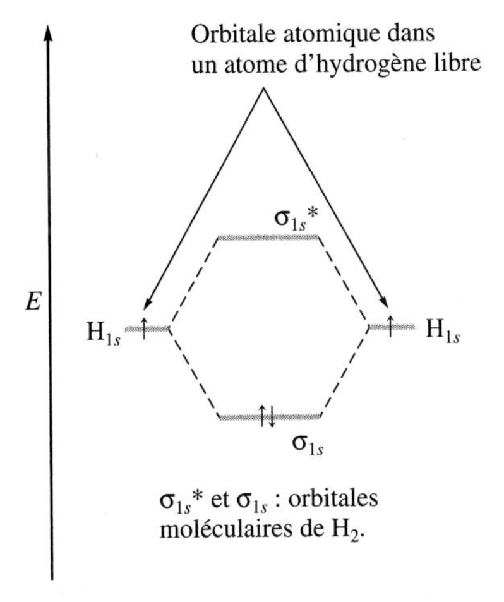

FIGURE 7.28
Diagramme des niveaux d'énergie des orbitales moléculaires dans la molécule H_2.

La figure 7.28 résume plusieurs de ces points.

Supposons qu'on puisse former l'ion H_2^- à partir d'un ion hydrure, H^-, et d'un atome d'hydrogène. Quelle serait la stabilité de cette espèce ? Étant donné que la configuration électronique de l'ion H^- est $1s^2$ et celle de l'atome de H, $1s^1$, on utilise des orbitales atomiques 1*s* pour tracer le diagramme des OM de l'ion H_2^- (*voir la figure 7.29*). La configuration électronique de H_2^- est donc $(\sigma_{1s})^2(\sigma_{1s}^*)^1$.

Il faut bien comprendre que l'ion H_2^- n'est stable que si sa formation à partir des atomes individuels entraîne une diminution d'énergie. À la figure 7.29, on remarque que la transformation d'un ion H^- et d'un atome H en un ion H_2^- s'accompagne d'une diminution d'énergie pour deux électrons et d'une augmentation d'énergie pour le troisième électron ; en d'autres termes, il y a deux électrons liants et un électron antiliant. Puisque le nombre d'électrons qui favorisent la formation d'une liaison est supérieur au nombre de ceux qui s'y opposent, H_2^- est une espèce stable, car il y a formation d'une liaison. On peut toutefois se demander si la liaison dans l'ion H_2^- est de même force que la liaison dans la molécule H_2.

Au cours de la formation de la molécule H_2, deux électrons passent à un niveau d'énergie inférieur, mais aucun électron ne passe à un niveau d'énergie supérieur, étant donné que les atomes constituants ne possèdent que deux électrons. Par contre, l'ion H_2^- possède un troisième électron qui doit occuper un niveau d'énergie supérieur : *le résultat net équivaut donc à une diminution de l'énergie d'un seul électron.* Autrement dit, H_2 est *deux fois plus stable* que H_2^-, par rapport à leurs constituants pris séparément. Dans la molécule H_2, la liaison est donc deux fois plus forte que dans l'ion H_2^-.

Bien que, selon la théorie, H_2^- soit stable, cet ion n'a jamais été observé, autre preuve que les modèles trop simples ne peuvent pas être utilisés sans risque.

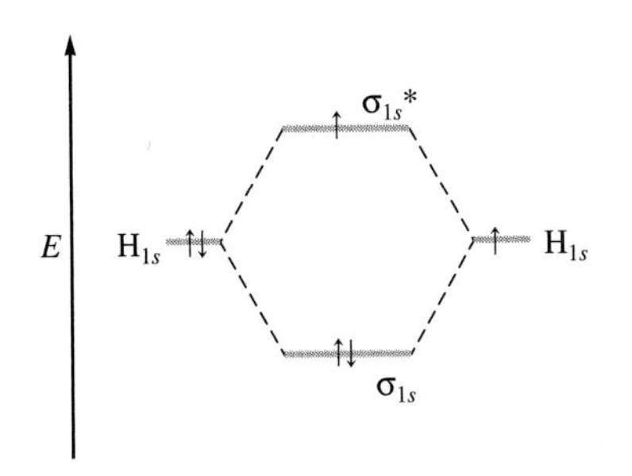

FIGURE 7.29
Diagramme des niveaux d'énergie des orbitales moléculaires de l'ion H_2^-.

Ordre de liaison

Pour évaluer la force d'une liaison, on a recours au concept d'ordre de liaison. L'**ordre de liaison** est *la demi-différence entre le nombre d'électrons liants et le nombre d'électrons antiliants.*

$$\text{Ordre de liaison} = \frac{\text{nombre d'électrons liants} - \text{nombre d'électrons antiliants}}{2}$$

Si on divise par 2, c'est parce que, selon la théorie des électrons localisés, on assimile une liaison à un *doublet* d'électrons.

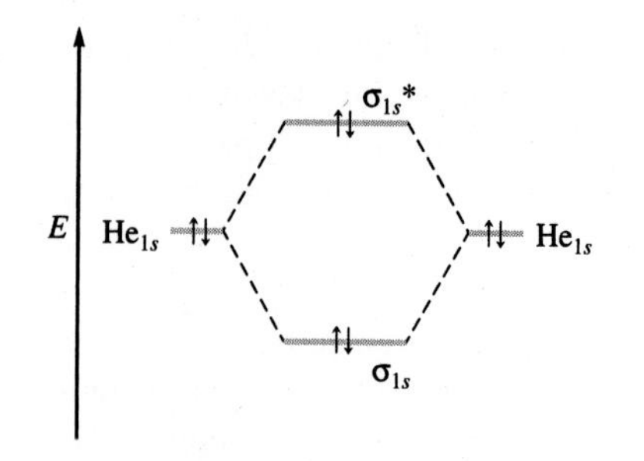

FIGURE 7.30
Diagramme des niveaux d'énergie des orbitales moléculaires de la molécule He_2.

Dans la molécule H_2, qui possède deux électrons liants mais ne possède aucun électron antiliant, l'ordre de liaison est

$$\text{Ordre de liaison} = \frac{2-0}{2} = 1$$

Dans l'ion H_2^-, qui possède deux électrons liants et un électron antiliant, l'ordre de liaison est

$$\text{Ordre de liaison} = \frac{2-1}{2} = \frac{1}{2}$$

L'ordre de liaison constitue un indice de la force d'une liaison, puisqu'il reflète la différence entre le nombre d'électrons liants et le nombre d'électrons antiliants. *La liaison est d'autant plus stable que la valeur de l'ordre de liaison est élevée.*

Appliquons la théorie des orbitales moléculaires à la molécule d'hélium, He_2. Est-ce que cette théorie permet de prédire la stabilité de la molécule ? Étant donné que la configuration électronique de l'atome d'hélium est $1s^2$, ce sont des orbitales $1s$ qui participent à la formation des orbitales moléculaires ; la molécule possède donc quatre électrons. À la figure 7.30, on remarque que deux électrons passent à un niveau d'énergie supérieur et deux autres, à un niveau inférieur. Dans ce cas, l'ordre de liaison est nul.

$$\frac{2-2}{2} = 0$$

Ce résultat signifie que la molécule He_2 *n'est pas* plus stable que les deux atomes He libres. Cette conclusion est parfaitement conforme avec le fait que l'hélium, à l'état gazeux, existe sous forme d'atomes individuels He.

7.3 Liaisons dans les molécules diatomiques homonucléaires

Dans cette section, nous étudions les *molécules diatomiques homonucléaires* (formées de deux atomes identiques), dont les atomes appartiennent à la deuxième période du tableau périodique.

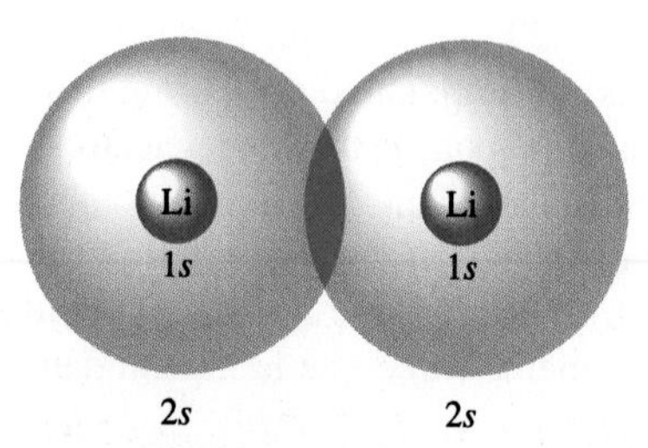

FIGURE 7.31
Tailles relatives des orbitales atomiques 1s et 2s de l'atome de lithium.

Considérons d'abord le lithium. Puisque la configuration électronique du lithium est $1s^2 2s^1$, on devrait utiliser ses orbitales $1s$ et $2s$ pour former les orbitales moléculaires de la molécule Li_2. Toutefois, les orbitales $1s$ des atomes de lithium étant beaucoup plus petites que les orbitales $2s$, ces orbitales ne peuvent pas se recouvrir de façon importante (*voir la figure 7.31*). Par conséquent, on considère que les électrons de chacune des orbitales $1s$ sont des électrons localisés qui ne participent pas à la formation de la liaison. *Pour qu'il y ait formation d'orbitales moléculaires, les orbitales atomiques doivent se recouvrir dans l'espace*, donc seules les orbitales de valence des atomes participent effectivement à la formation des orbitales moléculaires, dans une molécule donnée.

La figure 7.32 présente le diagramme des orbitales moléculaires de la molécule Li_2, ainsi que la forme des OM liante et antiliante. La configuration électronique de Li_2 (électrons de valence seulement) est σ_{2s}^2, et, dans cette molécule, l'ordre de liaison est

$$\frac{2-0}{2} = 1$$

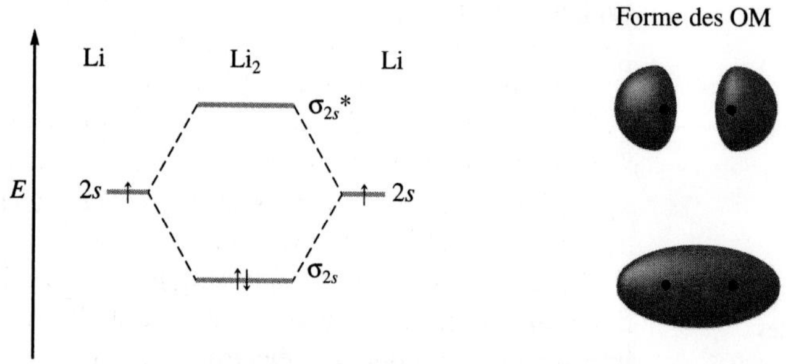

Li Li_2 Li

σ_{2s}^*

E

2s 2s

σ_{2s}

Forme des OM

FIGURE 7.32
Diagramme des niveaux d'énergie des orbitales moléculaires de Li_2.

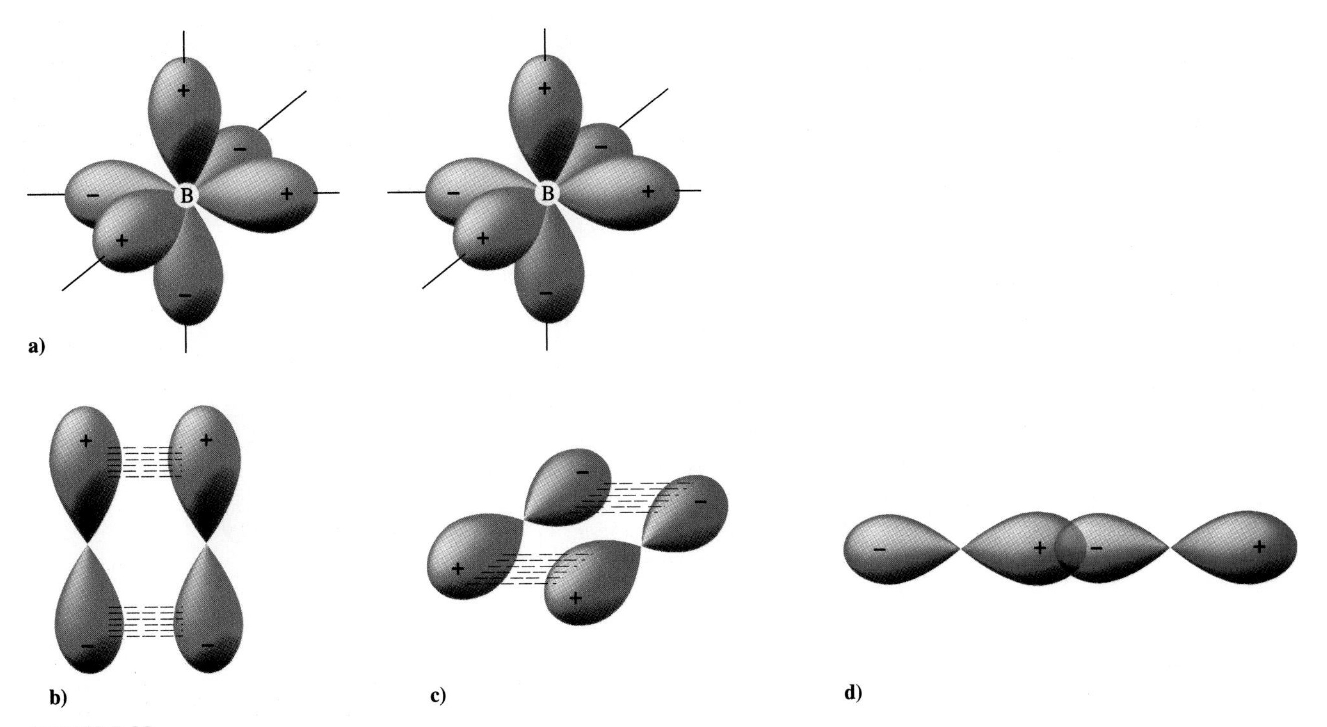

FIGURE 7.33
a) Trois orbitales $2p$, orthogonales, appartenant à deux atomes de bore voisins. b) et c) Recouvrement latéral de deux paires d'orbitales $2p$ parallèles. d) Recouvrement axial de la troisième paire d'orbitales p.

Béryllium métallique.

La molécule Li_2 est donc stable, puisque son énergie est inférieure à la somme de celles des atomes de lithium individuels. Li_2 ne constitue pas pour autant la forme la plus stable de lithium élémentaire. En fait, à la température et à la pression normales, on trouve le lithium sous forme d'un solide comportant un grand nombre d'atomes liés entre eux par liaison métallique.

Dans le cas de la molécule de béryllium, Be_2, les orbitales liante et antiliante possèdent chacune deux électrons. L'ordre de liaison est donc nul $[2 - 2/2 = 0]$; Be_2 n'étant pas plus stable que les deux atomes individuels, il n'y a pas formation de la molécule. Toutefois, le béryllium à l'état métallique comporte également un grand nombre d'atomes liés les uns aux autres par liaison métallique ; il est stable pour des raisons que nous aborderons au chapitre 8.

Étant donné que la configuration électronique du bore est $1s^2 2s^2 2p^1$, on décrit la molécule B_2 en fonction de la transformation des orbitales atomiques p en orbitales moléculaires. On sait que les orbitales p, au nombre de trois, sont bilobées et orthogonales (*voir la figure 7.33a*). Quand deux atomes B se rapprochent l'un de l'autre, deux paires d'orbitales p peuvent se recouvrir parallèlement (*voir la figure 7.33b et c*), et les deux orbitales de la troisième paire peuvent se recouvrir axialement (*voir la figure 7.33d*).

Considérons d'abord les orbitales moléculaires qui résultent du recouvrement axial (*voir la figure 7.34a*). Comme on pouvait s'y attendre, dans le cas de l'OM liante, la densité électronique est plus forte entre les noyaux, alors que, dans le cas de l'OM antiliante, elle est plus forte « à l'extérieur » de la zone internucléaire. Ces deux OM sont des orbitales σ. Quant aux autres orbitales p, qui se recouvrent latéralement, elles forment également des OM liantes et antiliantes (*voir la figure 7.34b*). Étant donné que la probabilité de présence des électrons se situe de part et d'autre de l'axe des noyaux, on parle d'**orbitales moléculaires pi** (π), π_{2p} désignant l'OM liante et π_{2p}*, l'OM antiliante.

À l'aide des données présentées précédemment, on peut tenter de prédire les énergies relatives des OM σ et π formées à partir des orbitales atomiques $2p$. Quelle orbitale les électrons préféreront-ils, l'orbitale liante σ, dans laquelle la densité électronique est concentrée entre les noyaux, ou l'orbitale liante π? Le niveau d'énergie de l'orbitale σ devrait être inférieur à celui de l'orbitale π, puisque les électrons sont plus voisins

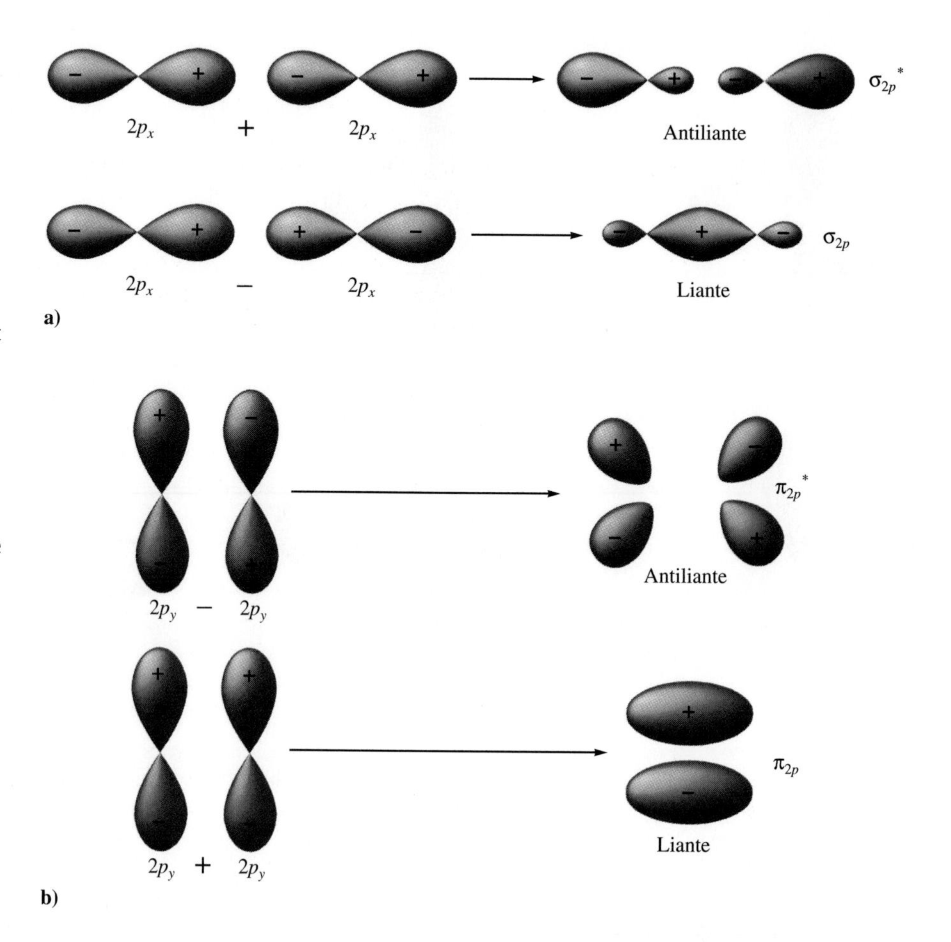

FIGURE 7.34
a) Le recouvrement axial de deux orbitales *p* d'atomes de bore produit deux orbitales moléculaires σ, une liante et une antiliante. L'orbitale liante est formée en inversant le signe de l'orbitale de droite, de sorte que les phases positives des deux orbitales soient vis-à-vis entre les noyaux afin de produire une interférence constructive, ce qui provoque l'augmentation de la probabilité de présence entre les noyaux. L'orbitale antiliante, quant à elle, est formée par la combinaison directe des orbitales, ce qui donne une interférence destructive de la phase positive d'une orbitale avec la phase négative de la seconde orbitale. Cela produit une zone nodale entre les noyaux, et provoque une diminution de la probabilité de présence de l'électron. **b)** Si le recouvrement latéral de deux orbitales *p* parallèles s'effectue lorsque les phases positive et négative sont appariées, il se produit une interférence constructive, ce qui donne une orbitale π liante. Quand les orbitales ont des phases opposées (les signes d'une orbitale sont inversés), il se produit une interférence destructive, ce qui donne alors naissance à une orbitale π antiliante.

des noyaux, ce qui est bien conforme au fait que les interactions σ sont plus fortes que les interactions π.

La figure 7.35 illustre le diagramme *prévu* des niveaux d'énergie des orbitales moléculaires lorsqu'il y a transformation des deux ensembles d'orbitales atomiques 2*p* du bore en orbitales moléculaires. On constate qu'il y a deux orbitales π liantes de même niveau d'énergie (orbitales dégénérées), qui résultent du recouvrement latéral de deux paires d'orbitales *p*, et deux orbitales π antiliantes dégénérées. Les interactions π étant plus faibles que les interactions σ, on s'attend à ce que le niveau d'énergie des orbitales π_{2p} soit supérieur à celui des orbitales σ_{2p}.

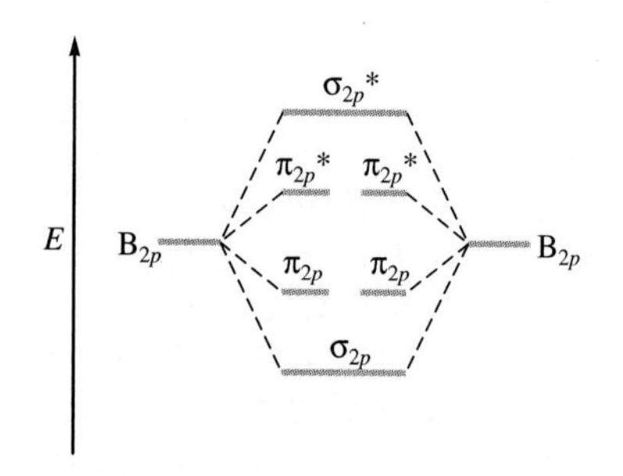

FIGURE 7.35
Diagramme prévu des niveaux d'énergie des orbitales moléculaires dans le cas de la transformation des orbitales 2*p* de deux atomes de bore.

Pour établir le diagramme complet des orbitales moléculaires de la molécule B_2, il faut supposer que les orbitales 2*s* et 2*p* se recouvrent séparément (c'est-à-dire sans combinaison $2s - 2p$) ; on obtient ainsi le diagramme de la figure 7.36. On remarque que la molécule B_2 possède six électrons *de valence* (il ne faut pas oublier que les électrons de cœur des orbitales 1*s* n'interviennent pas dans la liaison). Selon ce diagramme, l'ordre de liaison est

$$\frac{4-2}{2} = 1$$

La molécule B_2 est donc stable.

Paramagnétisme

Les molécules sont dotées d'une autre propriété : le magnétisme. La plupart des substances n'ont aucun magnétisme tant qu'on ne les soumet pas à un champ magnétique. Dans ce cas, deux types de magnétisme peuvent exister : le **paramagnétisme**, qui provoque l'attraction de la substance à l'intérieur du champ magnétique inducteur, et le **diamagnétisme**,

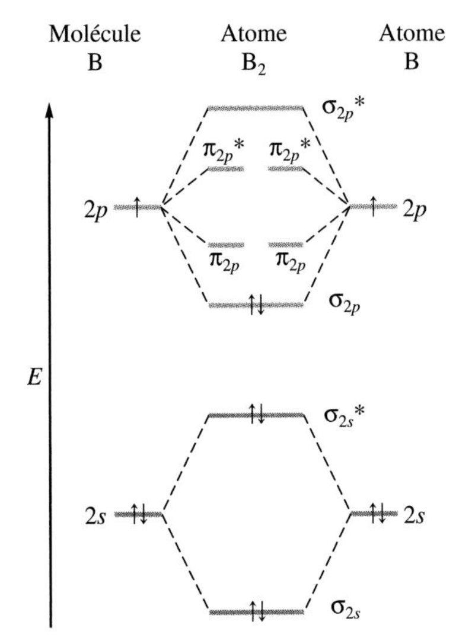

FIGURE 7.36
Diagramme *prévu* des niveaux d'énergie des orbitales moléculaires dans le cas de la formation de B_2.

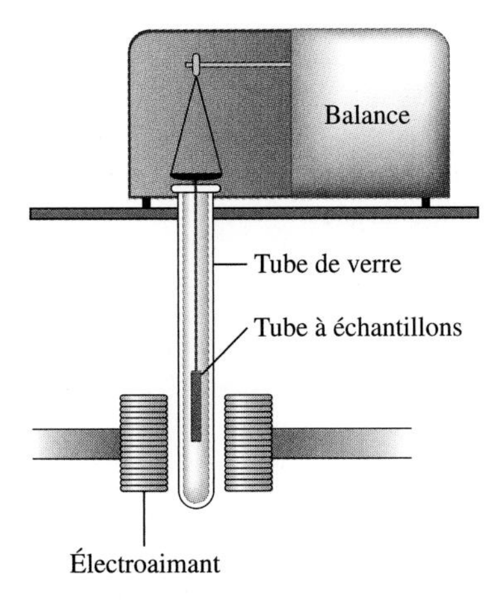

FIGURE 7.37
Appareil utilisé pour mesurer le paramagnétisme d'un échantillon. Sous l'influence d'un champ magnétique induit par la mise sous tension d'un électroaimant, la masse de l'échantillon paramagnétique semble plus importante, ce qui est dû à l'attraction exercée par ce champ magnétique sur l'échantillon.

qui provoque la répulsion de la substance à l'extérieur du champ magnétique inducteur. La figure 7.37 illustre de quelle façon on mesure le paramagnétisme : on pèse l'échantillon en présence et en l'absence d'un champ électromagnétique inducteur. L'échantillon est paramagnétique lorsque sa masse augmente sous l'influence du champ magnétique. Les résultats de recherches prouvent que *le paramagnétisme est associé à la présence d'électrons non appariés et le diamagnétisme, à celle d'électrons appariés*. Si, toutefois, une substance possède à la fois des électrons appariés et des électrons non appariés, elle est paramagnétique, car l'influence du paramagnétisme est plus importante que celle du diamagnétisme.

Selon le diagramme des niveaux d'énergie de B_2 (*voir la figure 7.36*), cette molécule devrait être diamagnétique, puisque ses OM ne possèdent que des électrons appariés. Cependant, les résultats expérimentaux prouvent le contraire : la molécule B_2 est paramagnétique et possède donc deux électrons non appariés. Comment peut-on alors expliquer que la théorie des orbitales moléculaires conduise à des prédictions erronées ? La réponse réside dans la façon dont on conçoit et utilise les théories. En général, on adopte la théorie la plus simple qui rend compte de l'ensemble des principales observations. Jusqu'à ce qu'on arrive à B_2, cette théorie avait réussi à décrire correctement les propriétés des molécules diatomiques. Mais à partir de B_2, elle devient suspecte, puisqu'elle induit en erreur. On a donc deux possibilités : rejeter la théorie ou tenter de la modifier.

Revoyons l'une des hypothèses de départ. On a supposé que, dans la molécule B_2, les orbitales s et p étaient transformées indépendamment l'une de l'autre pour qu'il y ait formation des orbitales moléculaires. Cependant, à l'aide de calculs, on peut montrer que, lorsque les orbitales s et p se combinent pour former une orbitale moléculaire, on obtient un diagramme des niveaux d'énergie (*voir la figure 7.38*) différent de celui prévu (*voir la figure 7.36*). Toutefois, même si les orbitales s et p ne participent plus indépendamment l'une de l'autre à la formation des OM, on utilise des symboles semblables pour désigner ces orbitales. Dans le cas d'une combinaison p–s, les niveaux d'énergie des orbitales π_{2p} et σ_{2p} sont inversés, et les niveaux des orbitales σ_{2s} et $\sigma_{2s}*$ ne sont plus équidistants par rapport à celui de l'orbitale atomique $2s$ libre.

Si on place les six électrons de valence de la molécule B_2 dans le diagramme modifié, on constate que les deux derniers électrons occupent chacun une des deux orbitales dégénérées π_{2p} ; il en résulte donc une molécule dotée de propriétés paramagnétiques, ce qui est conforme aux observations expérimentales. Par conséquent, si on modifie la théorie en admettant l'existence du mélange p–s pour qu'il y ait formation des orbitales moléculaires, on peut prédire adéquatement les propriétés magnétiques. Dans tous les cas, l'ordre de liaison $[(4 - 2)/2 = 1]$ reste le même.

On peut décrire les autres molécules diatomiques homonucléaires formées des autres atomes de la deuxième période à partir des mêmes principes.

Par exemple, les molécules C_2 et N_2 utilisent les mêmes orbitales que B_2 (*voir la figure 7.38*). Parce que l'importance du mélange des orbitales $2s$–$2p$ diminue en progressant dans la période, les orbitales σ_{2p} et π_{2p} reprennent la place qu'elles devraient occuper en l'absence du mélange $2s$–$2p$ pour les molécules O_2 et F_2, comme l'indique la figure 7.39.

Plusieurs points importants sont mis en évidence quand on regarde les diagrammes des orbitales, les forces de liaison et les longueurs des liaisons (*voir la figure 7.39*) pour les éléments diatomiques pour la deuxième période.

1. Il existe manifestement une relation entre l'ordre de liaison, l'énergie de liaison et la longueur de liaison. Au fur et à mesure que l'ordre de liaison prévu à l'aide de la théorie des OM augmente, il y a augmentation de l'énergie de liaison et diminution de la longueur de liaison. Ces observations montrent clairement que l'ordre de liaison prévu à l'aide de la théorie des OM reflète adéquatement l'énergie de la liaison, ce qui confirme le bien-fondé de la théorie des OM.

2. L'ordre de liaison n'est aucunement associé à une énergie de liaison particulière, comme on peut le constater en comparant les énergies de liaison des molécules B_2 et F_2. En effet, même si l'ordre de liaison de ces deux molécules est le même, soit 1, la liaison dans B_2 est deux fois plus forte que la liaison dans F_2. Lorsque nous étudierons les halogènes, nous verrons que la liaison simple dans F_2 est exceptionnellement

faible, à cause de l'importante répulsion interélectronique (en effet, la petite molécule F_2 possède 14 électrons de valence).

3. Dans la molécule N_2, on remarque que l'énergie de liaison est importante ; selon la théorie des OM, l'ordre de liaison de cette molécule est de 3, soit une triple liaison. C'est à cause de cette très forte liaison qu'on utilise autant de composés azotés dans la fabrication d'explosifs puissants. En effet, ces explosifs font intervenir des réactions qui produisent du N_2, une espèce très stable ; par conséquent, les réactions libèrent d'importantes quantités d'énergie.

4. On sait que la molécule O_2 est paramagnétique, ce qu'on peut prouver aisément en versant de l'oxygène liquide entre les pôles d'un aimant puissant (*voir la figure 7.40*) : l'oxygène y demeure jusqu'à l'évaporation. La théorie des orbitales moléculaires permet donc de prédire adéquatement le paramagnétisme de l'oxygène moléculaire, ce que ne permet pas de faire la théorie des électrons localisés ; selon cette dernière, en effet, l'oxygène est une molécule diamagnétique.

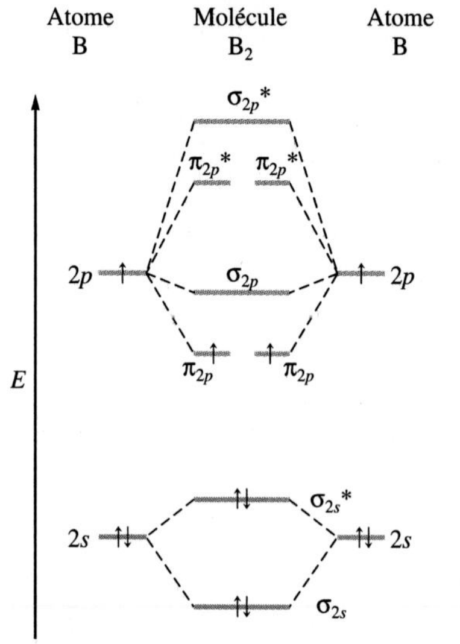

Atome B | Molécule B_2 | Atome B

FIGURE 7.38
Diagramme *exact* des niveaux d'énergie des orbitales moléculaires de B_2. Grâce à la combinaison *p-s*, les énergies des orbitales σ_{2p} et π_{2p} sont interverties : les deux électrons des orbitales atomiques 2*p*, qui occupent alors des orbitales moléculaires π_{2p} distinctes, dégénérées, possèdent des spins parallèles. Par conséquent, ce diagramme rend compte du paramagnétisme de la molécule B_2.

Exemple 7.6 Théorie des orbitales moléculaires I

Quelle est la configuration électronique et l'ordre de liaison de chacune des espèces suivantes : O_2, O_2^+ et O_2^- ? Laquelle possède la liaison la plus forte ?

Solution

La molécule O_2 possède 12 électrons de valence (6 + 6), O_2^+ en possède 11 (6 + 6 − 1) et O_2^-, 13 (6 + 6 + 1). Supposons que le diagramme des orbitales moléculaires soit le même pour les ions que pour la molécule diatomique non chargée.

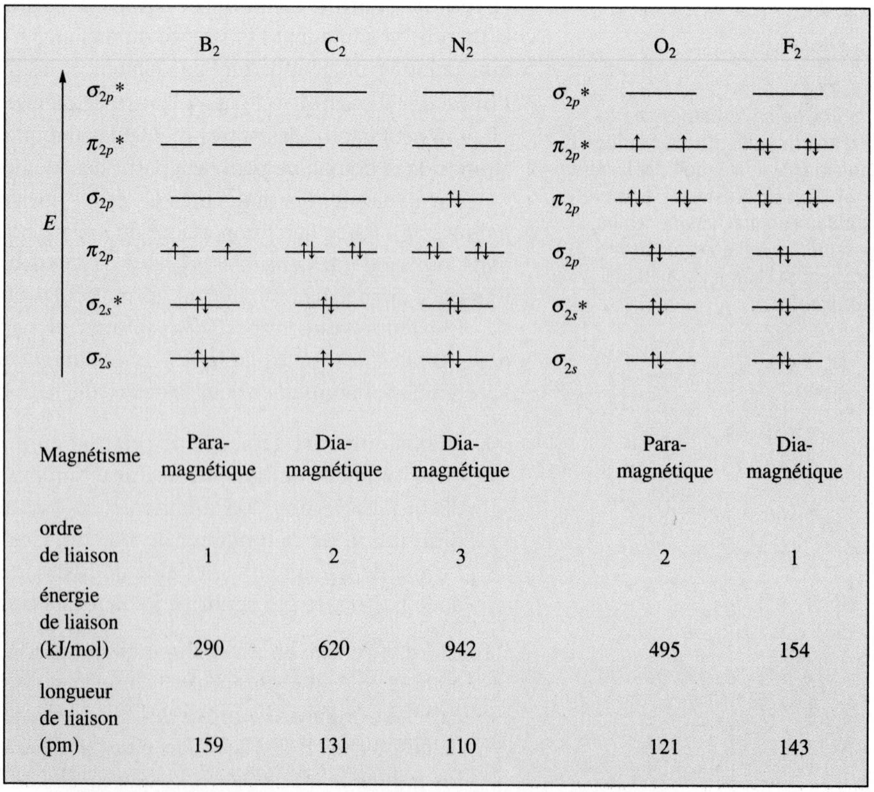

	B_2	C_2	N_2	O_2	F_2
Magnétisme	Paramagnétique	Diamagnétique	Diamagnétique	Paramagnétique	Diamagnétique
ordre de liaison	1	2	3	2	1
énergie de liaison (kJ/mol)	290	620	942	495	154
longueur de liaison (pm)	159	131	110	121	143

FIGURE 7.39
Diagrammes des niveaux d'énergie des orbitales moléculaires, ordres de liaison et longueurs de liaison des molécules diatomiques B_2, C_2, N_2, O_2 et F_2. On constate expérimentalement que, dans O_2 et F_2, le niveau d'énergie de l'orbitale σ_{2p} est inférieur à celui des orbitales π_{2p}.

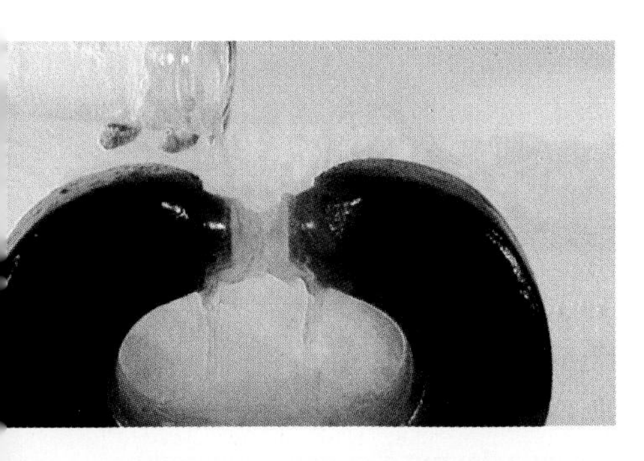

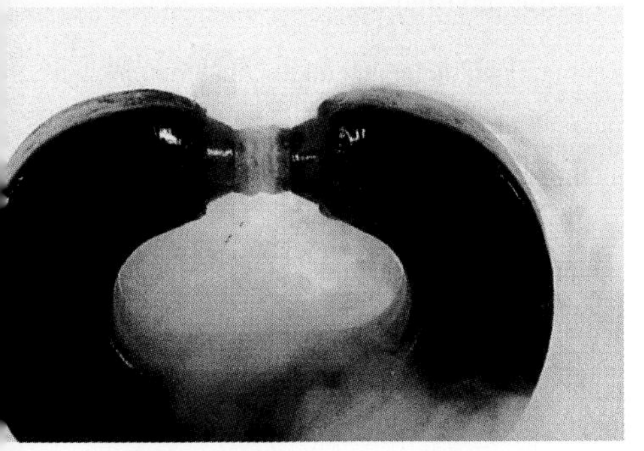

FIGURE 7.40
Lorsqu'on verse de l'oxygène liquide entre les pôles d'un aimant puissant, l'oxygène y demeure jusqu'à l'évaporation. L'attraction de l'oxygène liquide pour le champ magnétique reflète bien le paramagnétisme de la molécule O_2.

	O_2	O_2^+	O_2^-
$\sigma_{2p}{}^*$	—	—	—
$\pi_{2p}{}^*$	↑ ↑	↑ —	↑↓ ↑
π_{2p}	↑↓ ↑↓	↑↓ ↑↓	↑↓ ↑↓
σ_{2p}	↑↓	↑↓	↑↓
$\sigma_{2s}{}^*$	↑↓	↑↓	↑↓
σ_{2s}	↑↓	↑↓	↑↓

À partir de ce diagramme, on peut déterminer les configurations électroniques suivantes :

$$O_2: \quad (\sigma_{2s})^2(\sigma_{2s}{}^*)^2(\sigma_{2p})^2(\pi_{2p})^4(\pi_{2p}{}^*)^2$$
$$O_2{}^+: \quad (\sigma_{2s})^2(\sigma_{2s}{}^*)^2(\sigma_{2p})^2(\pi_{2p})^4(\pi_{2p}{}^*)^1$$
$$O_2{}^-: \quad (\sigma_{2s})^2(\sigma_{2s}{}^*)^2(\sigma_{2p})^2(\pi_{2p})^4(\pi_{2p}{}^*)^3$$

Les ordres de liaison sont alors

$$\text{pour } O_2: \quad \frac{8-4}{2} = 2$$

$$\text{pour } O_2{}^+: \quad \frac{8-3}{2} = 2{,}5$$

$$\text{pour } O_2{}^-: \quad \frac{8-5}{2} = 1{,}5$$

Par conséquent, on peut s'attendre à ce que $O_2{}^+$ possède la liaison la plus forte.

Voir les exercices 7.33 et 7.34

Exemple 7.7

Théorie des orbitales moléculaires II

À l'aide de la théorie des orbitales moléculaires, prédisez l'ordre de liaison et le magnétisme des molécules suivantes :

a) Ne_2
b) P_2

Solution

a) Les orbitales de valence de Ne sont des orbitales 2*s* et 2*p*. On peut donc utiliser les mêmes orbitales moléculaires que celles qu'on a utilisées dans le cas de molécules diatomiques constituées d'éléments de la deuxième période. La molécule Ne_2 possède 16 électrons de valence (8 par atome). En plaçant ces électrons dans les orbitales moléculaires appropriées, on obtient le diagramme suivant :

E ↑	
$\sigma_{2p}{}^*$	↑↓
$\pi_{2p}{}^*$	↑↓ ↑↓
π_{2p}	↑↓ ↑↓
σ_{2p}	↑↓
$\sigma_{2s}{}^*$	↑↓
σ_{2s}	↑↓

L'ordre de liaison est : $(8 - 8)/2 = 0$. Ne_2 ne peut donc pas exister.

b) La molécule P_2 contient du phosphore, élément de la troisième période. Supposons qu'on puisse traiter les molécules diatomiques constituées d'éléments de la troisième période de la même manière que celles constituées d'éléments de la deuxième période, à une différence près, toutefois : les orbitales moléculaires résultent de la transformation des orbitales atomiques 3*s* et 3*p*. La molécule P_2 possède 10 électrons de valence (5 par atome) ; on obtient donc le diagramme d'orbitales suivant :

E		
	$\sigma_{3p}{}^*$	—
	$\pi_{3p}{}^*$	— —
	σ_{3p}	↑↓
	π_{3p}	↑↓ ↑↓
	$\sigma_{3s}{}^*$	↑↓
	σ_{3s}	↑↓

L'ordre de liaison de la molécule P_2 est de 3. Cette molécule devrait être diamagnétique.

Voir les exercices 7.33 et 7.34

7.4 Liaisons dans les molécules diatomiques hétéronucléaires

Dans cette section, nous étudions certaines **molécules diatomiques hétéronucléaires** (composées d'atomes différents). Les molécules formées d'atomes voisins dans le tableau périodique constituent un cas particulier. À cause de la similitude des atomes qui composent ces molécules, on peut utiliser, pour décrire ces dernières, le diagramme des orbitales moléculaires qu'on utilise pour décrire les molécules homonucléaires. On peut ainsi prédire l'ordre de liaison et le magnétisme de l'oxyde nitrique, NO, en plaçant les 11 électrons de valence (5 provenant de l'azote et 6, de l'oxygène) dans un tel diagramme *(voir la figure 7.41)*. On constate alors que l'ordre de liaison de la molécule, laquelle doit être paramagnétique, est de

$$\frac{8-3}{2} = 2,5$$

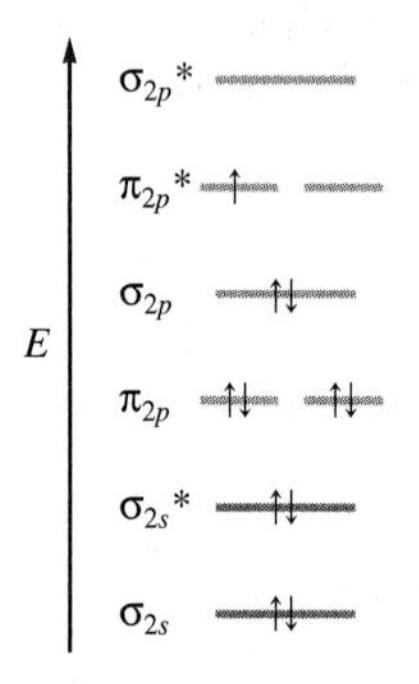

FIGURE 7.41
Diagramme des niveaux d'énergie des orbitales moléculaires de la molécule NO. On suppose que l'ordre de remplissage des orbitales est le même que pour N_2. L'ordre de liaison est de 2,5.

Les résultats expérimentaux confirment d'ailleurs que NO est paramagnétique. On constate en outre que la théorie des OM permet de décrire sans problème cette molécule à nombre impair d'électrons, ce que la théorie des électrons localisés, dans la version simplifiée utilisée dans ce livre, ne permet pas de faire.

Exemple 7.8 Théorie des orbitales moléculaires III

À l'aide de la théorie des orbitales moléculaires, prédisez le magnétisme et l'ordre de liaison des ions NO^+ et CN^-.

Solution

L'ion NO^+ possède 10 électrons de valence (5 + 6 − 1), comme l'ion CN^- (4 + 5 + 1). Ces deux ions sont donc diamagnétiques, et leur ordre de liaison est de :

$$\frac{8-2}{2} = 3$$

Le diagramme des orbitales moléculaires est le même pour ces deux ions *(voir la figure 7.4)*.

Voir les exercices 7.36 et 7.37

Lorsqu'on étudie une molécule diatomique dont les atomes constituants sont très différents, on ne peut plus utiliser le diagramme des niveaux d'énergie relatif aux molécules homonucléaires ; dans ce cas, à chaque molécule correspond un nouveau diagramme. Considérons par exemple la molécule de fluorure d'hydrogène, HF. La

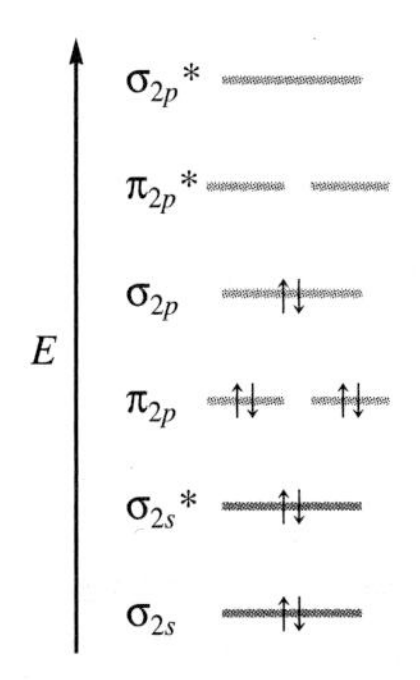

FIGURE 7.42
Diagramme des niveaux d'énergie des orbitales moléculaires valable pour les ions NO^+ et CN^-.

configuration électronique de l'hydrogène est $1s^1$ et celle du fluor, $1s^22s^22p^5$. Pour ne pas compliquer inutilement la situation, supposons qu'une seule des orbitales 2*p* du fluor participe à la liaison avec l'hydrogène : les orbitales moléculaires de HF résultent alors de la combinaison de l'orbitale 1*s* de l'hydrogène et d'une orbitale 2*p* du fluor. La figure 7.43 présente un diagramme partiel des niveaux d'énergie des orbitales moléculaires de HF, dans lequel figurent uniquement les orbitales qui participent à la liaison. On suppose dans ce cas que les autres électrons de valence du fluor demeurent dans l'atome de fluor. L'énergie de l'orbitale 2*p* du fluor est inférieure à celle de l'orbitale 1*s* de l'hydrogène, étant donné que le noyau de l'atome de fluor attire ses électrons de valence plus fortement que ne le fait le noyau de l'atome d'hydrogène envers son unique électron. Par conséquent, le niveau d'énergie de l'électron 2*p* d'un atome de fluor est inférieur à celui de l'électron 1*s* d'un atome d'hydrogène. Le diagramme permet ainsi de prédire que HF sera stable, étant donné que les niveaux d'énergie des deux électrons sont plus faibles dans la molécule que dans les atomes de fluor et d'hydrogène pris séparément. C'est d'ailleurs cette diminution de l'énergie qui explique la formation de la liaison.

Le niveau d'énergie de l'orbitale 2*p* du fluor étant inférieur à celui de l'orbitale 1*s* de l'hydrogène, les électrons sont plus voisins de l'atome de fluor que de celui d'hydrogène. En d'autres termes, la probabilité de présence du doublet liant dans l'orbitale moléculaire σ est plus forte à proximité du fluor (*voir la figure 7.44*). Ainsi, puisque le doublet d'électrons n'est pas partagé également entre les deux atomes, il y a création d'une légère charge négative pour l'atome de fluor et, par conséquent, d'une légère charge positive pour l'atome d'hydrogène. C'est cette polarité de liaison qu'on observe *exactement* dans la molécule HF. La théorie des orbitales moléculaires permet donc d'expliquer clairement la différence d'électronégativité entre l'hydrogène et le fluor, ainsi que la distribution inégale des charges qui en résulte.

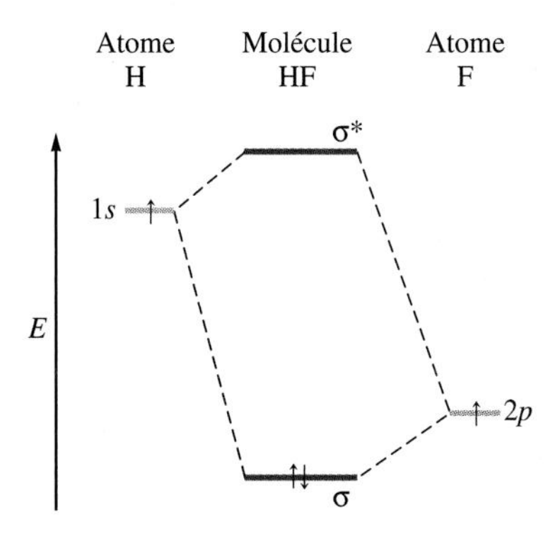

FIGURE 7.43
Diagramme partiel des niveaux d'énergie des orbitales moléculaires de HF.

7.5 Combinaison de la théorie des électrons localisés et de la théorie des orbitales moléculaires

L'un des principaux problèmes imputables à la théorie des électrons localisés découle de l'hypothèse même de la localisation des électrons. Ce problème se pose de façon aiguë pour certaines des molécules qu'on peut décrire à l'aide de plusieurs diagrammes de Lewis. On le sait, on a introduit la notion de résonance parce qu'aucun de ces diagrammes pris séparément ne permet de décrire fidèlement la structure électronique de ces molécules. Malgré tout, même si on inclut la résonance, la théorie des électrons localisés ne peut toujours pas décrire adéquatement des molécules et des ions comme O_3 ou NO_3^-.

En ce qui concerne la liaison, la théorie idéale serait en fait celle qui permettrait d'allier la simplicité de la théorie des électrons localisés à la notion de délocalisation caractéristique de la théorie des orbitales moléculaires. Or, on peut y arriver en combinant ces deux théories et utiliser cette combinaison pour décrire les molécules qui exigent le recours à la notion de résonance. On remarque que pour des espèces comme O_3 et NO_3^-, la liaison double change de position dans les structures de résonance (*voir la figure 7.45*). Étant donné qu'une liaison double comporte une liaison σ et une liaison π, et qu'il existe une liaison σ entre tous les atomes de chaque structure, c'est la liaison π qui occupe différentes positions.

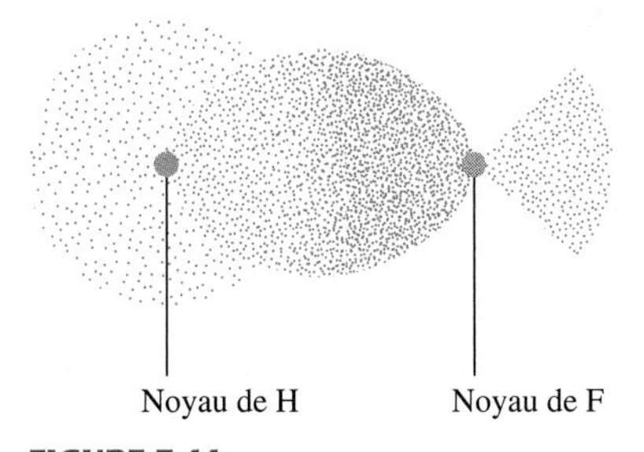

FIGURE 7.44
Distribution de la probabilité de présence des électrons dans la molécule HF. La densité électronique est beaucoup plus forte à proximité de l'atome de fluor.

On peut donc dire que, dans une molécule, les liaisons σ sont localisées et la liaison π, délocalisée. Par conséquent, quand on veut décrire les liaisons présentes dans les molécules qui possèdent des structures de résonance, on a recours à la théorie des électrons

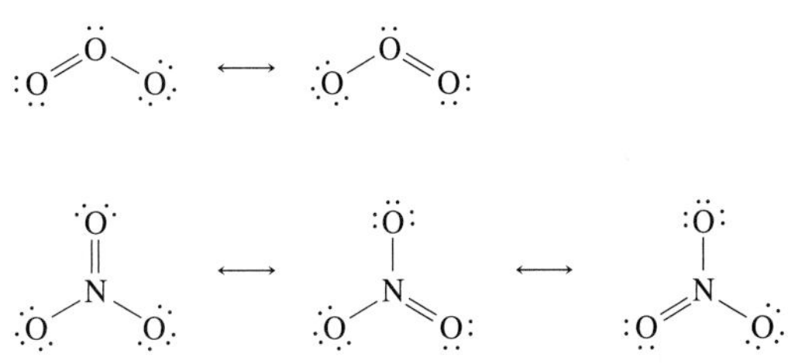

FIGURE 7.45
Structures de résonance de O_3 et de NO_3^-. C'est la liaison π qui occupe différentes positions dans les structures de résonance.

IMPACT

Qu'est-ce qui donne la saveur piquante aux piments?

Une des meilleures choses du Nouveau-Mexique, c'est sa cuisine. La cuisine traditionnelle du Nouveau-Mexique est riche en chilis verts et rouges – souvent appelés piments de Cayenne. Les chilis, originaires semble-t-il d'Amérique du Sud, ont été disséminés au nord par les oiseaux. Lorsque Christophe Colomb est arrivé en Amérique du Nord, qu'il croyait au début être les Indes, il remarqua que les autochtones ajoutaient des chilis pour épicer leurs aliments. Même si c'est par erreur que Colomb les appela des piments lorsqu'il en ramena en Europe, ce nom leur est resté.

La molécule responsable de la saveur piquante du piment s'appelle la capsaïcine ; sa structure est la suivante :

En 1846, L. T. Tresh a isolé la capsaïcine pure. Depuis ce temps, des capsaïcines substituées ont aussi été découvertes dans les chilis. C'est la capsaïcine et la dihydrocapsaïcine qui confèrent en majeure partie sa saveur piquante au chili.

L'homme le mieux connu pour avoir expliqué la sensation de brûlure des piments est Wilbur Scoville : il a élaboré l'unité Scoville permettant de quantifier la force des piments. Il a établi de façon arbitraire le « brûlant » de la capsaïcine pure à 16 millions. Sur cette échelle, un piment vert ou rouge typique a un indice d'environ 2500 unités Scoville. Il vous est peut-être arrivé de goûter au piment Habanero qui vous a poussé à chercher un extincteur capable de contrer le feu à l'intérieur de votre bouche – le Habanero a un indice Scoville d'environ 500 000 !

En dehors de la cuisine, de nombreux usages ont été trouvés à la capsaïcine. On l'utilise dans les aérosols de gaz poivré et les répulsifs pulvérisés contre de nombreux parasites des jardins, bien que les oiseaux ne soient pas sensibles à la capsaïcine. Elle stimule également le système circulatoire de l'organisme et provoque la libération d'endorphines par les récepteurs de la douleur, un effet semblable à celui que produit un exercice intense. Plutôt que de faire du jogging, vous voudrez peut-être vous asseoir dans un fauteuil et manger des piments. D'une façon ou d'une autre, vous allez suer.

Dans les molécules qui possèdent des structures de résonance, c'est au niveau de la liaison π que la délocalisation des électrons est la plus manifeste.

localisés dans le cas des liaisons σ et à celle des orbitales moléculaires dans le cas des liaisons π. Ainsi, sans compliquer outre mesure la théorie, on peut décrire de telles molécules de façon beaucoup plus exacte.

Pour illustrer cette façon de procéder, considérons les liaisons présentes dans la molécule de benzène – un important composé qu'on utilise dans l'industrie chimique, et qu'il faut manipuler avec soin, car il est cancérigène. La molécule de benzène, C_6H_6, est constituée d'un noyau d'atomes de carbone, de forme hexagonale, dans lequel chaque atome de carbone est lié à un atome d'hydrogène (*voir la figure 7.46a*). On sait que les six liaisons C—C sont équivalentes. Or, pour expliquer cette équivalence à l'aide de la théorie des électrons localisés, il faut introduire la notion de résonance (*voir la figure 7.46b*).

Par conséquent on peut mieux décrire les liaisons en présence dans la molécule de benzène en utilisant la théorie qui résulte de la combinaison des deux théories. Les liaisons σ des atomes de carbone font alors intervenir les orbitales sp^2 (*voir la figure 7.47*). Toutes ces liaisons σ sont d'ailleurs situées dans le plan de la molécule.

a) b)

FIGURE 7.46
a) La molécule de benzène est constituée d'un anneau de six atomes de carbone liés chacun à un atome d'hydrogène. Tous ces atomes sont coplanaires. Toutes les liaisons C—C sont équivalentes. **b)** Les deux structures de résonance de la molécule de benzène. Avec la théorie des électrons localisés, on doit faire appel à la notion de résonance pour expliquer la présence de six liaisons C—C équivalentes.

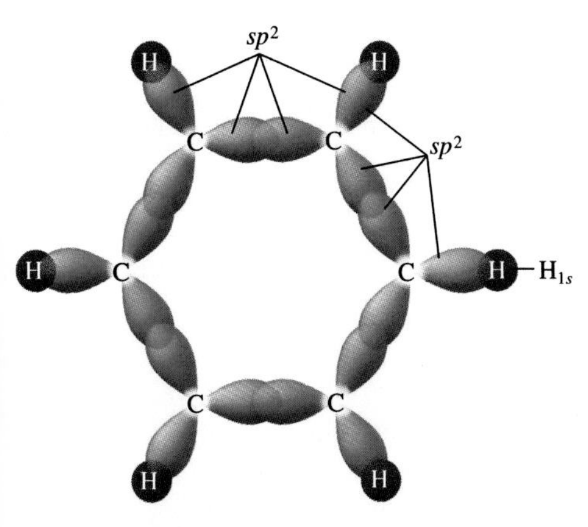

FIGURE 7.47
Les liaisons σ dans la molécule de benzène.

Chaque atome de carbone étant hybridé sp^2, il reste à chacun une orbitale p perpendiculaire au plan du noyau ; ces six orbitales p contribuent à la formation des orbitales moléculaires π (*voir la figure 7.48a*). Les électrons qui occupent ces orbitales moléculaires π sont délocalisés au-dessus et au-dessous du plan du noyau (*voir la figure 7.48b*). Il en résulte six liaisons C—C équivalentes, ce qui est conforme à la structure connue de la molécule de benzène. D'ailleurs, on représente souvent la molécule de benzène de la façon suivante :

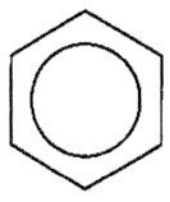

pour indiquer qu'il y a **délocalisation des liaisons π**.

On peut procéder de la même manière pour décrire d'autres molécules planes dont la description à l'aide de la théorie des électrons localisés exige le recours aux structures de résonance. Par exemple, on peut décrire l'ion NO_3^- à l'aide d'orbitales moléculaires π (*voir la figure 7.49*). Dans cette molécule, on suppose que chaque atome est hybridé sp^2, ce qui laisse à chacun une orbitale p perpendiculaire au plan de l'ion – orbitales p qui se recouvrent et forment les orbitales moléculaires π.

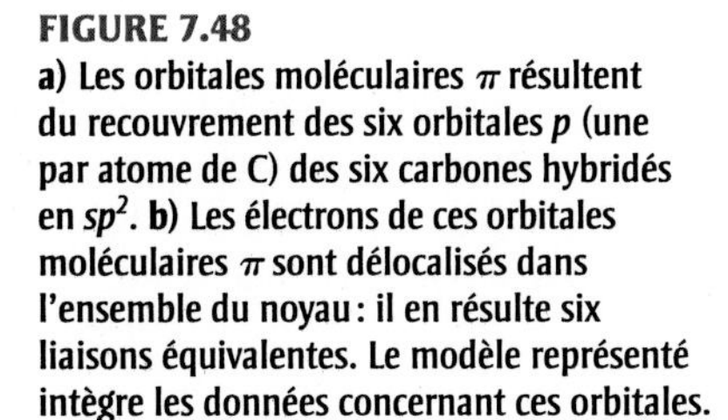

FIGURE 7.48
a) Les orbitales moléculaires π résultent du recouvrement des six orbitales p (une par atome de C) des six carbones hybridés en sp^2. **b)** Les électrons de ces orbitales moléculaires π sont délocalisés dans l'ensemble du noyau : il en résulte six liaisons équivalentes. Le modèle représenté intègre les données concernant ces orbitales.

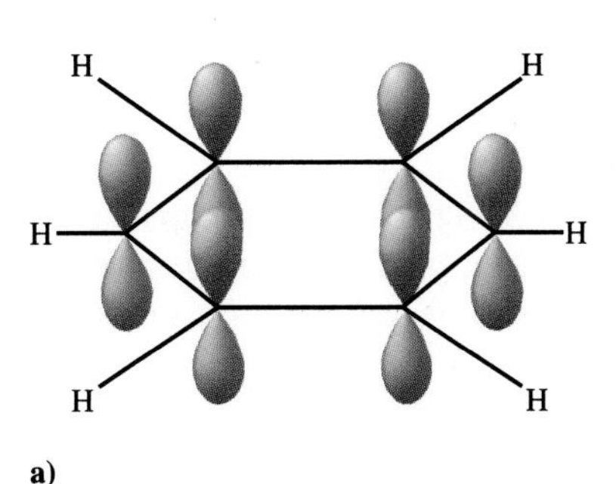

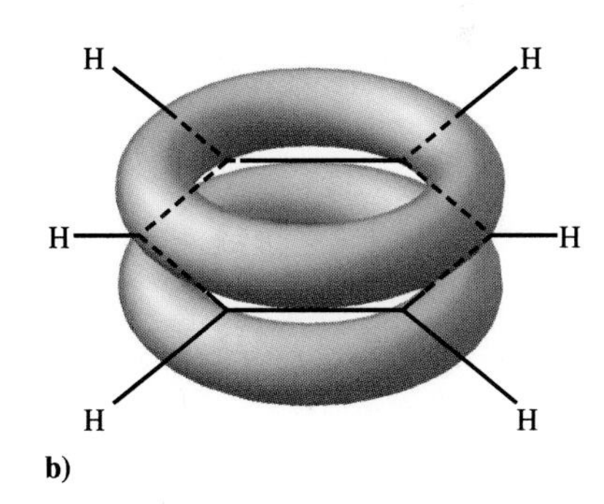

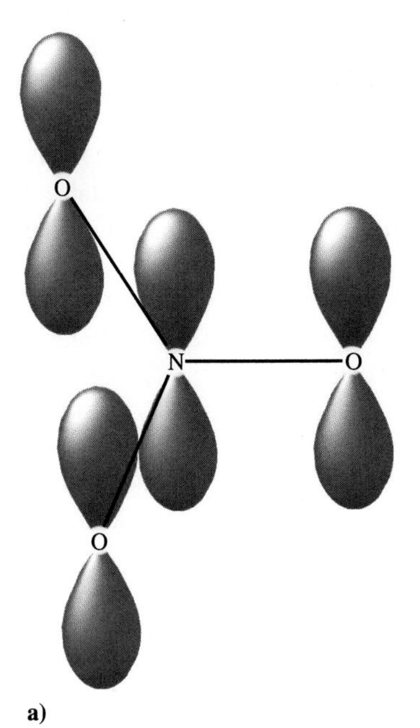

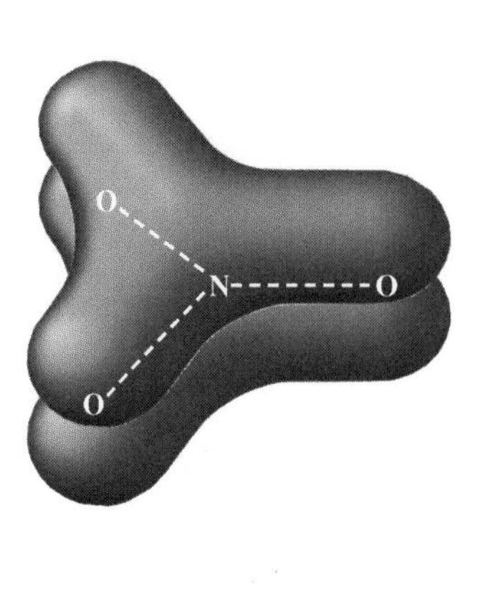

FIGURE 7.49
a) Orbitales p participant aux liaisons π dans l'ion NO_3^-. **b)** Représentation de la délocalisation des liaisons π de part et d'autre du plan de l'ion NO_3^-.

Mots clés

Section 7.1
hybridation
hybridation sp^3
orbitales hybrides
hybridation sp^2
liaison sigma (σ)
liaison pi (π)
hybridation sp
hybridation sp^3d
hybridation sp^3d^2

Section 7.2
théorie des orbitales moléculaires
orbitale moléculaire
orbitale moléculaire sigma (σ)
orbitale moléculaire liante
orbitale moléculaire antiliante
ordre de liaison

Section 7.3
orbitale moléculaire pi (π)
paramagnétisme
diamagnétisme

Section 7.4
molécules diatomiques hétéronucléaires

Section 7.5
délocalisation des liaisons π

Synthèse

Deux théories de la liaison le plus souvent utilisées

- Théorie des électrons localisés
- Théorie des orbitales moléculaires

Théorie des électrons localisés

- La molécule est constituée d'un groupe d'atomes qui partagent des doublets d'électrons dans des orbitales atomiques.
- Les orbitales hybrides, qui sont une combinaison des orbitales atomiques initiales, sont souvent nécessaires pour rendre compte de la structure moléculaire.
  - Quatre doublets d'électrons (structure tétraédrique) exigent des orbitales hybrides sp^3.
  - Trois doublets d'électrons (structure plane triangulaire) exigent des orbitales hybrides sp^2.
  - Deux doublets d'électrons (structure linéaire) exigent des orbitales sp.

Deux types de liaisons

- Sigma : le doublet d'électrons partagé est situé dans l'axe qui relie les deux atomes.
- pi : le doublet d'électrons partagé est situé au-dessus et au-dessous de l'axe qui relie les atomes.

Théorie des orbitales moléculaires

- Une molécule est une nouvelle entité constituée de noyaux de charge positive et d'électrons.
- Les électrons dans la molécule occupent les orbitales moléculaires qui, dans la forme la plus simple de la théorie, sont construites à partir des orbitales atomiques des atomes constituants.
- La théorie permet de prédire adéquatement la force relative d'une liaison, ainsi que le magnétisme et la polarité des liaisons.
- La théorie permet également de bien décrire la délocalisation des électrons dans les molécules polyatomiques.
- Elle présente cependant un inconvénient majeur : son application à l'étude qualitative des molécules polyatomiques n'est pas facile.

Selon le critère (énergie ou forme), on distingue deux types d'orbitales moléculaires

- Énergie
  - Une OM liante est une orbitale dont le niveau d'énergie est inférieur à la somme de ceux des orbitales atomiques initiales. Dans ce type d'OM, le niveau d'énergie des électrons dans la molécule est inférieur à celui dans les atomes séparés, ce qui favorise la formation d'une molécule.
  - Une OM antiliante est une orbitale dont le niveau d'énergie est supérieur à la somme de ceux des orbitales atomiques initiales. Dans ce type d'OM, le niveau d'énergie des électrons dans la molécule est supérieur à celui dans les atomes séparés, ce qui ne favorise pas la formation d'une molécule.
- Forme (symétrie)
  - La probabilité de présence des électrons des orbitales moléculaires sigma (σ) est située dans l'axe qui relie les deux noyaux.
  - La probabilité de présence des électrons des orbitales moléculaires pi (π) est répartie au-dessus et au-dessous de l'axe qui relie les deux noyaux.

L'ordre de liaison est un indice de la force d'une liaison

$$\text{Ordre de liaison} = \frac{\text{nombre d'électrons liants} - \text{nombre d'électrons antillants}}{2}$$

Pour décrire avec davantage de précision les molécules qui nécessitent l'introduction de la notion de résonance dans la théorie des électrons localisés,

on fait appel à la combinaison de la théorie des électrons localisés et de la théorie des orbitales moléculaires.

- Les liaisons σ sont des liaisons localisées.
- Les liaisons π sont des liaisons délocalisées.

QUESTIONS DE RÉVISION

1. Pourquoi doit-on hybrider les orbitales atomiques pour expliquer la liaison dans les composés covalents ? Quels types de liaisons se forment à partir des orbitales hybrides, sigma ou pi ? Expliquez.
2. Quelle hybridation est requise pour un atome central qui a une disposition tétraédrique de ses doublets d'électrons ? une disposition plane triangulaire de ses doublets d'électrons ? une disposition linéaire de ses doublets d'électrons ? Combien d'orbitales atomiques *p* non hybridées sont présentes quand un atome central possède une structure tétraédrique ? une structure plane triangulaire ? une structure linéaire ? À quoi servent les orbitales atomiques *p* non hybridées ?
3. À l'aide de la théorie des électrons localisés, décrivez les liaisons en présence dans les molécules H_2S, CH_4, H_2CO et HCN.
4. Quelle hybridation est requise pour un atome central qui possède une structure bipyramidale à base triangulaire ? une structure octaédrique ? À l'aide de la théorie des électrons localisés, décrivez les liaisons en présence dans les molécules PF_5, SF_4, SF_6 et IF_5.
5. Les électrons des orbitales moléculaires liantes σ se trouvent le plus souvent dans la région située entre deux atomes liés. Pourquoi une telle disposition favorise-t-elle la liaison ? Dans une orbitale antiliante σ, où serait-on susceptible de trouver, par rapport aux noyaux, les électrons participant à une liaison ?
6. Montrez comment des orbitales 2*s* se combinent pour former des orbitales moléculaires σ liantes et σ antiliantes. Montrez comment des orbitales 2*p* se recouvrent pour former des orbitales moléculaires σ liantes, π liantes, π antiliantes et σ antiliantes.
7. Quelle relation y a-t-il entre l'ordre de liaison, l'énergie de liaison et la longueur de liaison ? Laquelle de ces grandeurs peut être mesurée ? Distinguez entre les termes *paramagnétique* et *diamagnétique*. Quel type d'expérience permet de déterminer si une substance est paramagnétique ?
8. Comment la théorie des orbitales moléculaires explique-t-elle les observations suivantes ?
   a) H_2 est stable, mais He_2 est instable.
   b) B_2 et O_2 sont paramagnétiques, mais C_2, N_2 et F_2 sont diamagnétiques.
   c) Une très grande énergie de liaison est associée à N_2.
   d) NO^+ est plus stable que NO^-.
9. Considérons la molécule diatomique hétéronucléaire HF. Expliquez en détail comment la théorie des orbitales moléculaires s'applique pour décrire la liaison dans HF.
10. Qu'est-ce qu'une liaison π délocalisée et qu'est-ce qu'elle explique ? Expliquez les liaisons π délocalisées dans C_6H_6 (benzène) et O_3 (ozone).

Questions et exercices

Questions à discuter en classe

Ces questions sont conçues pour être abordées en petits groupes. Par des discussions et des enseignements mutuels, elles permettent d'exprimer la compréhension des concepts.

1. Qu'est-ce qu'une orbitale moléculaire ? En quoi diffère-t-elle d'une orbitale atomique ? Pouvez-vous prédire, par la forme d'une orbitale liante et d'une orbitale antiliante, laquelle a la plus basse énergie ? Expliquez.

2. Quelle différence y a-t-il entre une orbitale moléculaire σ et une orbitale moléculaire π dans une molécule diatomique homonucléaire ? En quoi diffèrent les orbitales liantes et antiliantes ? Pourquoi y a-t-il deux orbitales moléculaires π et une seule orbitale moléculaire σ ? Pourquoi les orbitales moléculaires π sont-elles dégénérées ?

3. Comparez les figures 7.36 et 7.38. Pourquoi sont-elles différentes ? B_2, cela est connu, est une molécule paramagnétique. Ses orbitales moléculaires σ_{2p} et π_{2p} doivent donc être interverties par rapport à la prédiction première. Pourquoi en est-il ainsi ? Pourquoi devrait-on s'attendre à ce que l'orbitale σ_{2p} ait une énergie inférieure à celle de l'orbitale π_{2p} ? Pourquoi ne peut-on pas se référer à l'atome d'oxygène diatomique pour décider laquelle des orbitales, σ_{2p} ou π_{2p}, a l'énergie la plus basse ?

4. Lequel des deux cas suivants serait énergétiquement favorisé ? Expliquez.
a) Une molécule H_2 à laquelle on apporte suffisamment d'énergie pour faire passer un électron d'une orbitale moléculaire liante à une orbitale moléculaire antiliante.
b) Deux atomes H séparés.

5. Écrivez le diagramme de Lewis pour la molécule HCN. Indiquez les orbitales hybrides, illustrez toutes les liaisons entre les atomes et dites s'il s'agit d'une liaison σ ou d'une liaison π.

6. Trouvez l'erreur dans l'énoncé suivant : « La structure de la molécule de méthane, CH_4, est tétraédrique parce que l'atome de carbone est hybridé sp^3. » Formulez l'énoncé qui établit adéquatement la relation exacte qui existe entre la structure de la molécule et le type d'hybridation du méthane.

À toute question ou tout exercice précédés d'un numéro en bleu, la réponse se trouve à la fin de ce livre.

Questions

7. Dans la théorie des orbitales hybrides, comparez les liaisons σ et les liaisons π. Quelles orbitales forment les liaisons σ et lesquelles forment les liaisons π ? Supposez que l'axe internucléaire est l'axe des z.

8. Dans la théorie des orbitales moléculaires, comparez les liaisons σ et les liaisons π. Quelles orbitales forment les liaisons σ et lesquelles forment les liaisons π ? Supposez que l'axe internucléaire est l'axe des z.

9. Pourquoi les orbitales d sont-elles parfois utilisées pour former des orbitales hybrides ? Quels éléments de quelle période n'utilisent pas les orbitales d pour l'hybridation ? Si nécessaire, quelles orbitales d ($3d$, $4d$, $5d$ ou $6d$) le soufre utilise-t-il pour former des orbitales hybrides qui exigent des orbitales atomiques d ? Que répondriez-vous si la même question vous était posée en ce qui concerne l'arsenic, puis l'iode ?

10. Les atomes autour d'une liaison simple peuvent effectuer une rotation autour de l'axe internucléaire, sans que la liaison ne se rompe, alors que les atomes engagés dans une liaison double ou triple ne peuvent pas effectuer une rotation autour de l'axe internucléaire, à moins que la liaison ne soit rompue. Pourquoi ?

11. Comparez les orbitales moléculaires liantes et antiliantes.

12. Quelle modification à la théorie des orbitales moléculaires a été apportée à partir des preuves expérimentales selon lesquelles B_2 est paramagnétique ?

13. Pourquoi la théorie des orbitales moléculaires explique-t-elle mieux la liaison dans NO^- et NO que ne le fait la théorie des orbitales hybrides ?

14. Les trois liaisons NO dans NO_3^- sont toutes de longueur et de force équivalentes. Comment peut-on expliquer ce fait, bien que tout diagramme de Lewis valide pour NO_3^- présente une liaison double et deux liaisons simples avec l'azote ?

Exercices

Dans la présente section, les exercices similaires sont regroupés.

Théorie des électrons localisés et hybridation des orbitales

15. Utilisez la théorie des électrons localisés pour décrire les liaisons dans la molécule H_2O.

16. Utilisez la théorie des électrons localisés pour décrire les liaisons dans la molécule H_2CO (le carbone est l'atome central).

17. Les modèles compacts de l'éthane et de l'éthanol sont illustrés ci-dessous.

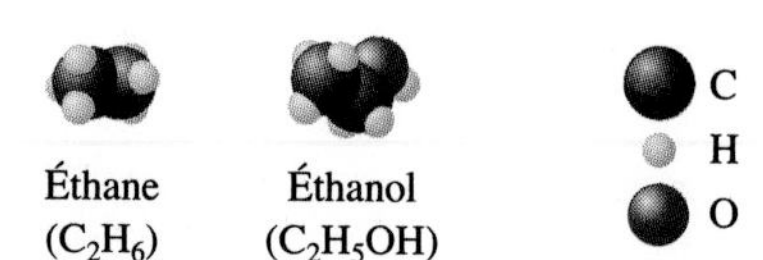

Utilisez la théorie des électrons localisés pour décrire les liaisons dans l'éthane et l'éthanol.

18. Donnez l'état d'hybridation prévu de l'atome central des molécules ou ions dont il a été question à l'exercice 53 du chapitre 6.

19. Donnez l'état d'hybridation prévu de l'atome central des molécules dont il a été question à l'exercice 54 du chapitre 6.

20. Donnez l'état d'hybridation prévu de l'atome central des molécules dont il a été question à l'exercice 66 du chapitre 6.

21. Pour chacune des molécules suivantes, écrivez le diagramme de Lewis, prédisez la structure moléculaire (y compris la valeur des angles de liaisons), repérez les orbitales hybrides de l'atome central et prédisez la polarité globale.

a) CF_4	**f)** TeF_4	**k)** $XeOF_4$
b) NF_3	**g)** AsF_5	**l)** $XeOF_2$
c) OF_2	**h)** KrF_2	**m)** XeO_4
d) BF_3	**i)** KrF_4	
e) BeH_2	**j)** SeF_6	

22. Prédisez le type d'hybridation des orbitales du soufre dans chacune des molécules ci-dessous.

a) SO_2
b) SO_3
c) $S_2O_3^{2-}$ $\left[\text{S—S(O)(O)—O} \right]^{2-}$
d) $S_2O_8^{2-}$ $\left[\text{O—S(O)(O)—O—O—S(O)(O)—O} \right]^{2-}$ 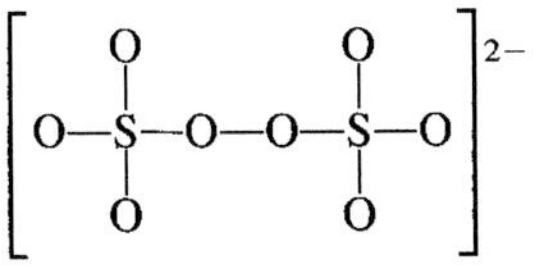
e) SO_3^{2-}
f) SO_4^{2-}
g) SF_2
h) SF_4
i) SF_6
j) $F_3S—SF$

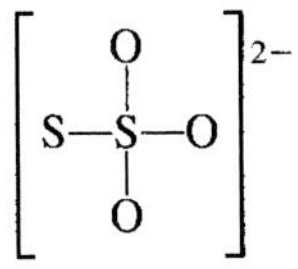

23. Expliquez pourquoi les six atomes de C_2H_4 sont coplanaires.

24. Le diagramme de Lewis de la molécule d'allène est le suivant :

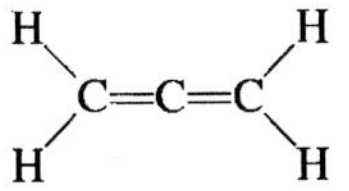

$H_2C{=}C{=}CH_2$

Les quatre atomes d'hydrogène sont-ils tous situés dans le même plan ? Sinon, comment sont-ils disposés les uns par rapport aux autres ? Justifiez votre réponse.

25. On ajoute du biacétyle et de l'acétoïne à la margarine pour que le goût de celle-ci s'apparente à celui du beurre.

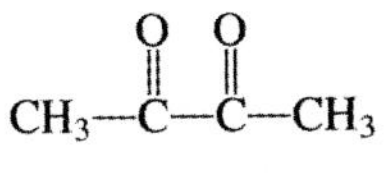

$CH_3—C(=O)—C(=O)—CH_3$ Biacétyle

$CH_3—CH(OH)—C(=O)—CH_3$ Acétoïne

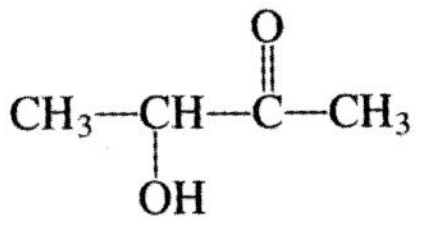

Écrivez les diagrammes de Lewis de ces composés et prédisez la valeur de tous les angles C—C—O. Prédisez le type d'hybridation des atomes de carbone dans ces deux composés. Dans la molécule de biacétyle, les quatre atomes de carbone et les deux atomes d'oxygène sont-ils coplanaires ? Combien y a-t-il de liaisons σ et de liaisons π dans la molécule de biacétyle et celle de l'acétoïne ?

26. Dans l'industrie chimique, on utilise un grand nombre de composés importants dérivés de l'éthylène, C_2H_4, notamment le méthylméthacrylate et l'acrylonitrile.

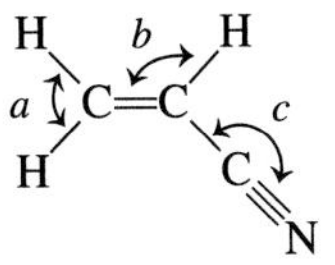

Acrylonitrile : $H_2C{=}CH—C{\equiv}N$ (angles *a*, *b*, *c*)

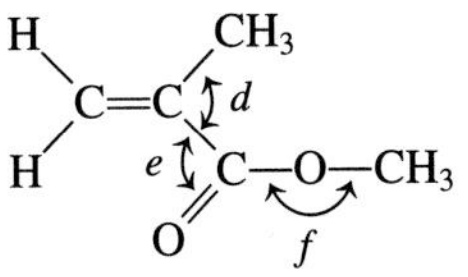

Méthylméthacrylate : $H_2C{=}C(CH_3)—C(=O)—O—CH_3$ (angles *d*, *e*, *f*)

Écrivez les diagrammes de Lewis de ces composés en indiquant tous les doublets libres. Déterminez la valeur approximative des angles *a*, *b*, *c*, *d*, *e* et *f*. Quel est le type d'hybridation de chacun des atomes de carbone ? Dans l'acrylonitrile, combien y a-t-il d'atomes coplanaires ? Combien y a-t-il de liaisons σ et de liaisons π dans le méthylméthacrylate et dans l'acrylonitrile ?

27. Un des premiers médicaments à avoir été approuvé pour le traitement du syndrome de l'immunodéficience acquise (sida) est l'azidothymidine (AZT). Complétez le diagramme de Lewis de l'AZT.

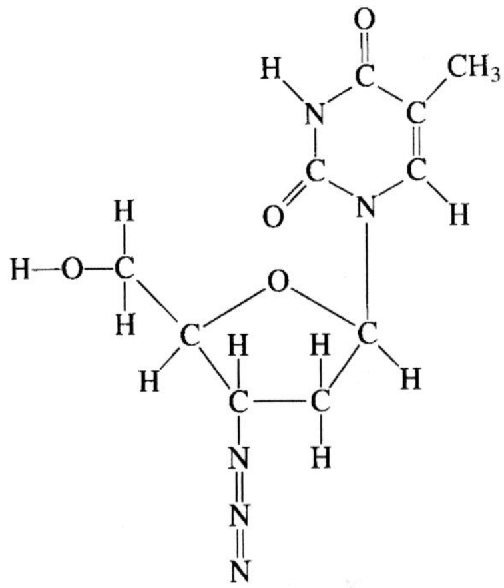

a) Combien d'atomes de carbone sont hybridés sp^3 ?
b) Combien d'atomes de carbone sont hybridés sp^2 ?
c) Quel atome est hybridé *sp* ?
d) Combien y a-t-il de liaisons σ dans cette molécule ?
e) Combien y a-t-il de liaisons π dans cette molécule ?
f) Quelle est la valeur de l'angle N—N—N dans le groupe azido ($—N_3$) ?
g) Quelle est la valeur de l'angle H—O—C dans la chaîne latérale attachée au cycle de cinq atomes ?
h) Quel est l'état d'hybridation de l'atome d'oxygène dans le groupe $—CH_2OH$?

28. Les aliments épicés contiennent des molécules qui stimulent les terminaisons nerveuses sensibles à la douleur (nociceptives). Deux de ces molécules sont la pipérine et la capsaïcine.

La pipérine est l'élément actif du poivre blanc et du poivre noir ; la capsaïcine, celui du poivre de Cayenne. Les cycles présents dans la pipérine et dans la capsaïcine sont présentés sous forme abrégée. Chaque point de rencontre de deux lignes représente un atome de carbone.

a) Complétez le diagramme de Lewis de la pipérine et de la capsaïcine, et indiquez tous les doublets d'électrons libres.

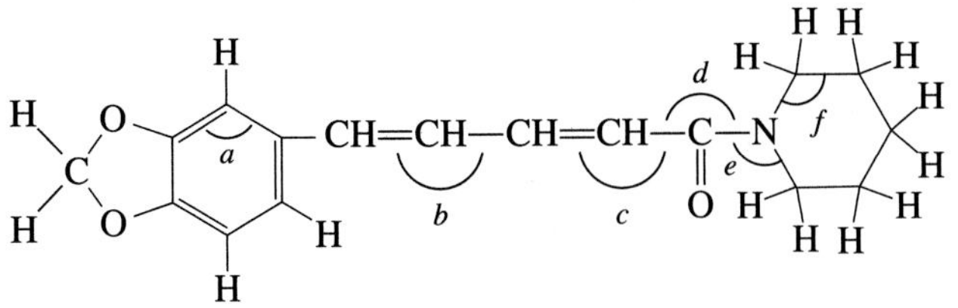

Pipérine

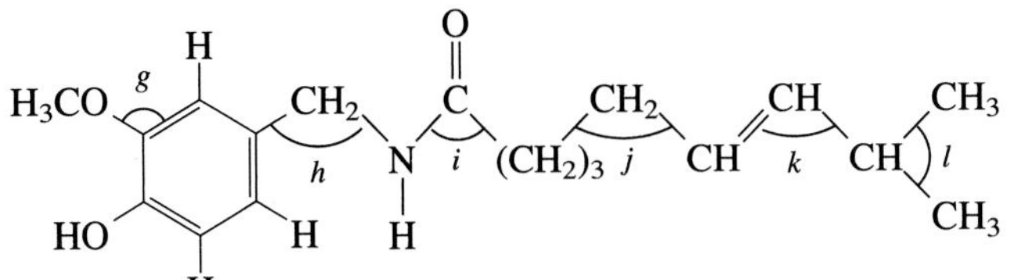

Capsaïcine

b) Précisez le nombre d'atomes de carbone qui sont hybridés *sp*, en sp^2 et sp^3 dans chaque molécule.
c) Indiquez quelles sont les orbitales hybrides utilisées par les atomes d'azote dans chaque molécule.
d) Donnez les valeurs approximatives des angles de liaison marqués *a* à *l* dans les structures ci-dessus.

Théorie des orbitales moléculaires

29. Parmi les espèces suivantes, repérez celles qui, selon la théorie des orbitales moléculaires, peuvent exister.
a) H_2^+, H_2, H_2^-, H_2^{2-}
b) He_2^{2+}, He_2^+, He_2

30. Parmi les espèces suivantes, repérez celles qui, selon la théorie des orbitales moléculaires, peuvent exister.
a) N_2^{2-}, O_2^{2-}, F_2^{2-} b) Be_2, B_2, Li_2

31. À l'aide de la théorie des orbitales moléculaires, pour chacune des espèces diatomiques suivantes, déterminez la configuration électronique, calculez l'ordre de liaison et repérez celles qui sont paramagnétiques.
a) H_2 b) B_2 c) F_2^-

32. Soit la configuration électronique suivante :

$$(\sigma_{3s})^2(\sigma_{3s}^*)^2(\sigma_{3p})^2(\pi_{3p})^4(\pi_{3p}^*)^4$$

Donnez quatre espèces qui peuvent, en théorie, avoir cette configuration électronique.

33. À l'aide de la théorie des orbitales moléculaires, expliquez pourquoi le fait d'enlever un électron dans O_2 renforce les liaisons, alors que celui d'enlever un électron dans N_2 les affaiblit.

34. À l'aide de la théorie des orbitales moléculaires, décrivez les liaisons dans O_2^+, O_2, O_2^- et O_2^{2-}. Dans chaque cas, prédisez l'ordre de liaison et la longueur relative de la liaison. Déterminez le nombre d'électrons non appariés dans chaque espèce.

35. Le diagramme de Lewis ci-dessous, relatif à O_2, respecte la règle de l'octet.

:Ö=Ö:

À l'aide du diagramme des niveaux d'énergie des orbitales moléculaires, montrez que ce diagramme de Lewis correspond à un état excité.

36. À l'aide de la théorie des orbitales moléculaires, pour chacune des espèces diatomiques suivantes, déterminez la configuration électronique, calculez l'ordre de liaison et repérez celles qui sont paramagnétiques.
a) CN^+ b) CN c) CN^-

37. À l'aide de la théorie des orbitales moléculaires, pour chacune des espèces diatomiques suivantes, déterminez la configuration électronique, calculez l'ordre de liaison et repérez celles qui sont paramagnétiques.
a) NO^+ b) NO c) NO^-

38. Dans lesquelles des molécules diatomiques suivantes prévoit-on que la force de liaison diminuera quand un électron sera enlevé pour former l'ion chargé positivement ?
a) H_2 c) C_2^{2-}
b) B_2 d) OF

39. En ce qui concerne la théorie des orbitales moléculaires, quelle espèce dans chacune des deux paires suivantes sera vraisemblablement celle qui gagnera un électron ? Expliquez.
a) CN ou NO b) O_2^{2+} ou N_2^{2+}

40. Montrez comment deux orbitales atomiques 2*p* peuvent former une orbitale moléculaire σ ou π.

41. Montrez comment a lieu le recouvrement des orbitales atomiques 1*s* de H et 2*p* de F nécessaire à la formation des orbitales moléculaires liantes et antiliantes dans la molécule de fluorure d'hydrogène. Précisez s'il s'agit d'orbitales moléculaires σ ou π.

42. Servez-vous des figures 7.43 et 7.44 pour répondre aux questions suivantes.
a) Est-ce que, dans l'orbitale moléculaire liante de HF, la densité électronique est plus près de H que de F ? Expliquez pourquoi.
b) Est-ce que l'orbitale moléculaire liante tient plus du caractère 2*p* du fluor, plus du caractère 1*s* de l'hydrogène, ou tient également des deux ? Pourquoi ?
c) Répondez aux deux mêmes questions, mais cette fois-ci concernant l'orbitale moléculaire non liante dans HF.

43. La molécule diatomique OH existe en phase gazeuse. La longueur de la liaison et l'énergie de liaison ont été évaluées respectivement à 97,06 pm et à 424,7 kJ/mol. Supposez que la molécule OH est analogue à la molécule HF dont il a été question dans le présent chapitre et que les orbitales moléculaires résultent du recouvrement de l'orbitale de faible énergie p_z de l'oxygène avec l'orbitale 1*s* à haute énergie de l'hydrogène (la liaison O—H se trouve dans l'axe des *z*).
a) Laquelle des deux orbitales moléculaires aura le plus le caractère 1*s* de l'hydrogène ?
b) Est-ce que l'orbitale $2p_x$ de l'oxygène peut former des orbitales moléculaires avec l'orbitale 1*s* de l'hydrogène ? Expliquez.
c) Sachant que seules les orbitales 2*p* de l'oxygène interagissent de façon significative avec l'orbitale 1*s* de l'hydrogène, complétez le diagramme d'énergie de l'orbitale moléculaire de OH. Placez le bon nombre d'électrons aux divers niveaux d'énergie.
d) Évaluez l'ordre de liaison dans la molécule OH.
e) Indiquez si l'ordre de liaison de OH^+ sera supérieur, inférieur ou identique à celui de OH. Expliquez.

44. À l'aide de la théorie des électrons localisés, décrivez les liaisons dans la molécule O_3 et l'ion NO_2^-. Comment, à l'aide de la théorie des orbitales moléculaires, peut-on décrire les liaisons π dans ces deux espèces ?

45. À l'aide de la théorie des électrons localisés, décrivez les liaisons dans l'ion CO_3^{2-}. Comment, à l'aide de la théorie des orbitales moléculaires, peut-on décrire les liaisons π dans cette espèce ?

Exercices supplémentaires

46. $FClO_2$ et F_3ClO peuvent tous deux former des anions stables en gagnant un ion fluorure. F_3ClO et F_3ClO_2 peuvent tous deux devenir des cations stables, en perdant un ion fluorure. Écrivez les diagrammes de Lewis de ces ions et trouvez l'hybridation du chlore de ces ions.

47. La vitamine B_6 est un composé organique dont la carence dans l'organisme humain peut causer l'apathie, l'irritabilité et la

sensibilité aux infections. Complétez le diagramme de Lewis ci-dessous, incomplet quant à la vitamine B_6, et répondez aux questions suivantes. *Indice :* La vitamine B_6 est considérée comme une substance organique, c'est-à-dire un composé du carbone. Tous les atomes de la majorité des diagrammes de Lewis relatifs aux composés organiques simples ont une charge formelle de zéro. Par conséquent, ajoutez des doublets libres et des liaisons multiples au diagramme ci-dessous, de façon à donner à chaque atome une charge formelle de zéro.

a) Combien y a-t-il de liaisons σ et de liaisons π dans la vitamine B_6?
b) Donnez les valeurs approximatives des angles de liaisons marqués de *a* à *g* dans la structure.
c) Combien d'atomes de carbone sont hybridés sp^2 ?
d) Combien d'atomes de carbone, d'oxygène et d'azote sont hybridés sp^3 ?
e) Est-ce que la vitamine B_6 possède des liaisons π délocalisées ? Expliquez.

48. L'aspartame est un édulcorant artificiel vendu sous le nom de NutraSweet, dont le diagramme de Lewis partiel est représenté ci-dessous.

Remarquez que l'anneau à six côtés est une notation abrégée du cycle de benzène (C_6H_5), benzène dont nous avons abordé l'étude à la section 7.5. Complétez le diagramme de Lewis relatif à l'aspartame. Combien d'atomes de C et de N présentent de l'hybridation sp^2 ? Combien d'atomes de C et de O présentent de l'hybridation sp^3 ? Combien y a-t-il de liaisons σ et π dans l'aspartame ? L'aspartame est un composé organique et le diagramme de Lewis se conforme aux directives indiquées dans l'exercice 47.

49. À l'aide des énergies de liaison présentées au tableau 6.4, évaluez la difficulté de rotation d'une liaison double C═C. Expliquez comment on peut passer de

à

en ce qui concerne la rupture et la formation de liaisons. Autrement dit, que doit-il arriver à la liaison π?

50. Écrivez les diagrammes de Lewis des molécules ci-dessous. Prédisez la structure moléculaire, la polarité des liaisons, les angles de liaisons, ainsi que les orbitales hybrides utilisées par les atomes identifiés par un astérisque.

a) $COCl_2$

b) N_2F_2

F—N*—N*—F

c) COS

O—C*—S

d) ICl_3

Cl—I*—Cl

51. Complétez les structures de résonance suivantes de $POCl_3$.

(A) (B)

a) Est-ce que la structure moléculaire serait la même pour chaque structure de résonance ?
b) Quel est l'état d'hybridation de P dans chacune de ces structures ?
c) Quelles orbitales utilisent l'atome P pour former une liaison π dans la structure B ?
d) Quelle structure de résonance serait la plus probable selon la théorie des charges formelles ?

52. La molécule N_2O est linéaire et polaire.
a) Sur la base de cette donnée expérimentale, quelle serait sa bonne structure : NNO ou NON ? Expliquez.
b) Selon la réponse à la question **a)**, écrivez le diagramme de Lewis de N_2O (y compris les structures de résonance). Indiquez la charge formelle de chaque atome et l'état d'hybridation de l'atome central.
c) Comment pourrait-on décrire, en termes d'orbitales, la liaison multiple dans : N≡N—Ö : ?

53. On peut produire de l'acétylène, C_2H_2, à l'aide de la réaction du carbure de calcium, CaC_2, avec de l'eau. Utilisez la théorie des électrons localisés et la théorie des orbitales moléculaires pour décrire la liaison dans l'anion acétylure, C_2^{2-}.

54. En utilisant un diagramme de niveaux d'énergie des OM, la molécule F_2 aurait-elle, d'après vous, une énergie de première ionisation plus faible ou plus élevée que le fluor atomique ? Pourquoi ?

55. Soit trois molécules : A, B et C. La molécule A possède une hybridation sp^3. La molécule B présente deux doublets effectifs de plus (doublets d'électrons autour de l'atome central) que la molécule A. Quant à la molécule C, elle est constituée de deux liaisons σ et de deux liaisons π. Donnez la structure moléculaire, l'hybridation, les angles de liaisons et un exemple pour chacune des molécules.

Problèmes défis

56. Le modèle compact de l'acide benzoïque est illustré ci-dessous.

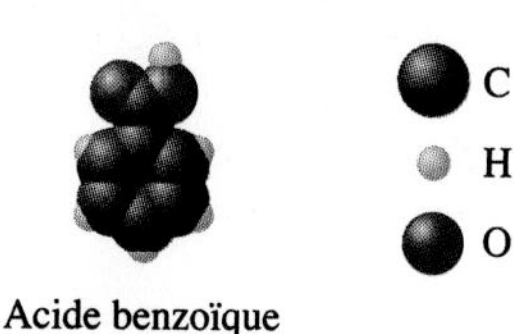

Acide benzoïque ($C_6H_5CO_2H$)

À l'aide de la théorie des électrons localisés combinée à la théorie des orbitales moléculaires, décrivez les liaisons dans l'acide benzoïque.

57. Voici deux structures qui répondent à la formule de l'acide cyanurique :

a) Indiquez s'il s'agit de structures de résonance de la même molécule. Expliquez.

b) Indiquez l'état d'hybridation des atomes de carbone et d'azote dans chaque structure.

c) À l'aide des énergies de liaison (*voir le tableau 6.4*), prédisez quelle forme serait la plus stable, autrement dit laquelle contient les liaisons les plus solides.

58. La synthèse du cyanamide (H_2NCN), un important produit chimique, se fait de la façon suivante :

$$CaC_2 + N_2 \longrightarrow CaNCN + C$$

$$CaNCN \xrightarrow{\text{Acide}} \underset{\text{Cyanamide}}{H_2NCN}$$

Le cyanamide de calcium (CaNCN) est utilisé comme fertilisant, herbicide ou défoliant du coton. On l'utilise également pour préparer des résines à base de cyanamide, de dicyandiamide et de mélamine :

$$H_2NCN \xrightarrow{\text{Acide}} \underset{\text{Dicyandiamide}}{NCNC(NH_2)_2}$$

$$NCNC(NH_2)_2 \xrightarrow[NH_3]{\text{Chaleur}} \text{Mélamine}$$

Mélamine (liaisons π non illustrées)

a) Écrivez les diagrammes de Lewis de NCN^{2-}, H_2NCN, du dicyandiamide et de la mélamine, y compris, le cas échéant, les structures de résonance.

b) Indiquez l'état d'hybridation des atomes C et N dans chacune des espèces.

c) Précisez le nombre de liaisons σ et de liaisons π dans chaque espèce.

d) Indiquez si le cycle dans la molécule de mélamine est planaire.

e) Dans la molécule de dicyandiamide ($NCNC(NH_2)_2$, les trois liaisons C—N n'ont pas la même longueur, et la molécule est non linéaire. De toutes les structures de résonance que vous avez écrites pour cette molécule, indiquez celle qui est la plus importante.

59. Un ballon contenant de l'azote gazeux est irradié avec de la lumière dont la longueur d'onde est de 25 nm. Servez-vous des données ci-dessous pour déterminer l'espèce qui pourrait se former dans le ballon durant l'irradiation.

$$N_2(g) \longrightarrow 2N(g) \qquad \Delta H = 941 \text{ kJ/mol}$$
$$N_2(g) \longrightarrow N_2^+(g) + e^- \qquad \Delta H = 1501 \text{ kJ/mol}$$
$$N(g) \longrightarrow N^+(g) + e^- \qquad \Delta H = 1402 \text{ kJ/mol}$$

De quel ordre serait la longueur d'onde nécessaire pour produire dans le ballon de l'azote atomique sans toutefois produire aucun ion ?

60. Contrairement aux molécules CO et O_2, CS et S_2 sont très instables. Fournissez une explication en vous basant sur la capacité relative des atomes d'oxygène et de soufre à former des liaisons π.

61. Les valeurs d'énergie de liaison obtenues expérimentalement peuvent varier grandement selon la molécule étudiée. Soit les réactions suivantes :

$$NCl_3(g) \longrightarrow NCl_2(g) + Cl(g) \qquad \Delta H = 375 \text{ kJ/mol}$$
$$ONCl(g) \longrightarrow NO(g) + Cl(g) \qquad \Delta H = 158 \text{ kJ/mol}$$

Justifiez la différence des valeurs ΔH pour ces réactions, même si chacune d'elles semble ne faire intervenir le bris que d'une seule liaison N—Cl. (*Indice :* Prendre en considération l'ordre de liaison de NO dans ONCl et dans NO.)

62. Utilisez la théorie des OM pour expliquer les liaisons dans BeH_2. En construisant le diagramme des niveaux d'énergie des OM, supposez que les électrons 1*s* de Be ne participent pas à la formation des liaisons.

63. Le monoxyde de carbone, CO, forme des liaisons avec divers métaux et ions métalliques. Sa capacité à se lier au fer de l'hémoglobine explique pourquoi CO est tellement toxique. La liaison que le monoxyde de carbone forme avec les métaux s'effectue par l'intermédiaire de l'atome de carbone :

$$M—C\equiv O$$

a) En vous basant sur les électronégativités, est-ce que l'atome de carbone ou l'atome d'oxygène forme des liaisons avec les métaux ?

b) Assignez des charges formelles aux atomes dans CO. En tenant compte de cette notion, quel atome, d'après vous, se lie à un métal ?

c) Dans la théorie des OM, les OM liantes placent une densité électronique plus forte à proximité de l'atome le plus électronégatif (*voir les figures 7.43 et 7.44 de la molécule HF*), alors que les OM antiliantes placent une densité électronique plus forte à proximité de l'atome le moins électronégatif dans la molécule diatomique. Utilisez la théorie des OM pour prédire quel atome du monoxyde de carbone devrait former des liaisons avec les métaux.

Problèmes d'intégration

Ces problèmes requièrent l'intégration d'une multitude de concepts pour trouver la solution.

64. Les superacides constituent une catégorie particulière d'acides ; ce sont des acides plus forts que l'acide sulfurique à 100 %. On peut les préparer selon des réactions en apparence simples, semblables à celle qui est présentée ci-dessous. Dans cet exemple, la réaction de HF anhydre avec SbF_5 produit le superacide $[H_2F]^+[SbF_6]^-$:

$$2HF(l) + SbF_5(l) \rightarrow [H_2F]^+[SbF_6]^-(l)$$

a) Quelles sont les structures moléculaires de toutes les espèces dans cette réaction ? Quels sont les états d'hybridation des atomes centraux dans chaque espèce ?

b) Quelle masse de $[H_2F]^+[SbF_6]^-$ peut-on préparer si on laisse réagir 2,93 mL de HF anhydre (masse volumique = 0,975 g/mL) et 10,0 mL de SbF_5 (masse volumique = 3,10 g/mL) ?

65. Déterminez la structure moléculaire et l'hybridation de l'atome central X dans l'ion polyatomique XY_3^+, en vous aidant des informations suivantes : un atome neutre de X contient 36 électrons et l'élément Y forme un anion de charge 1−, dont la configuration électronique est $1s^22s^22p^6$.

8 Liquides et solides

Contenu

Formation karstique dans la baie de Phang Nga, en Thaïlande, au coucher de soleil. Le karst est du calcaire que l'érosion a sculpté en pitons rocheux qui surgissent de la mer.

Pour prendre conscience de la très grande différence qui existe entre les trois états de la matière, il suffit de s'intéresser au cas de l'eau. Qu'on vole, qu'on nage ou qu'on patine, on est en effet en contact avec de l'eau sous une forme ou sous une autre. Toutefois, cela va de soi, l'agencement des molécules d'eau en phase gazeuse doit être bien différent de ceux en phase liquide ou en phase solide.

Nous avons vu au chapitre 4 qu'un gaz est composé de particules très distantes les unes des autres, constamment en mouvement aléatoire et qui exercent peu d'influence les unes sur les autres. Pour décrire le comportement idéal de la majorité des gaz à haute température et à basse pression, on a élaboré la théorie cinétique des gaz.

Les solides sont très différents des gaz : les gaz, dont la masse volumique est faible et la compressibilité élevée, occupent complètement le contenant dans lequel ils sont retenus ; par contre, les solides dont la masse volumique est beaucoup plus importante et la compressibilité faible, sont rigides – autrement dit, ils conservent leur forme quelle que soit celle du contenant dans lequel on les place. Ces propriétés révèlent que les composants d'un solide sont très voisins les uns des autres et qu'ils s'attirent fortement. Il s'ensuit qu'une théorie relative à un solide doit être fort différente de celle relative à un gaz.

Par ailleurs, les propriétés d'un liquide sont intermédiaires entre celles d'un solide et celles d'un gaz ; toutefois elles ne sont pas exactement situées à mi-chemin, comme le montre l'étude sommaire de quelques-unes des propriétés des trois états de l'eau. Comparons, par exemple, la variation d'enthalpie qui accompagne la fonte de la glace à 0 °C (chaleur de fusion) à celle qui accompagne la vaporisation de l'eau liquide à 100 °C (chaleur de vaporisation).

$$H_2O(s) \longrightarrow H_2O(l) \qquad \Delta H^\circ_{fus} = 6{,}02 \text{ kJ/mol}$$
$$H_2O(l) \longrightarrow H_2O(g) \qquad \Delta H^\circ_{vap} = 40{,}7 \text{ kJ/mol}$$

Ces valeurs révèlent que le passage de l'état liquide à l'état gazeux exige un changement de structure beaucoup plus marqué que celui qui accompagne le passage de l'état solide à l'état liquide. Il semble donc exister, dans l'eau liquide, de nombreuses interactions entre molécules – interactions semblables à celles qui existent dans l'eau solide, bien qu'elles ne soient pas aussi fortes.

On observe à peu près le même type de similitude quand on compare les masses volumiques des trois états de l'eau : les masses volumiques de l'eau à l'état liquide et à l'état solide sont assez voisines* (*voir le tableau 8.1*). L'étude de la compressibilité de l'eau fournit des résultats similaires. À 25 °C, la masse volumique de l'eau liquide passe de 0,99707 g/cm^3, à 101,3 kPa, à 1,046 g/cm^3, à 107,9 MPa ; la faible variation de la masse volumique n'est donc absolument pas comparable à l'importante variation de pression. La masse volumique de la glace varie également très peu en fonction de la pression. Par contre, à 400 °C, la masse volumique de la vapeur d'eau passe de $3{,}26 \times 10^{-4}$ g/cm^3, à 101,3 kPa, à 0,157 g/cm^3, à 24,52 MPa, ce qui constitue une variation très importante.

À partir de ces données, on peut conclure que les états liquide et solide, qui présentent de nombreuses similitudes, diffèrent grandement de l'état gazeux (*voir la figure 8.1*). C'est là un aspect à ne pas oublier quand on élabore une théorie relative aux structures des solides et des liquides.

Nous aborderons notre étude des liquides et des solides en examinant d'abord leurs propriétés et leurs structures. Puis, nous examinerons les changements d'état qui surviennent entre un solide et un liquide, entre un liquide et un gaz et entre un solide et un gaz.

---

* Comme c'est le cas pour la plupart des substances, la masse volumique de l'eau solide et celle de l'eau liquide sont très voisines, mais ce qu'il y a de particulier, c'est que sa masse volumique à l'état solide est légèrement inférieure à celle à l'état liquide. Pour la plupart des substances, c'est l'inverse.

TABLEAU 8.1 Masse volumique de l'eau pour ses trois états

État	Masse volumique (g/mL)
solide (0 °C, 101,3 kPa)	0,9168
liquide (25 °C, 101,3 kPa)	0,9971
vapeur (400 °C, 101,3 kPa)	$3,26 \times 10^{-4}$

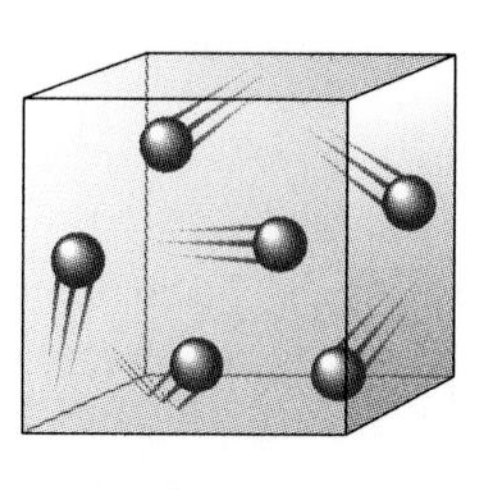

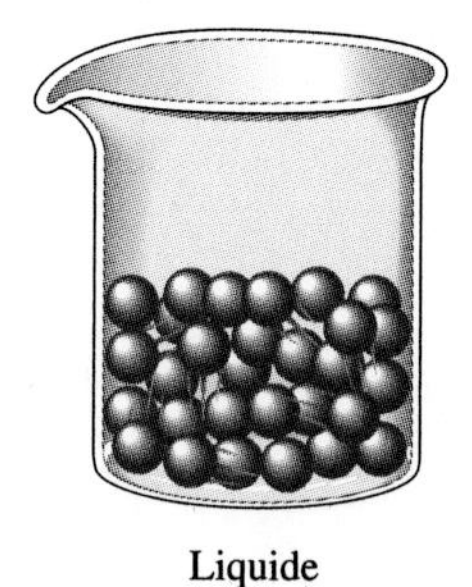

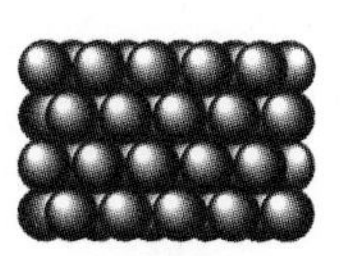

FIGURE 8.1
Comparaison des trois états de la matière.

8.1 Forces intermoléculaires

Nous avons appris aux chapitres 6 et 7 que les atomes peuvent former des unités stables, appelées « molécules », par partage d'électrons. On qualifie ce type de liaison d'*intramoléculaire* (à l'intérieur de la molécule). Dans ce chapitre, nous étudierons les propriétés des **états condensés** de la matière (liquide et solide), ainsi que les interactions responsables de l'agrégation des composants d'une substance, agrégation qui entraîne la formation d'un solide ou d'un liquide. Ces interactions, qui peuvent faire intervenir des liaisons covalentes ou ioniques, peuvent également prendre la forme d'interactions beaucoup plus faibles, appelées **forces intermoléculaires** (parce qu'elles ont lieu entre les molécules et non à l'intérieur des molécules).

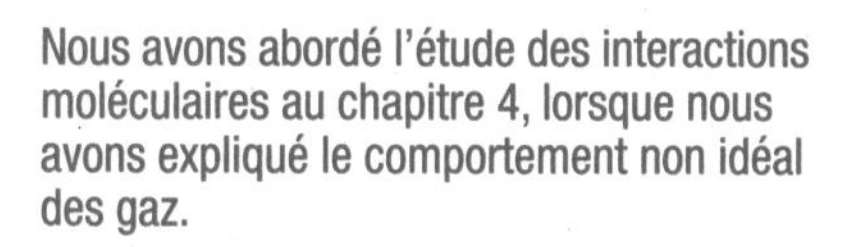
Nous avons abordé l'étude des interactions moléculaires au chapitre 4, lorsque nous avons expliqué le comportement non idéal des gaz.

Il est important ici de rappeler que le passage de l'état solide à l'état liquide, puis à l'état gazeux, d'une substance comme l'eau n'en modifie en rien la nature : *les molécules demeurent intactes*. Un changement d'état est dû à une modification des forces *entre* les molécules et non à une modification des forces *à l'intérieur* des molécules. Dans la glace, comme nous le verrons plus loin, les molécules sont pratiquement figées, bien qu'elles puissent vibrer sur place. Lorsqu'on leur fournit de l'énergie, ces molécules s'agitent et finissent par acquérir autant de liberté de mouvement et de désordre que celles de l'eau liquide : la glace fond. Lorsqu'on leur fournit davantage d'énergie, l'eau finit par atteindre l'état gazeux, état caractérisé par une très grande distance entre les molécules individuelles et de faibles interactions entre elles. La vapeur d'eau n'en est pas moins constituée de molécules d'eau. Il faudrait fournir une quantité beaucoup plus importante d'énergie pour rompre les liaisons covalentes et séparer ainsi les molécules d'eau en leurs atomes constituants. Pour s'en convaincre, il suffit de comparer l'énergie nécessaire à la vaporisation de 1 mol d'eau liquide (40,7 kJ) à celle nécessaire à la rupture des liaisons O—H de 1 mol d'eau (934 kJ).

La température est une mesure des déplacements aléatoires des particules dans une substance.

Il existe deux grands types de forces intermoléculaires : les interactions dipôle-dipôle et les forces de dispersion de London.

Forces dipôle-dipôle

Les forces dipôle-dipôle sont des interactions entre des molécules polaires.

Nous l'avons vu à la section 6.3, les molécules dotées de liaisons polaires se comportent souvent, dans un champ électrique, comme si elles possédaient un foyer de charge positive et un foyer de charge négative ; autrement dit, elles présentent un moment dipolaire. De telles molécules peuvent s'attirer mutuellement : le pôle négatif de l'une tend à s'aligner sur le pôle négatif de l'autre (*voir la figure 8.2a*). C'est ce qu'on appelle une **attraction dipôle-dipôle**. Dans un état condensé comme l'état liquide, la disposition des dipôles constitue un compromis entre toutes les forces d'attraction et de répulsion. Autrement dit, les molécules s'orientent de façon à maximiser les interactions ⊕---⊖ et à réduire au minimum les interactions ⊕---⊕ et ⊖---⊖, comme cela est illustré à la figure 8.2b).

La force des interactions dipôle-dipôle, qui est en général de l'ordre de 1 % de celle des liaisons ioniques ou covalentes, diminue rapidement au fur et à mesure que la distance entre les dipôles augmente. À basse pression en phase gazeuse, où les molécules sont éloignées les unes des autres, ces forces sont plus ou moins importantes.

C'est dans les molécules pour lesquelles l'atome d'hydrogène est lié à un atome fortement électronégatif (par exemple l'azote, l'oxygène ou le fluor) qu'on trouve les interactions

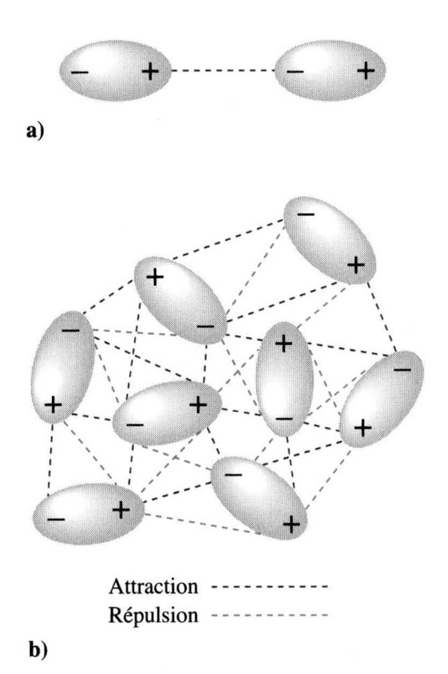

FIGURE 8.2
a) Interaction électrostatique de deux molécules polaires. b) Interactions de plusieurs dipôles à l'état liquide.

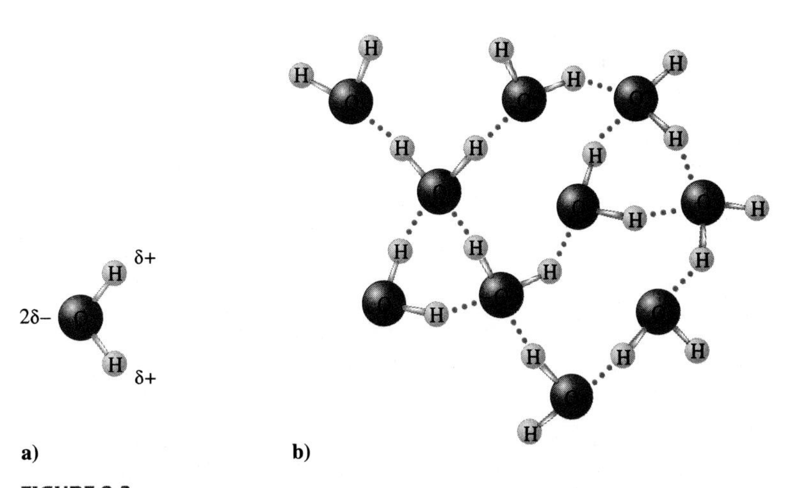

FIGURE 8.3
a) Molécule d'eau polaire. b) Liaisons hydrogène entre des molécules d'eau. Il est à remarquer que la petite taille des atomes d'hydrogène permet des rapprochements plus importants.

dipôle-dipôle les plus fortes. Deux facteurs permettent d'expliquer la force de ces interactions : la polarité élevée de la liaison (F, O et N sont très électronégatifs) et le grand rapprochement des dipôles imputable à la petite taille des atomes d'azote, d'oxygène et de fluor. Étant donné que cette interaction dipôle-dipôle est particulièrement forte, on lui a donné un nom particulier, soit **liaison hydrogène**. La figure 8.3 illustre les liaisons hydrogène qui existent entre les molécules d'eau.

Les liaisons hydrogène exercent une influence très importante sur diverses propriétés physiques. Considérons, par exemple, le point d'ébullition des hydrures covalents des éléments des groupes 4A, 5A, 6A et 7A (*voir la figure 8.4*). On remarque que, dans le cas du groupe 4A, le point d'ébullition de CH_4 est le plus bas de la série, comme il se doit, alors que, dans les autres groupes, l'hydrure dont la masse molaire est la plus faible a un point d'ébullition anormalement élevé. Pourquoi ? À cause des très fortes liaisons hydrogène qui existent entre les plus petites molécules pour lesquelles les liaisons X—H sont les plus polaires. Deux facteurs sont principalement responsables de la force exceptionnelle des liaisons hydrogène. Le premier facteur est dû aux valeurs d'électronégativité relativement élevées des éléments les plus légers dans chaque groupe, ce qui donne naissance à des liaisons H—X particulièrement polaires. Le second facteur est la petite taille du premier élément de chaque groupe, ce qui permet un rapprochement entre les dipôles, causant un renforcement des forces intermoléculaires. Étant donné la

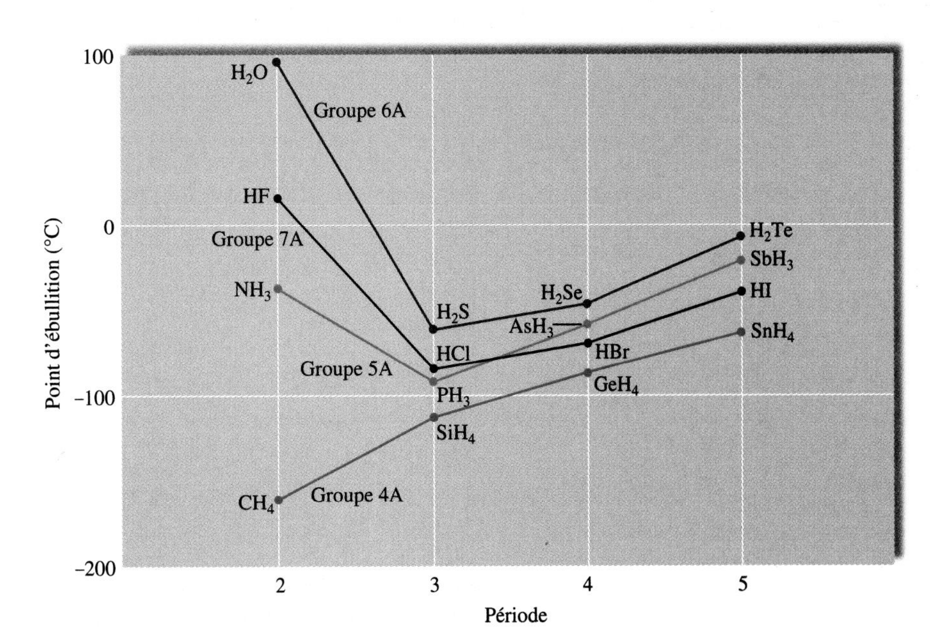

FIGURE 8.4
Points d'ébullition des hydrures covalents des éléments des groupes 4A, 5A, 6A et 7A.

force des interactions entre les molécules contenant les éléments les plus légers des groupes 5A et 6A, il faut fournir une quantité d'énergie anormalement élevée pour rompre ces interactions et former ainsi les molécules isolées caractéristiques de l'état gazeux. À l'état liquide, ces molécules sont maintenues ensemble, même à haute température, ce qui explique la valeur très élevée de leur point d'ébullition.

Nous définissons avec davantage de précision le point d'ébullition à la section 8.8.

La liaison hydrogène est également importante dans les composés organiques (molécules possédant un squelette de chaînes de carbones). Par exemple, le méthanol, CH_3OH, et l'éthanol, C_2H_5OH, qui sont des alcools, possèdent des points d'ébullition beaucoup plus élevés que ce à quoi on s'attendrait en se basant sur leurs masses molaires, à cause des liaisons O—H polaires dans ces molécules qui donnent naissance à des liaisons hydrogène.

Forces de dispersion de London

Même les molécules qui n'ont pas de moments dipolaires doivent exercer des forces mutuelles. Nous connaissons ce comportement parce que toutes les substances, – même les gaz rares – existent à l'état liquide et à l'état solide dans certaines conditions. Ces forces qui existent chez les gaz rares et les molécules non polaires s'appellent **forces de dispersion de London**. Pour déterminer d'où proviennent ces forces, étudions une paire d'atomes de gaz rare. Même si, en général, on suppose que les électrons d'un atome sont uniformément répartis autour du noyau, cela n'est pas vrai en tout temps. Dans ces atomes, comme les électrons gravitent autour du noyau, il peut en effet y avoir momentanément une répartition électronique non symétrique, ce qui crée un moment dipolaire temporaire. *Ce dipôle instantané* peut alors *induire* un dipôle semblable dans un atome voisin (*voir la figure 8.5a*). Ce phénomène entraîne une attraction interatomique de courte durée et de faible intensité, mais d'une certaine importance particulièrement dans les gros atomes (*voir ci-dessous*). Ces interactions ne deviennent suffisamment importantes pour donner naissance à un liquide que si le mouvement des atomes est considérablement réduit. C'est ce qui explique, par exemple, que la valeur du point de fusion des gaz rares soit si faible (*voir le tableau 8.2*).

TABLEAU 8.2 Points de fusion des éléments du groupe 8A

Élément	Point de fusion (°C)
hélium*	−269,7
néon	−248,6
argon	−189,4
krypton	−157,3
xénon	−111,9

* L'hélium est le seul élément qui, à une pression de 1 atm, ne congèle pas par abaissement de sa température ; il faut absolument augmenter sa pression pour pouvoir congeler de l'hélium.

Le tableau 8.2 montre que la valeur du point de liquéfaction augmente au fur et à mesure qu'on progresse dans le groupe. La principale cause de cette tendance, c'est

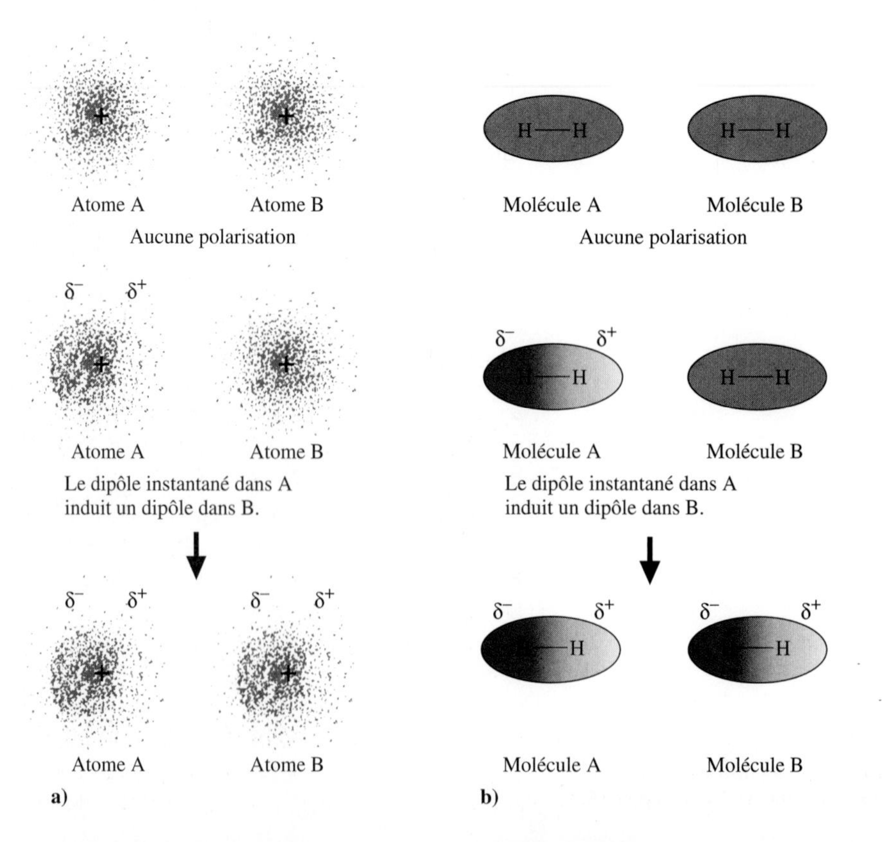

FIGURE 8.5
a) Une polarisation instantanée peut avoir lieu dans l'atome A, ce qui crée un dipôle temporaire. Ce dipôle induit la formation d'un dipôle dans l'atome voisin B.
b) Des molécules non polaires, comme H_2, peuvent posséder des dipôles instantanés et induits.

qu'au fur et à mesure que le numéro atomique augmente, le nombre d'électrons augmente, ainsi que la probabilité de formation de dipôles instantanés portant une charge supérieure. C'est pourquoi on dit que les gros atomes, qui possèdent de nombreux électrons, sont dotés d'une plus forte *polarisabilité* que les petits atomes. La polarisabilité indique la facilité de déformation du nuage électronique d'un atome pour donner une distribution de charge dipolaire. En fait, les forces de dispersion de London augmentent en fonction de la taille des atomes.

Dans une molécule contenant de gros atomes, les forces de dispersion sont très importantes et le sont souvent plus que les forces dipôle-dipôle.

Le même raisonnement s'applique aux molécules non polaires comme H_2, CH_4, CCl_4 et CO_2 (*voir la figure 8.5b*). Étant donné qu'aucune de ces molécules ne possède de moment dipolaire permanent, leur principal moyen d'exercer une attraction l'une pour l'autre, c'est par l'intermédiaire des forces de dispersion de London.

8.2 État liquide

Les liquides et les solutions liquides sont essentielles à la vie, l'eau étant évidemment le liquide le plus important. En plus d'être essentielle à la vie, l'eau est utilisée pour la préparation des aliments, le transport, le refroidissement dans de nombreux types d'appareils et de procédés industriels, les loisirs, le nettoyage et dans plusieurs autres domaines.

Les liquides sont dotés de nombreuses propriétés qui permettent de comprendre leur nature. Nous avons déjà parlé de leur faible compressibilité, de leur manque de rigidité et de leur masse volumique élevée par rapport à celle des gaz. Plusieurs de ces propriétés fournissent directement des renseignements sur les forces qui existent entre les particules. Par exemple, quand on verse un liquide sur un solide, le liquide forme des gouttelettes ; c'est là un phénomène dû à la présence de forces intermoléculaires. En effet, les molécules situées à l'intérieur de la gouttelette sont totalement entourées d'autres molécules, alors que les molécules situées à la surface de la gouttelette ne sont soumises qu'à l'attraction de leurs voisines (*au-dessous et à côté d'elles* ; *voir la figure 8.6*). Par conséquent, à cause de cette répartition inégale des attractions, les molécules de surface sont attirées vers l'intérieur du liquide, et ce dernier épouse une forme dont la surface est minimale : la forme d'une sphère.

Pour un volume donné, c'est la sphère qui présente la plus petite surface.

Pour que la surface d'un liquide augmente, les molécules doivent se déplacer de l'intérieur vers la surface, ce qui exige de l'énergie – les forces intermoléculaires s'opposant à ce déplacement. On appelle **tension superficielle** la résistance qu'oppose un liquide à l'augmentation de sa surface. La tension superficielle des liquides dont les forces intermoléculaires sont importantes est relativement élevée.

Tension superficielle : la résistance qu'oppose un liquide à l'augmentation de sa surface.

En ce qui concerne les liquides polaires, on observe également un autre phénomène, la **capillarité**, c'est-à-dire l'ascension spontanée d'un liquide dans un tube capillaire. Ce phénomène est imputable à deux types différents d'interactions : *les forces de cohésion* (forces intermoléculaires des molécules du liquide) et les *forces d'adhésion* (interactions des molécules du liquide avec celles de la paroi). Nous savons comment les forces de cohésion agissent. Les forces d'adhésion, quant à elles, se manifestent lorsque la paroi est faite d'une substance qui possède des affinités avec le liquide. Le verre, par exemple, contient de nombreux atomes d'oxygène qui portent une charge négative partielle ; c'est cette charge qui attire le pôle positif des molécules polaires comme celles de l'eau. Voilà pourquoi l'eau « monte » spontanément le long d'une paroi de verre. Comme cette adhésion tend à augmenter la surface de l'eau, elle est cependant contrée par les forces de cohésion (liaisons hydrogène) qui tendent à en minimiser la surface. Si le diamètre d'un tube est suffisamment petit (tube capillaire), les forces d'adhésion dominent et font monter l'eau à des hauteurs importantes, jusqu'à ce que le poids de la colonne d'eau équilibre l'attraction qu'exerce la surface du verre sur l'eau. La forme concave du ménisque (*voir la figure 8.7*) révèle que les forces d'adhésion de l'eau à l'égard du verre sont supérieures aux forces de cohésion. Par contre, dans le cas d'un liquide non polaire comme le mercure (*voir la figure 8.7*), le liquide « descend » dans le tube capillaire, et le ménisque est convexe ; ce comportement est caractéristique d'un liquide dont les forces de cohésion sont supérieures aux forces d'adhésion à l'égard du verre.

Nous traiterons de la composition du verre à la section 8.5.

Viscosité : résistance d'un liquide à l'écoulement.

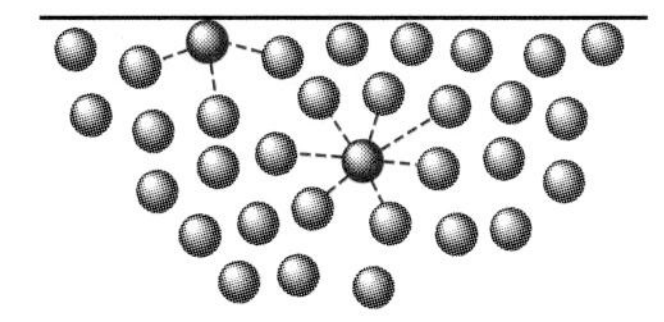

FIGURE 8.6
Une molécule située à l'intérieur d'un liquide est attirée par les molécules qui l'entourent, alors qu'une molécule de la surface du liquide n'est attirée que par les molécules situées en dessous et de chaque côté d'elle. Par conséquent, les molécules de l'intérieur attirent les molécules de la surface vers l'intérieur d'un liquide.

La viscosité est une autre propriété des liquides qui dépend fortement des interactions intermoléculaires. La **viscosité** est une mesure de la résistance d'un liquide

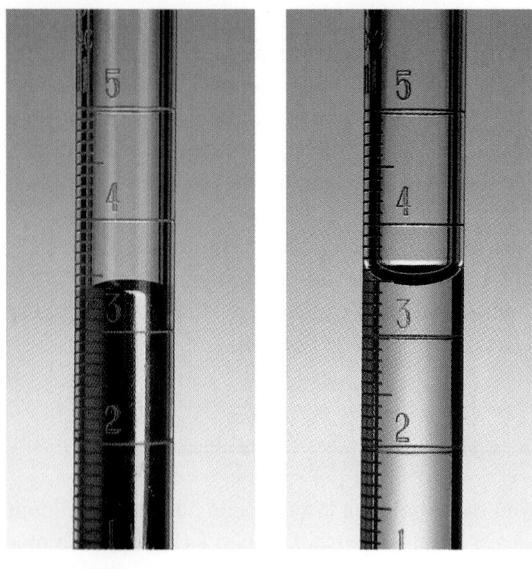

FIGURE 8.7
Le mercure liquide non polaire forme un ménisque convexe dans un capillaire en verre, alors que l'eau polaire forme un ménisque concave.

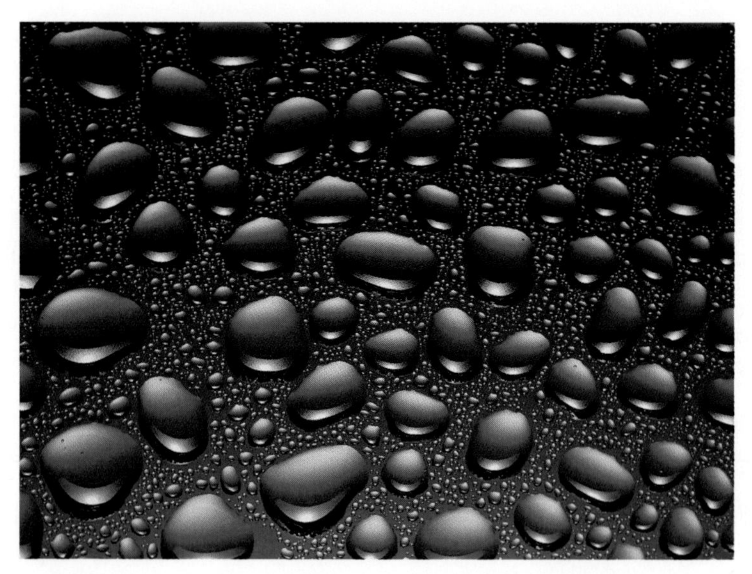

Gouttelettes d'eau sur une surface cirée. Le constituant non polaire de la cire entraîne la formation de gouttelettes d'eau à peu près sphériques.

à l'écoulement. Cela va de soi, les liquides dans lesquels les forces intermoléculaires sont importantes sont très visqueux. Le glycérol, par exemple, dont la structure est

```
        H
        |
    H—C—O—H
        |
    H—C—O—H
        |
    H—C—O—H
        |
        H
```

a une viscosité relativement élevée, due en grande partie à sa grande capacité de former des liaisons hydrogène à l'aide de ses groupes O—H. (*Voir la figure en marge.*)

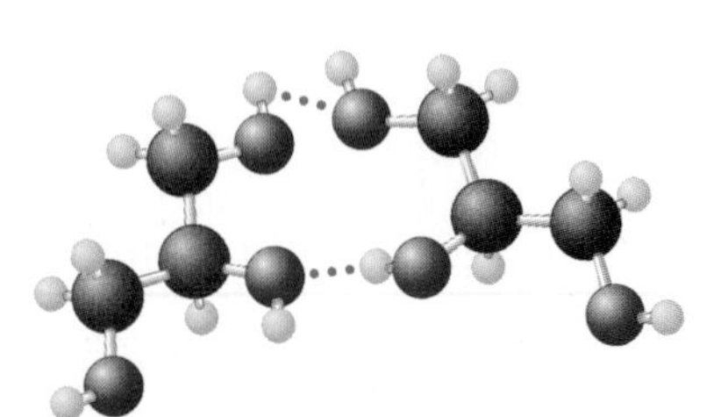

Glycérol

La complexité moléculaire est également une cause de viscosité élevée, étant donné que des molécules très grandes ont tendance à s'entremêler. L'essence, par exemple, un produit non visqueux, est constituée de molécules de structure $CH_3—(CH_2)_n—CH_3$, où n varie de 3 à 8 environ. La graisse, par contre, un produit très visqueux, est constituée de molécules du même type, mais beaucoup plus longues, n variant de 20 à 25.

Théorie relative à la structure des liquides

À bien des égards, il est plus difficile d'élaborer une théorie relative à la structure des liquides qu'à celle des deux autres états de la matière. À l'état gazeux, les particules sont si éloignées les unes des autres et se déplacent si rapidement que, dans la plupart des cas, les forces intermoléculaires sont négligeables. C'est pourquoi, pour décrire les gaz, on peut recourir à une théorie relativement simple. À l'état solide, les forces intermoléculaires sont importantes, et les mouvements des molécules sont limités : là encore, une théorie relativement simple peut suffire. À l'état liquide, par contre, les forces intermoléculaires sont importantes, *ainsi que* les mouvements des molécules. On ne peut donc pas rendre compte d'une telle complexité à l'aide d'une théorie simple. Grâce à de récentes découvertes en *spectroscopie* (science des interactions de la matière et des radiations électromagnétiques), on peut de nos jours enregistrer certains changements très rapides qui ont lieu dans les liquides. On peut donc, à partir de ces données, élaborer des théories relatives aux liquides qui sont de plus en plus « exactes ». On peut, en première approximation, considérer qu'un liquide typique est constitué d'un très grand nombre de zones dans lesquelles l'agencement des composants est semblable à celui qu'on trouve dans

FIGURE 8.8
Deux solides cristallins : pyrite (en haut) ; améthyste (en bas).

un solide (mais dans lesquelles règne un plus grand désordre) et d'un petit nombre de zones comportant des trous. Le système est très dynamique : il existe des fluctuations rapides entre les deux types de zones.

8.3 Introduction à l'étude des structures et des types de solides

Il existe de nombreuses façons de classifier les solides. Cependant, on recourt le plus souvent à deux grandes catégories : les **solides cristallins**, caractérisés par un assemblage très régulier de leurs composants ; les **solides amorphes**, caractérisés par le désordre de leur structure.

C'est à l'assemblage régulier (au niveau microscopique) des composants d'un solide cristallin qu'on doit les belles formes caractéristiques des cristaux (*voir la figure 8.8*). On représente en général la position des composants dans un solide cristallin à l'aide d'un **réseau** – système tridimensionnel de nœuds qui représentent les positions des centres des composants (atomes, ions et molécules). La *plus petite unité* du réseau est appelée **maille élémentaire**. Ainsi, on peut créer un réseau donné en reproduisant cette maille élémentaire dans les trois dimensions, ce qui forme une structure d'extension indéterminée. La figure 8.9 illustre les trois mailles élémentaires les plus courantes, ainsi que leurs réseaux correspondants. On remarque à la figure 8.9 que, dans chaque cas, la structure étendue peut être vue comme une série de mailles élémentaires répétées qui partagent des surfaces communes à l'intérieur du solide.

Même si, dans cet ouvrage, nous étudions surtout les solides cristallins, il ne faut pas oublier pour autant qu'il existe de nombreux matériaux non cristallins (amorphes) importants. Le verre en constitue le meilleur exemple : on peut le décrire comme une solution dans laquelle les composants ont été « figés sur place » avant d'avoir pu s'assembler dans un ordre précis. Même si le verre est un solide (il a une forme rigide), sa structure est soumise à un très grand désordre.

Analyse des solides par diffraction des rayons X

Pour déterminer la structure des solides cristallins, on utilise surtout la **diffraction des rayons X**. Il y a diffraction quand des faisceaux de lumière sont dispersés par un assemblage régulier de points ou de lignes, assemblage dans lequel la distance entre les composants est du même ordre de grandeur que la longueur d'onde de la lumière utilisée. La diffraction est due à la production d'interférences constructives (lorsque les ondes des faisceaux parallèles sont en phase) et d'interférences destructives (lorsque les ondes sont déphasées).

Quand on dirige des rayons X de longueur d'onde unique sur un cristal, on obtient une figure de diffraction (*voir la figure 5.5*). Les zones claires et sombres qu'on obtient sur une plaque sensible sont dues au fait que les ondes dispersées par les différents atomes peuvent s'additionner ou s'annuler les unes les autres lorsqu'elles se rencontrent (*voir la figure 8.10*). C'est la différence entre les distances parcourues par les ondes après qu'elles aient frappé les atomes qui détermine leur addition ou leur annulation. Étant donné que les ondes incidentes sont en phase, si la différence entre les distances parcourues après réflexion est un *multiple de la longueur d'onde*, les ondes sont toujours en phase lorsqu'elles se rencontrent de nouveau.

Par ailleurs, la distance parcourue après réflexion variant en fonction de la distance qui sépare les atomes, la figure de diffraction peut permettre de déterminer l'espacement interatomique. Pour trouver la relation exacte, on peut utiliser le diagramme de la figure 8.11, qui illustre la réflexion de deux ondes en phase par des atomes situés dans deux couches différentes d'un cristal. La distance additionnelle parcourue par l'onde inférieure est égale à la somme des distances xy et yz ; ainsi après réflexion, les ondes sont en phase si

$$xy + yz = n\lambda \tag{8.1}$$

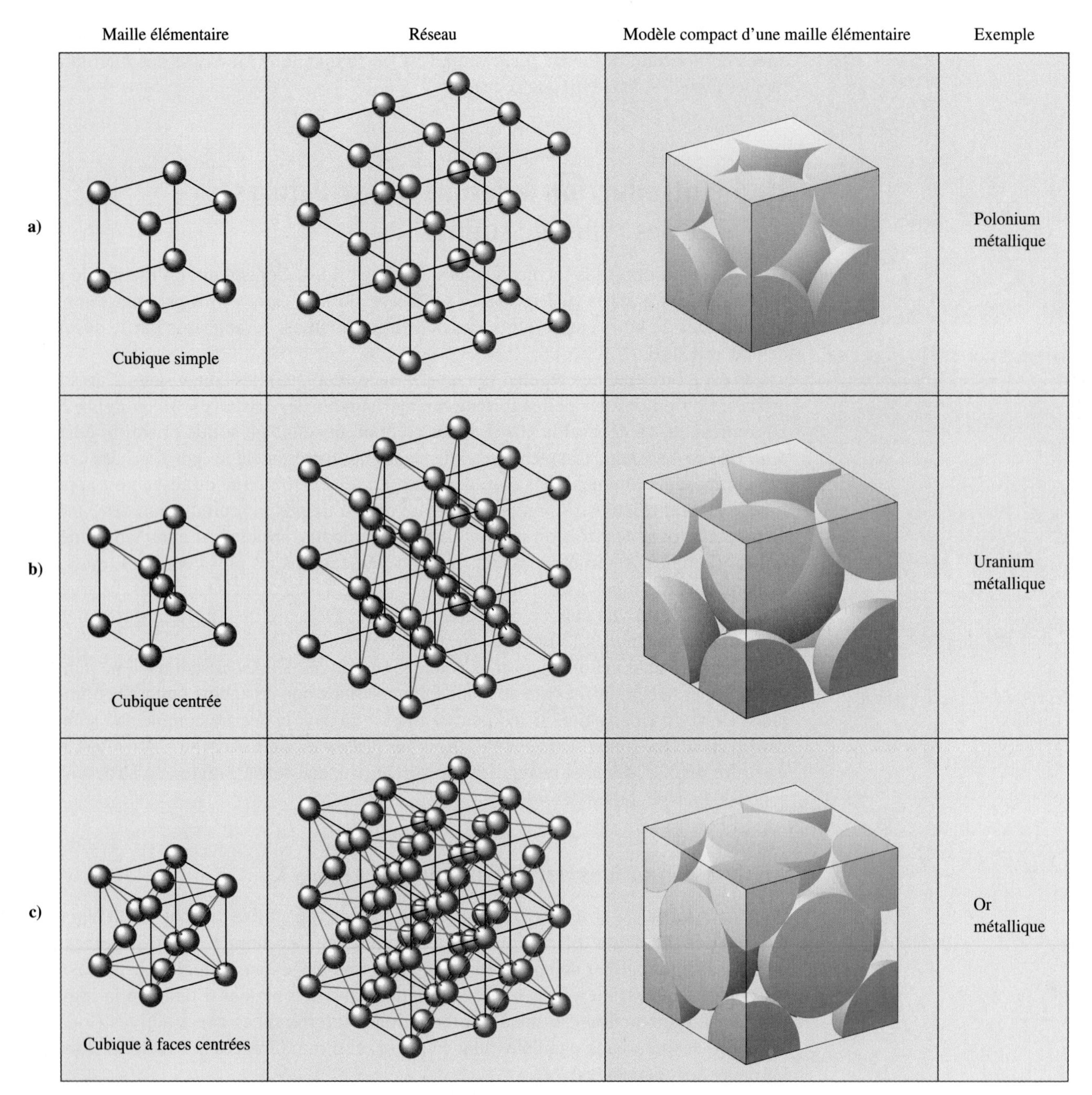

FIGURE 8.9
Trois mailles élémentaires cubiques et leurs réseaux correspondants. On remarque que seulement des parties de sphères situées aux sommets et aux centres des faces des mailles élémentaires se trouvent à l'intérieur de la maille élémentaire, tel qu'il est illustré par les représentations coupées: a) réseau cubique simple; b) réseau cubique centré; c) réseau cubique à faces centrées.

où n est un entier et λ, la longueur d'onde des rayons X incidents. En recourant à la trigonométrie (*voir la figure 8.11*), on peut montrer que

$$xy + yz = 2d \sin \theta \tag{8.2}$$

où d est la distance qui sépare les atomes et θ, l'angle d'incidence et l'angle de réflexion. En regroupant les équations 8.1 et 8.2 on obtient

$$n\lambda = 2d \sin \theta \tag{8.3}$$

L'équation 8.3 porte le nom d'*équation de Bragg,* en l'honneur de William Henry Bragg (1862-1942) et de son fils, William Lawrence Bragg (1890-1971), qui ont obtenu le prix Nobel de physique, en 1915, pour leurs travaux relatifs à l'utilisation des rayons X en cristallographie.

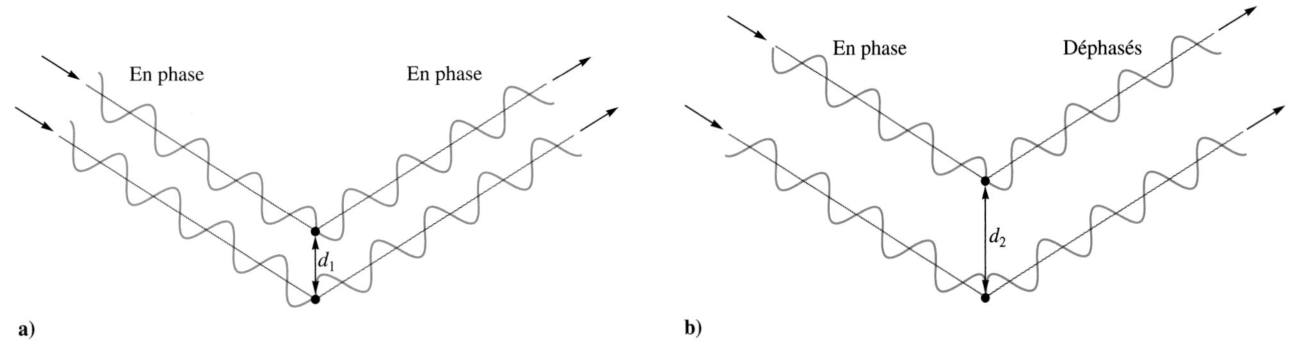

FIGURE 8.10
Des rayons X dispersés par deux atomes différents peuvent se renforcer (interférence constructive) ou s'annuler l'un l'autre (interférence destructive). **a)** Les rayons incidents et les rayons réfléchis sont tous les deux en phase. Dans ce cas, d_1 est telle que la différence entre les distances parcourues par les deux rayons est un nombre entier de longueurs d'onde. **b)** Les rayons incidents sont en phase, mais les rayons réfléchis sont exactement déphasés. Dans ce cas, d_2 est telle que la différence entre les distances parcourues par les deux rayons est un nombre impair de demi-longueurs d'ondes.

Un diffractomètre est un instrument couplé à un ordinateur qu'on utilise pour effectuer l'analyse des cristaux par diffraction de rayons X. Le diffractomètre imprime au cristal un mouvement de rotation par rapport au faisceau de rayons X et recueille les données obtenues grâce à la dispersion des rayons X par les différents plans d'atomes présents dans le cristal. Ces données sont ensuite analysées par l'ordinateur. Les techniques d'analyse structurale des cristaux sont de nos jours si perfectionnées qu'on peut déterminer des structures très complexes, comme celles qu'on rencontre en biologie. Par exemple, la structure de plusieurs enzymes a été déterminée, ce qui permet aux biochimistes de mieux comprendre leur fonctionnement. Grâce à la technique basée sur la diffraction des rayons X, on peut ainsi obtenir des renseignements sur les longueurs des liaisons et les angles de liaison, et, ce faisant, vérifier les prédictions des théories en ce qui concerne la géométrie moléculaire.

Exemple 8.1

Utilisation de l'équation de Bragg

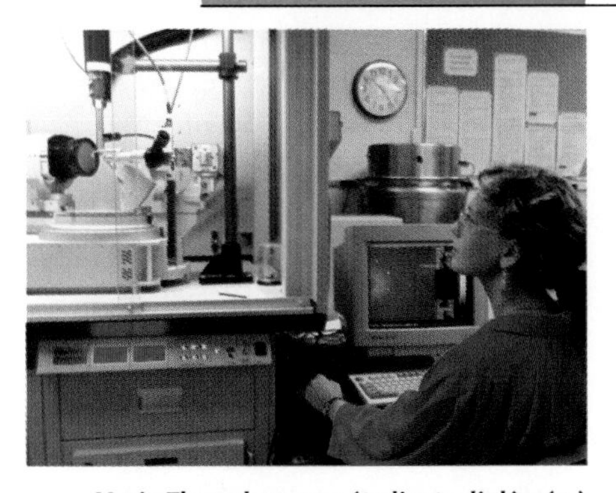

Maria Zhuravlera, une étudiante diplômée à l'Université Michigan State, fait fonctionner un diffractomètre à rayons X.

Pour analyser un cristal d'aluminium, on utilise des rayons X de 1,54 Å de longueur d'onde. Il y a réflexion lorsque $\theta = 19{,}3°$. En supposant que $n = 1$, calculez la distance d qui sépare les deux plans d'atomes responsables de cette réflexion.

Solution

Pour évaluer la distance qui sépare les deux plans, on utilise l'équation 8.3, avec $n = 1$, $\lambda = 1{,}54$ Å et $\theta = 19{,}3°$. Puisque $2d \sin\theta = n\lambda$, on a

$$d = \frac{n\lambda}{2\sin\theta} = \frac{(1)(1{,}54\text{ Å})}{(2)(0{,}3305)} = 2{,}33\text{ Å} = 233\text{ pm}$$

Voir les exercices 8.34 et 8.35

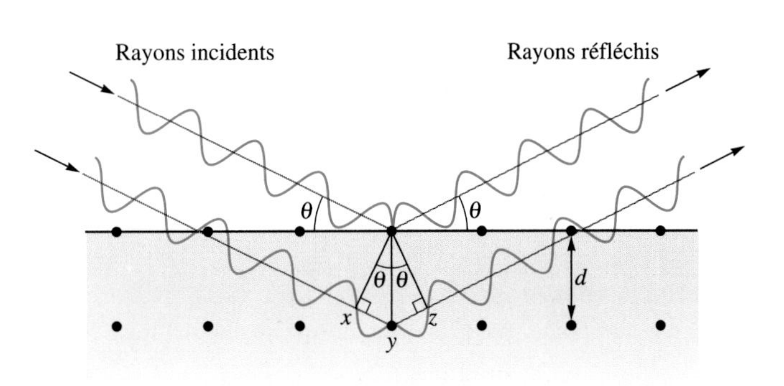

FIGURE 8.11
Réflexion de rayons X, de longueur d'onde λ, par deux atomes situés dans deux couches différentes d'un cristal. L'onde inférieure parcourt une distance supplémentaire égale à $(xy + yz)$. Si cette distance est un multiple de la longueur d'onde ($n = 1, 2, 3, \ldots, n$), les ondes se renforcent l'une l'autre lorsqu'elles quittent le cristal.

IMPACT

Des fluides intelligents

De nos jours, les fluides semblent devenir intelligents. On découvre de plus en plus de matériaux qui peuvent garder en mémoire leur forme initiale et y retourner après une déformation ou qui ont la capacité de percevoir leur environnement et de réagir. Notamment, de nouveaux matériaux intéressants ont été fabriqués, qui sont capables de modifier leurs propriétés instantanément en réponse à un champ magnétique ou électrique.

Un exemple d'une telle substance est un liquide dont les caractéristiques d'écoulement (rhéologie) peuvent être modifiées, passant d'un état fluide à un état presque solide en l'espace d'environ 0,01 seconde sous l'action d'un champ électromagnétique. Ce fluide « magnéto-rhéologique » (MR) a été mis au point par Lord Corporation. En association avec Delphi Corporation, cette compagnie met en application le fluide dans le contrôle de suspension des automobiles de General Motors, telles que Cadillac et Corvette. Le système appelé MagneRide possède des capteurs qui évaluent le relief de la route et fournissent des informations sur l'amortissement nécessaire. En réponse, un message est envoyé instantanément à une bobine électromagnétique dans les amortisseurs qui ajustent alors la viscosité du fluide MR afin de procurer un amortissement variable de façon continue. Le résultat : un roulement étonnamment doux et une tenue de route sûre.

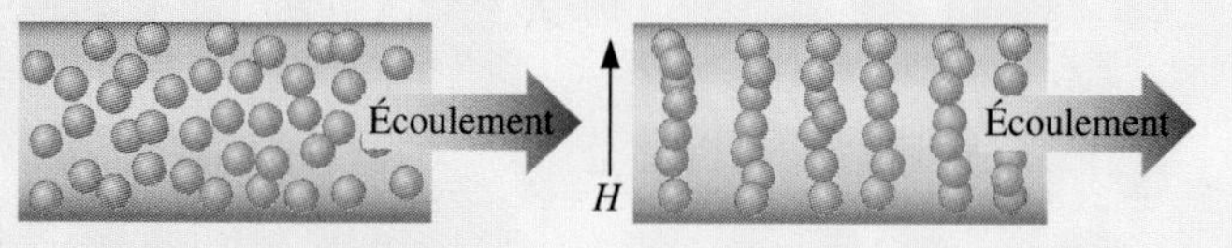

Champ magnétique coupé
Les particules magnétiques s'écoulent de façon aléatoire.

Champ magnétique appliqué
Le champ appliqué (H) crée une structure qui augmente la viscosité.

Le fluide MR est constitué de particules d'un composé du fer en suspension dans une huile synthétique. Lorsque le champ magnétique est coupé, ces particules s'écoulent librement dans toutes les directions (*voir la figure ci-dessus.*) Quand le champ est appliqué, les particules se lient entre elles pour former des chaînes qui s'alignent de façon perpendiculaire à l'écoulement du fluide, augmentant ainsi sa viscosité en proportion de la force du champ appliqué.

De nombreuses applications des fluides MR à d'autres fins que les amortisseurs d'automobiles sont actuellement en développement. Par exemple, cette technologie est utilisée dans une prothèse (*voir ci-dessous*) pour des amputés au-dessus du genou, ce qui leur donne une démarche plus naturelle et leur facilite la montée des escaliers. Au Japon, des dispositifs similaires plus puissants ont été installés au Musée national des sciences émergentes et de l'innovation, où un fluide MR est utilisé dans des amortisseurs pour protéger l'édifice contre les impacts sismiques. De grands amortisseurs à fluide MR servent également à stabiliser des ponts, comme celui sur le lac Dong Ting dans la province chinoise du Hunan, et leur permettent de supporter les rafales.

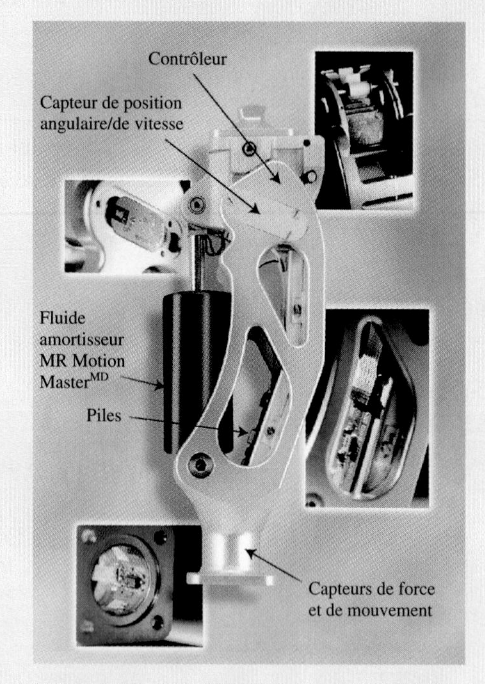

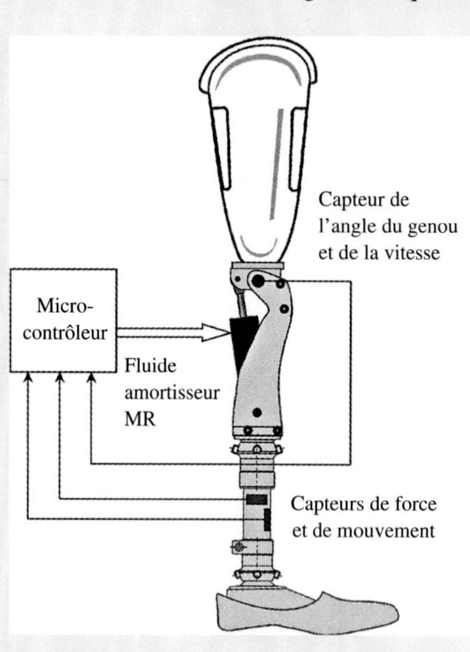

Cette prothèse « intelligente » pour le genou utilise un fluide amortisseur MR pour reproduire fidèlement le mouvement naturel de l'articulation du genou.

Types de solides cristallins

Il existe de nombreux types de solides cristallins. Ainsi, même si le sucre et le sel sont facilement dissous dans l'eau, les propriétés de leurs solutions sont très différentes : par exemple, une solution de sel permet le passage du courant électrique, alors qu'une solution de sucre ne le permet pas. C'est la nature des composants de ces deux solides qui permet d'expliquer ce comportement. Le sel de table, NaCl, est un solide ionique : il contient des ions Na^+ et Cl^-. Quand le chlorure de sodium solide est dissous dans de l'eau polaire, les ions sodium et chlorure sont répartis dans l'ensemble de la solution ; c'est pourquoi ils permettent le passage du courant électrique. Le sucre de table, ou saccharose, par contre, est composé de molécules neutres, qui sont dispersées dans l'ensemble du solvant après la dissolution du solide. Il n'y a formation d'aucun ion, et la solution résultante ne permet pas le passage du courant électrique. Ces exemples sont caractéristiques de deux types importants de solides : les **solides ioniques** (représentés par le chlorure de sodium) et les **solides moléculaires** (représentés par le saccharose). Dans un solide ionique, ce sont des ions qui occupent les nœuds du réseau décrivant la structure de ce solide. Par contre, dans un solide moléculaire, ce sont des molécules covalentes qui occupent ces nœuds. La glace étant un solide moléculaire, ce sont donc des molécules H_2O qui occupent chacun des nœuds (*voir la figure 8.12*).

Un autre allotrope du carbone est le buckminsterfullerène C_{60}, un solide moléculaire.

Il existe un troisième type de solide, représenté par des éléments comme le graphite et le diamant (formes de carbone pur), le bore, le silicium et tous les métaux. Ces substances contiennent toutes des atomes retenus ensemble par des liaisons covalentes : ce sont les **solides atomiques**. La figure 8.12 présente des exemples de ces trois types de solides.

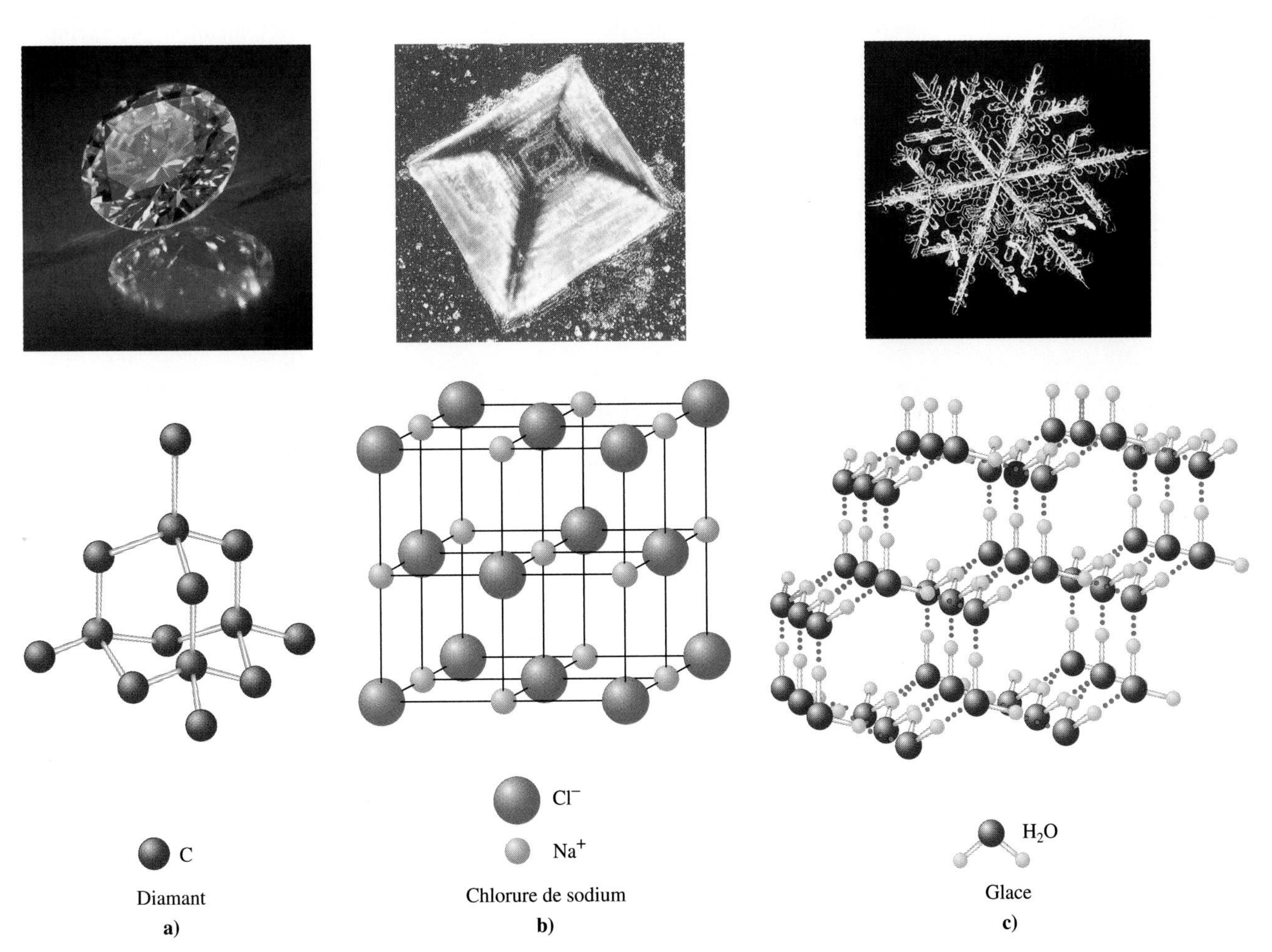

FIGURE 8.12
Trois types de solides cristallins (dans chaque cas, seule une partie de la structure est illustrée). **a)** Solide atomique. **b)** Solide ionique. **c)** Solide moléculaire. Les lignes pointillées représentent les liaisons hydrogène entre les molécules d'eau polaires.

TABLEAU 8.3 Classification des solides

	Solides atomiques				
	Métalliques	*Covalents*	*Groupe des gaz rares*	*Solides moléculaires*	*Solides ioniques*
Espèces qui occupent les nœuds	atomes métalliques	atomes non métalliques	atomes des gaz rares	molécules distinctes	ions
Liaison	covalente délocalisée	covalente localisée et orientée (menant à la formation de molécules géantes)	force de dispersion de London	force dipôle-dipôle et/ou force de dispersion de London	ionique

Bref, il est très pratique de classer les solides en fonction de la nature des espèces qui occupent les nœuds. C'est ainsi que l'on parle de *solides atomiques* (atomes occupant les nœuds), de *solides moléculaires* (molécules distinctes et relativement petites occupant les nœuds) et de *solides ioniques* (ions occupant les nœuds). De plus, on subdivise les solides atomiques en fonction des liaisons qui existent entre les atomes dans le solide : *solides métalliques, solides covalents* et *solides du groupe des gaz rares*. Dans les solides métalliques, on trouve un type spécial de liaison covalente non orientée et délocalisée. Dans les solides covalents, les atomes sont liés les uns aux autres par de fortes liaisons covalentes localisées et orientées qui mènent à la formation de molécules géantes, ou réseaux, d'atomes. Dans les solides du groupe des gaz rares, les atomes des gaz rares sont attirés les uns aux autres par des forces de dispersion de London. Cette classification des solides est présentée au tableau 8.3.

Les forces de cohésion interne d'un solide en déterminent les propriétés.

La grande variété de liaisons présentes dans les divers solides atomiques explique les propriétés très différentes des solides qui en résultent. En effet, même si, par exemple, l'argon, le cuivre et le diamant sont tous des solides atomiques, leurs propriétés sont fort différentes. La valeur du point de fusion de l'argon (solide du groupe des gaz rares) est très faible (−189 °C), alors que le diamant (solide covalent) et le cuivre (solide métallique) fondent à de très hautes températures (3500 °C et 1083 °C, respectivement). Le cuivre, par ailleurs, est un excellent conducteur de l'électricité, alors que l'argon et le diamant sont des isolants. On peut modifier facilement la forme du cuivre : il est à la fois malléable (on peut en faire de minces feuilles) et ductile (on peut le tréfiler). Le diamant, quant à lui, est la substance naturelle la plus dure qu'on connaisse. Nous aborderons la structure et les liaisons des solides atomiques dans les deux prochaines sections.

8.4 Structure et liaison dans les métaux

Les métaux se caractérisent par leurs grandes conductibilités calorifique et électrique, leur malléabilité et leur ductilité. Ces propriétés sont dues à la présence, dans les cristaux métalliques, de liaisons covalentes non orientées.

Dans le modèle compact d'un cristal métallique, on assimile les atomes à des sphères dures et uniformes.

On peut représenter un cristal métallique comme un ensemble constitué d'atomes sphériques empilés et maintenus par des liaisons équivalentes dans toutes les directions. (Pour illustrer une telle structure, on peut empiler des sphères uniformes et dures de façon à laisser le moins d'espace possible entre elles.) On appelle un tel agencement un **empilement compact**. Dans un ensemble de sphères disposées en couches (*voir la figure 8.13a*), dans une couche donnée, chaque sphère est entourée de six autres sphères. Dans la deuxième couche, les sphères ne sont pas placées exactement vis-à-vis de celles de la première couche ; elles occupent plutôt chacune le creux entre trois sphères adjacentes de la première couche (*voir la figure 8.13b*). Lorsqu'elles occupent les creux situés entre les sphères de la deuxième couche, les sphères de la troisième couche adoptent deux positions différentes : elles sont situées soit directement vis-à-vis des sphères de la première couche (empilement de type *aba*), soit directement vis-à-vis des creux de la première couche (empilement de type *abc*).

L'empilement *aba* a une maille *hexagonale* (*voir la figure 8.14*) ; la structure qui en résulte porte le nom de **réseau hexagonal compact** (**hc**). L'empilement *abc* a une maille *cubique à faces centrées* (*voir la figure 8.15*) ; la structure qui en résulte porte le nom

FIGURE 8.13
Empilement compact de sphères uniformes. Dans chaque couche, une sphère donnée est entourée de six autres sphères, créant six creux, dont seulement trois peuvent être occupés dans la couche suivante. **a)** Empilement *aba* : la deuxième couche est semblable à la première, mais déplacée de sorte que chaque sphère de cette couche occupe un creux de la première couche. Les sphères de la troisième couche occupent les creux de la deuxième couche, de sorte que les sphères de cette couche se situent directement vis-à-vis des sphères de la première couche (*aba*). **b)** Empilement *abc* : les sphères de la troisième couche occupent les creux de la seconde couche, de sorte qu'aucune sphère de la troisième couche ne se situe vis-à-vis d'aucune sphère de la première couche (*abc*). La quatrième couche est semblable à la première.

a) Empilement compact — *abab*

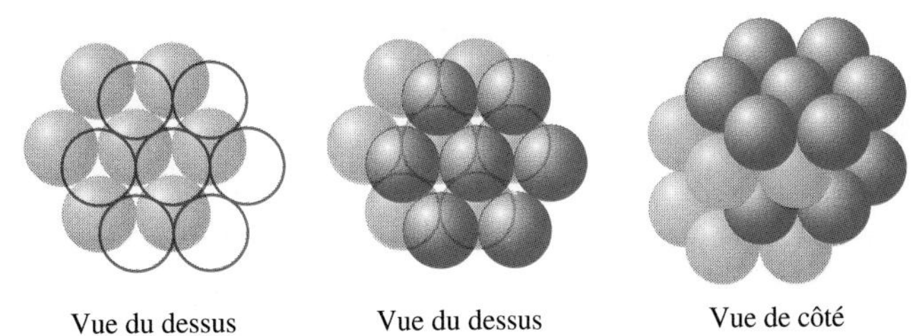

b) Empilement compact — *abca*

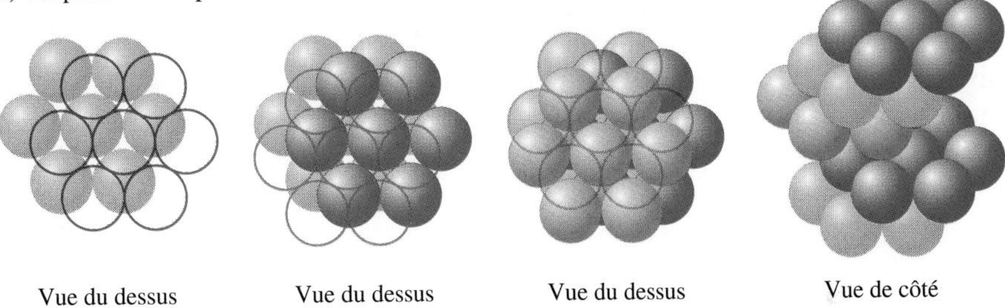

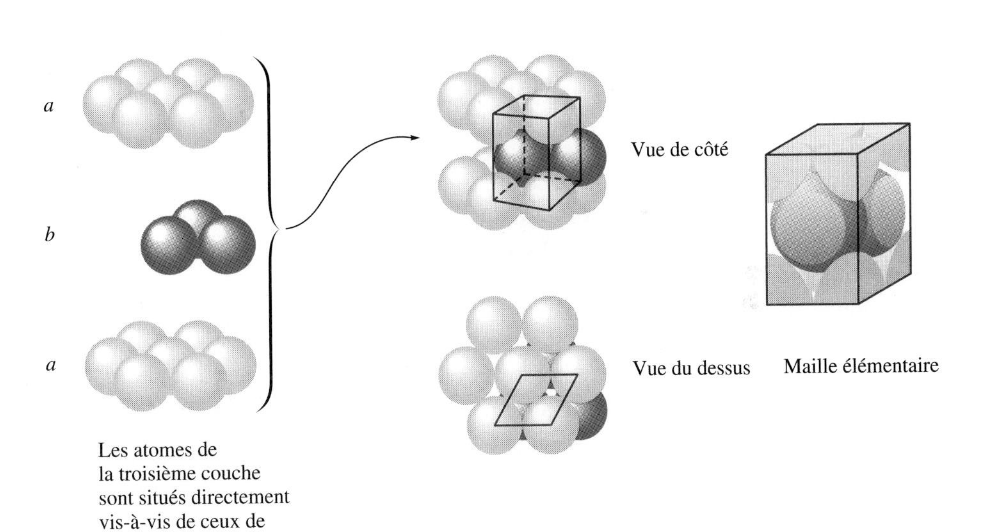

FIGURE 8.14
Si, dans un empilement compact, les sphères de la troisième couche sont situées directement vis-à-vis de celles de la première couche (*aba*), la maille élémentaire est un prisme hexagonal. De ce fait, la dispositon *aba* crée ce qu'on appelle un réseau hexagonal compact (hc).

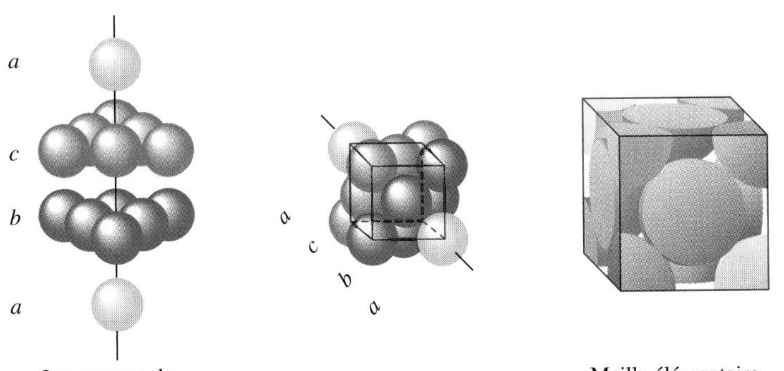

FIGURE 8.15
Dans un empilement *abc*, la maille élémentaire est un cube à faces centrées (pour mieux montrer ce cube, on a incliné l'axe vertical). De ce fait, on parle ici d'un réseau cubique à faces centrées (cfc).

IMPACT

Surfaces en effervescence

Dans la représentation qu'on se fait des solides, on considère que les particules sont dans un empilement compact qui leur laisse peu de liberté de mouvement. Il semble que les particules vibrent de façon aléatoire autour de leur position, mais demeurent à peu près au même endroit. Des recherches récentes indiquent, toutefois, que les particules en surface jouissent d'une mobilité beaucoup plus grande que prévue. Des équipes indépendantes de scientifiques de l'Université de Leyde, aux Pays-Bas, et du Sandia National Laboratory, au Nouveau-Mexique, ont découvert que les atomes à la surface d'un cristal de cuivre effectuent un nombre surprenant de permutations.

Le chercheur néerlandais Raoul van Gastel et ses collègues ont utilisé un microscope à effet tunnel, afin d'étudier la surface d'un cristal de cuivre contenant des atomes d'indium comme impuretés. Ils ont observé qu'une parcelle de la surface demeure inchangée pendant plusieurs balayages, puis, brusquement, que les atomes d'indium apparaissent à différents endroits. Curieusement, les atomes d'indium semblent effectuer de « longs sauts », se retrouvant jusqu'à cinq positions plus loin après un balayage. L'explication la plus plausible de ces mouvements est un « trou » créé par un atome de cuivre qui s'est échappé de la surface. Ce trou migre pendant que d'autres atomes changent tour à tour de place pour le combler (*voir la figure ci-contre*). La meilleure analogie pour comprendre le déplacement du trou est le puzzle par glisse composé de 15 tuiles numérotées et d'une tuile manquante dans un arrangement 4 × 4. Le but du jeu consiste à glisser les tuiles numérotées dans le trou case par case jusqu'à ce que les numéros soient en ordre.

Un puzzle par glisse.

Le trou à la surface de cuivre se déplace très rapidement – jusqu'à 100 millions de fois par seconde mêlant les atomes de cuivre et permettant aux atomes d'indium de changer de position. Van Gastel pense que tout le mouvement observé ne dépend que de quelques trous qui se déplacent rapidement. En fait, il propose qu'un seul atome de cuivre parmi 6 milliards soit absent à un instant donné, ce qui correspond à une seule personne dans la population entière de la planète. L'absence de cet atome cause le déplacement d'un atome donné à la surface, toutes les 30 ou 40 secondes. Brian Swartzentruber, du Sandia National Laboratory, est arrivé à des conclusions semblables à l'aide d'un microscope à effet tunnel lui permettant de suivre la migration d'atomes de palladium sur une surface de cuivre.

Ces résultats ont des répercussions importantes. Par exemple, des surfaces métalliques servent souvent à accélérer certaines réactions. Les mouvements à la surface des métaux peuvent influer de façon importante sur la façon dont les réactifs interagissent avec la surface. En outre, beaucoup d'efforts sont mis en œuvre pour construire de minuscules « appareils » (appelés nano-instruments) en assemblant des atomes individuels à la surface d'un solide. Un excès de mouvements de surface peut mettre en pièces ces nano-instruments.

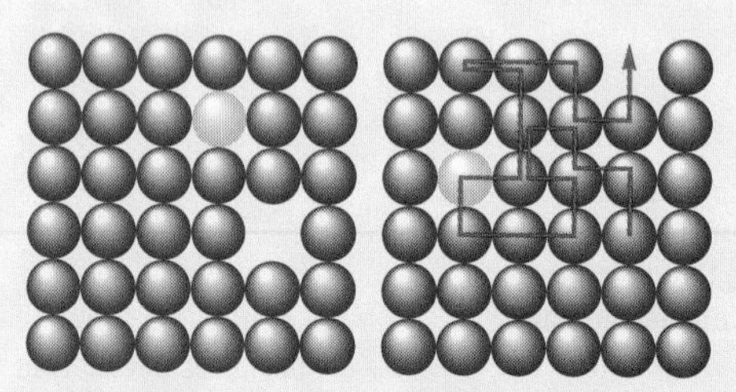

Une section de la surface contenant des atomes de cuivre (en rouge) et un atome d'indium (en jaune). Un trou dû à l'absence d'un atome de cuivre est illustré à gauche. La ligne bleue à droite montre le mouvement de ce trou. Lorsqu'un atome se déplace pour remplir le trou, le trou se déplace également. Au cours du processus, l'atome d'indium saute à une nouvelle position.

Reproduction autorisée. Tiré de *Physical Review Letters*, 19 février 2001, vol. 86, n° 5, « Nothing Moves A Surface : Vacancy Mediated Surface Diffusion » par Dr Raoul van Gastel et coll., p. 1562 à 1565. Tous droits réservés © 2001 par l'American Physical Society.

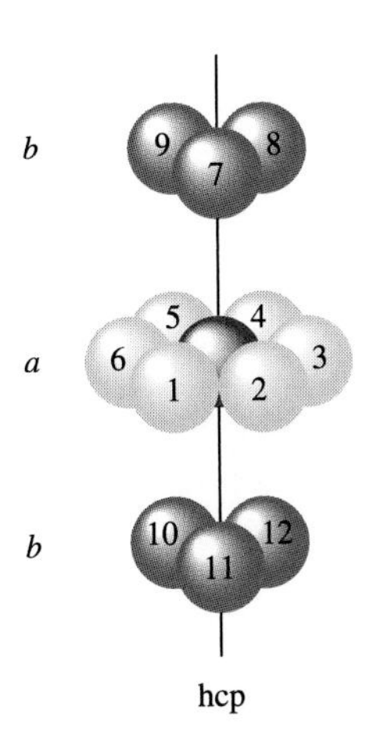

FIGURE 8.16
L'atome central est entouré de 12 atomes.

de **réseau cubique à faces centrées** (**cfc**). Dans la structure hc, on remarque que, la disposition des sphères dans une couche est la même toutes les deux couches (*ababab...*), alors que, dans la structure cfc, elle est la même toutes les trois couches (*abcabca...*). Ces deux structures ont cependant une caractéristique commune: chaque sphère est entourée de 12 sphères équivalentes – 6 dans la couche qu'elle occupe, 3 dans la couche du dessous et 3 dans la couche du dessus. La figure 8.16 illustre ce phénomène pour la structure hc.

Le fait de connaître le nombre *net* de sphères (atomes) dans une maille donnée est d'une grande importance en ce qui concerne les nombreuses applications dans lesquelles interviennent des solides. Pour apprendre à calculer le nombre net de sphères présentes dans une maille, considérons une maille cubique à faces centrées (*voir la figure 8.17*). Dans une telle maille, les huit sphères ont leur *centre* aux huit coins du cube. Par conséquent, huit cubes se partagent une sphère donnée et, dans chacune des mailles, on trouve $\frac{1}{8}$ de cette sphère. Un cube ayant huit coins, chaque cube contient $8 \times \frac{1}{8}$ de sphère, soit l'équivalent d'une sphère complète. Les sphères situées aux centres des faces sont chacune partagées par deux mailles; dans chaque maille, on trouve donc une demi-sphère par face. Étant donné qu'un cube a six faces, chacun contient $6 \times \frac{1}{2}$ sphère, soit l'équivalent de trois sphères complètes. Par conséquent, le nombre net de sphères dans une maille cubique à faces centrées est de

$$\left(8\times\frac{1}{8}\right)+\left(6\times\frac{1}{2}\right)=4$$

Exemple 8.2

Calcul de la masse volumique d'un cristal à réseau cubique à faces centrées

L'argent se cristallise dans un réseau cubique à faces centrées. Le rayon de l'atome d'argent est de 144 pm. Calculez la masse volumique de l'argent solide.

Solution

La masse volumique est la masse par unité de volume. Pour la calculer, il faut donc connaître le nombre d'atomes d'argent présents dans un volume donné du cristal. Étant donné qu'on a affaire à un réseau cubique à faces centrées, la maille est un cube à faces centrées (*voir la figure ci-dessous*).

Il faut déterminer le volume de cette maille élémentaire, ainsi que le nombre net d'atomes qu'elle contient. Dans cette structure, on remarque que les atomes sont contigus selon les diagonales de chaque face et non selon les arêtes du cube. Par conséquent,

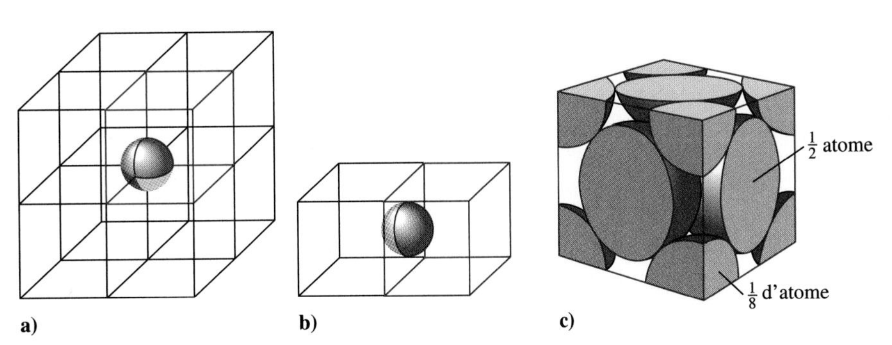

FIGURE 8.17
Nombre net de sphères dans une maille cubique à faces centrées. **a)** La sphère qui occupe un coin est commune à huit mailles. On trouve donc un huitième de cette sphère dans une maille donnée. Puisque chaque cube a huit coins, on trouve donc dans une maille huit de ces $\frac{1}{8}$ de sphère, soit l'équivalent d'une sphère. **b)** La sphère située au centre de chaque face est commune à deux mailles; par conséquent, chaque face possède la moitié d'une telle sphère. Étant donné que chaque maille a six faces, on trouve dans une maille ($6 \times \frac{1}{2}$ sphère), soit l'équivalent de 3 sphères. **c)** Une maille cubique à faces centrées contient donc l'équivalent de quatre sphères (toutes les parties peuvent être rassemblées pour former quatre sphères).

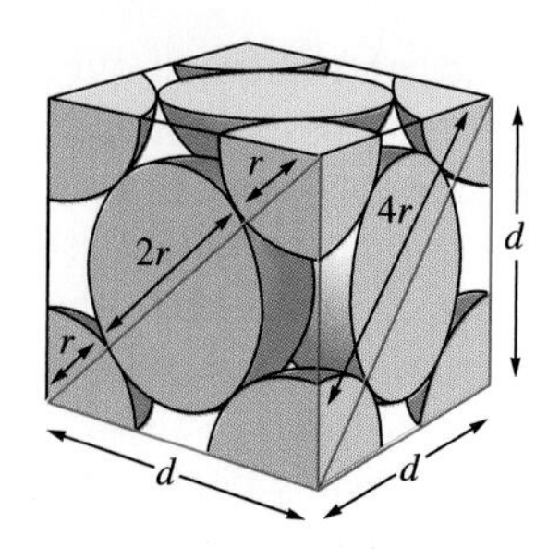

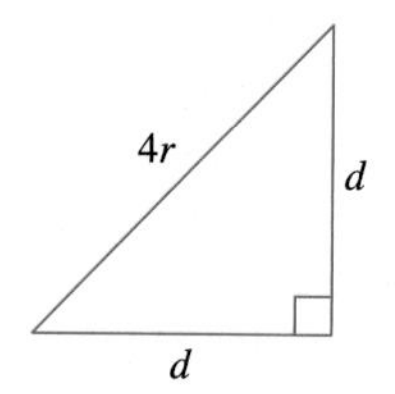

la longueur de la diagonale est : $r + 2r + r$, soit $4r$. Pour déterminer la longueur de l'arête du cube, on utilise le théorème de Pythagore.

$$d^2 + d^2 = (4r)^2$$
$$2d^2 = 16r^2$$
$$d^2 = 8r^2$$
$$d = \sqrt{8r^2} = r\sqrt{8}$$

Puisque, pour un atome d'argent, $r = 144$ pm, on a ici

$$d = (144 \text{ pm})(\sqrt{8}) = 407 \text{ pm}$$

Le volume de la maille élémentaire est d^3, c'est-à-dire $(407 \text{ pm})^3$, soit $6{,}74 \times 10^7 \text{ pm}^3$, ce qui donne, en centimètres cubes

$$6{,}74 \times 10^7 \text{ pm}^3 \times \left(\frac{1{,}00 \times 10^{-10} \text{ cm}}{\text{pm}}\right)^3 = 6{,}74 \times 10^{-23} \text{ cm}^3$$

Le nombre net d'atomes dans une maille cubique à faces centrées étant 4, ce volume de $6{,}74 \times 10^{-23} \text{ cm}^3$ contient quatre atomes d'argent. La masse volumique est donc

$$\text{Masse volumique} = \frac{\text{masse}}{\text{volume}} = \frac{(4 \text{ atomes})(107{,}9 \text{ g/mol})(1 \text{ mol}/6{,}022 \times 10^{23} \text{ atomes})}{6{,}74 \times 10^{-23} \text{ cm}^3}$$
$$= 10{,}6 \text{ g/cm}^3$$

Voir les exercices 8.36 et 8.37

Dans l'argent cristallin, les atomes forment un réseau cubique à faces centrées.

Parmi les métaux dont le réseau cristallin est cubique à faces centrées, on trouve l'aluminium, le fer, le cuivre, le cobalt et le nickel. Le magnésium et le zinc sont des métaux à réseau hexagonal compact. Le calcium et certains autres métaux, quant à eux, peuvent se cristalliser selon l'un ou l'autre de ces réseaux. Par ailleurs, les réseaux de certains métaux ne sont pas compacts : par exemple, les métaux alcalins ont un réseau caractérisé par une *maille cubique centrée* (*voir la figure 8.9b*), dans laquelle les sphères sont en contact selon les diagonales du cube. Dans ce réseau, chaque sphère a 8 sphères voisines (on le vérifie en comptant le nombre d'atomes qui entourent l'atome situé au centre de la maille), et non pas 12 comme dans un réseau compact. On ne comprend pas encore très bien pourquoi un métal donné adopte une structure particulière.

Liaison dans les métaux

Malléable : qui peut s'étendre en feuilles sous le marteau.

Ductile : qui peut être étiré en forme de fil.

Pour qu'elle soit acceptable, toute théorie relative à la liaison dans les métaux doit permettre d'expliquer les principales propriétés physiques de ceux-ci : *malléabilité*, *ductilité* et *conductibilité* efficace et uniforme de la chaleur et de l'électricité dans toutes les directions. Même si la plupart des métaux purs sont relativement malléables, ils sont résistants, et la valeur de leur point de fusion est élevée. Ces propriétés révèlent que, dans la plupart des métaux, la liaison est à la fois *forte* et *non orientée*. Autrement dit, même s'il est difficile de séparer les couches voisines des atomes d'un métal, il est relativement facile de les déplacer, à la condition toutefois qu'elles demeurent en contact les unes avec les autres.

La théorie la plus simple qui permet d'expliquer ces propriétés est la *théorie de la mer d'électrons,* selon laquelle un réseau de cations métalliques baigne dans une « mer » d'électrons de valence (*voir la figure 8.18*). Les électrons mobiles peuvent conduire la chaleur et l'électricité, alors que les cations peuvent facilement se déplacer quand on martèle le métal (pour en faire une feuille) ou qu'on le tréfile.

Une autre théorie, qui permet de rendre compte de façon plus détaillée des niveaux d'énergie des électrons et de leurs déplacements, est la **théorie des bandes d'énergie**, ou **théorie des orbitales moléculaires (OM)**, applicable aux métaux. Selon cette théorie,

IMPACT

Empilement compact de bonbons M&M'S®

Bien que l'on imagine habituellement les scientifiques manipulant des matériaux ésotériques et souvent toxiques, ils nous surprennent parfois. Par exemple, des chercheurs de plusieurs universités prestigieuses ont manifesté récemment beaucoup d'intérêt pour les bonbons M&M'S®.

Afin d'apprécier l'intérêt des scientifiques pour les M&M'S®, nous devons examiner l'importance des empilements d'atomes, molécules ou microcristaux dans la compréhension de la structure des solides. L'utilisation la plus rationnelle de l'espace est l'empilement compact de sphères uniformes, dans lequel 74 % de l'espace est occupé par les sphères et 26 % est laissé inoccupé. Bien que l'empilement compact puisse expliquer les structures de la majeure partie des métaux purs, la plupart des autres substances – comme un grand nombre d'alliages et de céramiques – consistent en réseaux aléatoires de particules microscopiques. C'est pour cette raison que l'étude de l'empilement de ces objets de façon aléatoire suscite l'intérêt.

Lorsque des sphères uniformes, telles que des billes, sont placées dans un grand contenant, elles n'occupent que 64 % de l'espace à la suite de leur empilement aléatoire. C'est pourquoi, Salvatore Torquato, chimiste à l'Université Princeton, et ses collègues de l'Université Cornell et de l'Université North Carolina Central ont été très surpris quand ils ont découvert que lorsque des M&M'S® de forme ellipsoïdale sont placés dans un grand contenant, les bonbons occupent 73,5 % de l'espace disponible. En d'autres mots, les M&M'S® empilés au hasard occupent l'espace avec presque la même efficacité que les sphères d'un empilement compact.

Pourquoi des ellipsoïdes empilés de façon aléatoire occupent-ils l'espace de façon beaucoup plus efficace que des sphères ? Les scientifiques supposent que l'empilement d'ellipsoïdes entre eux peut être plus compact parce qu'ils peuvent s'incliner et effectuer des rotations, ce que les sphères ne peuvent pas faire.

Selon Torquato, ces résultats sont importants parce qu'ils contribuent à une meilleure compréhension des propriétés des matériaux désordonnés qui vont des poudres aux solides vitreux. Il affirme également que les M&M'S® constituent des objets parfaits pour ces essais parce qu'ils sont bon marché et uniformes et qu'« à la fin, vous pouvez mangez les produits de votre expérience ».

on considère que les électrons se déplacent dans l'ensemble du cristal métallique, dans des orbitales moléculaires formées par les orbitales des électrons de valence des atomes métalliques (*voir la figure 8.19*).

Selon la théorie OM relative à la molécule gazeuse Li_2 (*voir la section 7.3*), la combinaison de deux orbitales atomiques identiques forme deux orbitales moléculaires

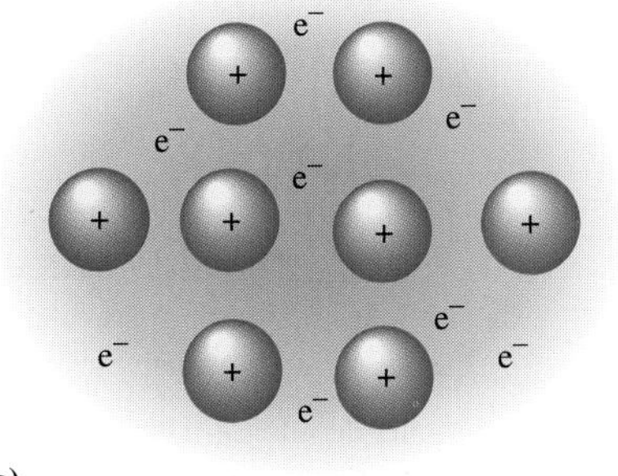

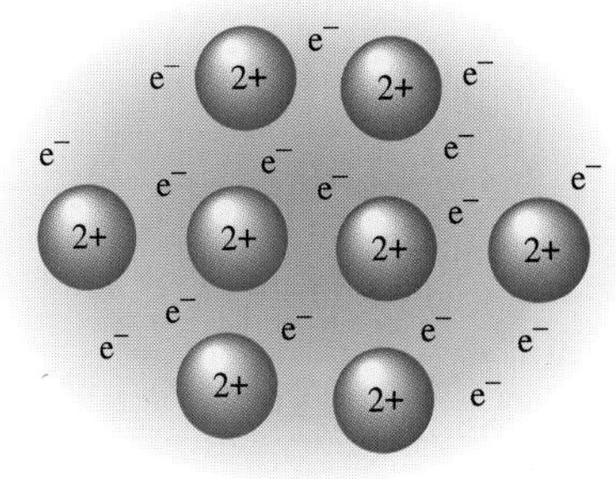

FIGURE 8.18
Selon la théorie de la mer d'électrons, dans un métal, les cations, disposés en réseau, baignent dans une « mer » d'électrons de valence. **a)** Représentation d'un métal alcalin (groupe 1A) qui possède un électron de valence. **b)** Représentation d'un métal alcalino-terreux (groupe 2A) qui possède deux électrons de valence.

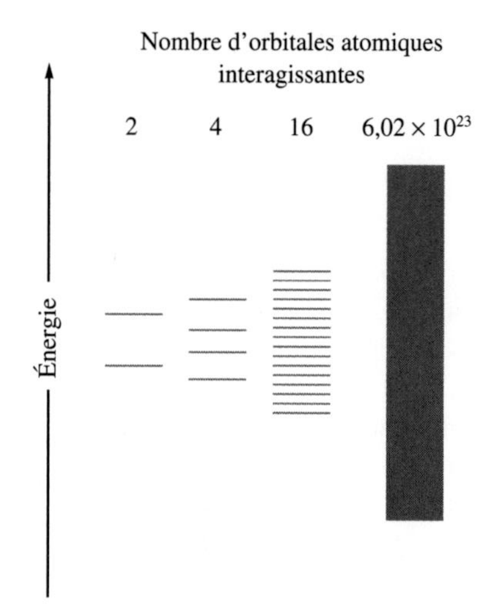

FIGURE 8.19
Diagramme des niveaux d'énergie des orbitales moléculaires qui résultent de l'interaction d'un nombre variable d'orbitales atomiques. De l'interaction de deux orbitales atomiques résultent deux niveaux d'énergie relativement distants (revoir la description de H_2 *à la section 7.2*). Au fur et à mesure que le nombre d'orbitales atomiques qui peuvent former des orbitales moléculaires augmente, les niveaux d'énergie deviennent si voisins qu'ils forment une bande d'orbitales.

de niveaux d'énergie très distants (liant et antiliant). Cependant, quand de nombreux atomes métalliques interagissent, comme dans un cristal métallique, les orbitales moléculaires qui en résultent sont si nombreuses et si voisines les unes des autres qu'elles finissent par former un continuum de niveaux d'énergie, appelé *bande* (*voir la figure 8.19*).

Étudions, par exemple, un cristal métallique de magnésium, dont le réseau est hexagonal compact. Comme chaque atome de magnésium possède, comme orbitales de valence, une orbitale 3*s* et trois orbitales 3*p*, un cristal composé de *n* atomes de magnésium dispose de *n* orbitales 3*s* et de 3*n* orbitales 3*p* pour former des orbitales moléculaires (*voir la figure 8.20*). Signalons que les électrons de cœur sont des électrons localisés, comme l'indique leur présence dans le «puits de potentiel» qui entoure chaque atome de magnésium. Cependant les électrons de valence occupent la bande formée des orbitales moléculaires très voisines qui ne sont que partiellement remplies.

C'est la présence d'orbitales moléculaires inoccupées, dont l'énergie est voisine de celle des orbitales moléculaires remplies, qui permet d'expliquer les conductibilités calorifique et électrique des cristaux métalliques. Les métaux sont des conducteurs efficaces de la chaleur et de l'électricité parce qu'ils possèdent des électrons très mobiles. Par exemple, quand on crée une différence de potentiel électrique entre les deux extrémités d'une tige métallique, il faut, pour qu'il y ait passage du courant, que les électrons soient libres de se déplacer de la zone négative vers la zone positive, dans la tige de métal. Selon la théorie des bandes d'énergie relative aux métaux, les électrons mobiles sont des électrons occupant des orbitales moléculaires remplies qui, à la suite d'une excitation, sont promus à une orbitale auparavant inoccupée. Ces électrons de conduction sont libres de se déplacer dans l'ensemble du cristal métallique en fonction de la différence de potentiel imposée au métal. Les orbitales moléculaires occupées par ces électrons de conduction sont appelées *bandes de conduction.* La présence de ces électrons mobiles permet également d'expliquer l'efficacité de la conduction de la chaleur dans les métaux. Quand on chauffe l'extrémité d'une tige métallique, les électrons mobiles peuvent rapidement transmettre cette énergie thermique à l'autre extrémité de la tige.

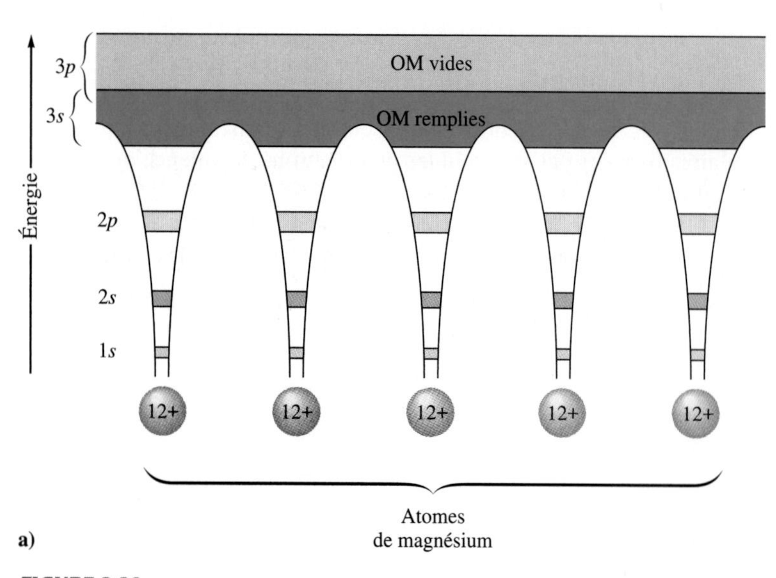

FIGURE 8.20
a) Représentation des niveaux d'énergie (liaisons) dans un cristal de magnésium. Les électrons des orbitales 1*s*, 2*s* et 2*p* sont situés près du noyau; par conséquent, ils sont localisés dans chaque atome de magnésium. Les orbitales de valence 3*s* et 3*p* se recouvrent pour former des orbitales moléculaires. Les électrons qui occupent ces niveaux d'énergie peuvent se déplacer dans l'ensemble du cristal. **b)** Cristaux de magnésium formés à partir de vapeurs.

IMPACT

Qu'est-ce qui a coulé le *Titanic*?

Le 12 avril 1912, le paquebot transatlantique *Titanic* percute un iceberg dans l'Atlantique Nord à environ 160 km au sud des Grands Bancs de Terre-Neuve et, en moins de trois heures, il repose au fond de l'océan. Parmi les 2300 passagers et membres d'équipage, plus de 1500 ont perdu la vie. Alors que l'histoire tragique du *Titanic* n'a jamais quitté l'esprit et l'imagination des générations qui ont suivi, la découverte de l'épave lors d'une expédition conjointe franco-américaine, en 1985, gisant à plus de 3700 mètres de profondeur, a ranimé l'intérêt du monde pour « le plus grand paquebot » de son époque. La découverte a également révélé des indices scientifiques importants permettant de comprendre pourquoi et comment le *Titanic* a coulé si rapidement dans les eaux glaciales de l'Atlantique Nord.

Le *Titanic* avait été conçu pour être pratiquement « insubmersible » et même dans le pire des scénarios, par exemple une collision de plein fouet avec un autre océanique, le navire était construit de telle sorte qu'il devait prendre de un à trois jours pour couler. Par conséquent, sa descente rapide vers le fond a consterné les scientifiques pendant des années. En 1991, Steve Blasco, un géologue des fonds marins pour le ministère canadien des Ressources naturelles, a mené une expédition à l'épave. Lors de l'une des 17 plongées au site, l'équipe de Blasco a récupéré une pièce d'acier qui semblait faire partie de la coque du *Titanic*. Contrairement à l'acier moderne, qui aurait montré des signes de flexion dans une collision, l'acier récupéré du *Titanic* semblait s'être brisé en éclats lors de l'impact avec l'iceberg. Cela portait à croire que le métal n'était pas aussi ductile qu'il aurait dû l'être, la *ductilité* étant la propriété d'un matériau de pouvoir s'étirer sans se rompre. En 1994, des essais ont été effectués sur de petites pièces de métal, appelées *coupons*, découpées du morceau de coque récupéré. Ces échantillons se sont brisés en éclats sans se déformer. Des analyses plus poussées ont démontré que l'acier utilisé pour construire la coque du *Titanic* était à haute teneur en soufre, et il est bien connu que les inclusions de soufre ont tendance à rendre l'acier plus cassant. Cette preuve laisse croire que la qualité médiocre de l'acier utilisé pour construire la coque du *Titanic* pourrait bien avoir été un facteur important dans la submersion rapide du navire.

Mais pas si vite. Le *Titanic* continue à provoquer la controverse. Une équipe d'ingénieurs navals et de scientifiques sont récemment arrivés à la conclusion que ce n'est pas l'acier cassant, mais des rivets défectueux qui ont entraîné la perte du *Titanic*. Au cours d'expéditions menées en 1996 et 1998 par RMS Titanic Inc., d'autres échantillons d'acier et de rivets du *Titanic* ont été récupérés pour d'autres études. L'analyse de ces échantillons par une équipe conduite par Tim Foecke, du National Institute of Standards and Technology (NIST), montre que les rivets contiennent trois fois la quantité de scories de silicate prévue. Foecke et ses collègues font valoir que la teneur élevée en scories a rendu les rivets fragiles ; ils ont cédé en grand nombre lorsque la collision a eu lieu, éventrant ainsi le navire.

Qu'est-ce qui a coulé le *Titanic* ? Il a percuté un iceberg, mais il reste à comprendre les détails.

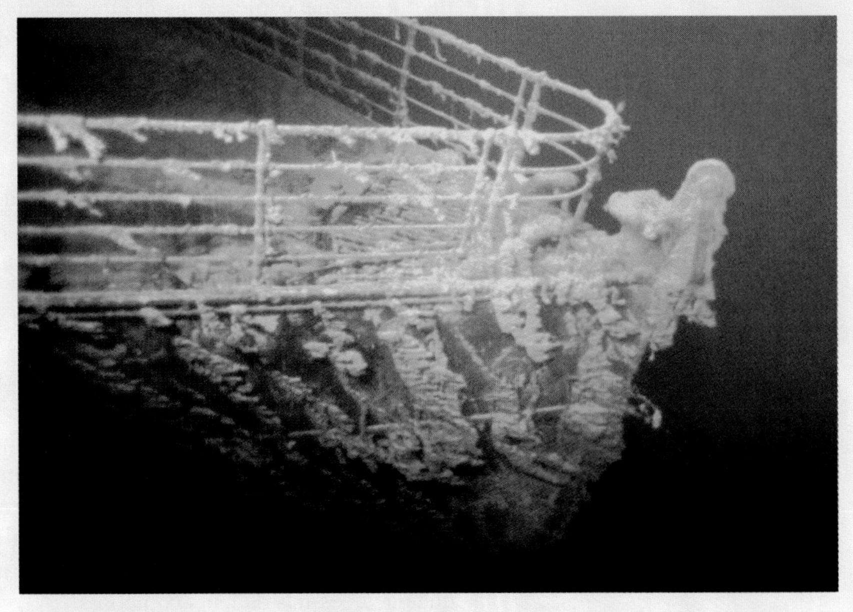

La proue de l'épave du *Titanic* sous 4 kilomètres d'eau.

Alliages métalliques

À cause de la nature même de la structure et de la liaison des métaux, on peut assez facilement introduire dans un cristal métallique des atomes d'autres éléments et former ainsi ce qu'on appelle des alliages. Un **alliage** est *une substance métallique constituée*

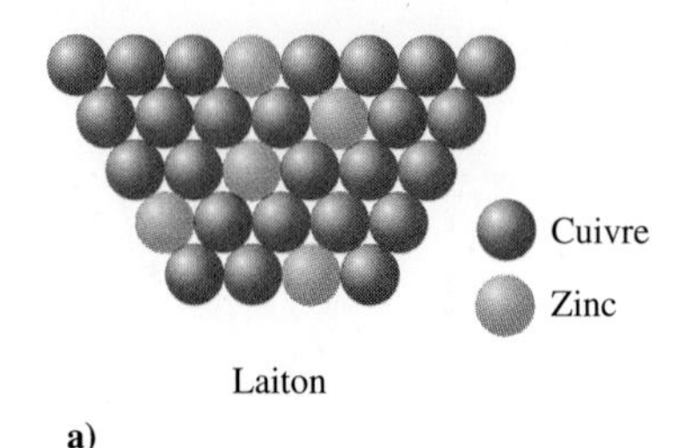

a)

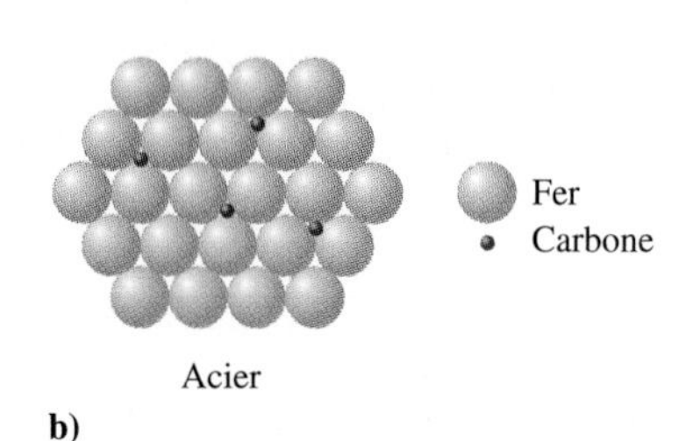

b)

FIGURE 8.21
Deux types d'alliages.

TABLEAU 8.4 Composition de l'acier utilisé pour fabriquer des cadres de bicyclettes pour la compétition

Marque commerciale	% Fe	% C	% Si	% Mn	% Mo	% Cr
Reynolds	98,00	0,25	0,25	1,3	0,20	—
Columbus	97,60	0,25	0,30	0,65	0,20	1,0

d'un mélange d'éléments et possédant des propriétés métalliques. On distingue en général deux types d'alliages : les alliages de substitution et les alliages d'insertion.

Dans les **alliages de substitution**, certains des atomes du métal de base sont *remplacés* par d'autres atomes métalliques de taille identique. Ainsi, dans le laiton, environ un tiers des atomes de cuivre sont remplacés par des atomes de zinc (*voir la figure 8.21a*). L'argent sterling utilisé par les bijoutiers (93 % d'argent et 7 % de cuivre), l'étain de poterie utilisé par les orfèvres (85 % d'étain, 7 % de cuivre, 6 % de bismuth et 2 % d'antimoine) et la soudure utilisée par le plombier (95 % d'étain et 5 % d'antimoine) sont des alliages de substitution.

Dans un **alliage d'insertion**, de petits atomes viennent occuper quelques interstices (trous) dans le réseau métallique compact (*voir la figure 8.21b*). Ainsi, dans l'acier, l'alliage d'insertion certainement le plus connu, des atomes de carbone occupent les trous du réseau cristallin du fer. La présence de ces atomes d'insertion modifie les propriétés du métal de base. Le fer pur, par exemple, est relativement souple, ductile et malléable (les couches d'atomes peuvent être facilement déplacées les unes par rapport aux autres). Cependant, quand on introduit du carbone dans le réseau cristallin du fer, il y a formation de fortes liaisons orientées carbone-fer ; la présence de ces liaisons rend l'alliage plus dur, plus résistant et moins ductile que le fer pur. La teneur de l'acier en carbone en modifie directement les propriétés : on utilise ainsi les *aciers doux* (moins de 0,2 % de carbone), ductiles et malléables, dans la fabrication des clous, des câbles et des chaînes, les *aciers mi-doux* (de 0,2 à 0,6 % de carbone), plus dur que les aciers doux, dans la fabrication des rails et des poutrelles et les *aciers à forte teneur en carbone* (de 0,6 à 1,5 % de carbone), durs et résistants, dans la fabrication de ressorts, d'outils et de coutellerie.

Il existe par ailleurs de nombreux types d'aciers qui contiennent d'autres éléments que le fer et le carbone : ces *aciers alliés* sont à la fois des alliages d'insertion (carbone) et de substitution (autres métaux). On utilise de tels aciers pour fabriquer par exemple des cadres de bicyclettes. Le tableau 8.4 présente la composition de l'acier utilisé par deux fabricants pour les cadres de bicyclettes pour la compétition.

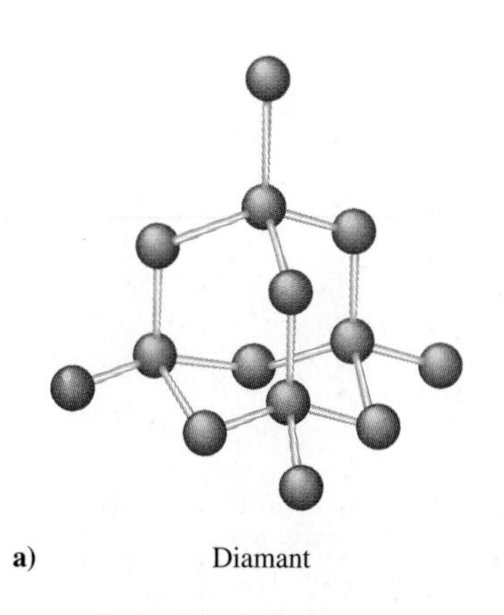

a)

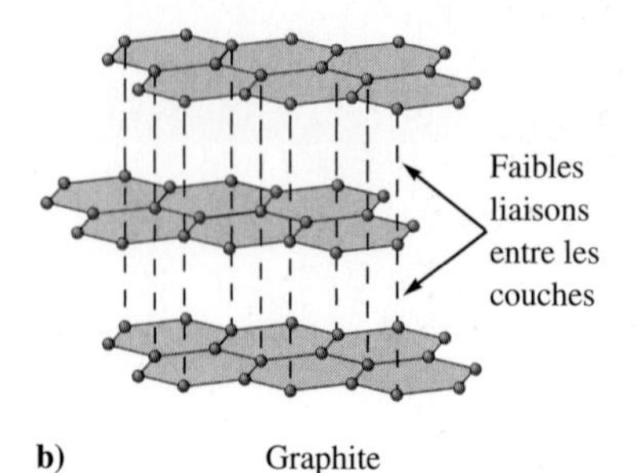

b)

FIGURE 8.22
Structures du diamant et du graphite. Dans chaque cas, seule une partie de la structure est illustrée.

8.5 Carbone et silicium : solides atomiques covalents

De nombreux solides atomiques possèdent des liaisons covalentes fortement orientées formant un solide qui serait mieux vu comme une « molécule géante ». On appelle ces substances des **solides covalents**. Contrairement aux métaux, ces matériaux sont fragiles et mauvais conducteurs de la chaleur ou de l'électricité. Pour expliquer en détail les solides covalents, étudions deux éléments très importants, le carbone et le silicium, ainsi que quelques-uns de leurs composés.

Les deux formes allotropiques de carbone les plus courantes, le diamant et le graphite, sont des exemples typiques de solides covalents. Dans le diamant, la substance naturelle la plus dure qu'on connaisse, chaque atome de carbone occupe le centre d'un tétraèdre dont les quatre sommets sont également occupés par d'autres atomes de carbone pour former une grosse molécule (*voir la figure 8.22a*). Cette structure est stabilisée par des liaisons covalentes qui, selon la théorie des électrons localisés, sont formées par recouvrement des orbitales hybrides sp^3 des atomes de carbone.

Il est également intéressant d'appliquer la théorie des orbitales moléculaires aux atomes de carbone du diamant. La figure 8.23 présente le diagramme des bandes d'énergie du diamant et celui d'un métal typique. Rappelons que la conductibilité des

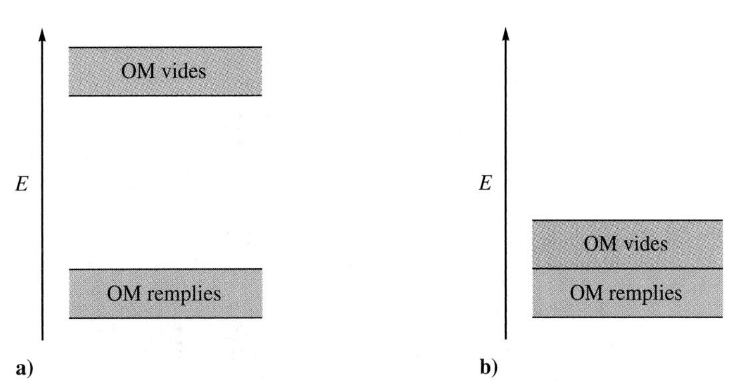

FIGURE 8.23
Représentation partielle des niveaux d'énergie des orbitales moléculaires : **a)** dans le diamant ; **b)** dans un métal typique.

métaux est due au transfert, dans les bandes quasi inoccupées (bandes de conduction), d'électrons excités provenant de bandes remplies. Dans le diagramme du diamant, on remarque qu'il existe, *entre les deux zones (orbitales remplies et orbitales inoccupées), une large bande interdite*, ce qui signifie que les électrons ne peuvent pas être facilement transférés dans les bandes de conduction inoccupées. On ne doit donc pas s'attendre à ce que le diamant soit un bon conducteur de l'électricité, ce que l'expérience confirme : le diamant est un *isolant* électrique (il n'est pas conducteur du courant électrique).

Le graphite et le diamant, deux formes allotropiques du carbone.

Le graphite, une autre forme allotropique du carbone, est quant à lui très différent du diamant. Alors que le diamant est dur, incolore et non conducteur, le graphite est onctueux, noir et conducteur. Ces différences sont imputables à des différences de liaison dans ces deux types de solides. Contrairement au diamant, dans lequel les atomes de carbone sont disposés en forme de tétraèdre, le graphite a une stucture lamellaire : chaque couche est constituée de cycles soudés formés de six atomes de carbone chacun (*voir la figure 8.22b*). Dans une couche donnée, chaque atome de carbone est entouré de trois autres atomes de carbone coplanaires avec lesquels il forme des angles de 120°. Selon la théorie des électrons localisés, il s'agit là d'une hybridation sp^2. Les trois orbitales sp^2 de chaque atome de carbone sont utilisées pour former des liaisons avec les trois autres atomes de carbone. Dans chaque atome de carbone, on trouve une orbitale $2p$ non hybridée perpendiculaire au plan des atomes de carbone (*voir la figure 8.24*). Ces orbitales s'associent pour former un groupe d'orbitales moléculaires très rapprochées, les orbitales π, importantes à deux points de vue : premièrement, elles contribuent grandement à assurer la stabilité des couches de graphite en formant des liaisons π ; deuxièmement, la présence

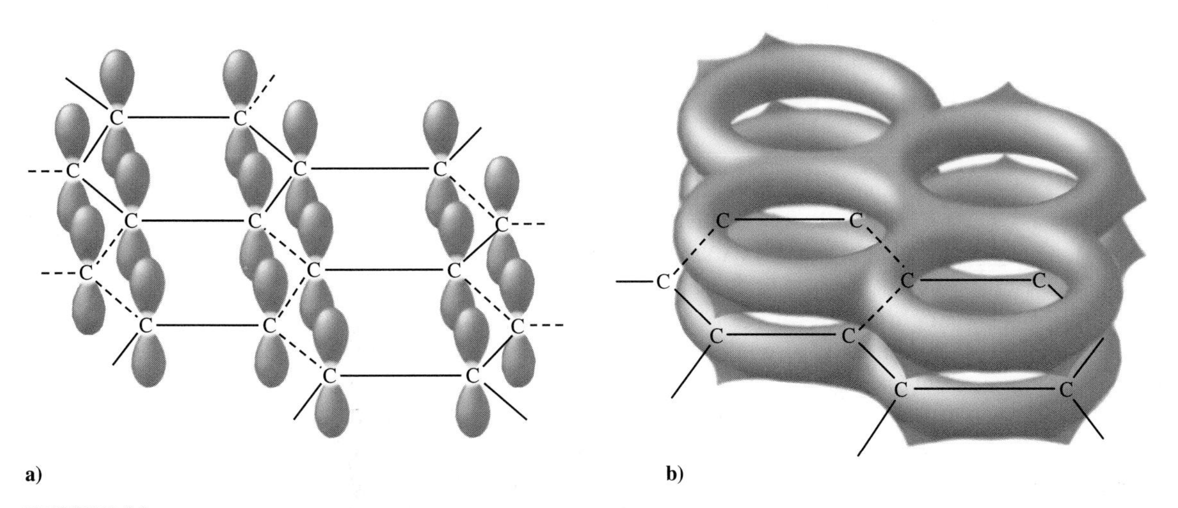

FIGURE 8.24
Les orbitales p perpendiculaires au plan des noyaux d'atomes de carbone dans le graphite **a)** peuvent se combiner pour former **b)** un réseau étendu de liaisons π.

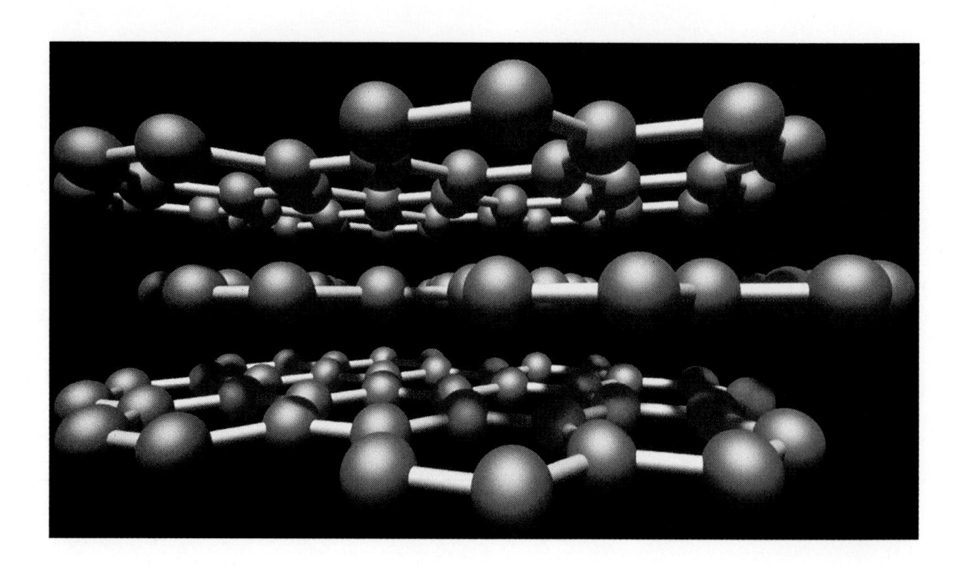

FIGURE 8.25
Le graphite consiste en couches d'atomes de carbone.

d'électrons délocalisés dans les orbitales moléculaires π permet d'expliquer la conductibilité électrique du graphite. Ces orbitales très rapprochées jouent un rôle exactement identique à celui que jouent les bandes de conduction dans les cristaux métalliques.

On utilise souvent le graphite comme lubrifiant dans les serrures (là où l'huile n'est pas recommandée, car elle emprisonne les poussières). L'onctuosité caractéristique du graphite est due à la présence de liaisons très fortes *entre les atomes de carbone coplanaires* et de liaisons très faibles *entre* les couches (les électrons de valence étant tous utilisés pour former des liaisons σ et π entre les atomes de carbone d'une même couche). Cet agencement permet aux différentes couches de glisser facilement les unes par rapport aux autres. Cette structure lamellaire du graphite est illustrée à la figure 8.25. Cet agencement est très différent de celui qu'on trouve dans le diamant, au sein duquel le carbone forme des liaisons uniformes dans toutes les directions du cristal.

À cause de leur extrême dureté, on utilise les diamants en industrie pour couper divers matériaux. Il est donc bénéfique de convertir le graphite, peu coûteux, en diamant. Étant donné que la masse volumique du diamant (3,5 g/cm^3) est plus élevée que celle du graphite (2,2 g/cm^3), pour obtenir une telle transformation, il faut soumettre le graphite à de très fortes pressions : ainsi, en exerçant une pression de $1{,}5 \times 10^3$ MPa, à 2800 °C, on peut convertir presque complètement le graphite en diamant. La haute température exigée par ce processus est due à la nécessité de briser les fortes liaisons du graphite pour que leur réorganisation ait lieu.

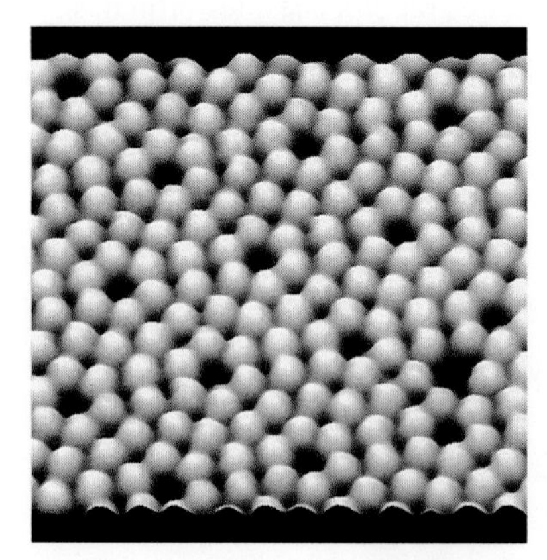

Modèle de la silice généré par ordinateur.

Le silicium est un important élément présent dans les composés qui forment l'écorce terrestre. En fait, le silicium est à la géologie ce que le carbone est à la biologie : de la même manière que le carbone est l'élément de base des systèmes biologiques les plus importants, on trouve les composés de silicium dans la plupart des roches, des sables et de la terre présents dans l'écorce terrestre. Même si le carbone et le silicium sont des éléments voisins du groupe 4A du tableau périodique, les composés du carbone et les composés du silicium ont des propriétés totalement différentes. Les composés du carbone comportent en général de longues chaînes de liaisons carbone-carbone, alors que les composés du silicium les plus stables comportent des chaînes de liaisons silicium-oxygène.

À la section 7.1, nous avons décrit les liaisons présentes dans la molécule CO_2.

Le composé fondamental formé de silicium et d'oxygène est la **silice**, dont la formule empirique est SiO_2. En se basant sur les propriétés d'un composé similaire, le dioxyde de carbone, CO_2, on devrait s'attendre à ce que la silice soit un gaz constitué de molécules SiO_2 individuelles. Or, il n'en est rien. Le quartz et divers autres types de sables sont des matériaux typiques composés de silice. À quoi cette différence est-elle due ? Aux liaisons.

Considérons le diagramme de Lewis du CO_2.

$$\ddot{\underset{\cdot\cdot}{O}}{=}C{=}\ddot{\underset{\cdot\cdot}{O}}$$

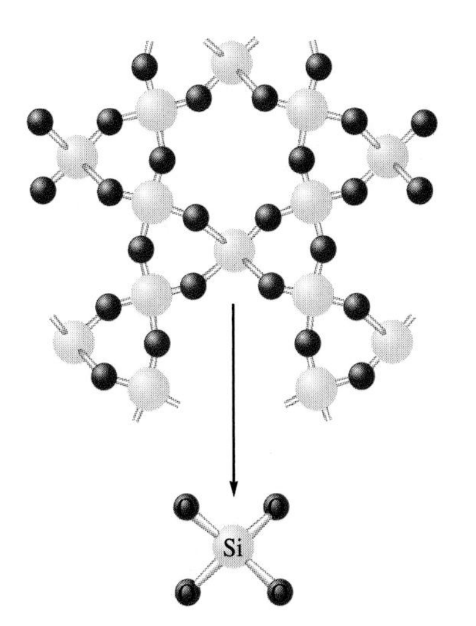

FIGURE 8.26
(En haut) Structure du quartz (formule empirique: SiO_2). Le quartz est composé de chaînes de tétraèdres (en bas) SiO_4 qui partagent leurs atomes d'oxygène.

Dans ce cas, chaque liaison C═O est formée d'une liaison σ (qui fait intervenir une orbitale hybride *sp* du carbone) et d'une liaison π (qui fait intervenir une orbitale 2*p* du carbone). Le silicium, par contre, ne peut pas utiliser ses orbitales de valence 3*p* pour former des liaisons fortes π avec l'oxygène, puisque les tailles de son atome et de ses orbitales sont trop grandes pour qu'un recouvrement efficace ait lieu avec les orbitales de l'oxygène, plus petites. Par conséquent, au lieu de former des liaisons π, l'atome de silicium respecte la règle de l'octet en formant des liaisons simples avec quatre atomes d'oxygène (*voir la figure 8.26*). On remarque que chaque atome de silicium occupe le centre d'un tétraèdre dont les sommets sont occupés par des atomes d'oxygène, que l'atome central de silicium partage avec d'autres atomes de silicium; ainsi, même si la formule empirique du quartz est SiO_2, sa structure de base est constituée d'un *réseau* de tétraèdres SiO_4 (réseau dans lequel les atomes d'oxygène font le pont) et non de molécules SiO_2 individuelles. On constate donc que les capacités différentes du carbone et du silicium de former des liaisons π avec l'oxygène exercent un effet important sur les structures et les propriétés du CO_2 et du SiO_2.

Les composés apparentés au silicium, qu'on trouve dans la plupart des roches, sols et argiles, sont des **silicates**. Comme celle de la silice, la structure de base des silicates est constituée de tétraèdres SiO_4 interreliés. Par contre, contrairement à la silice, pour laquelle le rapport O:Si est de 2:1, les silicates ont un rapport O:Si supérieur à 2:1; ils contiennent par ailleurs des *anions* silicium-oxygène. Donc, pour qu'il y ait formation de silicates solides neutres, il faut que des cations équilibrent la charge négative excessive. En d'autres termes, les silicates sont des sels qui contiennent des cations métalliques et des anions polyatomiques silicium-oxygène. La figure 8.27 présente certains anions silicates importants.

Quand on élève la température de la silice à une valeur supérieure à celle de son point de fusion (environ 1600 °C) et qu'on la refroidit rapidement, il y a formation d'un solide amorphe appelé **verre** (*voir la figure 8.28*). Contrairement à la structure du quartz, cristalline, celle du verre est désordonnée. En fait, le verre ressemble beaucoup plus à

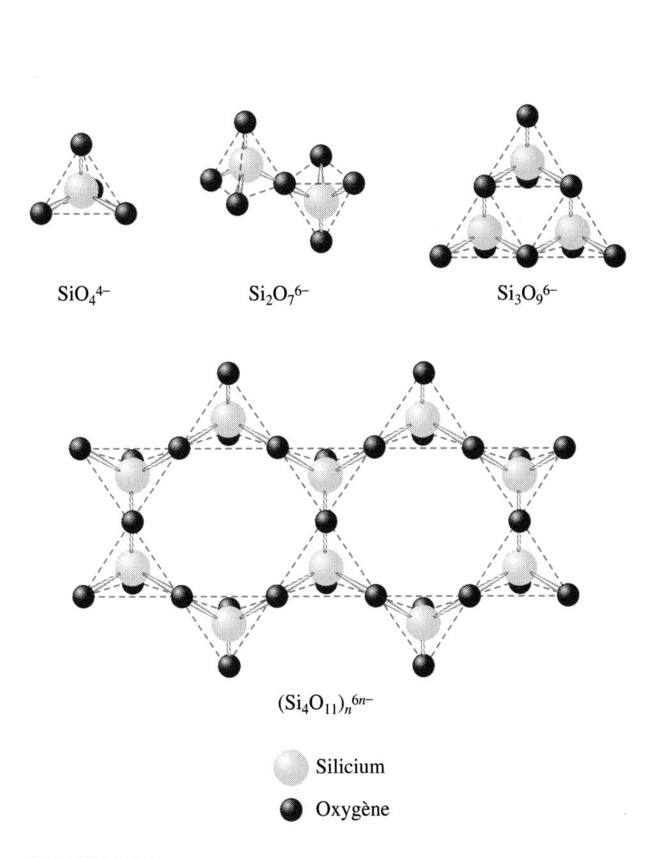

FIGURE 8.27
Quelques anions silicates, dont l'élément de base est un tétraèdre de SiO_4^{4-}.

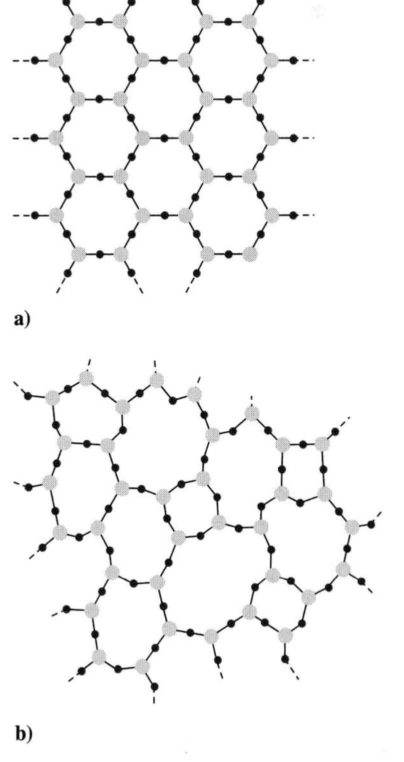

FIGURE 8.28
Représentation bidimensionnelle:
a) d'un cristal de quartz; **b)** de verre.

TABLEAU 8.5 Composition de quelques types de verre courants

	Pourcentage des divers composants						
Type de verre	SiO_2	CaO	Na_2O	B_2O_3	Al_2O_3	K_2O	MgO
ordinaire (verre sodocalcique)	72	11	13	—	0,3	3,8	—
pour ustensiles de cuisine (silicoaluminates)	55	15	0	—	20	—	10
thermorésistant (borosilicates)	76	3	5	13	2	0,5	—
optique	69	12	6	0,3	—	12	—

Fabrication d'un pichet en verre.

une solution visqueuse qu'à une solution cristalline. On obtient le verre commun en ajoutant du Na_2CO_3 à la silice fondue, qu'on refroidit. On peut faire varier considérablement les propriétés du verre en ajoutant différents produits à la silice fondue. Par exemple, l'addition de B_2O_3 donne un verre (appelé « borosilicate ») qui se dilate et se contracte très peu lorsqu'on le soumet à d'importantes variations de température. Ce matériau est donc très utile pour la fabrication de verrerie de laboratoire et d'ustensiles de cuisine (la marque de commerce Pyrex est certainement la plus connue en ce qui concerne ce type de verre). L'addition de K_2O permet d'obtenir un verre suffisamment dur pour qu'on puisse le surfacer et en faire des verres de lunettes ou des lentilles cornéennes. Le tableau 8.5 présente la composition de plusieurs types de verre.

Céramiques

La **céramique** est en général composée d'argile (qui contient des silicates) durcie par cuisson à haute température. Les céramiques constituent une classe de matériaux non métalliques, solides, cassants et résistants à la chaleur et aux solvants.

Comme le verre, la céramique est formée à partir de silicates, mais la ressemblance ne va pas plus loin. En effet, on peut faire fondre du verre autant de fois qu'on le désire, alors que la céramique, une fois durcie, résiste à des températures extrêmement élevées. On explique cette particularité par les différences de structure du verre et de la céramique : le verre est une « solution figée » non cristalline et *homogène*, alors que la céramique est un mélange *hétérogène*. Par ailleurs, la céramique contient deux phases : de minuscules cristaux de silicates en suspension dans une base vitreuse.

Il faut connaître la structure des argiles pour bien comprendre comment les céramiques durcissent. Les argiles sont formées par l'altération lente, par l'eau et par le dioxyde de carbone, des feldspaths, mélanges de silicates dont la formule empirique est du type $K_2O \cdot Al_2O_3 \cdot 6SiO_2$ et $Na_2O \cdot Al_2O_3 \cdot 6SiO_2$. Le feldspath est en fait un silicoaluminate dans lequel les atomes d'aluminium et les atomes de silicium font partie intégrante du polyanion qui comporte des ponts oxygène. L'altération des feldspaths entraîne la formation de kaolinite, matériau composé de fines plaquettes et dont la formule empirique est $Al_2Si_2O_5(OH)_4$. Lorsqu'elles sont sèches, ces plaquettes adhèrent les unes aux autres ; lorsqu'elles sont humides, elles glissent les unes sur les autres – c'est ce qui confère à l'argile sa plasticité. Quand l'argile sèche, les plaquettes s'imbriquent de nouveau. Finalement, lorsque l'eau résiduelle est éliminée au moment de la cuisson, les silicates et les cations forment une base vitreuse qui maintient ensemble les minuscules cristaux de kaolinite.

On connaît les céramiques depuis fort longtemps. Les roches, qui sont des céramiques naturelles, constituèrent les premiers outils connus. Plus tard, on a utilisé les récipients en céramique, séchés au soleil ou cuits dans le feu, pour entreposer l'eau et la nourriture. Ces premiers récipients furent certainement grossiers et très poreux. Après la découverte de la glaçure par les Égyptiens (vers 3000 av. J.-C.), la poterie est devenue plus pratique et plus « esthétique ». Essentiellement, la porcelaine et la terre cuite sont composées du même matériau ; cependant, pour fabriquer de la porcelaine, on a recours à des argiles et à des glaçures spéciales, et on cuit l'objet à une très haute température.

Vase en céramique peint avant l'application de la glaçure.

Bien que les céramiques soient connues depuis l'Antiquité, elles demeurent d'actualité : elles constituent l'une des plus importantes classes de matériaux de haute technologie.

IMPACT

Du verre dans les bâtons de golf

Vous pouvez sûrement deviner quel matériau a traditionnellement servi à fabriquer les « bois » utilisés au golf. La technologie moderne a changé les choses. Comme dans le cas des bâtons de baseball, la plupart des « bois » sont maintenant fabriqués en métal. Alors que les bâtons de baseball sont fabriqués en aluminium, les têtes de bâtons de golf sont souvent en acier inoxydable ou en titane.

Les métaux et leurs alliages forment habituellement des cristaux qui contiennent des arrangements hautement ordonnés d'atomes. Cependant, une entreprise californienne, appelée Liquidmetal Golf de Laguna Niguel, a commencé à fabriquer des bâtons de golf contenant du verre – du verre métallique. L'entreprise a trouvé que lorsque des mélanges fondus de titane, de zirconium, de nickel, de béryllium et de cuivre sont refroidis, ils se solidifient et forment un verre. Contrairement aux matériaux cristallins qui contiennent un arrangement régulier d'atomes, les verres sont amorphes, c'est-à-dire que les atomes sont répartis de façon aléatoire dans tout le solide.

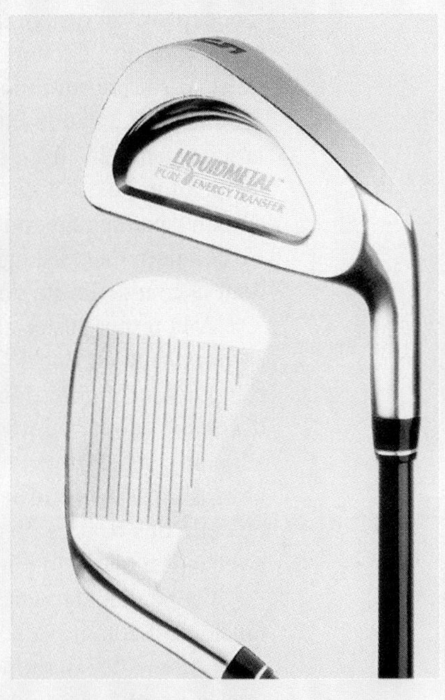

Bâtons de golf contenant une enveloppe de titane et des éléments de verre métallique.

Ces bâtons de golf renfermant du verre métallique présentent quelques caractéristiques inhabituelles. Ainsi, les golfeurs qui en ont fait l'essai affirment qu'ils combinent dureté et souplesse. Des études montrent en effet que le verre transfère mieux la force de l'élan à la balle, et avec moins d'impact aux mains du joueur que ne le feraient les bâtons habituels en métal.

Une des heureuses propriétés du verre métallique à cinq constituants (inventé en 1992 par William L. Johnson et Atakan Peker du California Institute of Technology) est la possibilité de le refroidir plus ou moins lentement pour former le verre permettant la fabrication d'objets en verre assez gros, comme des pièces pour les têtes de bâtons de golf. La plupart des mélanges de métaux qui forment des verres doivent être refroidis très rapidement, ce qui provoque la formation de minuscules particules de verre se transformant en poudre.

David S. Lee, chef de la fabrication chez Liquidmetal Golf, affirme que les bâtons de golf ont été une première application évidente pour le verre à cinq constituants, parce que les golfeurs sont habitués à payer des prix élevés pour des bâtons qui font appel à de nouvelles technologies. Liquidmetal Golf examine maintenant la possibilité d'autres applications de ce nouveau verre. Pourquoi pas des cadres de vélos en verre ?

En raison de leur stabilité aux hautes températures et de leur résistance à la corrosion, les céramiques semblent le matériau tout désigné pour construire des moteurs de fusées et d'automobiles, dans lesquels une très grande efficacité n'est possible qu'à de très hautes températures. Toutefois, les céramiques sont fragiles : elles cassent au lieu de plier. Cette caractéristique réduit leur utilité. Par ailleurs, on peut obtenir des céramiques flexibles en ajoutant une faible quantité de polymères organiques. En s'inspirant des matériaux « organo-céramiques » naturels tels que les dents et les coquillages, qui contiennent de faibles quantités de polymères organiques, les spécialistes peuvent obtenir des matériaux beaucoup moins fragiles s'ils incorporent de faibles quantités de longues molécules organiques dans la céramique en formation. Ces matériaux devraient être utiles dans la fabrication de pièces plus légères et plus durables d'un moteur de même que dans la fabrication de fils supraconducteurs flexibles et de dispositifs microélectroniques. De plus, l'utilisation des matériaux organo-céramiques s'annonce prometteuse dans la fabrication de prothèses telles que des os artificiels.

Semi-conducteurs

La structure du silicium élémentaire est identique à celle du diamant. Il n'y a là rien d'étonnant, étant donné que le carbone et le silicium occupent, dans le groupe 4A du tableau périodique, deux cases superposées. Rappelons également que, dans le cas du diamant, entre les orbitales moléculaires remplies et les orbitales moléculaires inoccupées, on trouve une large bande interdite (*voir la figure 8.23*) : la largeur de cette bande interdit l'excitation des électrons dans les orbitales inoccupées (bandes de conduction) ; c'est pourquoi le diamant est un isolant. Dans le cas du silicium, la situation est semblable. La bande interdite y étant cependant plus étroite, quelques électrons peuvent la traverser, à 25 °C ; c'est pourquoi le silicium est un **semi-conducteur**. En outre, à haute température, c'est-à-dire quand la valeur de l'énergie nécessaire pour exciter les électrons dans les bandes de conduction est plus élevée, la conductibilité du silicium augmente. Ce comportement est caractéristique d'un semi-conducteur et contraire à celui des métaux, dont la conductibilité diminue en fonction de la température.

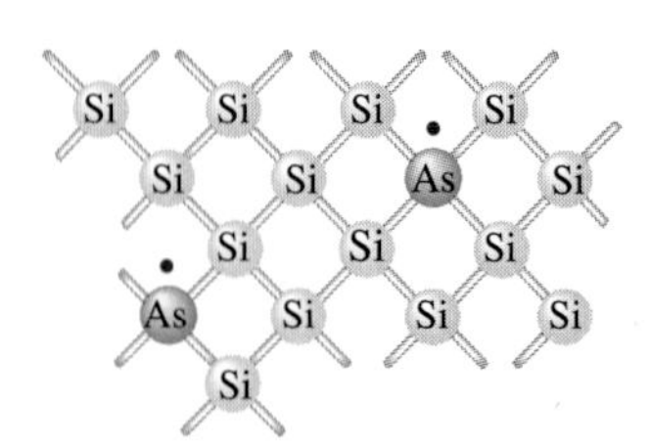

Semi-conducteur de type *n*

a)

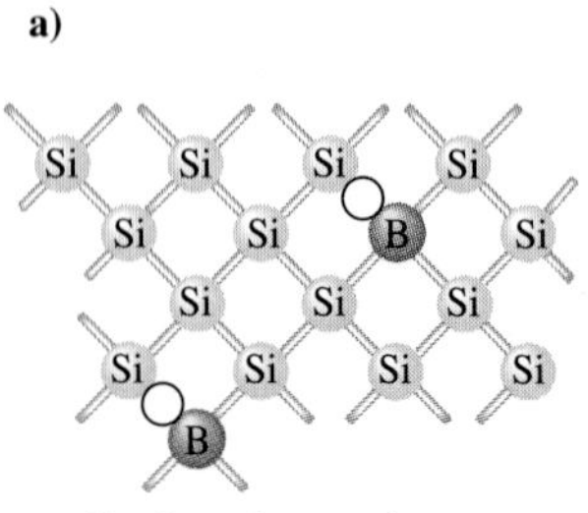

Semi-conducteur de type *p*

b)

FIGURE 8.29
(a) Un cristal de silicium dopé avec de l'arsenic, élément qui possède un électron de valence de plus que le silicium. **b)** Un cristal de silicium dopé avec du bore, élément qui possède un électron de valence de moins que le silicium.

Pour conduire le courant, les électrons doivent occuper des orbitales moléculaires à demi remplies.

À la température ambiante, on peut augmenter la faible conductibilité du silicium en *dopant* le cristal de silicium avec certains autres éléments. Par exemple, quand on remplace un faible pourcentage des atomes de silicium (cristal hôte) par des atomes d'arsenic (dont chaque atome possède un électron de valence *de plus* que l'atome de silicium), les électrons excédentaires assurent la conduction (*voir la figure 8.29a*) : il s'agit alors d'un **semi-conducteur de type *n***. L'énergie des électrons excédentaires est voisine de celle des bandes de conduction ; on peut donc facilement exciter ces électrons dans ces bandes, où ils conduisent le courant électrique (*voir la figure 8.30a*).

On peut également augmenter la conductibilité du silicium en dopant le cristal avec un élément comme le bore, qui ne possède que trois électrons de valence, soit un *de moins* que l'atome de silicium. Étant donné que l'atome de bore possède un électron de moins que le nombre requis pour qu'il y ait formation de liaisons avec tous les atomes de silicium voisins, il y a création d'un *trou* (*voir la figure 8.29b*). Ainsi, quand un électron se déplace pour occuper ce trou, il crée un autre trou à la place qu'il vient de quitter. Ce processus se répète de telle sorte que le trou se déplace dans le cristal dans la direction opposée à celle du déplacement des électrons, qui « sautent » pour remplir les trous. On peut par ailleurs considérer que, dans le silicium pur, chaque atome possède quatre électrons de valence et que les orbitales moléculaires de faible niveau d'énergie sont toutes remplies. Si on remplace certains atomes de silicium par des atomes de bore, il y a création de trous dans les orbitales moléculaires (*voir la figure 8.30b*), ce qui signifie que, dans certaines orbitales moléculaires, on ne trouve qu'un électron ; ces électrons célibataires peuvent donc conduire l'électricité. Quand les semi-conducteurs sont dopés avec des atomes qui possèdent moins d'électrons de valence que les atomes du cristal hôte, on a affaire à des **semi-conducteurs de type *p*** – ainsi appelés parce qu'on peut considérer que les trous positifs sont porteurs de charge.

Les plus importantes applications des semi-conducteurs font appel aux **jonctions *p-n***. La figure 8.31a illustre une telle jonction : les cercles rouges représentent les électrons excédentaires dans un semi-conducteur de type *n* et les cercles blancs, les trous dans

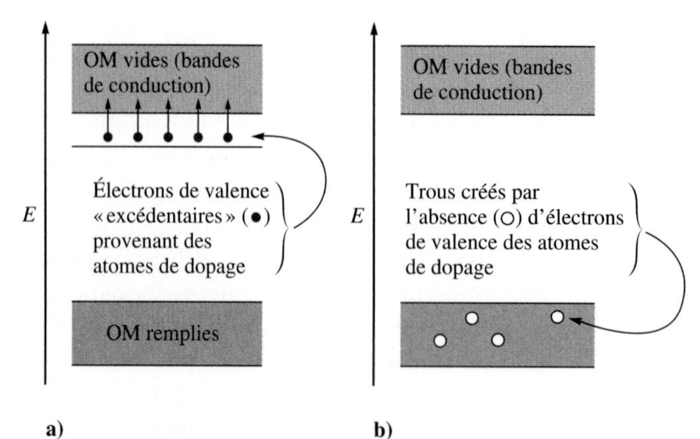

FIGURE 8.30
Diagrammes des niveaux d'énergie :
a) d'un semi-conducteur de type *n* ;
b) d'un semi-conducteur de type *p*.

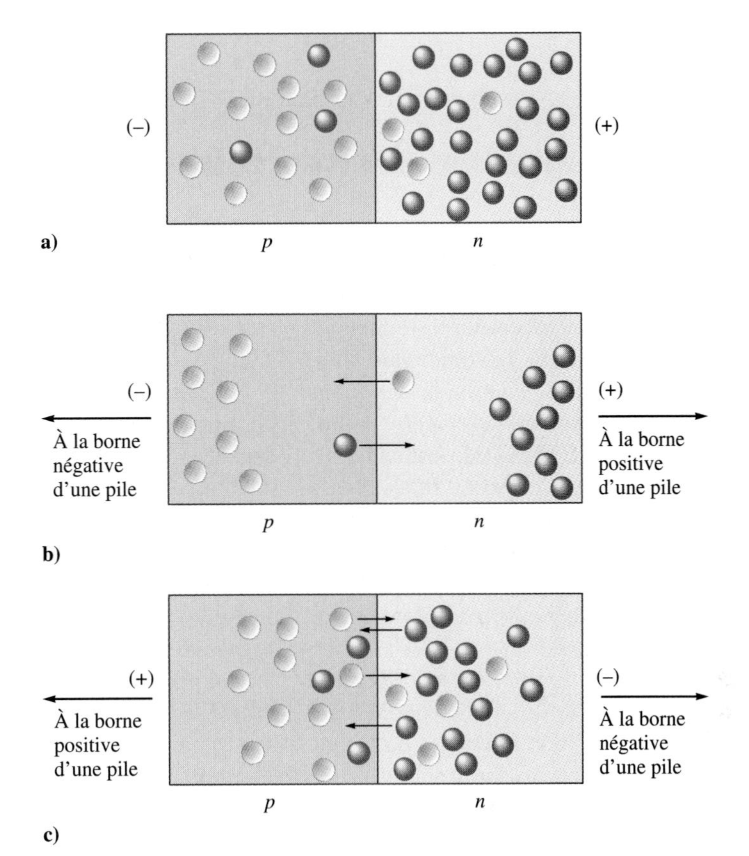

FIGURE 8.31
Une jonction *p-n* est composée d'un semi-conducteur de type *p* et d'un semi-conducteur de type *n*, en contact l'un avec l'autre. **a)** Dans une zone de type *p*, les porteurs de charge sont des trous (●) ; dans une zone de type *n*, les porteurs de charge sont des électrons (●). **b)** Aucun courant ne circule (polarisation inverse). **c)** Le courant circule librement (polarisation directe). Étant donné que tout électron qui traverse la frontière laisse derrière lui un trou, les électrons et les trous se déplacent dans des directions opposées.

un semi-conducteur de type *p*. À la jonction, un petit nombre d'électrons migrent de la zone de type *n* vers la zone de type *p*, caractérisée par la présence de trous dans les orbitales moléculaires de bas niveau d'énergie. Ces migrations confèrent une charge négative à la zone de type *p* (puisqu'elle a gagné des électrons) et une charge positive à la zone de type *n* (puisqu'elle a perdu des électrons – ce qui a entraîné la création de trous dans les orbitales moléculaires de basse énergie). Cette accumulation de charges, appelée *potentiel de contact* ou *potentiel de jonction*, s'oppose à la migration d'autres électrons.

Supposons maintenant qu'on relie la zone de type *p* à la borne négative d'une pile et la zone de type *n*, à la borne positive (*voir la figure 8.31b*). Les électrons sont attirés vers le pôle positif, et les trous ainsi formés se déplacent vers le pôle négatif (en direction opposée de celle du déplacement normal des électrons à la jonction *p-n*). La jonction offre une résistance au passage du courant imposé dans cette direction ; la jonction est alors *inversement polarisée* – aucun courant ne traverse le système.

Par contre, si on relie la zone de type *n* à la borne négative et la zone de type *p*, à la borne positive (*voir la figure 8.31c*), les déplacements des électrons et des trous ont lieu dans les bonnes directions. La jonction offre peu de résistance, et le courant passe facilement : la jonction est alors *directement polarisée*.

Par conséquent, une jonction *p-n* constitue un excellent *redresseur*, c'est-à-dire un dispositif qui produit du courant continu (unidirectionnel) à partir d'un courant alternatif (bidirectionnel en alternance). Lorsqu'on l'insère dans un circuit où le potentiel alterne constamment, une jonction *p-n* ne permet le passage du courant qu'en polarisation directe ; elle transforme ainsi un courant alternatif en courant continu. Auparavant, pour les récepteurs de radio, les ordinateurs et autres dispositifs électriques, on utilisait comme redresseurs des tubes à vide peu fiables. Les jonctions *p-n* ont révolutionné le monde de l'électronique. De nos jours, pour toutes les composantes électroniques à l'état solide, on utilise des jonctions *p-n* dans des circuits imprimés.

Dans la rubrique « Impact » de la page 452, nous traiterons des circuits imprimés.

IMPACT

Transistors et circuits imprimés

Les transistors ont exercé une influence considérable sur la technologie des dispositifs électroniques qui nécessitent un signal amplifié, comme les appareils de télécommunications et les ordinateurs. Avant l'invention du transistor par les chercheurs des laboratoires de la compagnie Bell, en 1947, on utilisait, pour amplifier un signal, des tubes à vide, qui étaient à la fois encombrants et peu fiables. Le premier ordinateur numérique, ENIAC, construit à l'Université de Pennsylvanie, était doté de 19 000 tubes à vide et consommait 150 000 watts. Grâce à la découverte et au perfectionnement du transistor et des circuits imprimés, une calculatrice de poche alimentée par une petite pile a de nos jours une capacité identique à celle qu'avait l'ordinateur ENIAC !

Pour fabriquer un *transistor à jonctions*, on assemble des semi-conducteurs de type *n* et des semi-conducteurs de type *p* de façon à former une jonction *n-p-n* ou *p-n-p*. La figure 8.32 représente un transistor du premier type : le signal d'entrée (à amplifier) atteint le circuit 1, dont la résistance est faible et qui possède une jonction de type *n-p* directement polarisée (jonction 1). Une variation du voltage du signal d'entrée dans ce circuit provoque une variation de l'intensité de courant ; autrement dit, le nombre d'électrons qui traversent la jonction *n-p* varie. Le circuit 2, quant à lui, a une résistance très grande et possède une jonction *p-n* inversement polarisée. Le transistor fonctionne, c'est-à-dire que le courant passe dans le circuit 2, uniquement si les électrons qui traversent la jonction 1 traversent également la jonction 2 et atteignent le pôle positif. Puisque l'intensité du courant dans le circuit 1 détermine le nombre d'électrons qui traversent la jonction 1, le nombre d'électrons qui peuvent traverser la jonction 2 est directement proportionnel à l'intensité du courant dans le circuit 1. Par conséquent, l'intensité du courant dans le circuit 2 varie en fonction de l'intensité du courant dans le circuit 1.

Dans un circuit, le voltage, V, l'intensité du courant, I, et la résistance, R, sont reliés par l'équation suivante :

$$V = RI$$

Le circuit 2 ayant une grande résistance, un courant donné dans le circuit 2 produit un voltage plus important que celui produit par le même courant dans le circuit 1, qui n'a qu'une faible résistance. Par conséquent, un signal de voltage variable dans le circuit 1 (semblable, par exemple, à celui que produit la voix humaine dans un téléphone) est reproduit dans le circuit 2, mais avec une variation de voltage beaucoup plus importante. Autrement dit, le signal d'entrée est *amplifié* par le transistor à jonctions. Ce dispositif, qui peut effectuer le même travail qu'un énorme tube à vide, n'est pourtant constitué que d'un minuscule élément d'un circuit imprimé sur une puce de silicium.

Les puces en silicium sont en fait des transistors planaires, composés de minces couches de régions de type *n* et de type *p* reliées par des conducteurs. Une puce de moins de 1 cm de côté peut contenir plusieurs centaines de circuits imprimés et être utilisée dans les ordinateurs, les calculatrices, les radios et les appareils de télévision.

Un circuit imprimé est composé de plusieurs transistors à jonctions *n-p-n*. La figure 8.33 montre les différentes étapes de fabrication d'un transistor. On commence avec une mince plaquette de silicium dopée avec une impureté de type *n*. Lorsqu'on le soumet à une atmosphère oxydante, dans un four, le silicium s'oxyde en surface. Après quoi, on prépare un semi-conducteur de type *p*. Pour ce faire, on recouvre la surface d'oxyde d'une couche de résine photosensible (*voir la figure 8.33a*). Puis on recouvre le tout d'un

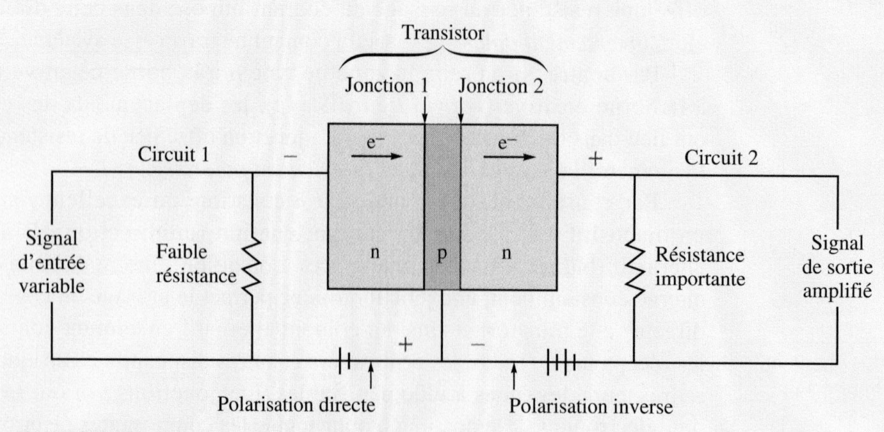

FIGURE 8.32
Représentation schématique de deux circuits reliés par un transistor. Le signal qui arrive dans le circuit 1 est amplifié dans le circuit 2.

masque (*voir la figure 8.33b*) qui permet à la lumière de n'atteindre que des zones déterminées. On éclaire alors la puce : la résine exposée à la lumière est ainsi le siège d'une réaction chimique qui en altère la solubilité. À l'aide de solvants appropriés (*voir la figure 8.33c*), on dissout ensuite la résine modifiée ; les plages d'oxyde ainsi dégagées sont attaquées par un acide qui dissout l'oxyde (*voir la figure 8.33d*). Après qu'on a dissous le reste de la résine, la plaquette de silicium est toujours recouverte d'une couche d'oxyde, à l'exception de la petite plage de diamètre x (*voir la figure 8.33d*).

Si on expose la plaquette à une impureté de type p, comme le bore, à une température d'environ 1000 °C, il y a formation d'une zone semi-conductrice de type p dans la zone x, où les atomes de bore diffusent dans le cristal de silicium (*voir la figure 8.33e*). Ensuite, pour former une petite zone de type n au centre de la zone de type p, on place de nouveau la plaquette dans un four où règne une atmosphère oxydante, afin de la recouvrir complètement d'une nouvelle couche d'oxyde. Après quoi, on applique une nouvelle couche de résine photosensible, qui n'est attaquée par la lumière qu'aux zones qui correspondent aux trous du masque (*zone y, voir la figure 8.33f*). On enlève ensuite la résine modifiée et la couche d'oxyde de la zone éclairée, puis on expose la plaquette à une impureté de type n pour former une petite zone de type n (*voir la figure 8.33g*). Finalement, on place les conducteurs sur la plaquette (*voir la figure 8.33h*) ; on obtient ainsi un transistor composé de 2 circuits reliés par une jonction n-p-n (*voir la figure 8.32*), transistor qui peut alors faire partie d'un plus grand circuit installé sur la plaquette et interrelié par des conducteurs.

Cette méthode de fabrication d'un circuit imprimé n'est cependant pas à la pointe de la technologie dans ce domaine. Dans l'industrie des circuits imprimés, la compétition est considérable, et des changements technologiques surviennent presque quotidiennement.

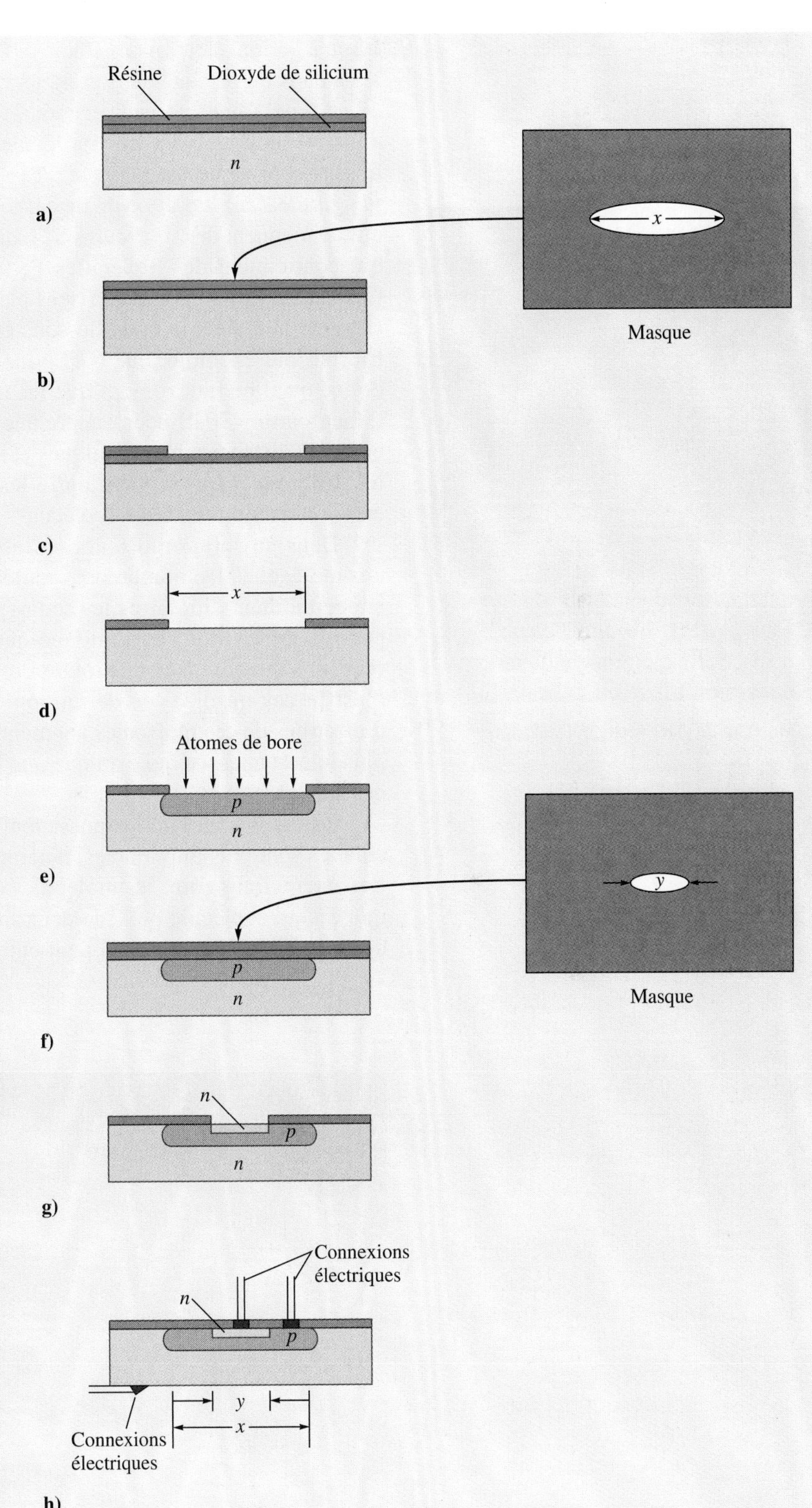

FIGURE 8.33
Étapes de fabrication d'un transistor à partir d'un cristal de silicium pur.

8.6 Solides moléculaires

Jusqu'à présent, nous avons étudié des solides dans lesquels ce sont les atomes qui occupent les nœuds du réseau ; dans certains cas (solides covalents), on peut assimiler un cristal de ce type à une molécule géante. Il existe cependant de nombreux types de solides dans lesquels ce sont des molécules qui occupent les nœuds du réseau. L'exemple le plus courant en est la glace : les nœuds sont occupés par des molécules d'eau (*voir la figure 8.12c*). Le dioxyde de carbone solide (glace sèche), certaines formes de soufre qui contiennent des molécules S_8 (*voir la figure 8.34a*) et certaines formes de phosphore qui contiennent des molécules P_4 (*voir la figure 8.34b*) en sont d'autres exemples. Ces substances sont caractérisées par la présence de fortes liaisons covalentes *à l'intérieur* de la molécule et de liaisons relativement faibles *entre* les molécules. Il ne faut fournir, par exemple, que 6 kJ pour faire fondre une mole d'eau solide (glace), étant donné qu'il ne faut rompre que les forces intermoléculaires ($H_2O—H_2O$). Par contre, il faut fournir 470 kJ pour rompre une mole de liaisons covalentes O—H. La comparaison entre les distances interatomiques et intermoléculaires (*voir le tableau 8.6*) fait ressortir les différences qui existent entre les liaisons covalentes à l'intérieur d'une molécule et les interactions entre les molécules.

Morceau de glace sèche qui s'évapore.

Dans un solide moléculaire, les forces intermoléculaires dépendent de la nature des molécules. De nombreuses molécules, par exemple CO_2, I_2, P_4 et S_8, ne possèdent aucun moment dipolaire ; les seules forces intermoléculaires y sont des forces de dispersion de London. Étant donné que ces forces sont souvent plus ou moins faibles, on peut s'attendre à ce que toutes ces substances soient à l'état gazeux à 25 °C, comme c'est le cas du dioxyde de carbone. Au fur et à mesure que la taille et le nombre d'électrons de ces molécules augmentent, les forces de dispersion de London deviennent plus importantes, ce qui explique que les substances non polaires les plus massives soient des solides, à 25 °C.

Quand des molécules possèdent des moments dipolaires, leurs forces intermoléculaires sont plus importantes, notamment lorsqu'il y a formation de liaisons hydrogène. Les interactions entre les molécules d'eau sont particulièrement efficaces, étant donné que chaque molécule possède deux liaisons O—H polaires et chaque atome d'oxygène, deux doublets libres, ce qui peut entraîner l'association de quatre atomes d'hydrogène

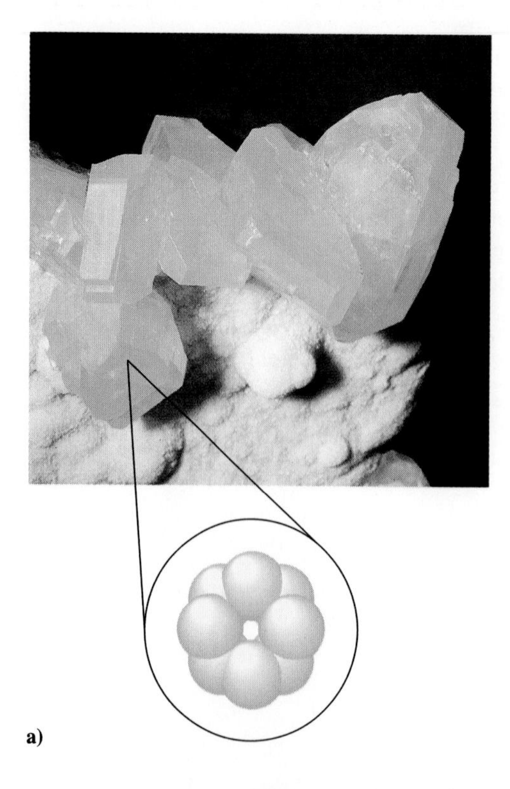

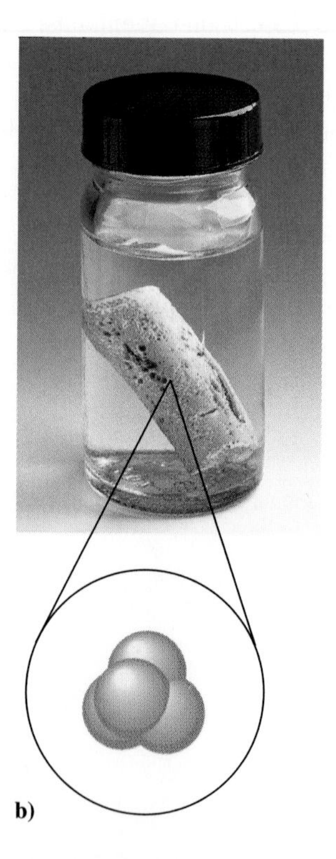

FIGURE 8.34
a) Cristaux de soufre qui contiennent des molécules S_8. **b)** Phosphore blanc qui contient des molécules P_4. Ce type de phosphore réagit si facilement avec l'oxygène de l'air qu'on doit le conserver dans l'eau.

IMPACT

Détecteur olfactif d'explosifs

De nos jours, la sécurité fait partie de la liste des priorités de chacun, surtout des responsables de la sécurité dans les systèmes de transport. Les aéroports, notamment, ont besoin de détecteurs d'explosifs rapides et sensibles. Les explosifs plastiques sont particulièrement difficiles à détecter parce qu'ils ne réagissent pas aux détecteurs de métaux ; ils peuvent également être façonnés pour prendre la forme d'objets d'allure inoffensive et déjouer la détection aux rayons X. Cependant, une équipe de chercheurs du Oak Ridge National Laboratory, sous la direction de Thomas Thundat, vient de publier la description d'un appareil bon marché très sensible à deux composés azotés présents dans les explosifs plastiques. La partie clé de cet appareil de détection est un microlevier (180 micromètres) en forme de V, fabriqué en silicium. Le microlevier illustré dans la photo ci-contre est placé à côté d'un cheveu humain pour comparer sa taille.

La surface supérieure du microlevier a d'abord été recouverte d'une couche d'or, puis d'une couche monomoléculaire d'un acide qui se lie à chacune des deux molécules azotées qu'il faut détecter : le tétranitrate de pentaérythritol (PETN) et le hexahydro-1,3,5-trinitro-1,3,5-triazine (RDX). Lorsqu'un courant d'air contenant de minuscules quantités de PETN ou de RDX passe au-dessus du microlevier, ces molécules se lient à celui-ci, provoquant sa déflexion « comme un tremplin ». Cette déflexion n'est pas due à la masse ajoutée de PETN et de RDX liés. La déformation se produit plutôt parce que l'aire de surface du levier où la liaison a lieu s'étire par rapport aux aires non liées. Un laser pointé sur le microlevier détecte le mouvement de déflexion lorsque le PETN ou le RDX (ou les deux) sont présents. La sensibilité de l'appareil est tout à fait remarquable : 14 parties par billion de PETN et 30 parties par billion de RDX.

Somme toute, cet appareil semble très prometteur pour détecter les explosifs plastiques dans les bagages. Les microleviers sont peu coûteux à fabriquer (environ 1 $), et l'appareil au complet n'est pas plus gros qu'une boîte à chaussures. En outre, l'équipe d'Oak Ridge peut fabriquer des milliers de microleviers dans un appareil. En plaçant différents revêtements sur les bras du microlevier, il est possible de détecter de nombreux autres types de substances chimiques et d'agents biologiques.

Ce détecteur s'avère un ajout pour l'avenir à notre arsenal d'appareils de sécurité.

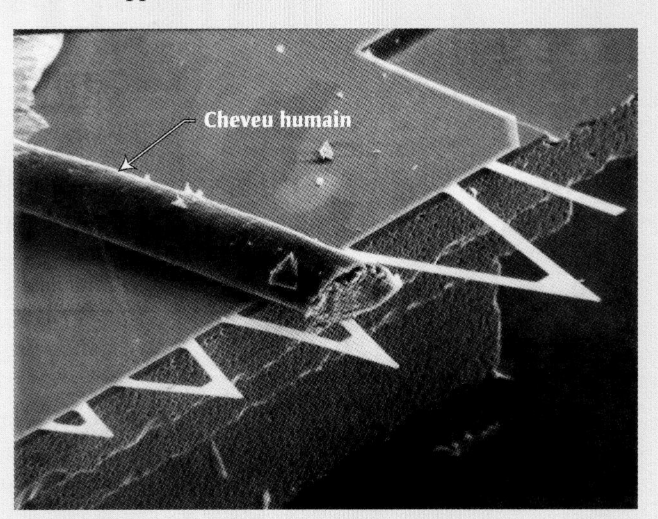

Quand des composés explosifs se lient aux microleviers en forme de V, les structures microscopiques, qui sont à peu près de la largeur d'un cheveu, se courbent et produisent un signal.

TABLEAU 8.6 Comparaison entre les distances interatomiques dans une molécule (liaison covalente) et entre molécules (forces intermoléculaires)

Solide	Distance interatomique dans la molécule*	Distance la plus courte entre molécules
P_4	220 pm	380 pm
S_8	206 pm	370 pm
Cl_2	199 pm	360 pm

* Le fait que les distances sont plus courtes dans les molécules indique que les liaisons y sont plus fortes qu'entre les molécules.

avec chaque atome d'oxygène: deux par liaisons covalentes et deux par interactions dipôle-dipôle.

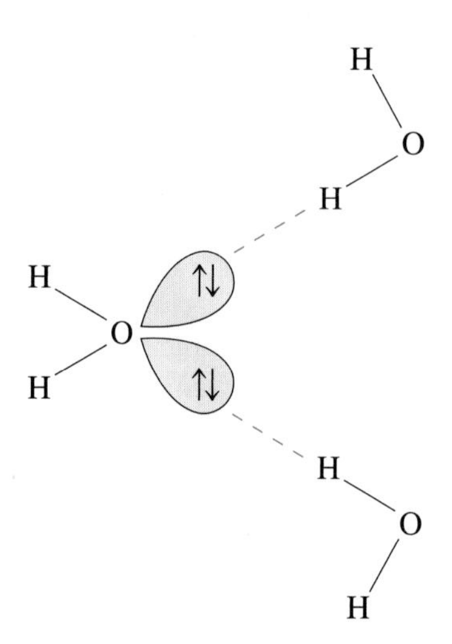

À la figure 8.12c nous avons vu que les deux liaisons covalentes oxygène-hydrogène étaient relativement courtes et les deux interactions dipôle-dipôle oxygène-hydrogène, plus longues.

8.7 Solides ioniques

Les solides ioniques sont des substances stables, dont la température de fusion est élevée et dont la cohésion est assurée par de fortes interactions électrostatiques d'ions de charges opposées. À la section 6.5, nous avons abordé l'étude des principes qui régissent la structure des solides ioniques; dans la présente section, nous traitons un peu plus en détail de ces principes.

Pour expliquer la structure de la plupart des solides ioniques binaires, comme le chlorure de sodium, on peut recourir à l'empilement le plus compact possible de sphères. En général, les ions les plus gros – la plupart du temps, les anions – sont empilés dans un réseau compact (hc ou cfc) et les cations, plus petits, sont situés dans les creux formés entre les anions empilés. L'empilement idéal est celui qui permet la création d'attractions électrostatiques maximales entre les ions de charges opposées et de répulsions minimales entre les ions de charge identique.

Dans un réseau compact, il existe trois types de creux: les creux triangulaires, les creux tétraédriques et les creux octaédriques.

1. Creux triangulaire: creux formé par trois sphères contiguës et coplanaires (*voir la figure 8.35a*).
2. Creux tétraédrique: creux formé par quatre sphères, dont l'une occupe un creux triangulaire situé dans la couche adjacente (*voir la figure 8.35b*).
3. Creux octaédrique: creux formé par deux ensembles de trois sphères qui occupent deux couches adjacentes d'un réseau compact (*voir la figure 8.35c*).

Dans le cas de sphères d'un diamètre donné, la taille des creux varie selon l'ordre suivant:

$$\text{triangulaire} < \text{tétraédrique} < \text{octaédrique}$$

En fait, les creux triangulaires sont si petits que, dans les composés ioniques binaires, ils sont toujours inoccupés. Quant aux creux tétraédriques ou octaédriques, dans un composé ionique binaire donné, leur occupation dépend surtout des tailles *relatives* de l'anion et du cation. Par exemple, dans le sulfure de zinc, les ions S^{2-} (rayon ionique = 180 pm) se cristallisent dans un réseau cubique à faces centrées, et les ions Zn^{2+}, plus petits (rayon ionique = 70 pm), occupent les creux tétraédriques. La figure 8.36a montre les emplacements des creux tétraédriques dans une maille cubique à faces centrées: on remarque

a)

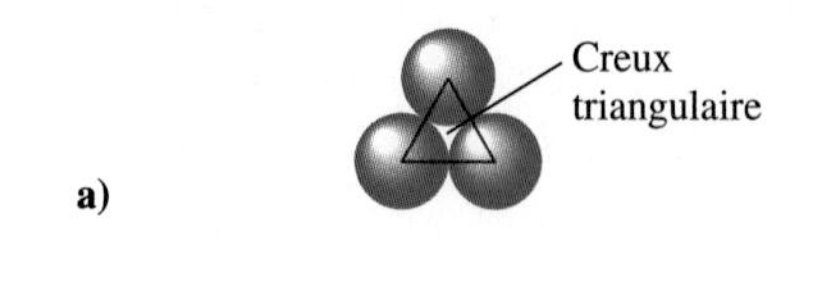

b)

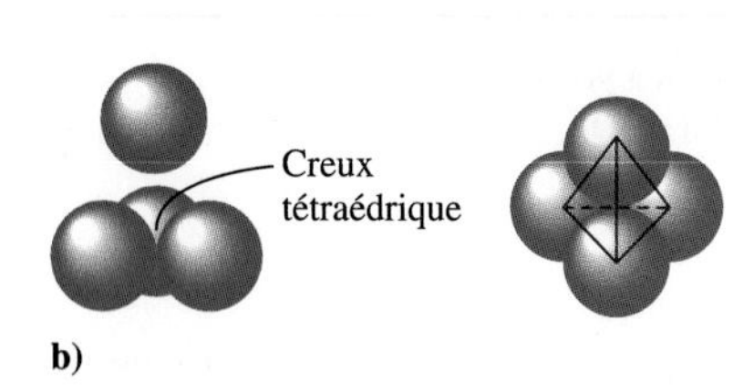

c)

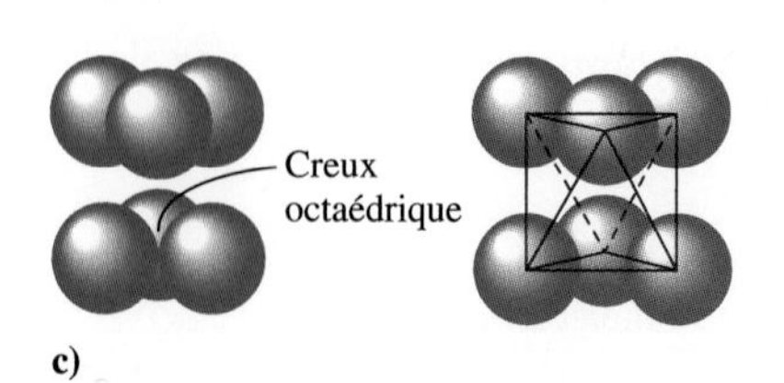

FIGURE 8.35
Creux présents dans un empilement compact de sphères uniformes. a) Creux triangulaire: creux formé par trois sphères coplanaires. b) Creux tétraédrique: creux formé quand une sphère occupe un creux formé par trois sphères situées dans une couche adjacente. c) Creux octaédrique: creux formé par six sphères (trois dans chacune des deux couches adjacentes).

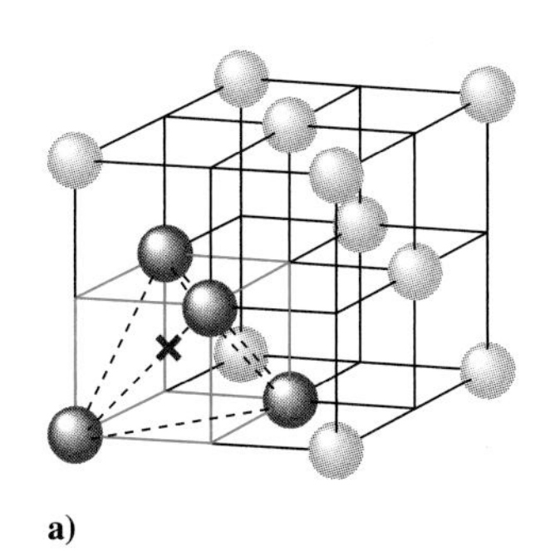

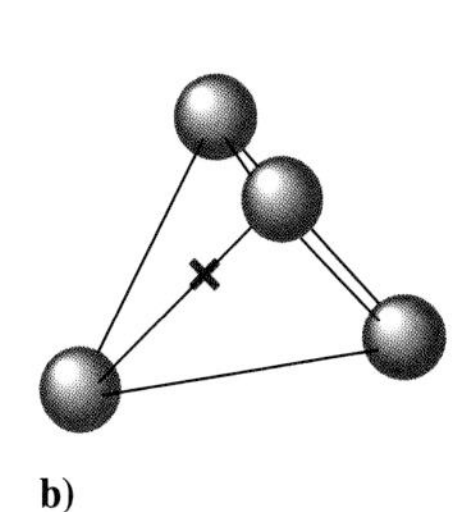

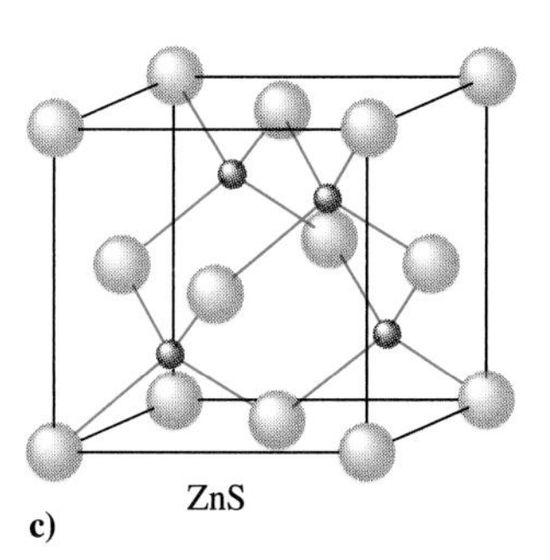

FIGURE 8.36
a) Emplacements (**X**) d'un creux tétraédrique dans une maille cubique à faces centrées. **b)** Un des creux tétraédriques. **c)** Dans la maille élémentaire du ZnS, les ions S^{2-} (en jaune) occupent les nœuds du réseau et les ions Zn^{2+} (en rouge), les creux tétraédriques en alternance.

qu'il y a huit creux tétraédriques par maille. Il faut par ailleurs se rappeler qu'on trouve l'équivalent de quatre sphères dans chaque maille cubique à faces centrées.

Par conséquent, il y a *deux fois plus de creux tétraédriques que d'anions empilés* dans un réseau compact. Pour qu'il soit électriquement neutre, le sulfure de zinc doit posséder le même nombre d'ions S^{2-} et d'ions Zn^{2+}. C'est pourquoi, dans la structure du sulfure de zinc, la *moitié* seulement des creux tétraédriques sont occupés par des ions Zn^{2+} (*voir la figure 8.36c*).

Le chlorure de sodium se cristallise dans un réseau cubique compact dans lequel les ions Cl^- occupent les nœuds et les ions Na^+, *tous* les creux octaédriques. La figure 8.37a montre les emplacements des creux octaédriques dans une maille cubique à faces centrées. Le creux octaédrique le plus facile à identifier ici est certes celui qui occupe le centre du cube. On remarque que ce creux est formé par six sphères puisqu'il est octaédrique. Les autres creux octaédriques, partagés avec les autres mailles, sont par conséquent plus difficiles à voir. Cependant, on peut montrer que, dans un réseau cfc, le nombre de creux octaédriques est *égal* au nombre d'anions empilés. La figure 8.37b illustre la structure du chlorure de sodium, dans laquelle les ions Na^+ occupent tous les creux octaédriques d'un réseau cfc d'ions Cl^-.

Dans les réseaux compacts, on trouve deux fois plus de creux tétraédriques que de sphères, et autant de creux octaédriques que de sphères.

Il existe une grande variété de solides ioniques. Nous ne pouvons donc pas ici les étudier tous de façon exhaustive. Nous avons plutôt mis l'accent sur les principes fondamentaux qui en régissent la structure. Selon la théorie qui permet le mieux d'expliquer la structure de ces solides, on assimile les ions à des sphères rigides empilées de façon telle que les attractions sont maximales et les répulsions, minimales.

Exemple 8.3 Détermination du nombre d'ions dans une maille élémentaire

Déterminez le nombre net d'ions Na^+ et Cl^- présents dans la maille élémentaire du chlorure de sodium.

Solution

Les ions Cl^- sont disposés selon un réseau cubique à faces centrées et, par conséquent, la maille élémentaire est un cube à faces centrées (*voir la figure 8.37b*). On trouve un ion Cl^- à chaque coin et un au centre de chaque face du cube. Donc, le nombre net d'ions Cl^- dans la maille élémentaire est

$$8\left(\tfrac{1}{8}\right) + 6\left(\tfrac{1}{2}\right) = 4$$

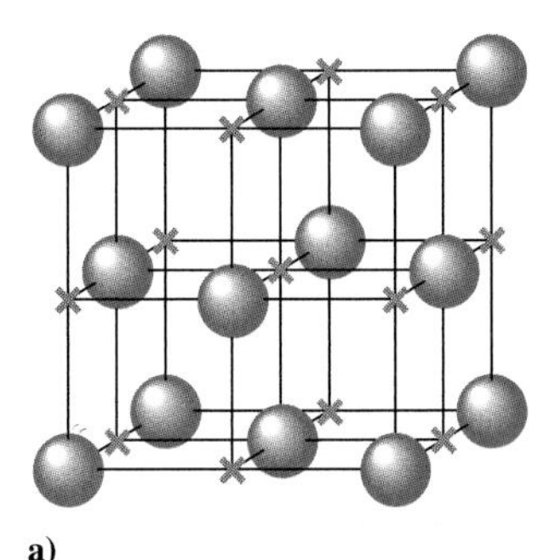

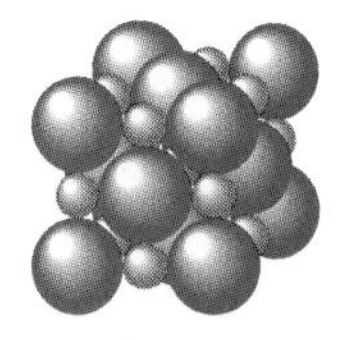

FIGURE 8.37
a) Emplacements (**x**) des creux octaédriques dans une maille cubique à faces centrées. **b)** Représentation de la maille élémentaire du NaCl solide. Les ions Cl^- (sphères vertes) occupent les nœuds du réseau cubique à faces centrées (cfc) et les ions Na+ (sphères grises), la totalité des creux octaédriques. Il est à remarquer qu'il s'agit d'une représentation idéalisée du réseau compact de NaCl. Dans la réalité, les ions Cl^- ne sont pas aussi près les uns des autres.

Les ions Na^+ occupent les creux octaédriques situés au centre du cube et au milieu de chaque arête. L'ion Na^+ situé au centre du cube est complètement dans la maille, alors que ceux situés sur les arêtes sont communs à quatre cubes. Le nombre d'arêtes dans un cube étant de 12, le nombre net d'ions Na^+ présents est

$$1(1) + 12\left(\tfrac{1}{4}\right) = 4$$

Ainsi, le nombre net d'ions présents dans une maille élémentaire de NaCl est de 4 ions Na^+ et 4 ions Cl^-, ce qui est conforme au rapport stœchiométrique, 1:1, du chlorure de sodium.

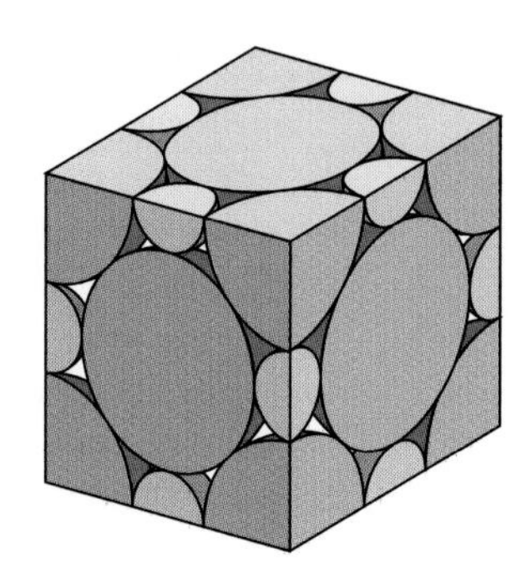

Voir les exercices 8.44 à 8.48

Jusqu'à présent, nous avons abordé l'étude de différents types de solides. Le tableau 8.7 présente un résumé de quelques-unes des propriétés de ces types de solides.

TABLEAU 8.7 Types et propriétés des solides

Type de solide	Atomique			Moléculaire	Ionique
	Covalent	Métallique	Groupe 8A		
Nœuds du réseau occupés par :	atomes	atomes	atomes	molécules	ions
Type de liaison	liaisons covalentes fortement orientées	liaisons covalentes non orientées faisant intervenir des électrons délocalisés dans l'ensemble du cristal	forces de dispersion de London	molécules non polaires : forces de dispersion de London molécules polaires : forces de dispersion de London, dipôle-dipôle et liaisons hydrogène	ionique
Propriétés caractéristiques	dur point de fusion élevé isolant	grande variation de dureté grande variation des points de fusion conducteur	point de fusion très bas	mou point de fusion faible isolant	dur point de fusion élevé isolant
Exemples	diamant	argent fer laiton	argon(s)	glace (H_2O solide) glace sèche (CO_2 solide)	chlorure de sodium fluorure de calcium

Exemple 8.4 Types de solides

À l'aide du tableau 8.7, classez chacune des substances suivantes en fonction du type de solides qu'elles forment.

a) Or.
b) Dioxyde de carbone.
c) Fluorure de lithium.
d) Krypton.

Solution

a) L'or solide est un solide atomique doté de propriétés métalliques.
b) Le dioxyde de carbone solide, constitué de molécules de dioxyde de carbone non polaires, est un solide moléculaire.
c) Le fluorure de lithium solide, qui contient des ions Li^+ et F^-, est un solide ionique binaire.
d) Le krypton solide est constitué d'atomes de krypton qui peuvent interagir uniquement grâce à des forces de dispersion de London. C'est un solide atomique du groupe des gaz rares.

Voir l'exercice 8.51

8.8 Pression de vapeur et changements d'état

On utilise couramment le mot « vapeur » pour désigner la phase gazeuse d'une substance qui, à 25 °C et à 101,3 kPa, existe à l'état liquide ou à l'état solide.

La ΔH_{vap} de l'eau à 100 °C vaut 40,7 kJ/mol.

Maintenant que nous connaissons les propriétés générales des trois états de la matière, nous pouvons étudier le processus de changement d'état, dont l'évaporation d'un liquide dans un contenant ouvert constitue un exemple familier. Il va de soi que les molécules d'un liquide peuvent s'échapper à la surface de celui-ci et former un gaz. Ce processus, appelé **vaporisation**, ou **évaporation**, est endothermique, puisqu'on doit fournir de l'énergie pour vaincre les forces intermoléculaires qui existent dans le liquide. L'énergie requise pour vaporiser 1 mol de liquide, à 101,3 kPa, est appelée **chaleur de vaporisation** ou **enthalpie de vaporisation, ΔH_{vap}**.

La nature endothermique de la vaporisation apporte des bienfaits considérables sur le plan pratique. Par exemple, l'eau joue un rôle essentiel dans le monde en agissant comme réfrigérant. À cause des fortes liaisons hydrogène présentes entre ses molécules à l'état liquide, la chaleur de vaporisation de l'eau est très importante (40,7 kJ/mol). Une très grande partie de l'énergie solaire qui atteint la Terre est utilisée pour faire évaporer l'eau des océans, des lacs, des rivières et des fleuves, plutôt que pour réchauffer la Terre. La vaporisation de l'eau joue également un rôle important dans le maintien de la température corporelle, grâce à l'évaporation de la sueur.

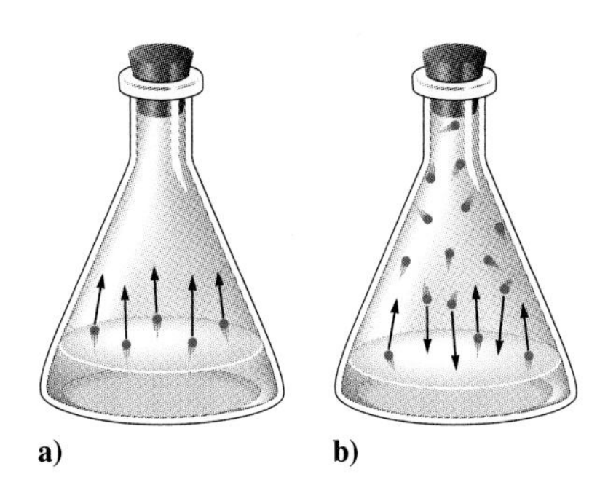

FIGURE 8.38
Comportement d'un liquide dans un système fermé. **a)** Au départ, il y a évaporation nette, étant donné que les molécules passent de la phase liquide à la phase gazeuse. Le niveau du liquide diminue. **b)** Au fur et à mesure que le nombre de molécules présentes en phase gazeuse augmente, la vitesse de condensation (retour à la phase liquide) augmente, jusqu'à ce qu'elle soit égale à la vitesse d'évaporation. Le système est alors à l'équilibre : il n'y a plus aucune variation de la quantité de gaz ou de la quantité de liquide.

Pression de vapeur

Quand on verse un liquide dans un récipient fermé, le volume de ce liquide commence par diminuer, puis il se stabilise : il y a d'abord diminution du volume à cause d'un transfert initial net de molécules de la phase liquide à la phase vapeur (*voir la figure 8.38*). Ce processus d'évaporation se produit à vitesse constante à une température donnée (*voir la figure 8.39*). Le processus inverse cependant est différent.

Initialement, au fur et à mesure que le nombre de molécules de vapeur augmente, la vitesse de retour de ces molécules en phase liquide augmente. Le processus grâce auquel les molécules de vapeur retournent en phase liquide porte le nom de **condensation**. À un certain moment, il y a suffisamment de molécules en phase vapeur au-dessus du liquide pour que la vitesse de condensation soit égale à la vitesse d'évaporation (*voir la figure 8.39*). *À ce moment, il n'y a plus aucun changement net en ce qui concerne la quantité de liquide ou de vapeur, puisque les effets des deux processus opposés s'annulent*; le système est à l'**équilibre**. Au niveau moléculaire toutefois, ce système est très *dynamique* : les molécules s'échappent constamment du liquide et y reviennent à la même vitesse. Il n'y a pourtant aucun changement *net*, étant donné que les deux processus opposés *s'équilibrent*.

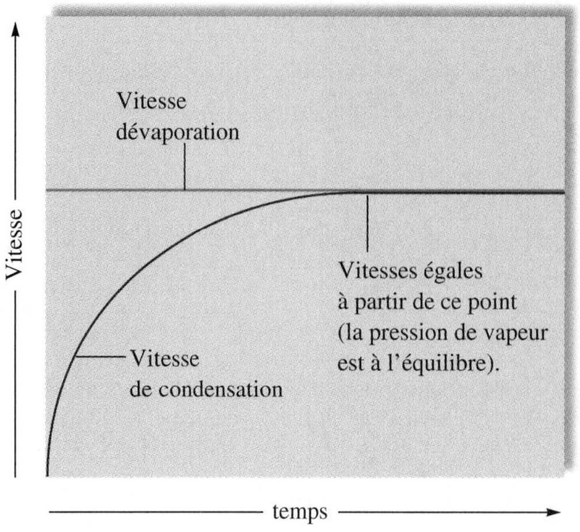

Vitesse
dévaporation
Vitesse
Vitesses égales
à partir de ce point
(la pression de vapeur
est à l'équilibre).
Vitesse
de condensation
temps

FIGURE 8.39
Variation des vitesses de condensation et d'évaporation d'un liquide en fonction du temps, dans un vase clos. La vitesse d'évaporation demeure constante, et la vitesse de condensation augmente au fur et à mesure que le nombre de molécules présentes en phase gazeuse augmente et ce, jusqu'à ce que les deux vitesses soient égales. À ce point, l'état d'équilibre est atteint.

La pression de vapeur qui règne quand le système est à l'équilibre est appelée **pression de vapeur à l'équilibre** ou, plus communément, **pression de vapeur** d'un liquide. Pour mesurer la pression de vapeur d'un liquide, on peut utiliser un baromètre simple (*voir la figure 8.40a*). À la base du tube rempli de mercure, on injecte le liquide qui, à cause de la masse volumique élevée du mercure, monte immédiatement à la surface de la colonne. Une fois qu'il atteint le sommet de la colonne, le liquide s'évapore ; la vapeur, en exerçant une pression sur la colonne de mercure, en expulse une partie hors du tube. Une fois que le système a atteint l'équilibre, on peut déterminer la pression de vapeur du liquide en mesurant la variation de la hauteur de la colonne de mercure, étant donné que

Même si un système à l'équilibre n'est affecté, au niveau macroscopique, d'aucune modification, il n'en constitue pas moins un système dynamique au niveau moléculaire.

$$P_{\text{atm}} = P_{\text{vap}} + P_{\text{col de Hg}}$$

d'où

$$P_{\text{vap}} = P_{\text{atm}} - P_{\text{col de Hg}}$$

La pression de vapeur varie considérablement selon les liquides (*voir la figure 8.40b*). Les liquides dont la pression de vapeur est élevée sont dits *volatils* (ils s'évaporent rapidement d'un récipient ouvert). Deux facteurs principaux influencent la pression de vapeur d'un liquide : sa *masse molaire* et ses *forces intermoléculaires*. La masse molaire exerce une influence parce que les molécules lourdes se déplacent plus lentement que les molécules légères à une température donnée et que, par conséquent, elles ont moins tendance à s'échapper à la surface du liquide : la pression de vapeur d'un liquide

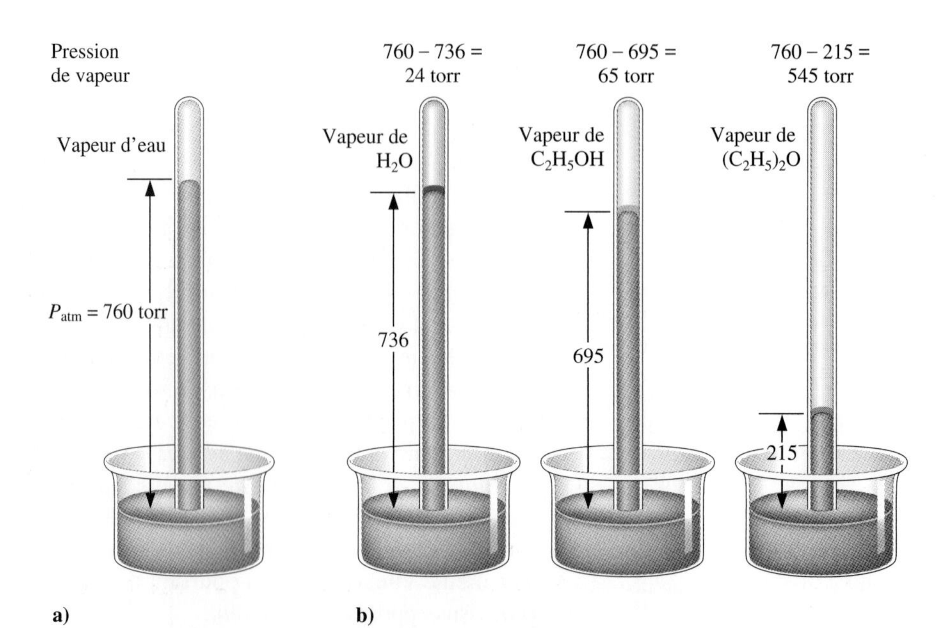

FIGURE 8.40
a) On peut facilement mesurer la pression de vapeur d'un liquide à l'aide d'un baromètre simple du type illustré ci-contre.
b) Les trois liquides, eau, éthanol, C_2H_5OH, et éther diéthylique, $(C_2H_5)_2O$, ont des pressions de vapeur très différentes. L'éther est de loin le plus volatil de ces trois liquides. À.noter que, dans chaque cas, il reste un peu de liquide à la surface du mercure.

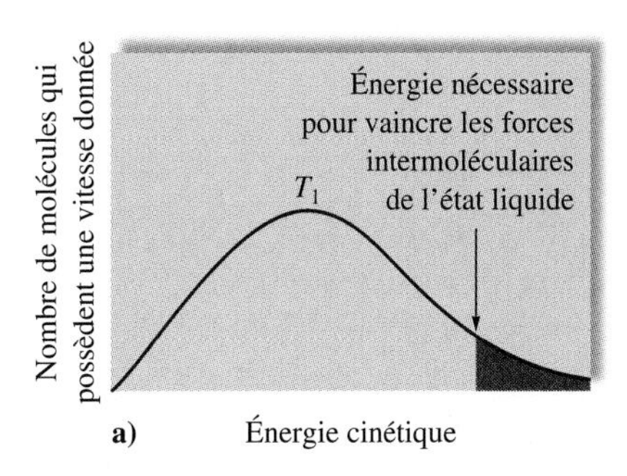

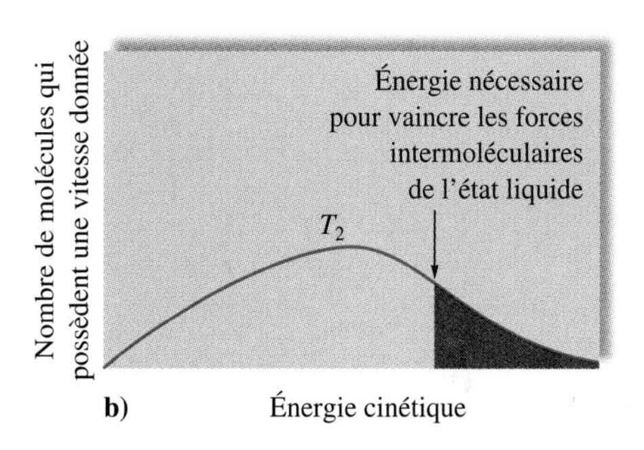

FIGURE 8.41
Distribution du nombre de molécules d'un liquide qui possèdent une énergie cinétique donnée à deux températures distinctes ($T_2 > T_1$). On a indiqué l'énergie que doivent posséder les molécules pour vaincre les forces intermoléculaires à l'état liquide et passer en phase vapeur. La proportion de molécules dont l'énergie est suffisante pour qu'elles s'évaporent (zones d'ombre) augmente de façon spectaculaire en fonction de la température. C'est ce qui explique que la pression de vapeur augmente considérablement avec la température.

dont la masse molaire est élevée est en général faible. Par ailleurs, les liquides dans lesquels les forces intermoléculaires sont importantes ont des pressions de vapeur relativement faibles, étant donné que les molécules exigent davantage d'énergie pour passer en phase vapeur. Par exemple, même si la masse molaire de l'eau est inférieure à celle de l'éther diéthylique, la présence de fortes liaisons hydrogène entre les molécules d'eau en phase liquide fait en sorte que la pression de vapeur de l'eau est beaucoup plus faible que celle de l'éther diéthylique (*voir la figure 8.40b*). En général, les substances qui ont des masses molaires importantes ont des pressions de vapeur relativement faibles, principalement à cause de leurs importantes forces de dispersion de London. Plus une substance a d'électrons, plus elle est polarisable et plus grandes sont les forces de dispersion.

Lorsqu'on mesure la pression de vapeur d'un liquide donné à différentes températures, on constate que *la pression de vapeur augmente considérablement en fonction de la température*. La figure 8.41 illustre la distribution des vitesses des molécules d'un liquide, à deux températures. Pour surmonter les forces intermoléculaires dans un liquide, une molécule doit posséder une énergie cinétique suffisante.

Lorsqu'on augmente la température d'un liquide, la fraction des molécules qui possèdent l'énergie minimale pour surmonter ces interactions, et ainsi passer en phase vapeur, augmente de façon notable. La pression de vapeur d'un liquide augmente donc de façon spectaculaire en fonction de la température. On trouve au tableau 8.8 la pression de vapeur de l'eau à différentes températures.

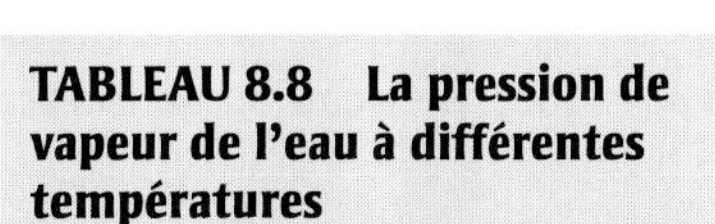

TABLEAU 8.8 La pression de vapeur de l'eau à différentes températures

T (°C)	P (*k*Pa)
0,0	0,6105
10,0	1,228
20,0	2,338
25,0	3,167
30,0	4,243
40,0	7,376
50,0	12,33
70,0	31,16
90,0	70,10

On peut représenter graphiquement la variation de la pression de vapeur en fonction de la température (*voir la figure 8.42a, pour l'eau, l'éthanol et l'éther diéthylique*). Pour tous les liquides, l'augmentation de la pression de vapeur en fonction de la température est non linéaire. On peut cependant obtenir une ligne droite en représentant graphiquement la variation de $\ln(P_{vap})$ en fonction de $1/T$, où T est la température en kelvins (*voir la figure 8.42b*). L'équation de cette droite est la suivante :

$$\ln(P_{vap}) = -\frac{\Delta H_{vap}}{R}\left(\frac{1}{T}\right) + C \qquad (8.4)$$

où ΔH_{vap} est l'enthalpie de vaporisation, R, la constante molaire des gaz et C, une constante caractéristique d'un liquide donné. Le symbole ln indique qu'il s'agit du logarithme népérien de la pression de vapeur.

L'équation 8.4 est celle d'une droite de la forme $y = mx + b$, où

$$y = \ln(P_{vap})$$

$$x = \frac{1}{T}$$

$$m = \text{pente} = \frac{\Delta H_{vap}}{R}$$

$$b = \text{ordonnée à l'origine} = C$$

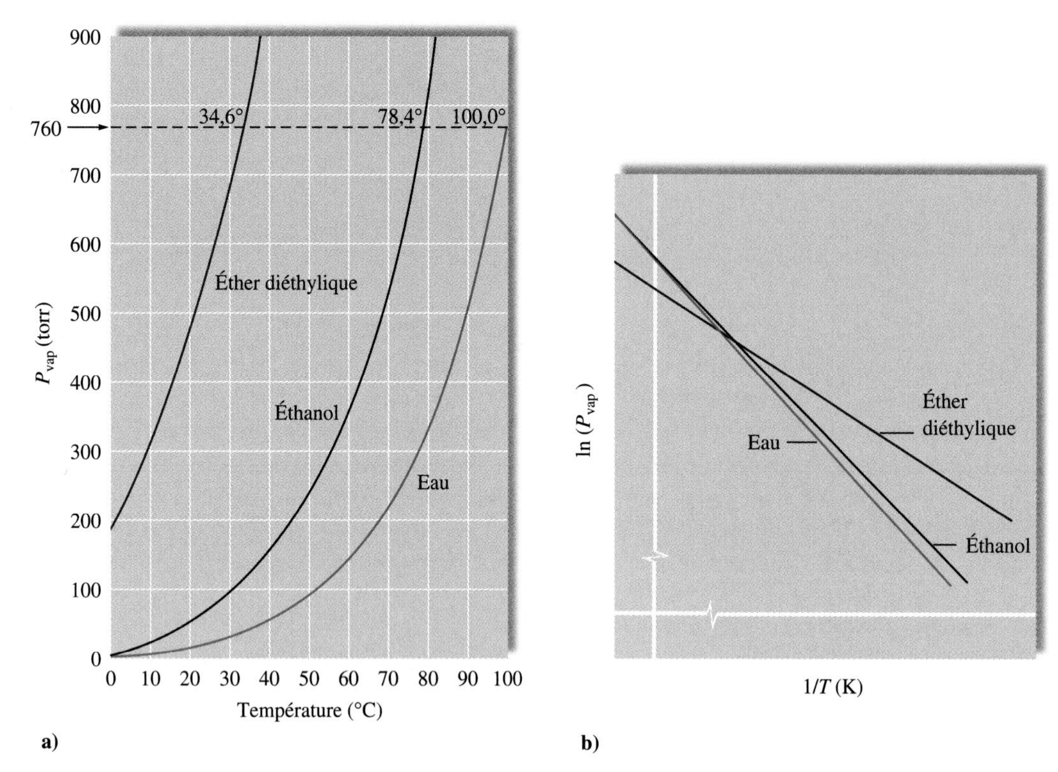

FIGURE 8.42
a) Variation des pressions de vapeur de l'eau, de l'éthanol et de l'éther diéthylique en fonction de la température.
b) Représentation graphique de la variation de un ln(P_{vap}) en fonction de 1/T pour l'eau, l'éthanol et l'éther diéthylique.

Exemple 8.5 Détermination de l'enthalpie de vaporisation

À l'aide des graphiques de la figure 8.42b), déterminez lequel, de l'eau ou de l'éther diéthylique, a la chaleur de vaporisation la plus élevée.

Solution

Quand on représente graphiquement la variation de $\ln(P_{vap})$ en fonction de $1/T$, la pente de la droite obtenue est de

$$-\frac{\Delta H_{vap}}{R}$$

À la figure 8.42b, les pentes des droites relatives à l'eau et à l'éther diéthylique sont toutes deux négatives – comme on pouvait le prévoir – et celle de l'éther est la plus faible. Par conséquent, c'est pour l'éther que la valeur de ΔH_{vap} est la plus faible. Ce résultat est vraisemblable, étant donné que les liaisons hydrogène de l'eau font en sorte que cette substance a une chaleur de vaporisation relativement élevée.

Voir l'exercice 8.56

L'équation 8.4 est une équation très importante. Elle permet par exemple de déterminer la valeur de la chaleur de vaporisation d'un liquide quand on mesure P_{vap} à plusieurs températures et qu'on évalue la pente du graphique de la variation de $\ln(P_{vap})$ en fonction de $1/T$. En outre, elle permet de calculer la valeur de P_{vap} à une température donnée quand on connaît la valeur de ΔH_{vap} et de P_{vap} à une autre température. On peut effectuer ce calcul parce que la constante C est indépendante de la température. Par conséquent, pour les températures T_1 et T_2, on peut écrire l'équation 8.4 en fonction de C et obtenir l'expression suivante :

$$\ln\left(P_{vap,T_1}\right) + \frac{\Delta H_{vap}}{RT_1} = C = \ln\left(P_{vap,T_2}\right) + \frac{\Delta H_{vap}}{RT_2}$$

soit

$$\ln(P_{vap,T_1}) - \ln(P_{vap,T_2}) = \frac{\Delta H_{vap}}{R}\left(\frac{1}{T_2} - \frac{1}{T_1}\right)$$

L'équation 8.5 est appelée « équation de Clausius-Clapeyron ».

et, finalement,

$$\ln\left(\frac{P_{vap,T_1}}{P_{vap,T_2}}\right) = \frac{\Delta H_{vap}}{R}\left(\frac{1}{T_2} - \frac{1}{T_1}\right) \quad (8.5)$$

Exemple 8.6 Calcul de la pression de vapeur de l'eau

La pression de vapeur de l'eau, à 25 °C, est de 3,17 kPa et sa chaleur de vaporisation, de 43,9 kJ/mol. Calculez la pression de vapeur de l'eau à 50 °C.

Solution

À partir de l'équation 8.5

Quand on résout ce problème, on néglige le fait que ΔH_{vap} dépend légèrement de la température.

$$\ln\left(\frac{P_{vap,T_1}}{P_{vap,T_2}}\right) = \frac{\Delta H_{vap}}{R}\left(\frac{1}{T_2} - \frac{1}{T_1}\right)$$

où, dans le cas de l'eau,

$$P_{vap,\,T_1} = 3{,}17 \text{ kPa}$$
$$T_1 = 25 + 273 = 298 \text{ K}$$
$$T_2 = 50 + 273 = 323 \text{ K}$$
$$\Delta H_{vap} = 43{,}9 \text{ kJ/mol} = 43\,900 \text{ J/mol}$$
$$R = 8{,}3145 \text{ J/K} \cdot \text{mol}$$

on obtient

$$\ln\left(\frac{3{,}17 \text{ kPa}}{P_{vap,T_2}}\right) = \frac{43\,900 \text{ J/mol}}{8{,}3145 \text{ J/K} \cdot \text{mol}}\left(\frac{1}{323 \text{ K}} - \frac{1}{298 \text{ K}}\right)$$

$$\ln\left(\frac{3{,}17 \text{ kPa}}{P_{vap,T_2}}\right) = -1{,}37$$

Nous aborderons l'étude du changement de phases du dioxyde de carbone à la section 8.9.

En prenant l'antilogarithme de chacun des membres de l'équation, on a finalement

$$\frac{3{,}17}{P_{vap,T_2}} = 0{,}254$$

$$P_{vap,T_2} = 12{,}5 \text{ kPa}$$

Voir les exercices 8.58 et 8.59.

Comme les liquides, les solides ont une pression de vapeur. La figure 8.43 montre des vapeurs d'iode en équilibre avec de l'iode solide dans un récipient fermé. Dans les conditions normales, l'iode se sublime ; en d'autres termes, l'iode passe directement de l'état solide à l'état gazeux, sans passer par l'état liquide. On observe également le phénomène de **sublimation** avec de la glace sèche (dioxyde de carbone solide).

Sublimation : passage direct d'une substance de la phase solide à la phase gazeuse.

Changements d'état

Que se produit-il quand on chauffe un solide ? En général, il fond et devient liquide. Si on continue de le chauffer, le liquide commence par bouillir, puis il devient vapeur. On peut représenter ce processus par une **courbe de chauffage** – graphique qui illustre la variation de la température en fonction du temps quand l'apport d'énergie est constant.

La figure 8.44 présente la courbe de chauffage de l'eau. Au fur et à mesure que la glace absorbe de l'énergie, les mouvements aléatoires des molécules d'eau s'amplifient, et la température augmente. Finalement, les molécules sont si agitées qu'elles rompent les liaisons qui assurent la cohésion du réseau et elles passent de l'état solide à l'état liquide ; c'est ce que traduit le plateau à 0 °C sur une courbe de chauffage. À cette température,

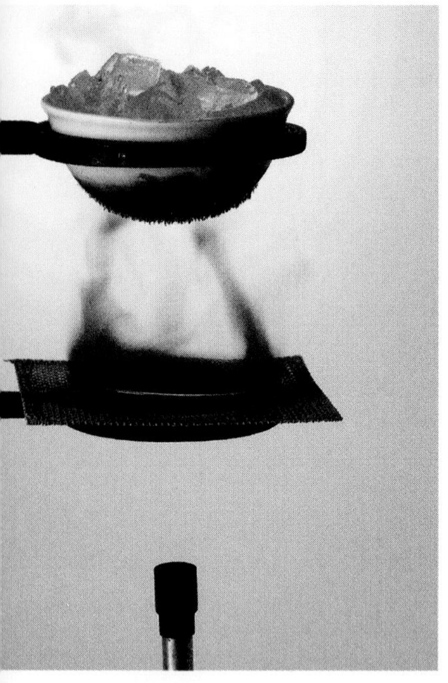

FIGURE 8.43
Sous l'action de la chaleur, l'iode se sublime et recristallise sous un récipient à évaporation rempli de glace.

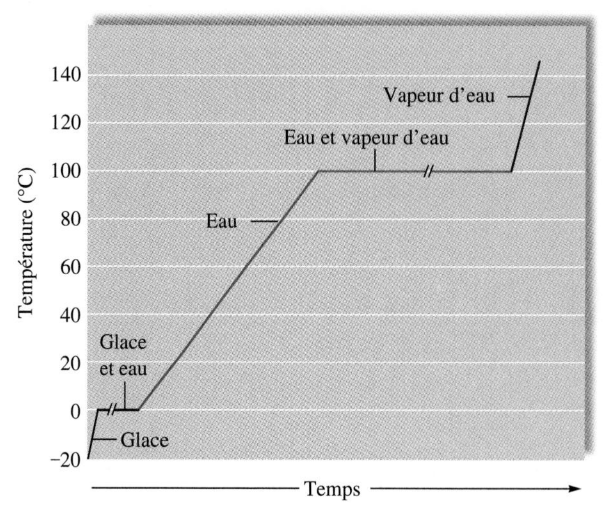

FIGURE 8.44
Courbe de chauffage, pour une quantité donnée d'eau, lorsque l'addition d'énergie a lieu à une vitesse constante. Au point d'ébullition, le plateau est plus long qu'au point de fusion, étant donné qu'il faut presque sept fois plus d'énergie (par conséquent, sept fois plus de temps) pour vaporiser de l'eau liquide que pour faire fondre de la glace. Les pentes des autres segments diffèrent parce que les différents états de l'eau possèdent des capacités thermiques molaires différentes (énergie requise pour élever la température d'une mole de substance de 1 °C).

Les solides ioniques tels que NaCl et NaF ont des points de fusion et des enthalpies de fusion très élevés à cause de la présence d'importantes forces ioniques. À l'autre extrême, on trouve $O_2(s)$, un solide moléculaire contenant des molécules non polaires dans lesquelles les forces intermoléculaires sont faibles. (*Voir le tableau 8.9*)

Nous définirons plus précisément les points d'ébullition et de fusion plus loin dans cette section.

appelée *point de fusion,* la totalité de l'énergie absorbée par le système est utilisée pour désorganiser la structure de la glace en rompant des liaisons hydrogène, ce qui fait augmenter l'énergie potentielle des molécules d'eau. La variation d'enthalpie qui accompagne la fusion d'un solide est appelée **chaleur de fusion** ou, plus précisément, **enthalpie de fusion, ΔH_{fus}**. Le tableau 8.9 présente les points de fusion et les enthalpies de fusion de plusieurs solides courants.

La température demeure constante tant que le solide n'est pas complètement transformé en liquide ; après quoi, elle continue d'augmenter. À 100 °C, l'eau liquide atteint son *point d'ébullition* : la température demeure constante, étant donné que l'énergie absorbée par le système est utilisée pour vaporiser le liquide. Quand le liquide est complètement transformé en vapeur, la température continue d'augmenter. Rappelons que les changements d'état sont des changements physiques : même si les forces intermoléculaires sont rompues, aucune liaison chimique ne l'est. Si on chauffait la vapeur d'eau à des températures encore plus élevées, les molécules d'eau finiraient par se dissocier en leurs atomes constituants. On assisterait alors à un réel changement chimique, étant donné que les liaisons covalentes seraient rompues. Il n'y aurait d'ailleurs plus d'eau.

TABLEAU 8.9 Points de fusion et enthalpies de fusion de plusieurs solides courants

Composé	Point de fusion (°C)	Enthalpie de fusion (kJ/mol)
O_2	−218	0,45
HCl	−114	1,99
HI	−51	2,87
CCl_4	−23	2,51
$CHCl_3$	−64	9,20
H_2O	0	6,02
NaF	992	29,3
NaCl	801	30,2

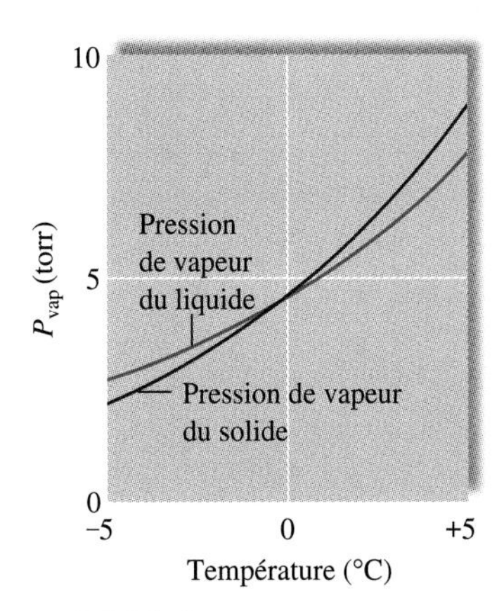

FIGURE 8.45
Variations de la pression de vapeur de l'eau solide et de l'eau liquide en fonction de la température. On obtient les données relatives à l'eau liquide à une température inférieure à 0 °C à partir de l'eau super refroidie, et celles relatives à l'eau solide à des températures supérieures à 0 °C par extrapolation des valeurs de la pression de vapeur pour des températures inférieures à 0 °C.

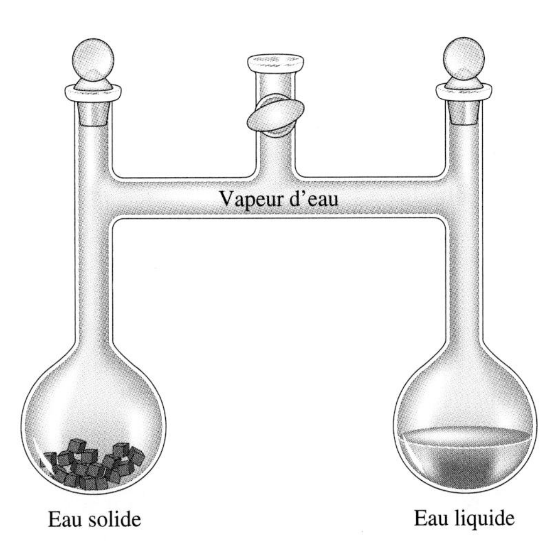

FIGURE 8.46
Appareil qui permet à l'eau liquide et à l'eau solide d'interagir uniquement par l'intermédiaire de la phase vapeur.

Les points d'ébullition et de fusion d'une substance donnée sont déterminés par les pressions de vapeur du solide et du liquide. La figure 8.45 montre les variations des pressions de vapeur de l'eau liquide et de l'eau solide en fonction de la température, au voisinage de 0 °C. On remarque que, en dessous de 0 °C, la pression de vapeur de la glace est inférieure à celle de l'eau liquide et que la variation de la pression de vapeur de la glace en fonction de la température est plus importante que celle du liquide. Autrement dit, pour une augmentation donnée de température, la pression de vapeur de la glace augmente plus rapidement que celle de l'eau. Par conséquent, au fur et à mesure que la température d'un solide augmente, on atteint une température à laquelle *le liquide et le solide ont des pressions de vapeur identiques*: c'est le point de fusion.

On peut prouver expérimentalement l'existence de ces phénomènes à l'aide d'un appareil semblable à celui montré à la figure 8.46 et dans lequel on place de la glace dans un des deux compartiments et de l'eau liquide dans l'autre. Considérons les cas suivants.

Cas 1

Température à laquelle la pression de vapeur du solide est supérieure à celle du liquide. À cette température, pour qu'il soit en équilibre avec la vapeur, le solide exige une pression supérieure à celle du liquide. Dans ces conditions, toute vapeur produite par le solide pour tenter d'atteindre son état d'équilibre solide-vapeur est absorbée à mesure par le liquide afin de ramener la pression de vapeur d'équilibre liquide-vapeur. Le résultat net en est la transformation d'un solide en liquide par l'intermédiaire de la phase vapeur. En fait, aucun solide ne peut exister dans ces conditions: la quantité de solide diminue régulièrement, et le volume de liquide augmente. À la fin, on ne trouve que du liquide dans le compartiment de droite, qui est en équilibre avec la vapeur d'eau, et aucune autre variation ne se manifeste dans le système. Cette température est *supérieure au point de fusion* de la glace, étant donné que seul l'état liquide peut exister.

Cas 2

Température à laquelle la pression de vapeur du solide est inférieure à celle du liquide. C'est la situation inverse de celle décrite précédemment. Pour qu'il y ait équilibre avec la vapeur, le liquide doit produire une pression de vapeur supérieure à celle du solide. Ainsi, le liquide disparaît graduellement, et la quantité de glace augmente. Finalement, il ne reste que du solide, qui est en équilibre avec la vapeur. Cette température est *inférieure au point de fusion* de la glace, étant donné que seul l'état solide peut exister.

Cas 3

Température à laquelle les pressions de vapeur du solide et du liquide sont identiques. Dans ce cas, le solide et le liquide ayant la même pression de vapeur, à l'équilibre,

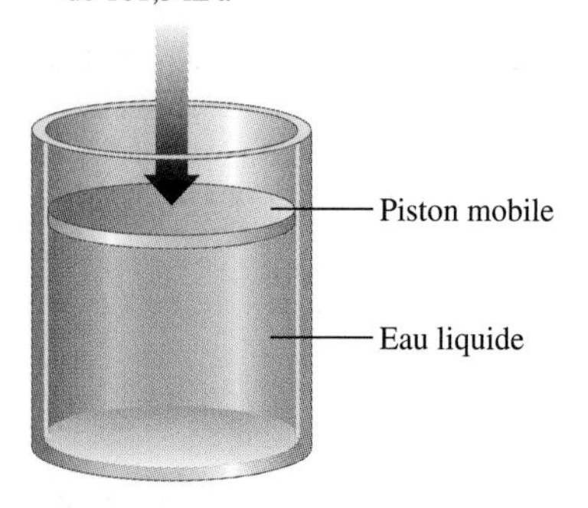

FIGURE 8.47
Eau dans un système fermé, où la pression exercée sur le piston est de 101,3 kPa. Tant que la pression de vapeur est inférieure à 101,3 kPa, il n'y a formation d'aucune bulle dans le liquide.

ils peuvent coexister dans le système avec la vapeur. Cette température représente le *point de fusion*, température à laquelle les deux états, solide et liquide, peuvent exister.

On peut à présent décrire de façon plus précise le point de fusion d'une substance. Par définition, le **point de fusion normal** est *la température à laquelle le solide et le liquide ont la même pression de vapeur quand la pression totale est de 101,3 kPa.*

Il y a *ébullition* quand la pression de vapeur du liquide est égale à la pression extérieure au liquide. Le **point d'ébullition normal** d'un liquide est *la température à laquelle la pression de vapeur du liquide est égale à 101,3 kPa* (*voir la figure 8.47*). À des températures auxquelles la pression de vapeur d'un liquide est inférieure à 101,3 kPa, il n'y a formation d'aucune bulle de vapeur, puisque, à la surface du liquide, la pression est supérieure à la pression du liquide dans lequel les bulles tentent de se former. Il y a formation de bulles et, par conséquent, ébullition, uniquement quand le liquide atteint une température pour laquelle sa pression de vapeur est de 101,3 kPa.

Cependant, les changements d'état n'ont pas toujours exactement lieu aux points d'ébullition et de fusion. Par exemple, l'eau peut être facilement superrefroidie, c'est-à-dire refroidie à une température inférieure à 0 °C, et à une pression de 101,3 kPa, tout en demeurant à l'état liquide. Ce phénomène, dit de **surfusion**, a lieu parce que, au fur et à mesure qu'elle est refroidie, l'eau n'arrive pas à s'organiser suffisamment pour former de la glace à 0 °C ; par conséquent, elle continue d'exister à l'état liquide. À un certain moment, lorsque l'agencement approprié est réalisé, la glace se forme rapidement ; l'énergie ainsi libérée (processus exothermique) ramène la température au point de fusion, et le reste de l'eau gèle (*voir la figure 8.48*).

Un liquide peut également être en **surébullition**, c'est-à-dire qu'il peut atteindre une température supérieure à son point d'ébullition, notamment s'il est chauffé rapidement. Cette surébullition a lieu parce que, pour qu'il y ait formation de bulles à l'intérieur du liquide, de nombreuses molécules de forte énergie doivent être situées à proximité les unes des autres ; or, cela peut ne pas avoir exactement lieu au point d'ébullition, surtout lorsque le liquide est chauffé rapidement. Lorsque le liquide est en surébullition, la pression de vapeur dans le liquide est supérieure à la pression atmosphérique. C'est pourquoi, quand une bulle se forme, sa pression interne étant supérieure à la pression atmosphérique, elle peut éclater avant même d'atteindre la surface du liquide et projeter ainsi du liquide hors du contenant. Ce phénomène, appelé *bumping* (bouillonnement brusque), a gâché de nombreuses expériences. Pour éviter ce problème, on peut ajouter des pierres à ébullition dans le contenant : ce sont de petits morceaux de céramique poreuse dans lesquels de l'air est emprisonné. Lorsqu'on chauffe la solution, cet air emprisonné forme de minuscules bulles qui amorcent la formation de bulles de vapeur. Ainsi, le bouillonnement commence doucement dès que la température atteint le point d'ébullition.

En libérant des bulles d'air, la pierre à ébullition agit comme un agent de nucléation pour les bulles qui se forment quand l'eau est en ébullition.

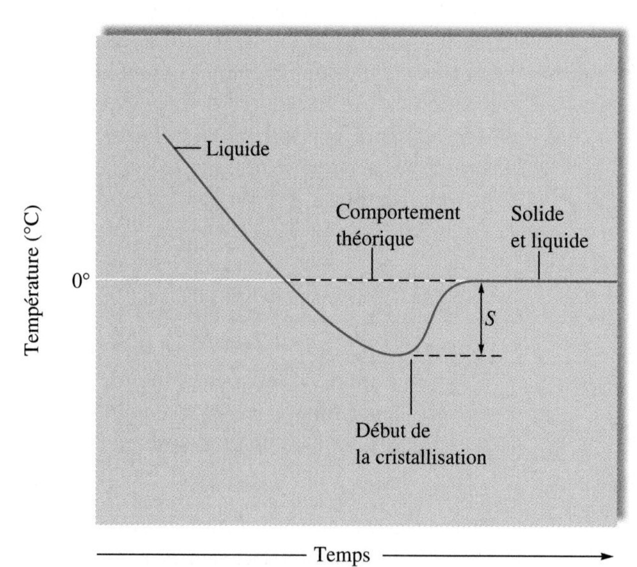

FIGURE 8.48
Surfusion de l'eau (la valeur *S* est une mesure de cette surfusion).

8.9 Diagrammes de phases

Un **diagramme de phases** permet de représenter graphiquement les changements de phases d'une substance en fonction de la température et de la pression. Ainsi, à l'aide du diagramme de phases de l'eau (*voir la figure 8.49*, on peut déterminer l'état de l'eau à une température et à une pression données. Il ne faut pas oublier qu'un diagramme de phases correspond à des conditions et à des événements qui ont lieu dans un système *fermé* (*voir la figure 8.47*), c'est-à-dire un système caractérisé par l'absence d'air et l'impossibilité pour la substance de s'échapper. On remarque que le diagramme n'est pas représenté à l'échelle (aucun des axes n'est linéaire), afin de mettre en évidence certaines de ses caractéristiques qui seront abordées un peu plus loin.

Pour apprendre à interpréter le diagramme de phases de l'eau, considérons les expériences de chauffage effectuées à plusieurs pressions et représentées par des lignes pointillées à la figure 8.50.

Expérience 1

Pression de 101,3 kPa. Au début de l'expérience, le cylindre (*voir la figure 8.47*) est complètement rempli de glace, à −20 °C, et le piston exerce directement sur la glace (absence totale d'air dans le contenant) une pression de 101,3 kPa. Puisque la pression de vapeur de la glace est inférieure à 101,3 kPa (pression extérieure constante exercée sur le piston) à des températures inférieures à 0 °C, on ne trouve aucune vapeur dans le cylindre. Lorsqu'on chauffe le cylindre, la glace demeure le seul composant tant que la température n'atteint pas 0 °C, température à laquelle la glace se transforme en eau liquide par absorption d'énergie : c'est le point de fusion normal de l'eau. Il est à remarquer que, dans ces conditions, il n'y a aucune vapeur dans le système. Les pressions de vapeur du solide et du liquide sont égales, mais cette pression de vapeur est inférieure à une atmosphère, donc aucune vapeur d'eau ne peut exister. Il en est de même pour toutes les transformations solide/liquide, sauf au point triple (*voir l'expérience 3*). Quand le solide est complètement transformé en liquide, la température augmente de nouveau. À ce moment, le cylindre ne contient que de l'eau liquide ; on n'y trouve *aucune vapeur*, puisque la pression de vapeur de l'eau liquide, dans ces conditions, est inférieure à 101,3 kPa (pression extérieure constante exercée sur le piston). On continue de chauffer jusqu'à ce que la température de l'eau liquide atteigne 100 °C. À ce moment, la pression de vapeur de l'eau liquide étant de 101,3 kPa, l'ébullition commence, c'est-à-dire que le liquide est transformé en vapeur ; c'est le point d'ébullition normal de l'eau. Une fois que le liquide est complètement transformé en vapeur, la température augmente de nouveau au fur et à mesure qu'on chauffe. Le cylindre ne contient plus alors que de la vapeur d'eau.

Expérience 2

Pression de 0,27 kPa. Initialement, le cylindre ne contient que de la glace à −20 °C. Dans ce cas, la pression exercée par le piston n'est que de 0,27 kPa. On chauffe jusqu'à ce que la température atteigne −10 °C, température à laquelle la glace est directement

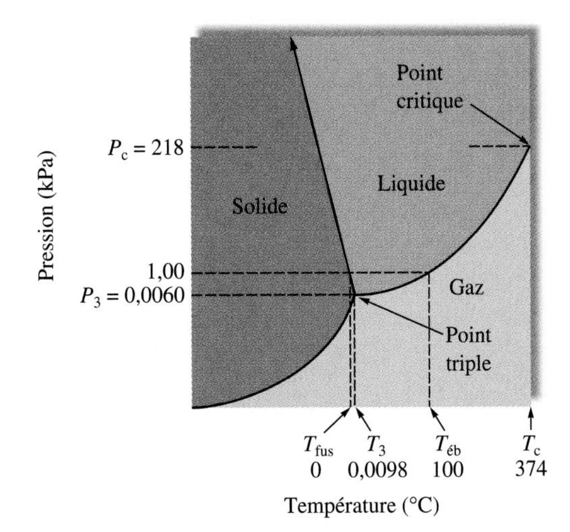

FIGURE 8.49
Diagramme de phases de l'eau : T_{fus} représente le point de fusion normal, t_3 et P_3, le point triple, $T_{éb}$, le point d'ébullition normal, T_c, la température critique et P_c, la pression critique. La pente négative de la courbe de transition solide-liquide est due au fait que la masse volumique de la glace est inférieure à celle de l'eau liquide. (On remarque que cette courbe se prolonge indéfiniment, comme l'indique la flèche.)

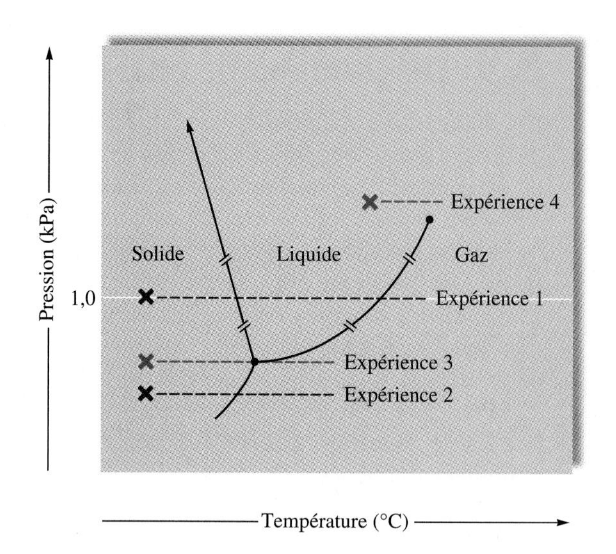

FIGURE 8.50
Diagrammes de plusieurs expériences de chauffage effectuées avec des échantillons d'eau dans un système fermé.

transformée en vapeur (sublimation). La sublimation a lieu quand la pression de vapeur de la glace est égale à la pression extérieure – pression qui, dans ce cas, n'est que de 0,27 kPa. Dans ces conditions, il n'y a pas formation d'eau liquide, étant donné que la pression de vapeur de l'eau liquide est toujours supérieure à 0,27 kPa. Par conséquent, l'eau liquide ne peut pas exister à cette faible pression. Si, sous une telle pression, on avait versé de l'eau dans le cylindre, elle se serait immédiatement vaporisée à toute température supérieure à −10 °C ou aurait gelé à toute température inférieure à −10 °C.

Expérience 3
Pression de 0,610 kPa. Le cylindre ne contient toujours initialement que de la glace à −20 °C. Dans ce cas, la pression exercée par le piston sur la glace est de 0,610 kPa. Lorsqu'on chauffe le cylindre, la glace ne change pas d'état tant que la température n'atteint pas 0,0098 °C. À cette température, appelée **point triple**, l'eau solide et l'eau liquide ont la même pression de vapeur, soit 0,610 kPa. Par conséquent, *à 0,0098 °C et à 0,610 kPa, l'eau est présente dans ses trois états.* En fait, il y a coexistence des trois états de l'eau *uniquement* dans ces conditions.

Expérience 4
Pression de 22 800 kPa. Dans cette expérience, le cylindre contient initialement de l'eau liquide à 300 °C, et la pression exercée par le piston est de 22 800 kPa. À cette température, l'eau est liquide parce que la pression extérieure est très élevée. Au fur et à mesure que la température augmente, on observe un phénomène qui n'a pas eu lieu dans les trois premières expériences : le liquide est graduellement transformé en vapeur, en passant par un état intermédiaire « fluide », qui n'est ni vraiment un liquide ni vraiment de la vapeur. Ce phénomène est totalement différent de celui qu'on observe à des températures et à des pressions inférieures, disons à 100 °C et à 101,3 kPa, conditions au cours desquelles la température demeure constante durant la transition nette entre la phase liquide et la phase vapeur. Ce phénomène inhabituel a lieu parce que les conditions sont au-delà de celles qui correspondent au point critique de l'eau : par définition, la **température critique** est la température au-dessus de laquelle on ne peut plus liquéfier de la vapeur, et ce, quelle que soit la pression exercée ; la **pression critique** est la pression requise pour liquéfier la vapeur *à* la température critique ; la température critique et la pression critique constituent les coordonnées du **point critique**. Pour l'eau, le point critique est situé à 374 °C et à 22 100 kPa. La courbe de transition liquide-gaz du diagramme de phases de l'eau s'arrête donc au point critique. Au-delà de ce point, la transition d'un état à l'autre a lieu grâce à la phase intermédiaire « fluide » décrite ci-dessus.

Applications du diagramme de phases de l'eau

Le diagramme de phases de l'eau présente plusieurs autres caractéristiques intéressantes. Par exemple, la pente de la droite qui délimite le domaine d'existence du solide de celui

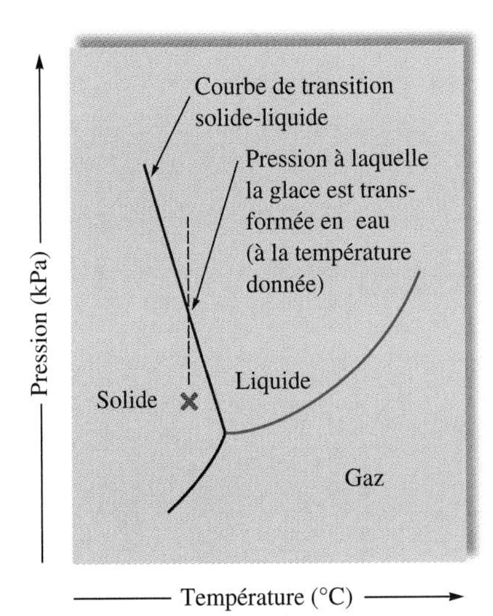

FIGURE 8.51
Diagramme de phases de l'eau. Au point x, l'eau est à l'état solide. Cependant, si on augmente la pression extérieure, tout en maintenant la température constante (pression indiquée par la ligne verticale discontinue), on croise la courbe de transition solide-liquide : la glace fond.

du liquide est négative, ce qui signifie que le point de fusion de l'eau *diminue* au fur et à mesure que la pression extérieure *augmente*. Ce comportement, contraire à celui qu'on observe pour la plupart des substances, est dû au fait que, au point de fusion, la masse volumique de la glace est *inférieure* à celle de l'eau liquide au point de fusion. La masse volumique de l'eau est maximale à 4 °C ; quand l'eau liquide gèle, son volume augmente.

On peut expliquer l'influence de la pression sur le point de fusion de l'eau de la façon suivante : au point de fusion, l'eau solide et l'eau liquide coexistent ; elles sont en équilibre dynamique, étant donné que la vitesse à laquelle la glace fond est égale à la vitesse à laquelle elle gèle. Qu'arrive-t-il si on exerce une pression sur le système ? Quand on augmente la pression, la matière diminue de volume. On observe ce comportement, évident dans le cas des gaz, également dans le cas de produits à l'état condensé. Le volume d'une masse donnée de glace à 0 °C est supérieur à celui de la même masse d'eau liquide, le système réduit son volume en cas d'augmentation de la pression en se transformant en liquide. Par conséquent, à 0 °C et à une pression extérieure supérieure à 101,3 kPa, l'eau est liquide. En d'autres termes, le point de congélation de l'eau est inférieur à 0 °C quand la pression extérieure est supérieure à 101,3 kPa.

La figure 8.51 représente graphiquement l'influence de la pression sur la glace : au point **X**, la glace est soumise à une pression supérieure, alors que la température demeure constante. On remarque que, lorsqu'on augmente la pression, la droite croise la courbe de transition solide-liquide : autrement dit, la glace fond. Ce phénomène apparaît important pour les patineurs sur glace. La mince arête de la lame du patin exerce une pression élevée puisque le poids du patineur n'est supporté que par une petite surface de la lame. De plus, la chaleur de friction due au déplacement du patin contribue également à la fusion de la glace*. Après le passage de la lame, le liquide gèle de nouveau, car la pression et la température sont redevenues normales. Sans cet effet de lubrification dû à la fonte de la glace, le patinage ne serait pas ce sport élégant et gracieux que tant de gens apprécient.

La faible masse volumique de la glace a d'autres conséquences. Ainsi, quand l'eau gèle dans un tuyau ou dans un bloc moteur, elle prend de l'expansion et les fait éclater. C'est la raison pour laquelle, dans les régions froides, on isole les conduites d'eau et on utilise de l'antigel dans les moteurs refroidis à l'eau. C'est également à cause de sa masse volumique plus faible que la glace flotte sur les fleuves, rivières et lacs, ce qui empêche ces derniers de geler complètement en hiver ; la vie aquatique est par conséquent toujours présente malgré ces températures glaciales.

À La Paz (Bolivie), l'eau bout à 87 °C.

Un liquide bout à une température à laquelle sa pression de vapeur est égale à la pression extérieure. Par conséquent, le point d'ébullition d'une substance (comme son point de fusion d'ailleurs) dépend de la pression extérieure. C'est la raison pour laquelle l'eau bout à différentes températures selon l'altitude (*voir le tableau 8.10*) ; toute opération de cuisson qui nécessite de l'eau bouillante est ainsi modifiée par ce phénomène. Par exemple, il faut davantage de temps pour faire cuire un œuf dur à Mexico (altitude : 2250 m) qu'à Rimouski (niveau de la mer), puisque l'eau y bout à une température plus faible.

L'influence de la pression sur la glace permet à ce patineur de glisser avec aisance.

Nous savons que le diagramme de phases de l'eau correspond à un système fermé. Il faut donc être très prudent quand on veut recourir au diagramme de phases pour expliquer le comportement de l'eau dans la nature, par exemple à la surface de la Terre. Ainsi, lorsque le climat est sec (humidité faible), il semble y avoir sublimation de la neige et de la glace (il y a formation de peu de neige fondante) ; les vêtements humides étendus à l'extérieur, à des températures inférieures à 0 °C, gèlent d'abord, puis sèchent une fois gelés. Pourtant, le diagramme de phases (*voir la figure 8.51*) indique que la glace ne devrait *pas* se sublimer à une pression atmosphérique normale. Que se produit-il donc dans ces circonstances ? La nature n'est pas un système fermé : la pression y est exercée par l'atmosphère et non par un piston solide. La vapeur produite au-dessus de la glace peut donc s'échapper dès qu'elle est formée. Ainsi, la vapeur n'étant pas en équilibre

* La physique du patinage sur glace est très complexe, et il existe une divergence d'opinions quant à savoir si le facteur le plus important est la pression ou la chaleur de friction de la lame du patin. Voir « Letter to the Editor », R. Silberman, *Journal of Chemical Education*, n° 65 (1988), p. 186.

IMPACT

Fabriquer des diamants à basse pression, c'est déjouer mère nature!

En 1955, Robert H. Wentorf jr. a réalisé une expérience qui tient presque de l'alchimie : il a transformé du beurre d'arachide en diamants ! Lui et ses collaborateurs, du General Electric Research and Development Center, ont également transformé du goudron, du bois, du charbon et bien d'autres matériaux contenant du carbone en diamants, utilisant pour ce faire des températures d'environ 2000 °C et des pressions d'environ 10^5 atm. Ces premiers diamants ressemblaient à du sable noir à cause des impuretés qu'ils contenaient, mais aujourd'hui le procédé a été amélioré, et il est possible de produire de beaux diamants transparents ayant la qualité d'une pierre précieuse.

General Electric produit, chaque année, 150 millions de carats (30 000 kg) de diamants, dont la presque totalité est de la poussière de diamant utilisée à des fins industrielles (par exemple la préparation de recouvrements abrasifs sur les outils coupants). La production de gros diamants ayant la qualité d'une pierre précieuse est, par ce procédé, beaucoup trop coûteuse pour remplacer l'extraction des diamants naturels. Toutefois, la situation pourrait changer si on parvenait à mettre au point un procédé nécessitant des pressions moins élevées.

Les hautes températures et les hautes pressions utilisées dans le procédé GE s'expliquent si l'on examine le diagramme de phases du carbone, ci-joint. Il est à remarquer que la forme la plus stable du carbone, dans des conditions normales de température et de pression, c'est le graphite et non le diamant. Ce dernier est plus stable que le graphite uniquement à très hautes pressions (comme on pourrait s'y attendre à cause de la plus grande masse volumique du diamant). La haute température utilisée dans le procédé GE est néces-

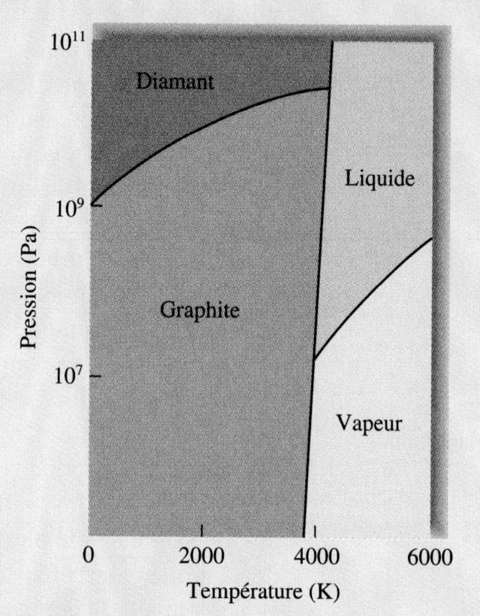

Diagramme de phases du carbone.

TABLEAU 8.10 Points d'ébullition de l'eau en divers lieux du monde

Lieu	Altitude (m)	P_{atm} (kPa)	Point d'ébullition (°C)
sommet du mont Everest (Tibet)	8848	32,0	70
sommet du mont Logan (Yukon)	6050	46,4	79
sommet du mont Whitney (Californie)	4418	57,3	85
La Paz (Bolivie)	3658	66,3	87
Quito (Équateur)	2850	73,3	89
Mexico (Mexique)	2250	79,2	92
sommet du mont Iberville (Québec)	1646	85,3	94
Montréal (Québec)	15	101,3	100
Vallée de la mort (Californie)	−86	102,7	100,3

Un extincteur au dioxyde de carbone.

avec le solide, la glace disparaît lentement. Dans ces circonstances, on assiste alors à une sublimation, même s'il ne s'agit pas de sublimation dans les conditions à l'équilibre décrites dans le diagramme de phases.

saire, car il faut rompre les liaisons dans le graphite si l'on veut que le diamant (la forme la plus stable du carbone aux hautes pressions utilisées dans ce procédé) puisse se former.

Une fois que le diamant est produit, le carbone élémentaire est figé dans cette forme aux conditions normales (25 °C, 1 atm) parce que la réaction de conversion du diamant en graphite est très lente. Autrement dit, même si le graphite est plus stable que le diamant à 25 °C et à 1 atm, le diamant peut exister presque indéfiniment vu que la réaction inverse est une réaction *très lente*. Ainsi les diamants naturels formés à de très hautes pressions dans la croûte terrestre peuvent être amenés à la surface de la Terre grâce aux bouleversements géologiques naturels et continuer d'exister durant des millions d'années*.

Nous avons déjà souligné que le diamant formé en laboratoire à de hautes pressions est figé dans cette forme, mais c'est un procédé très coûteux. Un diamant pourrait-il être formé à basse pression ? Le diagramme de phases du carbone nous fait dire non. Toutefois, des chercheurs ont trouvé que, dans des conditions particulières, des diamants peuvent croître à basses pressions. Le procédé, appelé *dépôt de vapeurs chimiques* (*DVC*), fait d'abord appel à une source d'énergie pour libérer, d'un composé comme le méthane, des atomes de carbone qui sont ensuite entraînés par un courant de gaz hydrogène (dont une partie est dissociée en atomes d'hydrogène). Les atomes de carbone se déposent enfin sous forme de film de diamant sur une surface maintenue à une température entre 600 °C et 900 °C. Pourquoi se forme-t-il, sur cette surface, du diamant plutôt que du graphite ? Personne ne le sait, mais on a suggéré qu'à ces températures relativement élevées, la structure du diamant croît plus rapidement que celle du graphite et que, par conséquent, le diamant est la forme stable dans ces conditions. On pense également que les atomes d'hydrogène présents réagissent plus vite avec les fragments de graphite qu'avec les fragments de diamant ; ils enlèveront donc de manière très efficace toute trace de graphite qui se déposerait sur le film en croissance. Une fois formé évidemment, le diamant est figé. Le principal avantage du procédé DVC réside dans la synthèse des diamants à des pressions beaucoup plus basses que celles utilisées dans le procédé traditionnel de synthèse.

Les premiers produits contenant des films de diamant sont déjà sur le marché. Les audiophiles peuvent se procurer un haut-parleur d'aigus muni d'un diaphragme recouvert d'un mince film de diamant, dont la fonction est de réduire la distorsion du son. Des montres à cristaux recouverts de diamants sont prévues, tout comme des fenêtres recouvertes de diamants, des appareils à balayage infrarouge utilisés dans des instruments analytiques et des systèmes de guidage des missiles. Et ce ne sont là que les premières applications des produits recouverts de diamants.

* Au Maroc, il y a un bloc long de 50 km, appelé Beni Bousera, qui contient des morceaux de graphite. Ces derniers ont probablement déjà été des diamants là où ils étaient enfouis, à 150 km de profondeur. À mesure que le bloc remontait lentement à la surface, phénomène qui a pris des millions d'années, la réaction très lente de transformation du diamant en graphite se serait produite. Par contre, en Afrique du Sud, les diamants trouvés dans les dépôts de kimberlite seraient arrivés très rapidement à la surface, assez rapidement pour qu'ils n'aient pas le temps de se transformer en graphite.

Diagramme de phases du dioxyde de carbone

Le diagramme de phases du dioxyde de carbone (*voir la figure 8.52*) diffère de celui de l'eau : la pente de la courbe de transition solide-liquide y est positive, étant donné que le dioxyde de carbone est plus dense à l'état solide qu'à l'état liquide. Pour le dioxyde de carbone, les coordonnées du point triple sont 517 kPa et −56,6 °C, et celles du point critique, 7376 kPa et 31 °C. À une pression de 101,3 kPa, il y a sublimation du dioxyde de carbone à −78 °C, phénomène qui est à l'origine de son nom commun, *glace sèche*. Dans les conditions atmosphériques normales, il n'y a pas de phase liquide, ce qui fait de la glace sèche un réfrigérant fort utile.

On utilise également le dioxyde de carbone dans les extincteurs chimiques, dans lesquels il existe à l'état liquide, à 25 °C et à de fortes pressions. Dès qu'il s'échappe de l'extincteur, le dioxyde de carbone liquide est immédiatement transformé en vapeur, étant donné qu'il est soumis à une pression de 101,3 kPa. Les vapeurs étant plus lourdes que l'air, elles étouffent le feu en éloignant l'oxygène des flammes. Par ailleurs, la transition liquide-vapeur étant un phénomène fortement endothermique, le refroidissement qui l'accompagne aide à éteindre le feu.

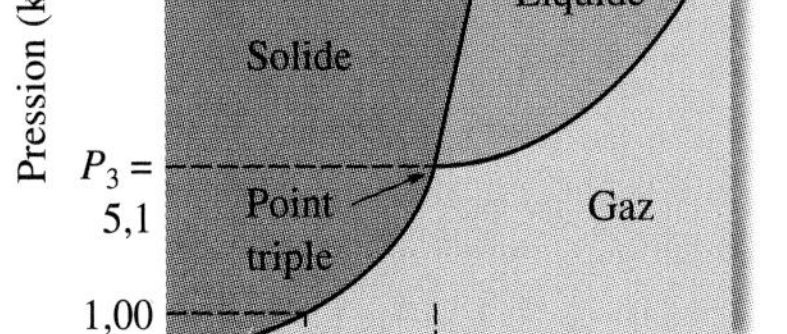

FIGURE 8.52
Diagramme de phases du dioxyde de carbone. À une pression de 101,3 kPa, l'état liquide n'existe pas. La courbe de transition solide-liquide a une pente positive, étant donné que la masse volumique du dioxyde de carbone solide est supérieure à celle du dioxyde de carbone liquide.

Mots clés

Section 8.1
états condensés
forces intermoléculaires
attraction dipôle-dipôle
liaison hydrogène
forces de dispersion de London

Section 8.2
tension superficielle
capillarité
viscosité

Section 8.3
solide cristallin
solide amorphe
réseau
maille élémentaire
diffraction des rayons X
solides ioniques
solides moléculaires
solides atomiques

Section 8.4
empilement compact
réseau hexagonal compact (hc)
réseau cubique à faces centrées (cfc)
théorie des bandes d'énergie
théorie des orbitales moléculaires (OM)
alliage
alliage de substitution
alliage d'insertion

Section 8.5
solide covalent
silice
silicate
verre
céramique
semi-conducteur
semi-conducteur de type *n*
semi-conducteur de type *p*
jonction *p-n*

Section 8.8
vaporisation (évaporation)
enthalpie de vaporisation (ΔH_{vap})
condensation
équilibre
pression de vapeur à l'équilibre
sublimation
courbe de chauffage
enthalpie (chaleur) de fusion, ΔH_{fus}
point de fusion normal
point d'ébullition normal
surfusion
surébullition

Section 8.9
diagramme de phases
point triple
température critique
pression critique
point critique

Synthèse

États condensés de la matière : les liquides et les solides
- Leur formation est due à l'existence d'interactions entre les molécules, les atomes ou les ions.
- Les liquides possèdent des propriétés telles que la tension superficielle, la capillarité et la viscosité qui dépendent des interactions entre les composants.

Forces dipôle-dipôle
- Attractions entre les molécules qui possèdent un moment dipolaire.
- Les liaisons hydrogène sont une forme particulièrement forte d'interactions dipôle-dipôle.
  - Elles existent dans les molécules qui possèdent des atomes d'hydrogène reliés à des éléments fortement électronégatifs, comme l'azote, l'oxygène ou le fluor.
  - Elles sont responsables de points d'ébullition exceptionnellement élevés.

Forces de dispersion de London
- Causées par des dipôles instantanés qui se forment dans des atomes ou des molécules non polaires.

Solides cristallins
- Les composants sont agencés selon un ordre régulier, ou réseau, dont l'unité de base est la maille élémentaire.
- Classés selon la nature des composants :
  - solides atomiques (atomes)
  - solides ioniques (ions)
  - solides moléculaires (molécules).
- La disposition des composants d'un solide cristallin peut être déterminée par diffraction des rayons X.

Métaux
- La théorie qui décrit leur structure suppose que les atomes sont des sphères uniformes.
  - Empilement compact :
    - hexagonal
    - cubique.
- Deux théories pour décrire la liaison métallique
  - Théorie de la mer d'électrons : les électrons de valence se déplacent librement autour des cations métalliques.
  - Théorie des bandes d'énergie : les électrons occupent des orbitales moléculaires.
    - Bandes de conduction : orbitales moléculaires très voisines comportant des espaces électroniques vides.
- Alliages : mélanges possédant des propriétés métalliques :
  - de substitution
  - d'insertion

Solides covalents
- Contiennent des réseaux géants d'atomes qui possèdent des liaisons covalentes.
- Le diamant et le graphite sont des exemples.
- Les silicates : solides covalents contenant des ponts Si—O—Si qui forment la structure de base de beaucoup de roches, d'argiles et de céramiques.

Semi-conducteurs
- Silicium très pur dopé avec d'autres éléments.
  - De type *n* : contient des atomes (impuretés) qui possèdent cinq électrons de valence (un de plus que l'atome de silicium lui-même).
  - De type *p* : contient des atomes (impuretés) qui possèdent trois électrons de valence.
- L'industrie de l'électronique repose sur des dispositifs qui comportent des jonctions *p-n*.

Solides moléculaires

- Composantes sont des unités moléculaires individuelles.
- Forces intermoléculaires en général faibles, ce qui crée des points d'ébullition et des points de fusion relativement bas.

Solides ioniques

- Les composants sont des ions.
- Fortes interactions électrostatiques, ce qui crée des solides dont les points de fusion et les points d'ébullition sont élevés.
- Dans de nombreuses structures cristallines, les plus petits ions sont situés dans des creux tétraédriques ou octaédriques formés par les plus gros ions assemblés en réseaux compacts.

Changements d'état

- On appelle vaporisation ou évaporation, le passage de l'état liquide à l'état gazeux (vapeur).
- La condensation est l'inverse de la vaporisation.
- Pression de vapeur à l'équilibre : la pression exercée au-dessus d'un liquide ou d'un solide dans un système fermé quand la vitesse d'évaporation est égale à la vitesse de condensation.
  - Les liquides dans lesquels les forces intermoléculaires sont fortes ont des pressions de vapeur relativement faibles.
  - Point d'ébullition normal : la température à laquelle la pression de vapeur d'un liquide est de 101,3 kPa.
  - Point de fusion normal : la température à laquelle un solide et son liquide ont des pressions de vapeur identiques quand la pression totale est de 101,3 kPa.
- Diagramme de phases.
  - Indique l'état d'une substance à une température et à une pression données dans un système fermé.
  - Point triple : représente la température et la pression pour lesquelles il y a coexistence des trois états à l'équilibre.
  - Point critique : déterminé par la température critique et par la pression critique.
    - Température critique : température au-dessus de laquelle la vapeur ne peut pas être liquéfiée, quelle que soit la pression.
    - Pression critique : pression nécessaire pour liquéfier la vapeur à la température critique.

QUESTIONS DE RÉVISION

1. Qu'est-ce qu'une force intermoléculaire ? En quoi diffère-t-elle d'une force intramoléculaire ? Qu'est-ce qu'une interaction dipôle-dipôle ? En quoi les interactions dipôle-dipôle typiques diffèrent-elles des liaisons hydrogène ? En quoi se ressemblent-elles ? Qu'est-ce qu'une force de dispersion de London ? En quoi les forces de dispersion de London typiques diffèrent-elles des interactions dipôle-dipôle ? En quoi se ressemblent-elles ? Décrivez la relation qui existe entre la taille d'une molécule et l'importance des forces de dispersion de London. Énumérez les principaux types d'interactions intermoléculaires par ordre croissant de force. Y a-t-il recouvrement ? Autrement dit, est-il possible que les forces de dispersion de London les plus fortes soient supérieures aux forces dipôle-dipôle ? Si oui, fournissez un exemple.
2. Définissez les propriétés physiques énumérées ci-dessous et expliquez comment elles varient en fonction de l'importance des forces intermoléculaires.
   a) Tension superficielle.
   b) Viscosité.
   c) Point de fusion.
   d) Point d'ébullition.
   e) Pression de vapeur.

3. Trouvez les ressemblances qui existent entre liquides et solides, ainsi qu'entre liquides et gaz.
4. Faites la distinction entre les expressions de chacune des paires ci-dessous.
   a) Solide cristallin et solide amorphe.
   b) Solide ionique et solide moléculaire.
   c) Solide moléculaire et solide covalent.
   d) Solide métallique et solide covalent.
5. Qu'est-ce qu'un réseau ? Qu'est-ce qu'une maille élémentaire ? Décrivez une maille élémentaire cubique simple. Quel est le nombre net d'atomes contenus dans une maille élémentaire cubique simple ? Comment le rayon de l'atome est-il relié à la longueur de l'arête du cube pour une maille élémentaire cubique simple ? Répondez à la même question pour la maille élémentaire cubique centrée et pour la maille élémentaire cubique à faces centrées.
6. Qu'est-ce qu'un empilement compact ? Quelle est la différence entre l'empilement compact hexagonal et l'empilement compact cubique ? Quelle est la maille élémentaire pour chaque empilement compact ?
7. À l'aide de la théorie des bandes d'énergie, faites la distinction entre isolants, conducteurs et semi-conducteurs. À l'aide de la théorie des bandes d'énergie, expliquez pourquoi chacune des conditions suivantes fait augmenter la conductibilité d'un semi-conducteur :
   a) augmentation de température ;
   b) exposition à la lumière ;
   c) addition d'une impureté (dopage).
   En quoi les conducteurs et les semi-conducteurs diffèrent-ils quant à l'influence de la température sur la conductivité électrique ? Comment peut-on produire un semi-conducteur de type *n* à partir de germanium pur ? Comment peut-on produire un semi-conducteur de type *p* à partir de germanium pur ?
8. Décrivez, en général, les structures des solides ioniques. Comparez la structure du chlorure de sodium avec celle du sulfure de zinc. Combien de creux tétraédriques et de creux octaédriques y a-t-il par anion en empilement compact ? Dans le sulfure de zinc, pourquoi la moitié des creux tétraédriques sont-ils comblés par des cations ?
9. Définissez chacun des termes ou expressions suivants :
   a) évaporation ;
   b) condensation ;
   c) sublimation ;
   d) ébullition ;
   e) fusion ;
   f) enthalpie de vaporisation ;
   g) enthalpie de fusion ;
   h) courbe de chauffage.
   Pourquoi l'enthalpie de vaporisation de l'eau est-elle beaucoup plus grande que son enthalpie de fusion ? Quels renseignements cela nous donne-t-il en ce qui concerne les forces intermoléculaires quand l'eau passe de la phase solide à la phase liquide, puis à la phase vapeur ? Que signifie un liquide *volatil* ? Les liquides volatils ont-ils des pressions de vapeur élevées ou faibles à température ambiante ? Quelles forces des interactions intermoléculaires ont lieu dans des liquides hautement volatils ?
10. Comparez les diagrammes de phases de l'eau et du dioxyde de carbone. Pourquoi le CO_2 n'a-t-il pas un point de fusion et un point d'ébullition normaux, alors que ceux de l'eau le sont ? Les pentes des droites solide-liquide dans les diagrammes de phases de H_2O et de CO_2 sont différentes. Qu'est-ce que les pentes des droites solide-liquide indiquent quant aux masses volumiques relatives des états solide et liquide pour chaque substance ? Comment les points de fusion de H_2O et de CO_2 varient-ils en fonction de la pression ? Comment les points d'ébullition de H_2O et de CO_2 varient-ils en fonction de la pression ? Justifiez le fait que la température critique de H_2O soit plus élevée que celle de CO_2.

Questions et exercices

Questions à discuter en classe

Ces questions sont conçues pour être abordées en petits groupes. Par des discussions et des enseignements mutuels, elles permettent d'exprimer la compréhension des concepts.

1. Il est possible de faire flotter un trombone sur l'eau dans un bécher. Par ailleurs, si vous ajoutez un peu de savon à l'eau, le trombone coule. Expliquez pourquoi le trombone flotte et pourquoi il coule en présence de savon.

2. Soit un réservoir scellé à demi rempli d'eau. Choisissez l'énoncé qui décrit le mieux ce qui se produit dans le contenant.
a) L'eau s'évapore jusqu'à ce que l'air soit saturé de vapeur d'eau ; alors l'évaporation cesse.
b) L'eau s'évapore jusqu'à ce que l'air soit sursaturé d'eau, et la plupart de l'eau recondense ; ce cycle se reproduit jusqu'à ce qu'une certaine quantité de vapeur d'eau soit présente et que le cycle cesse.
c) L'eau ne s'évapore pas puisque le contenant est scellé.
d) L'eau s'évapore, puis l'eau se condense et s'évapore simultanément et continuellement.
e) L'eau s'évapore jusqu'à ce qu'elle soit toute transformée en vapeur.
Justifiez votre choix de réponse et dites pourquoi les autres suggestions ne sont pas acceptables.

3. Expliquez l'expérience suivante. Dans un ballon à fond rond de 500 mL, vous ajoutez 100 mL d'eau et chauffez le tout jusqu'à ébullition. Vous retirez la source de chaleur, bouchez le ballon, et le bouillonnement cesse. Vous faites alors couler de l'eau froide sur l'encolure du ballon et le bouillonnement recommence. On dirait que vous faites bouillir de l'eau en la refroidissant.

4. Est-il possible que les forces de dispersion dans une substance particulière soient plus fortes que les liaisons hydrogène dans une autre ? Expliquez.

5. La nature des forces intermoléculaires varie-t-elle quand une substance passe de l'état solide à l'état liquide ou de l'état liquide à l'état gazeux ?

6. Pourquoi les liquides ont-ils une pression de vapeur ? Est-ce que tous les liquides ont une pression de vapeur ? Expliquez. Est-ce que les solides présentent une pression de vapeur ? Expliquez. Comment la pression de vapeur varie-t-elle en fonction de la température ? Expliquez.

7. Dans un bécher ouvert, l'eau finit par s'évaporer avec le temps. Pendant l'évaporation de l'eau, est-ce que la pression de vapeur augmente, diminue ou demeure inchangée ? Pourquoi ?

8. Quelle est la pression de vapeur de l'eau à 100 °C ? Comment le savez-vous ?

9. Pour une molécule donnée, quelles interactions sont les plus fortes, intermoléculaires ou intramoléculaires ? Quelles observations avez-vous faites qui justifient vos réponses ? Expliquez.

10. Pourquoi l'eau s'évapore-t-elle ?

La réponse à toute question ou tout exercice précédés d'un numéro en bleu se trouve à la fin de ce livre.

Questions

11. L'hydrocarbure non polaire $C_{25}H_{52}$ est solide à la température ambiante. Son point d'ébullition est supérieur à 400 °C. Lequel a les forces intermoléculaires les plus importantes, $C_{25}H_{52}$ ou H_2O ? Expliquez.

12. Dans une structure compacte, les atomes sont censés se toucher. Pourtant, dans toute maille élémentaire à empilement compact, il y a beaucoup d'espace libre. Expliquez pourquoi.

13. Définissez « température critique » et « pression critique ». Selon la théorie cinétique des gaz, une substance ne peut pas exister à l'état liquide à une température supérieure à sa température critique. Pourquoi ?

14. À l'aide de la théorie cinétique moléculaire, expliquez pourquoi un liquide refroidit quand il s'évapore d'un contenant calorifuge.

15. Lequel, du solide cristallin ou du solide amorphe, donne la figure de diffraction des rayons X la plus simple ? Pourquoi ?

16. Décrivez ce qu'on entend par équilibre dynamique en termes de pression de vapeur d'un liquide volatil.

17. Expliquez de quelle manière chacun des facteurs suivants influence la vitesse d'évaporation d'un liquide dans un récipient ouvert :
a) forces intermoléculaires ;
b) températures ;
c) surface du liquide.

18. Quand une personne est atteinte d'une forte fièvre, un traitement utilisé pour abaisser la température consiste à la frictionner à l'alcool. Expliquez comment l'évaporation de l'alcool sur la peau d'une personne retire de l'énergie calorifique du corps.

19. Quand on étend du linge humide par une journée d'hiver très froide, le linge gèle, puis il finit par sécher. Expliquez pourquoi.

20. Pourquoi une brûlure causée par de la vapeur est-elle plus grave qu'une brûlure causée par de l'eau bouillante ?

21. Vous avez trois composés covalents qui ont trois points d'ébullition très différents. Ces composés possèdent cependant des masses molaires et une forme relative semblables. Expliquez comment ces trois composés peuvent avoir des points d'ébullition très différents.

22. Comparez les structures des solides suivants.
a) $CO_2(s)$ et $H_2O(s)$.
b) $NaCl(s)$ et $CsCl(s)$; *voir les structures à l'exercice 44.*

23. Le carbure de silicium, SiC, est une substance extrêmement dure qui agit comme isolant électrique. Proposez une structure pour SiC.

24. L'iode, comme la plupart des substances, présente seulement trois phases : solide, liquide et vapeur. Le point triple de l'iode est à 90 torr et à 115 °C. Lequel des énoncés suivants au sujet de I_2 liquide doit être vrai ? Expliquez votre réponse.
a) $I_2(l)$ est plus dense que $I_2(g)$.
b) $I_2(l)$ ne peut pas exister au-dessus de 115 °C.
c) $I_2(l)$ ne peut pas exister à une pression de 1 atmosphère.
d) $I_2(l)$ ne peut pas avoir une pression de vapeur supérieure à 90 torr.
e) $I_2(l)$ ne peut pas exister à une pression de 10 torr.

Exercices

Dans la présente section, les exercices similaires sont pairés.

Forces intermoléculaires et propriétés physiques

25. Repérez les types les plus importants de forces interparticulaires qui existent dans les solides de chacune des substances ci-dessous.
a) NH_4Cl
b) Téflon, $CF_3(CF_2CF_2)_nCF_3$
c) Polyéthylène, $CH_3(CH_2CH_2)_nCH_3$
d) $CHCl_3$
e) NH_3
f) NO
g) BF_3

26. Dans chacune des paires suivantes, indiquez la substance qui possède les forces intermoléculaires les plus importantes.
a) CO_2 ou OCS.
b) PF_3 ou PF_5.
c) SF_2 ou SF_6.
d) SO_3 ou SO_2.

---

27. Soit les composés Cl_2, HCl, F_2, NaF et HF. Quel composé a un point d'ébullition le plus près de celui de l'argon ? Expliquez.

28. Soit les composés suivants et leurs formules. (*Note :* Les formules sont écrites de façon à vous donner une idée de la structure.)

Éthanol : CH_3CH_2OH
Éther diméthylique : CH_3OCH_3
Propane : $CH_3CH_2CH_3$

Les points d'ébullition de ces composés sont (sans aucun ordre particulier) $-42{,}1$ °C, -23 °C et $78{,}5$ °C. Faites correspondre les points d'ébullition avec les composés appropriés.

---

29. Parmi les substances proposées, indiquez celle qui possède la caractéristique indiquée. Justifiez votre réponse.
a) Le plus haut point d'ébullition : HCl, Ar ou F_2.
b) Le plus haut point de congélation : H_2O, NaCl ou HF.
c) La plus basse pression de vapeur à 25 °C : Cl_2, Br_2 ou I_2.
d) Le plus faible point de congélation : N_2, CO ou CO_2.
e) Le plus bas point d'ébullition : CH_4, CH_3CH_3 ou $CH_3CH_2CH_3$.
f) Le plus haut point d'ébullition : HF, HCl ou HBr.

Propriétés des liquides

30. Dans un mince tube de verre, le ménisque de l'eau a une forme différente de celui du mercure. Pourquoi ?

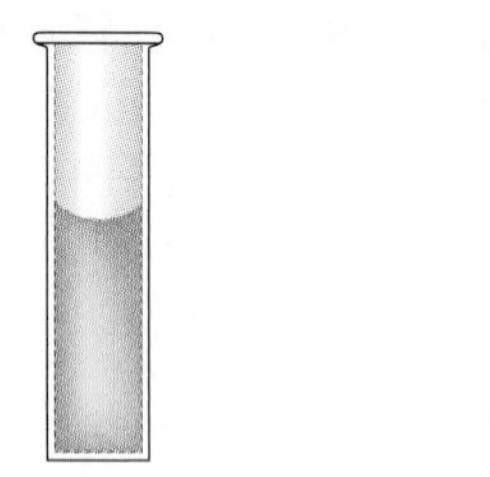

H_2O dans un tube de verre   Hg dans un tube de verre

Prédisez la forme du ménisque de l'eau dans un tube de polyéthylène – le polyéthylène est un polymère, $CH_3(CH_2)_nCH_3$, où n est un nombre de l'ordre de 1000.

---

31. Expliquez pourquoi l'eau forme des gouttelettes sur la surface cirée d'une automobile.

32. Le peroxyde d'hydrogène, H_2O_2, est un liquide sirupeux dont la pression de vapeur est relativement faible et le point d'ébullition normal de 152,2 °C. Expliquez la différence qui existe entre ces propriétés physiques et celles de l'eau.

---

33. Le diséléniure de carbone (CSe_2) est un liquide à la température ambiante. Son point d'ébullition normal est de 125 °C et son point de fusion, de $-45{,}5$ °C. Le disulfure de carbone (CS_2) est, lui aussi, un liquide à la température ambiante, ses points d'ébullition et de fusion étant respectivement de 46,5 °C et de $-111{,}6$ °C. Comment la force des interactions interparticulaires varie-t-elle en passant de CO_2 à CS_2 et à CSe_2 ? Expliquez.

Structures et propriétés des solides

34. Les rayons X émis par un tube cathodique au cuivre ($\lambda = 1{,}54$ Å) sont diffractés à un angle de 14,22° par un cristal de silicium. Si les réflexions sont du premier ordre ($n = 1$ dans l'équation de Bragg), quelle distance sépare les couches d'atomes dans un cristal de silicium ?

---

35. Un cristal de topaze possède un espacement interatomique (d) de 1,36 Å (1 Å $= 1 \times 10^{-10}$ m). Calculez la longueur d'onde du rayon X qu'il faut utiliser si $\theta = 15{,}0°$ (supposez $n = 1$).

36. La maille du nickel est cubique à faces centrées. La masse volumique du nickel est de 6,74 g/cm^3. Calculez la valeur du rayon atomique du nickel.

---

37. On vous donne une petite tige d'un métal inconnu X. Vous établissez que sa masse volumique est de 10,5 g/cm^3. Par diffraction aux rayons X, vous évaluez que l'arête de la maille élémentaire cubique à faces centrées est de 4,09 Å (1 Å $= 10^{-10}$ m). Précisez de quel métal il s'agit.

38. Le titane métallique se cristallise dans un réseau cubique centré. La densité du titane est de 4,50 g/cm^3. Calculez l'arête de la maille élémentaire et la valeur du rayon atomique du titane. (*Élément de réponse :* Dans un réseau cubique centré, les sphères se touchent le long de la diagonale qui relie deux coins opposés.)

---

39. Le rayon de l'atome de tungstène est de 137 pm, et la masse volumique du tungstène est de 19,3 g/cm^3. Est-ce que le tungstène élémentaire a une structure à mailles cubiques à faces centrées ou une structure à mailles cubiques centrées ?

40. Le fer a une masse volumique de 7,86 g/cm^3 et cristallise en un réseau à mailles cubiques centrées. Montrez que 68 % seulement du réseau cubique centré est réellement occupé par des atomes et évaluez le rayon atomique du fer.

---

41. Le sélénium est un semi-conducteur utilisé dans les photocopieuses. Quel type de semi-conducteur serait formé si le sélénium pur était dopé par de l'indium ?

42. Les semi-conducteurs 3A/5A sont composés, en quantités égales, d'atomes provenant d'éléments du groupe 3A et du groupe 5A, par exemple InP et GaAs. Ces types de semi-conducteurs sont utilisés dans la fabrication de diodes qui émettent de la lumière et des lasers à circuits intégrés. Qu'ajouteriez-vous à du GaAs pur pour en faire un semi-conducteur de type p ? Avec quoi doperiez-vous le GaAs pour en faire un semi-conducteur de type n ?

---

43. Un laser à circuits intégrés à aluminium/antimoine émet une lumière de 730 nm. Calculez, en joules, la valeur de la bande interdite.

44. La figure ci-dessous illustre quelques substances cristallines courantes. Montrez que la structure de chaque maille élémentaire correspond bien à la formule exacte de chaque substance.

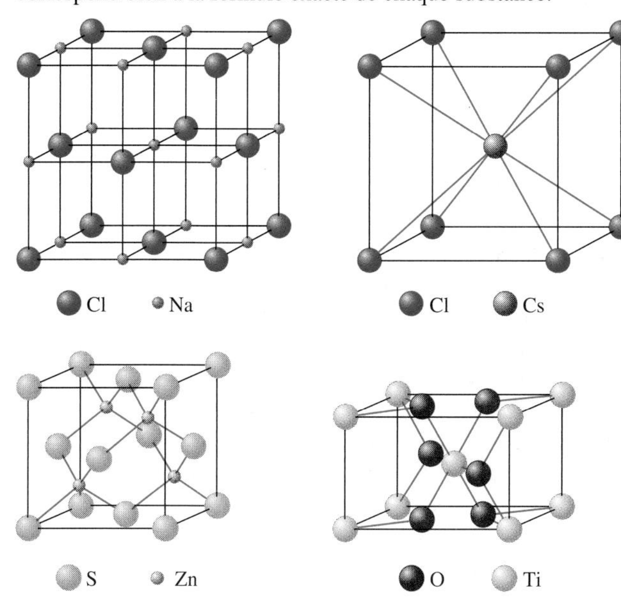

45. La figure ci-dessous illustre la maille élémentaire de l'arséniure de nickel. Écrivez la formule de ce composé.

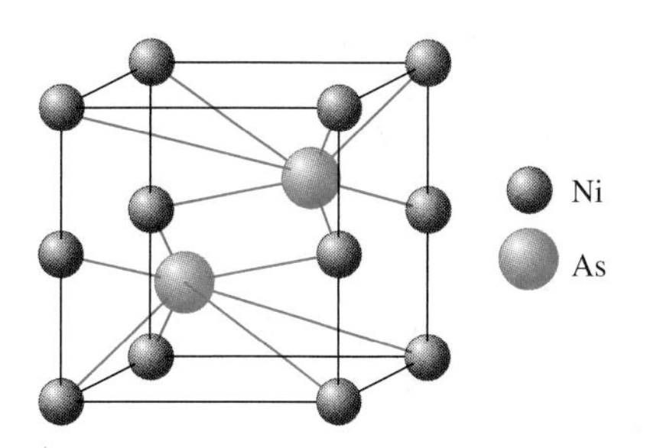

46. Les composés Na_2O, CdS et ZrI_4 correspondent tous à des anions ayant un réseau cubique à faces centrées où les cations occupent les creux tétraédriques. Quelle fraction des creux tétraédriques est occupée dans chacun des cas ?

47. Quelle est la formule du composé qui cristallise avec des ions soufre dans un réseau cubique à faces centrées et qui contient des ions zinc dans $\frac{1}{8}$ des creux tétraédriques et des ions aluminium dans $\frac{1}{2}$ des creux octaédriques ?

48. Supposez que la structure bidimensionnelle d'un composé ionique, M_xA_y, soit :

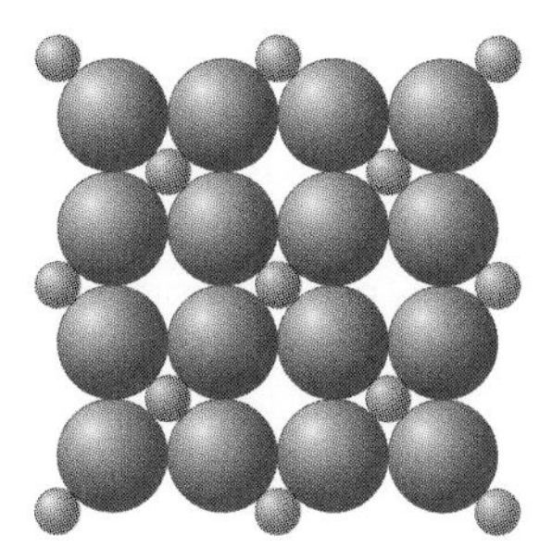

Quelle est la formule empirique de ce composé ionique ?

49. La maille élémentaire de MgO est illustrée ci-dessous.

MgO a-t-il une structure comme celle de NaCl ou celle de ZnS ? Si la masse volumique de MgO est de 3,58 g/cm^3, évaluez le rayon (en centimètres) des anions O^{2-} et des cations Mg^{2+}.

50. La structure de CsCl est un réseau cubique simple d'ions chlorure dans lequel des ions césium occupent le centre de chaque réseau cubique (*voir l'exercice 44*). Sachant que la masse volumique du chlorure de césium est de 3,97 g/cm^3, et en supposant que les ions chlorure et les ions césium se touchent le long de la diagonale de la maille élémentaire cubique, calculez la distance entre les centres des ions Cs^+ et Cl^- adjacents dans le solide. Comparez cette valeur avec la distance prévue en vous basant sur la taille des ions. Le rayon atomique de Cs^+ est de 169 pm et le rayon ionique de Cl^- est de 181 pm.

51. Quel est le type de solide de chacune des substances suivantes ?

a) CO_2	**d)** CH_4	**g)** KBr	**j)** U
b) SiO_2	**e)** Ru	**h)** H_2O	**k)** $CaCO_3$
c) Si	**f)** I_2	**i)** NaOH	**l)** PH_3

52. Le nitinol, un métal à mémoire, est un alliage de nickel et de titane. On l'appelle « métal à mémoire » parce que, après déformation, un morceau de fil de rétinol retrouve sa forme originale. (*Voir* Chem Matters, *octobre 1993, p. 4-7.*) Le nitinol se présente comme un arrangement cubique simple d'atomes Ni et un arrangement cubique simple d'atomes Ti qui s'interpénètrent. Dans un réseau étendu, on trouve un atome de Ti au centre d'un cube d'atomes Ni ; l'inverse est également vrai.

a) Décrivez la maille élémentaire du nitinol.

b) Écrivez la formule empirique du nitinol.

c) Indiquez quels sont les nombres de coordination (nombre des plus proches voisins) de Ni et de Ti dans le nitinol ?

53. La pérovskite est un minerai composé de calcium, de titane et d'oxygène.

Deux représentations différentes de sa maille élémentaire sont indiquées ci-dessous. Montrez que ces deux représentations répondent à la même formule et que le nombre d'atomes d'oxygène autour de chaque atome de titane est le même.

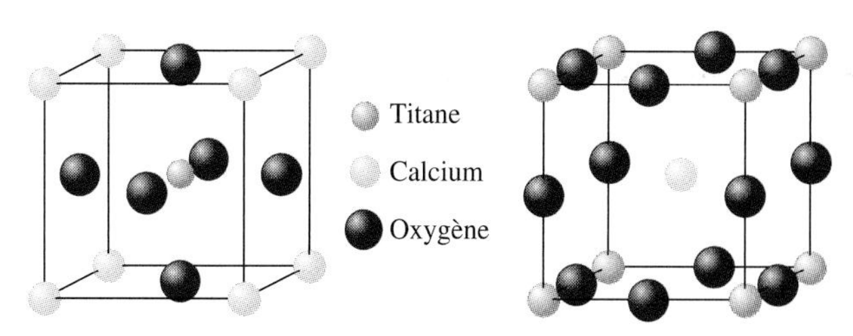

54. On a découvert récemment des matériaux, contenant les éléments Y, Ba, Cu et O, qui sont des supraconducteurs (résistance électrique égale à zéro) à des températures supérieures à celles de l'azote liquide. Leurs structures rappellent celle de la pérovskite. S'il avait la structure idéale de la pérovskite, ce supraconducteur aurait la structure illustrée en a) (*voir la page suivante, au coin supérieur gauche*).

a) Quelle est la formule de cette pérovskite idéale ?
b) Comment cette structure est-elle reliée à la structure de la pérovskite mentionnée à l'exercice 53 ?

Cependant ces matériaux ne se comportent pas comme des supraconducteurs à moins qu'ils ne soient déficients en oxygène. La structure de la véritable phase supraconductrice serait plutôt celle indiquée à la partie b) de la figure.

c) Quelle est la formule de ce matériau ?

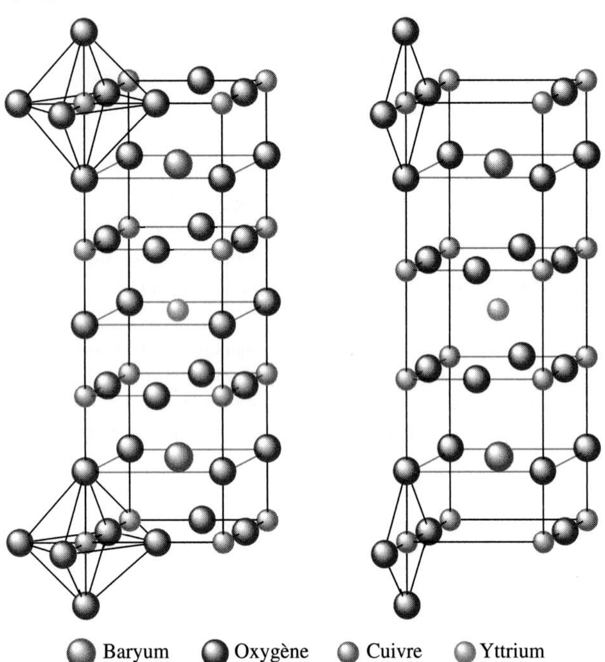

a) Structure idéale de la pérovskite b) Structure réelle du supraconducteur

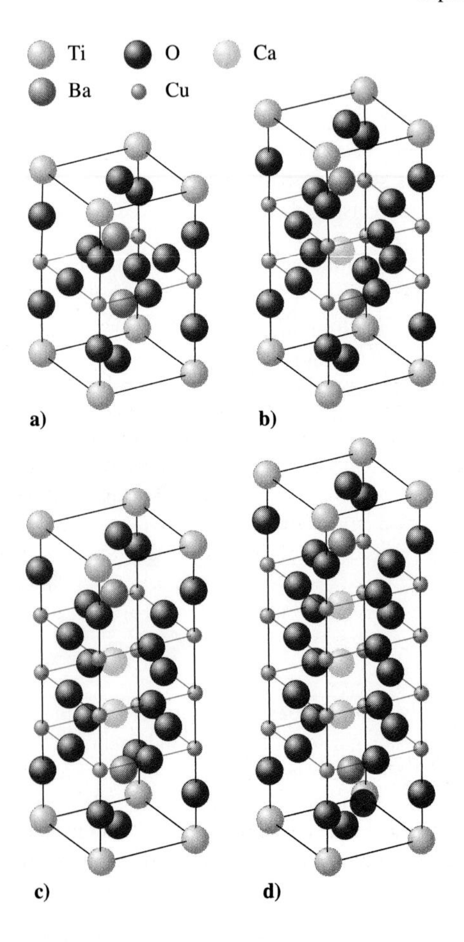

55. Les structures d'une autre classe de supraconducteurs céramiques à haute température sont indiquées ci-dessous.
a) Déterminez la formule de chacun de ces quatre supraconducteurs.
b) Une des caractéristiques structurales essentielles à la supraconductivité à haute température est la présence de couches planaires d'atomes d'oxygène et de cuivre. À mesure que le nombre de ces feuilles dans la maille élémentaire augmente, la température à partir de laquelle la supraconductivité se manifeste augmente. Placez les quatre structures par ordre croissant de température de supraconduction.
c) Précisez les nombres d'oxydation du Cu dans chacune des structures en supposant que Tl existe sous forme de Tl^{3+}. On suppose que les nombres d'oxydation du Ca, du Ba et du O sont respectivement de +2, +2 et −2.
d) Pour qu'un tel matériau manifeste une supraconductivité, le cuivre doit avoir divers nombres d'oxydation. Expliquez comment cela est possible dans ces matériaux, de même que dans le supraconducteur mentionné à l'exercice 54.

Changements de phases et diagrammes de phases

56. Reportez les données ci-dessous sur un graphique et déterminez la valeur de ΔH_{vap} pour le magnésium et pour le lithium. Dans quel métal la liaison est-elle la plus forte ?

Pression de vapeur (mm Hg)	Température (°C)	
	Li	Mg
1	750	620
10	890	740
100	1080	900
400	1240	1040
760	1310	1110

57. À partir des données ci-dessous relatives à l'acide nitrique liquide, déterminez la chaleur de vaporisation et le point d'ébullition normal de cette substance.

Température (°C)	Pression de vapeur (mm Hg)
0	14,4
10	26,6
20	47,9
30	81,30
40	133
50	208
80	670

58. À Breckenridge, au Colorado, la pression atmosphérique typique est de 520 torr. Quel est le point d'ébullition de l'eau (ΔH_{vap} = 40,7 kJ/mol) à Breckenridge ?

59. Évaluez la pression nécessaire pour qu'il y ait condensation de la vapeur d'eau à 350 °C.

60. Une substance est dotée des propriétés suivantes.

		Capacité thermique massique	
ΔH_{vap}	20 kJ/mol	$C_{(s)}$	3,0 J/g · °C
ΔH_{fus}	5 kJ/mol	$C_{(l)}$	2,5 J/g · °C
$T_{éb}$	75 °C	$C_{(g)}$	1,0 J/g · °C
T_{fus}	−15 °C		

Tracez la courbe de chauffage de cette substance, en commençant à −50 °C.

61. Avec les données de l'exercice 60 sur la substance X, calculez l'énergie qui doit être libérée pour transformer 250 g de la substance X, de l'état gazeux à 100 °C, à l'état solide à −50 °C. Supposez que X a une masse molaire de 75,0 g/mol.

62. Un bac à glaçons contient suffisamment d'eau à 22,0 °C pour fabriquer 18 glaçons identiques de 30,0 g chacun. Le bac est placé dans un congélateur qui utilise comme réfrigérant le CF_2Cl_2. La chaleur de vaporisation du CF_2Cl_2 est de 158 J/g. Quelle masse de CF_2Cl_2 doit être évaporée dans le cycle de réfrigération pour convertir toute l'eau qui est à 22,0 °C en glace à −5,0 °C ? Les capacités thermiques massiques de $H_2O(s)$ et de $H_2O(l)$ sont respectivement de 2,08 J/g · °C et de 4,18 J/g · °C, et l'enthalpie de fusion de la glace est de 6,02 kJ/mol.

63. Un morceau de sodium métallique pesant 0,250 g est ajouté avec précaution à un mélange de 50,0 g d'eau et 50,0 g de glace, les deux à 0 °C. La réaction est :

$$2Na(s) + 2H_2O(l) \longrightarrow 2NaOH(aq) + H_2(g) \qquad \Delta H = -368 \text{ kJ}$$

La glace fondra-t-elle ? En supposant que le mélange final possède une chaleur spécifique de 4,18 J/g · °C, calculez la température finale. L'enthalpie de fusion de la glace est de 6,02 kJ/mol.

64. Soit le diagramme de phases ci-dessous. Repérez les phases qui existent à chacun des points (de A à H). Indiquez où sont situés le point triple, le point d'ébullition normal, le point de fusion normal et le point critique. Quelle est la plus dense, la phase solide ou la phase liquide ?

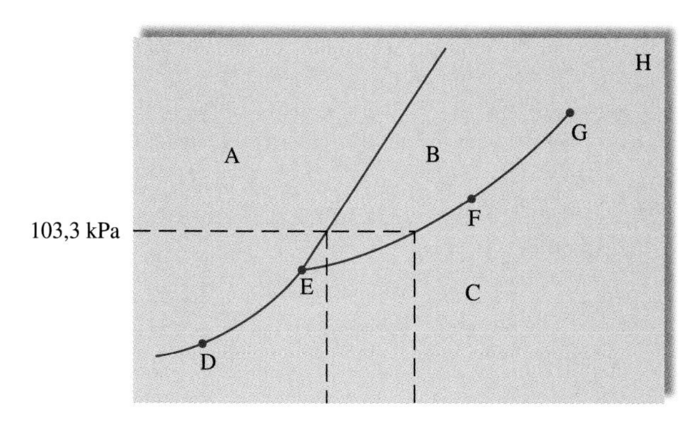

65. Utilisez le diagramme de phases du soufre (*voir ci-dessous*) pour répondre aux questions suivantes.

a) Combien y a-t-il de points triples dans ce diagramme ?
b) Quelles sont les phases en équilibre à chacun de ces points triples ?
c) Quelle est la phase stable à la température ambiante et à une pression de 1,0 atm ?
d) Est-ce que le soufre monoclinique peut être en équilibre avec du soufre à l'état gazeux ?
e) Est-ce que le point d'ébullition normal du soufre est supérieur ou inférieur à 119 °C ? Expliquez.

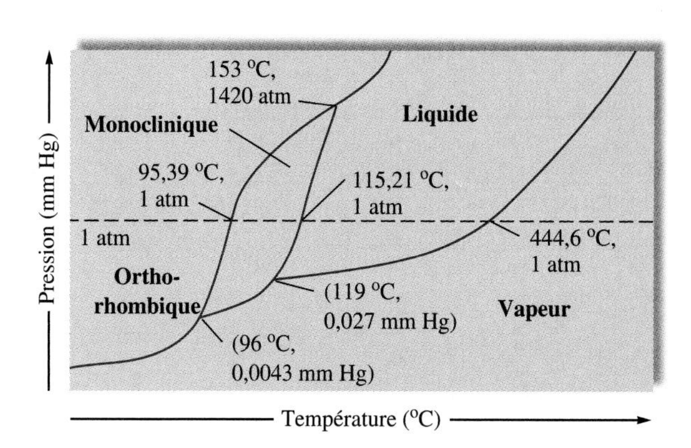

66. À l'aide du diagramme de phases du carbone ci-dessous, répondez aux questions suivantes.

a) Combien y a-t-il de points triples dans ce diagramme ?
b) Quelles sont les phases en équilibre à chacun de ces points triples ?
c) Que se produit-il si le graphite est soumis à une très haute pression à la température ambiante ?
d) En supposant que la masse volumique augmente avec la pression, lequel aura la masse volumique la plus importante, le graphite ou le diamant ?

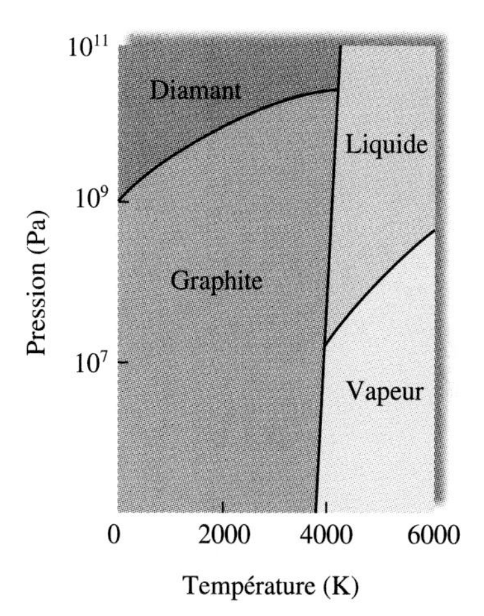

67. Comme la plupart des substances, le brome existe dans l'une des trois phases typiques. Br_2 a un point de fusion normal de −72 °C et un point d'ébullition normal de 59 °C. Le point triple de Br_2 est de −7,3 °C et 40 torr, et le point critique est situé à 320 °C et à 100 atm. À l'aide de ces informations, tracez un diagramme de phases pour le brome en indiquant les points décrits ci-dessus. En vous basant sur votre diagramme de phases, placez les trois phases par ordre croissant de masse volumique. Quelle est la phase stable de Br_2 à température ambiante et à 1 atm ? Sous quelles conditions de température le brome liquide ne peut-il jamais exister ? Quel changement de phases se produit lorsque la température d'un échantillon de brome à 0,10 atm est augmentée de −50 °C à 200 °C ?

68. Soit les données suivantes pour le xénon :

Point triple :	−121 °C, 280 torr
Point de fusion normal :	−112 °C
Point d'ébullition normal :	−107 °C

Lequel est le plus dense, $Xe(s)$ ou $Xe(l)$? Comment le point de fusion et le point d'ébullition varient-ils en fonction de la pression ?

Exercices supplémentaires

69. Expliquez les différences qui existent entre les propriétés physiques ci-dessous en termes de forces intermoléculaires. Comparez les trois premières substances entre elles ; comparez les trois dernières entre elles ; après quoi, comparez ces six substances entre elles. Expliquez toute anomalie éventuelle.

	$T_{éb}$ (°C)	T_{fus} (°C)	ΔH_{vap} (kJ/mol)
benzène, C_6H_6	80	6	33,9
naphtalène, $C_{10}H_8$	218	80	51,5
tétrachlorure de carbone, CCl_4	76	−23	31,8
acétone CH_3COCH_3	56	−95	31,8
acide acétique, CH_3CO_2H	118	17	39,7
acide benzoïque $C_6H_5CO_2H$	249	122	68,2

70. Soit le graphique suivant représentant la variation de la pression de vapeur en fonction de la température, pour trois substances différentes A, B et C.

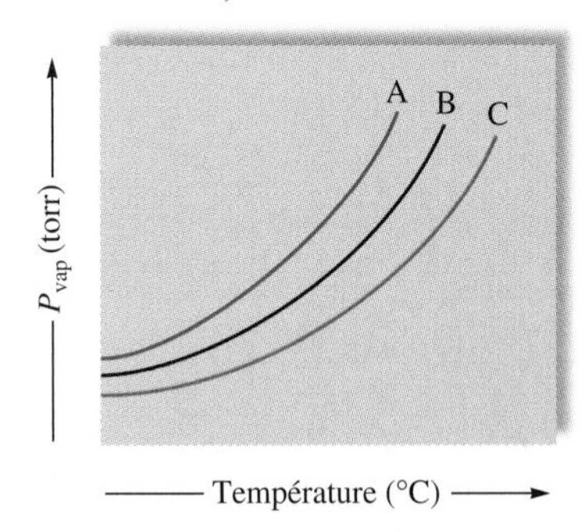

Si les trois substances sont CH_4, SiH_4 et NH_3, faites correspondre chaque courbe avec la substance appropriée.

71. Soit les variations d'enthalpie ci-dessous.

$$F^- + HF \longrightarrow FHF^- \qquad \Delta H = -155 \text{ kJ/mol}$$

$$(CH_3)_2C{=}O + HF \longrightarrow (CH_3)_2C{=}O\text{---}HF \qquad \Delta H = -46 \text{ kJ/mol}$$

$$H_2O(g) + HOH(g) \longrightarrow H_2O\text{---}HOH \text{ (dans la glace)} \qquad \Delta H = -21 \text{ kJ/mol}$$

Expliquez comment la force de la liaison hydrogène varie en fonction de l'électronégativité de l'élément auquel l'hydrogène est lié. À quel endroit, dans la série ci-dessus, doit-on placer les liaisons hydrogène suivantes ?

>N---HO— et >N---H—N<

72. Comment peut-on vérifier expérimentalement si TiO_2 est un solide ionique ou un solide covalent ?

73. Le nitrure de bore, BN, existe sous deux formes. La première est un solide onctueux produit par la réaction de BCl_3 avec NH_3, réaction suivie d'une période de chauffage dans une atmosphère d'ammoniac à 750 °C. Lorsqu'on soumet cette première forme de BN à une pression de $8,6 \times 10^3$ MPa, à 1800 °C, elle se transforme en sa seconde forme – qui est la deuxième substance la plus dure qu'on connaisse. Les deux formes de BN sont des solides à 3000 °C. Quelle est la structure de chacune de ces deux formes de BN ?

74. Soit les données suivantes relatives à quatre substances différentes.

Composé	Conduit l'électricité à l'état solide	Autres propriétés
B_2H_6	non	gaz à 25 °C
SiO_2	non	point de fusion élevé
CsI	non	la solution aqueuse conduit l'électricité
W	oui	point de fusion élevé

Dites si chacune des quatre substances est un solide ionique, covalent, métallique ou moléculaire.

75. Dans les régions sèches, on utilise, pour refroidir l'air, des systèmes de refroidissement par évaporation. Un climatiseur électrique typique consomme $1,00 \times 10^4$ Btu/h (1 Btu, ou *British Thermal Unit*, est la quantité d'énergie nécessaire pour que la température de 1 lb d'eau augmente de 1 °F ; 1 Btu = 1,05 kJ). Combien d'eau faut-il faire évaporer par heure pour dissiper autant de chaleur que ce climatiseur électrique typique ?

76. Le point critique de NH_3 se situe à 132 °C et à 111 atm, et le point critique de N_2 se situe à −147 °C et à 34 atm. Laquelle de ces substances ne peut pas être liquéfiée à la température ambiante, quelle que soit la pression appliquée ? Expliquez.

Problèmes défis

77. Quand 1 mol de benzène est vaporisée à une pression constante de 1,00 atm et à son point d'ébullition de 353,0 K, 30,79 kJ d'énergie (chaleur) sont absorbés et la variation de volume est de +28,90 L. Calculez ΔE et ΔH pour ce processus.

78. Vous et votre ami synthétisez chacun un composé dont la formule est $XeCl_2F_2$. Votre composé est liquide et celui de votre ami est un gaz (aux mêmes conditions de température et de pression). Expliquez comment les deux composés de même formule peuvent exister dans des phases différentes aux mêmes conditions de pression et de température.

79. L'essence de Wintergreen, ou salicylate de méthyle, a la structure suivante :

O
C—OCH₃
OH

$T_{fus} = -8$ °C

Le *p*-hydroxybenzoate de méthyle est une molécule de même formule moléculaire, mais dont la structure est la suivante :

O
C—OCH₃
OH

$T_{fus} = 127$ °C

Expliquez la grande différence entre les points de fusion de ces deux substances.

80. Soit la liste de points de fusion suivante :

Composé	NaCl	$MgCl_2$	$AlCl_3$	$SiCl_4$	PCl_3	SCl_2	Cl_2
T_{fus} (°C)	801	708	190	−70	−91	−78	−101
Composé	NaF	MgF_2	AlF_3	SiF_4	PF_5	SF_6	F_2
T_{fus} (°C)	997	1396	1040	−90	−94	−56	−220

Expliquez la variation des points de fusion en termes de forces intermoléculaires.

81. MnO a une structure soit du type de NaCl, soit du type de CsCl (*voir l'exercice 50*). La longueur de l'arête de la maille élémentaire de MnO est de $4{,}47 \times 10^{-8}$ cm, et la masse volumique de MnO est de 5,28 g/cm^3.

a) MnO cristallise-t-il dans une structure du type de celle de NaCl ou de celle de CsCl ?

b) En supposant que le rayon ionique de l'oxygène est de 140 pm, évaluez le rayon ionique du manganèse.

82. Certains composés ioniques contiennent un mélange de cations de charges différentes. Par exemple, certains oxydes de titane contiennent un mélange d'ions Ti^{2+} et Ti^{3+}. Soit un certain oxyde de titane qui contient en masse 28,31 % d'oxygène et comporte un mélange d'ions Ti^{2+} et Ti^{3+}. Déterminez la formule du composé et les nombres relatifs d'ions Ti^{2+} et Ti^{3+}.

83. Le spinelle est un minerai qui contient en masse, 37,9 % d'aluminium, 17,1 % de magnésium et 45,0 % d'oxygène, et a une masse volumique de 3,57 g/cm^3. L'arête de la maille élémentaire cubique mesure 809 pm. Combien de chacun de ces atomes y a-t-il dans une maille élémentaire ?

84. On sollicite votre aide pour monter une exposition historique dans un parc. On vous charge d'empiler des boulets près d'un canon qui a servi à la guerre civile. Vous devez les empiler en formant d'abord un triangle, dont chaque côté est constitué de quatre boulets qui se touchent, puis continuer jusqu'à n'avoir qu'un seul boulet au sommet.

a) Combien de boulets vous faudra-t-il ?

b) Quel est le type d'empilement compact que présentent les boulets ?

c) L'ensemble des boulets forme un solide géométrique régulier à quatre sommets. Comment s'appelle cette forme géométrique ?

85. On verse de l'eau dans un récipient de verre, qu'on scelle et qu'on relie à une pompe à vide (dispositif utilisé pour aspirer les gaz d'un contenant), puis on met la pompe en marche. L'eau commence à bouillir, puis elle gèle. Expliquez ces changements en utilisant le diagramme de phases de l'eau. Dites ce qui arrive à la glace si on laisse fonctionner la pompe indéfiniment.

86. L'enthalpie molaire de vaporisation de l'eau à 373 K et à 1,00 atm est de 40,7 kJ/mol. Quelle fraction de cette énergie est utilisée pour modifier l'énergie interne de l'eau, et quelle fraction est utilisée pour effectuer un travail contre l'atmosphère ? (*Élément de réponse :* Supposez que la vapeur d'eau est un gaz parfait.)

87. Soit deux composés différents ayant chacun la formule C_2H_6O. Un de ces composés est un liquide aux conditions ambiantes et l'autre est un gaz. Écrivez les diagrammes de Lewis qui sont conformes à ces observations et expliquez votre réponse. (*Élément de réponse :* L'atome d'oxygène dans les deux diagrammes respecte la règle de l'octet avec deux liaisons et deux doublets libres.)

Problèmes d'intégration

Ces problèmes requièrent l'intégration d'une multitude de concepts pour trouver la solution.

88. Un échantillon de 0,132 mol d'un matériau semi-conducteur dont la formule est XY a une masse de 19,0 g. La configuration électronique de l'élément X est [Kr]$5s^2 4d^{10}$. Quel est ce matériau semi-conducteur ? Une petite quantité d'atomes Y est remplacée dans le semi-conducteur par une quantité équivalente d'atomes ayant la configuration électronique [Ar]$4s^2 3d^{10} 4p^5$. Est-ce que cela correspond à un dopage de type *n* ou de type *p* ?

89. Un métal brûle dans l'air à 600 °C sous une pression élevée pour former un oxyde de formule MO_2. Ce composé contient en masse 23,72 % d'oxygène. La distance entre les atomes qui se touchent dans un cristal d'empilement compact de ce métal est de 269,0 pm. Quel est ce métal ? Quelle est sa masse volumique ?

90. Une méthode de préparation du mercure élémentaire consiste à faire griller le cinabre (HgS) dans la chaux vive (CaO) à 600 °C, puis de condenser la vapeur de mercure. Sachant que la chaleur de vaporisation du mercure est de 296 J/g et que la pression de vapeur du mercure à 25 °C est de $2{,}56 \times 10^{-3}$ torr, quelle est la pression de vapeur du mercure condensé à 300 °C ? Combien d'atomes de mercure sont présents dans la vapeur de mercure à 300 °C si la réaction se produit dans un contenant fermé de 15,0 L ?

Problème de synthèse

Ce problème fait appel à plusieurs concepts et techniques de résolution. Les problèmes de synthèse peuvent être utilisés en classe pour faciliter l'acquisition des habiletés nécessaires à la résolution de problèmes.

91. Le général Zod a vendu à Lex Luther ce qu'il dit être une forme de kryptonite de couleur cuivre, la seule substance qui pourrait venir à bout de Superman. Lex a des doutes sur la nature de cette substance. Il décide d'effectuer quelques tests sur ce fameux kryptonite. Grâce à des tests préliminaires, il sait déjà que le kryptonite est un métal ayant une chaleur spécifique de 0,082 J/g · °C et une masse volumique de 9,2 g/mL.

Lex Luther a donc commencé par déterminer la chaleur spécifique du kryptonite. Il laisse tomber un échantillon du métal pesant 10 g ± 3 g dans de l'eau bouillante à une température de 100,0 °C ± 0,2 °C. Il attend que le métal atteigne la température du bain, puis il le transfère rapidement dans 100 g ± 3 g d'eau qui étaient maintenus, dans un calorimètre, à 25,0 °C ± 0,2 °C. La température finale du métal et de l'eau est de 25,2 °C. Selon ces résultats, est-il possible de distinguer le cuivre du kryptonite ? Expliquez.

Lex constate que les résultats de sa première expérience ne sont pas concluants. Il décide alors de déterminer la masse volumique de l'échantillon. À l'aide d'une balance plus précise, il évalue la masse d'un échantillon du supposé kryptonite à 4 g ± 1 g. Il place cet échantillon dans un cylindre gradué de 25 mL et constate un déplacement du volume d'eau de 0,42 mL ± 0,02 mL. Est-ce que le métal est du cuivre ou du kryptonite ? Expliquez.

Lex est finalement obligé de déterminer la structure cristalline du métal que lui a fourni le général Zod. Il découvre que la maille élémentaire cubique renferme quatre atomes et que l'arête de la maille mesure 600 pm. Expliquez pourquoi ce dernier renseignement permet enfin à Lex de déterminer s'il s'agit bien de cuivre ou de kryptonite. Quelles améliorations devrait-il apporter à ses techniques expérimentales pour ne pas avoir à déterminer la structure cristalline du produit ?

9 Éléments non transitionnels : groupes 1A à 4A

Contenu

Micrographie électronique à balayage de cristaux de calcium, un élément non transitionnel du groupe 2A.

Jusqu'à présent, nous avons étudié les principes généraux de la chimie, ainsi que les théories les plus importantes. Nous avons vu notamment comment la mécanique ondulatoire permettait d'expliquer les propriétés chimiques des éléments. En fait, la preuve la plus convaincante de la validité de cette théorie, c'est qu'elle permet d'expliquer la périodicité des propriétés des éléments par le nombre d'électrons de valence de leurs atomes.

Nous avons relevé certaines des nombreuses propriétés des éléments et de leurs composés, mais nous n'avons pas abordé de façon approfondie l'étude de la relation qui existe entre les propriétés chimiques d'un élément donné et sa position dans le tableau périodique. Aux chapitres 9 et 10, nous explorerons les ressemblances et les différences qui existent entre les propriétés chimiques des éléments appartenant à plusieurs groupes du tableau périodique et nous tenterons d'interpréter ces données à l'aide de la description de l'atome selon la mécanique ondulatoire. Ce faisant, nous étudierons une grande variété de propriétés chimiques, et nous illustrons l'importance que revêt la chimie sur le plan pratique dans le monde d'aujourd'hui.

9.1 Vue d'ensemble des éléments non transitionnels

La figure 9.1 présente un tableau périodique classique : les **éléments non transitionnels** (ceux dont les propriétés chimiques sont déterminées par les électrons de valence des niveaux *s* et *p*) font partie des groupes 1A à 8A ; les **métaux de transition**, au centre du tableau, résultent du remplissage des orbitales *d* ; les éléments caractérisés par le remplissage des orbitales 4*f* et 5*f* forment des groupes à part, appelés respectivement **lanthanides** et **actinides**.

À la figure 9.1, le trait gras sépare les métaux des non-métaux. Certains éléments situés à la frontière de ces deux groupes, comme le silicium et le germanium, possèdent à la fois des propriétés des métaux et des non-métaux ; on les appelle souvent **métalloïdes** ou **semi-métaux**. Un métal se distingue fondamentalement d'un non-métal par sa capacité de céder ses électrons de valence pour former des *cations*, ce qui lui confère une configuration électronique semblable à celle du gaz rare de la période précédente ; un non-métal est caractérisé par sa capacité d'accepter des électrons pour former des *anions*, ce qui

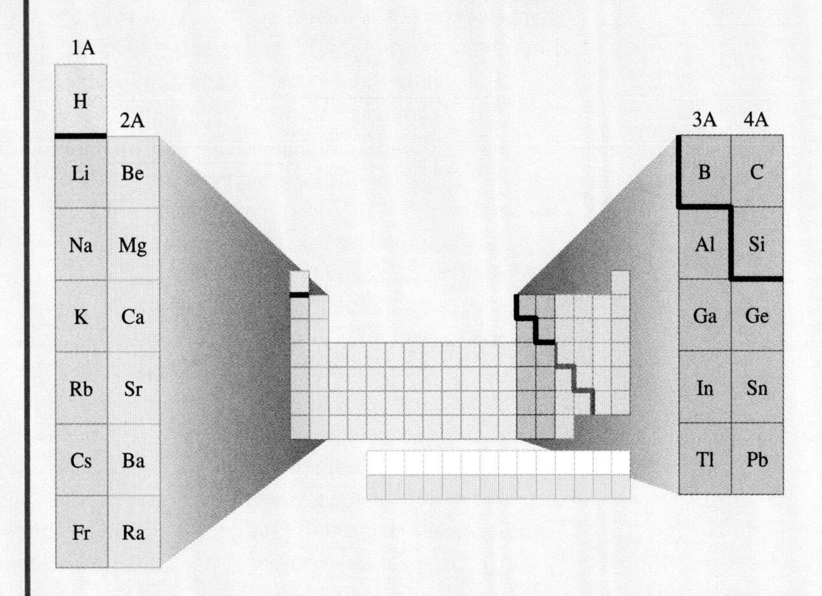

1A																	8A
H	2A											3A	4A	5A	6A	7A	He
Li	Be											B	C	N	O	F	Ne
Na	Mg											Al	Si	P	S	Cl	Ar
K	Ca	Sc	Ti	V	Cr	Mn	Fe	Co	Ni	Cu	Zn	Ga	Ge	As	Se	Br	Kr
Rb	Sr	Y	Zr	Nb	Mo	Tc	Ru	Rh	Pd	Ag	Cd	In	Sn	Sb	Te	I	Xe
Cs	Ba	La	Hf	Ta	W	Re	Os	Ir	Pt	Au	Hg	Tl	Pb	Bi	Po	At	Rn
Fr	Ra	Ac	Rf	Ha	Unh	Uns	Uno	Une	Ds	Rg	Uub	Uut	Uuq	Uup			

Lanthanides	Ce	Pr	Nd	Pm	Sm	Eu	Gd	Tb	Dy	Ho	Er	Tm	Yb	Lu
Actinides	Th	Pa	U	Np	Pu	Am	Cm	Bk	Cf	Es	Fm	Md	No	Lr

FIGURE 9.1
Tableau périodique. Les éléments des groupes 1A à 8A sont les éléments non transitionnels. Les autres éléments sont appelés *métaux de transition*. Le trait gras sépare les métaux des non-métaux. Les éléments qui possèdent à la fois un caractère métallique et un caractère non métallique (les semi-métaux) occupent les cases colorées en bleu.

lui octroie une configuration électronique semblable à celle du gaz rare de la période à laquelle il appartient. On constate qu'il y a augmentation du caractère métallique au fur et à mesure qu'on progresse dans un groupe donné, ce qui correspond bien aux variations d'énergie d'ionisation, d'affinité électronique et d'électronégativité (*voir les sections 5.13* et *6.2*).

Au fur et à mesure qu'on progresse dans un groupe, le caractère métallique s'accentue.

Taille des atomes et anomalies

Même si les propriétés chimiques des éléments d'un groupe présentent de nombreuses similitudes, elles comportent également d'importantes différences. En fait, l'augmentation relativement importante du rayon atomique du premier au deuxième élément d'un groupe fait en sorte que le premier élément possède des propriétés très différentes de celles des autres. Par conséquent, l'hydrogène, le béryllium, le bore, le carbone, l'azote, l'oxygène et le fluor ont tous des propriétés qui les distinguent des autres éléments du groupe auquel ils appartiennent. Par exemple, dans le groupe 1A, l'hydrogène est un non-métal et le lithium, un métal très réactif. Cette différence importante est surtout due à la grande différence entre les rayons atomiques de l'hydrogène et ceux du lithium (*voir la figure 9.2*). L'affinité du petit atome d'hydrogène pour les électrons est supérieure à celles des autres éléments plus grands du groupe 1A. L'hydrogène forme ainsi des liaisons covalentes avec les non-métaux, alors que les autres éléments du groupe 1A cèdent leur électron de valence à des non-métaux et deviennent des cations de charge 1+ dans des composés ioniques.

On observe également cet effet de taille dans les autres groupes. Par exemple, les oxydes métalliques des éléments du groupe 2A sont tous très basiques, à l'exception de celui du premier élément du groupe : l'oxyde de béryllium, BeO, est amphotère. La basicité d'un oxyde dépend de son caractère ionique ; les oxydes ioniques contiennent l'ion O^{2-}, qui réagit avec l'eau pour former deux ions OH^-. Tous les oxydes des éléments du groupe 2A sont fortement ioniques, à l'exception de l'oxyde de béryllium, dont le caractère covalent est important. Le petit ion Be^{2+} peut en fait polariser le « nuage » électronique de l'ion O^{2-}, ce qui entraîne un important partage d'électrons. On constate le même phénomène avec les éléments du groupe 3A, dans lequel seul le petit atome de bore se comporte comme un non-métal – ou quelquefois comme un semi-métal –, alors que l'aluminium et les autres éléments sont des métaux réactifs.

Dans le groupe 4A, l'effet de taille se traduit par des différences spectaculaires entre les propriétés chimiques du carbone et celles du silicium. La chimie du carbone repose sur des molécules constituées de chaînes de liaisons C—C, alors que celle du silicium repose sur des liaisons Si—O plutôt que sur des liaisons Si—Si. Le carbone forme une grande variété de produits stables possédant de fortes liaisons simples C—C. Le silicium forme également des composés avec des liaisons en chaîne Si—Si, mais ces composés

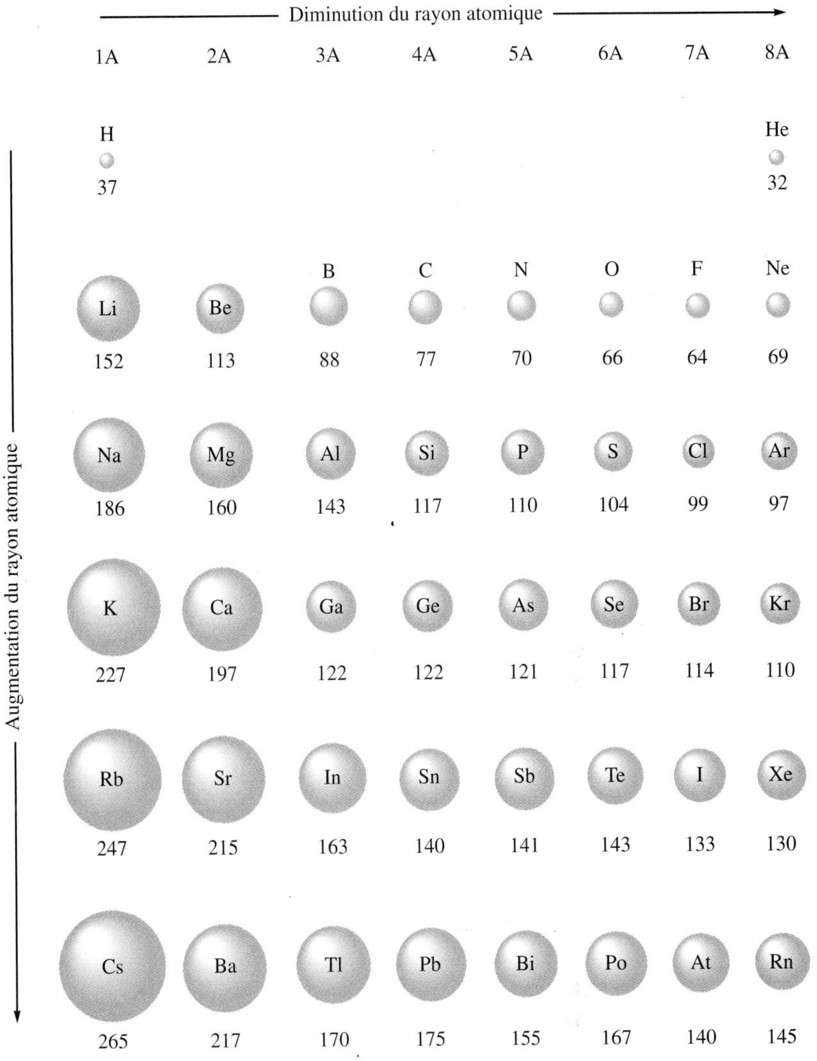

Diminution du rayon atomique →

Augmentation du rayon atomique ↓

1A	2A	3A	4A	5A	6A	7A	8A
H 37							He 32
Li 152	Be 113	B 88	C 77	N 70	O 66	F 64	Ne 69
Na 186	Mg 160	Al 143	Si 117	P 110	S 104	Cl 99	Ar 97
K 227	Ca 197	Ga 122	Ge 122	As 121	Se 117	Br 114	Kr 110
Rb 247	Sr 215	In 163	Sn 140	Sb 141	Te 143	I 133	Xe 130
Cs 265	Ba 217	Tl 170	Pb 175	Bi 155	Po 167	At 140	Rn 145

FIGURE 9.2
Quelques rayons atomiques en picomètres.

sont beaucoup plus réactifs que les composés correspondants du carbone. La raison de cette différence de réactivité entre les composés de carbone et les composés de silicium est très complexe, mais elle semble liée à une différence dans la taille des atomes de carbone et de silicium.

Le carbone et le silicium diffèrent également par leur capacité de former des liaisons π. Comme nous l'avons vu à la section 7.1, le dioxyde de carbone est composé de molécules CO_2 distinctes, décrites par le diagramme de Lewis

$$\ddot{O}{=}C{=}\ddot{O}$$

dans lequel les atomes de carbone et d'oxygène adoptent une configuration électronique semblable à celle du néon en formant des liaisons π. Par contre, la structure de la silice (formule empirique : SiO_2) est basée sur des tétraèdres SiO_4 liés entre eux par des ponts Si—O—Si (*voir la figure 9.3*). Le recouvrement peu efficace des orbitales de valence 3*p* du silicium et des orbitales 2*p* de l'oxygène, plus petites, ne permet pas la formation de liaisons π ; par conséquent, les molécules SiO_2 individuelles, décrites par le diagramme de Lewis

$$\ddot{O}{=}Si{=}\ddot{O}$$

sont instables. Les atomes de silicium adoptent plutôt une configuration électronique semblable à celle d'un gaz rare en formant plusieurs liaisons simples Si—O.

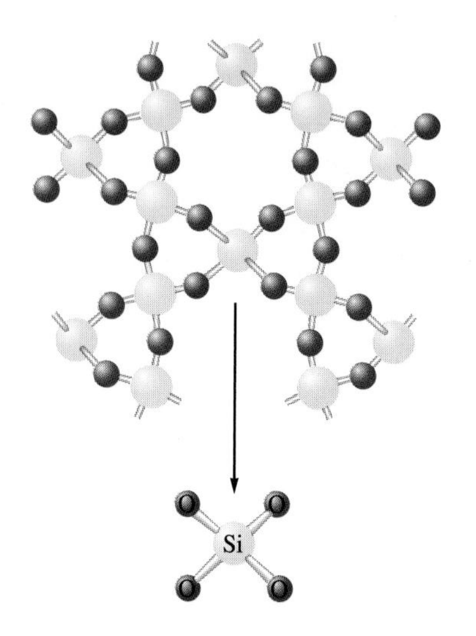

FIGURE 9.3
Structure du quartz (formule empirique : SiO_2). Fondamentalement, la structure est composée de tétraèdres de SiO_4, dans lesquels chaque atome d'oxygène est partagé par deux atomes de silicium.

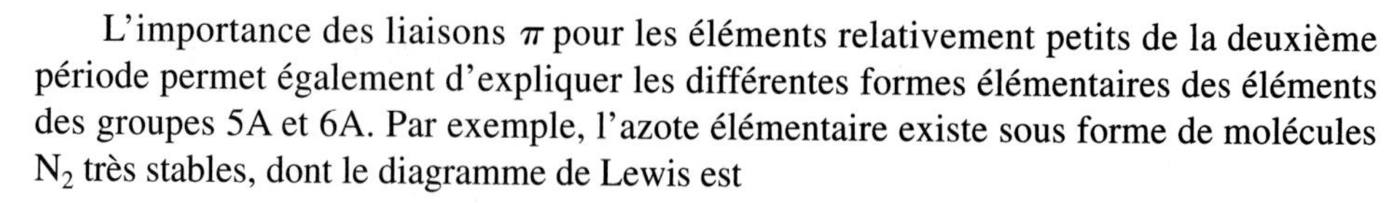

L'importance des liaisons π pour les éléments relativement petits de la deuxième période permet également d'expliquer les différentes formes élémentaires des éléments des groupes 5A et 6A. Par exemple, l'azote élémentaire existe sous forme de molécules N_2 très stables, dont le diagramme de Lewis est

$$:N\equiv N:$$

Le phosphore élémentaire forme de gros agrégats d'atomes, le plus simple étant la molécule tétraédrique P_4 qui caractérise le phosphore blanc (*voir la figure 10.12*). Comme les atomes de silicium, les atomes de phosphore relativement gros ne forment pas de fortes liaisons π ; ils adoptent plutôt une configuration électronique semblable à celle d'un gaz rare en formant des liaisons simples avec plusieurs autres atomes de phosphore. Par contre, les très fortes liaisons π de la molécule N_2 font de cette dernière la forme la plus stable de l'azote élémentaire. De la même manière, dans le groupe 6A, la forme la plus stable de l'oxygène élémentaire est la molécule O_2, qui possède une liaison double, alors que l'atome de soufre, plus gros, forme de plus gros agrégats, comme la molécule cyclique S_8 (*voir la figure 10.16*) qui ne comporte que des liaisons simples.

La variation relativement importante de la taille, qu'on observe lorsqu'on passe de la première à la deuxième période, influence également de façon notable les éléments du groupe 7A. Par exemple, l'affinité électronique du fluor est inférieure à celle du chlore. On peut expliquer cet écart à la règle générale par le fait que le fluor possède de petites orbitales $2p$, ce qui entraîne une répulsion anormalement élevée entre les électrons. On peut ainsi expliquer la faiblesse relative de la liaison dans la molécule F_2 en termes de répulsion entre les doublets libres, comme l'illustre le diagramme de Lewis suivant :

$$:\ddot{\underset{..}{F}}-\ddot{\underset{..}{F}}:$$

À cause de leur petite taille, les atomes de fluor permettent aux doublets libres d'être très voisins, ce qui entraîne une répulsion plus forte que celle qui a lieu dans la molécule Cl_2, constituée de plus gros atomes.

Abondance et préparation

Dunes de sable dans la Monument Valley, en Arizona.

Le tableau 9.1 présente la répartition des éléments dans la croûte terrestre, les océans et l'atmosphère. L'élément principal est, naturellement, l'oxygène, qu'on retrouve dans l'atmosphère sous forme de O_2, dans les océans, sous forme de H_2O, et dans la croûte terrestre, principalement sous forme de silicates et de carbonates.

Le deuxième élément le plus abondant, le silicium, est présent partout dans la croûte terrestre sous forme de silice et de silicates – qui constituent la base du sable, des roches et du sol. Les métaux les plus abondants, l'aluminium et le fer, sont présents dans des minerais, associés à des non-métaux, le plus souvent l'oxygène. Au tableau 9.1, on remarque que la plupart des métaux de transition sont peu abondants. Ainsi, étant donné que nombre

TABLEAU 9.1 Répartition des 18 éléments les plus abondants dans la croûte terrestre, les océans et l'atmosphère (pourcentage massique)

Élément	Pourcentage massique	Élément	Pourcentage massique
oxygène	49,2	chlore	0,19
silicium	25,7	phosphore	0,11
aluminium	7,50	manganèse	0,09
fer	4,71	carbone	0,08
calcium	3,39	soufre	0,06
sodium	2,63	baryum	0,04
potassium	2,40	azote	0,03
magnésium	1,93	fluor	0,03
hydrogène	0,87	tous les autres	0,49
titane	0,58		

TABLEAU 9.2 Répartition des éléments dans le corps humain

Principaux éléments	Pourcentage massique	Oligoéléments (ordre alphabétique)
oxygène	65,0	arsenic
carbone	18,0	chrome
hydrogène	10,0	cobalt
azote	3,0	cuivre
calcium	1,4	fluor
phosphore	1,0	iode
magnésium	0,50	manganèse
potassium	0,34	molybdène
soufre	0,26	nickel
sodium	0,14	sélénium
chlore	0,14	silicium
fer	0,004	vanadium
zinc	0,003	

de ces éléments relativement rares prennent de plus en plus d'importance en technologie de pointe, le fait, pour un pays, de posséder des gisements de minerais contenant des métaux de transition pourrait éventuellement exercer plus d'influence sur la politique mondiale que la possession de champs pétrolifères.

La répartition des éléments dans les organismes vivants est fort différente de celle des éléments dans la croûte terrestre. Le tableau 9.2 présente la répartition des éléments dans le corps humain. L'oxygène, le carbone, l'hydrogène et l'azote sont les éléments de base de toutes les biomolécules importantes. Les autres éléments, bien qu'ils soient présents en quantités relativement faibles, jouent souvent un rôle crucial dans le maintien de la vie. Dans le corps humain, on retrouve ainsi du zinc dans plus de 150 biomolécules différentes.

Dans la nature, on ne retrouve qu'un quart environ des éléments sous forme libre ; la plupart y sont présents sous forme combinée. On appelle **métallurgie** *l'ensemble des processus qui permettent d'extraire un métal de son minerai.* Dans les minerais, les métaux étant surtout présents sous forme de cations, *la métallurgie repose toujours sur des réactions de réduction qui permettent de ramener les ions à leur état élémentaire (état d'oxydation zéro).* Pour ce faire, on peut recourir à une grande variété d'agents réducteurs ; cependant, on choisit en général le carbone, à cause de son abondance et de son coût relativement faible. On l'utilise, par exemple, dans la production de l'étain et du plomb.

Dans l'industrie, le carbone est le réducteur d'ions métalliques le moins coûteux et le plus facilement accessible.

$$2SnO(s) + C(s) \xrightarrow{\text{Chaleur}} 2Sn(s) + CO_2(g)$$

$$2PbO(s) + C(s) \xrightarrow{\text{Chaleur}} 2Pb(s) + CO_2(g)$$

Pour réduire des oxydes métalliques, on peut également utiliser l'hydrogène comme agent réducteur, par exemple pour produire de l'étain.

$$SnO(s) + H_2(g) \xrightarrow{\text{Chaleur}} Sn(s) + H_2O(g)$$

Pour réduire les métaux les plus réactifs (les alcalins et les alcalino-terreux), on a souvent recours à l'électrolyse de leurs halogénures fondus.

$$2NaCl(l) \xrightarrow[\text{Électrolyse}]{600°} 2Na(l) + Cl_2(g)$$

Les méthodes de préparation des non-métaux varient considérablement. On prépare en général l'azote et l'oxygène élémentaire par **liquéfaction** de l'air, qui est une méthode basée sur le principe qu'un gaz se refroidit quand il prend de l'expansion. Après chaque étape d'expansion, on comprime une partie du gaz, alors plus froid, et on utilise le reste pour dissiper la chaleur produite par la compression. Ensuite, on soumet le gaz comprimé à une nouvelle étape d'expansion, puis on reprend ce cycle de nombreuses fois. Le gaz finit ainsi par devenir suffisamment froid pour atteindre l'état liquide. Étant donné que

Nous traiterons de la préparation du soufre et des halogènes au chapitre 10.

les points d'ébullition de l'azote liquide et de l'oxygène liquide sont différents, on peut séparer ces derniers en distillant l'air liquide. Ces deux substances jouent un rôle très important sur le plan industriel. On utilise l'azote dans la fabrication de l'ammoniac, de l'acide nitrique et des nitrates employés comme fertilisants ; l'azote liquide (point d'ébullition : −196 °C) est par ailleurs un réfrigérant très pratique. On utilise l'oxygène dans la fabrication de l'acier et comme comburant dans les fusées. Pour obtenir de l'hydrogène, on peut recourir à l'électrolyse de l'eau ; toutefois, la méthode la plus courante consiste à décomposer le méthane présent dans le gaz naturel. Le soufre est présent sous terre à l'état natif, et on le récupère à l'aide du procédé Frasch (*voir la section 10.6*). On obtient les halogènes par oxydation des anions des halogénures (*voir la section 10.7*).

9.2 Éléments du groupe 1A

1A
H
Li
Na
K
Rb
Cs
Fr

Le tableau 5.8 présente plusieurs propriétés des métaux alcalins.

Les éléments du groupe 1A (configuration des électrons de valence : ns^1) sont tous des métaux très réactifs (ils perdent facilement leur électron de valence), à l'exception de l'hydrogène qui se comporte comme un non-métal (*voir la section 9.3*). Nous avons vu à la section 5.15 nombre de propriétés des **métaux alcalins**. Le tableau 9.3 présente les différentes sources et modes de préparation des métaux alcalins purs et le tableau 9.4, les valeurs des énergies d'ionisation, des potentiels standards, des rayons ioniques et des points de fusion des métaux alcalins.

À la section 5.13, nous avons appris que les métaux alcalins réagissent tous très violemment avec l'eau pour produire de l'hydrogène.

$$2M(s) + 2H_2O(l) \longrightarrow 2M^+(aq) + 2OH^-(aq) + H_2(g)$$

Analysons de nouveau cette réaction, car elle permet d'illustrer plusieurs notions importantes. Compte tenu des valeurs des énergies d'ionisation, on devrait s'attendre à ce que le lithium soit, parmi les métaux alcalins, l'agent réducteur le plus faible en milieu aqueux. Or, son potentiel standard indique qu'il est le plus fort. Cette apparente contradiction

TABLEAU 9.3 Sources et modes de préparation des métaux alcalins purs

Élément	Source	Mode de préparation
lithium	silicates, tel le spodumène, $LiAl(Si_2O_6)$	électrolyse du LiCl fondu
sodium	NaCl	électrolyse du NaCl fondu
potassium	KCl	électrolyse du KCl fondu
rubidium	impuretés dans le lépidolite, $Li_2(F, OH)_2Al_2(SiO_3)_3$	réduction de RbOH par Mg et H_2
césium	pollucite, $(Cs_4Al_4Si_9O_{26} \cdot H_2O)$ et impuretés dans la lépidolite (*voir la figure 9.4*)	réduction de CsOH par Mg et H_2

FIGURE 9.4
Le lépidolite est composée principalement de lithium, d'aluminium, de silicium et d'oxygène ; elle contient aussi des quantités non négligeables de rubidium et de césium.

TABLEAU 9.4 Quelques propriétés physiques des métaux alcalins

Élément	Énergie d'ionisation (kJ/mol)	Potentiel standard (V) pour $M^+ + e^- \rightarrow M$	Rayon de M^+ (pm)	Point de fusion (°C)
lithium	520	−3,05	60	180
sodium	496	−2,71	95	98
potassium	419	−2,92	133	63
rubidium	409	−2,99	148	39
césium	382	−3,02	169	29

Le sodium réagit avec l'eau.

est principalement imputable à l'importance de l'énergie d'hydratation du petit ion Li^+ : à cause de sa densité de charge relativement forte, l'ion Li^+ attire de façon très efficace les molécules d'eau. Ce processus, qui est accompagné d'une importante libération d'énergie, favorise ainsi la formation de l'ion Li^+ et fait du lithium un puissant agent réducteur en milieu aqueux.

Nous avons également appris à la section 5.13 que le lithium, bien que ce soit le meilleur agent réducteur, réagit plus lentement avec l'eau que le sodium ou le potassium, parce que, en tant que solide, il a un point de fusion plus élevé que ceux de ces éléments. Il ne fond pas et ne se répand pas sur l'eau comme le font le sodium et le potassium : la surface de contact avec l'eau est donc plus faible.

Grâce à la relative facilité avec laquelle les métaux alcalins perdent leur électron pour former des cations M^+, ils réagissent avec des non-métaux pour former des composés ioniques. Par ailleurs, même si l'on peut s'attendre à ce que les métaux alcalins réagissent avec l'oxygène pour former des oxydes de formule générale M_2O, le lithium est le seul qui réagit ainsi en présence d'un excès d'oxygène.

$$4Li(s) + O_2(g) \longrightarrow 2Li_2O(s)$$

Le sodium forme du Na_2O solide lorsque l'apport d'oxygène est limité, mais il forme du *peroxyde de sodium* lorsqu'il y a un excès d'oxygène.

$$2Na(s) + O_2(g) \longrightarrow Na_2O_2(s)$$

Diagramme de Lewis du peroxyde d'hydrogène :

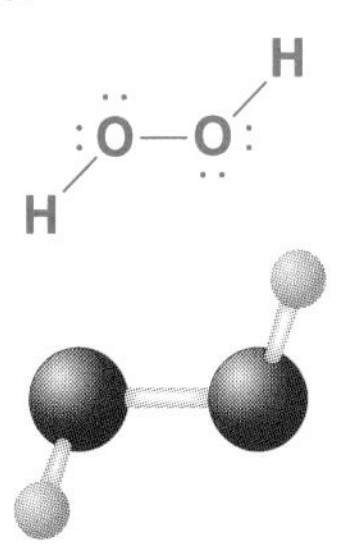

Le peroxyde de sodium, qui contient l'anion basique O_2^{2-}, réagit avec l'eau pour former le peroxyde d'hydrogène et des ions hydroxydes.

$$Na_2O_2(s) + 2H_2O(l) \longrightarrow 2Na^+(aq) + H_2O_2(aq) + 2OH^-(aq)$$

Le peroxyde d'hydrogène est un agent d'oxydation puissant qu'on utilise pour décolorer les cheveux ou pour désinfecter les plaies.

Le potassium, le rubidium et le césium réagissent avec l'oxygène pour produire des **superoxydes** de formule générale MO_2, qui contiennent l'anion O_2^-. Le potassium réagit ainsi avec l'oxygène conformément à la réaction suivante :

$$K(s) + O_2(g) \longrightarrow KO_2(s)$$

Les superoxydes libèrent de l'oxygène en réagissant avec l'eau ou avec le dioxyde de carbone.

$$2MO_2(s) + 2H_2O(l) \longrightarrow 2M^+(aq) + 2OH^-(aq) + O_2(g) + H_2O_2(aq)$$
$$4MO_2(s) + 2CO_2(g) \longrightarrow 2M_2CO_3(s) + 3O_2(g)$$

Grâce à ces réactions, on recourt aux superoxydes dans les respirateurs autonomes utilisés par les pompiers ou en cas d'urgence dans les laboratoires et usines lorsqu'il y a production de vapeurs toxiques.

Le tableau 9.5 présente les types de composés formés par les réactions des métaux alcalins avec l'oxygène.

Les respirateurs autonomes sont une source essentielle d'oxygène pour les pompiers.

TABLEAU 9.5 Types de composés oxygénés des métaux alcalins

Formule générale	Nom	Exemple
M_2O	oxyde	Li_2O, Na_2O
M_2O_2	peroxyde	Na_2O_2
MO_2	superoxyde	KO_2, RbO_2, CsO_2

Le sodium réagit fortement avec le chlore.

TABLEAU 9.6 Quelques réactions des métaux alcalins

Réaction	Commentaire
$2M + X_2 \rightarrow 2MX$	X_2 = un halogène quelconque
$4Li + O_2 \rightarrow 2Li_2O$	excès d'oxygène
$2Na + O_2 \rightarrow Na_2O_2$	
$M + O_2 \rightarrow MO_2$	M = K, Rb ou Cs
$2M + S \rightarrow M_2S$	
$6Li + N_2 \rightarrow 2Li_3N$	Li seulement
$12M + P_4 \rightarrow 4M_3P$	
$2M + H_2 \rightarrow 2MH$	
$2M + 2H_2O \rightarrow 2MOH + H_2$	
$2M + 2H^+ \rightarrow 2M^+ + H_2$	réaction violente !

Le tableau 9.6 présente un résumé de certaines réactions importantes des métaux alcalins.

Les ions des métaux alcalins sont nécessaires au bon fonctionnement des systèmes biologiques comme les nerfs et les muscles : on retrouve ainsi les ions Na^+ et K^+ dans toutes les cellules et les liquides de l'organisme. Dans le plasma, leurs concentrations sont les suivantes :

$$[Na^+] \approx 0{,}15 \text{ mol/L} \quad \text{et} \quad [K^+] \approx 0{,}005 \text{ mol/L}$$

Dans le liquide *intracellulaire*, leurs concentrations sont inversées ; ainsi

$$[Na^+] \approx 0{,}005 \text{ mol/L} \quad \text{et} \quad [K^+] \approx 0{,}16 \text{ mol/L}$$

Étant donné que ces concentrations intracellulaires et extracellulaires sont si différentes, un mécanisme complexe composé de ligands sélectifs doit permettre le transport des ions Na^+ et K^+ à travers les membranes des cellules.

Récemment, on a étudié le rôle de l'ion Li^+ dans le cerveau humain. On utilise ainsi abondamment le carbonate de lithium dans le traitement des malades maniacodépressifs : l'ion Li^+ semble modifier la concentration des neurotransmetteurs, c'est-à-dire des molécules chargées de la transmission des influx nerveux. Une concentration inadéquate de ces molécules pourrait être à l'origine de la dépression ou des manies.

Exemple 9.1 Prédiction des produits de la réaction

Prédisez les produits des réactions de :

a) $Li_3N(s)$ et $H_2O(l)$
b) $KO_2(s)$ et $H_2O(l)$

Solution

a) Le Li_3N solide contient l'anion N^{3-} qui, parce qu'il manifeste une forte attraction envers les ions H^+, forme NH_3. Par conséquent, la réaction est

$$Li_3N(s) + 3\,H_2O(l) \longrightarrow NH_3(g) + 3Li^+(aq) + 3OH^-(aq)$$

b) Le KO_2 solide est un superoxyde qui réagit de façon caractéristique avec l'eau pour produire O_2, H_2O_2 et l'ion OH^-.

$$2KO_2(s) + 2H_2O(l) \longrightarrow 2K^+(aq) + 2OH^-(aq) + O_2(g) + H_2O_2(aq)$$

Voir les exercices 9.11 et 9.12

9.3 Hydrogène

Dans des conditions normales de température et de pression, l'hydrogène est un gaz incolore, inodore, composé de molécules H_2. À cause de sa faible masse molaire et de l'absence de polarité, l'hydrogène a un point d'ébullition (−253 °C) et un point de fusion (−260 °C) très faibles. L'hydrogène est très inflammable : des mélanges d'air qui contiennent de 18 à 60 % d'hydrogène, par volume, sont explosifs. (Voici une expérience qu'on effectue souvent en classe : on fait barboter de l'hydrogène et de l'oxygène dans de l'eau savonneuse ; puis on enflamme les bulles ainsi formées à l'aide d'une bougie fixée au bout d'un long bâton ; il se produit alors une forte explosion.)

La principale source industrielle d'hydrogène est la réaction du méthane avec l'eau à température élevée (800–1000 °C) et à pression élevée (1000–5000 kPa), en présence d'un catalyseur métallique, le plus souvent le nickel.

$$CH_4(g) + H_2O(g) \xrightarrow[\text{Catalyseur}]{\text{Chaleur, pression}} CO(g) + 3H_2(g)$$

L'hydrogène est par ailleurs un sous-produit important de l'industrie du pétrole. Quand on procède au *craquage* des hydrocarbures (décomposition des hydrocarbures lourds en molécules plus légères, utilisables comme combustibles dans les moteurs), il y a production de grandes quantités d'hydrogène.

On peut également produire de l'hydrogène très pur par électrolyse de l'eau ; toutefois, cette méthode n'est pas rentable en cas de production à grande échelle, à cause du coût relativement élevé de l'électricité.

L'industrie qui utilise le plus d'hydrogène est celle qui produit de l'ammoniac à l'aide du procédé Haber. On utilise également de grandes quantités d'hydrogène pour hydrogéner les huiles végétales insaturées (qui contiennent des liaisons doubles carbone-carbone) et produire ainsi des shortenings solides saturés (qui contiennent des liaisons simples carbone-carbone).

$$\sim\sim \overset{\text{H}}{\text{C}}=\overset{\text{H}}{\text{C}} \sim\sim \xrightarrow{H_2} \sim\sim \underset{\text{H}}{\overset{\text{H}}{\text{C}}}-\underset{\text{H}}{\overset{\text{H}}{\text{C}}} \sim\sim \quad \text{Catalyseur}$$

Sur le plan chimique, l'hydrogène se comporte comme un non-métal typique : il forme des composés covalents avec d'autres non-métaux, et des sels avec les métaux très réactifs. On appelle **hydrures** les composés binaires qui contiennent de l'hydrogène ; il existe trois classes d'hydrures : les hydrures ioniques, les hydrures covalents et les hydrures métalliques.

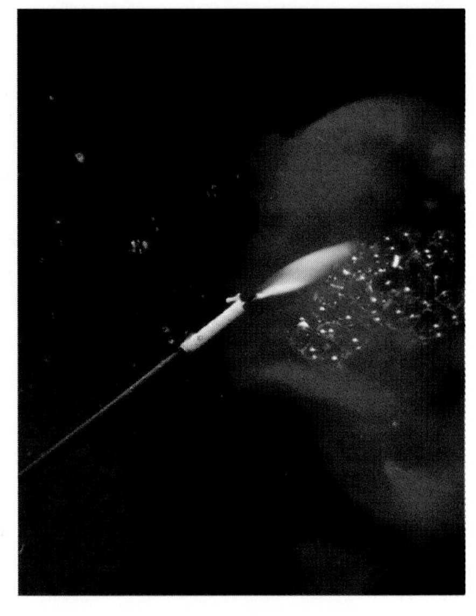

(Gauche) Utilisation du gaz hydrogène pour faire mousser une solution savonneuse. (Droite) On approche une flamme des bulles qui s'échappent de la solution. La flamme orangée provient de l'excitation des ions sodium contenus dans la solution savonneuse, excitation générée par la chaleur de la réaction entre l'hydrogène et l'oxygène de l'air.

Il y a formation d'**hydrures ioniques** quand l'hydrogène se combine avec les métaux les plus réactifs, c'est-à-dire ceux des groupes 1A et 2A ; ainsi, LiH et CaH_2 sont des composés formés d'ions hydrures, H^-, et de cations métalliques. Étant donné que la présence de deux électrons dans la petite orbitale 1*s* entraîne une importante répulsion électron-électron, l'ion hydrure est un puissant agent réducteur (il cède facilement des électrons). Quand, par exemple, on ajoute des hydrures ioniques à l'eau, une violente réaction a lieu, réaction qui donne naissance à de l'hydrogène.

$$LiH(s) + H_2O(l) \longrightarrow H_2(g) + Li^+(aq) + OH^-(aq)$$

On a discuté des points d'ébullition des hydrures covalents à la section 8.1.

Il y a formation d'**hydrures covalents** quand l'hydrogène se combine avec d'autres non-métaux. On connaît déjà plusieurs de ces composés: HCl, CH_4, NH_3, H_2O, etc. L'hydrure covalent le plus important est indubitablement l'eau. La polarité de la molécule d'eau permet d'ailleurs d'expliquer plusieurs propriétés inhabituelles de l'eau. Par exemple, son point d'ébullition est beaucoup plus élevé que ne permet de le prévoir sa masse molaire; sa chaleur de vaporisation et sa chaleur spécifique importantes en font un excellent agent de refroidissement. Sa masse volumique est plus élevée à l'état liquide qu'à l'état solide, ce qui est dû à la structure ouverte de la glace, structure qui découle de la formation maximale de liaisons hydrogène (*voir la figure 9.5*). Par ailleurs, étant donné que l'eau est un excellent solvant des substances ioniques et polaires, elle constitue un milieu favorable aux processus vitaux. En fait, l'eau est l'un des rares hydrures covalents qui ne soit pas toxique pour les organismes.

Il y a formation d'**hydrures métalliques** (ou d'**insertion**) quand l'hydrogène réagit avec des métaux de transition. Les molécules d'hydrogène sont dissociées à la surface du métal, et les petits atomes d'hydrogène sont dispersés dans la structure cristalline, où ils occupent les trous, ou interstices. Ces mélanges métal-hydrogène ressemblent davantage à des solutions solides qu'à de vrais composés. Le palladium, par exemple, peut absorber environ *900 fois* son volume d'hydrogène. C'est pourquoi on peut purifier l'hydrogène en le comprimant légèrement dans un récipient doté d'une mince paroi de palladium: l'hydrogène diffuse dans la paroi de métal et la traverse, ce qui le débarrasse de ses impuretés.

Toutefois, même si l'hydrogène peut réagir avec les métaux de transition pour former des composés de composition fixe, la plupart des hydrures métalliques ont une composition variable (souvent appelée composition *non stœchiométrique*) et des formules du type $LaH_{2,76}$ ou $VH_{0,56}$. La composition de ces hydrures non stœchiométriques varie, entre autres, en fonction de la durée d'exposition du métal au gaz hydrogène.

Quand on chauffe des hydrures métalliques, la plus grande partie de l'hydrogène absorbé est libérée. Grâce à cette propriété des hydrures métalliques, on peut emmagasiner

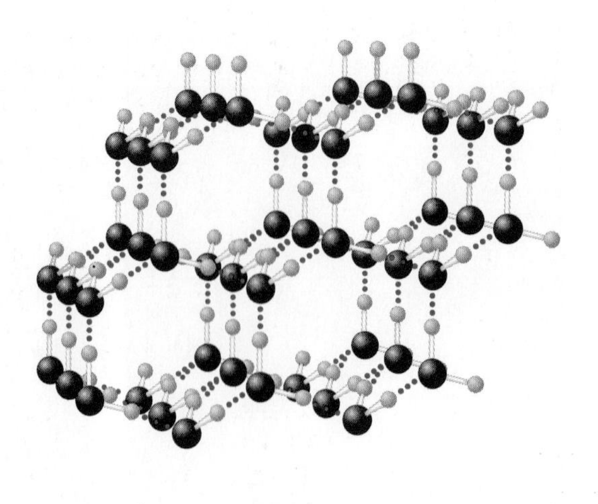

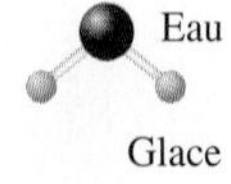

FIGURE 9.5
Structure de la glace montrant les liaisons hydrogène.

de l'hydrogène pour l'utiliser comme combustible portatif. Les moteurs à combustion interne des voitures actuelles pourraient ainsi fonctionner à l'hydrogène sans grande modification ; cependant, l'entreposage de l'hydrogène en quantité suffisante – afin d'assurer à la voiture une certaine autonomie – constitue toujours un problème. On pourrait envisager l'utilisation d'un réservoir contenant une matière poreuse (un métal de transition), réservoir dans lequel on insufflerait de l'hydrogène pour former des hydrures métalliques. On pourrait ainsi libérer l'hydrogène selon les besoins du moteur.

Un oxyde amphotère se comporte soit comme un acide, soit comme une base.

9.4 Éléments du groupe 2A

2A
Be
Mg
Ca
Sr
Ba
Ra

Les éléments du groupe 2A (configuration des électrons de valence : ns^2) sont très réactifs ; ils cèdent leurs deux électrons de valence pour former des composés ioniques qui contiennent des cations M^{2+}. Ces éléments sont communément appelés **métaux alcalino-terreux**, à cause du caractère basique de leurs oxydes.

$$MO(s) + H_2O(l) \longrightarrow M^{2+}(aq) + 2OH^-(aq)$$

Seul l'oxyde de béryllium amphotère, BeO, est doté de quelques propriétés acides, telle la capacité d'être dissous dans une solution aqueuse qui contient des ions hydroxydes.

$$BeO(s) + 2OH^-(aq) + H_2O(l) \longrightarrow Be(OH)_4{}^{2-}(aq)$$

Les métaux alcalino-terreux les plus réactifs réagissent avec l'eau de la même manière que les métaux alcalins le font, c'est-à-dire en produisant de l'hydrogène.

$$M(s) + 2H_2O(l) \longrightarrow M^{2+}(aq) + 2OH^-(aq) + H_2(g)$$

Le calcium, le strontium et le baryum réagissent avec violence à 25 °C. Le béryllium et le magnésium, éléments moins facilement oxydables, ne réagissent pas de façon notable avec l'eau à 25 °C ; le magnésium réagit toutefois avec l'eau bouillante. Le tableau 9.7 présente un résumé des diverses propriétés, sources et modes de préparation des métaux alcalino-terreux.

À la section 9.1, nous avons vu que l'atome de béryllium, en raison de sa petite taille et de son électronégativité relativement élevée, forme des liaisons dont le caractère covalent

TABLEAU 9.7 Quelques propriétés physiques, sources et modes de préparation des éléments du groupe 2A

Élément	Rayon de M^{2+} (pm)	Énergie d'ionisation (kJ/mol)		Potentiel standard (V) pour $M^{2+} + 2e^- \rightarrow M$	Source	Mode de préparation
		Première	*Seconde*			
béryllium	~30	900	1760	−1,70	béryl ($Be_3Al_2Si_6O_{18}$)	électrolyse du $BeCl_2$ fondu
magnésium	65	738	1450	−2,37	magnésite ($MgCO_3$), dolomite ($MgCO_3 \cdot CaCO_3$), carnallite ($MgCl_2 \cdot KCl \cdot 6H_2O$)	électrolyse du $MgCl_2$ fondu
calcium	99	590	1146	−2,76	divers minerais contenant du $CaCO_3$	électrolyse du $CaCl_2$ fondu
strontium	113	549	1064	−2,89	célestine ($SrSO_4$), strontianite ($SrCO_3$)	électrolyse du $SrCl_2$ fondu
baryum	135	503	965	−2,90	barytine ($BaSO_4$), withérite ($BaCO_3$)	électrolyse du $BaCl_2$ fondu
radium	140	509	979	−2,92	pechblende (1 g de Ra/7 tonnes de minerai)	électrolyse du $RaCl_2$ fondu

Le calcium métallique réagit avec l'eau en formant des bulles d'hydrogène gazeux.

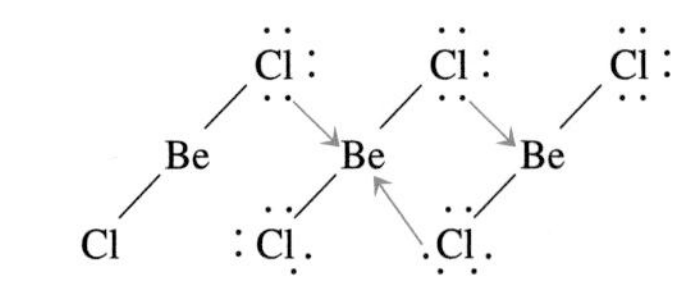

a)

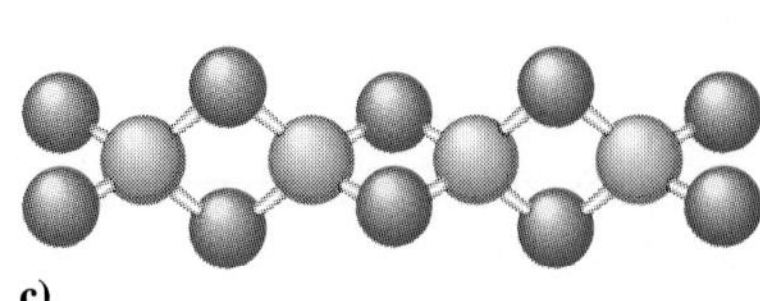

b)

c)

FIGURE 9.6
a) On peut considérer que le $BeCl_2$ solide est formé de nombreuses molécules $BeCl_2$, dans lesquelles les doublets libres des atomes de chlore sont utilisés pour relier les atomes de béryllium aux molécules $BeCl_2$ adjacentes. **b)** Structure détaillée du $BeCl_2$ solide. **c)** Le modèle boules et bâtonnets de la structure détaillée.

est plus important que dans tout autre métal du groupe 2A. Le chlorure de béryllium, par exemple, dont le diagramme de Lewis est

$$:\ddot{\underset{..}{Cl}}—Be—\ddot{\underset{..}{Cl}}:$$

existe sous forme de molécule linéaire, comme la théorie RPEV permet de le prédire. Les liaisons Be—Cl sont des liaisons covalentes, et le béryllium est hybridé *sp*.

À l'état solide, l'atome de béryllium présent dans $BeCl_2$ acquiert un octet d'électrons en formant un réseau d'extension indéterminée, dans lequel il adopte une structure tétraédrique (*voir la figure 9.6*). Les doublets libres des atomes de chlore sont utilisés pour former les liaisons Be—Cl supplémentaires.

Les métaux alcalino-terreux ont une grande importance sur le plan pratique. Le calcium et le magnésium, par exemple, sont essentiels à la vie. On trouve surtout le calcium dans les éléments structuraux, comme les os et les dents ; le magnésium, quant à lui, joue un rôle important (sous forme d'ions Mg^{2+}) dans le métabolisme et l'activité musculaire. On utilise également le magnésium pour produire la lumière brillante des éclairs photographiques, à partir de sa réaction avec l'oxygène.

$$2Mg(s) + O_2(g) \longrightarrow 2MgO(s) + \text{lumière}$$

À cause de sa masse volumique relativement faible et de sa résistance modérée, le magnésium métallique est un matériau de structure très utile, particulièrement sous forme d'alliages d'aluminium.

Le tableau 9.8 présente quelques-unes des réactions importantes des métaux alcalino-terreux.

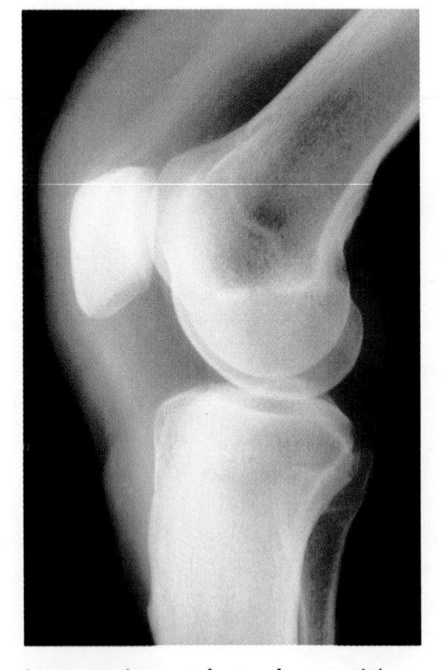

Les os contiennent de grandes quantités de calcium.

TABLEAU 9.8 Quelques réactions des éléments du groupe 2A

Réaction	Commentaire
$M + X_2 \rightarrow MX_2$	X_2 = molécule d'halogène quelconque
$2M + O_2 \rightarrow 2MO$	Ba produit également BaO_2.
$M + S \rightarrow MS$	
$3M + N_2 \rightarrow M_3N_2$	températures élevées
$6M + P_4 \rightarrow 2M_3P_2$	températures élevées
$M + H_2 \rightarrow MH_2$	M = Ca, Sr ou Ba ; températures élevées Mg à haute pression
$M + 2H_2O \rightarrow M(OH)_2 + H_2$	M = Ca, Sr ou Ba
$M + 2H^+ \rightarrow M^{2+} + H_2$	
$Be + 2OH^- + 2H_2O \rightarrow Be(OH)_4^{2-} + H_2$	

Le massif des Dolomites (Italie) est une source de magnésium.

On retrouve parfois des concentrations relativement importantes d'ions Ca^{2+} et Mg^{2+} dans des réserves d'eau naturelles. Dans de telles **eaux**, dites **dures**, les ions nuisent à l'action des détergents et forment des précipités avec le savon. On peut éliminer les ions Ca^{2+} en les faisant précipiter sous forme de $CaCO_3$ dans des installations destinées à l'adoucissement des eaux. Dans les maisons, on a recours au principe d'**échange d'ions** pour éliminer les ions Ca^{2+}, Mg^{2+} et autres. Une **résine échangeuse d'ions** est constituée de grosses molécules (polymères) qui possèdent de nombreux sites ioniques. La figure 9.7a illustre une **résine échangeuse de cations** : les ions Na^+ sont liés électrostatiquement aux groupements SO_3^- fixés de façon covalente à la résine. Quand on verse de l'eau dure sur une telle résine, les ions Ca^{2+} et Mg^{2+} prennent la place des ions Na^+, qui passent en solution (*voir la figure 9.7b*). Le fait de remplacer les ions Mg^{2+} et Ca^{2+} par des ions Na^+ « adoucit » l'eau, étant donné que les sels sodiques d'un savon sont solubles et que les ions sodium interfèrent beaucoup moins avec l'action des savons et des détergents.

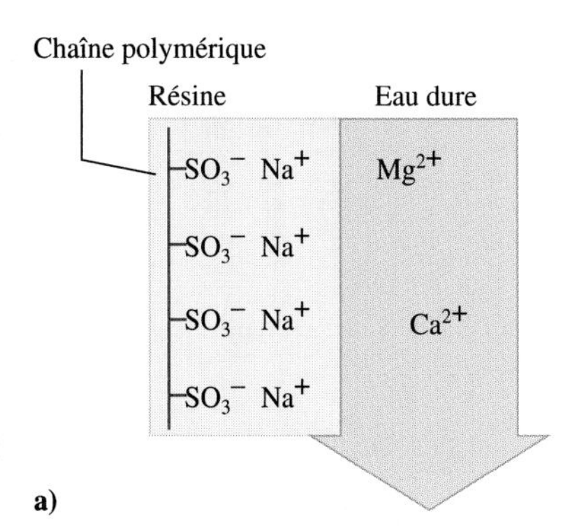

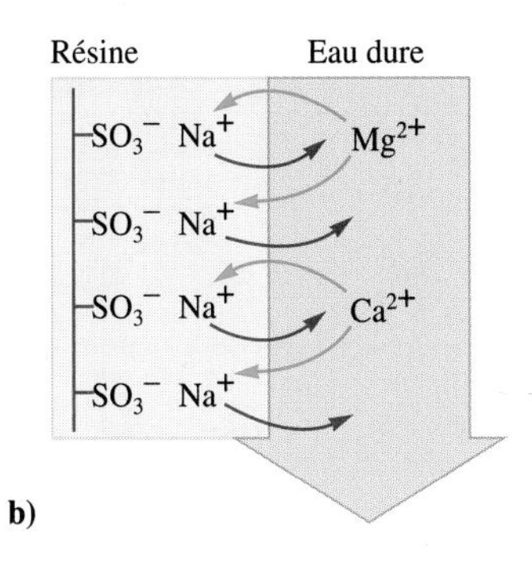

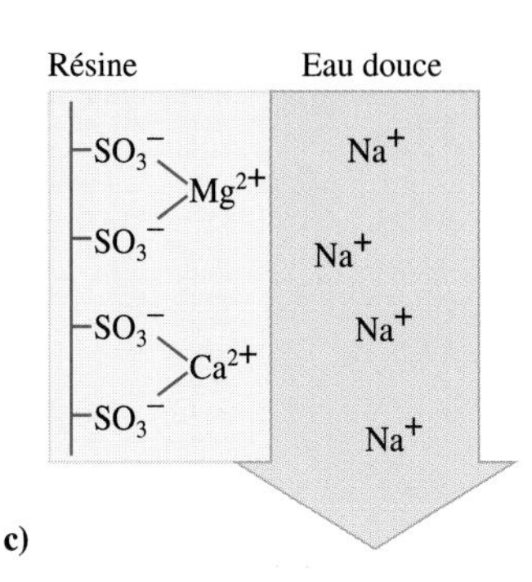

FIGURE 9.7
a) Représentation schématique d'une résine échangeuse de cations typique. **b)** et **c)** Au contact d'une résine échangeuse de cations, l'eau dure cède ses ions Ca^{2+} et Mg^{2+}, qui se fixent à la résine.

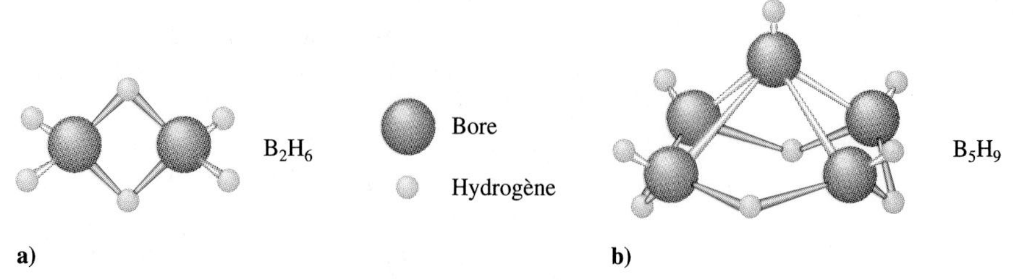

FIGURE 9.8
a) Structure de B_2H_6, avec ses deux liaisons tricentriques (ou « bananes ») B—H—B et ses quatre liaisons « normales » B—H. b) Structure de B_5H_9. Cette molécule possède cinq liaisons « normales » B—H et quatre liaisons tricentriques à la base de la pyramide.

9.5 Éléments du groupe 3A

3A: B, Al, Ga, In, Tl

Le caractère métallique des éléments du groupe 3A (configuration des électrons de valence : ns^2np^1) augmente en général au fur et à mesure qu'on progresse dans le groupe ; ce comportement est d'ailleurs caractéristique des éléments non transitionnels. Le tableau 9.9 présente quelques propriétés physiques, sources et modes de préparation des éléments du groupe 3A.

Le *bore* est un non-métal, et la plupart de ses composés possèdent des liaisons covalentes. Les composés du bore les plus intéressants sont certainement les hydrures covalents, appelés **boranes**. On pourrait s'attendre à ce que BH_3 soit l'hydrure le plus simple, étant donné que le bore possède trois électrons de valence à partager avec trois atomes d'hydrogène. Or, ce composé est instable ; le premier hydrure connu de la série est le diborane, B_2H_6, dont la structure est illustrée à la figure 9.8a. Dans cette molécule, les liaisons B—H (positions terminales) sont des liaisons covalentes normales, chacune comportant un doublet d'électrons. Les liaisons qui relient les atomes de bore sont des liaisons tricentriques qui n'utilisent qu'un seul doublet d'électrons pour lier les trois atomes. Un autre borane intéressant est le pentaborane, B_5H_9 (*voir la figure 9.8b*), dont la structure est pyramidale à base carrée, qui possède une liaison tricentrique à chaque coin de la base de la pyramide. Les boranes étant très pauvres en électrons, ce sont des substances très réactives. La réaction des boranes avec l'oxygène dégage ainsi beaucoup de chaleur ; on a même envisagé de les utiliser comme combustible pour les fusées, dans le programme spatial américain.

TABLEAU 9.9 Quelques propriétés physiques, sources et modes de préparation des éléments du groupe 3A

Élément	Rayon de M^{3+} (pm)	Énergie d'ionisation (kJ/mol)	Potentiel standard (V) pour $M^{3+} + 3e^- \rightarrow M$	Source	Mode de préparation
bore	20	798	—	kernite, une forme de borax ($Na_2B_4O_7 \cdot 4H_2O$)	réduction par Mg ou H_2
aluminium	51	581	−1,71	bauxite (Al_2O_3)	électrolyse du Al_2O_3 dans Na_3AlF_6 fondu
gallium	62	577	−0,53	traces dans divers minerais	réduction par H_2 ou électrolyse
indium	81	556	−0,34	traces dans divers minerais	réduction par H_2 ou électrolyse
thallium	95	589	0,72	traces dans divers minerais	électrolyse

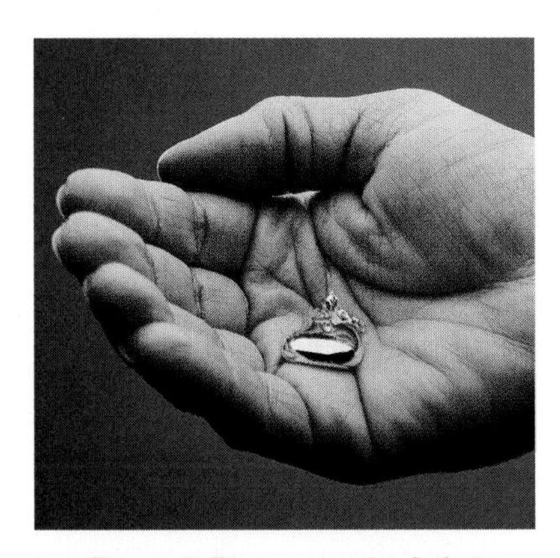

Le gallium métallique a un point de fusion tellement bas (30 °C) qu'il fond dans la main.

L'*aluminium*, le métal le plus abondant sur la Terre, est doté des propriétés physiques des métaux (entre autres, bonne conductibilité calorifique et électrique, et apparence brillante) ; toutefois, ses liaisons avec les non-métaux sont surtout de nature covalente. Cette covalence est responsable du caractère amphotère de Al_2O_3 (soluble en milieu basique et en milieu acide) et du caractère acide de $Al(H_2O)_6^{3+}$.

Une propriété particulièrement intéressante du *gallium* est son point de fusion anormalement bas (29,8 °C), qui contraste fortement avec le point de fusion de l'aluminium (660 °C). Son point d'ébullition (de l'ordre de 2400 °C) en fait le métal qui demeure à l'état liquide pour la plus vaste gamme de températures ; c'est pourquoi on l'utilise dans les thermomètres destinés à mesurer des températures élevées. Comme l'eau, le gallium prend de l'expansion lorsqu'il gèle. Les caractéristiques chimiques du gallium ressemblent considérablement à celles de l'aluminium : par exemple, Ga_2O_3 est une substance amphotère.

Le tableau 9.10 présente quelques-unes des réactions importantes des éléments du groupe 3A.

Sur le plan pratique, l'importance des éléments du groupe 3A concerne surtout l'aluminium. Depuis la découverte par Hall et Héroult du processus d'électrolyse, l'aluminium est devenu un matériau de structure qu'on utilise dans une grande variété d'applications, du fuselage des avions aux cadres de bicyclettes. L'aluminium est particulièrement important à cause de son rapport résistance/poids élevé et du fait qu'il se protège lui-même contre la corrosion (il se couvre d'un revêtement d'oxyde dur et adhérent).

L'aluminium est utilisé dans la construction des avions.

TABLEAU 9.10 Quelques réactions des éléments du groupe 3A

Réaction	Commentaire
$2M + 3X_2 \rightarrow 2MX_3$	X_2 = molécule d'halogène quelconque ; Tl produit également TlX, mais pas TlI_3.
$4M + 3O_2 \rightarrow 2M_2O_3$	Températures élevées ; Tl produit également Tl_2O.
$2M + 3S \rightarrow M_2S_3$	Températures élevées ; Tl produit également Tl_2S.
$2M + N_2 \rightarrow 2MN$	M = Al seulement
$2M + 6H^+ \rightarrow 2M^{3+} + 3H_2$	M = Al, Ga ou In ; Tl produit Tl^+.
$2M + 2OH^- + 6H_2O \rightarrow 2M(OH)_4^- + 3H_2$	M = Al ou Ga

IMPACT

Le bore, un oligoélément négligé

Tout le monde reconnaît que notre organisme a besoin de protéines, de glucides, de vitamines et même de graisses. Mais l'importance de plusieurs oligoéléments dans notre régime alimentaire est souvent mal comprise. Le bore en est un exemple. Aux États-Unis, la consommation de bore est relativement faible. La population consomme un peu plus de 1 mg de bore par jour, ce qui représente environ 10 % de moins que les Britanniques et les Égyptiens, et environ 35 % de moins que les Allemands et les Mexicains.

Afin d'étudier l'importance de l'apport de bore, Zuo-Fen Zhang et ses collègues, de la School of Public Health à l'Université de Californie, Los Angeles, ont examiné les données sur la nutrition recueillies auprès de milliers d'hommes et de femmes qui ont répondu à la *National Health and Nutrition Examination Survey* (NHANES). Zhang et ses collaborateurs ont ainsi appris que le bore semble protéger contre le cancer de la prostate. La comparaison des régimes alimentaires d'hommes atteints du cancer de la prostate avec ceux d'hommes non atteints a montré une forte corrélation entre la consommation de bore et l'absence de la maladie. Le risque de cancer de la prostate chez les hommes consommant au moins 1,8 mg de bore par jour n'atteignait que le tiers de celui des hommes qui en consomment moins de 0,9 mg par jour. Les données démontrent que le bore n'offre aucune protection apparente contre d'autres types de cancers, mais seulement une protection très spécifique contre le cancer de la prostate. D'autres études chez les animaux indiquent que la consommation de bore peut apporter une protection contre les maladies auto-immunes, comme la polyarthrite rhumatoïde.

Bien que la consommation d'à peu près 3,0 mg de bore par jour semble bénéfique, cet élément peut être toxique s'il est consommé en grande quantité. La meilleure façon d'obtenir un supplément de bore dans votre régime alimentaire est de manger des aliments tels que des noix et des fruits autres que les agrumes.

9.6 Éléments du groupe 4A

4A
C
Si
Ge
Sn
Pb

C'est dans le groupe 4A (configuration des électrons de valence: ns^2np^2) qu'on retrouve les deux éléments les plus importants sur la Terre: le carbone, élément fondamental de toute molécule essentielle à la vie, et le silicium, élément de base du règne minéral. On observe également, pour les éléments du groupe 4A, une variation du caractère métallique (comme pour les éléments du groupe 3A): le carbone est un non-métal typique; le silicium et le germanium sont en général considérés comme des semi-métaux; l'étain et le plomb sont des métaux. Le tableau 9.11 présente quelques propriétés physiques, sources et modes de préparation des éléments de ce groupe.

Tous les éléments du groupe 4A peuvent former quatre liaisons covalentes avec des non-métaux, par exemple: CH_4, SiF_4, $GeBr_4$, $SnCl_4$ et $PbCl_4$. Selon la théorie des électrons localisés, dans chacune de ces molécules tétraédriques, l'atome central est hybridé sp^3.

TABLEAU 9.11 Quelques propriétés physiques, sources et modes de préparation des éléments du groupe 4A

Élément	Électronégativité	Point de fusion (°C)	Point d'ébullition (°C)	Source	Mode de préparation
carbone	2,5	3727 (sublimation)	—	graphite, diamant, pétrole, charbon	—
silicium	1,8	1410	2355	silicates, silice	réduction de K_2SiF_6 par Al, ou réduction de SiO_2 par Mg
germanium	1,8	937	2830	germanite (mélange de sulfures de cuivre, de fer et de germanium)	réduction de GeO_2 par H_2 ou C
étain	1,8	232	2270	cassitérite (SnO_2)	réduction de SnO_2 par C
plomb	1,9	327	1740	galène (PbS)	grillage de PbS en présence d'oxygène, puis réduction par C du PbO_2 formé

Tous ces composés, à l'exception de ceux du carbone, peuvent réagir avec des bases de Lewis pour former deux liaisons covalentes supplémentaires. Par exemple, $SnCl_4$, qui est un liquide fumant ($T_{éb}$ = 114 °C), peut accepter deux ions chlorures.

$$SnCl_4 + 2Cl^- \longrightarrow SnCl_6^{2-}$$

Les composés du carbone ne sont pas dotés de cette propriété, à cause de la petite taille de l'atome de carbone et de l'absence d'orbitales *d* inoccupées – lesquelles sont par ailleurs présentes dans les autres éléments du groupe et peuvent donc accepter des électrons supplémentaires.

Même si le graphite est, du point de vue thermodynamique, plus stable que le diamant, on n'observe pas, dans des conditions normales, la transformation du diamant en graphite.

On sait en outre que le carbone diffère de façon notable des autres éléments du groupe 4A par sa capacité de former des liaisons π, ce qui permet d'expliquer les différences de structure et de propriétés du CO_2 et du SiO_2. À l'examen du tableau 9.12, on constate que les liaisons C—C et Si—O sont plus fortes que les liaisons Si—Si. C'est pourquoi les principales caractéristiques chimiques du carbone reposent sur des liaisons C—C et celles du silicium, sur des liaisons Si—O.

En Russie, des géologues ont récemment découvert des fullerènes dans de vieilles roches.

Dans la croûte terrestre, on retrouve le *carbone* sous deux formes allotropiques, le graphite et le diamant. Le carbone existe également sous d'autres formes, notamment le buckminsterfullerène (C_{60}) et autres substances apparentés. On trouvera à la section 8.5 les structures du graphite et du diamant.

Le *monoxyde de carbone*, CO, un des trois oxydes de carbone, est un gaz inodore et incolore, à 25 °C et à 101,3 kPa. C'est un sous-produit de la combustion des composés organiques en présence d'une quantité limitée d'oxygène. Les intoxications au monoxyde de carbone sont courantes en hiver, dans les régions froides, lorsque les évents bloqués des appareils de chauffage limitent la disponibilité de l'oxygène. Pour décrire la liaison présente dans le monoxyde de carbone,

TABLEAU 9.12 Forces des liaisons C—C, Si—Si et Si—O

Liaison	Énergie de liaison (kJ/mol)
C—C	347
Si—Si	340
Si—O	452

$$:C{\equiv}O:$$

on considère qu'un atome de carbone et un atome d'oxygène hybridés *sp* réagissent pour former une liaison σ et deux liaisons π.

Le *dioxyde de carbone*, molécule linéaire

$$\ddot{O}{=}C{=}\ddot{O}$$

(En haut) Une tranche de silicium (*wafer*) avec (en bas) une micropuce de silicium.

qui possède un atome de carbone hybridé *sp*, est un produit de la respiration de l'être humain et des animaux, et de la combustion des combustibles fossiles. C'est également un produit de la fermentation, procédé au cours duquel le sucre des fruits et des grains est transformé en éthanol, C_2H_5OH, et en dioxyde de carbone.

$$\underset{\text{Glucose}}{C_6H_{12}O_6(aq)} \xrightarrow{\text{Enzymes}} 2C_2H_5OH(aq) + 2CO_2(g)$$

La dissolution du dioxyde de carbone dans l'eau produit une solution acide.

$$CO_2(aq) + H_2O(l) \rightleftharpoons H^+(aq) + HCO_3^-(aq)$$

Le troisième oxyde de carbone, le *sous-oxyde de carbone*, est une molécule linéaire

$$\ddot{O}{=}C{=}C{=}C{=}\ddot{O}$$

dont les atomes de carbone sont hybridés *sp*.

Le *silicium*, le deuxième élément le plus abondant dans la croûte terrestre, est un semi-métal qu'on retrouve en grande quantité dans la silice et les silicates (*voir la section 8.5*). On rencontre ces substances dans environ 85 % de la croûte terrestre. Même si on recourt au silicium dans certains aciers et alliages d'aluminium, on l'utilise principalement dans la fabrication des semi-conducteurs destinés aux appareils électroniques (*voir les rubriques « Impact » du chapitre 8*).

La composition de ces alliages varie grandement. Par exemple, la teneur en étain du bronze varie de 5 % à 30 % et celle dans l'étain à poterie atteint souvent 95 %.

Le *germanium*, un élément relativement rare, est un semi-métal qu'on utilise surtout dans la fabrication des semi-conducteurs destinés aux transistors et autres dispositifs électroniques.

IMPACT

Le béton

Le béton a pour ainsi dire tracé la voie à la civilisation ; les Égyptiens le connaissaient déjà voilà 5000 ans. En raison de son coût très peu élevé, le béton se retrouve aujourd'hui presque partout : les maisons, les industries, les routes, les barrages, les tours de refroidissement, les tuyaux, les gratte-ciel, etc.

La plupart des bétons sont faits avec du ciment Portland (un brevet a été émis, en 1824, à un briqueleur britannique nommé J. Aspdin). Son nom vient du fait que le produit ressemble au calcaire naturel qui existe dans l'île de Portland, en Angleterre. Le ciment Portland est un mélange poudreux de silicates de calcium [Ca_2SiO_4 (26 %) et de Ca_3SiO_5 (51 %)], d'aluminate de calcium [$Ca_3Al_2O_6$ (11 %)] et d'aluminate de fer et de calcium [$Ca_4Al_2Fe_2O_{10}$ (1 %)]. Ce ciment est préparé en mélangeant du calcaire, du sable, du schiste, de l'argile et du gypse ($CaSO_4 \cdot 2H_2O$). Quand ce ciment est mélangé à du sable, du gravier et de l'eau, il se transforme en une substance pâteuse qui finit par durcir et donner le béton si utilisé de nos jours. Le durcissement du béton se fait non par assèchement mais par hydratation. Le matériau devient sec et dur parce que l'eau sert à former les silicates complexes présents dans le béton séché. Bien que le processus soit très mal compris, la principale « colle » qui retient ensemble les éléments du béton est le silicate de calcium hydraté, qui forme le réseau tridimensionnel principalement responsable de la résistance du béton.

Même s'il est très résistant quand il est nouvellement préparé, le béton devient poreux et sujet à détérioration

L'*étain* est un métal mou, argenté, qu'on peut laminer et qu'on utilise depuis des siècles dans divers alliages, tels le bronze (20 % Sn ; 80 % Cu), la soudure (33 % Sn ; 67 % Pb) et l'étain à poterie (85 % Sn ; 7 % Cu ; 6 % Bi ; 2 % Sb). L'étain existe sous trois formes allotropiques : l'*étain blanc*, stable à la température ambiante ; l'*étain gris*, stable à des températures inférieures à 13,2 °C ; l'*étain cassant*, stable à des températures supérieures à 161 °C. À basse température, l'étain est graduellement transformé en étain gris, poudreux et amorphe, qui se désagrège ; ce processus porte le nom de *maladie de l'étain*, ou *lèpre de l'étain*.

De nos jours, on utilise surtout l'étain comme revêtement protecteur sur le fer, notamment à l'intérieur des boîtes de conserve. Le mince revêtement d'étain, appliqué par électrolyse, forme une couche d'oxyde protectrice qui prévient toute autre corrosion.

Bains romains, comme ceux que l'on trouve à Bath (Angleterre) avec canalisations en plomb.

avec le temps parce qu'il contient des poches d'air dans lesquelles l'eau peut s'infiltrer. Cela veut dire que, malgré toutes ses qualités, le béton se fendille et se détériore sérieusement avec le temps.

On effectue présentement beaucoup de recherches pour améliorer la durabilité du béton. On veut surtout diminuer sa porosité et le rendre moins friable. Un des groupes d'additifs utilisés pour résoudre ce problème consiste en molécules faites de chaînes de carbone auxquelles sont fixés des groupements sulfate. Ces additifs appelés « superplastifiants » permettent la formation de béton avec beaucoup moins d'eau et ils ont permis, au cours des vingt dernières années, de doubler la résistance des bétons préparés. Les chercheurs ont également constaté que les propriétés du béton peuvent également être améliorées par l'addition de différentes fibres, y compris des fibres d'acier, de verre ou de polymères à base de carbone. Un de ces types de bétons – le SIFCON (pour *slurry infiltrated fiber concrete*) assez résistant pour servir à fabriquer les silos pour les missiles et assez malléable pour former des structures complexes – pourrait être avantageusement utilisé pour construire dans les régions où les tremblements de terre sont fréquents.

D'autres recherches visent à remplacer le ciment Portland par d'autres liants tels des polymères à base de carbone. Bien que ces bétons brûlent et perdent leur forme à des températures élevées, ils sont beaucoup plus résistants aux effets de l'eau, de l'acide et des sels que ceux préparés avec du ciment Portland.

Même si le béton d'aujourd'hui ressemble étrangement à celui utilisé par les Romains pour construire le Panthéon, des progrès sont réalisés, et des améliorations révolutionnaires sont à prévoir pour bientôt.

Oxyde de plomb jaune, connu sous le nom de litharge.

On extrait facilement le *plomb* de son minerai, la galène, PbS. Étant donné que le plomb fond à très basse température, on suppose que c'est le premier métal pur qu'on ait extrait d'un minerai. On sait que les Égyptiens utilisaient déjà le plomb 3000 ans av. J.-C. ; par ailleurs, les Romains y recouraient pour fabriquer des ustensiles, des glaçures pour la poterie et même des systèmes de canalisation complexes. Le plomb est cependant très toxique : il se pourrait même que l'utilisation importante qu'en ont fait les Romains ait contribué à la disparition de leur civilisation ; en effet, l'analyse des os datant de cette époque révèle la présence d'un taux important de plomb.

Même si on connaissait l'empoisonnement au plomb depuis au moins 2000 ans av. J.-C., les conséquences de ce problème demeurèrent longtemps assez limitées. Cependant, l'utilisation à grande échelle du tétraéthylplomb, $Pb(C_2H_5)_4$, comme produit antidétonant dans l'essence, a contribué à augmenter la teneur en plomb de l'environnement depuis les années 1930. L'inquiétude en ce qui concerne l'influence de cette pollution par le plomb a amené le gouvernement du Canada à interdire l'utilisation du plomb dans l'essence et son remplacement par d'autres agents antidétonants. L'industrie qui consomme le plus de plomb (environ 1,3 million de tonnes par année) est celle de la fabrication d'électrodes pour les batteries d'accumulateurs au plomb des voitures.

Le tableau 9.13 présente quelques-unes des réactions importantes des éléments du groupe 4A.

TABLEAU 9.13 Quelques réactions des éléments du groupe 4A

Réaction	Commentaire
$M + 2X_2 \rightarrow MX_4$	X_2 = molécule d'halogène quelconque M = Ge ou Sn ; Pb produit PbX_2.
$M + O_2 \rightarrow MO_2$	M = Ge ou Sn ; températures élevées ; Pb produit PbO ou Pb_3O_4.
$M + 2H^+ \rightarrow M^{2+} + H_2$	M = Sn ou Pb

IMPACT

Beethoven : l'histoire d'une boucle de cheveux

Ludwig van Beethoven, peut-être le plus grand compositeur de tous les temps, a vécu une vie marquée par la maladie, la surdité et les troubles de personnalité. Aujourd'hui, nous connaissons la source de ces difficultés : le saturnisme ou l'intoxication par le plomb. Les scientifiques sont récemment arrivés à cette conclusion grâce à l'analyse de la chevelure de Beethoven. À sa mort, en 1827 à l'âge de 56 ans, de nombreux parents et amis ont coupé des boucles de cheveux du grand homme. En fait, on racontait à cette époque qu'il était presque chauve au moment de son inhumation. Les cheveux récemment analysés étaient composés de 582 mèches (de 8 à 15 centimètres de longueur) ; c'est en 1994 que ces mèches étaient vendues 7300 $ (en devises américaines) aux enchères chez Sotheby's, à Londres, pour le Center of Beethoven Studies.

Selon William Walsh du Health Research Institute (HRI) en banlieue de Chicago, les cheveux de Beethoven présentaient une concentration en plomb 100 fois supérieure à la normale. Les scientifiques ont conclu que l'exposition de Beethoven au plomb est survenue à l'âge adulte, probablement à cause de l'eau minérale qu'il buvait et dans laquelle il se baignait lors de ses visites dans des stations thermales.

Beethoven : portrait de Josef Karl Stieler.

L'intoxication par le plomb pourrait très bien expliquer le tempérament fougueux de Beethoven (le compositeur était sujet à des colères noires et il avait parfois l'allure d'un animal sauvage). On ne rapporte que de rares cas où l'intoxication par le plomb provoque la surdité, mais les chercheurs restent incertains quant à savoir s'il n'y a pas un lien avec la perte de l'ouïe chez Beethoven.

Walsh affirme que les scientifiques du HRI ont d'abord cherché dans la chevelure de Beethoven la présence de mercure, un traitement courant de la syphilis au début du XIXe siècle. L'absence de mercure appuie le consensus des spécialistes selon lequel Beethoven n'était pas atteint de cette maladie. Comme on peut s'y attendre, Beethoven lui-même a voulu savoir ce qui le rendait si malade. Dans une lettre à ses frères écrite en 1802, il les prie de demander aux médecins de trouver, après sa mort, la cause de ses fréquentes douleurs abdominales.

Mots clés

Section 9.1
éléments non transitionnels
métaux de transition
lanthanides
actinides
métalloïdes (semi-métaux)
métallurgie
liquéfaction

Section 9.2
métaux alcalins
superoxyde

Section 9.3
hydrure
hydrure ionique
hydrure covalent
hydrure métallique (d'insertion)

Section 9.4
métaux alcalino-terreux
eau dure
échange d'ions
résine échangeuse d'ions

Section 9.5
boranes

Synthèse

Éléments non transitionnels

- Les propriétés chimiques des éléments non transitionnels sont déterminées par leurs électrons de valence *s* et *p*.
- Le caractère métallique augmente à mesure que l'on descend dans le groupe.
- On retrouve d'importantes différences entre les propriétés du premier élément du groupe et celles des autres, à cause de la différence de taille entre leurs atomes.
  - Dans le groupe 1A, l'hydrogène est un non-métal et les autres membres du groupe sont des métaux actifs.
  - Le premier élément d'un groupe forme les liaisons π les plus fortes ; c'est pourquoi l'azote et l'oxygène existent sous forme de molécules N_2 et O_2.

Abondance des éléments sur Terre

- L'élément le plus abondant est l'oxygène, suivi du silicium.
- Les métaux les plus abondants sont l'aluminium et le fer, qu'on retrouve dans des minerais.

Éléments du groupe 1A (métaux alcalins)

- La configuration des électrons de valence est ns^1.
- Ils cèdent facilement un électron pour former des ions M^+ (sauf l'hydrogène, qui est un non-métal).
- Ils réagissent fortement avec l'eau pour former des ions M^+ et OH^-, ainsi que de l'hydrogène gazeux.
- Ils forment une série d'oxydes de formules générales M_2O (oxyde), M_2O_2 (peroxyde) et MO_2 (superoxyde).
  - Tous les métaux ne forment pas des oxydes de tous les types.
- L'hydrogène peut former des composés covalents avec d'autres non-métaux.
- Avec des métaux très actifs, l'hydrogène forme des hydrures qui contiennent l'ion hydrure, H^-.

Éléments du groupe 2A (métaux alcalino-terreux)

- Configuration des électrons de valence : ns^2.
- Ils réagissent moins violemment avec l'eau que ne le font les métaux alcalins.
- Les métaux alcalino-terreux plus lourds forment des nitrures et des hydrures.
- L'eau dure contient des ions Ca^{2+} et Mg^{2+}.
  - Ces ions forment des précipités avec le savon.
  - On peut les éliminer par l'utilisation de résines échangeuses d'ions qui les remplacent par des ions Na^+.

Éléments du groupe 3A

- Configuration des électrons de valence : ns^2np^1.
- Ils présentent un caractère métallique accru au fur et à mesure qu'on progresse dans le groupe.
- Le bore est un non-métal qui forme de nombreux types de composés covalents, dont les boranes qui sont très pauvres en électrons et, par conséquent, très réactifs.
- L'aluminium, un métal, possède quelques caractéristiques covalentes, comme le gallium et l'indium.

Éléments du groupe 4A

- Configuration des électrons de valence : ns^2np^2.
- Les membres les plus légers sont des non-métaux ; les membres les plus lourds sont des métaux.
  - Tous les éléments du groupe peuvent former des liaisons covalentes avec les non-métaux.
- Le carbone forme une énorme variété de composés dont la plupart sont classés comme composés organiques.

QUESTIONS DE RÉVISION

1. Quels sont les deux éléments les plus abondants en masse dans la croûte terrestre, dans les océans et dans l'atmosphère ? Est-ce que cela a du sens ? Pourquoi ? Quels sont les quatre éléments les plus abondants en masse dans le corps humain ? Est-ce que cela a du sens ? Pourquoi ?
2. Quelle preuve justifie la présence de l'hydrogène dans le groupe 1A ? Dans certains tableaux périodiques, l'hydrogène est isolé. En quoi l'hydrogène diffère-t-il d'un élément type du groupe 1A ?
3. Quelle est la configuration des électrons de valence des métaux alcalins ? Dressez la liste de quelques propriétés communes des métaux alcalins. Comment prépare-t-on les métaux alcalins ? Il peut être difficile de prédire les formules des composés formés quand un métal alcalin réagit avec l'oxygène. Pourquoi ? Quelle est la différence entre un oxyde, un peroxyde et un superoxyde ? Décrivez comment le superoxyde de potassium est utilisé dans un respirateur autonome. Prédisez les formules des composés formés quand un métal alcalin réagit avec F_2, S, N_2, H_2 et H_2O.
4. Donnez deux utilisations industrielles importantes de l'hydrogène. Nommez les trois types d'hydrures. En quoi diffèrent-ils ?
5. Quelle est la configuration électronique des métaux alcalino-terreux ? Dressez la liste de quelques propriétés des métaux alcalino-terreux. Comment prépare-t-on les métaux alcalino-terreux ? Quels ions trouve-t-on dans l'eau dure ? Que se passe-t-il quand l'eau est « adoucie » ?
6. Prédisez les formules des composés formés quand un métal alcalino-terreux réagit avec F_2, O_2, S, N_2, H_2 et H_2O.
7. Quelle est la configuration des électrons de valence des éléments du groupe 3A ? Comment le caractère métallique varie-t-il à mesure que l'on descend dans le groupe ? Qu'est-ce qui différencie le bore de l'aluminium ? Al_2O_3 est amphotère. Qu'est-ce que cela signifie ?
8. Prédisez les formules des composés formés quand l'aluminium réagit avec F_2, O_2, S et N_2.
9. Quelle est la configuration électronique des électrons de valence des éléments du groupe 4A ? Le groupe 4A renferme deux des éléments les plus importants sur Terre. Quels sont ces éléments, et pourquoi sont-ils si importants ? Comment le caractère métallique varie-t-il à mesure que l'on descend dans le groupe 4A ? Pourquoi les principales caractéristiques chimiques du carbone reposent-elles sur les liaisons C—C, et celles du silicium, sur les liaisons Si—O ? Quelles sont les deux formes allotropiques du carbone ?
10. Dressez la liste de quelques propriétés du germanium, de l'étain et du plomb. Prédisez les formules des composés formés quand Ge réagit avec F_2 et O_2.

Questions et exercices

Une question ou un exercice précédés d'un numéro en bleu indique que la réponse se trouve à la fin de ce livre.

Questions

1. Même si la Terre a été formée à partir de la même matière interstellaire que le Soleil, on retrouve peu d'hydrogène dans l'atmosphère terrestre. Comment peut-on expliquer ce phénomène ?
2. Plusieurs sels de lithium sont hygroscopiques (absorbent l'humidité de l'air), alors que les sels des autres alcalins ne le sont pas. Expliquez.
3. Pourquoi le graphite est-il un si bon lubrifiant ? Pourquoi est-il supérieur aux lubrifiants à base de graisse ou d'huile ?
4. Énumérez quelques différences structurales entre le quartz et le SiO_2 amorphe.
5. Quel type de semi-conducteur fabrique-t-on quand un élément du groupe 3A est contaminé par du Si ou du Ge ?
6. Dans le tableau périodique, il existe des relations entre les éléments placés à la verticale et ceux placés en diagonale. Par exemple, Be et Al partagent certaines propriétés, tout comme B et Si. Expliquez pourquoi ces éléments partagent les mêmes propriétés en ce qui concerne la taille, l'énergie d'ionisation et l'affinité électronique.
7. La taille d'un atome semble jouer un rôle important dans l'explication de certaines différences entre le premier élément d'un groupe et les autres éléments du même groupe. Expliquez.
8. Dans la plupart des composés, l'état solide est plus dense que l'état liquide. Pourquoi cela n'est-il pas vrai dans le cas de l'eau ?

Exercices

Dans la présente section, les exercices similaires sont regroupés.

Éléments du groupe 1A

9. Nommez chacun des composés suivants.
   a) Li_2O b) KO_2 c) Na_2O_2

10. Écrivez les formules de chacun des composés suivants.
    a) Nitrure de lithium.
    b) Carbonate de potassium.
    c) Hydroxyde de rubidium.
    d) Hydrure de sodium.

11. Complétez et équilibrez les réactions ci-dessous.
    a) $Li_3N(s) + HCl(aq) \longrightarrow$
    b) $Rb_2O(s) + H_2O(l) \longrightarrow$
    c) $Cs_2O_2(s) + H_2O(l) \longrightarrow$
    d) $NaH(s) + H_2O(l) \longrightarrow$

12. Écrivez l'équation équilibrée de la réaction du potassium métallique avec chacun des produits suivants : O_2, S_8, P_4, H_2 et H_2O.

13. Le lithium réagit avec l'acétylène, HC≡CH, dans un milieu composé d'ammoniac liquide, pour produire de l'acétylure de lithium LiC≡CH et de l'hydrogène. Écrivez l'équation équilibrée de cette réaction. De quel type de réaction s'agit-il ?

14. L'électrolyse du chlorure de sodium aqueux (saumure) est un procédé industriel important pour la production du chlore et de l'hydroxyde de sodium. En fait, ce procédé est le deuxième plus grand consommateur d'électricité aux États-Unis, après la production de l'aluminium. Écrivez l'équation équilibrée de l'électrolyse du chlorure de sodium aqueux (l'hydrogène gazeux est également produit).

Éléments du groupe 2A

15. Nommez chacun des composés suivants.
    a) $MgCO_3$ b) $BaSO_4$ c) $Sr(OH)_2$

16. Écrivez les formules des composés suivants.
    a) Nitrure de calcium.
    b) Chlorure de béryllium.
    c) Hydrure de baryum.

17. Un des effets néfastes des pluies acides est la détérioration des structures et des monuments construits en marbre ou en calcaire, qui sont essentiellement tous les deux du carbonate de calcium. La réaction du carbonate de calcium avec l'acide sulfurique donne du dioxyde de carbone, de l'eau et du sulfate de calcium. Étant donné que le sulfate de calcium est légèrement soluble dans l'eau, une partie de la matière part avec la pluie. Écrivez l'équation équilibrée de la réaction de l'acide sulfurique avec le carbonate de calcium.

18. Écrivez les équations équilibrées des réactions du Ca avec chacun des composés suivants : O_2, S_8, P_4, H_2 et H_2O.

19. Prédisez la structure de BeF_2 en phase gazeuse. Quelle structure prédiriez-vous pour $BeF_2(s)$?

20. La réaction de $BeCl_2$ avec un excès d'ammoniac formera-t-elle $BeCl_2NH_3$ ou un autre composé ? Fournissez les diagrammes de Lewis des autres produits susceptibles de se former.

Éléments du groupe 3A

21. Écrivez les formules pour chacun des composés suivants.
    a) Nitrure d'aluminium.
    b) Fluorure de gallium.
    c) Sulfure de gallium.

22. Quand le thallium et l'indium forment des composés, ils possèdent les états d'oxydation +1 et +3. Prédisez les formules des composés possibles entre le thallium et l'oxygène et entre l'indium et le chlore. Nommez ces composés.

23. À un certain moment, on a envisagé d'utiliser les hydrures de bore comme combustible pour les fusées. Complétez et équilibrez la réaction ci-dessous.

$$B_2H_6 + O_2 \longrightarrow B(OH)_3$$

24. On obtient du bore élémentaire et de l'oxyde de magnésium par réduction de l'oxyde de bore par le magnésium. Écrivez l'équation équilibrée de cette réaction.

25. Écrivez les équations décrivant les réactions de Ga avec chacun des produits suivants : F_2, O_2, S_8, N_2 et HCl.

26. Écrivez les diagrammes de Lewis relatifs à CF_4, GeF_4 et GeF_6^{2-}. Prédisez la structure moléculaire (incluant les angles de liaison), et donnez l'hybridation prévue de l'atome central dans ces substances. Expliquez pourquoi CF_6^{2-} ne se forme pas.

Éléments du groupe 4A

27. Le carbone et le soufre forment des composés répondant aux formules suivantes : CS_2 et C_3S_2. Écrivez les diagrammes de Lewis et prévoyez les formes de ces deux composés.

28. On produit le silicium pour les industries chimique et électronique selon les réactions suivantes. Écrivez les équations équilibrées pour chacune des réactions.
    a) $SiO_2(s) + C(s) \longrightarrow Si(s) + CO(g)$
    b) Le tétrachlorure de silicium réagit avec du magnésium très pur pour donner du silicium et du chlorure de magnésium.
    c) $Na_2SiF_6(s) + Na(s) \longrightarrow Si(s) + NaF(s)$

29. Écrivez les équations décrivant les réactions de Sn avec chacun des composés suivants : Cl_2, O_2 et HCl.

30. Quand il forme des composés, l'étain possède les états d'oxydation +2 et +4. Par conséquent, quand l'étain réagit avec le fluor, deux produits sont possibles. Écrivez les équations équilibrées pour la production de ces deux halogénures d'étain et nommez-les.

31. La résistivité (mesure de la résistance électrique) du graphite est de $(0,4 - 5,0) \times 10^{-4}$ ohm · cm dans une couche plane. (La couche plane est la lamelle constituée d'anneaux de six atomes de carbone.) Dans l'axe perpendiculaire à ce plan, la résistivité est de 0,2 à 1,0 ohm · cm. La résistivité du diamant (10^{14} à 10^{16} ohm · cm) est indépendante de la direction. Comment peut-on expliquer cette différence en termes de structures du graphite et du diamant ?

32. Le carbure de silicium, SiC, est une substance excessivement dure. Proposez une structure pour le SiC.

Exercices supplémentaires

33. Un morceau de sodium métallique pesant 0,250 g est placé avec précaution dans un mélange de 50,0 g d'eau et de 50,0 g de glace, les deux substances à 0 °C. La réaction est :

$$2Na(s) + 2H_2O(l) \longrightarrow 2NaOH(aq) + H_2(g) \quad \Delta H = -368 \text{ kJ}$$

Est-ce que la glace va fondre ? En supposant que le mélange final a une chaleur spécifique de 4,18 J/g · C, calculez la température finale. L'enthalpie de fusion de la glace est de 6,02 kJ/mol.

34. Au XIXe siècle, une des controverses en chimie concernait le béryllium élémentaire, Be. Berzelius a d'abord affirmé que le béryllium était un élément trivalent (formant des ions Be^{3+}) et qu'il donnait un oxyde de formule Be_2O_3. Il en résultait une masse atomique calculée du béryllium de 13,5. En élaborant son tableau périodique, Mendeleïev propose que le béryllium soit divalent (formant des ions Be^{2+}) et qu'il donne un oxyde de formule BeO. Cette hypothèse entraîne une masse atomique de 9,0. En 1894, A. Combes (*Comptes rendus*, 1894, p. 1221) fait réagir le béryllium avec l'anion $C_5H_7O_2^-$ et mesure la masse volumique du produit gazeux. Les résultats de Combes de deux expériences différentes sont les suivants :

	I	II
masse	0,2022 g	0,2224 g
volume	22,6 cm^3	26,0 cm^3
température	13 °C	17 °C
pression	765,2 mm Hg	764,6 mm Hg

Si le béryllium est un métal divalent, la formule moléculaire du produit sera $Be(C_5H_7O_2)_2$; s'il est trivalent, la formule sera $Be(C_5H_7O_2)_3$. Montrez comment les résultats de Combes permettent de confirmer que le béryllium est un métal divalent.

35. La borazine, $B_3N_3H_6$, a souvent été appelée benzène « inorganique ». Écrivez les diagrammes de Lewis relatifs à la borazine. La borazine est une molécule cyclique composée de trois atomes de bore, de trois atomes d'azote en alternance et de six atomes d'hydrogène liés à chaque atome du cycle.

36. Les trois oxydes du carbone les plus stables sont le monoxyde de carbone, CO, le dioxyde de carbone, CO_2 et le sous-oxyde de carbone, C_3O_2. Les modèles compacts de ces trois composés sont :

Pour chaque oxyde, dessinez le diagramme de Lewis, prédisez la structure moléculaire et décrivez les liaisons (au moyen des orbitales hybrides des atomes de carbone).

37. La lumière jaune clair émise par une lampe à vapeur de sodium révèle la présence dans un spectre d'émission de deux raies à 589,0 et à 589,6 nm. Quelles sont la fréquence et l'énergie d'un photon de lumière à chacune de ces longueurs d'onde ? Quelles sont les énergies en kJ/mol ?

38. Le phénomène du doublet inerte est parfois utilisé pour expliquer la tendance des éléments les plus lourds du groupe 3A à présenter les états d'oxydation +1 et +3. À quoi fait référence le phénomène du doublet inerte ? *Élément de réponse :* Prendre en considération la configuration des électrons de valence des éléments du groupe 3A.

39. L'aluminate tricalcique est un constituant important du ciment Portland. Par unité de masse, il contient 44,4 % de calcium et 20,0 % d'aluminium, le reste étant de l'oxygène.

a) Déterminez la formule empirique de l'aluminate tricalcique.

b) Avant 1975, on ignorait tout de la structure de l'aluminate tricalcique. La structure de l'anion $Al_6O_{18}^{18-}$ est la suivante :

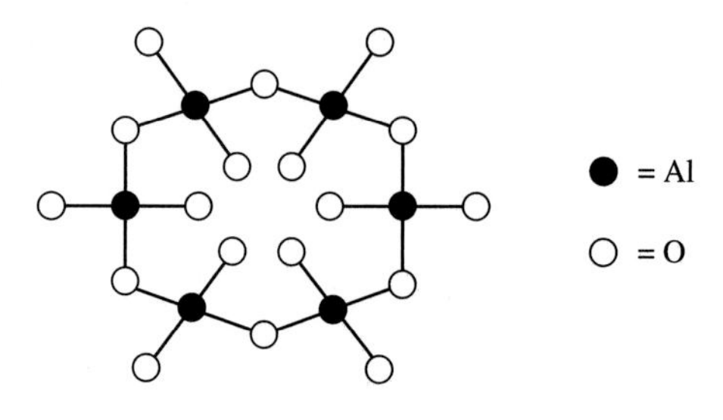

Quelle est la formule moléculaire de l'aluminate tricalcique ?

c) Comment peut-on décrire la liaison dans l'anion $Al_6O_{18}^{18-}$?

40. Quelle est la proportion des ions plomb(II) et des ions plomb(IV) dans le minium, Pb_3O_4 ?

41. L'hydrogénoarséniate de plomb, un insecticide inorganique utilisé contre le doryphore de la pomme de terre, est produit selon la réaction suivante :

$$Pb(NO_3)_2(aq) + H_3AsO_4(aq) \longrightarrow PbHAsO_4(s) + HNO_3(aq)$$

Équilibrez cette équation.

Problèmes défis

42. L'arséniure de gallium, GaAs, a acquis une utilisation répandue dans les dispositifs à semi-conducteurs qui convertissent la lumière et les signaux électriques dans les systèmes de communication à fibres optiques. Le gallium se compose de 60 % de ^{69}Ga et de 40 % de ^{71}Ga. L'arsenic ne possède qu'un seul isotope naturel, ^{75}As. L'arséniure de gallium est un polymère, mais son spectre de masse présente des fragments de formules GaAs et Ga_2As_2. Quelle serait l'allure de la distribution des pics pour ces deux fragments ?

43. Une des raisons avancées pour expliquer l'instabilité de longues chaînes d'atomes de silicium est que la décomposition fait intervenir l'état de transition illustré ci-dessous :

$$H_3Si{-}SiH_3 \longrightarrow \left\{ H{-}\underset{H}{\overset{H}{Si}} \cdots \underset{H}{\overset{H}{Si}}: \right\} \longrightarrow SiH_4 + :SiH_2$$

L'énergie d'activation d'un tel processus est de 210 kJ/mol, ce qui est inférieur aussi bien à l'énergie de Si—Si qu'à celle de Si—H. Pourquoi ne peut-on pas prévoir qu'un mécanisme semblable soit très important dans la décomposition de longues chaînes de carbone ?

44. Compte tenu des données fournies dans le présent chapitre sur la stabilité thermique de l'étain blanc et de l'étain gris, laquelle de ces deux formes aurait une structure plus ordonnée ?

45. Le plomb forme des composés dans lesquels il possède les états d'oxydation +2 et +4. Tous les halogénures de plomb(II) sont connus (et on sait qu'ils sont ioniques). On ne connaît que PbF_4 et $PbCl_4$ parmi les halogénures de plomb(IV) possibles. Le plomb(IV) oxyde probablement les ions brome et les ions iode, produisant l'halogénure de plomb(II) et l'halogène libre :

$$PbX_4 \longrightarrow PbX_2 + X_2$$

Supposez que 25,00 g d'un halogénure de plomb(IV) réagisse pour former 16,12 g d'un halogénure de plomb(II) et l'halogène libre. Identifiez l'halogène.

Problèmes d'intégration

Ces problèmes requièrent l'intégration d'une multitude de concepts pour trouver la solution.

46. L'élément le plus lourd des métaux alcalino-terreux est le radium, Ra, un élément radioactif naturel découvert par Pierre et Marie Curie, en 1898. Le radium a été isolé pour la première fois à partir d'un minerai d'uranium, la pechblende, dans lequel il n'est présent qu'à environ 1,0 g par 7,0 tonnes métriques de pechblende. Combien d'atomes de radium peut-on isoler à partir de $1,75 \times 10^8$ g de pechblende (1 tonne métrique = 1000 kg) ? Un des premiers usages du radium a été de servir comme additif dans la peinture des aiguilles des montres qui, recouvertes de cette peinture, pouvaient luire dans l'obscurité. L'isotope du radium ayant la plus longue durée de vie a une demi-vie de $1,60 \times 10^3$ années. Si une montre ancienne, fabriquée en 1925, contient 15,0 mg de radium, combien d'atomes de radium restera-t-il en 2025 ?

47. Le phosphure d'indium(III) est un matériau semi-conducteur qui a fréquemment été utilisé dans les lasers, les diodes électroluminescentes (DEL) et les dispositifs à fibres optiques. On peut synthétiser ce matériau à 900 K conformément à la réaction suivante :

$$In(CH_3)_3(g) + PH_3(g) \longrightarrow InP(s) + 3CH_4(g)$$

a) Si on fait réagir 2,56 L de $In(CH_3)_3$ à 2,00 atm avec 1,38 L de PH_3 à 3,00 atm, quelle masse de $InP(s)$ sera produite, en supposant que la réaction soit efficace à 87 % ?

b) Quand un courant électrique traverse un dispositif opto-électronique contenant InP, la lumière émise a une énergie de $2,03 \times 10^{-19}$ J. Quelle est la longueur d'onde de cette lumière et est-elle visible à l'œil nu ?

c) Les propriétés de semi-conducteur de InP peuvent être modifiées par dopage. Si un petit nombre d'atomes de phosphore sont remplacés par des atomes dont la configuration électronique est $[Kr]5s^2 4d^{10} 5p^4$, est-ce qu'il s'agit de dopage de type *n* ou de type *p* ?

48. La chimie du fluorure d'étain(II) est particulièrement complexe et présente une vaste gamme de réactivités. Par exemple, dans des solutions aqueuses de fluorure d'étain(II) contenant du fluorure de sodium, l'espèce prédominante est SnF_3^-.

a) Quelle est la géométrie moléculaire du SnF_3^- et quelle est l'hybridation de l'atome d'étain ?

b) Quand le fluorure d'étain(II) cristallise dans des solutions aqueuses contenant du fluorure de sodium, l'un des produits est un agrégat polymérique, $Na_4Sn_3F_{10}$. Écrivez une réaction chimique équilibrée de la formation de $Na_4Sn_3F_{10}$ à partir du fluorure d'étain(II) et de NaF.

c) En supposant que la conversion soit complète, quelle masse de $Na_4Sn_3F_{10}$ peut-on préparer en mélangeant 15,5 mL de fluorure d'étain(II) à 1,48 mol/L avec 35,0 mL de NaF à 1,25 mol/L ?

Problème de synthèse

Ce problème fait appel à plusieurs concepts et techniques de résolution de problèmes. Les problèmes de synthèse peuvent être utilisés en classe par des groupes d'étudiants pour leur faciliter l'acquisition des habiletés nécessaires à la résolution de problèmes.

49. Remplissez les espaces vides à l'aide des symboles des éléments, qui sont les réponses aux sept questions mentionnées ci-dessous. La réponse est le nom d'un célèbre scientifique américain. Celui-ci est mieux connu comme physicien que comme chimiste. De plus, à Philadelphie, à l'institut qui porte son nom, il s'y fait également des recherches en biochimie.

__ __ __   __ __ __ __ __ __ __ __

(1) (2) (3) (4) (5) (6) (7)

1. L'oxyde de ce métal est amphotère.
2. Chose peut-être surprenante pour vous, le sodium forme avec cet élément un composé binaire de formule NaX_3, utilisé dans les sacs gonflables.
3. Ce métal alcalin est radioactif.
4. Ce métal alcalin possède le potentiel de réduction standard le plus négatif. Écrivez son symbole en inversant les lettres.
5. La potasse est un oxyde de ce métal alcalin.
6. C'est le seul métal alcalin qui réagit directement avec l'azote pour former un composé binaire de formule M_3N.
7. Cet élément est le premier du groupe 3A à posséder le nombre d'oxydation +1. N'utilisez que la deuxième lettre de son symbole.

10 Éléments non transitionnels : groupes 5A à 8A

Contenu

La sarracénie pourpre, une plante carnivore, capture et digère des insectes afin d'utiliser l'azote qu'ils contiennent.

Nous avons vu au chapitre 9 que la ressemblance qui existe entre les propriétés chimiques des éléments d'un même groupe est due à la similitude de configuration de leurs électrons de valence. Dans un groupe donné, le caractère métallique augmente avec le numéro atomique, étant donné que les électrons sont de plus en plus éloignés du noyau. Le changement le plus notable, qui a lieu entre le premier et le deuxième élément du groupe, découle principalement de l'importante augmentation de la taille des atomes entre les éléments de ces groupes.

Au fur et à mesure qu'on progresse dans une période, on passe de métaux réactifs (donneurs d'électrons) à de puissants non-métaux (accepteurs d'électrons). Il n'est donc pas surprenant de constater que les éléments des groupes intermédiaires sont dotés des propriétés chimiques les plus variées : ainsi, certains éléments se comportent surtout comme des métaux, d'autres, comme des non-métaux, d'autres encore, à la fois comme des métaux et comme des non-métaux. Les éléments des groupes 5A et 6A, qui sont dotés d'une vaste gamme de propriétés chimiques, forment des composés très utiles. Les halogènes (groupe 7A) sont des non-métaux qu'on retrouve dans de nombreux composés d'usage courant comme l'eau de Javel, les pellicules photographiques et les lunettes solaires « automatiques ». On utilise surtout les éléments du groupe 8A (les gaz rares) sous leur forme élémentaire. On sait depuis 25 ans seulement que ces éléments peuvent former des composés : cette propriété a permis d'étayer de façon importante les théories relatives à la liaison chimique.

Dans ce chapitre, nous proposons une vue d'ensemble des éléments des groupes 5A, 6A, 7A et 8A, en nous attachant à l'étude des éléments les plus importants de ces groupes : azote, phosphore, oxygène, soufre et halogènes.

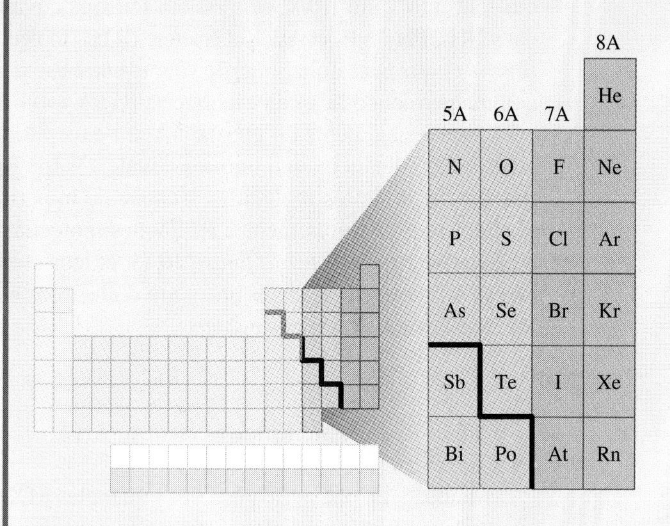

10.1 Éléments du groupe 5A

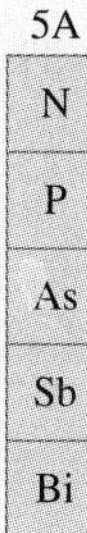

Les éléments du groupe 5A (configuration des électrons de valence : ns^2np^3) ont des propriétés chimiques très variées. Le tableau 10.1 présente leurs modes de préparation. Comme pour les autres groupes, on constate que le caractère métallique de ces éléments augmente avec le numéro atomique, ce que reflète la valeur de leur électronégativité (*voir le tableau 10.1*). Les non-métaux *azote* et *phosphore* peuvent accepter trois électrons pour former, avec des métaux réactifs, des anions trivalents dans des sels, comme le nitrure de magnésium, Mg_3N_2, et le phosphure de béryllium, Be_3P_2. (Nous traiterons plus loin des propriétés de ces deux éléments importants.)

TABLEAU 10.1 Électronégativité, sources et modes de préparation des éléments du groupe 5A

Élément	Électro-négativité	Source	Mode de préparation
azote	3,0	air	liquéfaction de l'air
phosphore	2,1	minerai phosphaté, ($Ca_3(PO_4)_2$)	$2Ca_3(PO_4)_2 + 6SiO_2 \rightarrow 6CaSiO_3 + P_4O_{10}$
		fluorapatite, ($Ca_5(PO_4)_3F$)	$P_4O_{10} + 10C \rightarrow 4P + 10CO$
arsenic	2,0	pyrite arsénifère, (Fe_3As_2, FeS)	chauffage de la pyrite arsénifère en l'absence d'air
antimoine	1,9	stibine, (Sb_2S_3)	grillage de Sb_2S_3 à l'air, puis réduction par le carbone du Sb_2O_3 formé
bismuth	1,9	bismuthocre, (Bi_2O_3), bismuthine, (Bi_2S_3)	grillage de Bi_2S_3 à l'air, puis réduction par le carbone du Bi_2O_3 formé

Le *bismuth* et l'*antimoine* ont un caractère plutôt métallique : ils cèdent facilement leurs électrons pour former des cations. Ces éléments possèdent tous cinq électrons de valence ; cependant, l'arrachement de tous ces électrons exige une telle quantité d'énergie qu'il n'existe aucun composé ionique qui contienne des ions Bi^{5+} ou Sb^{5+}. On connaît toutefois trois pentahalogénures (BiF_5, $SbCl_5$ et SbF_5), mais ce sont des composés moléculaires plutôt que des composés ioniques.

Les éléments du groupe 5A peuvent également former des molécules ou des ions qui font intervenir trois, cinq ou six liaisons covalentes. On retrouve ainsi trois liaisons dans NH_3, PH_3, NF_3 et $AsCl_3$. Chacune de ces molécules, qui possède un doublet d'électrons libre – et qui peut donc jouer le rôle d'une base de Lewis –, a une structure pyramidale, comme permet de le prédire la théorie RPEV (*voir la figure 10.1*).

Tous les éléments du groupe 5A, à l'exception de l'azote, peuvent former des molécules qui contiennent cinq liaisons covalentes (de formule générale MX_5). L'azote ne peut pas former de telles molécules à cause de la petite taille de son atome et de l'absence d'orbitales *d*. Selon la théorie RPEV, les molécules MX_5 ont une structure bipyramidale à base triangulaire (*voir la figure 10.1*), et leur atome central est hybridé sp^3d. Les molécules MX_5 peuvent accepter une paire d'électrons supplémentaire pour former des espèces ioniques à six liaisons covalentes.

$$PF_5 + F^- \longrightarrow PF_6^-$$

où l'anion PF_6^- est de forme octaédrique (*voir la figure 10.1*) et l'atome de phosphore, hybridé sp^3d^2.

Même si, en phase gazeuse, les molécules MX_5 ont une structure bipyramidale à base triangulaire, plusieurs de ces composés contiennent, en phase solide, des ions MX_4^+ et MX_6^- (*voir la figure 10.2*) ; le cation MX_4^+ a une structure tétraédrique (l'atome M est hybridé sp^3) et l'anion MX_6^-, une structure octaédrique (l'atome représenté par M est hybridé sp^3d^2). Ainsi, le PCl_5 solide contient des ions PCl_4^+ et PCl_6^-, et le AsF_3Cl_2 solide, des ions $AsCl_4^+$ et AsF_6^-.

La capacité des éléments du groupe 5A de former des liaisons π diminue considérablement après l'azote. C'est pourquoi l'azote existe sous forme de molécules N_2, alors qu'on retrouve les autres éléments de ce groupe sous la forme de molécules polyatomiques qui contiennent des liaisons simples. Par exemple, en phase gazeuse, le phosphore, l'arsenic et l'antimoine existent sous forme de molécules P_4, As_4 et Sb_4, respectivement.

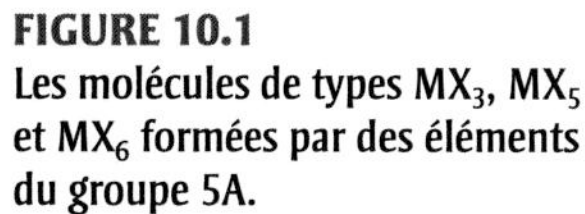

FIGURE 10.1
Les molécules de types MX_3, MX_5 et MX_6 formées par des éléments du groupe 5A.

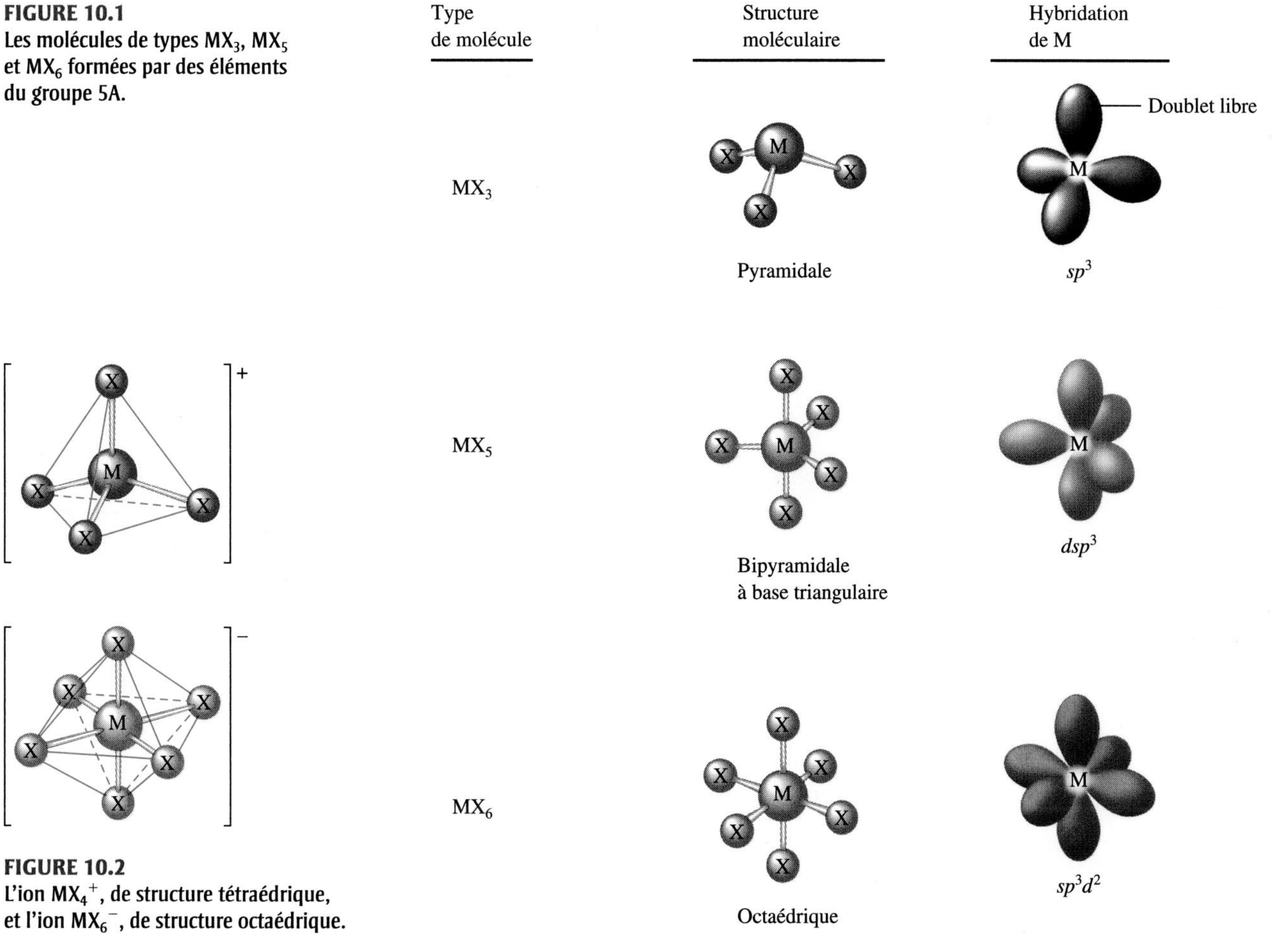

FIGURE 10.2
L'ion MX_4^+, de structure tétraédrique, et l'ion MX_6^-, de structure octaédrique.

10.2 L'azote et ses composés

À la surface de la Terre, on retrouve la quasi-totalité de l'azote élémentaire sous forme de N_2 moléculaire, composé qui possède une liaison triple très forte (941 kJ/mol). La force de cette liaison confère à la molécule N_2 une réactivité si faible qu'elle peut coexister, dans des conditions normales, avec la plupart des autres éléments sans réagir de façon notable. Cette propriété fait de l'azote gazeux un milieu très utile lorsqu'on veut effectuer des expériences faisant intervenir des substances qui réagissent avec l'oxygène ou l'humidité. Dans ces cas, on travaille dans une enceinte (*voir la figure 10.3*) dans laquelle l'atmosphère est constituée d'azote.

La force de la liaison triple dans la molécule N_2 est importante, tant sur le plan thermodynamique que cinétique. La grande stabilité thermodynamique de la liaison $N{\equiv}N$ indique que la décomposition de la plupart des composés azotés est exothermique.

$$N_2O(g) \longrightarrow N_2(g) + \tfrac{1}{2}O_2(g) \qquad \Delta H^\circ = -82\ \text{kJ}$$
$$NO(g) \longrightarrow \tfrac{1}{2}N_2(g) + \tfrac{1}{2}O_2(g) \qquad \Delta H^\circ = -90\ \text{kJ}$$
$$NO_2(g) \longrightarrow \tfrac{1}{2}N_2(g) + O_2(g) \qquad \Delta H^\circ = -34\ \text{kJ}$$
$$N_2H_4(g) \longrightarrow N_2(g) + 2H_2(g) \qquad \Delta H^\circ = -95\ \text{kJ}$$
$$NH_3(g) \longrightarrow \tfrac{1}{2}N_2(g) + \tfrac{3}{2}H_2(g) \qquad \Delta H^\circ = +46\ \text{kJ}$$

Parmi ces composés, seul l'ammoniac possède une plus grande stabilité thermodynamique que ses éléments constitutifs. Autrement dit, la réaction de décomposition de l'ammoniac est la seule à exiger un apport d'énergie (réaction endothermique : ΔH° positif). Dans le cas des autres composés, les réactions de décomposition entraînent une libération d'énergie, ce qui est dû à la stabilité de N_2.

Au Center for Disease Control and Prevention, à Atlanta, en Georgie, un assistant de laboratoire vérifie des échantillons conservés dans un réservoir d'azote liquide.

La stabilité thermodynamique de N_2 prend toute son importance lorsqu'on considère la puissance des explosifs azotés, comme la nitroglycérine, $C_3H_5N_3O_9$, dont la structure est la suivante :

La décomposition de la nitroglycérine est un processus complexe qui s'effectue en plusieurs étapes. Cette équation ne présente qu'un résumé de la stœchiométrie de la réaction.

```
     H          H          H
     |          |          |
   H—C——————————C——————————C—H
     |          |          |
     O          O          O
     |          |          |
     N          N          N
    / \        / \        / \
   O   O      O   O      O   O
```

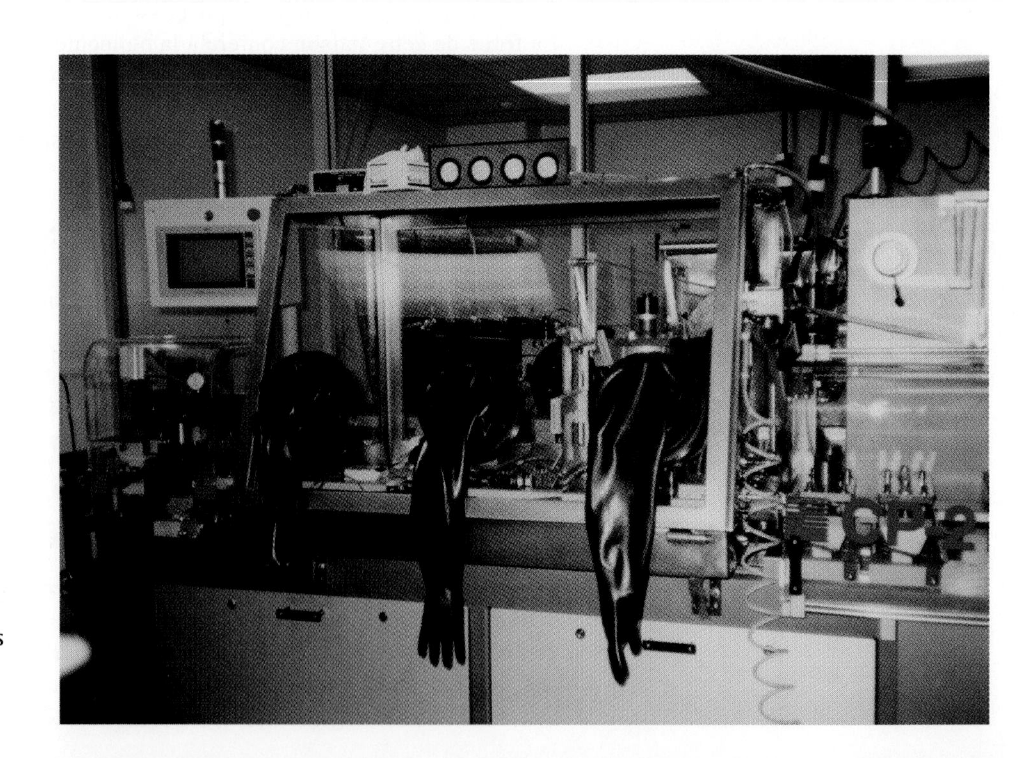

FIGURE 10.3
Enceinte à atmosphère inerte utilisée pour manipuler des substances instables en présence d'oxygène ou d'humidité. On insuffle un gaz inerte, comme l'azote, dans l'enceinte ; pour effectuer une expérience, le manipulateur enfile les gants dont sont pourvues les ouvertures.

Au contact d'une flamme, ou sous l'effet d'un choc, la nitroglycérine se décompose très rapidement en produisant un important volume gazeux : 4 mol de nitroglycérine (environ 0,57 L) produisent 29 mol de gaz (environ 650 L à TPN). Comme cette réaction libère aussi beaucoup d'énergie en raison de la stabilité des produits formés, en particulier N_2, une rapide expansion des gaz en résulte, ce qui provoque une soudaine augmentation de pression et une onde de choc destructrice : c'est l'explosion.

$$4C_3H_5N_3O_9(l) \longrightarrow 6N_2(g) + 12CO_2(g) + 10H_2O(g) + O_2(g) + \text{énergie}$$

La nitroglycérine pure est très dangereuse, car elle explose au moindre choc. Toutefois, en 1867, l'inventeur suédois Alfred Nobel a découvert que si la nitroglycérine est absorbée dans de la silice poreuse, elle peut être manipulée sans risque. Cet explosif très important (*voir la figure 10.4*), qu'il a appelé *dynamite*, lui permit de devenir très riche. L'inventeur a utilisé sa fortune pour créer les divers prix Nobel.

La plupart des explosifs puissants sont des composés organiques qui, comme la nitroglycérine, possèdent des groupes nitro ($—NO_2$), et qui, en se décomposant, produisent entre autres de l'azote. Le *trinitrotoluène* (TNT), solide à la température normale, en est un exemple ; sa réaction de décomposition est la suivante :

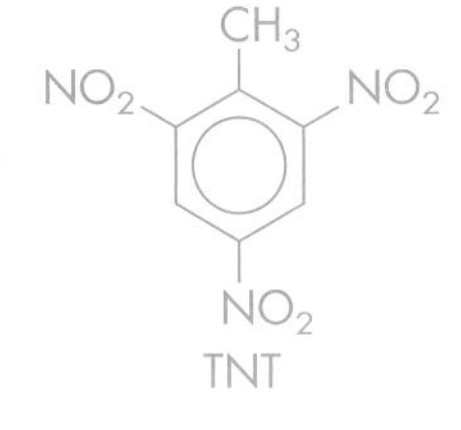

$$2C_7H_5N_3O_6(s) \longrightarrow 12CO(g) + 5H_2(g) + 3N_2(g) + 2C(s) + \text{énergie}$$

À elles seules, 2 moles de TNT solide produisent ainsi 20 moles de gaz, sans compter l'énergie libérée !

Exemple 10.1 Décomposition du NH_4NO_2

Sous l'action de la chaleur, le nitrite d'ammonium est décomposé en azote gazeux et en eau. Calculez le volume de N_2 gazeux produit par la décomposition de 1,00 g de NH_4NO_2 solide, à 250 °C et à 101,3 kPa.

FIGURE 10.4
Démolition d'un édifice grâce à des explosifs chimiques.

Solution

La réaction de décomposition est

$$NH_4NO_2(s) \xrightarrow{\text{Chaleur}} N_2(g) + 2H_2O(g)$$

À partir de la masse molaire du NH_4NO_2 (64,05 g/mol), on calcule d'abord le nombre de moles présentes dans 1,00 g de NH_4NO_2.

$$1{,}00 \text{ g } NH_4NO_2 \times \frac{1 \text{ mol } NH_4NO_2}{64{,}05 \text{ g } NH_4NO_2} = 1{,}56 \times 10^{-2} \text{ mol } NH_4NO_2$$

Étant donné qu'il y a production de 1 mol de N_2 par mole de NH_4NO_2 consommée, il y a formation de $1{,}56 \times 10^{-2}$ mol de N_2. La loi des gaz parfaits permet de calculer le volume d'azote à partir du nombre de moles.

$$PV = nRT$$

où, dans ce cas,

$$P = 101{,}3 \text{ kPa}$$
$$n = 1{,}56 \times 10^{-2} \text{ mol}$$
$$R = 8{,}315 \text{ kPa} \cdot \text{L/K} \cdot \text{mol}$$
$$T = 250 + 273 = 523 \text{ K}$$

Le volume de N_2 est donc

$$V = \frac{nRT}{P} = \frac{(1{,}56 \times 10^{-2} \text{ mol})\left(8{,}315 \frac{\text{kPa} \cdot \text{L}}{\text{K} \cdot \text{mol}}\right)(523 \text{ K})}{101{,}3 \text{ kPa}}$$
$$= 0{,}670 \text{ L}$$

Voir les exercices 10.15 et 10.16

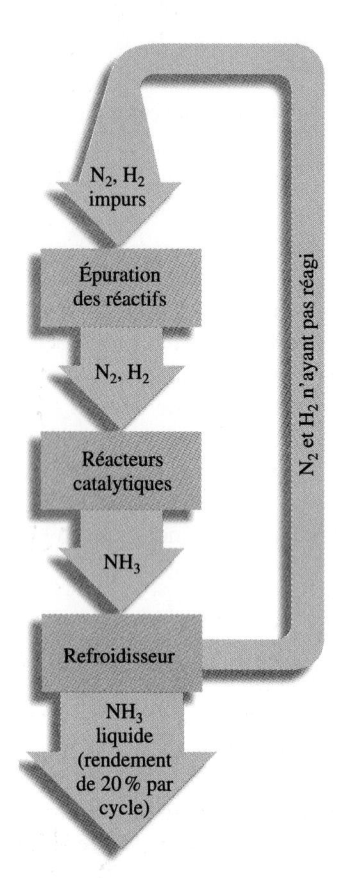

FIGURE 10.5
Étapes de fabrication de l'ammoniac selon le procédé Haber.

La force (ou la stabilité) de la liaison présente dans la molécule N_2 influence la cinétique des réactions qui font intervenir N_2. La synthèse de l'ammoniac à partir de l'azote et de l'hydrogène illustre bien cet effet. À cause de la très grande quantité d'énergie requise pour rompre la liaison N≡N, la vitesse de la réaction de synthèse de l'ammoniac est négligeable à la température ambiante, bien que la constante d'équilibre soit très élevée ($K \approx 10^6$) à 25 °C. Pour favoriser la réaction de synthèse, on est spontanément tenté d'augmenter la température. Cependant, la réaction étant déjà très exothermique,

$$N_2(g) + 3H_2(g) \longrightarrow 2NH_3(g) \qquad \Delta H° = -92 \text{ kJ}$$

la valeur de K diminue de façon significative à la suite d'une augmentation de la température; à 500 °C, par exemple, la valeur de K est d'environ 10^{-2}.

On le constate, dans le cas de cette réaction, la cinétique et la thermodynamique s'opposent. Par conséquent, il faut trouver un compromis en augmentant la pression (pour favoriser la réaction vers la droite) et la température (pour obtenir une vitesse de réaction raisonnable). Le **procédé Haber**, procédé de synthèse de l'ammoniac, illustre ce genre de compromis (*voir la figure 10.5*). Dans ce procédé, la réaction a lieu à une pression d'environ 25 MPa et à une température voisine de 400 °C. Sans la présence d'un catalyseur solide (mélange d'oxyde de fer et d'une faible quantité d'oxyde de potassium et d'oxyde d'aluminium), il faudrait recourir à des températures encore plus élevées.

L'azote, gaz essentiel à la vie, est présent en grande quantité dans l'atmosphère. Cependant, les animaux et les plantes doivent transformer les molécules inertes N_2 en molécules assimilables; on appelle ce processus de transformation **fixation de l'azote**. Le procédé Haber en est un exemple: en effet, on utilise l'ammoniac produit grâce à ce procédé comme engrais, étant donné que les plantes peuvent utiliser l'azote de l'ammoniac pour synthétiser les molécules biologiques azotées nécessaires à leur croissance.

Il y a également fixation de l'azote dans les moteurs d'automobiles, au cours de la combustion à température élevée. L'azote de l'air introduit dans un moteur réagit de façon notable avec l'oxygène de l'air pour former de l'oxyde nitrique, NO, puis du dioxyde d'azote, NO_2. Le dioxyde d'azote, un des principaux constituants du smog photochimique caractéristique de nombreuses agglomérations urbaines, peut réagir avec l'humidité de l'air et retomber sur le sol, où il forme des nitrates dont les plantes se nourrissent.

Certains autres phénomènes de fixation de l'azote sont naturels. Par exemple, la foudre fournit l'énergie nécessaire à la rupture des molécules N_2 et O_2 de l'air, ce qui produit des atomes d'azote et d'oxygène très réactifs, lesquels attaquent d'autres molécules N_2 et O_2 pour former des oxydes d'azote qui finissent par se transformer en nitrates. Auparavant, on considérait que la foudre était responsable de la fixation d'environ 10 % de tout l'azote; de récentes études révèlent qu'elle pourrait être responsable de près de la moitié de l'azote disponible sur Terre. Certaines bactéries peuvent également fixer l'azote; on les retrouve dans les nodules des racines de certaines plantes, comme les haricots, les pois et la luzerne. Ces **bactéries fixatrices d'azote** transforment aisément l'azote en ammoniac et en d'autres composés azotés assimilables par les plantes. Leur efficacité est d'ailleurs remarquable: elles synthétisent ainsi l'ammoniac à la température du sol et à la pression atmosphérique, alors que le procédé Haber exige 400 °C et 25 MPa. Il va sans dire que ces bactéries font l'objet de recherches intenses.

Présence sur les racines des pois de nodules contenant des bactéries fixatrices d'azote.

La mort des plantes et des animaux entraîne leur décomposition: leurs éléments constitutifs retournent à l'environnement. En ce qui concerne l'azote, ce sont des bactéries qui transforment les nitrates en azote atmosphérique; on parle alors de **dénitrification**. Le **cycle de l'azote**, fort complexe, est illustré de façon simplifiée à la figure 10.6. On évalue que la fixation de l'azote due aux phénomènes naturels et «humains» excède de près de 10 millions de tonnes par année la dénitrification. Par conséquent, cet azote fixé s'accumule dans le sol, les lacs, les rivières, les fleuves et les océans, où il favorise la croissance d'algues et de microorganismes indésirables.

Hydrures d'azote

L'**ammoniac** constitue sans aucun doute l'hydrure d'azote le plus important. C'est un gaz toxique, incolore et d'odeur âcre, qu'on produit annuellement en quantités astronomiques (près de 15 millions de kg), et qu'on utilise surtout pour fabriquer des engrais.

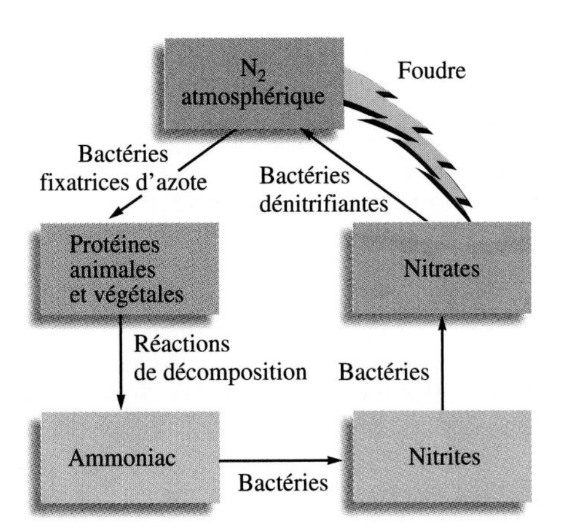

FIGURE 10.6
Cycle de l'azote. Les plantes et les animaux ne peuvent assimiler l'azote que s'il est d'abord transformé en composés azotés, par exemple en nitrates, en ammoniac ou en protéines. Grâce à des réactions de décomposition naturelles, l'azote retourne dans l'atmosphère.

La structure de la molécule d'ammoniac est pyramidale : l'atome d'azote possède un doublet libre (*voir la figure 10.1*) et des liaisons N—H polaires. Une telle structure favorise la formation d'un grand nombre de liaisons hydrogène en phase liquide ; c'est pourquoi son point d'ébullition est particulièrement élevé (−33,4 °C) pour une substance de si faible masse molaire. Toutefois, les liaisons hydrogène présentes dans l'ammoniac liquide n'ont pas la même importance que dans le cas de l'eau, dont la masse molaire est du même ordre de grandeur, mais dont le point d'ébullition est beaucoup plus élevé. Dans la molécule d'eau, on retrouve la combinaison idéale qui permet de former le nombre maximal de liaisons hydrogène, soit deux liaisons polaires comportant des atomes d'hydrogène, et deux doublets libres ; la molécule d'ammoniac, par contre, possède un doublet libre et trois liaisons polaires.

L'ammoniac, qui se comporte comme une base, réagit avec des acides pour former des sels d'ammonium.

$$NH_3(g) + HCl(g) \longrightarrow NH_4Cl(s)$$

Parmi les hydrures d'azote les plus importants, on retrouve l'**hydrazine**, N_2H_4, dont le diagramme de Lewis est le suivant :

```
H  ..  ..  H
 \ N — N /
 /        \
H          H
```

Étant donné que chaque atome d'azote est entouré de quatre doublets d'électrons, on peut s'attendre à ce que chaque atome soit hybridé sp^3, et à ce que les angles de liaison soient de l'ordre de 109,5° (structure tétraédrique), ce que confirment les observations : les angles de liaison valent 112° (*voir la figure 10.8*). L'hydrazine est un liquide incolore, d'odeur ammoniacale, dont le point de congélation est de 2 °C et le point d'ébullition, de 113,5 °C (ce point d'ébullition est assez élevé pour une substance dont la masse molaire n'est que de 32 g/mol). Ces données permettent de supposer qu'il existe de nombreuses liaisons hydrogène entre les molécules d'hydrazine polaires.

L'hydrazine est un agent réducteur puissant, qu'on a souvent utilisé comme combustible pour fusées. Sa réaction avec l'oxygène est fortement exothermique.

$$N_2H_4(l) + O_2(g) \longrightarrow N_2(g) + 2H_2O(g) \qquad \Delta H° = -622 \text{ kJ}$$

Étant donné que l'hydrazine réagit aussi fortement avec les halogènes, on remplace souvent l'oxygène par le fluor pour l'utiliser comme oxydant dans les moteurs de fusées. On recourt également, comme combustible pour fusées, aux hydrazines substituées, molécules dans lesquelles un ou plusieurs atomes d'hydrogène sont remplacés par d'autres groupements. On utilise, par exemple, la monométhylhydrazine

```
CH3        H
   \      /
    N — N
   /      \
  H        H
```

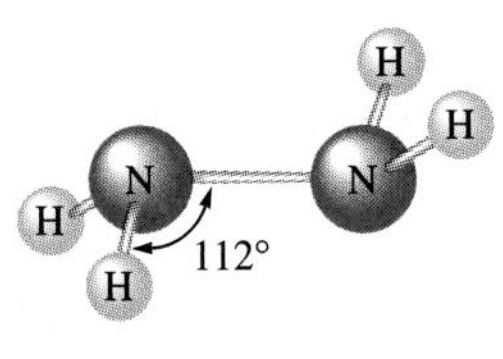

FIGURE 10.7
Structure moléculaire de l'hydrazine, N_2H_4. Les doublets libres des atomes d'azote sont situés de part et d'autre du plan de la molécule ; cette configuration permet de réduire au minimum la répulsion entre les doublets libres.

avec le tétroxyde de diazote, N_2O_4, pour propulser la navette spatiale américaine. La réaction est la suivante :

$$5N_2O_4(l) + 4N_2H_3(CH_3)(l) \longrightarrow 12H_2O(g) + 9N_2(g) + 4CO_2(g)$$

À cause de la production d'un grand nombre de molécules de gaz, et du fait de la nature exothermique de la réaction, on obtient un rapport poussée/poids très élevé.

Exemple 10.2 Enthalpie de réaction à partir des énergies de liaison

À l'aide des valeurs des énergies de liaison (*voir le tableau 6.4*), calculez la valeur approximative de ΔH pour la réaction de la méthylhydrazine gazeuse avec le tétroxyde de diazote gazeux.

$$5N_2O_4(g) + 4N_2H_3(CH_3)(g) \longrightarrow 12H_2O(g) + 9N_2(g) + 4CO_2(g)$$

On peut décrire les liaisons présentes dans la molécule N_2O_4 à l'aide de structures de résonance dans lesquelles la force des liaisons N—O est intermédiaire entre celle d'une liaison simple et celle d'une liaison double. (On suppose que la valeur moyenne de l'énergie d'une liaison N—O est de 440 kJ/mol.)

Solution

Pour déterminer la valeur de ΔH relative à cette réaction, il suffit de calculer la différence entre l'énergie nécessaire à la rupture des liaisons des réactifs et celle libérée au moment de la formation des produits.

$$5\ \mathrm{O_2N{-}NO_2} + 4\ \mathrm{H_2N{-}NH(CH_3)} \longrightarrow 12\ \mathrm{H{-}O{-}H} + 9\mathrm{N{\equiv}N} + 4\mathrm{O{=}C{=}O}$$

La rupture des liaisons exige un apport d'énergie (signe positif), alors que la formation des liaisons libère de l'énergie (signe négatif). Le tableau ci-dessous présente un résumé des valeurs des énergies concernées.

$$\Delta H = (21{,}1 \times 10^3\ \mathrm{kJ}) - (26{,}1 \times 10^3\ \mathrm{kJ}) = -5{,}0 \times 10^3\ \mathrm{kJ}$$

La réaction est donc fortement exothermique.

Liaisons rompues	Énergie nécessaire (kJ/mol)	Liaisons formées	Énergie libérée (kJ/mol)
$5 \times 4 = 20$ N=O	$20 \times 440 = 8{,}8 \times 10^3$	$12 \times 2 = 24$ O—H	$24 \times 467 = 1{,}12 \times 10^4$
$5 + 4 = 9$ N—N	$9 \times 160 = 1{,}4 \times 10^3$	9 N≡N	$9 \times 941 = 8{,}5 \times 10^3$
$4 \times 3 = 12$ N—H	$12 \times 391 = 4{,}7 \times 10^3$	$4 \times 2 = 8$ C=O	$8 \times 799 = 6{,}4 \times 10^3$
$4 \times 3 = 12$ C—H	$12 \times 413 = 5{,}0 \times 10^3$		
$4 \times 1 = 4$ C—N	$4 \times 305 = 1{,}2 \times 10^3$		
Total	$21{,}1 \times 10^3$	Total	$26{,}1 \times 10^3$

Voir l'exercice 10.17

Par ailleurs, cette réaction s'amorce d'elle-même (il suffit de mélanger les deux liquides), ce qui constitue une propriété intéressante dans le cas de moteurs qu'on doit mettre en marche et arrêter fréquemment.

Les autres utilisations de l'hydrazine sont plus courantes. Dans l'industrie, par exemple, on recourt à la décomposition de l'hydrazine en azote gazeux pour provoquer la formation de bulles dans le plastique, ce qui donne au produit sa texture poreuse. En outre, on utilise

Les agents de gonflage comme l'hydrazine, dont la décomposition produit de l'azote gazeux, sont utilisés dans la fabrication de matériaux en plastique poreux tels ces produits en polystyrène.

beaucoup l'hydrazine pour produire des pesticides destinés à l'agriculture. Parmi les centaines de dérivés de l'hydrazine (hydrazines substituées) mis à l'épreuve, on en recense 40 utilisés comme fongicides, herbicides, insecticides ou régulateurs de croissance des plantes.

On fabrique l'hydrazine à l'aide de l'oxydation de l'ammoniac par l'ion hypochlorite en solution basique.

$$2NH_3(aq) + OCl^-(aq) \longrightarrow N_2H_4(aq) + Cl^-(aq) + H_2O(l)$$

Cette réaction, qui peut sembler fort simple, repose néanmoins sur de nombreuses étapes. Pour optimiser le rendement de cette réaction, on doit, à cause des nombreuses réactions secondaires, recourir à une pression et à une température élevées, en présence d'un catalyseur.

Oxydes d'azote

L'azote peut former une série d'oxydes, dans lesquels son nombre d'oxydation varie de +1 à +5 (*voir le tableau 10.2*).

Le *monoxyde de diazote*, N_2O, également appelé *oxyde nitreux* ou « gaz hilarant », possède des propriétés enivrantes ; les dentistes l'utilisent d'ailleurs souvent comme anesthésique léger. Sa solubilité élevée dans les lipides en fait un agent propulseur de choix pour les contenants de crème fouettée en aérosol : sous pression, le gaz est dissous dans le liquide, puis, au fur et à mesure que le liquide sort du contenant, le gaz se vaporise et forme des bulles dans la crème pour lui conférer sa texture caractéristique. Les microorganismes présents dans le sol synthétisent la plus grande partie du N_2O atmosphérique, dont la concentration semble augmenter progressivement. Étant donné que la capacité d'absorption des radiations infrarouges de l'oxyde nitreux est élevée,

TABLEAU 10.2 Quelques composés azotés courants

Nombre d'oxydation de l'azote	Composé	Formule	Diagramme de Lewis*
−3	ammoniac	NH_3	H—N̈—H H
−2	hydrazine	N_2H_4	H—N̈—N̈—H H H
−1	hydroxylamine	NH_2OH	H—N̈—Ö—H H
0	azote	N_2	:N≡N:
+1	monoxyde de diazote (oxyde nitreux)	N_2O	:N̈=N=Ö:
+2	monoxyde d'azote (oxyde nitrique)	NO	:Ṅ=Ö:
+3	trioxyde de diazote	N_2O_3	O—N(=O)—N=O
+4	dioxyde d'azote	NO_2	:Ö—Ṅ=Ö
+5	acide nitrique	HNO_3	:Ö—N(=Ö:)—Ö—H

* Dans certains cas, il faut recourir à des structures de résonance pour décrire adéquatement la molécule.

ce gaz joue un rôle, mineur peut-être, mais non négligeable, dans le maintien de la température de la planète, comme le font le dioxyde de carbone et la vapeur d'eau présents dans l'air. Certains scientifiques craignent d'ailleurs que la destruction accélérée des forêts tropicales dans des pays comme le Brésil ne modifie de façon significative le taux de production de N_2O par les microorganismes du sol, ce qui pourrait affecter considérablement la température de la planète.

En laboratoire, on prépare l'oxyde nitreux à l'aide de la décomposition thermique du nitrate d'ammonium.

$$NH_4NO_3(s) \xrightarrow{\text{Chaleur}} N_2O(g) + 2H_2O(g)$$

Il ne faut pas tenter de réaliser cette expérience sans l'équipement de sécurité approprié.

À cause de la nature explosive du nitrate d'ammonium, cette expérience exige de grandes précautions de la part du manipulateur. Les États-Unis ont ainsi subi un des pires accidents industriels de leur histoire quand, en 1947, au Texas, un navire chargé de nitrate d'ammonium (engrais) a explosé et fait près de 600 victimes.

Le *monoxyde d'azote*, NO, couramment appelé *oxyde nitrique,* est un gaz incolore dans des conditions normales. On le produit en laboratoire grâce à la réaction de l'acide nitrique (6 mol/L) avec du cuivre métallique.

$$8H^+(aq) + 2NO_3^-(aq) + 3Cu(s) \longrightarrow 3Cu^{2+}(aq) + 4H_2O(l) + 2NO(g)$$

Toutefois, au contact de l'air, il y a oxydation spontanée du NO en dioxyde d'azote, NO_2, un gaz brun.

Bien que l'oxyde nitrique soit toxique une fois inhalé, il a été démontré qu'il s'en produit dans certains tissus de l'organisme humain, où il joue le rôle d'un neurotransmetteur. Les recherches actuelles révèlent que l'oxyde nitrique joue un rôle dans la régulation de la pression sanguine, dans la coagulation sanguine et dans les muscles responsables de l'érection du pénis chez l'homme.

Un sou en cuivre réagit avec l'acide nitrique pour produire du NO gazeux. Celui-ci s'oxyde immédiatement à l'air en NO_2 de couleur brune.

Étant donné que la molécule NO possède un nombre impair d'électrons, on peut mieux la décrire en recourant à la théorie des orbitales moléculaires (*voir le diagramme des niveaux d'énergie des orbitales moléculaires à la figure 10.8*). On peut s'attendre à ce que la molécule NO soit paramagnétique et que son ordre de liaison soit de 2,5, ce que confirment les résultats expérimentaux. À cause de la présence d'un électron de haute énergie dans la molécule de NO, l'oxydation de NO en *cation nitrosyle*, NO^+, est relativement aisée. Or, l'ion nitrosyle possédant un électron antiliant de moins que NO, on peut s'attendre à ce que sa liaison soit plus forte (son ordre de liaison théorique est de 3) que celle présente dans la molécule de NO, ce que confirment encore une fois les résultats expérimentaux. Le tableau 10.3 présente les longueurs de liaison et les énergies

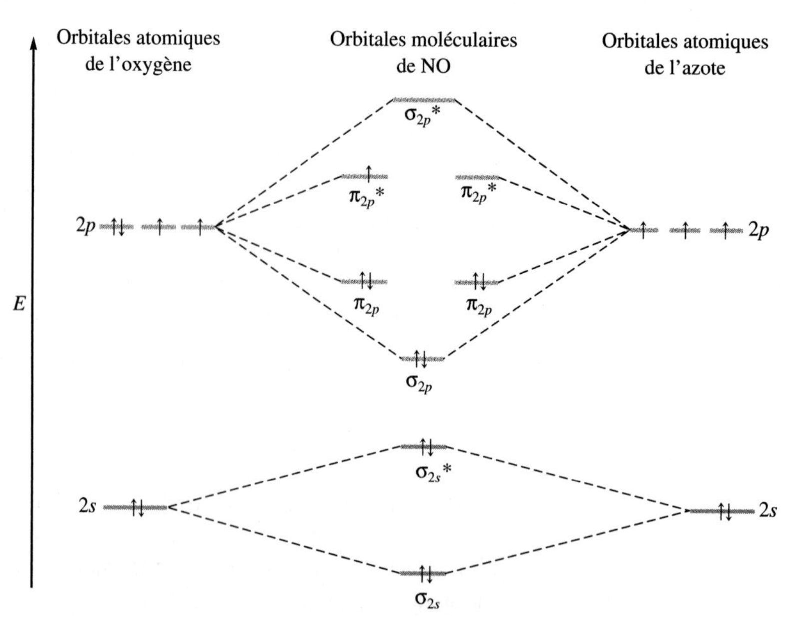

FIGURE 10.8
Diagramme des niveaux d'énergie des orbitales moléculaires de l'oxyde nitrique, NO. L'ordre de liaison est de $(8 - 3)/2$, soit 2,5.

TABLEAU 10.3 Longueur de liaison, énergie de liaison et ordre de liaison de l'oxyde nitrique et de l'ion nitrosyle

	NO	NO^+
longueur de liaison (pm)	115	109
énergie de liaison (kJ/mol)	630	1020
ordre de liaison (selon la théorie OM)	2,5	3

de liaison relatives à l'oxyde nitrique et à l'ion nitrosyle. Il y a formation de l'ion NO^+ quand on dissout de l'oxyde nitrique et du dioxyde d'azote dans de l'acide sulfurique concentré.

$$NO(g) + NO_2(g) + 3H_2SO_4(aq) \longrightarrow 2NO^+(aq) + 3HSO_4^-(aq) + H_3O^+(aq)$$

On peut isoler le composé ionique $NO^+HSO_4^-$ du milieu réactionnel.

L'instabilité thermodynamique de l'oxyde nitrique permet d'expliquer sa décomposition en oxyde nitreux et en dioxyde d'azote.

$$3NO(g) \longrightarrow N_2O(g) + NO_2(g)$$

Le smog résulte de la production de NO_2 par les centrales électriques thermiques et les automobiles.

Le *dioxyde d'azote*, NO_2, une molécule à nombre impair d'électrons, possède une structure en forme de V. Le NO_2 est un gaz brun constitué de molécules paramagnétiques qui se dimérisent rapidement pour former du tétroxyde de diazote, un gaz incolore formé de molécules diamagnétiques.

$$2NO_2(g) \rightleftharpoons N_2O_4(g)$$

À 55 °C, la constante d'équilibre est ~1, et la valeur de K diminue en fonction de la température, puisque la réaction est exothermique.

Exemple 10.3

Description de l'ion NO^- à l'aide de la théorie des orbitales moléculaires

À l'aide de la théorie des orbitales moléculaires, prédisez l'ordre de liaison et le magnétisme de l'ion NO^-.

Solution

Le diagramme des niveaux d'énergie de la molécule NO (*voir la figure 10.8*) indique que NO^- possède un électron antiliant de plus que NO. Il existe donc des électrons non appariés dans les deux orbitales $\pi_{2p}*$; NO^- est, par conséquent, paramagnétique, et son ordre de liaison est de $(8 - 4)/2$, soit 2. On remarque que, dans l'ion NO^-, la liaison est plus faible que dans la molécule NO.

Voir les exercices 10.18 et 10.19

Le *trioxyde de diazote*, N_2O_3, et le *pentoxyde de diazote*, N_2O_5, sont les oxydes d'azote les moins répandus. Le premier, N_2O_3, est un liquide bleu qui se décompose spontanément en oxyde nitrique et en dioxyde d'azote gazeux. Le second, N_2O_5, est un solide dans des conditions normales ; il est constitué d'un mélange d'ions NO_2^+ et NO_3^-. Même si des molécules N_2O_5 existent effectivement en phase gazeuse, elles se dissocient spontanément en dioxyde d'azote et en oxygène.

$$2N_2O_5(g) \rightleftharpoons 4NO_2(g) + O_2(g)$$

Oxacides d'azote

L'**acide nitrique** est un produit chimique d'une grande importance sur le plan industriel (on en produit annuellement environ 10 millions de tonnes). On l'utilise dans la fabrication de nombreux composés, par exemple les explosifs azotés et le nitrate d'ammonium (engrais).

IMPACT

L'oxyde nitreux : un plus pour la crème fouettée et les voitures !

L'oxyde nitreux (N_2O), de son vrai nom *monoxyde de diazote,* est un composé aux multiples usages intéressants. Il fut découvert en 1772 par Joseph Priestley (à qui l'on attribue également la découverte de l'oxygène), et ses effets intoxiquants furent immédiatement notés. En 1798, Humphry Davy, âgé de 20 ans, devint directeur du Pneumatic Institute, créé pour étudier les effets médicaux de divers gaz. Davy a testé les effets du N_2O sur lui-même ; il a signalé qu'après avoir inhalé 16 litres de ce gaz en 7 minutes, il était devenu « complètement intoxiqué ».

Au cours du siècle suivant, le « gaz hilarant », nom sous lequel l'oxyde nitreux devint connu, a été utilisé comme anesthésique, particulièrement par les dentistes. L'oxyde nitreux est encore utilisé comme anesthésique même si, de nos jours, des médicaments plus modernes l'ont déclassé à ce titre.

Aujourd'hui, l'oxyde nitreux est surtout utilisé comme propulseur de la crème fouettée instantanée en aérosol. La haute solubilité de N_2O dans la crème fouettée en fait un excellent candidat pour en pressuriser les contenants.

L'oxyde nitreux sert également à produire de la « puissance instantanée » dans des voitures de course modifiées, par exemple. La réaction de N_2O avec O_2 pour donner du NO absorbe la chaleur : cette réaction a donc un effet refroidissant quand il est mélangé au carburant utilisé dans les moteurs d'automobiles. Cet effet de refroidissement abaisse les températures de combustion, permettant alors au mélange essence-air d'être beaucoup plus riche (la masse volumique d'un gaz est inversement proportionnelle à sa température). Cet effet peut produire une augmentation soudaine de la puissance qui peut excéder 200 chevaux-vapeur. Vu que les moteurs ne sont pas conçus pour rouler de façon régulière à un tel niveau de puissance, l'oxyde d'azote n'est injecté dans le réservoir que lorsqu'un excès de puissance est souhaité.

On produit commercialement l'acide nitrique en recourant à l'oxydation de l'ammoniac (**procédé Ostwald**). Au cours de la première étape de ce procédé, il y a oxydation de l'ammoniac en oxyde nitrique.

$$4NH_3(g) + 5O_2(g) \longrightarrow 4NO(g) + 6H_2O(g) \qquad \Delta H° = -905 \text{ kJ}$$

Bien qu'elle soit fortement exothermique, cette réaction est très lente à 25 °C. Par ailleurs, une réaction secondaire a lieu entre l'oxyde nitrique et l'ammoniac.

$$4NH_3(g) + 6NO(g) \longrightarrow 5N_2(g) + 6H_2O(g)$$

Cette réaction est indésirable, car elle « piège » l'azote sous forme de molécules N_2 peu réactives. Pour favoriser la réaction principale et pour réduire au minimum les effets de la réaction « parasite », on procède à l'oxydation de l'ammoniac en présence d'un catalyseur (un alliage platine-rhodium) chauffé à 900 °C (*voir la figure 10.9*). Dans ces conditions, le rendement de la réaction de transformation de l'ammoniac en oxyde nitrique est de 97 %.

Au cours de la deuxième étape du procédé Ostwald, l'oxyde nitrique réagit avec l'oxygène pour produire du dioxyde d'azote.

$$2NO(g) + O_2(g) \longrightarrow 2NO_2(g) \qquad \Delta H° = -113 \text{ kJ}$$

Cependant, la constante de vitesse de cette réaction d'oxydation *diminue* lorsque la température augmente. À cause de ce comportement inhabituel, on doit donc maintenir le milieu réactionnel à environ 25 °C grâce à un refroidissement à l'eau.

Au cours de la troisième étape du procédé Ostwald, il y a absorption du dioxyde d'azote par l'eau.

$$3NO_2(g) + H_2O(l) \longrightarrow 2HNO_3(aq) + NO(g) \qquad \Delta H° = -139 \text{ kJ}$$

On recycle le NO pour former du NO_2. Si on distille l'acide nitrique produit, qui titre à 50 % par masse, sa concentration peut atteindre 68 % ; il s'agit là de la concentration maximale possible, étant donné que l'acide nitrique et l'eau forment, à cette concentration, un *mélange azéotrope*. On peut élever la concentration de HNO_3 jusqu'à 95 % en le traitant à l'acide

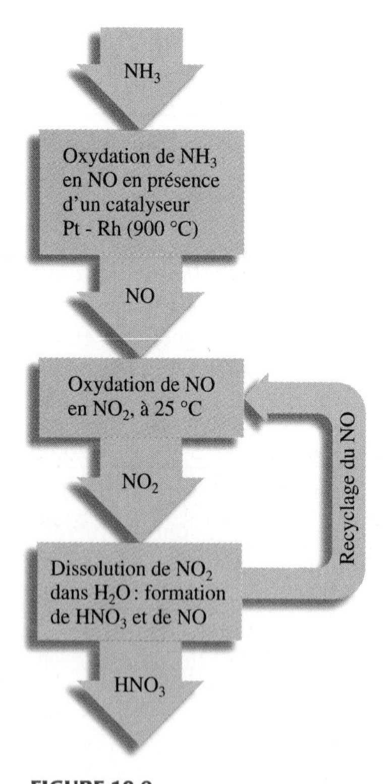

FIGURE 10.9
Représentation schématique du procédé Ostwald.

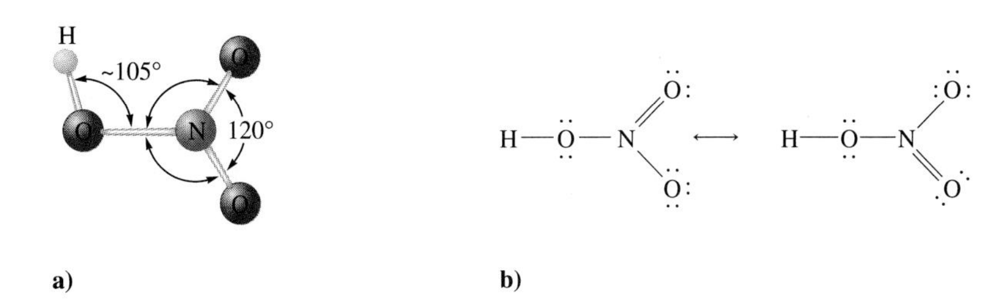

FIGURE 10.10
a) Structure moléculaire de HNO_3.
b) Structures de résonance de HNO_3.

Un *azéotrope* est une solution qui, comme un liquide pur, distille à une température constante sans changer sa composition.

sulfurique concentré, qui absorbe beaucoup d'eau ; on utilise d'ailleurs souvent H_2SO_4 comme *agent déshydratant*.

L'acide nitrique est un liquide incolore, fumant ($T_{éb}$ = 83 °C), d'odeur âcre, et que la lumière solaire décompose.

$$4HNO_3(l) \xrightarrow{h\nu} 4NO_2(g) + 2H_2O(l) + O_2(g)$$

Il s'ensuit que la solution d'acide nitrique vire peu à peu au jaune, à cause de l'augmentation progressive de la concentration de dioxyde d'azote. En laboratoire, la concentration de l'acide nitrique concentré qu'on utilise le plus souvent est de 15,9 mol/L (soit 70,4 % par masse) ; il s'agit d'un oxydant très puissant. La figure 10.10 présente la structure moléculaire et les structures de résonance de HNO_3. On remarque que l'atome d'hydrogène est lié à un atome d'oxygène, et non à un atome d'azote, comme la formule permet de le supposer.

L'acide nitrique peut réagir avec les oxydes, hydroxydes et carbonates métalliques, ainsi qu'avec d'autres composés ioniques qui contiennent des anions basiques, pour former des nitrates qui sont en général fortement hydrosolubles.

$$Ca(OH)_2(s) + 2HNO_3(aq) \longrightarrow Ca(NO_3)_2(aq) + 2H_2O(l)$$

L'*acide nitreux*, HNO_2, est un acide faible.

$$HNO_2(aq) \rightleftharpoons H^+(aq) + NO_2^-(aq) \qquad K_a = 4,0 \times 10^{-4}$$

L'acide nitreux forme des nitrites, NO_2^-, de couleur jaune pâle. Contrairement aux nitrates, qu'on utilise souvent comme explosifs, les nitrites sont relativement stables, et ce, même à température élevée. En général, on prépare les nitrites en faisant barboter des quantités équimolaires d'oxyde nitrique et de dioxyde d'azote dans une solution aqueuse de l'hydroxyde métallique approprié, par exemple :

$$NO(g) + NO_2(g) + 2NaOH(aq) \longrightarrow 2NaNO_2(aq) + H_2O(l)$$

10.3 Le phosphore et ses composés

Même si le phosphore et l'azote occupent des cases superposées dans le tableau périodique (groupe 5A), leurs propriétés chimiques sont fort différentes. On explique ces différences par quatre facteurs principaux : 1. La possibilité pour l'azote de former des liaisons π beaucoup plus fortes ; 2. L'électronégativité plus élevée de l'azote ; 3. La taille plus importante de l'atome de phosphore ; 4. La présence d'orbitales *d* inoccupées dans l'atome de phosphore.

Ces différences chimiques apparaissent clairement dès qu'on compare les formes élémentaires de l'azote et du phosphore. L'azote élémentaire diatomique est stabilisé par de fortes liaisons π, alors qu'on retrouve le phosphore solide sous plusieurs formes, toutes polyatomiques. Le *phosphore blanc*, constitué de molécules distinctes P_4 de structure tétraédrique (*voir la figure 10.11a*), est très réactif et *pyrophorique* (il s'enflamme spontanément au contact de l'air). C'est pourquoi on le conserve en général dans l'eau. Par ailleurs, le phosphore blanc est extrêmement toxique : il s'attaque aux tissus, notamment au cartilage et aux os du nez et des mâchoires. Les autres formes allotropiques, beaucoup moins réactives, le *phosphore noir* et le *phosphore rouge*, sont des solides covalents (*voir la section 8.5*). Le phosphore noir se cristallise dans un réseau régulier (*voir la figure 10.11b*), alors que le phosphore rouge, qu'on croit formé de chaînes de molécules P_4 (*voir la figure 10.11c*), est amorphe.

IMPACT

Le phosphore: un élément éclairant

La forme élémentaire du phosphore a été découverte « accidentellement » en 1669 par Henning Brand, un alchimiste allemand, en chauffant de l'urine séchée avec du sable (les alchimistes étudiaient souvent la chimie des liquides organiques dans l'espoir de mieux comprendre l'essence même de la vie). En faisant circuler les vapeurs résultantes dans l'eau, Brand a été capable d'isoler la forme de phosphore élémentaire appelée *phosphore blanc* (contient les molécules P_4). Le nom *phosphore* vient du grec *phôs,* qui signifie « lumière » et *phoros,* « porteur ». Il semble que lorsque Brand l'a rangé dans une bouteille scellée, le phosphore blanc solide a émis de la lumière dans l'obscurité ! Cet effet, une lueur qui persiste même après suppression de l'excitation lumineuse, porte le nom de *phosphorescence.* Fait intéressant, le terme *phosphorescence* est dérivé du nom d'un élément qui ne présente pas vraiment cette propriété, puisque la lueur aperçue par Brand était en fait le résultat d'une réaction de l'oxygène de l'air à la surface du phosphore blanc. En effet, s'il est complètement isolé de l'air, le phosphore ne luit pas dans l'obscurité après avoir été irradié.

Après sa découverte, le phosphore devint une curiosité au XVIIe siècle. Des gens s'enduisaient la figure et les mains d'une pellicule de phosphore pour luire dans l'obscurité*. Cette fascination n'a pas duré longtemps, car la réaction spontanée du phosphore avec l'oxygène de l'air provoquait des brûlures douloureuses qui guérissaient lentement.

La plus grande utilisation des composés du phosphore par les consommateurs a trait à la chimie des allumettes. Il existe actuellement deux sortes d'allumettes: les allumettes sans frottoir et les allumettes de sûreté. Les deux types nécessitent du phosphore (sous des formes différentes) pour

* On trouve une référence intéressante au phosphore blanc dans le roman policier de Sherlock Holmes, *Le chien des Baskerville,* dans lequel un grand chien est recouvert de phosphore blanc afin d'effrayer les membres de la famille Baskerville.

On obtient le phosphore rouge en faisant chauffer du phosphore blanc en l'absence d'air, à 101,3 kPa. Quant au phosphore noir, on l'obtient en faisant chauffer du phosphore blanc ou du phosphore rouge à une pression élevée.

Même si son électronégativité est plus faible que celle de l'azote, le phosphore peut former des phosphures (composés ioniques qui contiennent l'anion P^{3-}), comme Na_3P et Ca_3P_2.

Les phosphures réagissent violemment avec l'eau pour produire de la *phosphine*, PH_3, un gaz toxique et incolore.

$$2Na_3P(s) + 6H_2O(l) \longrightarrow 2PH_3(g) + 6Na^+(aq) + 6OH^-(aq)$$

La phosphine ressemble à l'ammoniac ; toutefois, sa basicité est moins importante ($K_b \approx 10^{-26}$) et sa solubilité dans l'eau beaucoup plus faible. Étant donné que l'affinité de la phosphine pour les protons est très faible, il existe peu de sels de phosphonium, PH_4^+ ; les seuls qu'on connaisse, PH_4I, PH_4Cl et PH_4Br, sont très instables.

Le diagramme de Lewis de la phosphine est le suivant :

$$\left[\begin{array}{c} \mathrm{H{-}\ddot{P}{-}H} \\ | \\ \mathrm{H} \end{array}\right]$$

Selon la théorie RPEV, la structure moléculaire de la phosphine est pyramidale. Cependant, les angles de liaison sont de 94°, et non de 107°, comme c'est le cas pour

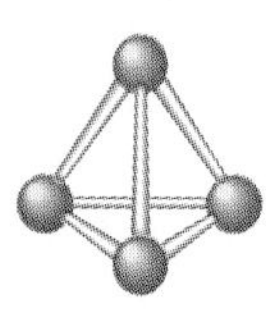
a)

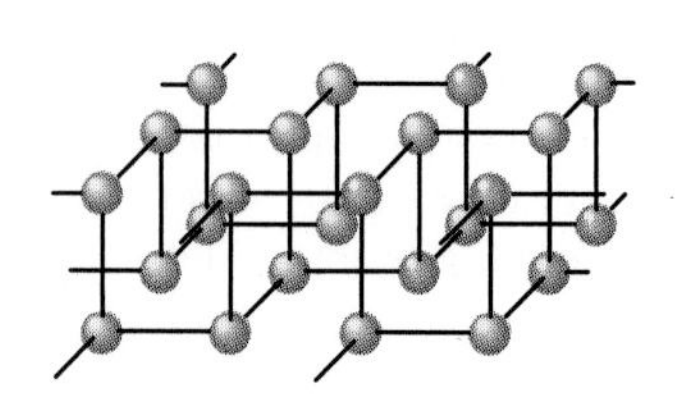
b)

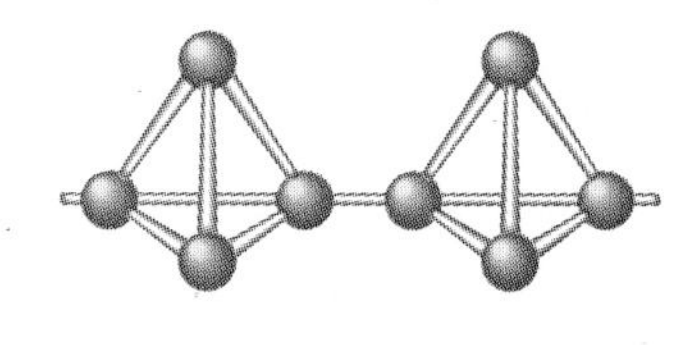
c)

FIGURE 10.11
a) Molécule P_4 du phosphore blanc.
b) Réseau cristallin du phosphore noir.
c) Structure en chaîne du phosphore rouge.

enflammer la tête des allumettes. La chimie des allumettes est tout à fait intéressante. Le bout d'une allumette sans frottoir est fabriqué d'un mélange de verre en poudre, d'un liant et de trisulfure de tétraphosphore (P_4S_3). Quand on frotte l'allumette, la friction enflamme la réaction de combustion du P_4S_3 :

$$P_4S_3(s) + 6O_2(g) \longrightarrow P_4O_6(g) + 3SO_2(g)$$

La chaleur de cette réaction provoque la décomposition d'un agent oxydant, le chlorate de potassium :

$$2KClO_3(s) \longrightarrow 2KCl(s) + 3O_2(g)$$

ce qui cause alors la fusion du soufre solide et le fait réagir avec l'oxygène pour produire du dioxyde de soufre et davantage de chaleur. De la paraffine est alors enflammée pour aider à « mettre le feu » à la tige de bois de l'allumette.

La chimie d'une allumette de sûreté est très semblable, mais l'endroit où se situent les réactifs est différent. Le phosphore nécessaire pour enflammer toutes les réactions se trouve sur le frottoir de la boîte. Ainsi, en principe, une allumette de sûreté ne peut s'enflammer que si on l'utilise avec la boîte. Pour les allumettes de sûreté, le frottoir contient du phosphore rouge qui est facilement converti en phosphore blanc par la friction de la tête de l'allumette sur la surface de frottement. Le phosphore blanc s'enflamme spontanément à l'air et génère assez de chaleur pour entraîner toutes les autres réactions nécessaires pour enflammer la tige de l'allumette.

Le phosphore dans les allumettes de sûreté contribue à les enflammer.

$$4P(\text{rouge}) + \text{énergie (friction)} \longrightarrow$$
$$P_4(s)(\text{blanc}) + 5O_2(g) \longrightarrow P_4O_{10}(s) + \text{chaleur}$$

l'ammoniac. (L'explication de cette anomalie dépassant le cadre de cet ouvrage, nous nous contenterons de considérer la phosphine comme une exception à la version simplifiée de la théorie RPEV présentée ici.)

Oxydes et oxacides de phosphore

La réaction du phosphore avec l'oxygène entraîne la formation d'oxydes, dans lesquels le nombre d'oxydation du phosphore peut être de +5 ou de +3. En présence de quantités limitées d'oxygène, la combustion du phosphore élémentaire produit l'oxyde P_4O_6 ; en présence d'un excès d'oxygène, elle produit P_4O_{10}. On peut obtenir la structure de ces oxydes en intercalant des atomes d'oxygène dans la structure initiale de la molécule P_4 (*voir la figure 10.12*). On connaît également les molécules intermédiaires P_4O_7, P_4O_8 et P_4O_9, qui possèdent respectivement un, deux et trois atomes d'oxygène « terminaux ».

Les oxygènes « terminaux » sont ceux qui ne relient pas deux atomes de phosphore.

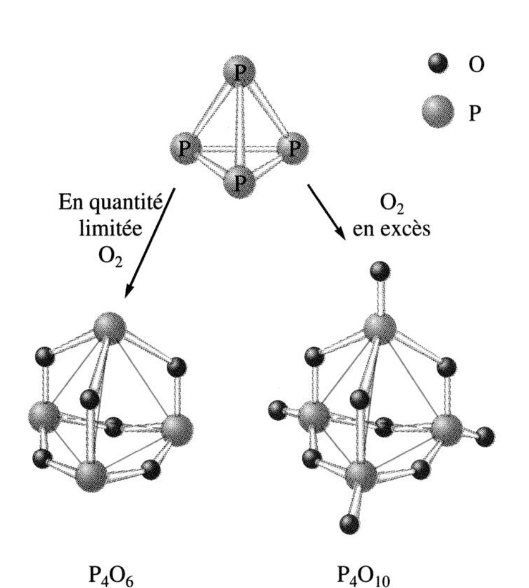

FIGURE 10.12
Structures de P_4O_6 et de P_4O_{10}.

À cause de sa grande affinité pour l'eau, le décoxyde de tétraphosphore, P_4O_{10} – anciennement connu sous le nom de pentoxyde de phosphore, P_2O_5 – est un agent déshydratant très puissant. On l'utilise, par exemple, pour transformer HNO_3 ou H_2SO_4 en leurs oxydes N_2O_5 et SO_3.

Lorsqu'on dissout P_4O_{10} dans l'eau, on obtient de l'**acide phosphorique**, H_3PO_4, également appelé **acide orthophosphorique**.

$$P_4O_{10}(s) + 6H_2O(l) \longrightarrow 4H_3PO_4(aq)$$

L'hydroxyapatite, $Ca_5(PO_4)_3OH$, le principal composant de l'émail dentaire, réagit avec le fluor pour former la fluorapatite, composé moins soluble dans les acides buccaux que l'hydroxyapatite. C'est pourquoi, pour prévenir la carie, on ajoute des ions fluorure à l'eau potable et aux dentifrices.

À l'état pur, l'acide phosphorique est un solide blanc qui fond à 42 °C. En milieu aqueux, c'est un acide beaucoup plus faible ($K_a \approx 10^{-2}$) que l'acide nitrique ou que l'acide sulfurique : c'est un oxydant faible.

On tire principalement l'acide phosphorique de minerais phosphatés. Contrairement à l'azote, le phosphore existe dans la nature exclusivement sous forme de composés, notamment sous forme d'ions PO_4^{3-}. Dans les minerais phosphatés, on le retrouve en grande partie sous forme de phosphate de calcium, $Ca_3(PO_4)_2$, et de fluorapatite, $Ca_5(PO_4)_3F$. On peut transformer la fluorapatite en acide phosphorique en pulvérisant des minerais phosphatés, qu'on solubilise dans de l'acide sulfurique.

$$Ca_5(PO_4)_3F(s) + 5H_2SO_4(aq) + 10H_2O(l) \longrightarrow HF(aq) + 5CaSO_4 \cdot 2H_2O(s) + 3H_3PO_4(aq)$$

(La transformation du phosphate de calcium a lieu selon une réaction analogue.)

Le produit solide, $CaSO_4 \cdot 2H_2O$ (le *gypse*), entre dans la composition des panneaux de revêtement des murs intérieurs utilisés dans l'industrie de la construction.

On appelle le procédé décrit ci-dessus *procédé humide* ; l'acide phosphorique ainsi produit n'est pas très pur. Selon un autre procédé, on fait chauffer des minerais phosphatés, du sable, SiO_2, et du coke dans un fourneau électrique ; il y a alors formation de phosphore blanc.

$$12Ca_5(PO_4)_3F + 43SiO_2 + 90C \longrightarrow 9P_4 + 90CO + 20(3CaO \cdot 2SiO_2) + 3SiF_4$$

La combustion du phosphore blanc en présence d'air entraîne la production de P_4O_{10} qui, combiné à l'eau, donne de l'acide phosphorique.

On obtient aisément la condensation de molécules d'acide phosphorique. Quand deux molécules d'acide sont soumises à une **réaction de condensation**, il y a élimination d'une molécule d'eau.

```
        O                    O                       O     O
        |                    |                       |     |
H—O—P—O—[H        H—O]—P—O—H  ⟶  H—O—P—O—P—O—H + H2O
        |                    |                       |     |
        O                    O                       O     O
        |                    |                       |     |
        H                    H                       H     H
```

Il y a alors production d'*acide pyrophosphorique*, $H_4P_2O_7$. Si on fait chauffer davantage, on obtient des polymères, par exemple l'*acide tripolyphosphorique*, $H_5P_3O_{10}$, dont la structure est la suivante :

```
        O     O     O
        |     |     |
H—O—P—O—P—O—P—O—H
        |     |     |
        O     O     O
        |     |     |
        H     H     H
```

On utilise le sel sodique de l'acide tripolyphosphorique dans les détergents, étant donné que l'anion $P_3O_{10}^{5-}$ peut facilement former des complexes avec les ions métalliques, tels Mg^{2+} et Ca^{2+}, lesquels, à l'état libre, nuiraient à l'action du détergent.

Exemple 10.4 Structure de l'acide phosphorique

Déterminez la structure moléculaire de l'acide phosphorique, ainsi que l'état d'hybridation de son atome central.

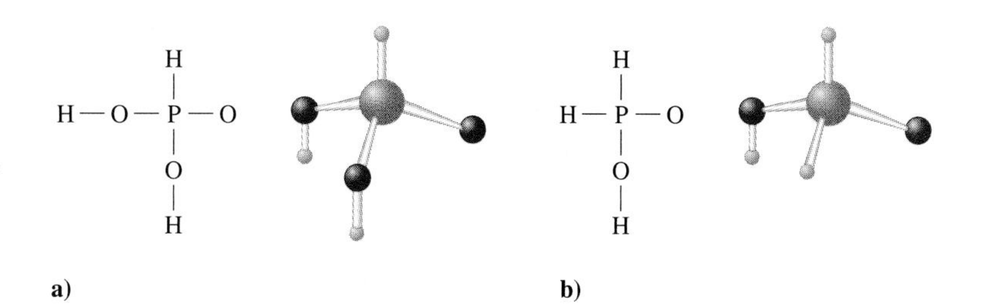

FIGURE 10.13
a) Structure de l'acide phosphoreux, H_3PO_3. **b)** Structure de l'acide hypophosphoreux, H_3PO_2. Dans les oxacides de phosphore, seuls les atomes d'hydrogène liés aux atomes d'oxygène sont acides.

Solution

Dans la molécule d'acide phosphorique, les atomes d'hydrogène sont liés aux atomes d'oxygène (*voir le diagramme de Lewis ci-dessous*). L'atome de phosphore est entouré de quatre doublets effectifs disposés selon une structure tétraédrique. L'atome de phosphore est donc hybridé sp^3.

Diagramme de Lewis

Structure moléculaire

Voir les exercices 10.20 et 10.21

Lorsque P_4O_6 est mélangé à l'eau, il y a formation d'**acide phosphoreux**, H_3PO_3 (*voir la figure 10.13a*). Même si sa formule autorise à croire qu'il s'agit d'un triacide, l'acide phosphoreux est en fait un *diacide*. En effet, l'atome d'hydrogène qui est directement lié à l'atome de phosphore n'est pas acide en solution aqueuse ; seuls les atomes d'hydrogène liés aux atomes d'oxygène dans H_3PO_3 peuvent former des protons.

Il existe un troisième oxacide de phosphore, l'*acide hypophosphoreux*, H_3PO_2 qui, lui, est un monoacide (*voir la figure 10.13b*).

Le phosphore dans les engrais

Le phosphore est un élément essentiel à la croissance des plantes. Or, même si la plupart des sols contiennent beaucoup de phosphore, on retrouve souvent ce dernier sous forme insoluble, c'est-à-dire sous une forme que les plantes ne peuvent pas utiliser. On fabrique des engrais phosphatés solubles en traitant les minerais phosphatés à l'acide sulfurique ; on obtient ainsi du **superphosphate de chaux**, un mélange de $CaSO_4 \cdot 2H_2O$ et de $Ca(H_2PO_4)_2 \cdot H_2O$. Si on traite les minerais phosphatés à l'acide phosphorique, on obtient du *dihydrogénophosphate de calcium*, $Ca(H_2PO_4)_2$. Par ailleurs, la réaction de l'ammoniac avec l'acide phosphorique produit du *dihydrogénophosphate d'ammonium*, $NH_4H_2PO_4$, un engrais très efficace, puisqu'il fournit à la fois du phosphore et de l'azote.

Halogénures de phosphore

Tous les halogénures de phosphore de formule PX_3 et PX_5 existent, à l'exception de PI_5. Les molécules PX_3 possèdent la structure pyramidale à laquelle on s'attend (*voir la figure 10.14a*). À une température et à une pression normales, PF_3 est un gaz incolore, PCl_3, un liquide ($T_{éb}$ = 74 °C), PBr_3, un liquide ($T_{éb}$ = 175 °C) et PI_3, un solide instable de couleur rouge (T_{fus} = 61 °C). Lorsqu'ils réagissent avec l'eau, tous les composés PX_3 produisent de l'acide phosphoreux.

$$PX_3 + 3H_2O(l) \longrightarrow H_3PO_3(aq) + 3HX(aq)$$

À l'état gazeux ou à l'état liquide, les molécules des composés PX_5 possèdent une structure bipyramidale à base triangulaire (*voir la figure 10.14b*). On remarque toutefois

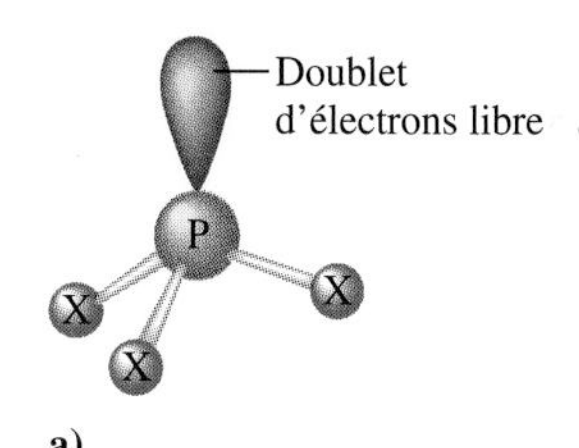

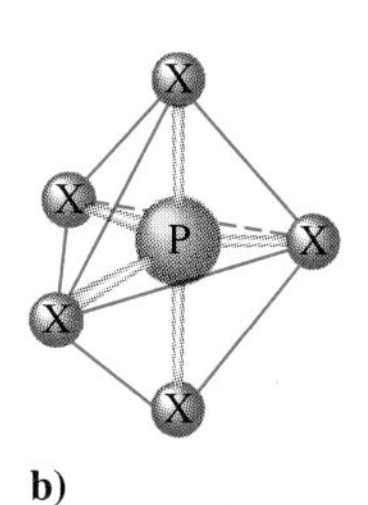

FIGURE 10.14
Structure des halogénures de phosphore. **a)** Les composés PX_3 ont une structure pyramidale. **b)** Les composés PX_5, en phase liquide ou gazeuse, ont une structure bipyramidale à base triangulaire.

que PCl_5 et PBr_5 forment des solides ioniques ; en effet, à l'état solide, PCl_5 possède des ions PCl_6^- octaédriques et des ions PCl_4^+ tétraédriques, et PBr_5, des ions PBr_4^+ et Br^-.

Lorsqu'ils réagissent avec l'eau, tous les composés PX_5 produisent de l'acide phosphorique.

$$PX_5 + 4H_2O(l) \longrightarrow H_3PO_4(aq) + 5HX(aq)$$

10.4 Éléments du groupe 6A

6A
O
S
Se
Te
Po

Même si, à l'instar des éléments des autres groupes, les éléments du groupe 6A (*voir le tableau 10.4*) ont un caractère de plus en plus métallique au fur et à mesure que le numéro atomique augmente, aucun d'eux (configuration des électrons de valence : ns^2np^4) n'est un métal typique. La plupart du temps, les éléments de ce groupe cherchent à adopter une configuration électronique semblable à celle d'un gaz rare, en captant deux électrons ; ils deviennent ainsi des anions de charge 2− en formant des composés ioniques avec des métaux. En fait, c'est sous forme d'oxydes et de sulfures que la plupart des métaux sont présents dans la nature.

Les éléments du groupe 6A peuvent par ailleurs former des liaisons covalentes avec d'autres non-métaux. Par exemple, ils forment avec l'hydrogène des hydrures covalents, de formule générale H_2X. Tous les éléments de ce groupe, à l'exception de l'oxygène, possèdent des orbitales *d* inoccupées, dont les couches de valence peuvent accueillir plus de huit électrons ; ainsi, les composés SF_4, SF_6, TeI_4 et $SeBr_4$ existent.

Depuis quelques années, le sélénium, présent à l'état de traces dans la nature, suscite de plus en plus d'intérêt. On connaît depuis longtemps la toxicité de cet élément ; cependant, de récentes études médicales ont révélé qu'il existait une relation *inverse* entre la fréquence des cas de cancer et la quantité de sélénium présent dans le sol environnant. Par conséquent, on a émis l'hypothèse qu'un plus grand apport de sélénium dans les aliments protégeait contre le cancer les personnes qui vivent dans les régions où la teneur du sol en sélénium est plus élevée. Il ne s'agit là, cependant, que de résultats préliminaires ; on connaît toutefois déjà l'importance de cet oligo-élément en ce qui concerne l'activité de la vitamine E et de certaines enzymes, et on a montré qu'une carence en sélénium était associée à l'apparition d'une insuffisance cardiaque congestive. Par ailleurs, le sélénium et le tellure, étant des semi-conducteurs, constituent des auxiliaires précieux dans l'industrie de l'électronique.

Le polonium fut découvert en 1898 par Pierre et Marie Curie, alors qu'ils cherchaient à découvrir les éléments responsables de la radioactivité dans le pechblende. Le polonium, très toxique et très radioactif, possède 27 isotopes. On a d'ailleurs émis l'hypothèse que l'isotope ^{210}Po (émetteur de particules alpha), un contaminant naturel des plants de tabac, était en partie responsable du cancer des poumons.

TABLEAU 10.4 Quelques propriétés physiques, sources et modes de préparation des éléments du groupe 6A

Élément	Électro-négativité	Rayon de l'ion X^{2-} (pm)	Source	Mode de préparation
oxygène	3,5	140	air	distillation de l'air liquide
soufre	2,5	184	gisements de soufre	fusion par addition d'eau surchauffée et remontée à la surface par addition d'air comprimé
sélénium	2,4	198	impuretés dans les sulfures naturels	réduction de H_2SeO_4 par SO_2
tellure	2,1	221	nagyagite (mélange de sulfure et de tellurure)	réduction du minerai par SO_2
polonium	2,0	230	pechblende	

10.5 L'oxygène

On n'insistera jamais assez sur l'importance de l'oxygène, l'élément le plus abondant sur la Terre. L'oxygène est présent dans l'atmosphère, sous forme d'oxygène gazeux et d'ozone ; dans la croûte terrestre, sous forme d'oxydes, de silicates et de carbonates ; dans les océans, sous forme d'eau ; dans le corps humain, sous forme d'eau et d'une multitude de molécules. Par ailleurs, l'oxygène fournit la majorité de l'énergie nécessaire à la vie et à notre mode de vie, puisqu'il réagit de façon exothermique avec des composés organiques.

La forme allotropique de l'oxygène la plus répandue, O_2, constitue 21 % du volume total de l'atmosphère terrestre. Étant donné que le point d'ébullition de l'azote est inférieur à celui de l'oxygène, on peut facilement éliminer l'azote de l'air liquide par évaporation ; il ne reste ainsi que de l'oxygène et un peu d'argon, un autre composant de l'air. À l'état liquide, l'oxygène est un liquide bleu pâle dont le point de congélation est de −219 °C et le point d'ébullition, de −183 °C. On peut mettre en évidence le paramagnétisme de la molécule O_2 en versant de l'oxygène liquide entre les pôles d'un aimant puissant : le liquide y reste « figé » jusqu'à ce qu'il s'évapore (*voir la figure 7.40*). On peut expliquer le paramagnétisme de la molécule O_2, ainsi que la force de la liaison, à l'aide de la théorie des orbitales moléculaires (*voir la figure 7.39*).

On peut représenter l'**ozone**, O_3, l'autre forme allotropique de l'oxygène, par les structures de résonance suivantes :

$$O{=}O{-}O \longleftrightarrow O{-}O{=}O$$

Dans la molécule O_3, l'angle de liaison est de 117°, valeur que permet de prévoir la théorie RPEV (trois doublets effectifs exigent en effet une structure plane triangulaire). On peut expliquer que l'angle soit légèrement inférieur à 120° lorsqu'on admet qu'un doublet libre occupe davantage d'espace qu'un doublet liant.

On prépare l'ozone en soumettant l'oxygène pur à l'état gazeux à des décharges électriques : l'électricité fournit l'énergie nécessaire à la rupture des liaisons de quelques molécules O_2. Les atomes d'oxygène ainsi produits réagissent avec d'autres molécules O_2 pour former O_3. À 25 °C et à 101,3 kPa, l'ozone est beaucoup moins stable que l'oxygène. La constante d'équilibre K de la réaction

$$3O_2(g) \rightleftharpoons 2O_3(g)$$

est de l'ordre de 10^{-57}.

L'ozone, un gaz bleu pâle très toxique, est un agent oxydant beaucoup plus puissant que l'oxygène. À cause de ce pouvoir oxydant, on pourrait avantageusement remplacer par l'ozone le chlore utilisé dans les usines de traitement des eaux, étant donné que le chlore laisse des résidus chlorés, comme le chloroforme, $CHCl_3$, qui, à la longue, peuvent être cancérigènes.

Cependant, bien que l'ozone tue efficacement les bactéries présentes dans l'eau, l'**ozonisation** ne met pas les réserves d'eau potable à l'abri de contaminations ultérieures, puisqu'il ne reste pratiquement plus d'ozone après le premier traitement. Par contre, l'efficacité de la chloration est plus durable, étant donné que, longtemps après le traitement, on retrouve toujours une certaine concentration de chlore.

L'ozone peut par ailleurs être très nocif, surtout lorsqu'il provient des gaz d'échappement des automobiles (*voir la section 4.9*).

L'ozone est présent naturellement dans la haute atmosphère terrestre. La *couche d'ozone* est très importante, car elle sert d'écran protecteur contre les rayons ultraviolets en provenance du soleil, rayons qui peuvent causer le cancer de la peau. Lorsque la couche d'ozone absorbe l'énergie des rayons ultraviolets, la molécule d'ozone est transformée en une molécule d'oxygène et en un atome d'oxygène.

$$O_3 \xrightarrow{h\nu} O_2 + O$$

Quand un atome d'oxygène « rencontre » une molécule d'oxygène, ils ne peuvent former une molécule d'ozone que si un « troisième partenaire », par exemple une molécule

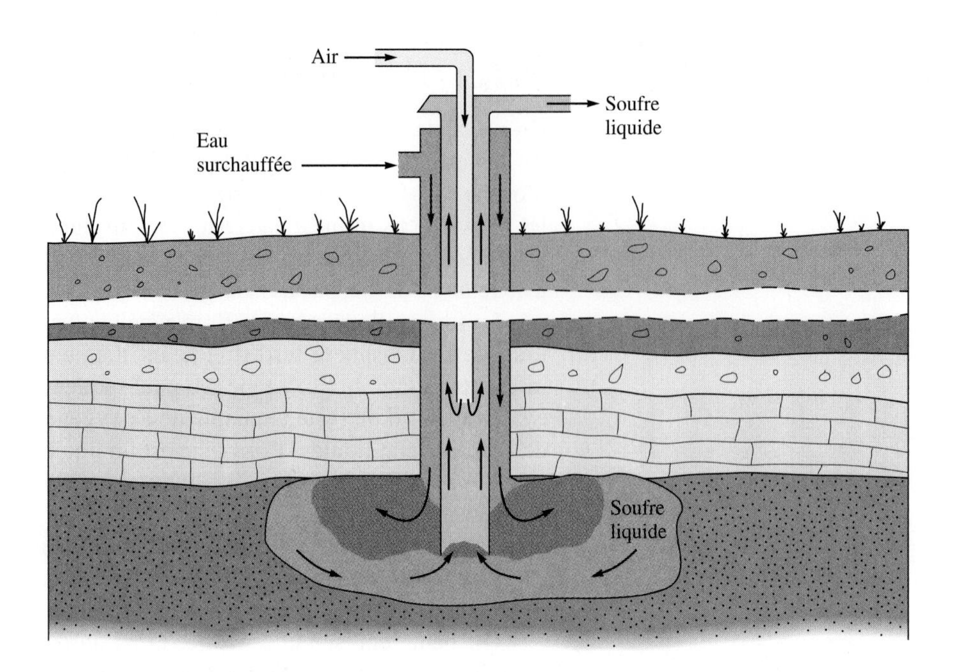

FIGURE 10.15
Procédé Frasch utilisé pour extraire le soufre des gisements souterrains.

d'azote, est présent dans le voisinage et qu'il absorbe l'énergie libérée par la formation de la liaison.

$$O + O_2 + N_2 \longrightarrow O_3 + N_2$$

Le troisième partenaire absorbe l'énergie sous forme d'énergie cinétique ; la température augmente. Autrement dit, l'énergie fournie par la radiation ultraviolette dans la première réaction finit par être transformée en énergie thermique dans la deuxième réaction. C'est ainsi que l'ozone empêche les rayons ultraviolets de haute énergie, nuisibles, d'atteindre la Terre.

10.6 Le soufre et ses composés

Dans la nature, le soufre est présent sous forme d'immenses gisements de soufre libre et sous forme de minerais, comme la galène, PbS, le cinabre, HgS, la pyrite, FeS_2, le gypse, $CaSO_4 \cdot 2H_2O$, l'epsomite, $MgSO_4 \cdot 7H_2O$, et la glaubérite, $Na_2SO_4 \cdot CaSO_4$.

À la section 4.9 du chapitre 4, nous avons traité de l'élimination du dioxyde de soufre par le lavage des gaz d'échappement.

On peut récupérer le soufre à l'état natif des gisements souterrains à l'aide du **procédé Frasch**, mis au point par Herman Frasch à la fin du siècle dernier. Selon ce procédé, on injecte d'abord de la vapeur d'eau surchauffée dans le gisement pour faire fondre le soufre (T_{fus} = 113 °C). Après quoi, on fait remonter le soufre fondu à la surface en y injectant de l'air comprimé (*voir la figure 10.15*). Le reste de la production de soufre provient soit de la purification avant combustion des combustibles fossiles (une mesure antipollution), soit de la récupération par lavage du dioxyde de soufre, SO_2, présent dans les gaz d'échappement produits par la combustion de ces combustibles fossiles et par le raffinage des minerais sulfurés.

Contrairement à l'oxygène, le soufre élémentaire n'existe sous forme de molécules S_2 qu'à l'état gazeux et à une température élevée. Étant donné que les liaisons σ du soufre sont beaucoup plus stables que ses liaisons π, la molécule S_2 est, à 25 °C, moins stable que les chaînes cycliques S_6 et S_8, ou que les chaînes S_n d'extension indéterminée (*voir la figure 10.16*). À 25 °C et à 101,3 kPa, la forme de soufre la plus stable est le *soufre*

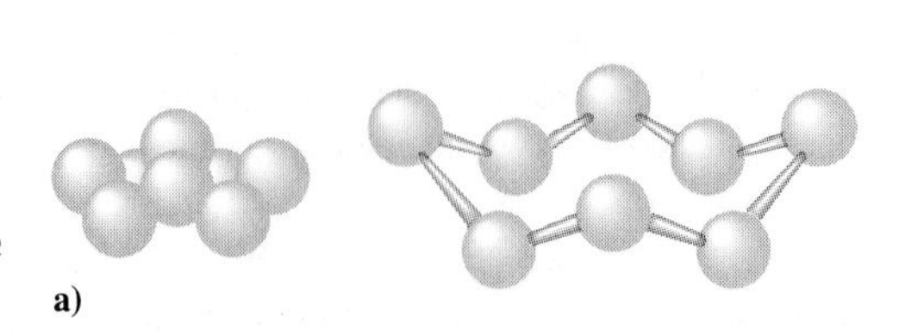

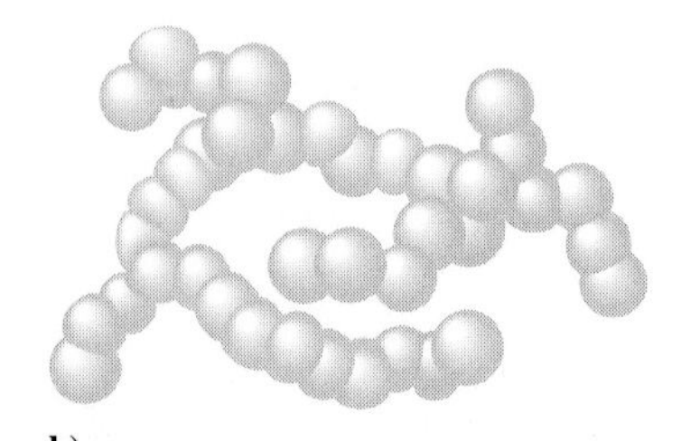

FIGURE 10.16
a) Molécule S_8. **b)** Chaînes d'atomes de soufre dans du soufre liquide visqueux : la chaîne peut contenir jusqu'à 10 000 atomes de soufre.

a)

b)

FIGURE 10.17
a) Soufre orthorhombique. **b)** Soufre monoclinique.

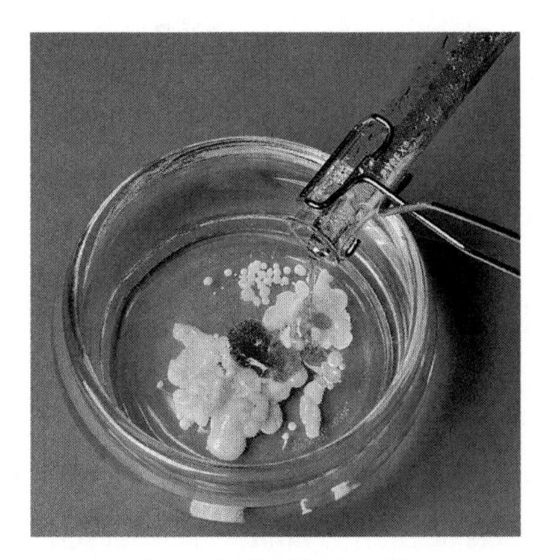

On verse du soufre liquide dans l'eau pour obtenir du soufre « mou ».

orthorhombique (*voir la figure 10.17a*), formé par empilement de cycles S_8. Lorsqu'on fait fondre le soufre orthorhombique, qu'on le fait chauffer jusqu'à 120 °C et qu'on le laisse refroidir lentement, on obtient du *soufre monoclinique* (*voir la figure 10.17b*). Cette forme allotropique de soufre possède également des cycles S_8, qui ne sont toutefois pas empilés de la même manière que dans le soufre orthorhombique.

Lorsqu'on élève la température du soufre au-delà de son point de fusion, il y a d'abord formation d'un liquide de faible viscosité constitué de molécules cycliques S_8. Si on continue, une augmentation notable de la viscosité du liquide a lieu : les cycles commencent alors à se rompre et à s'associer en longues chaînes. Si on fait chauffer davantage, il y a diminution de la viscosité : les atomes de soufre excités se séparent des chaînes, qui sont rompues. Lorsqu'on la soumet à un refroidissement rapide, cette substance forme une masse élastique constituée de chaînes S_n, le *soufre mou*. En quelques heures, celui-ci se transforme de nouveau en soufre orthorhombique stable.

Oxydes de soufre

À cause de la position du soufre dans le tableau périodique (sous l'oxygène), on s'attend à ce que l'oxyde de soufre stable le plus simple ait pour formule SO. Cependant, le *monoxyde de soufre* – qu'on peut produire en petite quantité en soumettant du dioxyde de soufre, SO_2, à une décharge électrique – s'avère très instable. Le fait que les liaisons π soient probablement plus fortes entre deux atomes d'oxygène qu'entre un atome d'oxygène et un atome de soufre peut expliquer cette différence de stabilité entre les molécules O_2 et SO.

Le soufre brûle dans l'air en produisant une flamme d'un bleu vif ; il y a alors formation de *dioxyde de soufre*, ou anhydride sulfureux, SO_2, un gaz incolore à l'odeur âcre et dont la condensation a lieu à −10 °C, à 101,3 kPa. Le dioxyde de soufre (*voir sa structure à la figure 10.18*) est un agent antibactérien très efficace qu'on utilise souvent pour conserver des fruits entreposés.

En l'absence de catalyseur, le dioxyde de soufre réagit très lentement avec l'oxygène pour former du *trioxyde de soufre*, ou anhydride sulfurique, SO_3.

$$2SO_2(g) + O_2(g) \longrightarrow 2SO_3(g)$$

Quand on a commencé les recherches relatives à la pollution atmosphérique, on a d'abord cherché à déterminer pourquoi et comment l'anhydride sulfureux qui résultait de la combustion de combustibles à forte teneur en soufre était si rapidement transformé en anhydride sulfurique. On sait à présent que les poussières et autres particules de l'air jouent le rôle de catalyseur dans cette réaction. Quand on prépare de l'anhydride sulfurique destiné à la fabrication de l'acide sulfurique, on utilise comme catalyseur du platine ou de l'oxyde de vanadium(V), V_2O_5 ; la réaction a lieu à environ 500 °C même si, à cette température, la valeur de la constante d'équilibre relative à cette réaction exothermique diminue.

a)

119°

b)

FIGURE 10.18
a) Deux des structures de résonance du SO_2.
b) Dans la molécule SO_2, l'angle est de 119°, comme la théorie RPEV permet de le prédire.

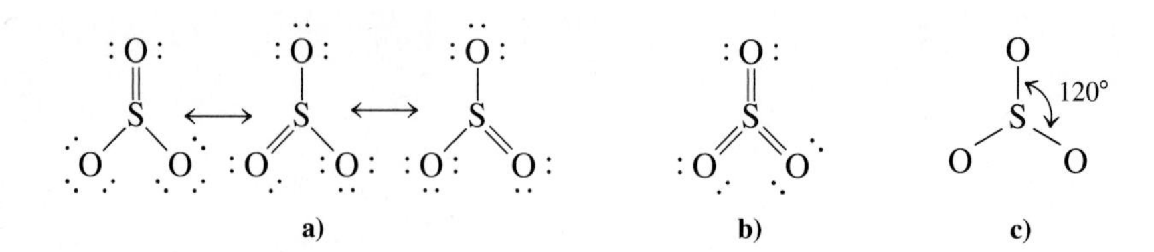

FIGURE 10.19
a) Trois des structures de résonance du SO_3. b) Structure de résonance à trois liaisons doubles. c) La molécule SO_3, plane, possède des angles de liaison de 120°.

On décrit généralement les liaisons dans la molécule SO_3 en faisant référence aux structures de résonance illustrées à la figure 10.19. Cette molécule possède une structure plane triangulaire, comme permet de le prédire la théorie RPEV. L'anhydride sulfurique est un liquide corrosif d'odeur suffocante, dont les vapeurs, au contact de l'humidité de l'air, forment des vapeurs blanches d'acide sulfurique. Ainsi, l'anhydride sulfurique et le dioxyde d'azote (qui réagit avec l'eau pour former un mélange d'acide nitrique et d'oxyde nitrique) sont les principaux agents responsables des pluies acides.

Le point d'ébullition de l'anhydride sulfurique est de 44,5 °C ; par ailleurs, l'anhydride sulfurique gèle à 16,8 °C sous trois formes : l'une est constituée de cycles S_3O_9 et les deux autres, de chaînes $(SO_3)_x$ *(voir la figure 10.20)*.

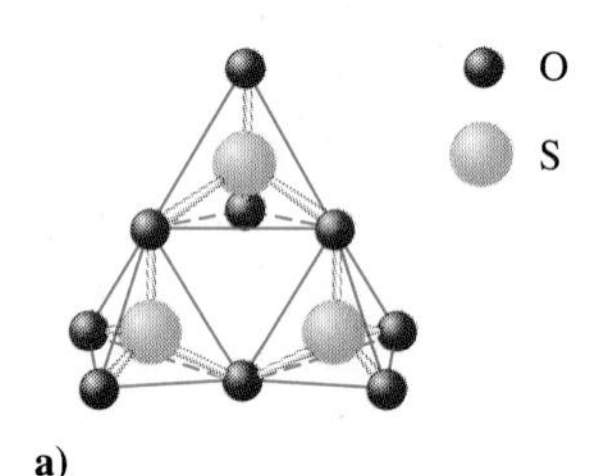

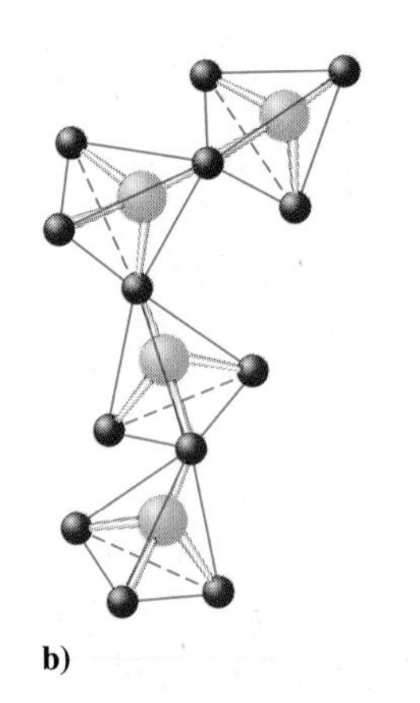

FIGURE 10.20
Structures du SO_3 solide. a) Cycle de S_3O_9. b) Chaîne de $(SO_3)_x$. Dans les deux cas, les atomes d'oxygène adoptent une structure tétraédrique autour de chaque atome de soufre.

Oxacides de soufre

La dissolution du dioxyde de soufre dans l'eau produit une solution acide. On représente d'ailleurs cette réaction à l'aide de l'équation suivante :

$$SO_2(g) + H_2O(l) \longrightarrow H_2SO_3(aq)$$

Le produit, H_2SO_3, l'*acide sulfureux*, existe peu en solution ; c'est surtout sous forme de SO_2 que le dioxyde de soufre existe en solution. On représente ces réactions de dissociation de la façon suivante :

$$SO_2(aq) + H_2O(l) \rightleftharpoons H^+(aq) + HSO_3^-(aq) \qquad K_{a_1} = 1,5 \times 10^{-2}$$
$$HSO_3^-(aq) \rightleftharpoons H^+(aq) + SO_3^{2-}(aq) \qquad K_{a_2} = 1,0 \times 10^{-7}$$

Même si on ne peut pas isoler H_2SO_3, on connaît des sels de SO_3^{2-} (*sulfites*) et de HSO_3^- (*hydrogénosulfites*).

En présence d'eau, l'anhydride sulfurique réagit violemment pour former un diacide, l'acide sulfurique.

$$SO_3(g) + H_2O(l) \longrightarrow H_2SO_4(aq)$$

La production industrielle d'acide sulfurique dépasse de beaucoup celle de tous les autres produits chimiques. On le fabrique à l'aide du *procédé de contact* (*voir le chapitre 3*). On utilise environ 60 % de la production d'acide sulfurique pour la fabrication d'engrais à partir de minerais phosphatés (*voir la section 10.3*) ; on utilise le reste, soit 40 %, pour la fabrication de l'acier et des batteries d'accumulateurs au plomb, pour le raffinage du pétrole, ainsi que dans la majorité des secteurs de l'industrie chimique.

(Gauche) Dépôt de soufre. (Droite) Soufre fondu obtenu de dépôts souterrains par le procédé Frasch.

a)

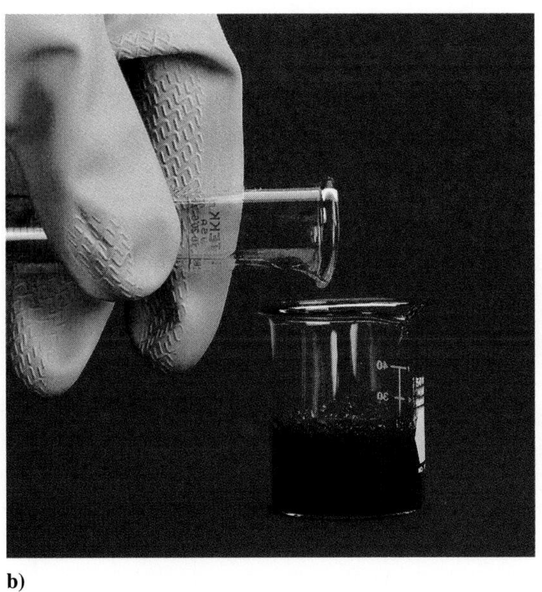

b)

c)

FIGURE 10.21
a) Bécher de saccharose (sucre de table). **b)** L'acide sulfurique réagit avec le saccharose pour produire une colonne de carbone, **c)** accompagnée d'une intense odeur de sucre brûlé.

La grande affinité de l'acide sulfurique avec l'eau en fait un agent déshydratant de choix. On y recourt d'ailleurs souvent pour le séchage de gaz qui sont stables en sa présence, comme l'azote, l'oxygène et l'anhydride carbonique : on fait barboter le gaz dans une solution d'acide concentré. L'acide sulfurique possède un tel pouvoir déshydratant qu'il peut extraire de l'hydrogène et de l'oxygène (dans un rapport de 2:1) d'un composé qui ne contient aucune molécule d'eau. Par exemple, quand l'acide sulfurique concentré réagit avec du sucre de table (saccharose), il y a formation d'un résidu carbonisé (*voir la figure 10.21*).

$$\underset{\text{Saccharose}}{C_{12}H_{22}O_{11}(s)} + 11H_2SO_4(conc) \longrightarrow 12C(s) + 11H_2SO_4 \cdot H_2O(l)$$

L'acide sulfurique est un agent oxydant modérément puissant ; c'est un bon agent oxydant surtout à une température élevée. L'acide sulfurique concentré chaud oxyde les ions bromure ou iodure en brome ou en iode élémentaires.

$$2I^-(aq) + 3H_2SO_4(aq) \longrightarrow I_2(aq) + SO_2(aq) + 2H_2O(l) + 2HSO_4^-(aq)$$

L'acide sulfurique chaud attaque également le cuivre métallique.

$$Cu(s) + 2H_2SO_4(aq) \longrightarrow CuSO_4(aq) + 2H_2O(l) + SO_2(aq)$$

Par contre, l'acide froid n'a aucun effet sur le cuivre.

Autres composés du soufre

Le soufre, qui réagit aussi bien avec des métaux qu'avec des non-métaux, forme une vaste gamme de composés, dans lesquels il peut prendre les nombres d'oxydation +6, +4, +2, 0 ou −2 (*voir le tableau 10.5*). On retrouve le nombre d'oxydation −2 dans les sulfures métalliques et dans le *sulfure d'hydrogène*, H_2S, gaz toxique d'odeur nauséabonde, qui, en milieu aqueux, se comporte comme un diacide. En milieu aqueux, le sulfure d'hydrogène est un agent réducteur puissant : l'un des produits de la réaction est du soufre en suspension, ce qui confère à la solution un aspect laiteux. Par exemple, la réaction du sulfure d'hydrogène avec le chlore en milieu aqueux est la suivante :

$$H_2S(g) + Cl_2(aq) \longrightarrow 2H^+(aq) + 2Cl^-(aq) + \underset{\text{Suspension laiteuse de soufre}}{S(s)}$$

TABLEAU 10.5 Composés courants dans lesquels le nombre d'oxydation du soufre varie

Nombre d'oxydation du soufre	Composé
+6	SO_3, H_2SO_4, SO_4^{2-}, SF_6
+4	SO_2, HSO_3^-, SO_3^{2-}, SF_4
+2	SCl_2
0	S_8 et toutes les autres variétés allotropiques du soufre
−2	H_2S, S^{2-}

Le soufre peut également former l'**ion thiosulfate**, $S_2O_3^{2-}$, dont le diagramme de Lewis est

Le préfixe *thio-* signifie « soufre ».

$$\left[\begin{array}{ccc} & :\ddot{O}: & \\ & | & \\ :\ddot{O}- & S & -\ddot{S}: \\ & | & \\ & :\ddot{O}: & \end{array}\right]^{2-}$$

On peut considérer que cet anion est un ion sulfate dans lequel un des atomes d'oxygène a été remplacé par un atome de soufre ; c'est pourquoi on l'appelle *thio*sulfate. On produit l'ion thiosulfate en faisant chauffer du soufre avec un sulfite en solution aqueuse.

$$S(s) + SO_3^{2-}(aq) \longrightarrow S_2O_3^{2-}(aq)$$

Le principal domaine d'application du thiosulfate est la photographie : l'ion thiosulfate dissout en effet les grains de bromure d'argent pour former un complexe avec l'ion Ag^+ (*voir la rubrique « Impact » de la prochaine section*). L'ion thiosulfate est également un bon agent réducteur, qu'on utilise d'ailleurs souvent pour déterminer la teneur en iode d'une solution.

$$S_2O_3^{2-}(aq) + I_2(aq) \longrightarrow S_4O_6^{2-}(aq) + 2I^-(aq)$$

où $S_4O_6^{2-}$ est l'*ion tétrathionate*.

Avec les halogènes, le soufre forme divers composés, tels S_2Cl_2, SF_4, SF_6 et S_2F_{10} (*voir la figure 10.23*).

10.7 Éléments du groupe 7A

7A
F
Cl
Br
I
At

Dans l'étude des éléments non transitionnels, nous avons d'abord analysé les groupes d'éléments métalliques (groupes 1A et 2A), puis les groupes dans lesquels les éléments de faible masse atomique sont des non-métaux et ceux de masse atomique plus élevée, des métaux (groupes 3A, 4A et 5A) et, enfin, un groupe de non-métaux (le groupe 6A – même si certains préfèrent classer le polonium parmi les métaux). Les éléments du groupe 7A, les **halogènes** (configuration des électrons de valence : ns^2np^5), sont tous des non-métaux dont les propriétés varient lentement au fur et à mesure que le numéro

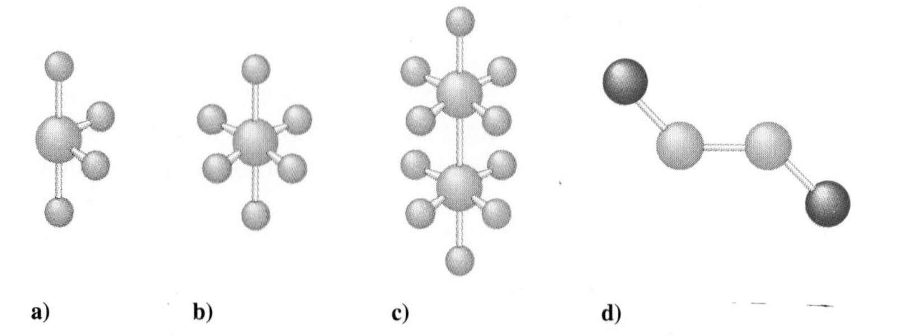

FIGURE 10.22
Structures de : **a)** SF_4 ; **b)** SF_6 ; **c)** S_2F_{10} ; **d)** S_2Cl_2.

TABLEAU 10.6 Quelques propriétés physiques des éléments du groupe 7A

Élément	Électro-négativité	Rayon de X^- (pm)	Potentiel standard (V) pour $X_2 + 2e \rightarrow 2X^-$	Énergie de liaison de X_2(kJ/mol)
fluor	4,0	136	2,87	154
chlore	3,0	181	1,36	239
brome	2,8	185	1,09	193
iode	2,5	216	0,54	149
astate	2,2	—	—	—

atomique augmente. Il existe toutefois deux exceptions à cette règle : l'affinité électronique du fluor et l'énergie de liaison dans la molécule F_2 ; ces deux paramètres prennent en effet des valeurs de beaucoup inférieures à celles prévues (*voir la section 9.1*). Le tableau 10.6 présente quelques propriétés physiques des halogènes.

À cause de leur forte réactivité, ces éléments n'existent pas dans la nature sous forme d'éléments libres : on les retrouve à l'état ionique (ions halogénure X^-) dans divers minerais et dans l'eau de mer (*voir le tableau 10.7*).

Bien que l'astate soit un élément du groupe 7A, son étude présente peu d'importance sur le plan pratique, étant donné que tous ses isotopes connus sont radioactifs. Son isotope le plus « stable », ^{210}At, a une demi-vie de 8,3 h seulement.

L'électronégativité des halogènes, et notamment celle du fluor, est très élevée (*voir le tableau 10.6*). Les halogènes forment des liaisons covalentes polaires avec les autres non-métaux et des liaisons ioniques avec les métaux dans leurs états d'oxydation les plus faibles. Lorsque le métal adopte un nombre d'oxydation plus élevé, par exemple +3 ou +4, les liaisons entre le métal et l'halogène sont covalentes polaires. Ainsi, $TiCl_4$ et $SnCl_4$ sont des composés covalents liquides dans des conditions normales.

Chlore, brome et iode.

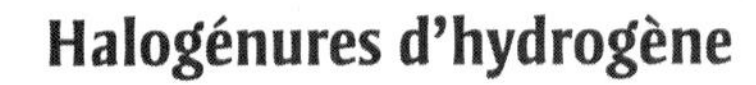

Halogénures d'hydrogène

On prépare les halogénures d'hydrogène de la façon suivante :

$$H_2(g) + X_2(g) \longrightarrow 2HX(g)$$

La réaction entre l'hydrogène et le fluor est excessivement violente. Par contre, l'hydrogène et le chlore ne semblent pas réagir tant qu'on les maintient dans l'obscurité ; toutefois, la lumière ultraviolette provoque une réaction très rapide entre ces deux éléments. Cette réaction fait souvent l'objet d'une démonstration courante : le « canon à

TABLEAU 10.7 Quelques propriétés physiques, sources et modes de préparation des éléments du groupe 7A

Élément	État et couleur	Présence dans la croûte terrestre (%)	Point de fusion (°C)	Point d'ébullition (°C)	Source	Mode de préparation
fluor	gaz jaune pâle	0,07	−220	−188	fluorine (CaF_2), cryolite (Na_3AlF_6), fluorapatite ($Ca_5(PO_4)_3F$)	électrolyse de KHF_2 fondu
chlore	gaz jaune-vert	0,14	−101	−34	sel gemme (NaCl), ou halite (NaCl), sylvinite (KCl)	électrolyse du NaCl en solution aqueuse
brome	liquide rouge-brun	$2,5 \times 10^{-4}$	−7,3	59	eau de mer, marais salants	oxydation de Br^- par Cl_2
iode	solide violet-noir	3×10^{-5}	113	184	algues marines, marais salants	oxydation de I^- par électrolyse ou MnO_2

IMPACT

Photographie

Dans une photographie en noir et blanc, la lumière qui provient d'un objet atteint un papier spécial contenant une émulsion de bromure d'argent. Lorsque les sels d'argent sont exposés à la lumière, ils noircissent, étant donné que l'énergie lumineuse favorise le transfert d'un électron à l'ion Ag^+, qui devient un atome d'argent élémentaire. Quand on expose du papier photographique (*film*) à la lumière, le nombre d'atomes d'argent formés est d'autant plus important que l'éclairage est intense. À l'étape du *développement*, on plonge le film dans une solution d'agents réducteurs. L'avantage des films à émulsion de sels d'argent réside dans le fait que les atomes d'argent formés lors de l'exposition du film catalysent, au cours du développement, la réduction de millions d'ions Ag^+ dans leur voisinage immédiat. Ainsi, au cours de cette étape de réduction chimique, il y a amplification de l'influence de l'exposition à la lumière. Une fois l'image développée, on doit éliminer la totalité du bromure d'argent qui n'a pas réagi afin de rendre la pellicule insensible à la lumière : l'image est alors fixée. Pour obtenir ce *fixage*, on utilise une solution de thiosulfate de sodium (*hypo*).

$$AgBr(s) + 2S_2O_3^{2-}(aq) \longrightarrow Ag(S_2O_3)_2^{3-}(aq) + Br^-(aq)$$

Après dissolution de l'excédent de bromure d'argent et lavage du film, on peut transformer l'image fixée (le *négatif*) en une image positive (étape du *tirage*). Si on interpose le négatif entre une source lumineuse et un papier sensible, et si on développe et fixe ce papier, on obtient une photo en noir et blanc.

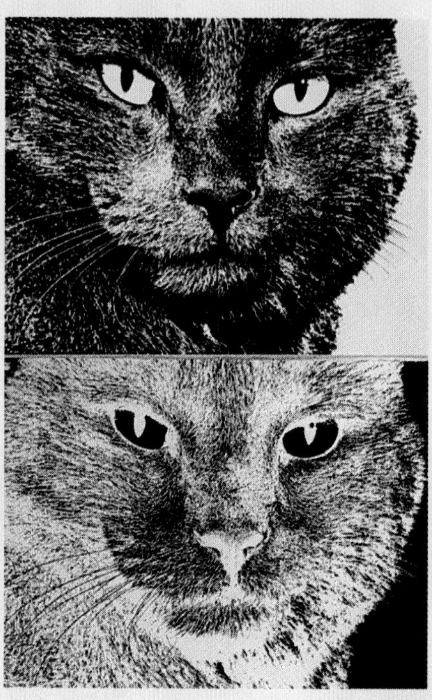

Positif et négatif.

Bougie allumée dans une atmosphère de $Cl_2(g)$. La réaction exothermique, au cours de laquelle il y a bris des liaisons C—C et C—H dans la cire et leur remplacement par des liaisons C—Cl, produit suffisamment de chaleur pour rendre les gaz incandescents (apparition d'une flamme).

hydrogène et à chlore ». (Dans une éprouvette fermée par un bouchon de liège se trouve un mélange de H_2 et de Cl_2 : il ne se passe rien. Mais dès qu'on l'éclaire avec le flash d'un appareil photo, la réaction explosive fait sauter le bouchon.) Le brome et l'iode réagissent aussi avec l'hydrogène, mais modérément.

On peut, en outre, préparer les halogénures d'hydrogène en faisant réagir des halogénures métalliques avec un acide. Par exemple, on peut préparer le fluorure d'hydrogène et le chlorure d'hydrogène de la façon suivante :

$$CaF_2(s) + H_2SO_4(aq) \longrightarrow CaSO_4(s) + 2HF(g)$$
$$2NaCl(s) + H_2SO_4(aq) \longrightarrow Na_2SO_4(s) + 2HCl(g)$$

Étant donné que l'acide sulfurique peut oxyder l'ion Br^- en Br_2 et l'ion I^- en I_2, on ne peut pas l'utiliser pour préparer du bromure d'hydrogène ou de l'iodure d'hydrogène. Pour ce faire, on utilise l'acide phosphorique, qui est un acide non oxydant.

Le tableau 10.8 présente quelques propriétés physiques des halogénures d'hydrogène. On y remarque le point d'ébullition très élevé du fluorure d'hydrogène, qui est dû à la présence, entre les molécules HF très polaires, d'un grand nombre de liaisons hydrogène (*voir la figure 10.23*). L'ion fluorure est doté d'une telle affinité pour les protons que, dans une solution concentrée de fluorure d'hydrogène, il existe sous forme d'ions $[F—H—F]^-$, l'ion H^+ étant alors « coincé » entre deux ions F^-.

Les halogénures d'hydrogène dissous dans l'eau se comportent tous comme des acides : tous sont complètement dissociés, sauf le fluorure d'hydrogène. Étant donné

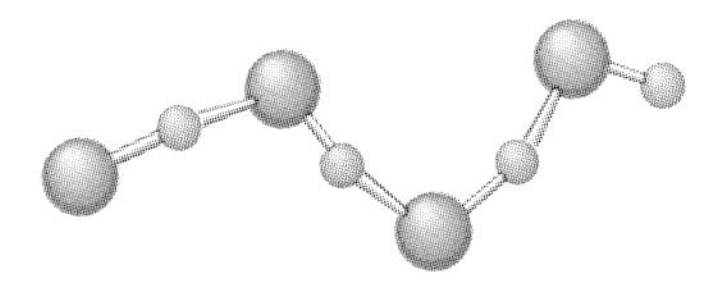

FIGURE 10.23
Liaisons hydrogène entre les molécules HF, dans du fluorure d'hydrogène liquide (acide fluorhydrique).

TABLEAU 10.8 Quelques propriétés physiques des halogénures d'hydrogène

HX	Point de fusion (°C)	Point d'ébullition (°C)	Énergie de la liaison (kJ/mol)
HF	−83	20	565
HCl	−114	−85	427
HBr	−87	−67	363
HI	−51	−35	295

que l'eau est une base beaucoup plus forte que les ions Cl^-, Br^- et I^-, on ne peut pas différencier la force des acides HCl, HBr et HI en solution aqueuse. Lorsqu'ils sont en présence de solvants moins basiques qu'eux, comme l'acide acétique glacial (pur), on peut toutefois les différencier.

$$\text{H—I} > \text{H—Br} > \text{H—Cl} \gg \text{H—F}$$

Acide le plus fort — Acide le plus faible

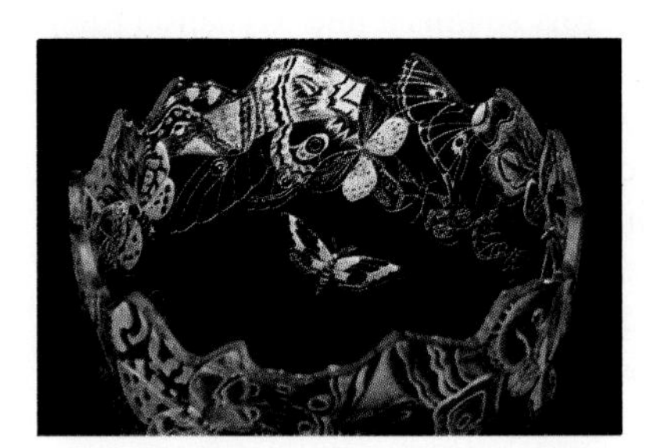

Ce cristal de Steuben a été gravé à l'acide fluorhydrique.

On appelle **acides halohydriques** les solutions aqueuses des halogénures d'hydrogène, l'**acide chlorhydrique**, HCl(*aq*), étant le plus important d'entre eux. On en produit environ 1,6 × 10^5 tonnes chaque année au Canada. On l'utilise principalement pour nettoyer l'acier avant sa galvanisation. On y recourt en outre dans la fabrication de nombreux autres produits chimiques, comme le chlorure ferrique, $FeCl_3$, utilisé dans le traitement des eaux usées à l'usine d'épuration de la Communauté urbaine de Montréal.

On utilise l'acide fluorhydrique pour décaper (dépolir) le verre ; dans ce cas, il réagit avec la silice pour produire le gaz SiF_4.

$$SiO_2(s) + 4HF(aq) \longrightarrow SiF_4(g) + 2H_2O(l)$$

À cause de cette propriété, il vaut mieux conserver l'acide fluorhydrique dans un contenant de polymère inerte plutôt que dans du verre.

Oxacides et oxanions

Tous les halogènes, à l'exception du fluor, peuvent former divers oxacides en se combinant avec un ou plusieurs atomes d'oxygène (*voir le tableau 10.9*). La force de ces acides est directement proportionnelle au nombre d'atomes d'oxygène liés à l'halogène.

L'*acide perchlorique*, $HOClO_3$, est le seul oxacide de la série du chlore qu'on ait pu obtenir à l'état pur ; c'est un acide fort et un agent oxydant puissant. Étant donné que l'acide perchlorique réagit de façon excessivement violente avec un grand nombre de composés organiques, on doit le manipuler avec beaucoup de précautions. Les autres oxacides du chlore n'existent qu'en solution ; par contre, leurs sels correspondants existent (*voir la figure 10.24*).

TABLEAU 10.9 Oxacides d'halogène connus*

Nombre d'oxydation de l'halogène	Fluor	Chlore	Brome	Iode*	Nom générique des acides	Nom générique des sels
+1	HOF	HOCl	HOBr	HOI	acide hypohalogéneux	hypohalogénites MOX
+3	**	HOClO	**	**	acide halogéneux	halogénites MXO_2
+5	**	$HOClO_2$	$HOBrO_2$	$HOIO_2$	acide halogénique	halogénates MXO_3
+7	**	$HOClO_3$	$HOBrO_3$	$HOIO_3$	acide perhalogénique	perhalogénates MXO_4

* L'iode forme également $H_4I_2O_9$ (acide dimésoperiodique) et H_5IO_6 (acide paraperiodique).

** Composé inconnu.

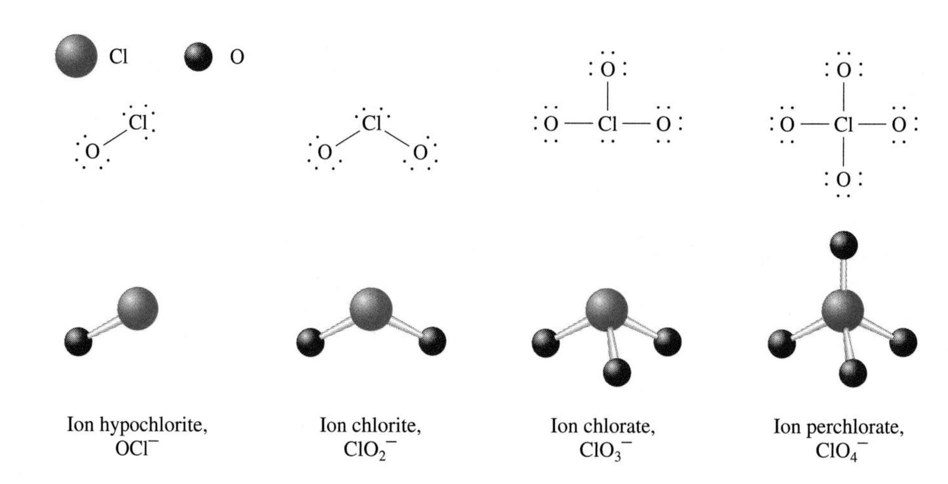

FIGURE 10.24
Structures des anions des composés oxygénés du chlore.

L'*acide hypochloreux*, HOCl, est formé quand on dissout du chlore gazeux dans l'eau froide.

$$Cl_2(aq) + H_2O(l) \rightleftharpoons HOCl(aq) + H^+(aq) + Cl^-(aq)$$

Dans cette réaction, on remarque que le chlore est à la fois soumis à une oxydation (de 0 dans Cl_2 à +1 dans HOCl) et à une réduction (de 0 dans Cl_2 à −1 dans Cl^-). On appelle ce type de réaction, *dans laquelle un élément donné est soumis à la fois à une oxydation et à une réduction*, **réaction de dismutation**. L'acide hypochloreux et ses sels sont de puissants oxydants ; leur utilisation en solution comme désinfectant et agent de blanchiment est très répandue.

Les *chlorates*, tel $KClO_3$, sont également de puissants oxydants ; on les utilise comme herbicides ou comme oxydants dans les pièces pyrotechniques (*voir le chapitre 5*) et les explosifs.

Il n'existe qu'un oxacide de fluor, l'acide hypofluoreux, HOF. Par contre, il existe au moins deux oxydes ; il y a formation de *difluorure d'oxygène*, OF_2, quand on fait barboter du fluor gazeux dans une solution diluée d'hydroxyde de sodium.

$$4F_2(g) + 3H_2O(l) \longrightarrow 6HF(aq) + OF_2(g) + O_2(g)$$

Le difluorure d'oxygène est un gaz jaune pâle dont le point d'ébullition est de −145 °C. C'est un oxydant puissant. Par ailleurs, le *difluorure de dioxygène*, O_2F_2, est un solide orangé qu'on peut préparer en faisant passer une décharge électrique dans un mélange équimolaire de fluor et d'oxygène gazeux.

$$F_2(g) + O_2(g) \xrightarrow{\text{Décharge électrique}} O_2F_2(s)$$

Exemple 10.5 Description des liaisons dans OF_2

Établissez le diagramme de Lewis de la molécule OF_2, et déterminez la structure moléculaire et l'état d'hybridation de l'atome d'oxygène.

Solution

La molécule OF_2 possède 20 électrons de valence ; son diagramme de Lewis est

$$:\ddot{\underset{..}{F}}-\ddot{\underset{..}{O}}-\ddot{\underset{..}{F}}:$$

Les quatre doublets effectifs qui entourent l'atome d'oxygène sont disposés de façon tétraédrique ; l'atome d'oxygène est donc hybridé sp^3. La molécule, en forme de V, forme un angle qui devrait être inférieur à 109,5° (à cause de la répulsion entre les doublets libres).

Voir l'exercice 10.26

TABLEAU 10.10 Quelques composés formés d'halogènes et de non-métaux

Avec un non-métal du groupe 3A	Avec un non-métal du groupe 4A	Avec un non-métal du groupe 5A	Avec un non-métal du groupe 6A	Avec un non-métal du groupe 7A
BX_3 (X = F, Cl, Br, I)	CX_4 (X = F, Cl, Br, I)	NX_3 (X = F, Cl, Br, I)	OF_2	ICl
BF_4^-		N_2F_4	O_2F_2	IBr
	SiF_4		OCl_2	BrF
	SiF_6^{2-}	PX_3 (X = F, Cl, Br, I)	OBr_2	BrCl
	$SiCl_4$	PF_5		ClF
		PCl_5	SF_2	
	GeF_4	PBr_5	SCl_2	ClF_3
	GeF_6^{2-}		S_2F_2	BrF_3
	$GeCl_4$	AsF_3	S_2Cl_2	ICl_3
		AsF_5	SF_4	IF_3
			SCl_4	
		SbF_3	SF_6	ClF_5
		SbF_5		BrF_5
			SeF_4	IF_5
			SeF_6	
			$SeCl_2$	IF_7
			$SeCl_4$	
			$SeBr_4$	
			TeF_4	
			TeF_6	
			$TeCl_4$	
			$TeBr_4$	
			TeI_4	

Autres composés halogénés

Les halogènes réagissent aisément avec la plupart des non-métaux pour former une grande variété de composés, dont certains sont présentés au tableau 10.10.

Les halogènes réagissent entre eux pour former des **composés interhalogénés**, de formule générale AB_n, où A est le plus gros des halogènes, n valant le plus souvent 1, 3, 5 ou 7. On peut d'ailleurs prédire avec précision la structure de ces composés (*voir la figure 10.25*) à l'aide de la théorie RPEV. En plus de constituer de puissants oxydants, les composés interhalogénés sont volatils et très réactifs. Ils réagissent ainsi aisément avec l'eau pour former l'anion halogénure de l'élément le plus électronégatif et l'acide hypohalogéneux de l'élément le moins électronégatif. Par exemple, on peut avoir

$$ICl(s) + H_2O(l) \longrightarrow H^+(aq) + Cl^-(aq) + HOI(aq)$$

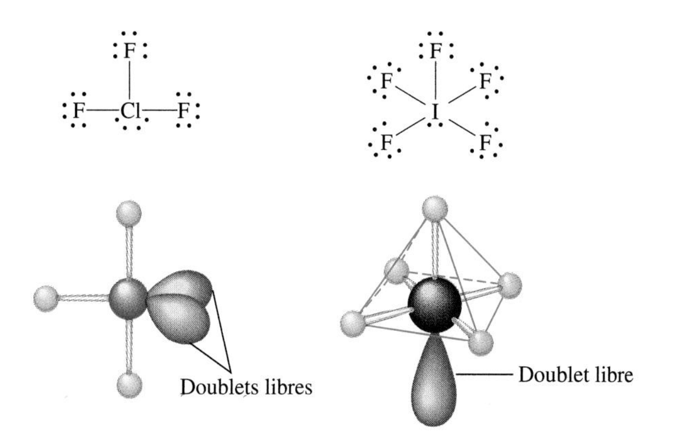

a) ClF_3 a la forme d'un « T ».

b) IF_5 forme une pyramide à base carrée.

FIGURE 10.25
Structure théorique des composés interhalogénés ClF_3 et IF_5. En fait, à cause de la présence de doublets libres, les angles de liaison sont légèrement inférieurs à 90°.

Avec le carbone, les halogènes forment un grand nombre de composés très importants sur le plan commercial. Parmi ceux-ci, on retrouve un groupe de polymères, ou composés à longue chaîne, à base d'éthylène.

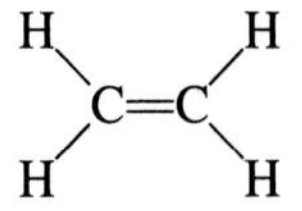

```
H       H
 \     /
  C = C
 /     \
H       H
```

Par exemple, le tétrafluoroéthylène

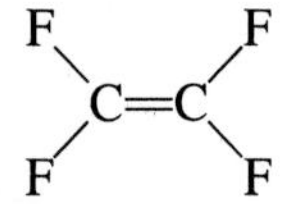

```
F       F
 \     /
  C = C
 /     \
F       F
```

réagit avec lui-même pour former le polymère ci-dessous, appelé *téflon*.

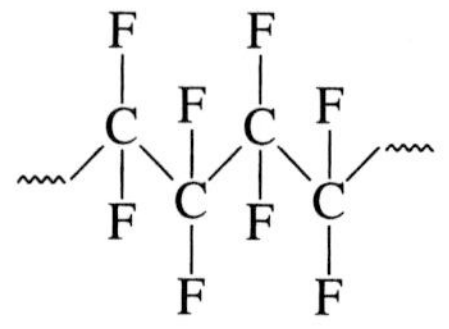

```
      F       F
      |       |
      C   F   C   F
~~~ / | \ | / | \ | / ~~~
      F   C   F   C
          |       |
          F       F
```

Ce polymère résiste fort bien aux agents chimiques et à la chaleur ; c'est pourquoi on l'utilise beaucoup comme couche protectrice.

Les fréons, de formule générale CCl_xF_{4-x}, sont des composés très stables qu'on a utilisés comme fluides réfrigérants dans les réfrigérateurs et les appareils de climatisation durant de nombreuses années, mais qui sont, de nos jours, remplacés par des substances moins dangereuses pour l'environnement.

Le chlore entre dans la composition de nombreuses autres molécules très utiles. Par exemple, le chlorure de vinyle

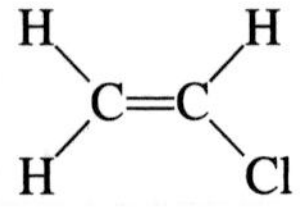

```
H       H
 \     /
  C = C
 /     \
H       Cl
```

polymérise pour former du *poly(chlorure de vinyle)*, ou PVC (de l'anglais ***polyvinylchloride***).

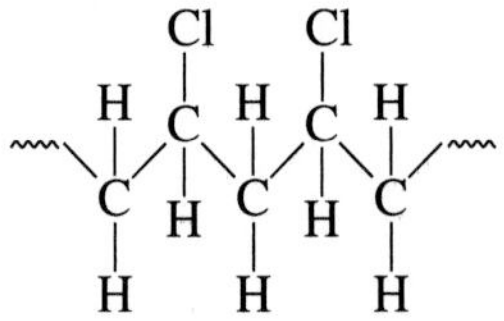

```
          Cl      Cl
          |       |
      H   C   H   C   H
~~~ \ | / | \ | / | \ | / ~~~
      C   H   C   H   C
      |       |       |
      H       H       H
```

Un grand nombre de pesticides contiennent également du chlore.

Le brome est utilisé dans la fabrication de pellicules photographiques à base de bromure d'argent ; il est aussi utilisé comme sédatif et soporifique sous forme de NaBr et de Kbr. On utilise également des composés bromés pour ignifuger les vêtements.

IMPACT

Lunettes solaires « automatiques »

Il semble que les lunettes solaires soient toujours une source de problèmes. Ou bien on les perd ou bien on s'assoit dessus ! Une solution à ce problème, c'est de porter des verres photochromiques, c'est-à-dire qui deviennent absorbants sous l'action d'une lumière intense. Il ne faut pas oublier que le verre est un matériau non cristallin complexe formé de silicates polymériques (*voir le chapitre 8*) qui permet le passage de la lumière visible ; sa transparence est sa propriété la plus utile.

Le verre peut devenir photochromique par addition de très petits cristaux de chlorure d'argent qui figent dans la matrice de verre quand ce dernier se solidifie. Le chlorure d'argent a la propriété inhabituelle de noircir quand il est éclairé ; c'est cette propriété qui rend les sels d'argent si utiles en photographie. Ce noircissement survient lorsque la lumière provoque le transfert d'un électron de l'ion Cl^- à l'ion Ag^+ dans le cristal de chlorure d'argent, formant alors un atome d'argent et un atome de chlore. Les atomes d'argent alors formés ont tendance à migrer à la surface du cristal de chlorure d'argent, où ils s'agrègent pour former de petits cristaux d'argent métallique, opaques à la lumière.

En photographie, l'image définie par les grains d'argent est fixée par traitement chimique afin de la rendre permanente. Toutefois, dans les verres photochromiques, ce processus doit être réversible ; autrement dit, les verres doivent redevenir tout à fait transparents quand ils sont dans l'obscurité. Le secret de la réversibilité des verres photochromiques réside dans la présence des ions Cu^+. Ces ions remplissent deux rôles. D'abord, ils réduisent les atomes Cl formés par la réaction déclenchée par la lumière, les empêchant ainsi de s'échapper du cristal :

Lunettes à lentilles photosensibles. La lentille de droite a été exposée à la lumière, mais pas celle de gauche.

$$Ag^+ + Cl^- \xrightarrow{h\nu} Ag + Cl$$
$$Cl + Cu^+ \longrightarrow Cu^{2+} + Cl^-$$

Deuxièmement, quand l'exposition à la lumière intense cesse, les ions Cu^{2+} migrent à la surface du cristal de chlorure d'argent où ils reçoivent les électrons des atomes d'argent à mesure que les petits cristaux d'atomes d'argent se désintègrent :

$$Cu^{2+} + Ag \longrightarrow Cu^+ + Ag^+$$

Les ions Ag^+ se reforment de cette façon, puis reviennent à leur place dans les cristaux de chlorure d'argent, rendant ainsi à nouveau les verres transparents.

En plein soleil, les verres photochromiques typiques laissent passer environ 20 % de la lumière qui les frappe (transmittance de 20 %) ; à l'intérieur, la transmittance atteint environ 80 % en quelques minutes (la transmittance des verres normaux est de 92 %).

10.8 Éléments du groupe 8A

8A
He
Ne
Ar
Kr
Xe
Rn

Les éléments du groupe 8A, les **gaz rares**, possèdent tous des orbitales de valence *s* et *p* occupées (configuration électronique de l'hélium : $2s^2$; configuration électronique des autres gaz rares : ns^2np^6) ; c'est pourquoi leur réactivité est si faible. En fait, il y a 50 ans, on ne connaissait aucun dérivé de gaz rare. Le tableau 10.11 présente quelques propriétés de ces éléments.

Grâce au spectre d'émission caractéristique de l'*hélium*, on a pu en déceler la présence dans le Soleil avant même de le découvrir sur la Terre. On le retrouve principalement dans les gisements de gaz naturel, où il provient de la désintégration de radioéléments émetteurs de particules α. Une particule α est un noyau d'hélium qui peut facilement capter des électrons pour devenir un atome d'hélium. Même si l'hélium n'entre dans la composition d'aucun composé, il est néanmoins très important ; on l'utilise ainsi : comme réfrigérant ; pour diluer les gaz destinés à créer une atmosphère artificielle dans les sous-marins qui naviguent en eaux très profondes et dans les vaisseaux spatiaux ; pour gonfler les dirigeables. Dans les fusées, il permet de maintenir les combustibles sous pression.

Le néon, un gaz rare, est utilisé dans l'éclairage luminescent (enseigne au néon).

TABLEAU 10.11 Quelques propriétés des éléments du groupe 8A

Élément	Point de fusion (°C)	Point d'ébullition (°C)	Abondance dans l'atmosphère (%, en volume)	Quelques composés connus
hélium	−270	−269	5×10^{-4}	aucun
néon	−249	−246	1×10^{-3}	aucun
argon	−189	−186	9×10^{-1}	aucun
krypton	−157	−153	1×10^{-4}	KrF_2
xénon	−112	−107	9×10^{-6}	XeF_4, XeO_3, XeF_6

À l'instar de l'hélium, le *néon* et l'*argon* ne forment aucun composé ; on les utilise cependant beaucoup. Par exemple, on recourt au néon dans l'éclairage luminescent (les enseignes au néon) et à l'argon dans les ampoules incandescentes ; étant donné que l'argon n'est pas corrosif, la durée de vie du filament de tungstène est prolongée.

Parmi les éléments du groupe 8A, seuls le *krypton* et le *xénon* forment des composés. Le premier de ces composés fut synthétisé en 1962 par le chimiste britannique Neil Bartlett (né en 1932). Il s'agit du composé ionique $XePtF_6$ (hexafluoroplatinate de xénon).

Moins d'un an après la synthèse du $XePtF_6$ par Bartlett, un groupe de chercheurs de l'Argonne National Laboratory (près de Chicago) produisit le tétrafluorure de xénon à partir de xénon et de fluor gazeux, dans un récipient de nickel, à 400 °C et à 600 kPa.

$$Xe(g) + 2F_2(g) \longrightarrow XeF_4(s)$$

Les cristaux incolores de tétrafluorure de xénon sont stables. Peu après, le même groupe réussit à synthétiser les deux autres fluorures de xénon, XeF_2 et XeF_6, et un oxyde de xénon, XeO_3, très explosif. Les fluorures de xénon réagissent avec l'eau pour former du fluorure d'hydrogène et des composés oxygénés.

$$XeF_6(s) + 3H_2O(l) \longrightarrow XeO_3(aq) + 6HF(aq)$$
$$XeF_6(s) + H_2O(l) \longrightarrow XeOF_4(aq) + 2HF(g)$$

Au cours des 40 dernières années, on a synthétisé d'autres composés du xénon, tels XeO_4 (explosif), XeO_2F_4, XeO_2F_2 et XeO_3F_2. Ces composés sont constitués de molécules individuelles dans lesquelles le xénon forme des liaisons covalentes avec les autres atomes. La structure de certains composés de xénon est présentée à la figure 10.26. Il existe également quelques composés de krypton, tels KrF_2 et KrF_4. On a par ailleurs des preuves que le radon réagit avec le fluor ; toutefois, la nature radioactive du radon en rend l'étude malaisée.

Exemple 10.6

Structure de XeF_6

Déterminez si, selon la théorie RPEV, XeF_6 a une structure octaédrique.

Solution

La molécule XeF_6 possède [8 + 6(7)], soit 50 électrons de valence ; son diagramme de Lewis est

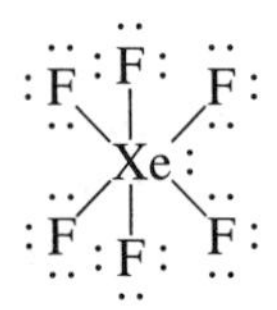

L'atome de xénon est entouré de sept doublets effectifs (1 doublet libre et 6 doublets liants), soit un doublet de plus que ne l'exige une structure octaédrique. Par conséquent, à cause de la présence de ce doublet libre, XeF_6 ne peut pas posséder une structure octaédrique, ce qu'on a d'ailleurs démontré expérimentalement.

Voir l'exercice 10.30

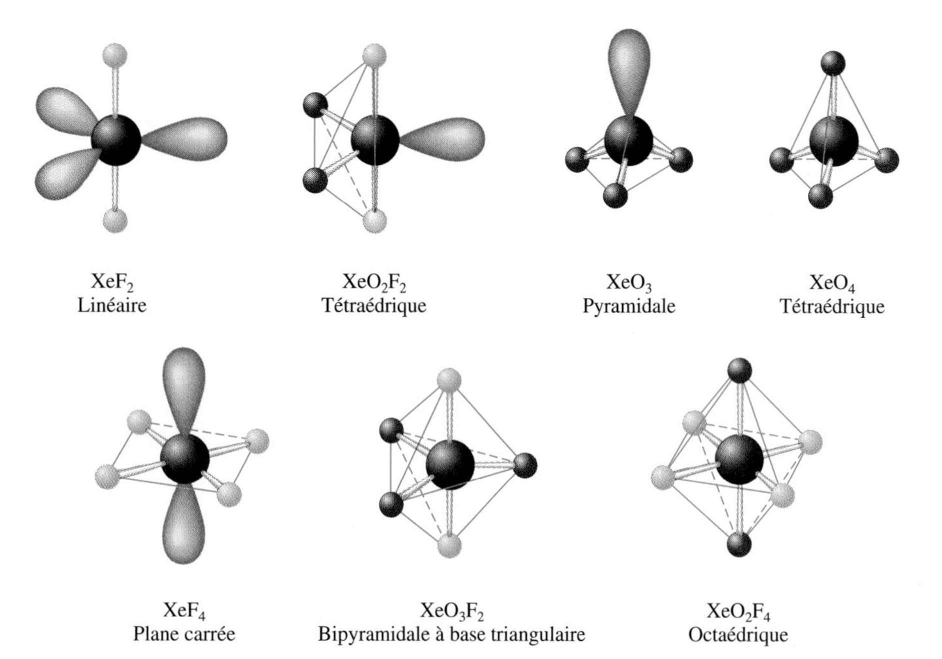

FIGURE 10.26
Structure de certains composés du xénon.

Mots clés

Section 10.2
procédé Haber
fixation de l'azote
bactéries fixatrices d'azote
dénitrification
cycle de l'azote
ammoniac
hydrazine
acide nitrique
procédé Ostwald

Section 10.3
acide phosphorique (acide orthophosporique)
réaction de condensation
acide phosphoreux
superphosphate de chaux

Section 10.5
ozone
ozonisation

Section 10.6
procédé Frasch
acide sulfurique
ion thiosulfate

Section 10.7
halogènes
acides halohydriques
acide chlorhydrique
réaction de dismutation
composés interhalogénés
fréons

Section 10.8
gaz rares

Synthèse

Groupe 5A

- Les éléments sont dotés d'une vaste gamme de propriétés chimiques.
  - L'azote et le phosphore sont des non-métaux.
  - L'antimoine et le bismuth ont plutôt des propriétés métalliques, bien qu'il n'existe aucun composé ionique qui contient des ions Sb^{5+} et Bi^{5+} ; les composés contenant Sb(V) et Bi(V) sont des composés moléculaires et non ioniques.
  - Tous les éléments du groupe, à l'exception de N, forment des molécules qui possèdent cinq liaisons covalentes.
  - La possibilité de former des liaisons π diminue de façon notable après N.
- Chimie de l'azote
  - La décomposition de la plupart des composés azotés qui forment la molécule N_2 très stable est accompagnée d'un dégagement de chaleur, ce qui explique la puissance des explosifs azotés.
  - Le cycle de l'azote qui consiste en une série d'étapes montre comment l'azote est recyclé dans la nature.
  - Au cours de la fixation de l'azote, il y a transformation de N_2 atmosphérique en composés assimilables par les plantes.
    - Le procédé Haber est un une méthode synthétique de fixation de l'azote.
    - Dans la nature, la fixation de l'azote se produit grâce à des bactéries fixatrices d'azote situées dans des nodules sur les racines de certaines plantes et grâce à la foudre.
  - L'ammoniac est le plus important des hydrures d'azote.
    - C'est une molécule de structure pyramidale.
    - Il est largement utilisé pour fabriquer des engrais.
  - L'hydrazine, N_2H_4, est un réducteur puissant.
  - L'azote forme une série d'oxydes parmi lesquels on retrouve N_2O, NO, NO_2 et N_2O_5.
  - L'acide nitrique, HNO_3, un acide fort de grande importance, est synthétisé par le procédé Ostwald.
- Chimie du phosphore
  - Le phosphore existe en trois variétés allotropiques : le phosphore blanc (contient des molécules P_4), le phosphore rouge et le phosphore noir.
  - La phosphine, PH_3, a des angles de liaison de l'ordre de 90°.

- Le phosphore forme des oxydes dont P_4O_6 et P_4O_{10} (qui se dissout dans l'eau pour former l'acide phosphorique, H_3PO_4).

Groupe 6A

- Le caractère métallique s'accentue au fur et à mesure que l'on descend dans le groupe, mais aucun des éléments n'est vraiment un métal.
- Les éléments plus légers ont tendance à capter deux électrons pour former des ions X^{2-} dans des composés avec des métaux.
- Chimie de l'oxygène
  - L'oxygène existe sous deux formes allotropiques, O_2 et O_3.
  - L'oxygène forme une grande variété d'oxydes.
  - O_2 et surtout O_3 sont des oxydants puissants.
- Chimie du soufre
  - Il existe deux variétés allotropiques de soufre, le soufre orthorhombique et le soufre monoclinique, toutes deux formées de cycles S_8.
  - Les oxydes les plus importants sont SO_2, qui en solution dans l'eau forme H_2SO_3, et SO_3, qui en solution dans l'eau forme H_2SO_4.
  - Le soufre entre dans la composition d'une grande variété de substances dans lesquelles son nombre d'oxydation peut être de 6+, 4+, 2+, 0 ou 2−.

Groupe 7A (halogènes)

- Les éléments sont tous des non-métaux.
- Ils forment des hydrures du type HX qui en solution aqueuse sont tous des acides forts, à l'exception de HF qui est un acide faible.
- La force des oxacides d'un halogène donné augmente avec le nombre d'atomes d'oxygène liés à l'halogène.
- Les composés interhalogénés contiennent deux ou plusieurs atomes d'halogènes différents.

Groupe 8 (gaz rares)

- Tous les éléments sont des gaz monoatomiques et sont généralement très peu réactifs.
- Les éléments les plus lourds forment des composés avec des atomes très électronégatifs comme le fluor et l'oxygène.

QUESTIONS DE RÉVISION

1. Quelle est la configuration des électrons de valence des éléments du groupe 5A ? Le caractère métallique augmente au fur et à mesure que l'on descend dans un groupe. Donnez quelques exemples illustrant comment Bi et Sb possèdent des caractéristiques de métaux qui ne sont pas associées à N, P et As. Les éléments du groupe 5A peuvent former des molécules ou des ions qui font intervenir trois, cinq ou six liaisons covalentes ; NH_3, $AsCl_5$ et PF_6^- sont des exemples. Dessinez les diagrammes de Lewis de chacune de ces substances et prédisez quels seront la structure moléculaire et l'état d'hybridation pour chacune. Pourquoi NF_5 et NCl_6^- ne se forment-ils pas ?
2. Le tableau 10.2 donne la liste de quelques composés courants de l'azote dont les états d'oxydation varient de 3− à 5+. Justifiez cet écart entre les états d'oxydation. Pour chaque substance apparaissant dans le tableau 10.2, nommez quelques-unes de ses propriétés particulières.
3. L'ammoniac forme des liaisons hydrogène intermoléculaires qui sont responsables d'un point d'ébullition anormalement élevé pour une substance aussi petite que NH_3. Est-ce que l'hydrazine, N_2H_4, forme elle aussi des liaisons hydrogène ?

   La synthèse de l'ammoniac gazeux à partir de l'azote gazeux et de l'hydrogène gazeux est un cas classique dans lequel la connaissance de la cinétique et de l'équilibre a été exploitée pour mettre au point une réaction chimique économiquement réalisable. Expliquez comment chacune des conditions suivantes permet d'augmenter au maximum le rendement en ammoniac :

   a) effectuer la réaction à température élevée ;

   b) retirer l'ammoniac du mélange réactionnel à mesure qu'il se forme ;

c) utiliser un catalyseur;
d) effectuer la réaction à pression élevée.

Dans beaucoup d'eaux naturelles, l'azote et le phosphore sont les nutriments les moins abondants disponibles pour les plantes. Certains plans d'eau, pollués par le lessivage des terres cultivées ou par les égouts urbains, deviennent infestés d'algues. Comme les algues consomment la majeure partie de l'oxygène dissous dans l'eau, elles provoquent la mort des poissons. Décrivez comment ces événements sont chimiquement reliés.

4. Le phosphore blanc est beaucoup plus réactif que le phosphore noir ou rouge. Expliquez. En quoi la structure de la phosphine, PH_3, diffère-t-elle de celle de l'ammoniac? L'acide phosphorique, H_3PO_4, est un triacide, l'acide phosphoreux, H_3PO_3, un diacide et l'acide hypophosphoreux, H_3PO_2, un monoacide. Expliquez ce phénomène.

5. Quelle est la configuration des électrons de valence des éléments du groupe 6A? Donnez quelques différences entre les propriétés de l'oxygène et celles du polonium. Représentez les diagrammes de Lewis des deux formes allotropiques de l'oxygène. Comment peut-on expliquer le paramagnétisme de O_2 à l'aide de la théorie des orbitales moléculaires? Quels sont la structure moléculaire et l'angle de liaison dans l'ozone? La présence de l'ozone est souhaitable dans la haute atmosphère, mais il est un contaminant dans la basse atmosphère. Le dictionnaire mentionne que l'ozone a l'odeur d'une journée fraîche de printemps. Comment peut-on réconcilier ces énoncés, en apparence contradictoires, à l'aide des propriétés chimiques de l'ozone?

6. La forme la plus stable du soufre solide est la forme orthorhombique; cependant, une autre forme, appelée soufre monoclinique, peut également exister. Quelle est la différence entre le soufre orthorhombique et le soufre monoclinique? Expliquez pourquoi O_2 est beaucoup plus stable que S_2 ou SO. Quand $SO_2(g)$ ou $SO_3(g)$ réagissent avec l'eau, il se forme une solution acide. Expliquez. Quels sont les structures moléculaires et les angles de liaison de SO_2 et de SO_3? Expliquez les liaisons dans SO_2 et SO_3. Par ailleurs, H_2SO_4 est un puissant agent déshydratant. Qu'est-ce que cela signifie?

7. Quelle est la configuration des électrons de valence des halogènes? Pourquoi les points d'ébullition et les points de fusion des halogènes augmentent-ils de façon constante en passant de F_2 à I_2? Donnez deux raisons pour lesquelles F_2 est le plus réactif des halogènes. Expliquez pourquoi HF est un acide faible, alors que HCl, HBr et HI sont tous des acides forts.

Expliquez pourquoi le point d'ébullition de HF est beaucoup plus élevé que ceux de HCl, de HBr et de HI. Dans la nature, les halogènes sont présents surtout sous la forme d'ions halogénure dans divers minéraux et dans l'eau de mer. Qu'est-ce qu'un ion halogénure, et pourquoi les sels d'halogénures sont-ils tellement stables? Les états d'oxydation des halogènes varient de 1− à 7+. Nommez des composés du chlore qui ont des états d'oxydation de 1−, 1+, 3+, 5+ et 7+. Comment la force des oxacides des halogènes varie-t-elle avec l'augmentation du nombre d'atomes d'oxygène dans la formule?

8. Le tableau 10.11 donne la liste de nombreux composés ou ions que les halogènes forment avec d'autres non-métaux. Pour chaque composé ou ion, donnez la structure moléculaire, incluant les angles de liaison, et déterminez l'hybridation de l'atome central dans chacune des espèces (ne pas tenir compte de IF_7). Pourquoi ICl_3 se forme-t-il, mais pas FCl_3?

9. Quelle propriété particulière des gaz rares les rend non réactifs? Les points d'ébullition et les points de fusion augmentent de façon constante en passant de He à Xe. Expliquez. Bien que He soit le deuxième élément en abondance dans l'univers, il est très rare sur Terre. Pourquoi? Les gaz rares sont parmi les derniers éléments découverts; leur existence n'était même pas prédite par Mendeleïev au moment de la publication de son premier tableau périodique. Expliquez. Dans les livres de chimie écrits avant 1962, les gaz rares étaient également appelés les gaz inertes. Pourquoi n'utilise-t-on plus cette appellation?

10. Pour les structures des composés du xénon de la figure 10.26, indiquez les angles de liaison et l'état d'hybridation de l'atome central dans chacun des composés.

Questions et exercices

À toute question ou tout exercice précédés d'un numéro en bleu, la réponse se trouve à la fin de ce livre.

Questions

1. L'azote élémentaire existe sous la forme de N_2, alors qu'à l'état gazeux, le phosphore, l'arsenic et l'antimoine sont constitués de molécules P_4, As_4 et Sb_4, respectivement. Donnez une raison possible pour expliquer cette différence entre N_2 et les autres éléments du groupe 5A.

2. À dose élevée, le sélénium est toxique. Cependant, lorsque l'apport est modéré, le sélénium est un élément physiologiquement important. Comment le sélénium est-il physiologiquement important?

3. L'ozone est un substitut possible du chlore dans la purification des eaux urbaines. Contrairement au chlore, il ne reste à peu près pas d'ozone après le traitement; cela a des conséquences bonnes et mauvaises. Expliquez.

4. Le soufre forme une grande variété de composés dans lesquels il possède les états d'oxydation de 6+, 4+, 2+, 0 et 2−. Donnez des exemples de composés du soufre ayant chacun ces états d'oxydation.

5. Quand un halogène est l'atome central dans un composé, le composé est généralement hybridé sp^3, sp^3d ou sp^3d^2. En vous servant du brome comme atome central, donnez des exemples de composés pour chaque type d'hybridation. Quelle est la structure moléculaire de chacun de vos exemples?

6. Il existe des preuves que le radon réagit avec le fluor pour former des composés semblables à ceux qui sont formés entre le xénon et le fluor. Prédisez les formules des composés RaF_x. Pourquoi la chimie du radon est-elle difficile à étudier?

Exercices

Dans la présente section, les exercices similaires sont regroupés.

Éléments du groupe 5A

7. L'ion nitrate, NO_3^-, est l'oxanion d'azote dans lequel le nombre d'oxydation de l'azote est le plus élevé. L'oxanion correspondant du phosphore est PO_4^{3-}. L'ion NO_4^{3-} existe, mais il est instable. On ne connaît aucun composé qui renferme l'ion PO_3^-. Justifiez ces différences à l'aide des liaisons qui existent dans ces quatre anions.

8. Parmi les paires de substances suivantes, l'une est stable et l'autre instable. Pour chaque paire, indiquez la substance stable et expliquez pourquoi l'autre ne l'est pas.
   a) NF_5 ou PF_5. **b)** AsF_5 ou AsI_5. **c)** NF_3 ou NBr_3.

9. De nombreux composés importants ne contiennent que de l'azote et de l'oxygène. Placez les composés suivants en ordre croissant de pourcentage massique d'azote.
   a) NO, un gaz formé par la réaction de N_2 avec O_2 dans les moteurs à combustion interne.
   b) NO_2, un gaz brun essentiellement responsable de la couleur brunâtre du smog photochimique.
   c) N_2O_4, un liquide incolore utilisé comme carburant dans les navettes spatiales.
   d) N_2O, un gaz incolore parfois utilisé comme anesthésique par les dentistes (connu sous le nom de gaz hilarant).

10. L'acide nitrique est fabriqué dans l'industrie par le procédé Ostwald, représenté par les équations suivantes:
$$4NH_3(g) + 5O_2(g) \longrightarrow 4NO(g) + 6H_2O(g)$$
$$2NO(g) + O_2(g) \longrightarrow 2NO_2(g)$$
$$3NO_2(g) + H_2O(l) \longrightarrow 2HNO_3(aq) + NO(g)$$
Quelle masse de NH_3 doit être utilisée pour produire $1,0 \times 10^6$ kg de HNO_3 par le procédé Ostwald? Supposez un rendement de 100 % dans chaque réaction, et supposez également que le NO produit à la troisième étape n'est pas recyclé.

11. Complétez et équilibrez chacune des réactions suivantes.
   a) La décomposition du nitrate d'ammonium solide.
   b) La décomposition du pentoxyde de diazote gazeux.
   c) La réaction entre le phosphure de potassium solide et l'eau.
   d) La réaction entre le tribromure de phosphore liquide et l'eau.
   e) La réaction entre l'ammoniac aqueux et l'hypochlorite de sodium aqueux.

12. L'arsenic réagit avec l'oxygène pour former des oxydes (analogues aux oxydes de phosphore) qui réagissent avec l'eau de manière analogue aux oxydes de phosphore. Écrivez les équations chimiques équilibrées qui décrivent ces réactions de l'arsenic avec l'oxygène et celles de la réaction avec l'eau de chaque oxyde formé.

13. Le phosphore est présent dans la nature sous la forme de fluorapatite, $CaF_2 \cdot 3Ca_3(PO_4)_2$, où le point indique qu'il y a une partie de CaF_2 et trois parties de $Ca_3(PO_4)_2$. On fait réagir ce minerai avec une solution aqueuse d'acide sulfurique dans la préparation d'un engrais. Les produits sont l'acide phosphorique, le fluorure d'hydrogène et le gypse, $CaSO_4 \cdot 2H_2O$. Écrivez et équilibrez l'équation chimique qui décrit ce procédé.

14. Les diagrammes de Lewis peuvent servir à comprendre pourquoi certaines molécules réagissent d'une certaine façon. Écrivez un diagramme de Lewis pour les réactifs et les produits dans les réactions décrites ci-dessous.
   a) Le dioxyde de diazote dimérise pour produire du tétroxyde de diazote.
   b) Le trihydrure de bore accepte un doublet d'électrons de l'ammoniac pour former BH_3NH_3.
   Donnez une explication possible pour chacune de ces réactions.

15. Les sacs gonflables sont activés quand un impact violent permet à une bille d'acier de comprimer un ressort qui déclenche l'allumage électronique d'un détonateur. Cela provoque la décomposition explosive d'azoture de sodium, NaN_3, conformément à la réaction suivante:
$$2NaN_3(s) \longrightarrow 2Na(s) + 3N_2(g)$$
Combien de moles de $NaN_3(s)$ doivent réagir pour gonfler un sac à un volume de 70,0 L à TPN?

16. L'urée (H_2NCONH_2) est largement utilisée comme source d'azote dans les engrais. Elle est produite dans l'industrie par la réaction de l'ammoniac et du dioxyde de carbone:
$$2NH_3(g) + CO_2(g) \longrightarrow H_2NCONH_2(s) + H_2O(g)$$
L'ammoniac gazeux à 223 °C et 90 atm pénètre dans un réacteur à une vitesse de 500 L/min. Le dioxyde de carbone à 223 °C et 45 atm pénètre dans le réacteur à une vitesse de 600 L/min. Quelle masse d'urée cette réaction produit-elle par minute, en supposant un rendement de 100 %?

17. L'hydrazine (N_2H_4) est utilisée comme combustible dans les fusées. Quand l'hydrazine réagit avec l'oxygène, il y a

production d'azote et d'eau. Écrivez l'équation équilibrée et estimez la valeur de ΔH pour cette réaction en utilisant les énergies de liaison présentées au tableau 6.4.

18. Établissez un parallèle entre les diagrammes de Lewis et la théorie des orbitales moléculaires en ce qui concerne les liaisons dans NO, NO^+ et NO^-. Expliquez pourquoi il y a des divergences entre les deux points de vue.

19. L'énergie nécessaire pour briser une liaison particulière n'est pas toujours constante. Il faut environ 200 kJ/mol de moins pour briser la liaison N—Cl dans NOCl que la même liaison dans NCl_3:

$$NOCl \longrightarrow NO + Cl \qquad \Delta H° = 158 \text{ kJ/mol}$$
$$NCl_3 \longrightarrow NCl_2 + Cl \qquad \Delta H° = 375 \text{ kJ/mol}$$

Pourquoi y a-t-il une aussi grande différence dans les énergies de liaison N—Cl? (*Indice:* Prenez en considération ce qui arrive à la liaison azote-oxygène dans la première réaction.)

20. L'acide isohypophosphonique ($H_4P_2O_6$) et l'acide diphosphonique ($H_4P_2O_5$) sont respectivement un triacide et un diacide. Écrivez les diagrammes de Lewis de ces acides, qui sont compatibles avec ces données.

21. L'une des solutions la plus fortement acide connue est un mélange de pentafluorure d'antimoine (SbF_5) et d'acide fluorosulfonique (HSO_3F). Les principaux équilibres sont:

$$SbF_5 + HSO_3F \rightleftharpoons F_5SbOSO_2FH$$
$$F_5SbOSO_2FH + HSO_3F \rightleftharpoons H_2SO_3F^+ + F_5SbOSO_2F^-$$

a) Dessinez les diagrammes de Lewis de toutes les espèces apparaissant dans les réactions précédentes. Prédisez l'état d'hybridation des atomes centraux Sb et S dans chaque diagramme.
b) Cette solution *superacide* peut protoner (ajouter H^+) presque tous les composés organiques connus. Quel est l'agent protonant actif dans la solution superacide?

Éléments du groupe 6A

22. La xérographie a été inventée en 1938 par C. Carlson. En xérographie, une image est produite sur un photoconducteur par exposition à la lumière. On utilise couramment le sélénium puisque sa conductivité augmente de trois ordres de grandeur après exposition à une lumière dont la longueur d'onde se situe entre 400 et 500 nm. Quelle couleur de lumière devrait être utilisée pour rendre le sélénium conducteur? (*Voir la figure 5.2.*)

23. Complétez et équilibrez chacune des réactions suivantes.
a) La réaction entre le dioxyde de soufre gazeux et l'oxygène gazeux.
b) La réaction entre le trioxyde de soufre gazeux et l'eau.
c) La réaction entre le thiosulfate de sodium aqueux et l'iode aqueux.
d) La réaction entre le cuivre métallique et l'acide sulfurique aqueux chaud.

24. Pour chacune des espèces suivantes, écrivez les diagrammes de Lewis, prédisez la structure moléculaire (incluant les angles de liaison) et déterminez l'état d'hybridation prévue de l'atome central.
a) SO_3^{2-} **c)** SCl_2 **e)** TeF_6
b) O_3 **d)** $SeBr_4$

25. Le peroxyde d'hydrogène est utilisé comme désinfectant dans le traitement de lésions et d'éraflures pour plusieurs raisons. C'est un agent oxydant qui peut tuer directement de nombreux microorganismes; il se décompose au contact du sang, libérant de l'oxygène élémentaire gazeux (qui inhibe la croissance de microorganismes anaérobies); et il mousse au contact du sang, ce qui génère une action nettoyante. Au laboratoire, on peut préparer de petites quantités de peroxyde d'hydrogène par l'action d'un acide sur un peroxyde d'un métal alcalino-terreux, tel le peroxyde de baryum:

$$BaO_2(s) + 2HCl(aq) \longrightarrow H_2O_2(aq) + BaCl_2(aq)$$

Quelle masse de peroxyde d'hydrogène peut-on obtenir quand 1,50 g de peroxyde de baryum est traité au moyen de 25,0 mL d'une solution d'acide chlorhydrique contenant 0,0272 g d'HCl par mL? Quelle est la masse du réactif qui n'a pas réagi complètement?

26. Écrivez le diagramme de Lewis de O_2F_2. Prédisez les angles de liaison et l'état d'hybridation des deux atomes d'oxygène centraux.

27. Pour chacun des composés ci-dessous, écrivez le diagramme de Lewis, prédisez la structure moléculaire (incluant les angles de liaison) et déterminez l'état d'hybridation des atomes centraux.
a) Fréon-12 (CCl_2F_2). **c)** Trichlorure d'iode.
b) Acide perchlorique. **d)** Pentafluorure de brome.

28. Complétez et équilibrez chacune des réactions suivantes.
a) $BaCl_2(s) + H_2SO_4(aq) \longrightarrow$
b) $BrF(s) + H_2O(l) \longrightarrow$
c) $SiO_2(s) + HF(aq) \longrightarrow$

Éléments du groupe 7A

29. L'acide hypofluoreux est le dernier oxacide d'halogène qu'on ait synthétisé. M. H. Studies et E. N. Appelman en ont obtenu des quantités appréciables, en 1971, en fluorant de la glace. L'acide hypofluoreux est très instable: sa demi-vie est de 30 min. Il se décompose spontanément en HF et en O_2 dans un contenant en téflon, à la température ambiante. Il réagit rapidement avec l'eau pour former HF, H_2O_2 et O_2. En solution acide diluée, H_2O_2 est le principal produit; en solution basique diluée, c'est O_2. Écrivez les équations chimiques équilibrées relatives aux réactions décrites ci-dessus.

30. Pour chacune des espèces suivantes, écrivez les diagrammes de Lewis, prédisez la structure moléculaire (incluant les angles de liaison) et déterminez l'état d'hybridation prévue de l'atome central.
a) KrF_2 **b)** KrF_4 **c)** XeO_2F_2 **d)** XeO_2F_4

31. Le difluorure de xénon s'est révélé un agent de fluoration aux usages multiples. Par exemple, dans la réaction suivante:

$$C_6H_6(l) + XeF_2(g) \longrightarrow C_6H_5F(l) + Xe(g) + HF(g)$$

les produits Xe et HF sont facilement éliminés pour obtenir du C_6H_5F pur. Le difluorure de xénon est stocké sous une atmosphère inerte sans oxygène ni eau. Pourquoi cette précaution?

32. À l'aide des données fournies au tableau 10.11, calculez la masse du xénon à 25 °C et à 1,0 atm, dans une pièce mesurant 10,0 m × 5,0 m × 3,0 m. Combien d'atomes de xénon y a-t-il dans cette pièce? Et combien d'atomes de xénon inhalez-vous quand vous inspirez de l'air une fois (environ 2 L)?

Exercices supplémentaires

33. Contrairement à NF_3, qui est un composé assez stable, NCl_3 ne l'est pas. (P. L. Dulong, qui, le premier, synthétisa le NCl_3, en 1811, a d'ailleurs perdu trois doigts et l'usage d'un œil en tentant d'étudier les propriétés de ce composé.) Les composés NBr_3 et NI_3 n'existent pas, alors que l'explosif $NI_3 \cdot NH_3$ existe. Expliquez l'instabilité de ces halogénures d'azote.

34. L'oxydation de l'ion cyanure donne naissance à l'ion cyanate stable, OCN^-. L'ion fulminate, CNO^-, par contre, est très instable. Les sels de l'acide fulminique explosent au moindre choc. $Hg(CNO)_2$ est utilisé dans les têtes explosives. Écrivez les diagrammes de Lewis et indiquez les charges formelles des atomes des ions cyanate et fulminate. Pourquoi l'ion fulminate est-il si instable ?

35. Un élément inconnu est un non-métal et la configuration de ses électrons de valence est ns^2np^4.
   a) Combien d'électrons de valence possède cet élément ?
   b) Donnez quelques noms possibles pour cet élément ?
   c) Quelle est la formule du composé que cet élément forme avec le lithium ?
   d) Cet élément aurait-il un rayon plus grand ou plus petit que celui du baryum ?
   e) Cet élément aurait-il une énergie d'ionisation plus élevée ou plus faible que celle du fluor ?

36. La structure de TeF_5^- est la suivante :

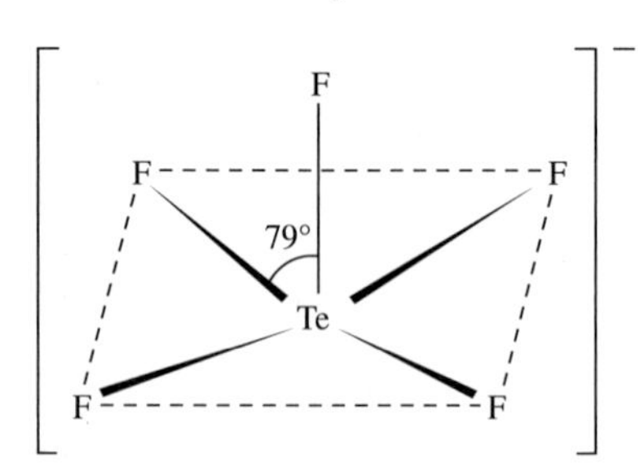

Écrivez le diagramme de Lewis relatif à l'anion TeF_5^-. Comment peut-on expliquer que la structure pyramidale carrée de l'anion ne soit pas parfaite ?

37. Dans les lentilles photochromatiques grises, on retrouve de petits cristaux de chlorure d'argent. Le chlorure d'argent est photosensible, comme en témoigne la réaction suivante :

$$AgCl(s) \xrightarrow{h\nu} Ag(s) + Cl$$

La formation d'argent métallique est responsable du noircissement des lentilles. Dans les lentilles, cette réaction est réversible ; autrement dit, en l'absence de lumière, la réaction inverse a lieu. Toutefois, lorsqu'on expose du AgCl pur à la lumière, il noircit, mais la réaction inverse n'a pas lieu dans l'obscurité.
   a) Expliquez cette différence de comportement.
   b) À la longue, les lentilles photochromatiques demeurent foncées. Expliquez ce phénomène.

38. Dans le commerce, il existe des compresses froides et des compresses chaudes pour traiter les blessures résultant de la pratique des sports. Ces deux types de compresses contiennent un sac interne d'eau et un produit chimique sec. Quand on appuie sur l'enveloppe extérieure, le sac d'eau crève, le produit chimique se dissout et la solution devient soit chaude, soit froide. De nombreuses compresses chaudes utilisent le sulfate de magnésium et un grand nombre de compresses froides utilisent du nitrate d'ammonium. Écrivez les réactions pour montrer comment ces électrolytes forts se rompent quand ils se dissolvent dans l'eau.

39. Soit le diagramme de Lewis suivant où E est un élément inconnu :

```
[ :Ö—Ë—Ö: ]⁻
      |
     :Ö:
```

Donnez quelques noms possibles pour l'élément E ? Prédisez la structure moléculaire (incluant les angles de liaison) de cet ion.

40. Soit le diagramme de Lewis suivant où E est un élément inconnu :

```
[        :Ö:  ]2−
        /
 :F̤—Ë
        \
         :F̤:  ]
```

Donnez quelques noms possibles pour l'élément E ? Prédisez la structure moléculaire (incluant les angles de liaison) de cet ion.

41. La maille élémentaire du fluorure de xénon pur est illustrée ci-dessous. Quelle est la formule de ce composé ?

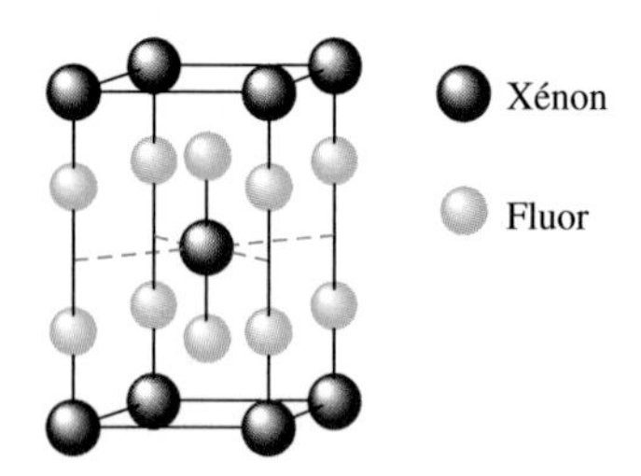

Problèmes défis

42. À l'aide des énergies de liaison (*voir le tableau 6.4*), montrez que les produits préférentiellement formés par la décomposition de N_2O_3 sont NO_2 et NO plutôt que O_2 et N_2O. (L'énergie de la liaison simple N—O vaut 201 kJ/mol).

43. L'azote gazeux réagit avec l'hydrogène gazeux pour former l'ammoniac gazeux. Vous avez un mélange équimolaire d'azote et d'hydrogène gazeux dans un contenant de 15,0 mL muni d'un piston dans une pièce où la pression est de 1,00 atm. Le système de piston permet au volume du contenant de changer afin de maintenir une pression constante de 1,00 atm. Supposez un comportement de gaz parfait, une température constante et complétez la réaction.
   a) Quelle est la pression partielle de l'ammoniac dans le contenant quand la réaction est terminée ?
   b) Quelle est la fraction molaire de l'ammoniac dans le contenant quand la réaction est terminée ?
   c) Quel est le volume du contenant quand la réaction est terminée ?

44. Un cylindre muni d'un piston mobile contient au départ 2,00 mol de $O_2(g)$ et une quantité inconnue de $SO_2(g)$. On sait que l'oxygène est en excès. La masse volumique du mélange est de 0,8000 g/L à une T et à une P données. Lorsque la réaction est complétée, produisant $SO_3(g)$, la masse volumique du mélange gazeux résultant est de 0,8471 g/L à la même T et à la même P. Calculez la masse de SO_3 produite par la réaction.

Problème de synthèse

Ce problème fait appel à plusieurs concepts et techniques de résolution. Les problèmes de synthèse peuvent être utilisés en classe pour faciliter l'acquisition des habiletés nécessaires à la résolution de problèmes.

45. Le capitaine Kirk veut à tout prix capturer les Klingons, qui menacent une planète inoffensive. Il a donc envoyé par petits groupes des vaisseaux indétectables par le radar des Klingons et installé un leurre bien en vue. Il appelle cette stratégie l'« attrape-nigaud ». Monsieur Spock envoie un message codé aux chimistes des vaisseaux pour les informer des manœuvres à effectuer. Le message est le suivant :

____	____		____	____	____	____	____	____	____,
(1)	(2)		(3)		(4)		(5)		(6)
____	____	____	____	____	____	____	____	____	____.
(7)		(8)	(9)		(10)	(11)	(12)	(10)	(11)

Remplissez les espaces vides en vous servant des indices suivants.

1. Le symbole de l'halogène dont le point d'ébullition de l'hydrure est le deuxième en importance dans la série des halogénures d'hydrogène, HX.
2. Le symbole de l'halogène, dont l'halogénure d'hydrogène est le seul à se comporter comme un acide faible en milieu aqueux.
3. Le symbole de l'élément qui a été découvert sur le Soleil avant de l'être sur la Terre.
4. Le symbole de l'élément dont la présence peut interférer avec l'analyse qualitative des ions Pb^{2+}, Hg_2^{2+} et Ag^+. Quand on ajoute des ions chlorure à une solution aqueuse de cet ion métallique, il se forme un précipité de formule MOCl.
5. Le symbole d'un élément du groupe 5A qui, à l'instar du sélénium, est un semi-conducteur.
6. Le symbole de l'élément qui existe sous forme orthorhombique et monoclinique.
7. Le symbole de l'élément qui, lorsque non combiné à un autre élément, existe sous forme de molécules diatomiques et forme un gaz jaune verdâtre ; les sels d'argent, de plomb et de mercure(I) de cet élément sont blancs et insolubles dans l'eau.
8. Le symbole de l'élément le plus abondant dans la croûte terrestre et l'atmosphère.
9. Le symbole de l'élément qui, s'il est en abondance dans l'alimentation, semble protéger contre le cancer.
10. Le symbole du seul gaz inerte, exception faite du xénon, capable de former des composés dans certaines conditions (écrire le symbole à rebours en séparant les lettres comme l'indiquent les deux chiffres du nombre 10).
11. Le symbole de l'élément toxique qui, comme le phosphore et l'antimoine, forme des molécules tétramériques quand il n'est pas combiné à d'autres éléments (séparer les lettres tel qu'indiqué).
12. Le symbole de l'élément qui se retrouve dans l'air comme composé inerte, mais qui joue un rôle très actif dans les engrais et les explosifs

Annexes

Annexe 1 Opérations mathématiques

A1.1 Notation scientifique

En sciences, les mesures mettent souvent en jeu des nombres très grands ou très petits. Pour exprimer ces nombres, il est commode d'utiliser des puissances 10. Par exemple, le nombre 1 300 000 peut s'écrire $1{,}3 \times 10^6$, ce qui signifie que le nombre 1,3 est multiplié par 10 à six reprises, ou

$$1{,}3 \times 10^6 = 1{,}3 \times \underbrace{10 \times 10 \times 10 \times 10 \times 10 \times 10}_{10^6 = 1 \text{ million}}$$

Notez que chaque multiplication par 10 signifie qu'il faut déplacer la virgule décimale d'une position vers la droite :

$$\begin{aligned} 1{,}3 \times 10 &= 13, \\ 13 \times 10 &= 130, \\ 130 \times 10 &= 1300, \\ &\vdots \end{aligned}$$

Ainsi, la façon la plus simple d'interpréter la notation $1{,}3 \times 10^6$, c'est de dire qu'il faut déplacer six fois vers la droite la virgule décimale dans le nombre 1,3.

$$1{,}3 \times 10^6 = 1\,\underbrace{3\,0\,0\,0\,0\,0}_{1\,2\,3\,4\,5\,6} = 1\,300\,000$$

Dans cette forme de notation, le nombre 1985 peut s'écrire $1{,}985 \times 10^3$. Notez que, selon la convention habituelle, le nombre multiplié par la puissance 10 doit se situer entre 1 et 10. Ainsi, pour obtenir le nombre 1,985, qui se trouve entre 1 et 10, il a fallu déplacer la virgule décimale de trois positions vers la gauche. Pour compenser ce déplacement, il faut multiplier ce nombre par 10^3, ce qui signifie que, pour obtenir le nombre en question, il faut partir de 1,985 et déplacer la virgule décimale de trois positions vers la droite, c'est-à-dire :

$$1{,}985 \times 10^3 = 1\,\underbrace{9\,8\,5}_{1\,2\,3},$$

Voici d'autres exemples :

Nombre	Notation scientifique
5,6	$5{,}6 \times 10^0$ ou $5{,}6 \times 1$
39	$3{,}9 \times 10^1$
943	$9{,}43 \times 10^2$
1126	$1{,}126 \times 10^3$

Jusqu'ici, nous n'avons vu que des nombres supérieurs à 1. Cependant, comment représenter un nombre comme 0,0034 en notation scientifique ? On commence par représenter un nombre situé entre 1 et 10, et on le *divise* par la puissance 10 appropriée :

$$0{,}0034 = \frac{3{,}4}{10 \times 10 \times 10} = \frac{3{,}4}{10^3} = 3{,}4 \times 10^{-3}$$

Lorsqu'on divise un nombre par 10, on déplace la virgule décimale d'une position vers la gauche. Le nombre

$$0,\underbrace{0\ 0\ 0\ 0\ 0\ 0\ 1}_{7\ 6\ 5\ 4\ 3\ 2\ 1}\ 4$$

peut donc s'écrire ainsi : $1,4 \times 10^{-7}$.

En résumé, il est possible d'écrire tout nombre sous la forme :

$$N \times 10^{\pm n}$$

où N est situé entre 1 et 10, et où l'exposant n est un nombre entier. Si le signe devant n est positif, on déplace la virgule décimale, présente dans N, de n positions vers la droite. Si le signe de n est négatif, on déplace la virgule décimale de n positions vers la gauche.

Multiplication et division

Pour multiplier deux nombres exprimés en notation scientifique, on multiplie les deux nombres initiaux et on additionne les exposants de 10.

$$(M \times 10^m)(N \times 10^n) = (MN) \times 10^{m+n}$$

Par exemple (à deux chiffres significatifs, comme l'exige l'équation),

$$(3,2 \times 10^4)(2,8 \times 10^3) = 9,0 \times 10^7$$

Lorsque la multiplication des deux nombres initiaux donne un résultat supérieur à 10, on déplace la virgule décimale d'une position vers la gauche et on additionne 1 à l'exposant de 10 :

$$(5,8 \times 10^2)(4,3 \times 10^8) = 24,9 \times 10^{10}$$
$$= 2,49 \times 10^{11}$$
$$= 2,5 \times 10^{11} \quad \text{(deux chiffres significatifs)}$$

Pour diviser deux nombres exprimés en notation scientifique, on divise normalement les deux nombres initiaux et on soustrait l'exposant du diviseur de celui du dividende. Par exemple,

$$\frac{4,8 \times 10^8}{\underbrace{2,1 \times 10^3}_{\text{Diviseur}}} = \frac{4,8}{2,1} \times 10^{(8-3)} = 2,3 \times 10^5$$

Dans le résultat de la division, si le nombre initial est inférieur à 1, on déplace la virgule décimale d'une position vers la droite et on soustrait 1 de l'exposant de 10. Par exemple,

$$\frac{6,4 \times 10^3}{8,3 \times 10^5} = \frac{6,4}{8,3} \times 10^{(3-5)} = 0,77 \times 10^{-2}$$
$$= 7,7 \times 10^{-3}$$

Addition et soustraction

Pour qu'il soit possible d'additionner ou de soustraire des nombres exprimés en notation scientifique, les exposants doivent être identiques. Par exemple, pour additionner $1,31 \times 10^5$ et $4,2 \times 10^4$, on doit récrire l'un des deux nombres pour que les exposants soient égaux. On peut exprimer le nombre $1,31 \times 10^5$ ainsi : $13,1 \times 10^4$, car on peut compenser le déplacement de la virgule d'une position vers la droite en soustrayant 1 de l'exposant. Il est maintenant possible d'additionner les nombres.

$$\begin{array}{r} 13,1 \times 10^4 \\ +\ 4,2 \times 10^4 \\ \hline 17,3 \times 10^4 \end{array}$$

En notation scientifique juste, le résultat s'exprime ainsi : $1,73 \times 10^5$.

Pour effectuer une addition ou une soustraction avec des nombres exprimés en notation scientifique, il faut additionner ou soustraire seulement les nombres initiaux. L'exposant du résultat demeure le même que celui des nombres additionnés ou soustraits. Pour soustraire $1,8 \times 10^2$ de $8,99 \times 10^3$, on écrit :

$$\begin{array}{r} 8,99 \times 10^3 \\ -\ 0,18 \times 10^3 \\ \hline 8,81 \times 10^3 \end{array}$$

Puissances et racines

Lorsqu'on élève un nombre exprimé en notation scientifique à une certaine puissance, on élève le nombre initial à la puissance appropriée et on multiplie l'exposant de 10 par la puissance.

$$(N \times 10^n)^m = N^m \times 10^{m \cdot n}$$

Par exemple,*

$$\begin{aligned} (7,5 \times 10^2)^3 &= 7,5^3 \times 10^{3 \cdot 2} \\ &= 422 \times 10^6 \\ &= 4,22 \times 10^8 \\ &= 4,2 \times 10^8 \quad \text{(deux chiffres significatifs)} \end{aligned}$$

Lorsqu'on extrait la racine d'un nombre exprimé en notation scientifique, on extrait la racine du nombre initial et on divise l'exposant de 10 par le nombre qui représente la racine.

$$\sqrt{N \times 10^n} = (n \times 10^n)^{1/2} = \sqrt{N} \times 10^{n/2}$$

Par exemple,

$$\begin{aligned} (2,9 \times 10^6)^{1/2} &= \sqrt{2,9} \times 10^{6/2} \\ &= 1,7 \times 10^3 \end{aligned}$$

Étant donné que l'exposant du résultat doit être un nombre entier, il faut parfois changer la forme du nombre pour que l'exposant divisé par la racine donne un nombre entier. Par exemple,

$$\begin{aligned} \sqrt{1,9 \times 10^3} = (1,9 \times 10^3)^{1/2} &= (0,19 \times 10^4)^{1/2} \\ &= \sqrt{0,19} \times 10^2 \\ &= 0,44 \times 10^2 \\ &= 4,4 \times 10^1 \end{aligned}$$

Dans le cas présent, on a déplacé la virgule décimale d'une position vers la gauche et on a ajouté 1 à l'exposant 3 pour que $\frac{n}{2}$ soit un nombre entier.

On utilise la même méthode pour les racines autres que les racines carrées. Par exemple,

$$\begin{aligned} \sqrt[3]{6,9 \times 10^5} = (6,9 \times 10^5)^{1/3} &= (0,69 \times 10^6)^{1/3} \\ &= \sqrt[3]{0,69} \times 10^2 \\ &= 0,88 \times 10^2 \\ &= 8,8 \times 10^1 \end{aligned}$$

et

$$\begin{aligned} \sqrt[3]{4,6 \times 10^{10}} = (4,6 \times 10^{10})^{1/3} &= (46 \times 10^9)^{1/3} \\ &= \sqrt[3]{46} \times 10^3 \\ &= 3,6 \times 10^3 \end{aligned}$$

* Consultez le guide d'utilisation de votre calculatrice pour savoir comment extraire la racine carrée d'un nombre et élever un nombre à une puissance.

A1.2 Logarithmes

Un logarithme est un exposant. Tout nombre N peut être exprimé de la manière suivante :

$$N = 10^x$$

Par exemple,

$$1000 = 10^3$$
$$100 = 10^2$$
$$10 = 10^1$$
$$1 = 10^0$$

Le logarithme décimal, ou à base 10, d'un nombre est la puissance à laquelle il faudrait élever 10 pour obtenir ce nombre. Ainsi, puisque $1000 = 10^3$,

$$\log 1000 = 3$$

De même,

$$\log 100 = 2$$
$$\log 10 = 1$$
$$\log 1 = 0$$

Dans le cas d'un nombre situé entre 10 et 100, l'exposant de 10 se situera entre 1 et 2. Par exemple, $65 = 10^{1,8129}$, c'est-à-dire $\log 65 = 1{,}8129$. Dans le cas d'un nombre situé entre 100 et 1000, l'exposant de 10 se situera entre 2 et 3. Par exemple, $650 = 10^{2,8129}$ et $\log 650 = 2{,}8129$.

Un nombre N supérieur à 0 et inférieur à 1 peut être exprimé de la manière suivante :

$$N = 10^{-x} = \frac{1}{10x}$$

Par exemple,

$$0{,}001 = \frac{1}{1000} = \frac{1}{10^3} = 10^{-3}$$

$$0{,}01 = \frac{1}{100} = \frac{1}{10^2} = 10^{-2}$$

$$0{,}1 = \frac{1}{10} = \frac{1}{10^1} = 10^{-1}$$

Donc,

$$\log 0{,}001 = -3$$
$$\log 0{,}01 = -2$$
$$\log 0{,}1 = -1$$

Bien qu'on trouve souvent les logarithmes décimaux dans des tableaux, la méthode la plus facile de les obtenir est l'utilisation d'une calculatrice électronique. Pour la plupart des calculatrices, on doit d'abord entrer le nombre, puis appuyer sur la touche (LOG). Le logarithme du nombre s'affiche alors*. Quelques exemples sont donnés à la page 446. Nous vous suggérons de les reproduire à l'aide de votre calculatrice afin de vous assurer que vous utilisez la bonne méthode pour trouver le logarithme décimal.

Nombre	Logarithme décimal
36	1,56
1849	3,2669
0,156	−0,807
$1{,}68 \times 10^{-5}$	−4,775

Notez que, dans un logarithme décimal, le nombre de chiffres après la virgule décimale est égal au nombre de chiffres significatifs du nombre initial.

* Consultez le guide d'utilisation de votre calculatrice afin de connaître la séquence nécessaire pour obtenir un logarithme.

Puisque les logarithmes sont simplement des exposants, on doit les manipuler en respectant la règle des exposants. Par exemple, si $A = 10^x$ et $B = 10^y$, le produit sera :

$$A \cdot B = 10^x \cdot 10^y = 10^{x+y}$$

et

$$\log AB = x + y = \log A + \log B$$

Dans le cas de la division, on a :

$$\frac{A}{B} = \frac{10^x}{10^y} = 10^{x-y}$$

et

$$\log \frac{A}{B} = x - y = \log A - \log B$$

Dans le cas d'un nombre élevé à une puissance, on a :

$$A^n = (10^x)^n = 10^{nx}$$

et

$$\log A^n = nx = n \log A$$

Il s'ensuit que :

$$\log \frac{1}{A^n} = \log A^{-n} = -n \log A$$

ou, pour $n = 1$,

$$\log \frac{1}{A} = -\log A$$

Pour déterminer le nombre représenté par un logarithme décimal donné, il faut élever le nombre à une puissance. Par exemple, si le logarithme est 2,673, alors $N = 10^{2,673}$. Pour désigner le procédé pour élever un nombre à une puissance, on dit aussi prendre l'antilogarithme ou le logarithme inverse. Il existe habituellement une ou deux façons d'effectuer cette opération à l'aide d'une calculatrice. Pour la plupart des calculatrices, il faut d'abord entrer le logarithme, puis appuyer successivement sur les touches (INV) et (LOG). Par exemple, pour déterminer $N = 10^{2,673}$, on entre 2,673, puis on appuie sur les touches (INV) et (LOG). Le nombre 471 s'affichera à l'écran ; donc, $N = 471$. Sur certaines calculatrices, on trouve la touche (10^x). Dans ce cas, on doit d'abord entrer le logarithme, puis appuyer sur la touche (10^x). Ici encore, la calculatrice affichera le nombre 471.

Les logarithmes naturels, un autre type de logarithmes, sont basés sur le nombre 2,7183 qui est exprimé par e. Dans ce cas, on représente un nombre comme $N = e^x = 2{,}7183^x$. Par exemple,

$$N = 7{,}15 = e^x$$
$$\ln 7{,}15 = x = 1{,}967$$

Pour trouver le logarithme naturel d'un nombre à l'aide d'une calculatrice, on entre d'abord le nombre, puis on appuie sur la touche (ln). À l'aide de la liste suivante, vérifiez si vous utilisez la bonne méthode pour trouver les logarithmes naturels.

Nombre (e^x)	**Log (x) naturel**
784	6,664
$1{,}61 \times 10^3$	7,384
$1{,}00 \times 10^{-7}$	−16,118
1,00	0

Pour déterminer le nombre représenté par un logarithme naturel donné, il faut élever la base e (2,7183) à une puissance. Sur plusieurs calculatrices, cette opération s'effectue à l'aide de la touche (e^x) (on entre le logarithme naturel, avec le bon signe, puis on appuie sur la touche (e^x)). L'autre méthode couramment utilisée pour élever la base e à une puissance consiste à entrer le logarithme naturel, puis à appuyer successivement sur les touches (INV) et (ln). Les exemples suivants vous aideront à vérifier votre méthode.

ln $N(x)$	$N(e^x)$
3,256	25,9
−5,169	$5{,}69 \times 10^{-3}$
13,112	$4{,}95 \times 10^{5}$

Puisque les logarithmes naturels ne sont que des exposants, on les utilise en respectant les règles mathématiques données précédemment pour les logarithmes communs.

A1.3 Représentation graphique des fonctions

Pour interpréter les résultats d'une expérience scientifique, il est souvent utile de construire un graphique. Si c'est possible, la représentation graphique de la fonction doit prendre la forme d'une droite. On peut représenter l'équation d'une droite (équation linéaire) sous la forme générale suivante

$$y = mx + b$$

où y représente la *variable dépendante*, x, la *variable indépendante*, m, la *pente*, et b, l'*ordonnée à l'origine*.

Pour illustrer les caractéristiques d'une équation linéaire, nous avons représenté la fonction $y = 3x + 4$ dans la figure A.1. Dans cette équation $m = 3$ et $b = 4$. Notez que l'ordonnée à l'origine est la valeur de y quand $x = 0$. Dans le cas présent, sa valeur est 4, comme l'indique l'équation ($b = 4$).

La pente d'une droite est le rapport de la variation de y à la variation de x.

$$m = \text{pente} = \frac{\Delta y}{\Delta x}$$

Dans l'équation $y = 3x + 4$, y varie trois fois plus vite que x (puisque x a un coefficient 3). Dans ce cas, la pente est donc égale à 3. On peut le vérifier à l'aide du graphique. Si l'on observe le triangle illustré dans la figure A.1,

$$\Delta y = 34 - 10 = 24 \quad \text{et} \quad \Delta x = 10 - 2 = 8$$

Donc,

$$\text{Pente} = \frac{\Delta y}{\Delta x} = \frac{24}{8} = 3$$

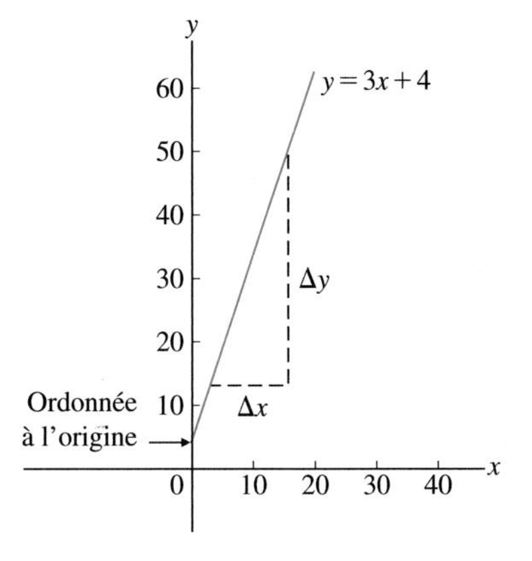

FIGURE A.1
Graphique de l'équation linéaire $y = 3x + 4$.

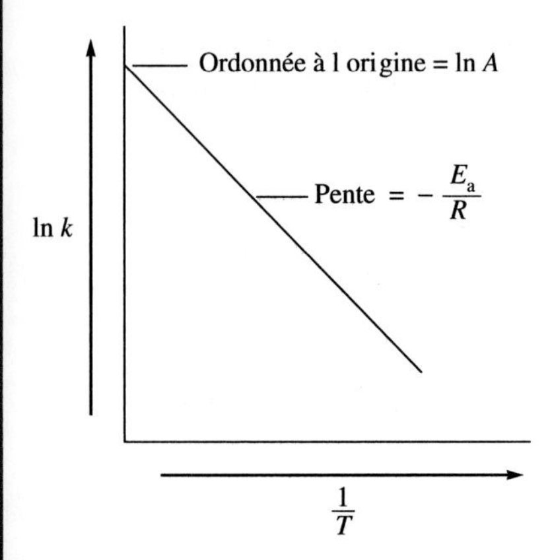

FIGURE A.2
Graphique de ln *k* en fonction de 1/*T*.

TABLEAU A.1 Quelques équations linéaires utiles sous la forme standard

Équation ($y = mx + b$)	Ce qui est représenté par (y en fonction de x)	Pente (m)	Ordonnée à l'origine (b)	Section dans le manuel
$[A] = -kt + [A]_0$	$[A]$ en fonction de t	$-k$	$[A]_0$	3,4 (manuel *Chimie des solutions*)
$\ln[A] = -kt + \ln[A]_0$	$\ln[A]$ en fonction de t	$-k$	$\ln[A]_0$	3,4 (manuel *Chimie des solutions*)
$\frac{1}{[A]} = kt + \frac{1}{[A]_0}$	$\frac{1}{[A]}$ en fonction de t	k	$\frac{1}{[A]_0}$	3,4 (manuel *Chimie des solutions*)
$\ln P_{vap} = \frac{\Delta H_{vap}}{R}\left(\frac{1}{T}\right) + C$	$\ln P_{vap}$ en fonction de $\frac{1}{T}$	$-\frac{\Delta H_{vap}}{R}$	C	8.8 (manuel *Chimie générale*)

L'exemple présenté précédemment illustre une méthode générale pour déterminer la pente d'une droite à l'aide de sa représentation graphique. Il suffit de tracer un triangle ayant un côté parallèle à l'axe des y et un autre côté parallèle à l'axe des x, comme le montre la figure A.1. On détermine ensuite les longueurs des côtés pour obtenir Δy et Δx respectivement, puis on calcule le rapport $\Delta y/\Delta x$.

Parfois, en effectuant des réarrangements ou des manipulations mathématiques, il est possible de donner la forme $y = mx + b$ à une équation qui n'est pas exprimée sous la forme standard. L'équation $k = Ae^{-E_a/RT}$ décrite à la section 3.7 (voir le manuel *Chimie des solutions*) en est un exemple. Dans cette équation, A, E_a et R sont des constantes, k est la variable dépendante et $1/T$ est la variable indépendante. Il est possible de modifier cette équation pour lui donner la forme standard en prenant le logarithme naturel des deux côtés,

$$\ln k = \ln Ae^{-E_a/RT} = \ln A + \ln e^{-E_a/RT} = \ln A - \frac{E_a}{RT}$$

Notez que le logarithme d'un produit est la somme des logarithmes des termes individuels et que le logarithme naturel de $e^{-E_a/RT}$ est simplement l'exposant $-E_a/RT$. Donc, sous sa forme standard, l'équation $k = Ae^{-E_a/RT}$ s'écrit :

$$\underbrace{\ln k}_{y} = \underbrace{-\frac{E_a}{R}}_{m}\underbrace{\left(\frac{1}{T}\right)}_{x} + \underbrace{\ln A}_{b}$$

La représentation graphique de ln k en fonction de $1/T$ (*voir la figure A.2*) donne une droite dont la pente est $-E_a/R$ et l'ordonnée à l'origine est ln A.

D'autres équations linéaires utiles en chimie sont présentées sous la forme standard dans le tableau A.1.

A1.4 Résolution d'équations quadratiques

Une équation quadratique, polynôme dans lequel la puissance la plus élevée de x est 2, peut être exprimée ainsi :

$$ax^2 + bx + c = 0$$

Pour déterminer les deux valeurs de x qui satisfont à une équation quadratique, on peut utiliser la formule quadratique :

$$x = \frac{-b \pm \sqrt{b^2 - 4ac}}{2a}$$

où a, b et c sont respectivement le coefficient de x^2, le coefficient de x et la constante. Par exemple, quand on détermine $[H^+]$ dans une solution d'acide acétique $1,0 \times 10^{-4}$ M, on obtient l'expression suivante :

$$1,8 \times 10^{-5} = \frac{x^2}{1,0 \times 10^{-4} - x}$$

ce qui donne

$$x^2 + (1,8 \times 10^{-5})x - 1,8 \times 10^{-9} = 0$$

où $a = 1$, $b = 1,8 \times 10^{-5}$ et $c = -1,8 \times 10^{-9}$. Si l'on utilise la formule quadratique, on obtient :

$$x = \frac{-b \pm \sqrt{b^2 - 4ac}}{2a}$$

$$= \frac{-1,8 \times 10^{-5} \pm \sqrt{3,24 \times 10^{-10} - (4)(1)(-1,8 \times 10^{-9})}}{2(1)}$$

$$= \frac{-1,8 \times 10^{-5} \pm \sqrt{3,24 \times 10^{-10} + 7,2 \times 10^{-9}}}{2}$$

$$= \frac{-1,8 \times 10^{-5} \pm \sqrt{7,5 \times 10^{-9}}}{2}$$

$$= \frac{-1,8 \times 10^{-5} \pm 8,7 \times 10^{-5}}{2}$$

Donc,

$$x = \frac{6,9 \times 10^{-5}}{2} = 3,5 \times 10^{-5}$$

et

$$x = \frac{-10,5 \times 10^{-5}}{2} = 5,2 \times 10^{-5}$$

Notez qu'il y a deux racines, comme c'est toujours le cas pour un polynôme de puissance 2. Dans le cas présent, x représente une concentration de H^+(*voir la section 5.3, manuel « Chimie des solution »*). La racine positive est donc la solution du problème puisqu'une concentration ne peut pas être exprimée par un nombre négatif.

Une autre façon de résoudre une équation quadratique consiste à utiliser la méthode systématique par essais et erreurs en effectuant des approximations successives. On choisit une valeur par laquelle on remplace tous les x, ou x^2, dans l'équation, sauf un. Par exemple, dans l'équation :

$$x^2 + (1,8 \times 10^{-5})x - 1,8 \times 10^{-9} = 0$$

on peut essayer $x = 2 \times 10^{-5}$. Si l'on remplace x par cette valeur dans l'équation, on obtient :

$$x^2 + (1,8 \times 10^{-5})(2 \times 10^{-5}) - 1,8 \times 10^{-9} = 0$$

ou

$$x^2 = 1,8 \times 10^{-9} - 3,6 \times 10^{-10} = 1,4 \times 10^{-9}$$

Donc,

$$x = 3,7 \times 10^{-5}$$

Notez que la valeur attribuée à $x(2 \times 10^{-5})$ n'est pas la même que la valeur de x qui a été calculée $(3,7 \times 10^{-5})$ après avoir intégré cette valeur dans l'équation. Cela signifie que $x = 2 \times 10^{-5}$ n'est pas la bonne réponse et qu'il faut faire un autre essai. Prenons la valeur calculée $(3,7 \times 10^{-5})$ pour le prochain essai :

$$x^2 + (1,8 \times 10^{-5})(3,7 \times 10^{-5}) - 1,8 \times 10^{-9} = 0$$
$$x^2 = 1,8 \times 10^{-9} - 6,7 \times 10^{-10} = 1,1 \times 10^{-9}$$

Donc,

$$x = 3{,}3 \times 10^{-5}$$

Comparons encore les deux valeurs de x.

$$\text{Valeur choisie : } x = 3{,}7 \times 10^{-5}.$$
$$\text{Valeur calculée : } x = 3{,}3 \times 10^{-5}.$$

Ces valeurs sont mutuellement plus proches que ne l'étaient les précédentes, mais elles ne le sont pas encore suffisamment. Essayons maintenant la valeur $3{,}3 \times 10^{-5}$:

$$x^2 + (1{,}8 \times 10^{-5})(3{,}3 \times 10^{-5}) - 1{,}8 \times 10^{-9} = 0$$
$$x^2 = 1{,}8 \times 10^{-9} - 5{,}9 \times 10^{-10} = 1{,}2 \times 10^{-9}$$

Donc,

$$x = 3{,}5 \times 10^{-5}$$

Comparons encore les valeurs de x.

$$\text{Valeur choisie : } x = 3{,}3 \times 10^{-5}.$$
$$\text{Valeur calculée : } x = 3{,}5 \times 10^{-5}.$$

Essayons maintenant $x = 3{,}5 \times 10^{-5}$.

$$x^2 + (1{,}8 \times 10^{-5})(3{,}5 \times 10^{-5}) - 1{,}8 \times 10^{-9} = 0$$
$$x^2 = 1{,}8 \times 10^{-9} - 6{,}3 \times 10^{-10} = 1{,}2 \times 10^{-9}$$

Donc,

$$x = 3{,}5 \times 10^{-5}$$

Cette fois, la valeur attribuée à x et la valeur calculée sont égales. Nous avons donc trouvé la bonne réponse. Notez qu'elle correspond à l'une des racines obtenues par la formule quadratique dans la première méthode utilisée précédemment.

Pour illustrer la méthode des approximations successives, résolvons le problème présenté dans l'exemple 5.17 (*voir le manuel « Chimie des solutions »*) en utilisant cette méthode. En déterminant $[H^+]$ pour H_2SO_4 0,010 M, on obtient l'expression suivante :

$$1{,}2 \times 10^{-2} = \frac{x(0{,}010 + x)}{0{,}010 - x}$$

qu'on peut réarranger pour obtenir :

$$x = (1{,}2 \times 10^{-2})\left(\frac{0{,}010 - x}{0{,}010 + x}\right)$$

Après avoir choisi une valeur pour x, nous l'insérerons dans le membre de droite de l'équation, puis nous calculerons la valeur de x. Nous savons qu'il faut choisir une valeur inférieure à 0,010 parce qu'une valeur plus grande donnerait une valeur négative à x et que, par conséquent, les approximations et les valeurs calculées ne pourraient jamais correspondre. Essayons d'abord $x = 0{,}005$.

Les résultats des approximations successives sont donnés dans le tableau suivant.

Essai	Valeur attribuée à x	Valeur calculée
1	0,0050	0,0040
2	0,0040	0,0051
3	0,00450	0,00455
4	0,00452	0,00453

Notez que la première approximation était proche de la valeur réelle et qu'il y a eu une oscillation entre 0,004 et 0,005 dans les approximations et les valeurs calculées. Au troisième essai, on a choisi la moyenne de ces valeurs, ce qui a rapidement mené à la bonne valeur (0,0045 avec le nombre de chiffres significatifs approprié). Notez également qu'il est utile de tenir compte des chiffres supplémentaires jusqu'à ce que la bonne réponse soit obtenue. Il est alors possible d'arrondir cette valeur au nombre de chiffres significatifs approprié.

La méthode des approximations successives est particulièrement utile pour résoudre les polynômes où x est élevé à une puissance égale ou supérieure à 3. La méthode est la même que celle utilisée pour les équations quadratiques : on remplace tous les x dans l'équation, sauf un, par une valeur choisie, puis on résout x. On continue de la même façon jusqu'à ce que la valeur choisie et la valeur calculée correspondent.

A1.5 Incertitude dans les mesures

Comme toutes les sciences physiques, la chimie est basée sur des résultats de mesures. Or, toute mesure comporte un certain degré d'incertitude. Donc, si l'on utilise des résultats de mesures pour tirer une conclusion, on doit pouvoir estimer le degré de cette incertitude.

Par exemple, la spécification qui indique qu'un comprimé vendu dans le commerce contient 500 mg d'acétaminophène (analgésique actif dans les comprimés de Tylenol) signifie que chacun des comprimés du lot peut contenir de 450 mg à 550 mg d'acétaminophène. Supposez qu'une analyse chimique donne les résultats suivants pour un lot de comprimés d'acétaminophène : 428 mg, 479 mg, 442 mg et 435 mg. Comment peut-on utiliser ces résultats pour déterminer si le lot de comprimés correspond à la spécification ? Bien que les détails de la méthode qui permet de tirer de telles conclusions des données mesurées dépassent le cadre du présent manuel, nous en examinerons quelques aspects. Nous nous attarderons ici aux types d'incertitudes expérimentales, à l'expression des résultats expérimentaux et à une méthode simplifiée pour estimer une incertitude expérimentale quand le résultat final comprend plusieurs types de mesures.

Types d'erreurs expérimentales

Il existe deux types d'incertitudes (erreurs) expérimentales. On leur donne différents noms :

$$\text{Précision} \longleftrightarrow \text{erreur aléatoire} \equiv \text{erreur indéterminée}$$
$$\text{Exactitude} \longleftrightarrow \text{erreur systématique} \equiv \text{erreur déterminée}$$

La différence entre ces deux types d'erreurs est bien illustrée à la figure 1.7 du chapitre 1 (*voir le manuel « Chimie générale »*) où l'on tente d'atteindre une cible.

L'erreur aléatoire est associée à toutes les mesures prises. Pour déterminer le dernier chiffre significatif d'une mesure, on doit toujours effectuer une estimation. Par exemple, on interpole des valeurs entre les marques d'un mètre de bois, d'une burette ou d'une balance. La précision des mesures répétées (du même type) reflète la taille de l'erreur aléatoire. La précision se rapporte à la reproductibilité des mesures effectuées.

L'exactitude d'une mesure renvoie à la différence entre celle-ci et la valeur réelle. Un résultat inexact est causé par un défaut (erreur systématique) dans la mesure : la présence d'une substance qui interfère, la mauvaise calibration d'un instrument, une erreur de manipulation, etc. Dans le cadre d'une analyse chimique, l'objectif est d'éliminer les erreurs systématiques, mais les erreurs aléatoires ne peuvent qu'être réduites au minimum. En pratique, on effectue presque toujours une expérience pour déterminer une valeur inconnue (on ne connaît pas la valeur réelle, on tente de la déterminer en effectuant l'expérience). On utilise alors la précision de plusieurs mesures répétées pour évaluer l'exactitude du résultat. On exprime les résultats des expériences répétées sous forme de moyenne (que l'on assume être proche de la valeur réelle) accompagnée d'une limite d'erreurs qui donne une certaine indication sur la proximité de la valeur moyenne par rapport à la valeur réelle. La limite d'erreurs représente l'incertitude du résultat expérimental.

Expression des résultats expérimentaux

Si l'on effectue plusieurs mesures, par exemple pour l'analyse de l'acétaminophène dans les comprimés d'analgésique, les résultats devraient exprimer deux choses : la moyenne des mesures et le degré d'incertitude.

Il existe deux façons pratiques d'exprimer une moyenne : la moyenne et la médiane. La moyenne ($\bar{x}$) est la moyenne arithmétique des résultats, ou

$$\text{Moyenne} = \bar{x} = \sum_{i=1}^{n} \frac{x_i}{n} = \frac{x_1 + x_2 + \ldots + x_n}{n}$$

où Σ signifie la somme des valeurs. La moyenne est égale à la somme de toutes les valeurs mesurées divisée par le nombre de mesures effectuées. Dans le cas des résultats relatifs à l'acétaminophène déjà donnés, la moyenne est :

$$\bar{x} = \frac{428 + 479 + 442 + 435}{4} = 446 \text{ mg}$$

La médiane est la valeur centrale de tous les résultats. La moitié des résultats est supérieure à la médiane et l'autre moitié est inférieure. Dans le cas des résultats tels que 465 mg, 485 mg et 492 mg, la médiane est de 485. Quand le nombre de résultats est pair, la médiane est la moyenne des deux résultats du centre. Dans le cas des résultats relatifs à l'acétaminophène, la médiane est :

$$\frac{442 + 435}{2} = 438 \text{ mg}$$

L'utilisation de la médiane comporte plusieurs avantages. Dans le cas d'un petit nombre de mesures, une valeur peut grandement influer sur la moyenne. Prenons par exemple les résultats relatifs à l'acétaminophène : 428 mg, 479 mg, 442 mg et 435 mg. La moyenne est de 446, ce qui est supérieur à trois des quatre masses. La médiane est de 438 mg, ce qui est proche des trois valeurs qui sont relativement près les unes des autres.

En plus d'exprimer la valeur moyenne d'un ensemble de résultats, il faut en exprimer l'incertitude. Il s'agit habituellement d'exprimer la précision de la mesure effectuée ou l'étendue observée des mesures. L'étendue d'un ensemble de mesures est déterminée par la plus petite valeur et la valeur la plus élevée. Dans le cas des résultats d'analyse de l'acétaminophène, l'étendue est de 428 mg à 479 mg. Ainsi, on peut exprimer les résultats en indiquant que la véritable valeur se situe entre 428 mg et 479 mg. On peut donc dire que la quantité d'acétaminophène contenue dans chaque comprimé est de 446 ± 33 mg, où la limite d'erreurs est choisie pour exprimer l'étendue observée (approximativement).

La façon la plus courante d'indiquer la précision est l'écart type, s, qui est donné par la formule suivante dans le cas d'un petit nombre de résultats :

$$s = \left[\frac{\sum_{i=1}^{n} (x_i - \bar{x})^2}{n - 1} \right]^{\frac{1}{2}}$$

où x_i est un résultat individuel, $\bar{x}$ est la moyenne (ou la médiane) et n est le nombre total de mesures. Dans le cas de l'acétaminophène, on a :

$$s = \left[\frac{(428 - 446)^2 + (479 - 446)^2 + (442 - 446)^2 + (435 - 446)^2}{4 - 1} \right]^{1/2} = 23$$

Ainsi, on peut dire que la quantité d'acétaminophène contenue dans un comprimé type du lot est de 446 mg avec un écart type d'échantillon de 23 mg. Statistiquement, cela signifie que toute mesure additionnelle a une probabilité de 68 % (68 chances sur 100) de se trouver entre 423 mg (446 − 23) et 469 mg (446 + 23). Donc, l'écart type mesure la précision d'un type donné de détermination.

L'écart type permet de décrire la précision d'un type donné de mesure à l'aide d'un ensemble de résultats répétés. Cependant, il est également utile de pouvoir estimer la précision d'une technique qui met en jeu plusieurs mesures en combinant la précision de chacune des étapes effectuées. Autrement dit, on veut répondre à la question suivante : De quelle façon les incertitudes se propagent-elles lorsqu'on combine les résultats de plusieurs types de mesures ? Il existe de nombreuses façons de gérer la propagation de l'incertitude. Nous ne décrirons ici qu'une seule méthode.

Méthode simplifiée pour estimer l'incertitude expérimentale

Pour illustrer cette méthode, nous déterminerons la masse volumique d'un solide de forme irrégulière. Pour ce faire, nous prenons trois mesures. Premièrement, nous mesurons la masse de l'objet sur une balance. Deuxièmement, nous déterminons le volume du solide. La méthode la plus facile consiste à verser un liquide dans un cylindre gradué et à noter le volume. Troisièmement, nous plongeons le solide dans le liquide et nous notons le nouveau volume. La différence des volumes mesurés correspond au volume du solide. Nous pouvons alors calculer la masse volumique du solide à l'aide de l'équation :

$$D = \frac{M}{V_2 - V_1}$$

où M est la masse du solide, V_1 est le volume initial du liquide dans le cylindre gradué et V_2 est le volume combiné du liquide et du solide. Supposons que nous obtenions les résultats suivants :

$$M = 23{,}06 \text{ g}$$
$$V_1 = 10{,}4 \text{ mL}$$
$$V_2 = 13{,}5 \text{ mL}$$

La masse volumique calculée est :

$$\frac{23{,}06 \text{ g}}{13{,}5 \text{ mL} - 10{,}4 \text{ mL}} = 7{,}44 \text{ g/mL}$$

Supposons maintenant que la précision de la balance soit de $\pm 0{,}02$ g et que les mesures du volume soient précises à $\pm 0{,}05$ mL. Comment pouvons-nous estimer l'incertitude de la masse volumique ? Nous pouvons le faire en tenant compte du pire cas, c'est-à-dire en tenant compte des incertitudes les plus grandes dans toutes les mesures. Nous connaîtrons ainsi les combinaisons de mesures qui donnent les résultats les plus élevés et les plus bas possible (la plus grande étendue). Puisque la masse volumique est la masse divisée par le volume, la plus grande valeur de la masse volumique est celle que nous obtenons avec la plus grande masse possible et le plus petit volume possible.

Plus grande masse possible = 23,06 + ,02

$$D_{\text{max}} = \frac{23{,}08}{13{,}45 - 10{,}45} = 7{,}69 \text{ g/mL}$$

Plus petite valeur possible de V_2 — Plus grande valeur possible de V_1

La plus petite masse volumique possible est :

Plus petite masse possible

$$D_{\text{min}} = \frac{23{,}04}{13{,}35 - 10{,}35} = 7{,}20 \text{ g/mL}$$

Plus grande valeur possible de V_2 — Plus petite valeur possible de V_1

Ainsi, l'étendue calculée est de 7,20 à 7,69 ; la moyenne de ces valeurs est de 7,44. La limite d'erreurs est le nombre qui donne les valeurs supérieure et inférieure de l'étendue lorsqu'on l'additionne à la moyenne ou qu'on la soustrait. Par conséquent, on peut exprimer la masse volumique de la manière suivante : $7{,}44 \pm 0{,}25$ g/mL, qui est la valeur moyenne plus ou moins la quantité qui donne l'étendue calculée en supposant les plus grandes incertitudes.

L'analyse de la propagation des incertitudes est utile pour tirer des conclusions qualitatives de l'analyse des mesures. Par exemple, supposez qu'on obtienne les résultats donnés plus haut pour la masse volumique d'un alliage inconnu et qu'on veuille savoir s'il s'agit d'un des alliages suivants :

Alliage A : $D = 7{,}58$ g/mL
Alliage B : $D = 7{,}42$ g/mL
Alliage C : $D = 8{,}56$ g/mL

On peut aisément conclure qu'il ne s'agit pas de l'alliage C. Cependant, les masses volumiques des alliages A et B se trouvent toutes deux à l'intérieur de l'incertitude inhérente à notre méthode. Pour déterminer la bonne valeur, il faut augmenter la précision de la mesure : le choix évident est d'augmenter la précision de la mesure du volume.

La méthode du pire cas est très utile pour estimer les incertitudes lorsque les résultats de plusieurs mesures sont combinés dans le calcul d'un résultat. On suppose l'incertitude maximale de chaque mesure et on calcule les résultats minimal et maximal possibles. Ces valeurs extrêmes décrivent l'étendue et, par conséquent, la limite d'erreurs.

Annexe 2 Modèle moléculaire de cinétique quantitative

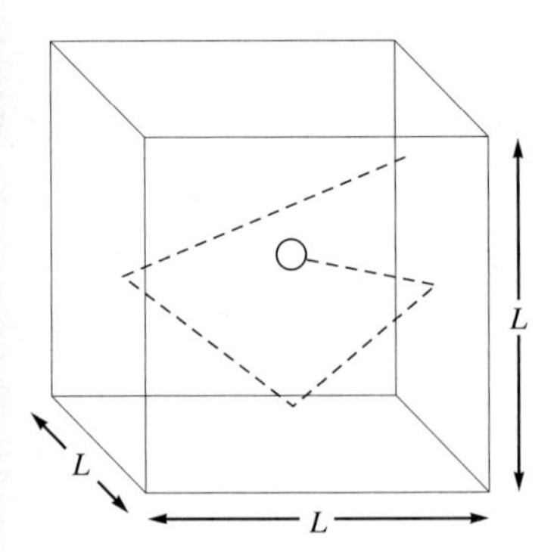

FIGURE A.3
Une particule d'un gaz parfait dans un cube *aux arêtes d'une longueur L*. Dans un déplacement aléatoire en ligne droite, la particule fait des collisions élastiques avec les parois du cube.

Nous avons vu que le modèle moléculaire cinétique explique bien les propriétés d'un gaz parfait. La présente annexe montrera avec certains détails comment les postulats du modèle moléculaire cinétique mènent à une équation qui correspond à l'équation des gaz parfaits obtenue expérimentalement.

Il faut se rappeler que les particules d'un gaz parfait n'ont pas de volume, qu'elles n'exercent aucune attraction entre elles et qu'elles produisent une pression sur leur contenant en heurtant ses parois.

Supposons que n moles d'un gaz parfait se trouvent dans un contenant cubique dont chacune des arêtes est de longueur L. Chaque particule a une masse m et, dans un déplacement aléatoire rapide en ligne droite, elle entre en collision avec les parois du contenant, comme dans la figure A.3. Les collisions sont élastiques : il n'y a aucune perte d'énergie cinétique. On veut calculer la force qu'exercent les particules gazeuses sur les parois en les heurtant et, puisque la pression est la force par unité de surface, on veut obtenir une expression pour la pression du gaz.

Avant de pouvoir dériver l'expression pour la pression d'un gaz, il faut d'abord décrire certaines caractéristiques de la vélocité. Chaque particule du gaz possède une vélocité particulière u qui peut se décomposer en u_x, en u_y et en u_z (*voir la figure A.4, page 455*). À partir de u_x et de u_y, et en utilisant le théorème de Pythagore, on peut déterminer u_{xy} (*voir la figure A.4 c, page 455*).

$$u_{xy}^2 = u_x^2 + u_y^2$$

Hypoténuse du triangle rectangle (u_{xy}^2) ; Côtés du triangle rectangle (u_x^2, u_y^2)

Ensuite, en construisant un autre triangle comme dans la figure A.4 c), on obtient :

$$u^2 = u_{xy}^2 + u_z^2$$

ou

$$u^2 = \overbrace{u_x^2 + u_y^2}^{u_{xy}^2} + u_z^2$$

Imaginons maintenant la façon dont se déplace une particule de gaz « moyenne ». Par exemple, à quelle fréquence cette particule heurte-t-elle les deux parois de la boîte qui sont perpendiculaires à l'axe des x ? Il est important de savoir que seule la composante x de la vélocité influe sur les impacts de la particule sur ces deux parois, comme le montre la figure A.5 a). Plus la composante x est élevée, plus la particule voyage rapidement entre ces deux parois et plus les collisions par unité de temps sont nombreuses. Rappelez-vous que la pression exercée par le gaz est causée par ces collisions.

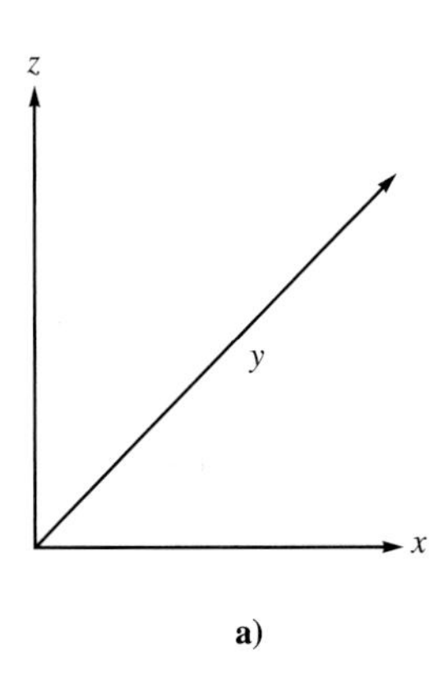

a)

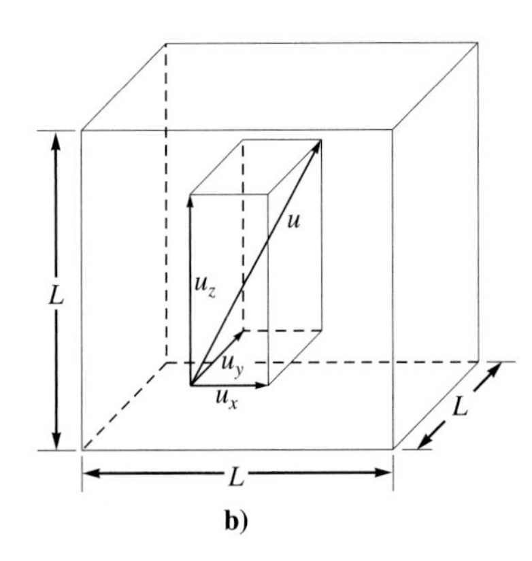

b)

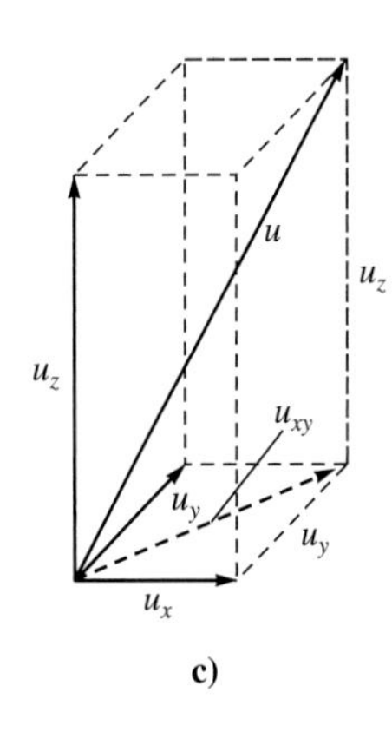

c)

FIGURE A.4
a) Les axes du tableau cartésien

b) La vélocité u d'une particule gazeuse peut être décomposée en trois composantes mutuellement perpendiculaires: u_x, u_y et u_z. On peut la représenter par un solide régulier où les arêtes sont u_x, u_y et u_z, et la diagonale, u.

c) Dans le plan xy,

$$u_x^2 + u_y^2 = u_{xy}^2$$

selon le théorème de Pythagore. Puisque u_{xy} et u_z sont également perpendiculaires,

$$u^2 = u_{xy}^2 + u_z^2 = u_x^2 + u_y^2 + u_z^2$$

La fréquence des collisions (collisions par unité de temps) avec les deux parois perpendiculaires à l'axe des x est donnée par:

$$(\text{Fréquence des collisions})_x = \frac{\text{vélocité dans la direction } x}{\text{distance entre les parois}}$$

$$= \frac{u_x}{L}$$

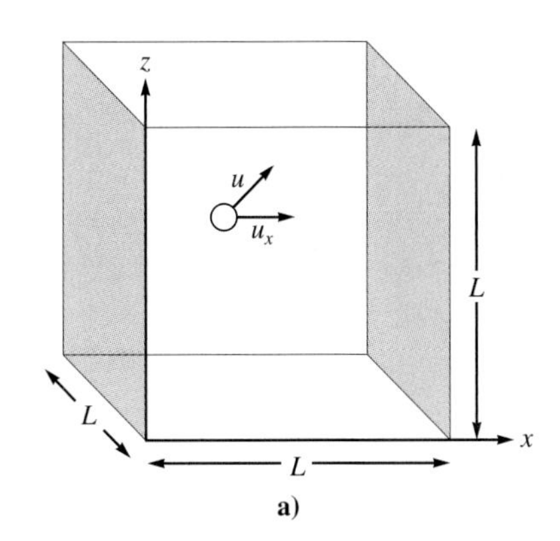

a)

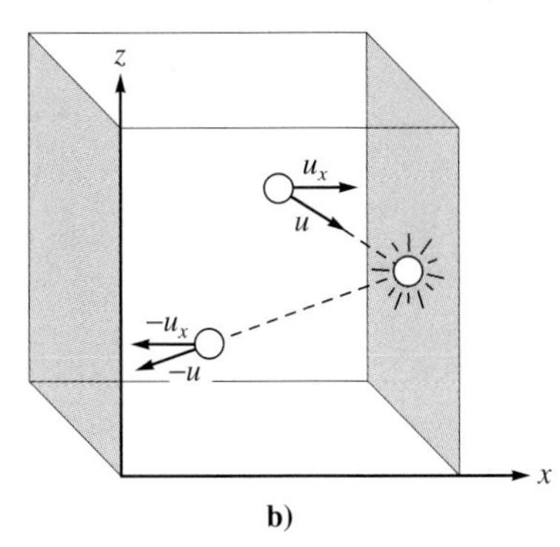

b)

FIGURE A.5
a) Seule la composante x de la vélocité de la particule gazeuse a une incidence sur la fréquence des collisions avec les parois ombrées, soit les parois perpendiculaires à l'axe des x.
b) Dans le cas d'une collision élastique, il y a une inversion exacte de la composante x de la vélocité et de la vélocité totale. La variation de la quantité de mouvement (finale – initiale) est alors:

$$-mu_x - mu_x = -2mu_x$$

Il faut aussi connaître la force d'une collision. La force se définit par la masse multipliée par l'accélération (variation de la vélocité par unité de temps):

$$F = ma = m\left(\frac{\Delta u}{\Delta t}\right)$$

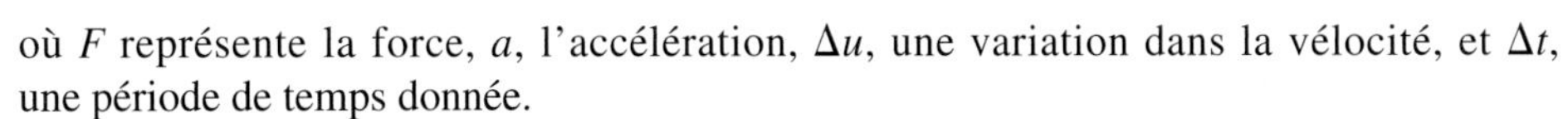

où F représente la force, a, l'accélération, Δu, une variation dans la vélocité, et Δt, une période de temps donnée.

Comme on suppose que la particule possède une masse constante, on peut écrire:

$$F = \frac{m\Delta u}{\Delta t} = \frac{\Delta(mu)}{\Delta t}$$

La quantité mu est la quantité de mouvement de la particule (la quantité de mouvement est le produit de la masse et de la vélocité) et l'expression $F = \Delta(mu)/\Delta t$ implique que la force est la variation de la quantité de mouvement par unité de temps. Lorsqu'une particule heurte une paroi perpendiculaire à l'axe des x, comme le montre la figure A.5 b), une collision élastique se solde par une *inversion exacte* de la composante x de sa vélocité. Cela veut dire que le signe ou la direction de u_x s'inverse lorsque la particule heurte l'une des deux parois perpendiculaires à l'axe des x. Par conséquent, la quantité de mouvement finale est la négative, ou l'opposé, de la quantité de mouvement initiale. Il ne faut pas oublier qu'une collision élastique signifie qu'il n'y a aucune variation dans la grandeur de la vélocité. La variation de la quantité de mouvement dans la direction x est donc:

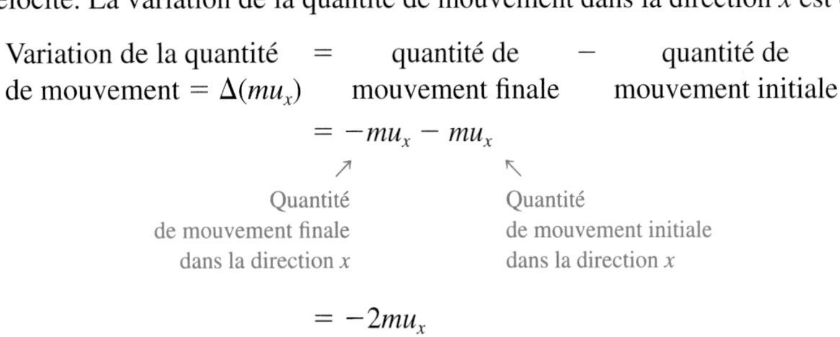

Variation de la quantité de mouvement $= \Delta(mu_x)$ = quantité de mouvement finale − quantité de mouvement initiale

$$= -mu_x - mu_x$$

$$= -2mu_x$$

Cependant, c'est la force exercée par la particule de gaz sur les parois de la boîte qui nous intéresse. Puisque nous savons que chaque action produit une réaction égale, mais opposée, la variation de la quantité de mouvement par rapport à la paroi lors de la collision est $-(-2mu_x)$ ou $2mu_x$.

Il faut se rappeler que, puisque la force est la variation de la quantité de mouvement,

$$\text{Force}_x = \frac{\Delta(mu_x)}{\Delta t}$$

pour les parois perpendiculaires à l'axe des x.

On peut obtenir cette expression en multipliant la variation de la quantité de mouvement à chaque collision par le nombre de collisions par unité de temps.

$$\text{Force}_x = (2mu_x)\left(\frac{u_x}{L}\right) = \text{variation de la quantité de mouvement par unité de temps}$$

↗ Variation de la quantité de mouvement à chaque collision

↖ Collisions par unité de temps

Ainsi,

$$\text{Force}_x = \frac{2mu_x^2}{L}$$

Jusqu'ici, nous avons tenu compte seulement des deux parois perpendiculaires à l'axe des x. Nous pouvons supposer que la force exercée sur les deux parois perpendiculaires à l'axe des y est donnée par:

$$\text{Force}_y = \frac{2mu_y^2}{L}$$

et que la force exercée sur les deux parois perpendiculaires à l'axe des z est donnée par:

$$\text{Force}_z = \frac{2mu_x^2}{L}$$

Puisque nous avons démontré que

$$u^2 = u_x^2 + u_y^2 + u_z^2$$

la force totale exercée sur la boîte est:

$$\begin{aligned}
\text{Force}_{\text{TOTALE}} &= \text{force}_x + \text{force}_y + \text{force}_z \\
&= \frac{2mu_x^2}{L} + \frac{2mu_y^2}{L} + \frac{2mu_z^2}{L} \\
&= \frac{2m}{L}(u_x^2 + u_y^2 + u_z^2) = \frac{2m}{L}(u^2)
\end{aligned}$$

Comme nous voulons maintenant connaître la force moyenne, nous utilisons la moyenne du carré de la vélocité $(\overline{u^2})$ pour obtenir:

$$\overline{\text{Force}}_{\text{TOTALE}} = \frac{2m}{L}(\overline{u^2})$$

Ensuite, il faut calculer la pression (force par unité de surface).

$$\text{Pression exercée par une particule « moyenne »} = \frac{\overline{\text{Force}}_{\text{TOTALE}}}{\text{surface}_{\text{TOTALE}}} = \frac{\frac{2m\overline{u^2}}{L}}{6L^2} = \frac{m\overline{u^2}}{3L^3}$$

↗ Les six faces du cube

↖ Aire de chaque face

Puisque le volume V du cube est égal à L^3, on peut écrire :

$$\text{Pression} = P = \frac{m\overline{u^2}}{3V}$$

Jusqu'ici, nous avons tenu compte de la pression exercée sur les parois par une seule particule « moyenne ». Bien sûr, nous voulons déterminer la pression causée par l'échantillon de gaz complet. Le nombre de particules contenues dans un échantillon de gaz donné peut s'exprimer de la manière suivante :

$$\text{Nombre de particules gazeuses} = nN_A$$

où n est le nombre de moles et N_A, le nombre d'Avogadro.

La pression totale exercée sur la boîte par n moles d'un gaz est donc :

$$P = nN_A \frac{m\overline{u^2}}{3V}$$

On veut ensuite exprimer la pression selon l'énergie cinétique des molécules gazeuses. L'énergie cinétique (énergie générée par le mouvement) est donnée par l'équation $\frac{1}{2}mu^2$, où m est la masse et u, la vélocité. Puisqu'on utilise la moyenne de la vélocité élevée au carré ($\overline{u^2}$) et puisque $m\overline{u^2} = 2(\frac{1}{2}m\overline{u^2})$, on a :

$$P = \left(\frac{2}{3}\right) \frac{nN_A(\frac{1}{2}m\overline{u^2})}{V}$$

ou

$$\frac{PV}{n} = \left(\frac{2}{3}\right) N_A(\tfrac{1}{2}m\overline{u^2})$$

Selon les postulats du modèle moléculaire de la cinétique, on a pu dériver une équation qui a la même forme que l'équation des gaz parfaits.

$$\frac{PV}{n} = RT$$

Cette correspondance entre l'expérience et la théorie confirme l'hypothèse formulée dans le modèle moléculaire de la cinétique sur le comportement des particules gazeuses, du moins dans le cas limité d'un gaz parfait.

Annexe 3 Analyse spectrale

Bien qu'on utilise encore couramment les analyses volumétrique et gravimétrique, c'est à la spectroscopie qu'on fait le plus souvent appel pour l'analyse chimique de nos jours. La spectroscopie est l'étude du rayonnement électromagnétique émis ou absorbé par une substance chimique donnée. Puisque la quantité de rayonnement absorbée ou émise peut être liée à la quantité de substances absorbantes ou émettrices présente, cette technique peut servir à l'analyse quantitative. Il existe de nombreuses techniques spectroscopiques, car le rayonnement électromagnétique couvre un large spectre d'énergie qui comprend les rayons X, l'ultraviolet, l'infrarouge, la lumière visible et les micro-ondes, pour ne nommer que quelques-unes de ses formes familières. Nous étudierons ici une seule technique, basée sur l'absorption de la lumière visible.

Si un liquide est coloré, c'est parce qu'une de ses composantes absorbe la lumière visible. Dans une solution, plus la substance qui absorbe la lumière est concentrée, plus la lumière est absorbée et plus la couleur de la solution est intense.

La quantité de lumière absorbée par une substance peut se mesurer à l'aide d'un spectrophotomètre, illustré à la figure A.6. Cet instrument est constitué d'une source qui émet toutes les longueurs d'onde de la lumière visible (longueurs d'onde de ~400 à 700 nm) ; d'un monochromateur, qui isole une longueur d'onde donnée de la lumière ; d'un porte-éprouvette pour la solution à mesurer et d'un détecteur, qui compare l'intensité

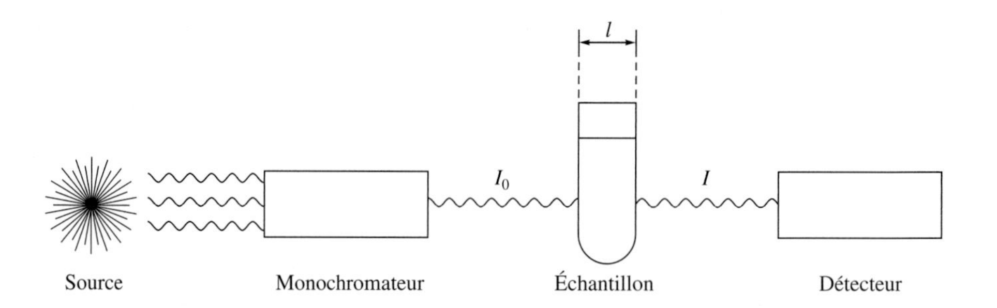

de la lumière incidente I_0 avec l'intensité de la lumière après son passage à travers l'échantillon I. Le rapport I/I_0, appelé le facteur de *transmission*, est une mesure de la fraction de lumière qui traverse l'échantillon. La quantité de lumière absorbée est donnée par l'*absorbance* A, où

$$A = -\log \frac{I}{I_0}$$

L'absorbance peut être exprimée par la loi de Beer-Lambert :

$$A = \epsilon l c$$

où ϵ est l'absorptivité molaire ou le coefficient d'absorption molaire (en L/mol · cm), l est la distance parcourue par la lumière dans la solution (en cm) et c est la concentration de la substance absorbante (en mol/L). La loi de Beer-Lambert est la notion qui sert de base à l'utilisation de la spectroscopie dans l'analyse quantitative. Si ϵ et l ont des valeurs connues, la mesure de A pour une solution permet de calculer la concentration de la substance absorbante dans la solution.

Supposez une solution rose contenant une concentration inconnue d'ions $Co^{2+}(aq)$. On place un échantillon de cette solution dans un spectrophotomètre, puis on mesure l'absorbance à une longueur d'onde où l'on sait que ϵ est 12 L/mol · cm pour $Co^{2+}(aq)$. On constate que l'absorbance A est de 0,60. La largeur de l'éprouvette est de 1,0 cm. On veut déterminer la concentration de $Co^{2+}(aq)$ dans la solution. Il est possible de résoudre ce problème par une application simple de la loi de Beer-Lambert :

$$A = \epsilon l c$$

où

$$A = 0{,}60$$

$$\epsilon = \frac{12\ \text{L}}{\text{mol} \cdot \text{cm}}$$

$$l = \text{parcours de la lumière} = 1{,}0\ \text{cm}$$

Si l'on résout la concentration, on obtient :

$$c = \frac{A}{\epsilon l} = \frac{0{,}60}{\left(12\ \frac{\text{L}}{\text{mol} \cdot \text{cm}}\right)(1{,}0\ \text{cm})} = 5{,}0 \times 10^{-2}\ \text{mol/L}$$

Pour déterminer la concentration inconnue d'une substance absorbante à partir de l'absorbance mesurée, il faut connaître le produit ϵl, puisque

$$c = \frac{A}{\epsilon l}$$

On peut obtenir le produit ϵl en mesurant l'absorbance d'une solution de concentration connue, étant donné que

$$\epsilon l = \frac{A}{c}$$

Mesurée à l'aide d'un spectrophotomètre (A)

Comme à la préparation de la solution (c)

Cependant, il est possible d'obtenir une valeur plus exacte du produit ϵl en représentant graphiquement A en fonction de c pour un ensemble de solutions. Notez que l'équation $A = \epsilon lc$ donne une droite ayant une pente ϵl lorsqu'on représente A en fonction de c dans un graphique.

Prenons, par exemple, l'analyse spectroscopique type suivante. On doit analyser un échantillon d'acier provenant d'une bicyclette pour en déterminer le contenu en manganèse. La méthode consiste à peser un échantillon de l'acier, à le dissoudre dans un acide fort et à traiter la solution qui en résulte avec un agent oxydant très puissant pour transformer tout le manganèse présent en ions permanganate (MnO_4^-). Ensuite, au moyen de la spectroscopie, on détermine la concentration des ions MnO_4^- de couleur violet intense présents dans la solution. Pour ce faire, il faut toutefois déterminer la valeur de ϵl pour MnO_4^- à une longueur d'onde appropriée. On a mesuré les valeurs de l'absorbance pour quatre solutions ayant des concentrations connues de MnO_4^- et on a obtenu les données suivantes :

Solution	Concentration de MnO_4^- (mol/L)	Absorbance
1	$7{,}00 \times 10^{-5}$	0,175
2	$1{,}00 \times 10^{-4}$	0,250
3	$2{,}00 \times 10^{-4}$	0,500
4	$3{,}50 \times 10^{-4}$	0,875

La figure A.7 représente un graphique de l'absorbance en fonction de la concentration pour des solutions de concentrations connues. La pente de cette droite (variation de A/variation de c) est $2{,}48 \times 10^3$ L/mol. Cette quantité représente le produit ϵl.

On a dissous un échantillon d'acier ayant une masse de 0,1523 g et on a transformé la quantité inconnue de manganèse en ions MnO_4^-. On y a ensuite ajouté de l'eau pour obtenir une solution ayant un volume final de 100,0 mL. On a placé une partie de cette solution dans le spectrophotomètre et on a obtenu une absorbance de 0,780. À l'aide de ces données, on veut calculer le pourcentage de manganèse présent dans l'acier. Les

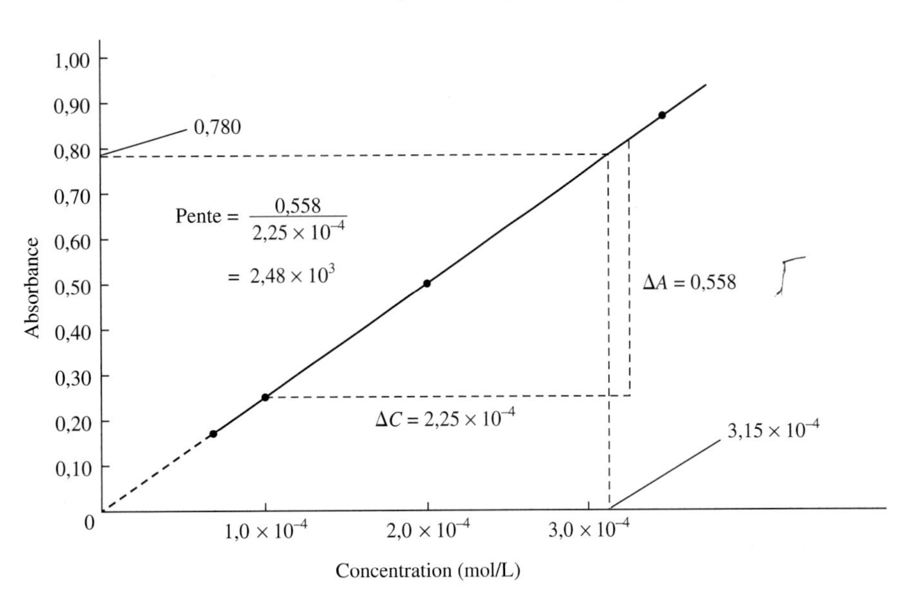

FIGURE A.7
Un graphique de l'absorbance en fonction de la concentration de MnO_4^- dans un ensemble de solutions ayant des concentrations connues.

ions MnO_4^- provenant du manganèse contenu dans l'échantillon d'acier dissous affichent une absorbance de 0,780. À l'aide de la loi de Beer-Lambert, on calcule la concentration de MnO_4^- dans cette solution.

$$c = \frac{A}{\epsilon l} = \frac{0{,}780}{2{,}48 \times 10^{-3}\ \text{L/mol}} \times 3{,}15 \times 10^{-4}\ \text{mol/L}$$

Il existe un moyen plus direct de déterminer la valeur de c. Dans un graphique semblable à celui de la figure A.7 (souvent dénommé un graphique de la loi de Beer-Lambert), on peut déterminer la concentration qui correspond à $A = 0{,}780$. Cette interpolation est illustrée par des lignes en pointillé sur le graphique. Selon cette méthode, $c = 3{,}15 \times 10^{-4}$ mol/L, ce qui correspond à la valeur obtenue plus haut.

Rappelez-vous qu'on a dissous l'échantillon d'acier initial de 0,1523 g, qu'on a transformé le manganèse en permanganate et qu'on a ajusté le volume pour obtenir 100,0 mL de solution. On sait maintenant que la quantité de $[MnO_4^-]$ dans cette solution est $3{,}15 \times 10^{-4}\,M$. À l'aide de cette concentration, on peut calculer le nombre total de moles de MnO_4^- contenues dans cette solution.

$$\text{Moles de } MnO_4^- = 100{,}0\ \text{mL} \times \frac{1\ \text{L}}{1000\ \text{mL}} \times 3{,}15 \times 10^{-4}\ \frac{\text{mol}}{\text{L}}$$

$$= 3{,}15 \times 10^{-5}\ \text{mol}$$

Puisque chaque mole de manganèse contenue dans l'échantillon d'acier initial donne une mole de MnO_4^-,

$$1\ \text{mol de Mn} \xrightarrow{\text{Oxydation}} 1\ \text{mol de } MnO_4^-$$

l'échantillon d'acier initial devrait contenir $3{,}15 \times 10^{-5}$ moles de manganèse. La masse de manganèse contenu dans l'échantillon est :

$$3{,}15 \times 10^{-5}\ \text{mol de Mn} \times \frac{54{,}938\ \text{g de Mn}}{1\ \text{mol de Mn}} = 1{,}73 \times 10^{-3}\ \text{g de Mn}$$

Puisque l'échantillon d'acier pesait 0,1523 g, la quantité de manganèse qu'il contenait était :

$$\frac{1{,}73 \times 10^{-3}\ \text{g de Mn}}{1{,}523 \times 10^{-1}\ \text{g d'échantillon}} \times 100 = 1{,}14\ \%$$

Cet exemple illustre une utilisation type de la spectroscopie dans l'analyse quantitative. Voici les étapes habituellement suivies :

1. Préparer une courbe d'étalonnage (un graphique de la loi de Beer-Lambert) en mesurant les valeurs de l'absorbance pour un ensemble de solutions ayant des concentrations connues.
2. Mesurer l'absorbance de la solution de concentration inconnue.
3. Utiliser la courbe d'étalonnage pour déterminer la concentration inconnue.

Annexe 4 Choix de paramètres thermodynamiques

Note : Les valeurs sont précises à ±1.

Substance et état	ΔH_f° (kJ/mol)	ΔG_f° (kJ/mol)	S° (J/K · mol)
Aluminium			
$Al(s)$	0	0	28
$Al_2O_3(s)$	−1676	−1582	51
$Al(OH)_3(s)$	−1277		
$AlCl_3(s)$	−704	−629	111

Substance et état	ΔH_f° (kJ/mol)	ΔG_f° (kJ/mol)	S° (J/K · mol)
Baryum			
$Ba(s)$	0	0	67
$BaCO_3(s)$	−1219	−1139	112
$BaO(s)$	−582	−552	70
$Ba(OH)_2(s)$	−946		

(page suivante)

Annexe 4 (*suite*)

Substance et état	ΔH_f° (kJ/mol)	ΔG_f° (kJ/mol)	S° (J/K · mol)
Baryum (*suite*)			
$BaSO_4(s)$	−1465	−1353	132
Béryllium			
$Be(s)$	0	0	10
$BeO(s)$	−599	−569	14
$Be(OH)_2(s)$	−904	−815	47
Brome			
$Br_2(l)$	0	0	152
$Br_2(g)$	31	3	245
$Br_2(aq)$	−3	4	130
$Br^-(aq)$	−121	−104	82
$HBr(g)$	−36	−53	199
Cadmium			
$Cd(s)$	0	0	52
$CdO(s)$	−258	−228	55
$Cd(OH)_2(s)$	−561	−474	96
$CdS(s)$	−162	−156	65
$CdSO_4(s)$	−935	−823	123
Calcium			
$Ca(s)$	0	0	41
$CaC_2(s)$	−63	−68	70
$CaCO_3(s)$	−1207	−1129	93
$CaO(s)$	−635	−604	40
$Ca(OH)_2(s)$	−987	−899	83
$Ca_3(PO_4)_2(s)$	−4126	−3890	241
$CaSO_4(s)$	−1433	−1320	107
$CaSiO_3(s)$	−1630	−1550	84
Carbone			
$C(s)$ (graphite)	0	0	6
$C(s)$ (diamant)	2	3	2
$CO(g)$	−110,5	−137	198
$CO_2(g)$	−393,5	−394	214
$CH_4(g)$	−75	−51	186
$CH_3OH(g)$	−201	−163	240
$CH_3OH(l)$	−239	−166	127
$H_2CO(g)$	−116	−110	219
$HCOOH(g)$	−363	−351	249
$HCN(g)$	135,1	125	202
$C_2H_2(g)$	227	209	201
$C_2H_4(g)$	52	68	219
$CH_3CHO(g)$	−166	−129	250
$C_2H_5OH(l)$	−278	−175	161
$C_2H_6(g)$	−84,7	−32,9	229,5
$C_3H_6(g)$	20,9	62,7	266,9
$C_3H_8(g)$	−104	−24	270
$C_2H_4O(g)$ (oxyde d'éthylène)	−53	−13	242
$CH_2{=}CHCN(g)$	185,0	195,4	274
$CH_3COOH(l)$	−484	−389	160
$C_6H_{12}O_6(s)$	−1275	−911	212
CCl_4	−135	−65	216
Chlore			
$Cl_2(g)$	0	0	223
$Cl_2(aq)$	−23	7	121
Chlore (*suite*)			
$Cl^-(aq)$	−167	−131	57
$HCl(g)$	−92	−95	187
Chrome			
$Cr(s)$	0	0	24
$Cr_2O_3(s)$	−1128	−1047	81
$CrO_3(s)$	−579	−502	72
Cuivre			
$Cu(s)$	0	0	33
$CuCO_3(s)$	−595	−518	88
$Cu_2O(s)$	−170	−148	93
$CuO(s)$	−156	−128	43
$Cu(OH)_2(s)$	−450	−372	108
$CuS(s)$	−49	−49	67
Fluor			
$F_2(g)$	0	0	203
$F^-(aq)$	−333	−279	−14
$HF(g)$	−271	−273	174
Hydrogène			
$H_2(g)$	0	0	131
$H(g)$	217	203	115
$H^+(aq)$	0	0	0
$OH^-(aq)$	−230	−157	−11
$H_2O(l)$	−286	−237	70
$H_2O(g)$	−242	−229	189
Iode			
$I_2(s)$	0	0	116
$I_2(g)$	62	19	261
$I_2(aq)$	23	16	137
$I^-(aq)$	−55	−52	106
Fer			
$Fe(s)$	0	0	27
$Fe_3C(s)$	21	15	108
$Fe_{0,95}O(s)$ (wustite)	−264	−240	59
FeO	−272	−255	61
$Fe_3O_4(s)$ (magnétite)	−1117	−1013	146
$Fe_2O_3(s)$ (hématite)	−826	−740	90
$FeS(s)$	−95	−97	67
$FeS_2(s)$	−178	−166	53
$FeSO_4(s)$	−929	−825	121
Plomb			
$Pb(s)$	0	0	65
$PbO_2(s)$	−277	−217	69
$PbS(s)$	−100	−99	91
$PbSO_4(s)$	−920	−813	149
Magnésium			
$Mg(s)$	0	0	33
$MgCO_3(s)$	−1113	−1029	66
$MgO(s)$	−602	−569	27
$Mg(OH)_2(s)$	−925	−834	64
Manganèse			
$Mn(s)$	0	0	32

Annexe 4 (*suite*)

Substance et état	ΔH_f° (kJ/mol)	ΔG_f° (kJ/mol)	S° (J/K · mol)
Manganèse (*suite*)			
$MnO(s)$	−385	−363	60
$Mn_3O_4(s)$	−1387	−1280	149
$Mn_2O_3(s)$	−971	−893	110
$MnO_2(s)$	−521	−466	53
$MnO_4^-(aq)$	−543	−449	190
Mercure			
$Hg(l)$	0	0	76
$Hg_2Cl_2(s)$	−265	−211	196
$HgCl_2(s)$	−230	−184	144
$HgO(s)$	−90	−59	70
$HgS(s)$	−58	−49	78
Nickel			
$Ni(s)$	0	0	30
$NiCl_2(s)$	−316	−272	107
$NiO(s)$	−241	−213	38
$Ni(OH)_2(s)$	−538	−453	79
$NiS(s)$	−93	−90	53
Azote			
$N_2(g)$	0	0	192
$NH_3(g)$	−46	−17	193
$NH_3(aq)$	−80	−27	111
$NH_4^+(aq)$	−132	−79	113
$NO(g)$	90	87	211
$NO_2(g)$	34	52	240
$N_2O(g)$	82	104	220
$N_2O_4(g)$	10	98	304
$N_2O_4(l)$	−20	97	209
$N_2O_5(s)$	−42	134	178
$N_2H_4(l)$	51	149	121
$N_2H_3CH_3(l)$	54	180	166
$HNO_3(aq)$	−207	−111	146
$HNO_3(l)$	−174	−81	156
$NH_4ClO_4(s)$	−295	−89	186
$NH_4Cl(s)$	−314	−203	96
Oxygène			
$O_2(g)$	0	0	205
$O(g)$	249	232	161
$O_3(g)$	143	163	239
Phosphore			
$P(s)$ (blanc)	0	0	41
$P(s)$ (rouge)	−18	−12	23
$P(s)$ (noir)	−39	−33	23
$P_4(g)$	59	24	280
$PF_5(g)$	−1578	−1509	296
$PH_3(g)$	5	13	210
$H_3PO_4(s)$	−1279	−1119	110
$H_3PO_4(l)$	−1267	—	—
$H_3PO_4(aq)$	−1288	−1143	158
$P_4O_{10}(s)$	−2984	−2698	229
Potassium			
$K(s)$	0	0	64
$KCl(s)$	−436	−408	83
Potassium (*suite*)			
$KClO_3(s)$	−391	−290	143
$KClO_4(s)$	−433	−304	151
$K_2O(s)$	−361	−322	98
$K_2O_2(s)$	−496	−430	113
$KO_2(s)$	−283	−238	117
$KOH(s)$	−425	−379	79
$KOH(aq)$	−481	−440	9,20
Silicium			
$SiO_2(s)$ (quartz)	−911	−856	42
$SiCl_4(l)$	−687	−620	240
Argent			
$Ag(s)$	0	0	43
$Ag^+(aq)$	105	77	73
$AgBr(s)$	−100	−97	107
$AgCN(s)$	146	164	84
$AgCl(s)$	−127	−110	96
$Ag_2CrO_4(s)$	−712	−622	217
$AgI(s)$	−62	−66	115
$Ag_2O(s)$	−31	−11	122
$Ag_2S(s)$	−32	−40	146
Sodium			
$Na(s)$	0	0	51
$Na^+(aq)$	−240	−262	59
$NaBr(s)$	−360	−347	84
$Na_2CO_3(s)$	−1131	−1048	136
$NaHCO_3(s)$	−948	−852	102
$NaCl(s)$	−411	−384	72
$NaH(s)$	−56	−33	40
$NaI(s)$	−288	−282	91
$NaNO_2(s)$	−359		
$NaNO_3(s)$	−467	−366	116
$Na_2O(s)$	−416	−377	73
$Na_2O_2(s)$	−515	−451	95
$NaOH(s)$	−427	−381	64
$NaOH(aq)$	−470	−419	50
Soufre			
$S(s)$ (orthorhombique)	0	0	32
$S(s)$ (monoclinique)	0,3	0,1	33
$S^{2-}(aq)$	33	86	−15
$S_8(g)$	102	50	431
$SF_6(g)$	−1209	−1105	292
$H_2S(g)$	−21	−34	206
$SO_2(g)$	−297	−300	248
$SO_3(g)$	−396	−371	257
$SO_4^{2-}(aq)$	−909	−745	20
$H_2SO_4(l)$	−814	−690	157
$H_2SO_4(aq)$	−909	−745	20
Étain			
$Sn(s)$ (blanc)	0	0	52
$Sn(s)$ (gris)	−2	0,1	44
$SnO(s)$	−285	−257	56
$SnO_2(s)$	−581	−520	52

(*page suivante*)

Annexe 4 (*suite*)

Substance et état	ΔH_f° (kJ/mol)	ΔG_f° (kJ/mol)	S° (J/K · mol)
Étain (*suite*)			
$Sn(OH)_2(s)$	−561	−492	155
Titane			
$TiCl_4(g)$	−763	−727	355
$TiO_2(s)$	−945	−890	50
Uranium			
$U(s)$	0	0	50
$UF_6(s)$	−2137	−2008	228
$UF_6(g)$	−2113	−2029	380
$UO_2(s)$	−1084	−1029	78
$U_3O_8(s)$	−3575	−3393	282
$UO_3(s)$	−1230	−1150	99

Substance et état	ΔH_f° (kJ/mol)	ΔG_f° (kJ/mol)	S° (J/K · mol)
Xénon			
$Xe(g)$	0	0	170
$XeF_2(g)$	−108	−48	254
$XeF_4(s)$	−251	−121	146
$XeF_6(g)$	−294		
$XeO_3(s)$	402		
Zinc			
$Zn(s)$	0	0	42
$ZnO(s)$	−348	−318	44
$Zn(OH)_2(s)$	−642		
$ZnS(s)$ (wurtzite)	−193		
$ZnS(s)$ (blende)	−206	−201	58
$ZnSO_4(s)$	−983	−874	120

Annexe 5 Constantes d'équilibre et potentiels de réduction

A5.1 Valeurs de K_a pour certains acides monoprotiques

Nom	Formule	Valeur de K_a
Ion hydrogénosulfate	HSO_4^-	$1,2 \times 10^{-2}$
Acide chloreux	$HClO_2$	$1,2 \times 10^{-2}$
Acide monochloracétique	$HC_2H_2ClO_2$	$1,35 \times 10^{-3}$
Acide fluorhydrique	HF	$7,2 \times 10^{-4}$
Acide nitreux	HNO_2	$4,0 \times 10^{-4}$
Acide formique	HCO_2H	$1,8 \times 10^{-4}$
Acide lactique	$HC_3H_5O_3$	$1,38 \times 10^{-4}$
Acide benzoïque	$HC_7H_5O_2$	$6,4 \times 10^{-5}$
Acide acétique	$HC_2H_3O_2$	$1,8 \times 10^{-5}$
Ion aluminium(III) hydraté	$[Al(H_2O)_6]^{3+}$	$1,4 \times 10^{-5}$
Acide propanoïque	$HC_3H_5O_2$	$1,3 \times 10^{-5}$
Acide hypochloreux	$HOCl$	$3,5 \times 10^{-8}$
Acide hypobromeux	$HOBr$	2×10^{-9}
Acide cyanhydrique	HCN	$6,2 \times 10^{-10}$
Acide borique	H_3BO_3	$5,8 \times 10^{-10}$
Ion ammonium	NH_4^+	$5,6 \times 10^{-10}$
Phénol	HOC_6H_5	$1,6 \times 10^{-10}$
Acide hypo-iodeux	HOI	2×10^{-11}

A5.2 Constantes de dissociation successives pour plusieurs acides polyprotiques courants

Nom	Formule	K_{a_1}	K_{a_2}	K_{a_3}
Acide phosphorique	H_3PO_4	$7,5 \times 10^{-3}$	$6,2 \times 10^{-8}$	$4,8 \times 10^{-13}$
Acide arsénique	H_3AsO_4	5×10^{-3}	8×10^{-8}	6×10^{-10}
Acide carbonique	H_2CO_3	$4,3 \times 10^{-7}$	$5,6 \times 10^{-11}$	
Acide sulfurique	H_2SO_4	Élevée	$1,2 \times 10^{-2}$	
Acide sulfureux	H_2SO_3	$1,5 \times 10^{-2}$	$1,0 \times 10^{-7}$	
Acide hydrosulfurique	H_2S	$1,0 \times 10^{-7}$	$\sim 10^{-19}$	
Acide oxalique	$H_2C_2O_4$	$6,5 \times 10^{-2}$	$6,1 \times 10^{-5}$	
Acide ascorbique (vitamine C)	$H_2C_6H_6O_6$	$7,9 \times 10^{-5}$	$1,6 \times 10^{-12}$	
Acide citrique	$H_3C_6H_5O_7$	$8,4 \times 10^{-4}$	$1,8 \times 10^{-5}$	$4,0 \times 10^{-6}$

A5.3 Valeurs de K_b pour certaines bases faibles courantes

Nom	Formule	Acide conjugué	K_b
Ammoniaque	NH_3	NH_4^+	$1,8 \times 10^{-5}$
Méthylamine	CH_3NH_2	$CH_3NH_3^+$	$4,38 \times 10^{-4}$
Éthylamine	$C_2H_5NH_2$	$C_2H_5NH_3^+$	$5,6 \times 10^{-4}$
Diéthylamine	$(C_2H_5)_2NH$	$(C_2H_5)_2NH_2^+$	$1,3 \times 10^{-3}$
Triéthylamine	$(C_2H_5)_3N$	$(C_2H_5)_3NH^+$	$4,0 \times 10^{-4}$
Hydroxylamine	$HONH_2$	$HONH_3^+$	$1,1 \times 10^{-8}$
Hydrazine	H_2NNH_2	$H_2NNH_3^+$	$3,0 \times 10^{-6}$
Aniline	$C_6H_5NH_2$	$C_6H_5NH_3^+$	$3,8 \times 10^{-10}$
Pyridine	C_5H_5N	$C_5H_5NH^+$	$1,7 \times 10^{-9}$

A5.4 Valeurs de K_{sp} à 25 °C pour des solides ioniques courants

Solide ionique	K_{sp} (à 25 °C)
Fluorures	
BaF_2	$2,4 \times 10^{-5}$
MgF_2	$6,4 \times 10^{-9}$
PbF_2	4×10^{-8}
SrF_2	$7,9 \times 10^{-10}$
CaF_2	$4,0 \times 10^{-11}$
Chlorures	
$PbCl_2$	$1,6 \times 10^{-5}$
$AgCl$	$1,6 \times 10^{-10}$
Hg_2Cl_2*	$1,1 \times 10^{-18}$
Bromures	
$PbBr_2$	$4,6 \times 10^{-6}$
$AgBr$	$5,0 \times 10^{-13}$
Hg_2Br_2*	$1,3 \times 10^{-22}$
Iodures	
PbI_2	$1,4 \times 10^{-8}$
AgI	$1,5 \times 10^{-16}$
Hg_2I_2*	$4,5 \times 10^{-29}$
Sulfates	
$CaSO_4$	$6,1 \times 10^{-5}$
Ag_2SO_4	$1,2 \times 10^{-5}$
$SrSO_4$	$3,2 \times 10^{-7}$
$PbSO_4$	$1,3 \times 10^{-8}$
$BaSO_4$	$1,5 \times 10^{-9}$
Chromates	
$SrCrO_4$	$3,6 \times 10^{-5}$
Hg_2CrO_4*	2×10^{-9}
$BaCrO_4$	$8,5 \times 10^{-11}$
Ag_2CrO_4	$9,0 \times 10^{-12}$
$PbCrO_4$	2×10^{-16}
Carbonates	
$NiCO_3$	$1,4 \times 10^{-7}$
$CaCO_3$	$8,7 \times 10^{-9}$
$BaCO_3$	$1,6 \times 10^{-9}$
$SrCO_3$	7×10^{-10}
$CuCO_3$	$2,5 \times 10^{-10}$
$ZnCO_3$	2×10^{-10}
$MnCO_3$	$8,8 \times 10^{-11}$
$FeCO_3$	$2,1 \times 10^{-11}$
Ag_2CO_3	$8,1 \times 10^{-12}$
$CdCO_3$	$5,2 \times 10^{-12}$
$PbCO_3$	$1,5 \times 10^{-15}$
$MgCO_3$	1×10^{-5}
Hg_2CO_3*	$9,0 \times 10^{-15}$
Hydroxydes	
$Ba(OH)_2$	$5,0 \times 10^{-3}$
$Sr(OH)_2$	$3,2 \times 10^{-4}$
$Ca(OH)_2$	$1,3 \times 10^{-6}$
$AgOH$	$2,0 \times 10^{-8}$
$Mg(OH)_2$	$8,9 \times 10^{-12}$
$Mn(OH)_2$	2×10^{-13}
$Cd(OH)_2$	$5,9 \times 10^{-15}$
$Pb(OH)_2$	$1,2 \times 10^{-15}$
$Fe(OH)_2$	$1,8 \times 10^{-15}$
$Co(OH)_2$	$2,5 \times 10^{-16}$
$Ni(OH)_2$	$1,6 \times 10^{-16}$
$Zn(OH)_2$	$4,5 \times 10^{-17}$
$Cu(OH)_2$	$1,6 \times 10^{-19}$
$Hg(OH)_2$	3×10^{-26}
$Sn(OH)_2$	3×10^{-27}
$Cr(OH)_3$	$6,7 \times 10^{-31}$
$Al(OH)_3$	2×10^{-32}
$Fe(OH)_3$	4×10^{-38}
$Co(OH)_3$	$2,5 \times 10^{-43}$
Sulfures	
MnS	$2,3 \times 10^{-13}$
FeS	$3,7 \times 10^{-19}$
NiS	3×10^{-21}
CoS	5×10^{-22}
ZnS	$2,5 \times 10^{-22}$
SnS	1×10^{-26}
CdS	$1,0 \times 10^{-28}$
PbS	7×10^{-29}
CuS	$8,5 \times 10^{-45}$
Ag_2S	$1,6 \times 10^{-49}$
HgS	$1,6 \times 10^{-54}$
Phosphates	
Ag_3PO_4	$1,8 \times 10^{-18}$
$Sr_3(PO_4)_2$	1×10^{-31}
$Ca_3(PO_4)_2$	$1,3 \times 10^{-32}$
$Ba_3(PO_4)_2$	6×10^{-39}
$Pb_3(PO_4)_2$	1×10^{-54}

* Contient des ions Hg_2^{2+}. $K_{sp} = [Hg_2^{2+}][X^-]^2$ pour les sels Hg_2X_2.

A5.5 Potentiels de réductions standards à 25 °C (298 K) pour plusieurs demi-réactions courantes

Demi-réaction	ℰ° (V)	Demi-réaction	ℰ° (V)
$F_2 + 2e^- \rightarrow 2F^-$	2,87	$O_2 + 2H_2O + 4e^- \rightarrow 4OH^-$	0,40
$Ag^{2+} + e^- \rightarrow Ag^+$	1,99	$Cu^{2+} + 2e^- \rightarrow Cu$	0,34
$Co^{3+} + e^- \rightarrow Co^{2+}$	1,82	$Hg_2Cl_2 + 2e^- \rightarrow 2Hg + 2Cl^-$	0,34
$H_2O_2 + 2H^+ + 2e^- \rightarrow 2H_2O$	1,78	$AgCl + e^- \rightarrow Ag + Cl^-$	0,22
$Ce^{4+} + e^- \rightarrow Ce^{3+}$	1,70	$SO_4^{2-} + 4H^+ + 2e^- \rightarrow H_2SO_3 + H_2O$	0,20
$PbO_2 + 4H^+ + SO_4^{2-} + 2e^- \rightarrow PbSO_4 + 2H_2O$	1,69	$Cu^{2+} + e^- \rightarrow Cu^+$	0,16
$MnO_4^- + 4H^+ + 3e^- \rightarrow MnO_2 + 2H_2O$	1,68	$2H^+ + 2e^- \rightarrow H_2$	0,00
$2e^- + 2H^+ + IO_4^- \rightarrow IO_3^- + H_2O$	1,60	$Fe^{3+} + 3e^- \rightarrow Fe$	−0,036
$MnO_4^- + 8H^+ + 5e^- \rightarrow Mn^{2+} + 4H_2O$	1,51	$Pb^{2+} + 2e^- \rightarrow Pb$	−0,13
$Au^{3+} + 3e^- \rightarrow Au$	1,50	$Sn^{2+} + 2e^- \rightarrow Sn$	−0,14
$PbO_2 + 4H^+ + 2e^- \rightarrow Pb^{2+} + 2H_2O$	1,46	$Ni^{2+} + 2e^- \rightarrow Ni$	−0,23
$Cl_2 + 2e^- \rightarrow 2Cl^-$	1,36	$PbSO_4 + 2e^- \rightarrow Pb + SO_4^{2-}$	−0,35
$Cr_2O_7^{2-} + 14H^+ + 6e^- \rightarrow 2Cr^{3+} + 7H_2O$	1,33	$Cd^{2+} + 2e^- \rightarrow Cd$	−0,40
$O_2 + 4H^+ + 4e^- \rightarrow 2H_2O$	1,23	$Fe^{2+} + 2e^- \rightarrow Fe$	−0,44
$MnO_2 + 4H^+ + 2e^- \rightarrow Mn^{2+} + 2H_2O$	1,21	$Cr^{3+} + e^- \rightarrow Cr^{2+}$	−0,50
$IO_3^- + 6H^+ + 5e^- \rightarrow \frac{1}{2}I_2 + 3H_2O$	1,20	$Cr^{3+} + 3e^- \rightarrow Cr$	−0,73
$Br_2 + 2e^- \rightarrow 2Br^-$	1,09	$Zn^{2+} + 2e^- \rightarrow Zn$	−0,76
$VO_2^+ + 2H^+ + e^- \rightarrow VO^{2+} + H_2O$	1,00	$2H_2O + 2e^- \rightarrow H_2 + 2OH^-$	−0,83
$AuCl_4^- + 3e^- \rightarrow Au + 4Cl^-$	0,99	$Mn^{2+} + 2e^- \rightarrow Mn$	−1,18
$NO_3^- + 4H^+ + 3e^- \rightarrow NO + 2H_2O$	0,96	$Al^{3+} + 3e^- \rightarrow Al$	−1,66
$ClO_2 + e^- \rightarrow ClO_2^-$	0,954	$H_2 + 2e^- \rightarrow 2H^-$	−2,23
$2Hg^{2+} + 2e^- \rightarrow Hg_2^{2+}$	0,91	$Mg^{2+} + 2e^- \rightarrow Mg$	−2,37
$Ag^+ + e^- \rightarrow Ag$	0,80	$La^{3+} + 3e^- \rightarrow La$	−2,37
$Hg_2^{2+} + 2e^- \rightarrow 2Hg$	0,80	$Na^+ + e^- \rightarrow Na$	−2,71
$Fe^{3+} + e^- \rightarrow Fe^{2+}$	0,77	$Ca^{2+} + 2e^- \rightarrow Ca$	−2,76
$O_2 + 2H^+ + 2e^- \rightarrow H_2O_2$	0,68	$Ba^{2+} + 2e^- \rightarrow Ba$	−2,90
$MnO_4^- + e^- \rightarrow MnO_4^{2-}$	0,56	$K^+ + e^- \rightarrow K$	−2,92
$I_2 + 2e^- \rightarrow 2I^-$	0,54	$Li^+ + e^- \rightarrow Li$	−3,05
$Cu^+ + e^- \rightarrow Cu$	0,52		

Glossaire

Acide halohydrique Solution aqueuse d'un halogénure d'hydrogène. (10.7)

Actinides Groupe de 14 éléments (de 90 à 103 du tableau périodique) caractérisé par l'occupation graduelle des orbitales 5*f*. (5.11 ; 8.11 ; 9.1)

Affinité électronique Variation d'énergie imputable à l'addition d'un électron à un atome à l'état gazeux. (5.12)

Alliage Substance constituée d'un mélange d'éléments et dotée de propriétés métalliques. (8.4)

Anion Ion négatif. (2.6)

Atmosphère Mélange de gaz qui entoure la Terre. (4.9)

Atmosphère standard Unité de pression égale à 101,325 kPa. (4.1)

Atome nucléaire Atome dont le centre (noyau) est dense, de charge positive et autour duquel gravitent des électrons. (2.4)

Atome polyélectronique Atome possédant plus d'un électron. (5.9)

Attraction dipôle-dipôle Force d'attraction s'exerçant quand l'extrémité positive d'une molécule polaire est orientée vers l'extrémité négative d'une autre molécule. (8.1)

Bactéries fixatrices d'azote Bactéries, présentes dans les nodules des racines de certaines plantes, et catalysant la transformation de l'azote atmosphérique en ammoniac et autres composés azotés assimilables par les plantes. (10.2)

Bandes de conduction Orbitales moléculaires pouvant être occupées par des électrons mobiles libres de se déplacer dans un cristal métallique et responsables des conductibilités calorifique et électrique. (8.4)

Baromètre Appareil destiné à mesurer la pression atmosphérique. (4.1)

Borane Hydrure covalent de bore. (9.5)

Capillarité Ascension spontanée d'un liquide dans un tube capillaire. (8.2)

Cation Ion positif. (2.6)

Céramique Matériau non métallique formé d'argile, durci par cuisson à haute température et constitué de minuscules cristaux de silicates en suspension dans une base vitreuse. (8.5)

Chaleur de fusion Variation d'enthalpie accompagnant la fusion d'un solide. (8.8)

Chaleur de vaporisation Énergie requise pour qu'il y ait vaporisation d'une mole de liquide à une pression de 101,3 kPa. (8.8)

Charge formelle Différence entre le nombre d'électrons de valence sur un atome neutre et le nombre d'électrons de valence assignés à cet atome dans la molécule. (6.12)

Charge nucléaire effective Charge nucléaire apparente s'exerçant sur un électron donné, égale à la différence entre la charge nucléaire réelle et l'effet de répulsion entre les électrons. (5.9)

Chiffres significatifs Ensemble constitué des chiffres certains et du premier chiffre incertain d'une mesure. (1.4)

Chromatographie Nom générique d'une série de méthodes permettant de séparer les constituants d'un mélange par le recours à un système composé d'une phase mobile et d'une phase stationnaire. (1.9)

Composé Substance de composition uniforme pouvant être décomposée en ses éléments à l'aide d'un processus chimique. (1.8)

Composé binaire Composé formé de deux éléments. (2.8)

Composé interhalogéné Composé résultant de la réunion de deux halogènes différents. (10.7)

Composé ionique Composé résultant de la réaction d'un métal avec un non-métal, réaction qui produit un cation et un anion. (6.1)

Condensation Changement d'état d'un gaz passant à l'état liquide. (8.8)

Constante de Planck Constante associant la variation d'énergie d'un système à la fréquence de la radiation électromagnétique absorbée ou émise : $6{,}626 \times 10^{-30}$ J · s. (5.2)

Constante molaire des gaz Constante de proportionnalité de la loi des gaz parfaits : 8,315 kPa · L/K · mol. (4.3)

Courbe de chauffage Représentation graphique de la variation de la température d'une substance en fonction du temps quand l'apport d'énergie est constant. (8.8)

Cycle de l'azote Transformation réversible de N_2 en composés azotés ; le retour de l'azote dans l'atmosphère est dû à un processus naturel de décomposition. (10.2)

Délocalisation Fait, pour les électrons d'une molécule, de ne pas être localisés entre deux atomes, mais de se déplacer dans l'ensemble de la molécule. (6.9)

Dénitrification Réaction de transformation des nitrates en azote gazeux, catalysée par des bactéries, et permettant à l'azote présent dans la matière en décomposition de retourner dans l'atmosphère. (10.2)

Diagramme de Lewis Diagramme montrant comment les électrons de valence sont répartis entre les atomes d'une molécule. (6.10)

Diagramme de phases Représentation des phases d'une substance, dans un système clos, en fonction de la température et de la pression. (8.9)

Diamagnétisme Magnétisme associé à la présence d'électrons pairés, et se traduisant par l'expulsion de la substance hors du champ magnétique inducteur. (7.3)

Diffraction Dispersion de la lumière par un ensemble régulier de points ou de lignes, accompagnée de phénomènes d'interférences constructive et destructive. (5.2)

Diffraction des rayons X Technique d'analyse de la structure des solides cristallins, consistant à diriger des rayons X de longueur d'onde unique sur un cristal, et à recueillir les figures de diffraction, dont l'examen permet de déterminer la distance qui sépare les atomes. (8.3)

Diffusion Mélange de gaz. (4.7)

Distillation Méthode de séparation des composants d'un mélange liquide faisant appel à la différence entre les températures d'ébullition de ces composants. (1.9)

Distribution des probabilités de présence Carré de la fonction d'onde indiquant la probabilité de présence d'un électron en un point donné de l'espace. (5.5)

Doublet liant Paire d'électrons occupant l'espace situé entre deux atomes. (6.9)

Doublet libre Paire d'électrons localisés dans un atome donné et ne participant pas à une liaison. (6.9)

Dualité de la nature de la lumière Fait que la lumière soit dotée à la fois de propriétés ondulatoires et de propriétés particulaires. (5.2)

$E = mc^2$ Équation d'Einstein montrant la relation qui existe entre l'énergie et la masse. E est l'énergie, m, la masse, et c, la vitesse de la lumière. (5.2)

Eau dure Eau provenant de sources naturelles, et contenant des concentrations relativement importantes de calcium et de magnésium. (9.4)

Échange d'ions (adoucissement de l'eau) Procédé consistant à éliminer des ions indésirables (par exemple, Ca^{2+} et Mg^{2+}) en les remplaçant par des ions Na^+ ne nuisant pas à l'action des savons et des détergents. (9.4)

Effusion Passage d'un gaz, à travers un petit orifice, dans un compartiment dans lequel on a fait le vide. (4.7)

Électron Particule de charge négative gravitant autour du noyau d'un atome. (2.4)

Électron de cœur Électron interne d'un atome, n'occupant pas le niveau quantique principal le plus élevé (électron de valence). (5.11)

Électronégativité Capacité d'un atome d'une molécule d'attirer les électrons de liaison. (6.2)

Électrons de valence Électrons présents au niveau quantique principal le plus élevé d'un atome. (5.11)

Élément Substance ne pouvant pas être décomposée en substances plus simples par des moyens chimiques ou physiques. (1.9)

Éléments non transitionnels Éléments des groupes 1A, 2A, 3A, 4A, 5A, 6A, 7A et 8A du tableau périodique. Le numéro du groupe indique le nombre des électrons de valence s et p. (5.11 ; 9.1)

Énergie de liaison Énergie requise pour qu'il y ait rupture d'une liaison chimique donnée. (6.1 ; 6.8)

Énergie de réseau Variation d'énergie accompagnant l'empilement d'ions individuels gazeux qui produit un solide ionique. (6.5)

Énergie d'ionisation Quantité d'énergie requise pour arracher un électron d'un atome ou d'un ion gazeux. (5.12)

Enthalpie (chaleur) de fusion Variation d'enthalpie accompagnant la fusion d'un solide. (8.8)

Équation chimique Représentation d'une réaction chimique indiquant les nombres relatifs de molécules de réactifs et de produits. (3.7)

Équation de Van der Waals Expression mathématique représentant le comportement des gaz réels. (4.8)

Erreur fortuite Erreur pouvant avoir lieu également dans les deux directions (en plus ou en moins). (1.4)

Erreur systématique Erreur ayant toujours lieu dans la même direction. (1.4)

État fondamental Le plus faible niveau d'énergie que peut adopter un atome ou une molécule. (5.4)

États condensés de la matière Liquide et solide. (8.5)

États de la matière Les trois différentes formes de la matière : solide, liquide et gazeuse. (1.8)

Exactitude Accord entre une valeur donnée et la valeur réelle. (1.3)

Facteur de conversion Rapport entre des unités équivalentes utilisé pour convertir un groupe d'unités en un autre. (1.5)

Facteur stœchiométrique Rapport entre le nombre de moles d'une substance et le nombre de moles d'une autre substance, dans une équation chimique équilibrée. (3.9)

Filtration Méthode de séparation des composants d'un mélange contenant un solide et un liquide. (1.9)

Fixation de l'azote Procédé au cours duquel le N_2 gazeux est transformé en composés azotés assimilables par les plantes. (10.2)

Fonction d'onde Fonction des coordonnées relatives à la position d'un électron dans un espace tridimensionnel décrivant les propriétés de cet électron. (5.5)

Forces de dispersion de London Forces d'attraction entre des molécules polaires ou non polaires, résultant de la formation de dipôles instantanés due à un déplacement temporaire d'électrons. (8.1)

Forces intermoléculaires Interaction relativement faible entre des molécules. (8.1)

Formule chimique Représentation d'une substance : les symboles des éléments indiquent la nature des atomes en présence et les indices, les proportions relatives de chacun de ces atomes. (2.6)

Formule empirique Le plus petit rapport entre des nombres entiers d'atomes dans un composé. (3.6)

Formule moléculaire Formule exacte d'une molécule indiquant la nature et le nombre de chacun des atomes en présence. (3.6)

Formule structurale Représentation d'une molécule indiquant les positions relatives des atomes, et dans laquelle les liaisons sont représentées par des lignes. (2.6)

Fraction molaire Rapport entre le nombre de moles d'un composant donné dans un mélange et le nombre total de moles présentes dans le mélange. (4.5)

Fréquence Nombre d'ondes (cycles) par seconde se succédant en un point donné de l'espace. (5.1)

Gaz rare Élément du groupe 8A. (2.7 ; 10.8)

Groupe (tableau périodique) Colonne d'éléments dotés de la même configuration des électrons de valence et de propriétés chimiques semblables. (2.7)

Halogène Élément du groupe 7A. (2.7 ; 10.7)

Hybridation Fusion des orbitales atomiques initiales, engendrant les orbitales atomiques particulières nécessaires à la formation d'une liaison. (7.1)

Hydrure Composé binaire contenant de l'hydrogène. L'ion hydrure, H^-, est présent dans les hydrures ioniques. Il existe trois classes d'hydrures : les hydrures covalents, les hydrures d'insertion et les hydrures ioniques. (9.3)

Hypothèse Supposition(s) avancée(s) pour expliquer un phénomène naturel observé. (1.1)

Incertitude (dans une mesure) Propriété de toute mesure reposant sur une valeur estimée et sur le fait qu'elle ne soit pas exactement reproductible. (1.4)

Ion Atome ou groupe d'atomes possédant une charge nette négative ou positive. (2.6)

Ion polyatomique Ion composé de plus d'un atome. (2.6)

Ions isoélectroniques Ions possédant le même nombre d'électrons. (6.4)

Isotopes Atomes du même élément (même nombre de protons) possédant des nombres de neutrons différents: leur numéro atomique est le même, mais leurs masses atomiques sont différentes. (2.5)

Lanthanides Groupe de 14 éléments (de 58 à 71 du tableau périodique) caractérisé par l'occupation graduelle des orbitales 4*f*. (5.11; 9.1)

Liaison chimique Force retenant deux atomes ensemble dans un composé. (2.6; 6.1)

Liaison covalente Liaison dans laquelle les atomes partagent des électrons. (2.6; 6.1; 6.7)

Liaison covalente polaire Liaison covalente dans laquelle les électrons ne sont pas partagés également, étant donné qu'un des atomes les attire plus fortement que l'autre. (6.1)

Liaison double Liaison à laquelle participent deux paires d'électrons partagés par deux atomes. (6.8)

Liaison hydrogène Attraction dipôle-dipôle anormalement forte entre des molécules possédant des atomes d'hydrogène liés à un atome fortement électronégatif. (8.1)

Liaison ionique Attraction électrostatique entre deux ions de charges opposées. (2.6; 6.1)

Liaison pi (π) Liaison covalente dans laquelle des orbitales *p* parallèles partagent un doublet d'électrons qui occupe l'espace situé au-dessus et au-dessous de l'axe reliant les atomes. (7.1)

Liaison sigma (σ) Liaison covalente dans laquelle un doublet d'électrons est partagé dans une zone située dans l'axe reliant les atomes. (7.1)

Liaison simple Liaison dans laquelle une seule paire d'électrons est partagée par deux atomes. (6.8)

Liaison triple Liaison dans laquelle trois paires d'électrons sont partagées par deux atomes. (6.8)

Liquéfaction Changement d'état d'un gaz passant à l'état liquide. (9.1)

Loi d'Avogadro Des volumes égaux de gaz, mesurés dans les mêmes conditions de température et de pression, contiennent le même nombre de molécules. (4.2)

Loi de Boyle-Mariotte À une température constante, le volume d'une masse donnée de gaz est inversement proportionnel à sa pression. (4.2)

Loi de Charles À une pression constante, le volume d'une masse donnée de gaz est directement proportionnel à sa température exprimée en kelvins. (4.2)

Loi de conservation de la masse La masse ne se perd ni ne se crée. (1.2; 2.2)

Loi de Coulomb $E = 2{,}31 \times 10^{-19}\left(\frac{Q_1Q_2}{r}\right)$. E est l'énergie d'interaction entre une paire d'ions (J), r, la distance séparant les ions (nm), et Q_1 et Q_2, les charges numériques des ions. (6.1)

Loi de la vitesse d'effusion de Graham La vitesse d'effusion d'un gaz est inversement proportionnelle à la racine carrée de la masse de ses particules. (4.7)

Loi des gaz parfaits Équation d'état d'un gaz (l'état d'un gaz étant la condition dans laquelle il se trouve à un moment donné: $PV = nRT$, où P = pression, V = volume, n = nombre de moles de gaz, R = constante molaire des gaz et T = température absolue. Cette équation représente le comportement duquel se rapprochent les gaz réels à haute température et à basse pression. (4.3)

Loi des pressions partielles de Dalton Dans un mélange gazeux, la pression totale est égale à la somme des pressions que chacun des gaz exercerait s'il y était seul. (4.5)

Loi des proportions définies Un composé donné contient toujours les mêmes éléments combinés dans les mêmes proportions de masse. (2.2)

Loi des proportions multiples Quand deux éléments se combinent pour former une série de composés, les rapports entre les masses du deuxième élément qui se combinent à 1 g du premier élément peuvent toujours être réduits à de petits nombres entiers. (2.2)

Loi naturelle Énoncé permettant d'exprimer un comportement généralement observé. (1.2)

Longueur d'onde Distance séparant deux crêtes ou deux creux consécutifs d'une onde. (5.1)

Longueur d'une liaison Distance séparant les noyaux de deux atomes reliés par une liaison, et pour laquelle l'énergie totale d'une molécule diatomique est minimale. (6.1)

Maille élémentaire La plus petite unité qui se répète pour former un réseau. (8.3)

Manomètre Instrument destiné à mesurer la pression d'un gaz dans un contenant. (4.1)

Masse Quantité de matière d'un objet. (1.3)

Masse atomique Masse moyenne des atomes d'un élément naturel. (2.3; 3.2)

Masse molaire Masse d'une mole de molécules d'une substance donnée, exprimée en grammes. (3.4)

Masse volumique Masse par unité de volume. (1.8)

Matière Tout ce qui occupe un espace et possède une masse – le matériau de l'Univers. (1.9)

Mélange Matériau de composition variable contenant au moins deux substances. (1.9)

Métal Élément cédant facilement des électrons, brillant, malléable et bon conducteur de la chaleur et de l'électricité. (2.7)

Métal alcalin Métal du groupe 1A. (2.7; 5.13; 9.2)

Métal alcalino-terreux Métal du groupe 2A. (2.7; 9.4)

Métalloïdes (semi-métaux) Éléments du tableau périodique situés à la frontière qui sépare les métaux des non-métaux. Ces éléments sont dotés de propriétés qui relèvent à la fois des métaux et des non-métaux. (5.14; 9.1)

Métallurgie Ensemble des procédés d'extraction d'un métal de son minerai et de sa préparation en vue de son utilisation. (9.1)

Métaux de transition Séries d'éléments caractérisés par l'occupation graduelle des orbitales *d* et *f*. (5.11; 9.1)

Méthode scientifique Étude des phénomènes naturels faisant appel à l'observation, à la formulation de lois et de théories, et à la vérification des théories par l'expérimentation. (1.2)

Millimètre de mercure (mm Hg) Unité de pression, également appelée torr; 760 mm Hg = 760 torr = 101 325 Pa = 101,325 kPa = 1 atmosphère standard. (4.1)

Modèle atomique basé sur la mécanique ondulatoire Modèle atomique selon lequel l'électron de l'atome d'hydrogène est assimilé à une onde stationnaire. (5.5)

Modèle «boules et bâtonnets» Modèle moléculaire «éclaté» dans lequel la taille des atomes n'est pas conforme au réel, mais qui montre plus clairement les angles des liaisons. (2.6)

Modèle compact Modèle moléculaire montrant les tailles et les orientations relatives des atomes. (2.6)

Modification chimique Transformation de substances en d'autres substances par réorganisation des atomes ; réaction chimique. (1.9)

Modification physique Modification de l'état d'une substance, et non de sa composition chimique (il n'y a pas rupture de liaisons chimiques). (1.9)

Mole (mol) Quantité de substance qui contient le nombre d'Avogadro ($6{,}022 \times 10^{23}$) de particules. (3.3)

Molécule Ensemble d'au moins deux atomes, d'un même élément ou d'éléments différents, maintenus ensemble par des liaisons covalentes. (2.6)

Moment dipolaire Propriété d'une molécule dont on peut représenter la distribution des charges par un foyer de charge positive et un foyer de charge négative. (6.3)

Neutron Particule du noyau dont la masse est égale à celle du proton, mais dont la charge est nulle. (2.5)

Nœud Zone d'une orbitale où la probabilité de présence d'un électron est nulle. (5.7)

Nombre d'Avogadro Nombre d'atomes présents dans exactement 12 g de ^{12}C pur, et valant $6{,}022 \times 10^{23}$. (3.3)

Nombre de masse Nombre total de protons et de neutrons présents dans le noyau d'un atome. (2.5)

Nombre quantique de spin Nombre quantique représentant une des deux valeurs possibles du spin d'un électron : $+\frac{1}{2}$ ou $-\frac{1}{2}$. (5.8)

Nombre quantique magnétique (m_ℓ) Nombre quantique décrivant l'orientation dans l'espace d'une orbitale par rapport aux autres orbitales possédant le même nombre quantique, ℓ, et pouvant adopter toutes les valeurs entières comprises entre $+1$ et -1, y compris 0. (5.6)

Nombre quantique principal (n) Nombre quantique représentant la taille et le niveau d'énergie d'une orbitale, et pouvant prendre toutes les valeurs entières positives. (5.6)

Nombre quantique secondaire ou azimutal, (l) Nombre quantique décrivant la forme d'une orbitale atomique, et pouvant adopter toutes les valeurs entières comprises entre 0 et $(n - 1)$ pour chaque valeur de n. (5.6)

Non-métal Élément qui n'est pas doté des caractéristiques des métaux. Du point de vue chimique, un non-métal typique accepte les électrons d'un métal. (2.7)

Notation exponentielle Expression des nombres sous la forme $N \times 10^{M}$, permettant de représenter un nombre très petit ou très grand et d'en déterminer aisément le nombre de chiffres significatifs. (1.5)

Noyau Centre d'un atome, petit, dense et de charge positive. (2.4)

Numéro atomique Nombre de protons d'un atome. (2.5)

Onde stationnaire Onde semblable à celles engendrées par la corde d'un instrument de musique. Dans la théorie atomique basée sur la mécanique ondulatoire, l'électron de l'atome d'hydrogène est assimilé à une onde stationnaire. (5.5)

Orbitale Fonction d'onde spécifique à un électron dans un atome. Le carré de cette fonction représente la distribution des probabilités de présence de l'électron. (5.5)

Orbitales hybrides Ensemble d'orbitales que forme un atome dans une molécule, différentes de celles qu'il possède à l'état isolé. (7.1)

Orbitale moléculaire antiliante Orbitale dont le niveau d'énergie est supérieur à celui des orbitales atomiques qui lui ont donné naissance. (7.2)

Orbitale moléculaire liante Orbitale dont le niveau d'énergie est inférieur à celui des orbitales atomiques qui lui ont donné naissance. (7.2)

Orbitales dégénérées Groupe d'orbitales possédant la même énergie. (5.7)

Ordre de liaison Demi-différence entre le nombre d'électrons liants et le nombre d'électrons antiliants ; indice de la force d'une liaison. (7.2)

Ozone (O_3) Seconde forme sous laquelle on trouve l'oxygène élémentaire, l'autre forme, beaucoup plus courante, étant O_2. (10.5)

Paramagnétisme Magnétisme induit associé à la présence d'électrons non pairés, et se traduisant par l'attraction de la substance à l'intérieur du champ magnétique inducteur. (7.3)

Pascal Unité de pression dans le SI : 1 Pa = 1 N/m^2 (un newton par mètre carré). (4.1)

Photon Corpuscule dont le flux constitue une radiation électromagnétique. (5.2)

Pluies acides Conséquence de la pollution atmosphérique par le dioxyde de soufre et les oxydes d'azote. (4.9)

Poids Force exercée sur un objet par l'attraction due à la pesanteur. (1.3)

Point critique Point du diagramme de phases pour lequel la température et la pression atteignent leurs valeurs critiques ; point final de la courbe de transition liquide-vapeur. (8.9)

Point d'ébullition normal Température à laquelle la pression de vapeur d'un liquide est exactement de 101,3 kPa. (8.8)

Point de fusion normal Température à laquelle les états solide et liquide ont la même pression de vapeur lorsque la pression totale du système est de 101,3 kPa. (8.8)

Point triple Point d'un diagramme de phases pour lequel il y a coexistence des trois états de la matière. (8.9)

Pollution atmosphérique Contamination de l'atmosphère, principalement imputable aux produits gazeux émis par les véhicules et à la combustion de charbon contenant du soufre dans les centrales thermiques. (4.9)

Pourcentage de rendement Rendement réel, en ce qui concerne un produit, exprimé en pourcentage du rendement théorique. (3.10)

Pourcentage massique Pourcentage, en masse, d'un composant présent dans un mélange (*Chimie des solutions*, 2.1) ou d'un élément présent dans un composé. (3.5)

Précision Accord entre une valeur mesurée et la valeur réelle. (1.4)

Pression critique Pression minimale requise pour qu'il y ait liquéfaction d'une substance à la température critique. (8.9)

Pression de vapeur Pression exercée par la vapeur à l'équilibre avec un liquide. (8.8)

Pressions partielles Pressions individuelles exercées par les différents gaz d'un mélange. (4.5)

Principe d'exclusion de Pauli Dans un atome donné, deux électrons ne peuvent pas avoir les quatre mêmes nombres quantiques. (5.8)

Principe d'incertitude d'Heisenberg Principe selon lequel on ne peut pas, fondamentalement, connaître avec précision à la fois la position et la quantité de mouvement d'une particule à un moment donné. (5.5)

Principe du « aufbau » Principe selon lequel, au fur et à mesure que les protons s'ajoutent un à un au noyau pour constituer les éléments, les électrons s'ajoutent de façon identique aux orbitales hydrogénoïdes. (5.11)

Procédé Frasch Procédé de récupération du soufre souterrain, consistant à faire fondre le soufre avec de l'eau surchauffée et à le faire remonter à la surface par injection d'air comprimé. (10.6)

Procédé Haber Synthèse de l'ammoniac à partir d'azote et d'hydrogène, réalisée à haute pression et à haute température, en présence d'un catalyseur. (3.10; 10.2)

Procédé Ostwald Procédé commercial de production de l'acide nitrique par oxydation d'ammoniac. (10.2)

Produit Substance résultant d'une réaction chimique (toujours à droite de la flèche dans une équation chimique). (3.7)

Proton Particule de charge positive appartenant au noyau d'un atome. (2.5)

Quantification Fait que l'énergie n'existe qu'en unités discrètes, appelées *quanta*. (5.2)

Quantités stœchiométriques Quantités de réactifs telles que ceux-ci sont tous épuisés en même temps. (3.10)

Radiation électromagnétique Énergie radiante, au comportement ondulatoire et se déplaçant dans le vide à la vitesse de la lumière. (5.1)

Radioactivité Émission spontanée de radiations ou de particules par suite du bris d'un noyau pour former un noyau différent. (2.4)

Rayon atomique Demi-distance séparant les noyaux d'atomes identiques d'une molécule. (5.13)

Rayons cathodiques Rayons émanant de l'électrode négative (cathode) dans un tube partiellement sous vide; faisceau d'électrons. (2.4)

Réactif Substance de départ d'une réaction chimique (toujours à gauche de la flèche dans une équation chimique). (3.7)

Réactif limitant Réactif complètement utilisé quand la réaction est complète. (3.10)

Réaction de condensation Réaction au cours de laquelle il y a réunion de deux molécules et élimination d'une molécule d'eau. (10.3)

Réaction de dismutation Réaction au cours de laquelle une certaine proportion d'un élément donné est oxydée et l'autre, réduite. (10.7)

Règle de Hund Pour un atome donné, la configuration de moindre énergie est celle dans laquelle, pour un ensemble donné d'orbitales dégénérées, le nombre d'électrons célibataires est maximal, conformément au principe d'exclusion de Pauli, les spins de tous ces électrons étant parallèles. (5.11)

Règle de l'octet Observation selon laquelle les atomes des non-métaux forment les molécules les plus stables quand celles-ci possèdent huit électrons de valence (orbitales de valence totalement occupées). (6.10)

Rendement théorique Quantité maximale d'un produit donné formé quand le réactif limitant est épuisé. (3.10)

Réseau Système tridimensionnel de nœuds montrant les positions des centres des composants d'un solide (atomes, ions ou molécules). (8.3)

Réseau cubique à faces centrées Structure résultant de l'empilement le plus compact possible de sphères, dans lequel l'ordre des couches est *abcabc*; la maille élémentaire est cubique à faces centrées. (8.4)

Réseau hexagonal compact Structure résultant d'un empilement compact de sphères, dans lequel l'ordre des couches est *ababab*; la maille élémentaire est hexagonale. (8.4)

Résonance Fait qu'il existe plus d'un diagramme de Lewis pouvant représenter une molécule donnée, la véritable structure moléculaire n'étant représentée par aucun des diagrammes de Lewis, mais par leur moyenne. (6.12)

Semi-conducteur Substance ne permettant le passage que d'un faible courant électrique à la température ambiante, mais dont la conductibilité augmente à plus haute température. (8.5)

SI Système international d'unités basé sur le système métrique et ses unités. (1.3)

Silicates Sels, en général polymériques, contenant des cations métalliques et des anions polyatomiques silicium-oxygène. (8.5)

Silice Composé formé d'oxygène et de silicium (formule empirique: SiO_2); élément essentiel du quartz et de certains types de sables. (8.5)

Smog photochimique Pollution atmosphérique due à l'effet de la lumière sur l'oxygène, les oxydes d'azote et les hydrocarbures non consumés qui s'échappent des automobiles, et qui forment l'ozone et divers autres polluants. (4.9)

Solide amorphe Solide dont la structure est très désordonnée. (8.3)

Solide atomique Solide dont les nœuds du réseau sont occupés par des atomes. (8.3)

Solide covalent Solide atomique possédant des liaisons covalentes fortes et orientées. (8.5)

Solide cristallin Solide caractérisé par un agencement régulier de ses composants. (8.3)

Solide ionique (sel) Solide composé de cations et d'anions, et se dissolvant dans l'eau pour produire une solution d'ions individuels mobiles et, par conséquent, conducteurs du courant électrique. (8.3; 8.7)

Solide moléculaire Solide constitué de molécules neutres occupant les nœuds du réseau. (8.3; 8.6)

Solution Un mélange homogène. (1.9)

Sous-couche Ensemble d'orbitales correspondant à un nombre quantique azimutal donné. (5.6)

Spectre continu Spectre composé de toutes les longueurs d'onde de la lumière visible. (5.3)

Spectre de raies Spectre composé uniquement de quelques longueurs d'onde distinctes. (5.3)

Spectromètre de masse Instrument permettant de déterminer les masses relatives des atomes par la mesure des déviations que subissent leurs ions lorsqu'ils traversent un champ magnétique. (3.2)

Stœchiométrie Calcul des quantités de composés chimiques qui interviennent dans une réaction chimique, soit à titre de réactifs, soit à titre de produits. (3)

Structure moléculaire Agencement tridimensionnel des atomes dans une molécule. (6.13)

Sublimation Changement d'état d'une substance passant directement de l'état solide à l'état gazeux. (8.8)

Substance pure Substance de composition uniforme. (1.9)

Superoxyde Composé contenant l'anion O_2^-. (9.2)

Surébullition État d'une substance demeurant liquide à une température supérieure à son point d'ébullition. (8.8)

Surfusion État d'une substance demeurant liquide à une température inférieure à son point de fusion. (8.8)

Tableau périodique Tableau dans lequel tous les éléments dotés de propriétés chimiques semblables sont regroupés en colonnes. (2.7 ; 5.10)

Température critique Température au-delà de laquelle la vapeur ne peut pas être liquéfiée, quelle que soit la pression. (8.9)

Température et pression normales (TPN) 0 °C et 101,3 kPa. (4.4)

Tension superficielle Résistance d'un liquide à l'augmentation de sa surface. (8.2)

Théorie (modèle) Ensemble de suppositions avancées pour expliquer un aspect du comportement de la matière. En chimie, les théories reposent habituellement sur des suppositions relatives au comportement des atomes individuels ou des molécules. (1.2)

Théorie cinétique des gaz Théorie selon laquelle un gaz parfait est composé de petites particules (molécules) en mouvement constant. (4.6)

Théorie de la répulsion des paires d'électrons de valence (RPEV) Théorie selon laquelle, dans une molécule, les doublets de la couche de valence sont disposés autour d'un atome donné de façon telle que leur répulsion soit minimale. (6.13)

Théorie des bandes d'énergie Théorie relative aux orbitales moléculaires, selon laquelle, dans les cristaux métalliques, les électrons occupent des orbitales moléculaires formées à partir des orbitales atomiques de valence des atomes métalliques. (8.4)

Théorie des électrons localisés (EL) Théorie selon laquelle une molécule est composée d'atomes dont la cohésion est assurée par le partage de doublets d'électrons qui occupent les orbitales des atomes liés. (6.9 ; 7.1)

Théorie des orbitales moléculaires (OM) Théorie assimilant une molécule à un regroupement de noyaux et d'électrons, regroupement dans lequel les électrons occupent des orbitales comme ils le feraient dans un atome, à cette différence près que les orbitales sont réparties dans l'ensemble de la molécule. Selon cette théorie, les électrons sont délocalisés au lieu d'être toujours situés entre une paire donnée d'atomes. (6.9 ; 7.2)

Torr Synonyme de « millimètre de mercure » (mm Hg). (4.1)

Vaporisation Changement d'état d'un liquide passant à l'état gazeux. (8.8)

Verre Solide amorphe obtenu par chauffage, à une température supérieure à son point de fusion, d'un mélange de silice et d'autres composés, et par refroidissement rapide de ce mélange. (8.5)

Viscosité Résistance d'un liquide à l'écoulement. (8.2)

Vitesse quadratique moyenne Racine carrée de la moyenne des carrés des vitesses individuelles des molécules de gaz. (4.6)

Volume molaire Volume occupé par une mole de gaz parfaits : 22,42 L dans les conditions TPN. (4.4)

Réponses aux exercices choisis

Chapitre 1

11. 1. Effectuer des observations; 2. formuler une hypothèse; 3. effectuer des expériences pour vérifier l'hypothèse. **13.** Précision: reproductibilité. Exactitude: degré de correspondance entre une mesure et sa vraie valeur. **a)** 12,32 cm, 9,63 cm, 11,98 cm, 13,34 cm; **b)** 8,76 cm, 8,79 cm, 8,72 cm, 8,75 cm; **c)** 10,60 cm, 10,65 cm, 10,63 cm, 10,64 cm. Les données peuvent être imprécises si l'instrument de mesure est imprécis ou si l'utilisateur de l'instrument ne le manipule pas bien. Les données peuvent également être inexactes, en raison d'une erreur systématique liée à l'instrument ou à l'utilisateur. Par exemple, une balance peut donner pour lecture des masses qui sont toujours majorées de 0,2500 g, ou encore celui qui manipule une éprouvette graduée peut lire toutes les mesures diminuées de 0,05 mL. Une série de mesures imprécises implique que tous les nombres sont trop éloignés les uns des autres. S'ils ne sont pas reproductibles, tous les nombres ne peuvent pas être voisins de la vraie valeur. Certains considèrent que si la moyenne de données imprécises indique la valeur réelle, alors il s'agit de données exactes; une meilleure description consiste à dire que les personnes qui ont pris ces données sont extrêmement chanceuses. **15. a)** café; eau salée; l'air qu'on respire ($N_2 + O_2$ + autres); bronze (Cu + Zn); **b)** livre, être humain, arbre, pupitre; **c)** chlorure de sodium (NaCl); eau (H_2O); glucose ($C_6H_{12}O_6$); dioxyde de carbone (CO_2); **d)** azote (N_2); oxygène (O_2); cuivre (Cu); zinc (Zn); **e)** eau bouillante; eau qui gèle; un glaçon qui fond; la glace sèche qui sublime; **f)** l'électrolyse du chlorure de sodium fondu pour produire du sodium et du chlore gazeux; la réaction explosive entre l'oxygène et l'hydrogène pour produire de l'eau; la photosynthèse qui convertit H_2O et CO_2 en $C_6H_{12}O_6$ et O_2; la combustion de l'essence dans une automobile pour produire CO_2 et H_2O. **17. a)** Un chiffre significatif (C.S.). L'incertitude implicite est ±1000 pages. Il faut ajouter plus de chiffres significatifs si un nombre plus précis est connu; **b)** deux C.S.; **c)** quatre C.S.; **d)** deux C.S.; **e)** un nombre infini de C.S. (nombre exact); **f)** un C.S. **19.** En arrondissant, si le chiffre à éliminer est inférieur à 5, le chiffre précédent demeure le même et si le chiffre à éliminer est supérieur ou égal à 5, le chiffre précédent est majoré de 1. **a)** $3{,}42 \times 10^{-4}$; **b)** $1{,}034 \times 10^4$; **c)** $1{,}7992 \times 10^1$; **d)** $3{,}37 \times 10^5$. **21.** Dans le cas d'une addition ou d'une soustraction, le résultat a autant de décimales que la mesure la moins précise utilisée dans le calcul. Quand on arrondit le résultat au nombre adéquat de chiffres significatifs, si le chiffre à éliminer est inférieur à 5, le chiffre précédent demeure le même et si le chiffre à éliminer est supérieur ou égal à 5, le chiffre précédent est majoré de 1. Le trait de soulignement indique le dernier C.S. dans la réponse intermédiaire. **a)** $640{,}\underline{9}9 = 641{,}0$; **b)** $1{,}32\underline{7}17 = 1{,}327$; **c)** $77{,}3\underline{4}29 = 77{,}34$; **d)** $32{,}1\underline{5} \times 10^2 = 3215$. Si les exposants sont différents, il est plus facile d'appliquer la règle relative aux additions et aux soustractions quand les nombres sont tous ramenés à la même puissance dix; **e)** 0,420. **23. a)** $6{,}32 \times 10^{25}$; **b)** $7{,}82 \times 10^{-17}$; **c)** Pour additionner ou soustraire des nombres, il est préférable de les ramener tous à la même puissance dix: $2{,}020 \times 10^{-1}$; **d)** 0,0116; **e)** $2{,}29158 \times 10^{-27}$; **f)** 0,8; **g)** $1{,}130 \times 10^3$. **25. a)** Les facteurs de conversion appropriés se trouvent à la page 498. En général, les facteurs de conversion ont un C.S. de plus que les nombres donnés dans le problème. C'est habituellement suffisant pour éviter une erreur d'arrondissement. Poids du bébé = 8 lb et 9,9 oz ou à l'once le plus près, 8 lb et 10 oz. Longueur du bébé = 20,2 po ≈ $20\frac{1}{4}$ po; **b)** $4{,}0 \times 10^7$ m; **c)** $1{,}2 \times 10^{-2}$ m^3. **27.** 33 pi/s; 23 mi/h; $1{,}0 \times 10^1$ m/s; 36 km/h; 10 s. **29.** De 15 mg à 22 mg d'acétaminophène par kg de poids corporel. **31. a)** 312,4 K; **b)** 248 K; **c)** 0 K; **d)** 1074 K. **33.** Comme la masse volumique du matériau = 0,80 g/mL, elle est inférieure à celle de l'eau; donc, le matériau flottera. **35.** 1×10^6 g/cm^3. **37.** 0,28 cm^3. **39.** 11,7 mL. **41.** 1130 g; 44,3 cm^3. **43. a)** L'image iv représente un composé gazeux. Il faut remarquer que les images i et ii contiennent également un composé gazeux, mais dans les deux cas un élément gazeux est aussi présent; **b)** l'image vi représente un mélange de deux éléments gazeux; **c)** l'image v représente un élément solide; **d)** les images ii et iii représentent un mélange d'un élément gazeux et d'un composé gazeux. **45.** Homogène: toutes les parties sont pareilles à l'œil; hétérogène: on voit des différences; **a)** hétérogène; **b)** hétérogène; **c)** hétérogène; **d)** homogène; **e)** homogène; **f)** homogène. **47. a)** La vaporisation désigne un liquide qui se transforme en gaz, donc c'est une modification physique. La composition des boules antimites ne varie pas; **b)** changement chimique, étant donné que l'acide fluorhydrique, HF, réagit avec le verre, SiO_2, pour former de nouveaux composés qui partent au lavage; **c)** changement chimique, étant donné que l'alcool, C_2H_5OH, qui brûle se transforme en CO_2 et en H_2O; **d)** changement chimique, étant donné que l'acide réagit avec le coton pour former de nouveaux composés. **49.** 573 L. **51. a)** Non; **b)** 19,32 kg. **53.** 2,16 g/cm^3. **55.** $\rho = 0{,}40 \pm 0{,}03$ oz/po^3. **57.** En général, avec un instrument en verre on estime le dernier chiffre en lisant une unité après les graduations. **a)** les graduations sont: 127, 128, 129, 130; **b)** graduations: 10, 20, 30; **c)** graduations: 9 traits entre 23 et 24. Volume total: 170 mL (à cause de la mesure 18, la somme n'est connue qu'à une unité près). **59. a)** La composition des pièces a changé au cours de 1982; **b)** l'incertitude sur la deuxième décimale indique que les décimales suivantes ne sont pas significatives. On doit noter tous les chiffres certains et le premier chiffre incertain, donc 3,08 ± 0,05 g. **61. a)** $°C = 8/5 \neq \mathring{A} - 45$; **b)** $°F = 72/25 \neq \mathring{A} - 49$; **c)** $°C = 75 = °A$.

63. a) 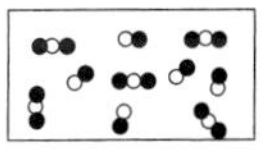 2 composés; 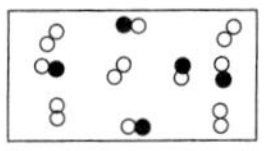 un composé et un élément (diatomique);

b) 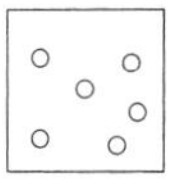 élément gazeux (monoatomique): les atomes, ou molécules, sont éloignés les uns des autres; désordre; occupe le volume du contenant;

élément liquide: atomes ou molécules rapprochés; un certain ordre; occupe le volume du contenant;

élément solide: atomes ou molécules voisins l'un de l'autre; arrangement ordonné; possède son propre volume.

65. Sable sec = 1,45 g/mL; méthanol = 0,7913 g/mL; particules de sable = 1,9 g/mL. Non, il s'agit de bulles d'air qui s'échappent du sable. **67.** 22,61 g/cm^3; $1{,}6 \times 10^4$ g.

Chapitre 2

11. Le baryum ne forme qu'un seul type de cation, Ba^{2+}, tandis que le fer forme deux types de cations, Fe^{2+} et Fe^{3+}. **13.** Trihydrure d'azote. **15.** Un composé contiendra toujours le même nombre de chaque type d'atomes. Une quantité d'hydrogène donnée ne réagit qu'avec une quantité d'oxygène précise. L'oxygène en trop ne réagit pas. **17.** Loi de conservation de la masse: rien ne se perd, rien ne se crée. La masse mesurée avant une réaction chimique est la même que celle qui est mesurée après. Loi des proportions définies: un composé donné contient toujours les mêmes éléments combinés dans les mêmes proportions en masse. L'eau contient toujours 1 g H pour 8 g O. Lois des proportions multiples: quand deux éléments se combinent pour former une série de composés, les rapports entre les masses du second élément qui s'associent à un gramme du premier élément peuvent toujours être réduits à de petits nombres entiers. Dans les cas de CO_2 et de CO, traités à la section 2.2, le rapport entre les masses d'oxygène qui réagissent avec 1 g de carbone dans chacun des composés est 2:1. **19.** L'atome est composé d'un petit noyau dense contenant la majeure partie de la masse. Le noyau lui-même est composé de neutrons et de protons. Les neutrons possèdent une masse légèrement supérieure à celle d'un proton et ils sont neutres. Les protons, par contre, ont une charge de 1+ comparée à la charge de 1− des électrons;

les électrons se déplacent autour du noyau à des distances relativement grandes. Le volume de l'espace dans lequel se déplacent les électrons est tellement grand, comparé à celui du noyau, qu'on peut affirmer qu'un atome est en grande partie constitué de vide. **21.** **a)** Une molécule n'a pas de charge nette (un nombre égal d'électrons et de protons sont présents). Les ions, pour leur part, possèdent des électrons ajoutés ou enlevés pour former des anions (ions chargés négativement) ou des cations (ions chargés positivement). **b)** Une liaison covalente est un partage d'électrons entre des atomes. Une liaison ionique est l'attraction entre deux ions de charges opposées. **c)** Une molécule est un assemblage d'atomes maintenus ensemble par des liaisons covalentes. Un composé est constitué de deux ou plusieurs éléments différents ayant une composition constante. Les liaisons covalentes ou ioniques peuvent maintenir ensemble des atomes dans un composé. Une autre différence : les molécules ne sont pas nécessairement des composés. La molécule H_2 est formée de deux atomes d'hydrogène liés par une liaison covalente. H_2 est une molécule, mais ce n'est pas un composé : H_2 est un élément diatomique. **23.** Des volumes égaux de différents gaz contiennent le même nombre de particules : $Cl_2 + 3F_2 \rightarrow 2X$. Deux molécules X contiennent 2 atomes Cl et 6 atomes F. Une molécule X contient donc un atome Cl et 3 atomes F : ClF_3. **25.** La loi des proportions multiples n'implique pas la comparaison de la masse d'un élément avec la masse totale des composés. On peut montrer que ces données sont conformes à la loi des proportions multiples, en comparant la masse de carbone qui se combine avec 1,0 g d'oxygène dans chacun des composés ; composé 1 : 0,374 g C/g O et composé 2 : 0,751 g C/g O, ce qui donne un rapport 2 : 1. C'est conforme à la loi des proportions multiples. **27.** Si la formule est InO, une masse atomique de In se combinerait avec une masse atomique de O : donc masse atomique In = 76,54. Si la formule est In_2O_3, deux fois la masse atomique de In se combinerait avec trois fois la masse atomique de O : donc masse atomique de In = 114,8. Cette dernière valeur est celle qui est utilisée dans le tableau périodique moderne. **29.** 200 m. **31.** Sodium-Na ; radium-Ra ; fer-Fe ; or-Au ; manganèse-Mn ; plomb-Pb. **33.** Métaux : Mg, Ti, Au, Bi, Ge, Eu, Am ; non-métaux : Si, B, At, Rn, Br. **35.** Le prométhium (Pm) et le technétium (Tc). **37.** **a)** 35 protons, 44 neutrons, 35 électrons ; **b)** 35 protons, 46 neutrons, 35 électrons ; **c)** 94 protons, 145 neutrons, 94 électrons ; **d)** 55 protons, 78 neutrons, 55 électrons ; **e)** 1 proton, 2 neutrons, 1 électron ; **f)** 26 protons, 30 neutrons, 26 électrons. **39.** $^{151}_{63}Eu^{3+}$. **41.** U : 92, 146, 92, 0 ; $^{40}_{20}Ca^{2+}$: 20, 20, 18, 2+ ; $^{51}_{23}V^{3+}$: 23, 28, 20, 3+ ; $^{89}_{39}Y$: 39, 50, 39, 0 ; $^{31}_{15}P^{3-}$: 15, 16, 18, 3−. **43.** **a)** Cède 2 e^- pour former Ra^{2+} ; **b)** cède 3 e^- pour former In^{3+} ; **c)** accepte 3 e^- pour former P^{3-} ; **d)** accepte 2 e^- pour former Te^{2-} ; **e)** accepte 1 e^- pour former Br^- ; **f)** cède 1 e^- pour former Rb^+. **45.** **a)** Bromure de sodium ; **b)** oxyde de rubidium ; **c)** sulfure de calcium ; **d)** iodure d'aluminium ; **e)** SrF_2 ; **f)** Al_2Se_3 ; **g)** K_3N ; **h)** Mg_3P_2. **47.** **a)** Fluorure de césium ; **b)** nitrure de lithium ; **c)** sulfure d'argent ; **d)** oxyde de manganèse(IV) ; **e)** oxyde de titane(IV) ; **f)** phosphure de strontium. **49.** **a)** Sulfite de baryum ; **b)** nitrite de sodium ; **c)** permanganate de potassium ; **d)** dichromate de potassium. **51.** **a)** Tétroxyde de diazote ; **b)** trichlorure d'iode ; **c)** dioxyde de soufre ; **d)** pentasulfure de diphosphore. **53.** **a)** Iodure de cuivre (I) ; **b)** iodure de cuivre (II) ; **c)** iodure de cobalt (II) ; **d)** carbonate de sodium ; **e)** hydrogénocarbonate de sodium ; **f)** tétranitrure de tétrasoufre ; **g)** hexafluorure de soufre ; **h)** hypochlorite de sodium ; **i)** chromate de baryum ; **j)** nitrate d'ammonium. **55.** **a)** $(NH_4)_2HPO_4$; **b)** Hg_2S ; **c)** SiO_2 ; **d)** Na_2SO_3 ; **e)** $Al(HSO_4)_3$; **f)** NCl_3 ; **g)** HBr ; **h)** $HBrO_2$; **i)** $HBrO_4$; **j)** KHS ; **k)** CaI_2 ; **l)** $CsClO_4$. **57.** **a)** Le fer forme des ions de charges 2+ et 3+ et il faut donc inclure un chiffre romain pour le fer ; nom correct : chlorure de fer(III) ; **b)** c'est un composé covalent et il faut donc utiliser les règles pour les composés covalents ; nom correct : dioxyde de diazote ; **c)** le calcium ne forme que des ions 2+ dans les composés ioniques et aucun chiffre romain n'est requis ; nom correct : oxyde de calcium ; **d)** c'est un composé ionique et il faut donc utiliser les règles pour les composés ioniques ; nom correct : sulfure d'aluminium ; **e)** c'est un composé ionique et il faut donc utiliser les règles pour les composés ioniques ; nom correct : acétate de magnésium ; **f)** La charge sur le fer est 3+ parce que la charge sur le phosphate est 3− ; nom correct : phosphate de fer(III) ; **g)** c'est un composé covalent et il faut donc utiliser les règles pour les composés covalents ; nom correct : pentasulfure de diphosphore ; **h)** l'ion O_2^{2-} (peroxyde) est présent parce que chaque sodium a une charge de 1+ ; nom correct : peroxyde de sodium. Remarquez que l'oxyde de sodium serait Na_2O ; **i)** HNO_3 est l'acide nitrique et non l'acide nitrate : l'acide nitrate n'existe pas ; **j)** H_2S est l'acide sulfhydrique ou le sulfure de dihydrogène ou simplement sulfure d'hydrogène (nom commun). L'acide sulfurique est H_2SO_4. **59.** **a)** Faux. Les neutrons n'ont aucune charge ; par conséquent, toutes les particules dans un noyau ne sont pas chargées. **b)** Faux. La meilleure description de l'atome est un petit noyau dense contenant la majeure partie de la masse de l'atome, avec les électrons qui se déplacent autour du noyau à des distances relativement grandes du noyau, de telle sorte qu'un atome est principalement composé de vide. **c)** Faux. La masse du noyau compte pour la majeure partie de la masse de l'atome en entier. **d)** Vrai. **e)** Faux. Le nombre de protons dans un atome neutre doit être égal au nombre d'électrons. **61.** **a)** 26 protons, 24 e^-, FeO ; **b)** 26 protons, 23 e^-, Fe_2O_3 ; **c)** 56 protons, 54 e^-, BaO ; **d)** 55 protons, 54 e^-, Cs_2O ; **e)** 16 protons, 18 e^-, Al_2S_3 ; **f)** 15 protons ; 18 e^-, AlP ; **g)** 35 protons, 36 e^-, $AlBr_3$; **h)** 7 protons, 10 e^-, AlN. **63.** **a)** Élément 52, tellure, Te, forme des ions 2− ; **b)** élément 37, rubidium, Rb, forme des ions 1+ ; **c)** élément 18, argon, Ar ; **d)** élément 85, astate, At. **65.** Étant donné que cet élément forme des anions, c'est un non-métal et un halogène puisqu'il forme des ions de charge 1− dans les composés ioniques. Parmi les halogènes, le chlore correspond à ces données avec une masse atomique moyenne de 35,45. Les deux isotopes sont ^{35}Cl et ^{37}Cl, et le nombre d'électrons dans l'ion de charge 1− est 18. **67.** Arséniate de sodium ; acide arsénique ; antimoniate de magnésium. **69.** 22,8 g. **71.** Parce que les gaz sont à la même température et à la même pression, les volumes sont directement proportionnels au nombre de molécules présentes. Considérez que l'hydrogène et l'oxygène sont des gaz monoatomiques, et que l'eau a pour formule la plus simple possible, HO. Nous avons l'équation : $H + O \rightarrow HO$. Mais les rapports entre les volumes sont également les rapports entre les molécules, ce qui correspond aux coefficients dans l'équation : $2H + O \rightarrow 2HO$. Étant donné que les atomes ne peuvent être ni créés ni détruits dans une réaction chimique, cette équation est impossible. Pour corriger cette situation, on peut supposer que l'oxygène est une molécule diatomique : $2H + O_2 \rightarrow 2HO$. Cette équation ne nécessite pas que l'hydrogène soit diatomique. Évidemment, si l'on sait que la formule de l'eau est H_2O, on obtient : $2H + O_2 \rightarrow 2H_2O$. La seule façon d'équilibrer cette équation est que l'hydrogène soit diatomique : $2H_2 + O_2 \rightarrow 2H_2O$. **73.** Selon la figure 2.4 du volume, le diamètre moyen du noyau est $\sim 10^{-13}$ cm et le diamètre moyen du volume où les électrons voyagent est $\sim 10^{-8}$ cm. Donc, 10^{-8} cm/10^{-13} cm = 10^5. À partir de ces données, le raisin doit être 10^5 fois plus petit qu'un mille, soit ~0,6 po, ce qui est sensé. **75.** Puisque la masse de l'eau n'a pas changé, le dépôt ne provient pas de l'eau. Le dépôt doit provenir du contenant, puisque la masse du contenant additionnée à celle du dépôt est égale à la masse initiale du contenant. **77.** La masse relative de Y est 1,14 fois celle de X. Donc, si X a une masse atomique de 100, Y aura alors une masse atomique de 114. **79.** $SbCl_3$; chlorure d'antimoine(III).

Chapitre 3

9. Masse de Cl dans le tableau périodique : 35,453, ^{37}Cl, masse 37 et ^{35}Cl, masse 35. On pose $37x + 35y = 35{,}457$ et $x + y = 1$. Donc, 77,2 % de ^{35}Cl et 22,8 % de ^{35}Cl. **11.** 0,5 mol. **13.** 1×10^{14} dollars/personne. **15.** Les renseignements nécessaires sont surtout les coefficients dans l'équation équilibrée et les masses molaires, des réactifs et des produits. Pour le pourcentage de rendement, il faut connaître le rendement réel de la réaction et les quantités de réactifs utilisées.

a) Masse de CB produite = $1{,}00 \times 10^4$ molécules

$$A_2B_2 \times \frac{1 \text{ mol } A_2B_2}{6{,}022 \times 10^{23} \text{ molécules } A_2B_2} \times \frac{2 \text{ mol CB}}{1 \text{ mol } A_2B_2} \times \frac{\text{masse molaire de CB}}{\text{mol CB}};$$

b) Atomes de A produits = $1{,}00 \times 10^4 \text{ molécules } A_2B_2 \times \dfrac{2 \text{ atomes A}}{1 \text{ molécule } A_2B_2}$;

c) Mol de C qui ont réagi $= 1{,}00 \times 10^4$ molécules

$$A_2B_2 \times \frac{1 \text{ mol } A_2B_2}{6{,}022 \times 10^{23} \text{ molécules } A_2B_2} \times \frac{2 \text{ mol C}}{1 \text{ mol } A_2B_2};$$

d) La masse théorique de CB produite a été calculée dans la partie a). Si la masse réelle de CB produite est donnée, on peut alors déterminer le pourcentage de rendement de la réaction. **17.** 20,18 *u*; néon. **19.** Il y a trois « pics », distants de 2 unités de masse. Cela indique la présence de deux isotopes différant par 2 unités de masse, le pic intermédiaire correspond à une molécule où les 2 isotopes sont présents. **21.** $4{,}64 \times 10^{-20}$ g Fe. **23.** $1{,}00 \times 10^{22}$ atomes C. **25.** Al_2O_3 : 101,96 g/mol; Na_3AlF_6 : 209,95 g/mol. **27. a)** $4{,}55 \times 10^{-3}$ mol P_4O_6; **b)** $3{,}22 \times 10^{-3}$ mol $Ca_3(PO_4)_2$; **c)** $7{,}04 \times 10^3$ mol Na_2HPO_4. **29. a)** 480 g O; **b)** 640 g O; **c)** 320 g O. **31. a)** $2{,}74 \times 10^{21}$ molécules P_4O_6; **b)** $1{,}94 \times 10^{21}$ molécules $Ca_3(PO_4)_2$; **c)** $4{,}24 \times 10^{21}$ molécules Na_2HPO_4. **33.** 176,12 g/mol; $2{,}839 \times 10^{-3}$ mol; $1{,}710 \times 10^{21}$ molécules. **35. a)** 0,9393 mol Fe_2O_3; **b)** $2{,}17 \times 10^{-4}$ mol NO_2; **c)** $2{,}5 \times 10^{-8}$ mol BF_3. **37. a)** C_6H_6 : $5{,}43 \times 10^{-2}$ mol; $3{,}27 \times 10^{22}$ molécules; $3{,}92 \times 10^{23}$ atomes; **b)** H_2O : 4,04 g; $1{,}35 \times 10^{23}$ molécules; $4{,}05 \times 10^{23}$ atomes; **c)** CO_2 : $4{,}50 \times 10^{-2}$ mol; 1,98 g; $8{,}13 \times 10^{22}$ atomes; **d)** CH_3OH : $5{,}58 \times 10^{21}$ molécules; $9{,}27 \times 10^{-3}$ mol; 0,297 g. **39. a)** 165,39 g/mol; **b)** 3,023 mol; **c)** 3,3 g; **d)** $5{,}5 \times 10^{22}$ atomes de chlore; **e)** 1,6 g; **f)** $1{,}373 \times 10^{-19}$ g. **41. a)** 46,68 %; **b)** 30,45 %; **c)** 30,45 %; **d)** 63,65 %. **43. a)** 39,99 % C; 6,713 % H; 53,30 % O. **b)** 40,00 % C; 6,7140 % H; 53,29 % O. **c)** 40,00 % C; 6,714 % H; 53,29 % O. **45.** Formules empiriques : **a)** NO_2; **b)** CH_2; **c)** P_2O_5; **d)** CH_2O. **47.** $C_8H_{11}O_3N$. **49.** N_2H_4CO. **51.** Empirique : $C_3H_5O_2$; moléculaire : $C_6H_{10}O_4$. **53.** C_3H_8. **55.** Empirique : $C_3H_4O_3$; moléculaire : $C_6H_8O_6$. **57. a)** $3Ca(OH)_2(aq) + 2H_3PO_4(aq) \rightarrow 6H_2O(l) + Ca_3(PO_4)_2(s)$; **b)** $Al(OH)_3(s) + 3HCl(aq) \rightarrow AlCl_3(aq) + 3H_2O(l)$; **c)** $2AgNO_3(aq) + H_2SO_4(aq) \rightarrow Ag_2SO_4(s) + 2HNO_3(aq)$. **59. a)** $SiO_2(s) + 2C(s) \rightarrow Si(s) + 2CO(g)$; **b)** $SiCl_4(l) + 2Mg(s) \rightarrow Si(s) + 2MgCl_2(s)$; **c)** $Na_2SiF_6(s) + 4Na(s) \rightarrow Si(s) + 6NaF(s)$. **61.** 7,26 g Al; 21,5 g Fe_2O_3; 13,7 g Al_2O_3. **63.** 4,355 kg. **65.** 32 kg. **67. a)** 73,9 g $C_4H_6O_3$; **b)** $1{,}30 \times 10^2$ g aspirine. **69.** $2NO(g) + O_2(g) \rightarrow 2NO_2(g)$. **71.** 0,301 g H_2O_2; $3{,}6 \times 10^{-2}$ g HCl. **73.** 1,20 tonne métrique Cu. **75.** $n = 5{,}98$; formule : XeF_6. **77. a)** Aucun; **b)** O_2; **c)** H_2; **d)** H_2; **e)** H_2; **f)** aucun; **g)** H_2. **79.** $9{,}25 \times 10^{22}$ atomes H. **81.** $4{,}30 \times 10^{-2}$ mol C_4H_{10}; 2,50 g C_4H_{10}. **83.** $x = 5$. **85.** 42,8 % LSD. **87.** 86,2 %. **89.** E = oxygène; $C_{20}H_{30}O$. **91.** $C_7H_5N_3O_6$. **93.** 38,7 % FeO. **95.** 40,08 % Mg. **97.** N_4H_6. **99. a)** 75 %; **b)** 88 %. **101.** Masse atomique = 184 g/mL; le métal est W. **103.** 42,3 % NaCl; 57,7 % KCl. **105.** $C_7H_6O_3$. **107.** Empirique : $C_{11}H_{17}N_3O_8$; moléculaire : $C_{11}H_{17}N_3O_8$; $1{,}4 \times 10^{18}$ molécules. **109.** 828 g As_2I_4; 626 g As_2I_4.

Chapitre 4

13. a) Puisque, dans le contenant, *V* et *n* sont constants, la pression *P* est proportionnelle à la température *T*. L'augmentation de *T* peut amener *P* à une valeur dépassant la résistance des parois du contenant; **b)** la diminution de pression créée dans la bouche permet à la pression atmosphérique de pousser le liquide à monter dans la paille; **c)** la pression atmosphérique extérieure pousse sur les parois de la canette. En l'absence de pression contraire exercée par l'air extérieur, la canette s'affaisse; **d)** la « dureté » des parois de la balle de tennis dépend de la différence de pression entre l'air intérieur et la pression extérieure. Une balle de tennis conçue pour le niveau de la mer devient plus dure à haute altitude, sa pression intérieure devenant plus grande que la pression extérieure. De même, une balle de tennis « haute altitude » est plus molle au niveau de la mer. **15.** La colonne d'eau doit être 13,6 fois plus haute que la colonne de mercure, étant donné que l'eau est 13,6 fois moins dense que le mercure. **17.** La diminution de température provoque la contraction du ballon (*V* et *T* sont directement reliées). Comme les ballons-sondes prennent de l'expansion, l'effet de la diminution de la pression doit être dominant. **19.** Non; à toute température différente de 0 K, il y a une distribution des énergies cinétiques. De la même façon, il y a une distribution des vitesses à toute température différente de 0 K. C'est parce qu'il y a une répartition des vitesses des particules de gaz à toute *T* que la distribution des énergies à une température spécifique existe. **21.** Les énoncés a), c) et e) sont vrais. Dans le cas de l'énoncé b), si la température est constante, l'énergie cinétique moyenne sera constante, quelle que soit la nature du gaz (énergie cinétique moyenne $= \frac{3}{2}RT$). Dans le cas de l'énoncé d), à mesure que *T* augmente, la vitesse moyenne des molécules de gaz augmente. Lorsque des molécules de gaz se déplacent plus rapidement, l'effet des interactions entre les particules est diminué. Dans le cas de l'énoncé f), la théorie cinétique prédit que *P* est directement proportionnelle à *T*, lorsque *V* et *n* sont constants. À mesure que *T* augmente, les molécules de gaz se déplacent plus rapidement en moyenne, ce qui provoque des collisions plus fréquentes et plus violentes, entraînant une augmentation de *P*. **23.** 65 torr; $8{,}7 \times 10^3$ Pa; $8{,}65 \times 10^{-2}$ atm. **25.** Oui. **27.** 44,8 L. **29. a)** $T = 367$ K $= 94$ °C; **b)** $P = 51{,}0$ atm; **c)** $V = 82{,}5$ L; **d)** $n = 1{,}93 \times 10^2$ mol. **31.** T = 970 K = $7{,}0 \times 10^2$ °C. **33.** 1,27 mol. **35.** 6,8 MPa. **37.** $\frac{n_2}{n_1} = 0{,}921$. **39.** 2,04 L. **41.** 23,0 L. **43.** 2,47 mol. **45. a)** $2CH_4(g) + 2NH_3(g) + 3O_2(g) \rightarrow 2HCN(g) + 6H_2O(g)$; **b)** 13,3 L. **47.** $C_2H_2Cl_2$. **49.** 1,3 g/L. **51.** $P_{H_2} = 317$ torr, $P_{N_2} = 50{,}7$ torr, $P_{totale} = 368$ torr. **53.** $P_{He} = 582$ torr; $P_{Xe} = 18$ torr. **55.** 3,69 L. **57.** XeF_4. **59.** $P_{N_2} = 0{,}74$ atm; $P_{totale} = 2{,}2$ atm. **61.** 60,6 kJ. **63.** 697 m/s. **65.** Énergie cinétique moyenne : **a)** augmente; **b)** diminue; **c)** et **d)** ne varie pas. Vitesse quadratique moyenne : **a)** augmente; **b)** diminue; **c)** et **d)** ne varie pas. Fréquence des collisions : **a)**, **c)** et **d)** augmente; **b)** diminue. Énergie des collisions : **a)** augmente; **b)** diminue; **c)** et **d)** ne varie pas. **67. a)** Tous la même; **b)** le ballon c). **69.** 63,7 g/mol. **71.** 19 min. **73. a)** 124,0 kPa; **b)** 123,8 kPa; D*P* = 0,16 %; à pression plus faible, le comportement réel des gaz se rapproche davantage de celui prédit par la loi des gaz parfaits. **75.** $2NO_2(g) + H_2O(l) \rightarrow HNO_3(aq) + HNO_2(aq)$; $SO_3(g) + H_2O(l) \rightarrow H_2SO_4(aq)$.

77.

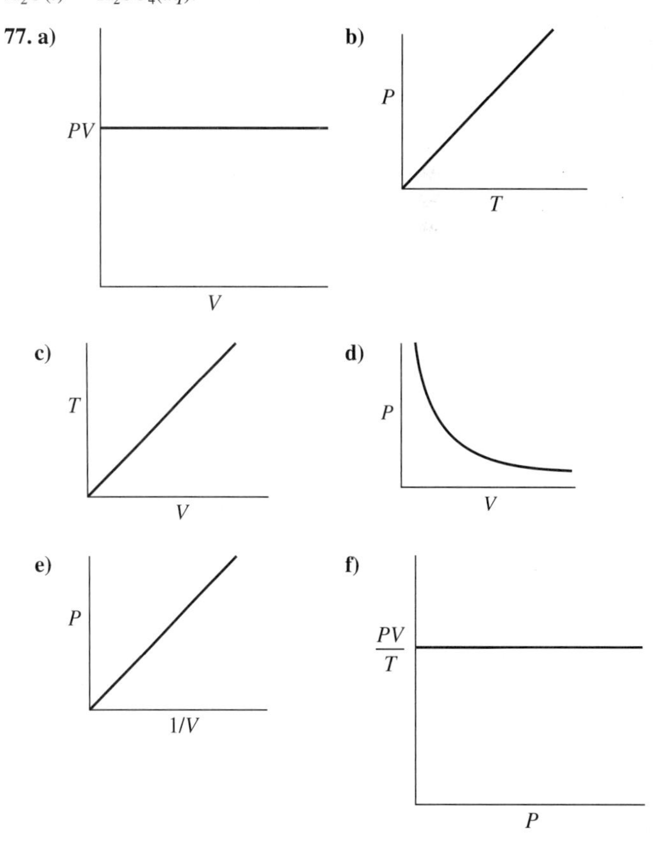

79. 0,772 atm · L; dans l'exemple 4.3, les valeurs de *k* se situent autour de 22 atm · L. Étant donné que $k = nRT$, on peut supposer que les données de Boyle et celles de l'exercice 4.3 ont été prises à des températures différentes ou pour des nombres de moles différents. **81.** $MnCl_4$. **83.** 1490 ballons. **85.** 24 torr. **87.** $4{,}1 \times 10^6$ L d'air; $7{,}42 \times 10^5$ L H_2. **89.** Masse molaire de $Be(C_5H_7O_2)_3$ = 311 g/mol; masse molaire de $Be(C_5H_7O_2)_2$ = 207. Expérience I : masse molaire = 209 g/mol. Expérience II : masse molaire = 202 g/mol. Les deux résultats des expériences I et II étant rapprochés de la valeur de 207 g/mol du composé $Be(C_5H_7O_2)_2$, cela indique que Be est un métal divalent. **91.** Formules empirique et moléculaire : CH_6N_2. **93.** 1,61 × 10^3 g. **95.** 29,0 %. **97. a)** χ_{He} = 0,1114 ; **b)** 2,473 g/L. **99.** χ_{CO} = 0,291 ; χ_{CO_2} = 0,564 ; χ_{O_2} = 0,145 ≈ 0,15. **101. a)** Quand il est chauffé, le ballon prend de l'expansion (P et n restent constants). La masse du ballon reste la même mais le volume augmente, de sorte que la masse volumique de l'argon dans le ballon diminue. Lorsque la masse volumique devient inférieure à celle de l'air, le ballon s'élève. **b)** > 413 K ou 140 °C. **103.** Équation de Van der Waals modifiée :

$$PV + \frac{an^2}{V} - nbP - \frac{an^3b}{V^3} = nRT.$$

À basse P et à T élevée, le volume molaire V d'un gaz devient très élevée. Pour cette raison, les termes $\frac{an^2}{V}$ et $\frac{an^3b}{V^2}$ deviennent négligeables. Puisque nb est le volume occupé par les molécules elles-mêmes, alors $nb < V$, et le terme nbP est négligeable par rapport à PV. Il reste donc essentiellement $PV = nRT$. **105. a)** 78,0 % ; **b)** 907 mL. **107.** $P_{méthane}$ = 1,32 atm ; $P_{éthane}$ = 0,12 atm ; 33,7 g.

Chapitre 5

15. La longueur des différents blocs d'éléments dans le tableau périodique est déterminée par le nombre d'électrons qui peuvent occuper les orbitales spécifiques. Le bloc g a une longueur correspondant à 18 éléments et le bloc h à 22. **17.** Les électrons de valence sont fortement attirés par le noyau des éléments qui ont des énergies d'ionisation élevées. On s'attend à ce que ces espèces acceptent facilement un autre électron et possèdent ainsi des affinités électroniques très exothermiques. Les gaz rares forment une exception ; ils ont des EI élevées, mais des affinités électroniques endothermiques. Les gaz rares présentent un arrangement stable de leurs électrons. L'ajout d'un électron détruit cet arrangement stable, ce qui cause des affinités électroniques non favorables. **19.** Pour l'hydrogène, à n égal, les orbitales ont la même énergie. Pour les atomes et ions polyélectroniques, l'énergie des orbitales est en plus fonction de ℓ. Comme il y a davantage de niveaux d'énergie, les transitions des électrons sont plus nombreuses et il en résulte des spectres de ligne plus complexes. **21.** Oui, le maximum d'électrons célibataires d'une configuration donnée correspond à un minimum de répulsions électron-électron. **23.** L'énergie d'ionisation concerne le retrait d'un électron d'un atome isolé en phase gazeuse alors que le travail d'extraction concerne le retrait d'un électron d'un atome lié à ses voisins dans un solide. **25.** 4,5 × 10^{14} s^{-1}. **27.** 3,0 × 10^{10} s^{-1}, 2,0 × 10^{-23} J/photon, 12 J/mol. **29.** 2,12 × 10^{-10} m : rayons X. 107,1 MHz : ondes radio FM. 3,97 × 10^{-19} J/photon : lumière visible (verte). Énergie des photons : ondes radio FM < lumière visible (verte) < rayons X. Fréquence : ondes radio FM < lumière visible (verte) < rayons X. **31. a)** 5,6 × 10^{-6} m ; **b)** Infrarouge ; **c)** 4,0 × 10^{-20} J/photon ; 2,4 × 10^4 J/mol ; **d)** moins énergétique. **33. a)** 2,6 × 10^{-5} nm ; **b)** 9,8 × 10^{-26} nm. **35.** 1,6 × 10^{-27} kg ; probablement un proton ou un neutron. **37.** Voir la figure 5.8. **39. a)** Faux ; il faut moins d'énergie pour ioniser un électron $n = 3$ qu'un électron $n = 1$; **b)** vrai ; **c)** faux ; la ΔE pour $n = 3 \rightarrow n = 2$ est plus faible que la ΔE pour $n = 3 \rightarrow n = 1$, donc la longueur d'onde pour $n = 3 \rightarrow n = 2$ sera plus longue ; **d)** vrai ; **e)** faux ; le premier état excité est $n = 2$. **41.** $n = 4$. **43. a)** 5,79 × 10^{-4} m ; **b)** 3,64 × 10^{-33} m ; **c)** Le diamètre d'un atome d'hydrogène est d'environ 1,0 × 10^8 cm. L'incertitude sur la position est de beaucoup supérieure à la taille de l'atome ; **d)** L'incertitude est négligeable par rapport à la taille d'une balle de baseball. **45.** n = 1, 2, 3, ... ; ℓ = 0, 1, 2, ... $(n - 1)$; $m_\ell = -\ell, ..., -2, -1, 0, 1, 2, ..., +\ell$. **47. b)** Pour $\ell = 3$, m_ℓ peut aller de −3 à +3 ; la valeur +4 est interdite ; **c)** n ne peut pas valoir zéro ; **d)** ℓ ne peut pas être un nombre négatif. **49.** La probabilité de trouver un électron en un point donné. **51.** 3 ; 1 ; 5 ; 25 ; 16. **53. a)** 32 ; **b)** 8 ; **c)** 25 ; **d)** 10 ; **e)** 6 **f)** $n = 0$ impossible ; **g)** 1. **55.** Les deux exceptions sont le chrome et le cuivre. Cr : $1s^22s^22p^63s^23p^64s^13p^5$; le chrome a 6 électrons célibataires ; Cu : $1s^22s^22p^63s^23p^64s^13d^{10}$; le cuivre a 1 électron célibataire. **57.** Sc : $1s^22s^22p^63s^23p^64s^23d^1$; Fe : $1s^22s^22p^63s^23p^64s^23d^6$; S : $1s^22s^2 2p^63s^23p^4$; P : $1s^22s^2 2p^63s^23p^3$; Cs : $1s^22s^22p^63s^23p^64s^23d^{10}4p^65s^24d^{10}5p^66s^1$; Eu : $1s^22s^22p^63s^23p^64s^23d^{10}4p^65s^24d^{10}5p^66s^24f^65d^1$ (observé : $[Xe]6s^2 4f^7$) ; Pt : $1s^22s^22p^63s^23p^64s^23d^{10}4p^65s^24d^{10}5p^66s^24f^{14}5d^8$ (observé : $[Xe]6s^14f^{14}5d^9$) ; Xe : $1s^22s^22p^6 3s^23p^64s^23d^{10}4p^65s^24d^{10}5p^6$; Br : $1s^22s^22p^63s^23p^64s^23d^{10}4p^5$; Se : $[Ar]4s^23d^{10}4p^4$. **59. a)** As : $[Ar]4s^23d^{10}4p^3$; **b)** l'élément 116 serait sous le Po dans le tableau périodique : $[Rn]7s^25f^{14}6d^{10}7p^4$; **c)** Ta : $[Xe]6s^24f^{14}5d^3$ ou Ir : $[Xe]6s^24f^{14}5d^7$; **d)** At : $[Xe]6s^24f^{14}5d^{10}6p^5$.

61. B : $1s^22s^22p^1$

	n	ℓ	m_ℓ	m_s
1s	1	0	0	$+\frac{1}{2}$
1s	1	0	0	$-\frac{1}{2}$
2s	2	0	0	$+\frac{1}{2}$
2s	2	0	0	$-\frac{1}{2}$
2p	2	1	−1	$+\frac{1}{2}$

N : $1s^22s^22p^3$

	n	ℓ	m_ℓ	m_s
1s	1	0	0	$+\frac{1}{2}$
1s	1	0	0	$-\frac{1}{2}$
2s	2	0	0	$+\frac{1}{2}$
2s	2	0	0	$-\frac{1}{2}$
2p	2	1	−1	$+\frac{1}{2}$
2p	2	1	0	$+\frac{1}{2}$
2p	2	1	+1	$+\frac{1}{2}$

Pour le bore, il y a 6 possibilités d'électrons 2p. Pour l'azote, tous les électrons 2p pourraient être $m_s = -\frac{1}{2}$. **63. a)** État excité du bore (B), état fondamental $1s^22s^22p^1$; **b)** état fondamental du néon (Ne) ; **c)** état excité du fluor (F), état fondamental $1s^22s^22p^5$; **d)** état excité de fer (Fe), état fondamental $[Ar]4s^23d^6$. **65.** Les substances paramagnétiques ont des électrons célibataires et celles qui n'ont pas d'électrons célibataires sont diamagnétiques. Paramagnétiques : Li (1 électron célibataire), N (3 e^- célibataires), Ni (2 e^- célibataires), Te (2 e^- célibataires). Diamagnétiques : Ba et Hg. **67. a)** Be < Mg < Ca ; **b)** Xe × I (Te) ; **c)** Ge × Ga × In. **69. a)** He ; **b)** Cl ; **c)** Élément 117 ; **d)** Si ; **e)** Na^+. **71. a)** $[Rn]7s^25f^{14}6d^4$; **b)** W ; **c)** en utilisant le symbole Sg pour l'élément 106, il y aura probablement formation de SgO_3 et de SgO_4^{2-}. **73.** Be < B < C < N < O. **75.** En se basant sur l'augmentation de la charge du noyau, on devrait s'attendre à ce que l'AE devienne plus exothermique en progressant vers la droite dans une période, ce qu'on observe de Al à Cl. Cependant, le phosphore contrevient à cette tendance. La raison en est que pour la réaction : $P(g) + e^- \rightarrow P^-(g)$, l'électron supplémentaire de P^- se trouve en occupation double, ce qui fait intervenir une répulsion interélectronique qui rend l'AE du phosphore moins favorable (moins exothermique). **77. a)** I < Br < F < Cl ; Cl est le plus exothermique (F est une exception) ; **b)** N < O < F ; F est le plus exothermique. **79. a)** $Se^{3+}(g) \rightarrow Se^{4+}(g) + e^-$; **b)** $S^-(g) + e^- \rightarrow S^{2-}(g)$; **c)** $Fe^{3+}(g) + e^- \rightarrow Fe^{2+}(g)$; **d)** $Mg(g) \rightarrow Mg^+(g) + e^-$. **81.** K_2O_2 (peroxyde de potassium) ; K^{2+} est instable. **83.** 6,582 × 10^{14} s^{-1} ; 4,361 × 10^{-19} J. **85. a)** $4Li(s) + O_2(g) \rightarrow 2Li_2O(s)$; **b)** $2K(s) + S(s) \rightarrow K_2S(s)$. **87.** 20,9 s ; 7,70 × 10^{27} photons. **89.** Jaune-vert. **91.** Cr, Cu, Nb, Mo, Tc, Ru, Rh, Pd, Ag, Pt, Au. **93.** $n = 5$; m_ℓ = −4, −3, −2, −1, 0, 1, 2, 3, 4 ; 18 électrons. **95.** La tendance générale pour l'énergie d'ionisation est d'augmenter de gauche à droite dans le tableau périodique. Cependant, une des exceptions à cette tendance a lieu entre les groupes 2A et 3A. Entre ces deux groupes, les éléments du groupe 3A ont généralement une énergie d'ionisation plus faible que les éléments du groupe 2A. Par conséquent, Al devrait avoir la valeur d'énergie de première ionisation la plus faible, suivi de Mg, et Si ayant l'énergie d'ionisation la plus élevée. En examinant les valeurs d'énergie de première ionisation dans le graphique, on en déduit que la courbe en vert est Al, la courbe en bleu est Mg et la courbe en rouge est Si. Mg (la courbe en bleu) est l'élément qui présente un saut énorme entre I_2 et I_3. Mg possède deux électrons de valence, par conséquent le troisième électron arraché est un électron de cœur. Les électrons de cœur sont toujours beaucoup plus difficiles à arracher que les électrons de valence étant donné qu'ils sont, en moyenne, plus près du noyau que les électrons de valence. **97.** Un métal alcalino-terreux. **99. a)** 146 kJ ; **b)** 407 kJ ; **c)** 117 kJ ; **d)** 1524 kJ. **101.** De $n = 4$ à $n = 3$. **103. a)** Chaque orbitale peut contenir 3 électrons ; **b)** La première période ($n = 1$) ne peut avoir que des orbitales 1s, laquelle pourrait contenir 3 électrons : la première période serait donc formée de

3 éléments. La deuxième période verrait se remplir les orbitales $2s$ et $2p$. Ces 4 orbitales pourraient contenir chacune 3 électrons, ce qui conduirait à 12 éléments pour la 2e période; **c)** 15; **d)** 21.

105.

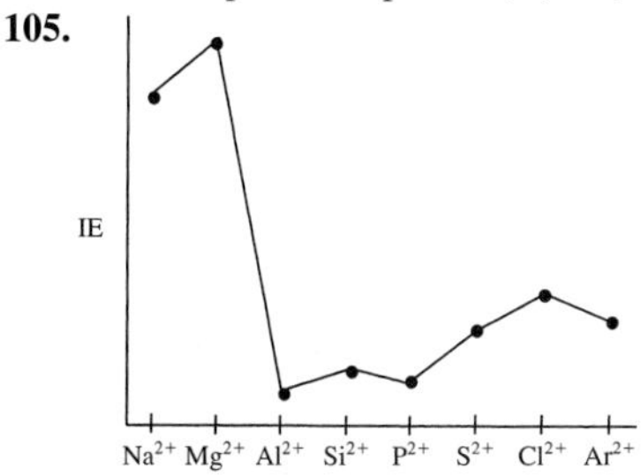

107. La taille diminue également au fur et à mesure qu'on progresse dans une période. Sc et Ti occupent des cases quantiques adjacentes ainsi que Y et Zr. La présence de 14 éléments, les lanthanides, entre La et Hf, fait que l'atome Hf est beaucoup plus petit. **109.** Aucun des gaz rares et aucune particule subatomique (proton, électron, neutron) n'avaient été découverts quand Mendeleïev a publié son tableau périodique. Ainsi, aucun élément connu ne se trouvait en position « déplacée » par rapport aux autres éléments. Il n'y avait donc aucune raison de prédire l'existence d'une famille entière d'éléments (ou de deux, ou de trois...). Mendeleïev ayant classé les éléments selon leur masse atomique, il ne pouvait savoir qu'il y avait des manques dans la suite des numéros atomiques (lesquels n'avaient pas encore été inventés). **111. a)** $1{,}13 \times 10^{15}\ s^{-1}$; **b)** Oui. Une radiation dont la longueur d'onde est inférieure à 265 nm ($\lambda \leq 265$ nm) aura suffisamment d'énergie pour arracher un électron; **c)** C'est la configuration électronique du cuivre, Cu, une exception à l'ordre de remplissage prévu des orbitales. **113. a)** Xe < Sb < In; **b)** Cl > Br > As.

Chapitre 6

11. P_2O_5 est le seul composé qui ne contient que des liaisons covalentes. Composés comportant des liaisons ioniques: $(NH_4)_2SO_4$, $Ca_3(PO_4)_2$, K_2O et KCl. Composés comportant à la fois des liaisons ioniques et covalentes: $(NH_4)_2SO_4$, $Ca_3(PO_4)_2$. **13.** L'électronégativité augmente de gauche à droite dans le tableau périodique et diminue de haut en bas. L'hydrogène possède une valeur d'électronégativité située entre celles de B et de C dans la deuxième période, et identique à celle de P dans la troisième période. **15.** Pour les ions, on se concentre sur le nombre de protons et le nombre d'électrons présents. Les espèces dont le noyau retient les électrons le plus fortement sont celles qui ont la plus petite taille. Pour les ions isoélectroniques, le même nombre d'électrons est retenu par des nombres différents de protons dans les divers ions. L'ion qui a le plus de protons retient les électrons plus fortement et il a la plus petite taille. **17.** Les combustibles fossiles contiennent beaucoup d'atomes de carbone et d'hydrogène. Leur combustion (réaction avec O_2) produit du CO_2 et de l'eau. Ces deux composés possèdent des liaisons très fortes. Étant donné que des liaisons fortes sont formées, les réactions de combustion sont très exothermiques.

19.

$$\overset{0}{\ddot{O}}=\overset{0}{C}=\overset{0}{\ddot{O}} \longleftrightarrow :\overset{-1}{\ddot{O}}-\overset{0}{C}\equiv\overset{+1}{O}: \longleftrightarrow :\overset{+1}{O}\equiv\overset{0}{C}-\overset{-1}{\ddot{O}}:$$

Les charges formelles sont indiquées au-dessus des atomes dans les trois diagrammes de Lewis. Le meilleur diagramme de Lewis pour CO_2 est le premier du point de vue des charges formelles, chacun de ses oxygènes étant lié au carbone par une liaison double. Ce diagramme a une charge formelle de zéro sur tous les atomes (ce qui est préféré). **21. a)** C × N × O; **b)** Se × S × Cl; **c)** Sn × Ge × Si; **d)** Tl × Ge × S. **23. a)** Ge—F; **b)** P—Cl; **c)** S—F; **d)** Ti—Cl. **25.** Utilisez la variation de l'électronégativité pour prédire quelle sera l'extrémité partiellement négative et l'extrémité partiellement positive du dipôle de la liaison (le cas échéant). Pour ce faire, vous devez vous rappeler que H a une électronégativité entre B et C, et qu'elle est identique à celle de P. Les réponses **b)**, **d)** et **e)** sont incorrectes. Pour **d)** (Br_2), la liaison entre deux atomes Br sera une liaison covalente pure où il y a un partage égal des électrons de liaison et aucun moment dipolaire. Pour **b)** et **e)**, les polarités des liaisons sont inversées. Dans Cl—I, l'atome Cl plus électronégatif sera l'extrémité partiellement négative du dipôle de la liaison, et I formera l'extrémité partiellement positive. Dans O—P, l'oxygène plus électronégatif sera l'extrémité partiellement négative du dipôle de la liaison et P formera l'extrémité partiellement positive. **27.** F—H > O—H > N—H > C—H > P—H. **29.** Rb^+ et Se^{2-}: $[Ar]4s^23d^{10}4p^6$; Ba^{2+} et I^-: $[Kr]5s^2 4d^{10}5p^6$. **31. a)** Sc^{3+}; **b)** Te^{2-}; **c)** Ce^{4+}, Ti^{4+}; **d)** Ba^{2+}. **33.** Tous ces ions ont 18 e^-; le plus petit (Sc^{3+}) possède le plus grand nombre de protons qui retient 18 e^- et l'ion le plus gros possède le plus petit nombre de protons (S^{2-}). L'ordre croissant de la taille est: $Sc^{3+} < Ca^{2+} < K^+ < Cl^- < S^{2-}$. **35. a)** Li_3N, nitrure de lithium; **b)** Ga_2O_3, oxyde de gallium; **c)** RbCl, chlorure de rubidium; **d)** BaS, sulfure de baryum. **37. a)** NaCl, $Na^+ \times K^+$; **b)** LiF, $F^- \times Cl^-$; **c)** MgO, $O^{2-} \times OH^-$; **d)** $Fe(OH)_3$, $Fe^{3+} \times Fe^{2+}$; **e)** Na_2O, $O^{2-} \times Cl^-$; **f)** MgO, $Mg^{2+} \times Ba^{2+}$ et $O^{2-} \times S^{2-}$ > **39.** L'énergie de réseau pour $Mg^{2+}O^{2-}$ est plus exothermique que pour Mg^+O^-. **41.** ΔH_{sub} = 180,5 kJ. **43. a)** −183 kJ; **b)** −109 kJ. **45.** −1228 kJ. **47.** 485 kJ/mol.

49. a) H—C≡N; **b)** H—P̈—H (avec H sur P); **c)** $CHCl_3$: H et trois :C̈l: liés à C; **d)** $[NH_4]^+$: N lié à quatre H; **e)** :O: doublement lié à C, lui-même lié à deux H; **f)** :F̈—S̈e—F̈:; **g)** Ö=C=Ö; **h)** Ö=Ö; **i)** H—B̈r:

51. H—Be—H ; B lié à trois H

53. PF_5 : P lié à cinq :F̈:; ClF_3 : :Cl lié à trois :F̈:; SF_4 : :S lié à quatre :F̈:; Br_3^- : [:B̈r—B̈r—B̈r:]⁻

les éléments de la 3e période et les non-métaux les plus lourds; les éléments de la 3e période et les non-métaux les plus lourds possèdent des orbitales d vides, dont l'énergie est proche de celle des orbitales de valence s et p. Ces orbitales d vides peuvent accepter des électrons excédentaires.

55. a) NO_2^- $[\ddot{O}=\ddot{N}-\ddot{O}:]^- \longleftrightarrow [:\ddot{O}-\ddot{N}=\ddot{O}]^-$

NO_3^- : trois structures de résonance, $[N$ lié par une liaison double à un O et par des liaisons simples aux deux autres$]^-$ ⟷ ⟷

N_2O_4

b) OCN^- $[:\ddot{O}-C\equiv N:]^- \leftrightarrow [\dot{O}=C=\dot{N}]^- \leftrightarrow [:O\equiv C-\ddot{N}:]^-$;

SCN^- $[:\ddot{S}-C\equiv N:]^- \leftrightarrow [\dot{S}=C=\dot{N}]^- \leftrightarrow [:S\equiv C-\ddot{N}:]^-$;

N_3^- $[:\ddot{N}-N\equiv N:]^- \leftrightarrow [\dot{N}=N=\dot{N}]^- \leftrightarrow [:N\equiv N-\ddot{N}:]^-$

57. Utilisons un hexagone pour représenter l'anneau de 6 carbones et omettons les 4 atomes H, ainsi que les 3 doublets libres de chaque atome de chlore. S'il n'y avait pas de résonance, il y aurait 4 molécules différentes. S'il y a résonance, toutes les liaisons carbone-carbone sont identiques, et il n'y a que 3 isomères, comme c'est réellement le cas.

59. a) Diagrammes de Lewis similaires pour **a)** à **f)** et

h) XY_4 **g)** ClO_3^-

charges formelles : **a)** +1 ; **b)** +2 ; **c)** +3 ; **d)** +1 ; **e)** +2 ; **f)** +4 ; **g)** +2 ; **h)** +1.

61. Pour une charge formelle de zéro sur le soufre, il y aura deux liaisons sur chaque atome de soufre et deux doublets libres. Le Cl a besoin d'une liaison et de trois doublets libres pour une charge formelle de zéro. Seulement S_2Cl_2 peut avoir un diagramme de Lewis avec une charge formelle de zéro sur tous les atomes ; $:\ddot{Cl}-\ddot{S}-\ddot{S}-\ddot{Cl}:$.

63. a) linéaire, 180° ; **b)** pyramidale à base triangulaire, < 109,5° **c)** tétraédrique, 109,5° ; **d)** tétraédrique, 109,5° ; **e)** plane triangulaire, 120° ; **f)** en V, < 109,5° **g)** linéaire, 180° ; **h)** et **i)** linéaire, pas d'angle dans les molécules diatomiques. **65.** Plane carrée : XeF_4 ; pyramidale à base carrée : ClF_5. **67. a)** linéaire, 180° ; **b)** en T, ≈ 90° ; **c)** à bascule, ≈ 120° et 90° ; **d)** bipyramide triangulaire, 120° et 90°. **69.** IF_3 et IF_4^+. **71.** Quelques noms possibles : F, Cl, Br et I. L'ion EO_3^- a une structure moléculaire bipyramidale à base triangulaire avec des angles de liaison < 109,5°. **73.** Les liaisons polaires sont réparties symétriquement autour des atomes centraux et toutes les liaisons dipolaires s'annulent. Chaque molécule a un moment dipolaire nul.

75.

$H-\ddot{O}-H + \ddot{O}=C=\ddot{O}$

$\Delta H = -83$ kJ.

77. La structure générale d'ion trihalogénure est la suivante :

$[:\ddot{X}-\ddot{X}-\ddot{X}:]^-$

L'atome central doit être en mesure d'accepter 10 électrons. Les orbitales *d* du brome et de l'iode peuvent accepter des électrons excédentaires. La couche de valence du fluor ne contient que des orbitales 2*s* et 2*p* (aucune orbitale *d* accessible) ; par conséquent, elle ne peut accepter plus de 8 électrons.

79. $[TeF_5]^-$

le doublet d'électrons libres autour de Te exerce une répulsion plus forte que les doublets d'électrons liants, ce qui a pour effet d'éloigner du doublet libre les quatre F dans le plan carré, et de réduire les angles de liaisons entre l'atome F axial et les atomes F du plan carré. **81. a)** 1) Enlever un e^- : $\Delta H > 0$; 2) ajouter un e^- : $\Delta H < 0$; 3) association entre le cation et l'anion : $\Delta H < 0$. **b)** Souvent, le signe de la somme des deux premiers processus est positif (ou non favorable), parce qu'il faut vaporiser le métal et rompre fréquemment une liaison dans un gaz diatomique. **c)** Pour qu'un composé ionique se forme, la somme doit être négative (exothermique). **d)** L'énergie de réseau doit être favorable pour surpasser le processus endothermique de la formation des ions, c'est-à-dire que l'énergie de réseau doit être une quantité négative élevée. **e)** Bien que Na_2Cl (ou $NaCl_2$) aurait une plus grande énergie de réseau que celle de NaCl, l'énergie pour former un ion Cl^{2-} (ou un ion Na^{2+}) doit être plus élevée que ce qui pourrait être gagné par l'énergie de réseau plus grande. Le même raisonnement s'applique à MgO comparé à MgO_2 et à Mg_2O. **83. a)** i) $\Delta H = -2636$ kJ ; ii) $\Delta H = -3471$ kJ ; iii) $\Delta H = -3453$ kJ ; **b)** la réaction iii), −8085 kJ/g.

85.

87.

angle de liaison de 120° autour de l'atome de carbone indiqué par 1 et de ~109,5° autour de l'atome d'azote indiqué par 2. Les angles de liaisons de l'azote sont légèrement inférieurs à 109,5° en raison de la répulsion due aux doublets libres sur l'azote. **89.** Masse molaire de X = 126,9 g/mol ; c'est l'élément I (iode) ; structure moléculaire : pyramidale à base carrée.

Chapitre 7

7. Dans la théorie des orbitales hybrides, les liaisons σ sont formées par le recouvrement axial d'une orbitale hybride avec une orbitale appropriée de l'atome lié. Les liaisons π se forment à partir d'orbitales atomiques non hybridées. Les orbitales p effectuent un recouvrement latéral pour former la liaison π, sans laquelle les électrons p occupent l'espace de part et d'autre de l'axe qui relie les deux atomes (l'axe internucléaire). En supposant que l'axe des z soit l'axe internucléaire, l'orbitale atomique p_z sera toujours hybridée, quelle que soit l'hybridation, sp, sp^2, sp^3, sp^3d ou sp^3d^2. Dans le cas de l'hybridation sp, les orbitales atomiques p_x et p_y ne sont pas hybridées ; elles sont utilisées pour former deux liaisons π avec les atomes liés. Dans le cas de l'hybridation sp^2, l'orbitale atomique p_x ou l'orbitale atomique p_z est hybridée (en même temps que les orbitales s et p_z) ; l'autre orbitale p est utilisée pour former une liaison p avec un atome lié. Pour l'hybridation sp^3, les orbitales s et toutes les p sont hybridées ; aucune orbitale atomique p non hybridée n'est présente, par conséquent aucune liaison π ne se forme avec l'hybridation sp^3. Pour l'hybridation sp^3d et sp^3d^2, on combine seulement une ou deux orbitales d dans le processus d'hybridation. **9.** On utilise les orbitales d lorsque l'atome central d'une molécule s'entoure de plus de huit électrons. Les éléments de la deuxième période ne s'entourent jamais de plus de huit électrons et ils n'hybrident donc jamais d'orbitales d. Pour les éléments de la troisième période et les éléments plus lourds, il y a des orbitales $3d$, $4d$, $5d$, etc., dont la valeur d'énergie est proche de celle des orbitales de valence s et p. Ce sont les non-métaux de la troisième période et les non-métaux plus lourds qui hybrident les orbitales d, si nécessaire. Pour le soufre, les électrons de valence sont dans des orbitales $3s$ et $3p$. Par conséquent, les orbitales $3d$ ont des énergies voisines et sont disponibles pour l'hybridation. L'arsenic hybride les orbitales $4d$ avec les orbitales $4s$ et $4p$, tandis que l'iode hybride les orbitales $5d$, étant donné que les électrons de valence sont au niveau $n = 5$. **11.** Les orbitales liantes se forment quand des orbitales en phase se combinent pour donner une interférence constructive, ce qui entraîne une augmentation de la probabilité de présence des électrons entre les deux noyaux. Le résultat final est qu'une OM liante a un niveau d'énergie inférieur à celui des orbitales atomiques qui la composent. Les orbitales antiliantes se forment lorsque des orbitales déphasées se combinent. Ces phases non appariées produisent une interférence destructive, ce qui mène à une zone nodale dans la probabilité de présence des électrons entre les noyaux. Comme la distribution électronique est repoussée vers l'extérieur, l'énergie d'une orbitale antiliante est supérieure à celle des orbitales atomiques qui la composent. **13.** La théorie des électrons localisés ne décrit pas de façon efficace les molécules comportant des électrons célibataires. On peut construire tous les diagrammes possibles pour NO avec son nombre impair d'électrons de valence, mais ne pas avoir une bonne appréciation si la liaison dans NO est plus faible ou plus forte que la liaison dans NO^-. La théorie des OM peut traiter les espèces ayant un nombre impair d'électrons sans aucune modification. De plus, la théorie des orbitales hybrides ne prédit pas si NO^- est paramagnétique. La théorie des OM fait cette prédiction correctement.

15. H_2O:

```
   O
  / \
 H   H
```

Dans H_2O, les paires d'électrons ont un arrangement tétraédrique autour de O (hybridation sp^3). Deux orbitales hybrides sp^3 établissent la liaison avec les deux atomes d'hydrogène ; les deux autres orbitales hybrides sp^3 retiennent les deux paires libres de l'oxygène.

17. L'éthane, C_2H_6, a 2(4) + 6(1) = 14 électrons de valence.

```
   H
   |    H
   |   /
H—C—C
   |  | \
   |  |  H
   H  H
```

Les atomes de carbone sont hybridés sp^3. Les six liaisons σ C—H sont formées par le recouvrement des orbitales hybrides sp^3 du C avec les orbitales $1s$ des atomes d'hydrogène. La liaison sigma carbone-carbone est formée par le recouvrement d'une orbitale hybride sp^3 sur chaque carbone. L'éthanol, C_2H_6O a 2(4) + 6(1) + 6 = 20 e^-.

```
   H  H
   |  |
H—C—C—O—H
   |  |
   H  H
```

Les deux atomes C et l'atome O sont hybridés sp^3. Toutes les liaisons sont formées par le recouvrement avec des orbitales hybrides sp^3. Les liaisons sigma C—H et O—H sont formées par le recouvrement des orbitales hybrides sp^3 avec des orbitales atomiques $1s$ de l'hydrogène. Les liaisons sigma C—C et C—O sont formées par le recouvrement des orbitales hybrides sp^3 de chaque atome. **19.** Voir l'exercice 6.54 pour les diagrammes de Lewis. Toutes ces molécules possèdent un arrangement octaédrique des doublets d'électrons autour de l'atome central ; toutes les molécules ont un atome central hybridé sp^3d^2.

21. a) tétraédrique, 109,5°, sp^3, non polaire

```
    :F:
     |
     C
   / | \
 :F  |  F:
    :F:
```

b) pyramide triangulaire, ≈109,5°, sp^3, polaire

```
:F—N
   / \
 :F:  F:
```

c) en V, < 109,5°, sp^3, polaire

```
   O
  / \
:F   F:
```

d) plane triangulaire, 120°, sp^3, non polaire

```
   :F:
    |
    B
   / \
  F   F
```

e) linéaire, 180°, sp, non polaire

H—Be—H

f) a ≈120°, à bascule, sp^3d, polaire
b ≈90°

```
:F b :F:
   \ |
  a  Te:
   / |
:F   :F:
```

g) a = 90°, bipyramidale triangulaire, sp^3d, non polaire
b = 120°

```
   :F:
:F  | a
  b  As—F:
:F   |
    :F:
```

h) linéaire, 180°, sp^3d, non polaire

```
:F—Kr—F:
```

i) plane carrée, 90°, sp^3d^2, non polaire

```
       :F:
       /
:F—Kr—F:
   /
 :F:
```

j) plane carrée, 90°, sp^3d^2, non polaire

```
   :F:  F:
    |  /
:F—Se—F:
   / |
 :F  :F:
```

k) 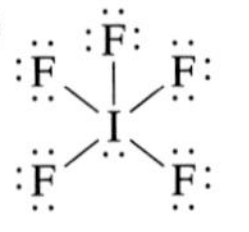 pyramide carrée, ≈90° ; sp^3d^2, polaire

l) 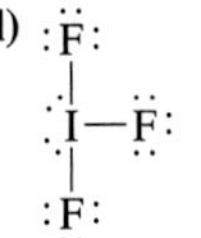 en T, ≈90°, sp^3d, polaire

m) 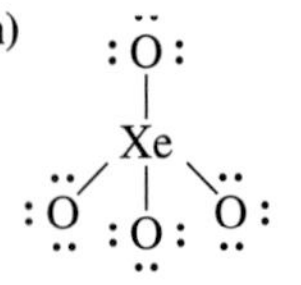 tétraédrique, ≈109,5°, sp^3, non polaire

23. Si les atomes n'étaient pas tous dans le même plan, la liaison π ne pourrait pas se former, puisque les orbitales *p* des atomes de carbone ne seraient pas parallèles.
25. Biacétyle

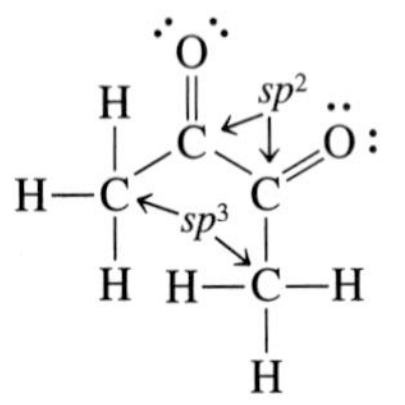

Tous les angles CCO, 120°. Les 6 atomes ne sont pas dans le même plan. 11σ et 2π.
Acétoïne

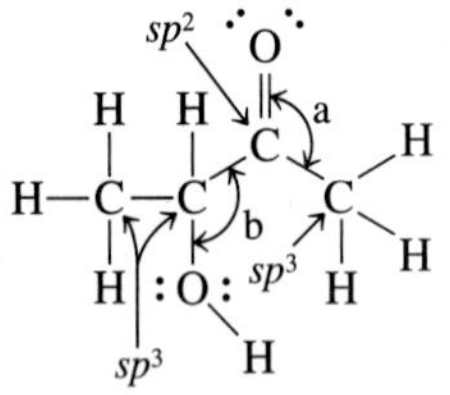

angle a = 120°, angle b = 109,5°, liaison 13σ et 1π. **27.** Pour compléter le diagramme de Lewis, ajouter des doublets d'électrons libres aux atomes ayant moins de 8 électrons ; **a)** 6 ; **b)** 4 ; **c)** le N central dans —N═N═N ; **d)** 33σ ; **e)** 5π ; **f)** 180° ; **g)** ≈109,5° ; **h)** sp^3. **29. a)** H_2^+, H_2, H_2^- ; **b)** He_2^{2+}, He_2^+. **31. a)** $(\sigma_{1s})^2$; O.L. = 1 ; diamagnétique ; **b)** $(\sigma_{2s})^2(\sigma_{2s}^*)^2(\pi_{2p})^2$; O.L. = 1 ; paramagnétique ; **c)** $(\sigma_{2s})^2(\sigma_{2s}^*)^2(\sigma_{2p})^2(\pi_{2p})^4(\pi_{2p}^*)^4$; O.L. = 1 ; diamagnétique. **33.** O_2 : $(\sigma_{2s})^2(\sigma_{2s}^*)^2(\sigma_{2p})^2(\pi_{2p})^4(\pi_{2p}^*)^2$; O.L. = 2 ; N_2 : $(\sigma_{2s})^2(\sigma_{2s}^*)^2(\pi_{2p})^4(\sigma_{2p})^2$; O.L. = 3. Dans O_2, un électron antiliant est enlevé et l'ordre de liaison augmente à $2,5 = \frac{(8-3)}{2}$; la liaison se renforce. Dans N_2, un électron liant est enlevé ce qui diminue l'ordre de liaison à $2,5 = \frac{(7-2)}{2}$; la liaison s'affaiblit.
35. Si on ne considère que les douze électrons de valence dans O_2, les modèles d'OM seraient :

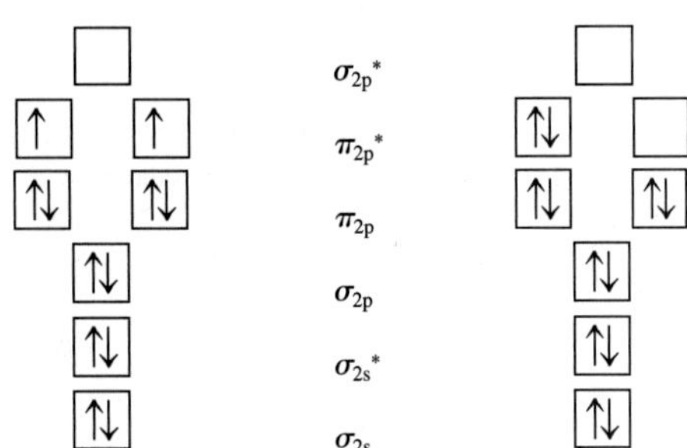

État fondamental de O_2

L'arrangement des e^- est conforme au diagramme de Lewis (liaison double et aucun électron célibataire).

Il faut fournir de l'énergie pour apparier des électrons dans la même orbitale. Par conséquent, le diagramme sans électron célibataire est à un niveau d'énergie plus élevé ; c'est un état excité. **37. a)** NO^+ : $(\sigma_{2s})^2(\sigma_{2s}^*)^2(\pi_{2p})^4(\sigma_{2p})^2$; O.L. = 3 ; diamagnétique ; **b)** NO : $(\sigma_{2s})^2(\sigma_{2s}^*)^2(\pi_{2p})^4(\sigma_{2p})^2(\pi_{2p}^*)^1$; O.L. = 2,5 ; paramagnétique ; **c)** NO^- : $(\sigma_{2s})^2(\sigma_{2s}^*)^2(\pi_{2p})^4(\sigma_{2p})^2(\pi_{2p}^*)^2$; O.L. = 2 ; paramagnétique. **39.** CN : $(\sigma_{2s})^2(\sigma_{2s}^*)^2(\pi_{2p})^4(\sigma_{2p})^1$; NO : $(\sigma_{2s})^2(\sigma_{2s}^*)^2(\pi_{2p})^4(\sigma_{2p})^2(\pi_{2p}^*)^1$; O_2^+ : $(\sigma_{2s})^2(\sigma_{2s}^*)^2(\sigma_{2p})^2(\pi_{2p})^4$; N_2^{2+} : $(\sigma_{2s})^2(\sigma_{2s}^*)^2(\pi_{2p})^4$. CN formera probablement CN^-, étant donné que l'ordre de liaison augmente (contrairement à NO^- dans lequel l'électron ajouté va dans une orbitale antiliante). Entre O_2^{2+} et N_2^{2+}, N_2^{2+} se formera probablement étant donné que l'ordre de liaison augmente (contrairement à O_2^+ comparé à O_2^{2+}).
41.

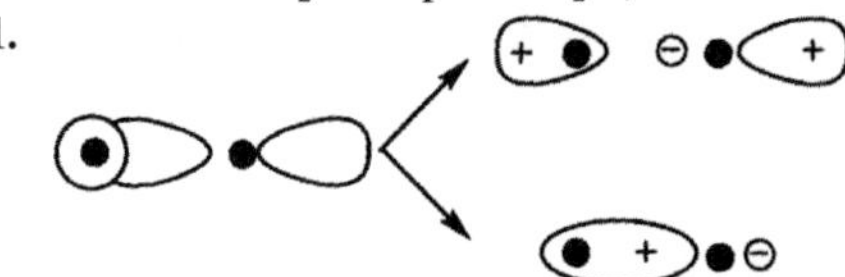

Ces orbitales moléculaires sont de type σ puisque leur densité électronique est dans l'axe internucléaire. **43. a)** L'OM antiliante sera celle qui aura le plus de caractère 1*s* puisqu'elle s'en rapproche le plus au point de vue énergétique ; **b)** Non, parce qu'elle n'a pas la bonne symétrie pour recouvrir une orbitale 1*s*. Les orbitales $2p_x$ et $2p_y$ de l'oxygène sont des orbitales non liantes.

c)

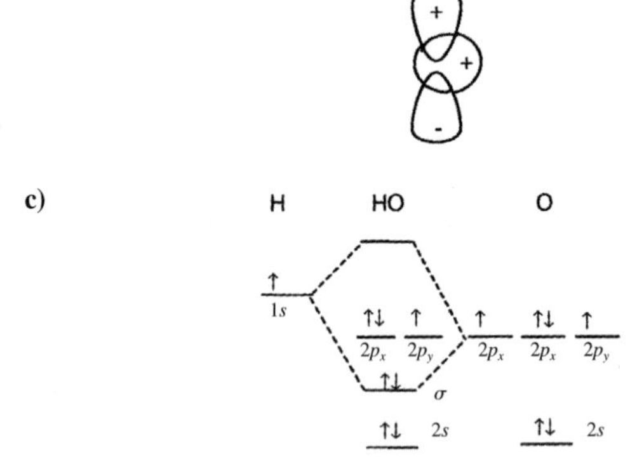

d) ordre de liaison = 2 − 0/2 = 1 ; note : les électrons 2*s*, $2p_x$ et $2p_y$ n'ont aucun effet sur l'ordre de liaison ; **e)** pour former OH^+, on enlève un électron non liant, ce qui ne modifie pas le nombre des e^- liants et antiliants. L'ordre de liaison demeure le même. **45.** Les diagrammes de Lewis pour CO_3^{2-} sont ($24\ e^-$) :

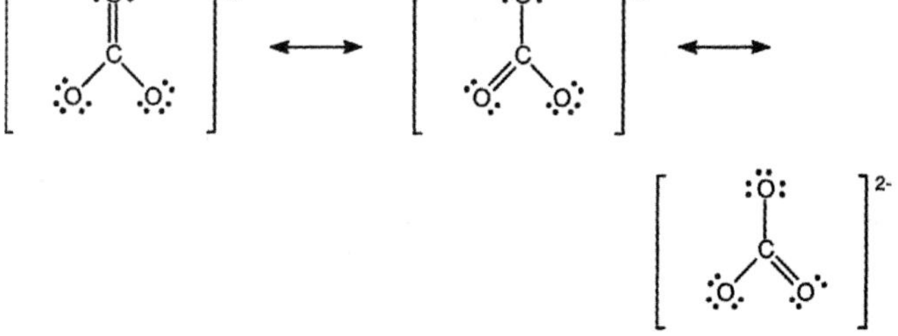

Selon la théorie des É.L., l'atome de carbone est hybridé sp^3 et les trois orbitales hybrides servent à former trois liaisons σ de la molécule. L'atome C a aussi une orbitale non hybride *p* se recouvrant avec une autre orbitale *p* d'un des O pour former le lien π dans chaque forme de résonance. Cette liaison π se déplace (résonne) d'une position à l'autre. Selon la théorie des OM, les 4 atomes de CO_3^{2-} ont une orbitale *p* perpendiculaire au plan de l'ion et se recouvrent en même temps pour former un système π délocalisé dans lequel les électrons π couvrent toute la surface de l'ion, tout comme le système π de l'ion NO_3^- montré à la figure 7.49 du texte de base. **47. a)** 21 σ ; 4 π (les électrons dans les 3 liaisons π du cycle sont délocalisés) ; **b)** angles a, c et g : ≈109,5° ; angles b, d, e et f : ≈120° ; **c)** 6 carbones sp^2 ; les 5 atomes de carbone dans le cycle sont hybridés sp^2, tout comme le carbone qui forme une double liaison avec l'oxygène ; **d)** 4 atomes sp^3 ; les 2 carbones qui ne sont pas hybridés sp^2 sont hybridés sp^3, et les oxygènes indiqués par les angles a et c sont hybridés sp^3 ; **e)** oui, les électrons π dans le cycle sont délocalisés. Les atomes du cycle sont tous hybridés sp^2. Cela laisse une orbitale p perpendiculaire au plan du cycle pour chaque atome. Le recouvrement des six orbitales p donne un système d'orbitales moléculaires π dans lequel les électrons sont délocalisés de part et d'autre du plan du cycle (semblable au benzène montré à la figure 7.48 du texte de base). **49.** La rotation peut se faire librement autour d'une liaison simple (σ) mais pas autour d'une liaison double ($\pi + \sigma$). Pour que la rotation soit possible, il faut briser la liaison π et la reformer plus tard. C═C : 614 kJ/mol, CC : 347 kJ/mol. Il faut fournir (614 − 347) kJ/mol = 267 kJ/mol pour briser la liaison p. **51. a)** Oui ; structure tétraédrique ; **b)** hybridation sp^3 ; **c)** on doit utiliser une des orbitales d de P pour former la liaison π ; **d)** la deuxième parce que tous les atomes ont une charge formelle nulle. **53.** C_2^{2-} a 10 e^- de valence. Le diagramme de Lewis prédit une hybridation sp pour chaque atome de carbone avec deux orbitales p non hybridées sur chaque carbone.

$[:C{\equiv}C:]^{2-}$

Les orbitales hybrides sp forment la liaison s et les deux orbitales atomiques non hybridées de chaque carbone forment les deux liaisons π. OM : $(\sigma_{2s})^2(\sigma_{2s}^*)^2(\pi_{2p})^4(\sigma_{2p})^2$; O.L. = 3 ; les deux théories donnent la même représentation, une liaison triple composée d'une liaison σ et de deux liaisons π. Les deux prédisent que l'ion sera paramagnétique. Les diagrammes de Lewis décrivent bien les espèces diamagnétiques (tous les électrons appariés). Le modèle selon Lewis ne peut pas vraiment prédire les propriétés magnétiques. **55.** Molécule A : tétraèdre, hybridation sp^3 ; molécule B : 6 doublets d'e^- autour de l'atome central, hybridation sp^3d^2 ; molécule C : deux liaisons σ et deux liaisons π autour de l'atome central, soit deux liaisons doubles autour de l'atome central (comme CO_2), soit une liaison triple et une liaison simple (comme HCN). La molécule C est conforme à un arrangement linéaire des doublets d'électrons présentant une hybridation sp. Exemples de molécules possibles :

molécule A : CH_4 molécule B : XeF_4 molécule C : CO_2 ou HCN

57. a) Non, certains atomes sont attachés différemment ; **b)** structure 1 : tous les N = sp^3, tous les C = sp^2 ; structure 2 : tous les N et C = sp^2 ; **c)** la structure 1 avec liaisons doubles carbone-oxygène est légèrement plus stable. **59.** N_2, N, N_2^+ et N^+ seront tous présents. La lumière, de longueur d'onde autour de 85,33 nm, à 127 nm produira N, mais aucun ion. **61.** O.L. de NO dans NOCl = 2, alors que dans NO, O.L. = 2,5 (*voir l'exercice 37*). Les deux réactions semblent n'impliquer que la rupture de la liaison N—Cl. Cependant, dans la réaction ONCl → NO + Cl, de l'énergie est libérée lors de la formation de la liaison plus forte entre N et O, avec baisse de ΔH. Donc, l'énergie de liaison N—Cl apparente est artificiellement basse dans cette réaction. La première réaction n'implique que la rupture de la liaison N—Cl. **63. a)** La liaison CO est polaire, l'extrémité négative étant autour de l'atome d'oxygène qui est plus électronégatif. On s'attend que les cations métalliques soient attirés par l'oxygène de CO et s'y lient en se basant sur l'électronégativité ;

b) :C≡O: CF (carbone) = $4 - 2 - \frac{1}{2}(6) = -1$;
CF (oxygène) = $6 - 2 - \frac{1}{2}(6) = +1$;

selon les charges formelles, les cations métalliques se lient au carbone (qui porte la charge formelle négative) ; **c)** dans la théorie des OM seules les orbitales possédant la symétrie appropriée se recouvrent pour former des orbitales liantes. Les métaux qui forment des liaisons avec CO sont généralement des métaux de transition qui ont tous des électrons de la couche externe dans des orbitales d. Les seules orbitales moléculaires de CO qui ont une symétrie appropriée pour effectuer un recouvrement avec les orbitales d sont les orbitales π_{2p}*, dont la forme est semblable à celle des orbitales d (*voir la figure 7.34*). Étant donné que les orbitales moléculaires antiliantes ont davantage le caractère du carbone (le carbone est moins électronégatif que l'oxygène), on s'attend à ce que la liaison se forme avec le carbone. **65.** L'élément X a 36 protons ce qui correspond au Kr. L'élément Y a un électron de moins que Y^-, de sorte que la configuration électronique de Y est $1s^22s^22p^5$. C'est F.

KrF_3^+, $8 + 3(7) - 1 = 28\ e^-$

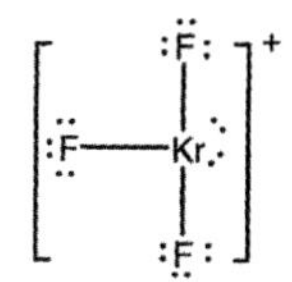

Molécule en forme de T, sp^3d.

Chapitre 8

11. $C_{25}H_{52}$ possède les forces intermoléculaires les plus fortes parce qu'il a un point d'ébullition plus élevé. Bien que $C_{25}H_{52}$ soit non polaire, il est si gros que ses forces de dispersion de London (FDL) sont beaucoup plus fortes que la somme des FDL et des liaisons hydrogène présentes dans H_2O. **13.** Température critique : température au-dessus de laquelle la vapeur ne peut-être liquéfiée, quelle que soit la pression ; pression critique : pression minimale qu'il faut exercer sur une substance, à sa température critique, pour la transformer en liquide ; au-dessus de la température critique, toutes les molécules ont une énergie cinétique supérieure à l'énergie d'attraction intermoléculaire et ne peuvent donc pas être liquéfiées. **15.** Un arrangement régulier et répétitif des atomes est nécessaire pour qu'il y ait diffraction. Le solide cristallin présente une figure de diffraction simple. **17. a)** Lorsque les forces intermoléculaires augmentent, la vitesse d'évaporation diminue ; **b)** T augmente : vitesse augmente ; **c)** surface plus grande : vitesse augmente. **19.** À cette température, le liquide gèle. Par la suite, la glace formée peut se sublimer. **21.** La force des interactions intermoléculaires détermine les points d'ébullition relatifs. Les types de forces intermoléculaires pour les composés covalents sont les FDL, les forces dipôle-dipôle et les liaisons hydrogène. Étant donné qu'on suppose que les trois composés ont une masse molaire et une géométrie semblables, l'intensité des FDL sera à peu près égale entre les trois composés. L'un des composés sera non polaire, donc il ne présente que des FDL. Les deux autres composés sont polaires de sorte qu'ils ont des forces dipôle-dipôle supplémentaires et leurs points d'ébullition seront plus élevés que celui du composé non polaire. Un des composés polaires a un H qui forme une liaison covalente, soit avec N, O ou F. Cela donne naissance au type le plus fort de forces intermoléculaires, la liaison hydrogène. Le composé qui forme des liaisons hydrogène a le point d'ébullition le plus élevé, alors que le composé polaire qui n'a pas de liaison hydrogène a un point d'ébullition qui se situe entre ceux des autres composés. **23.** Parce que le carbure de silicium est composé d'éléments du groupe 4A et qu'il est extrêmement dur, on s'attend à ce que SiC forme une structure en réseau covalent semblable à celle du diamant. **25. a)** Ionique ; **b)** FDL principalement ; les liens C—F sont polaires, mais les molécules sont tellement grosses que les FDL deviennent prédominantes ; **c)** FDL seulement ; **d)** FDL et dipôle-dipôle ; **e)** liaison H ; **f)** dipôle-dipôle, FDL ; **g)** FDL. **27.** Ar existe sous forme d'atomes individuels qui sont retenus ensemble dans les phases condensées par les FDL. La molécule qui a le point d'ébullition le plus près de Ar sera une substance non polaire ayant à peu près la même masse molaire que Ar (39,95 g/mol) ; cette substance non polaire de la même taille aura des FDL d'importance à peu près équivalente. Parmi les choix, seuls Cl_2 (70,90 g/mol) et F_2 (38,00 g/mol) sont non polaires. Comme la masse molaire de F_2 est plus près de celle de Ar, on s'attend à ce que le point d'ébullition de F_2 soit près de celui de Ar. **29. a)** HCl ; dipôle + FDL ; **b)** NaCl : forces ioniques plus importantes ; **c)** I_2 : molécule plus grosse donc FDL plus importantes ; **d)** N_2 : le plus petit des composés non polaires présents, FDL les plus faibles ; **e)** CH_4 : le plus petit non polaire présent, FDL les plus faibles ; **f)** HF : peut former des liaisons H plus fortes que les autres composés ; **g)** $CH_3CH_2CH_2OH$ peut former des liaisons H relativement fortes. **31.** Une molécule de la surface d'une gouttelette est seulement soumise aux attractions des molécules qui sont situées en dessous et de chaque côté d'elle. Cette attraction inégale sur les molécules de la surface a pour effet de les attirer à l'intérieur du liquide et de forcer la gouttelette à prendre la forme qui offre un minimum de surface, soit celle d'une sphère. **33.** CO_2 est un gaz à température normale. Une augmentation des points de fusion et d'ébullition traduit une augmentation des forces intermoléculaires. Donc l'intensité de ces forces augmente de CO_2 à CS_2 à CSe_2. Les trois substances étant non polaires, seules les FDL sont présentes. Comme la taille des molécules augmente de CO_2 à CSe_2, l'intensité des FDL augmente aussi. **35.** $7{,}04 \times 10^{-11}$ m = 0,704 Å. **37.** Masse molaire = 108 g/mol ; Ag. **39.** Structure à mailles cubiques centrées. **41.** Type *p*. **43.** $2{,}72 \times 10^{-19}$ J. **45.** NiAs. **47.** $ZnAl_2S_4$. **49.** Structure de NaCl ; $6{,}15 \times 10^{-9}$ cm. **51. a)** CO_2 : moléculaire ; **b)** SiO_2 : réseau covalent ; **c)** Si : atomique, réseau covalent ; **d)** CH_4 : moléculaire ; **e)** Ru : atomique, métallique ; **f)** I_2 : moléculaire ; **g)** KBr : ionique ; **h)** H_2O : moléculaire ; **i)** NaOH : ionique ; **j)** U : atomique, métallique ; **k)** $CaCO_3$: ionique ; **l)** PH_3 : moléculaire. **53.** $CaTiO_3$; 6 O autour de chaque Ti. **55. a)** Structure a : $TlBa_2CuO_5$; structure b) : $TlBa_2CaCu_2O_7$; structure c) : $TlBa_2Ca_2Cu_3O_9$; structure d) : $TlBa_2Ca_3O_{11}$; **b)** a < b < c < d ; **c)** $TlBa_2CuO_5$: Cu^{3+} ; $TlBa_2CaCu_2O_7$: 1 Cu^{2+} et 1 Cu^{3+} ; $TlBa_2Ca_2Cu_3O_9$: 2 Cu^{2+} et 1 Cu^{3+} ; $TlBa_2Ca_3O_{11}$: 3 Cu^{2+} et 1 Cu^{3+} ; en variant le nombre des atomes Ca, Cu et O dans chaque maille. Celui de l'exercice 54 obtient des états d'oxydation variables en omettant des atomes O à divers endroits du réseau. **57.** ΔH_{vap} = 38 kJ/mol ; T = 357 K. **59.** 194 atm. **61.** −172 kJ. **63.** Non ; la température se maintient à 0 °C. **65. a)** 2 ; **b)** point triple à 96 °C : orthorhombique, monoclinique, gaz ; point triple à 119 °C : monoclinique, liquide, gaz ; **c)** la phase solide orthorhombique est stable à T = 20 °C et P = 1,0 atm ; **d)** oui, car ces deux phases partagent une ligne commune ; **e)** la pression de vapeur à 119 °C est de 0,027 torr. Il faut donc une température supérieure à 119 °C pour atteindre la pression de vapeur de 760 torr correspondant au point d'ébullition normal.

67.

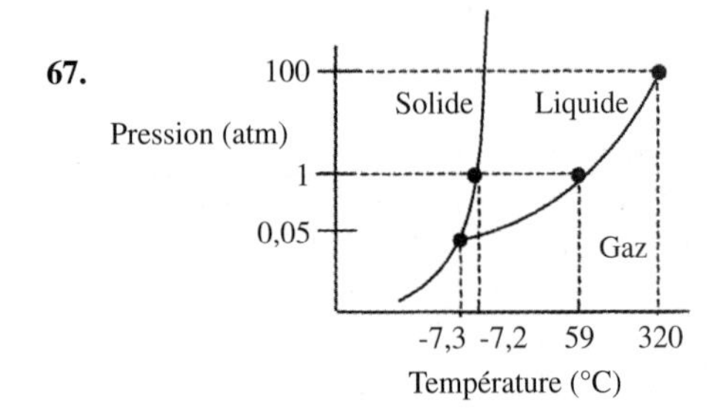

Les pentes positives de toutes les courbes indiquent que $Br_2(s)$ est plus dense que $Br_2(l)$ qui est plus dense que $Br_2(g)$. À la température ambiante (~22 °C) et à 1 atm, $Br_2(l)$ est la phase stable. $Br_2(l)$ ne peut pas exister à une température inférieure à celle du point triple (−7,3 °C) et à une température supérieure à celle du point critique (320 °C). Les changements de phase qui ont lieu au fur et à mesure que la température augmente à 0,10 atm sont solide → liquide → gaz. **69.** 1. Benzène : molécule plane non polaire, naphtalène : molécule plane non polaire, CCl_4 : molécule tétraédrique non polaire ; les forces intermoléculaires sont de type FDL dans les trois cas. La taille des molécules est dans l'ordre CCl_4 < C_6H_6 < $C_{10}H_8$. Les FDL sont dans le même ordre et comme le point d'ébullition, le point de fusion et la chaleur de vaporisation augmentent lorsque les forces intermoléculaires augmentent, les propriétés physiques des trois composés devraient être dans le même ordre, ce qui est le cas. 2. Acétone : molécule polaire, FDL, forces dipôle-dipôle ; acide acétique : molécule polaire, FDL, forces dipôle-dipôle, liaison hydrogène ; acide benzoïque : molécule polaire, FDL, forces dipôle-dipôle, liaison hydrogène ; l'ordre d'importance des forces intermoléculaires devrait être le suivant : acétone < acide acétique < acide benzoïque, puisque pour CH_3COCH_3, il n'y a pas de liaison hydrogène et que les FDL pour C_6H_5COOH sont plus fortes que pour CH_3COOH, la molécule étant plus grosse. Les propriétés physiques des trois composés devraient être dans le même ordre, ce qui est le cas. 3. Comparaison des 6 substances : en se basant sur les propriétés physiques pour établir l'ordre d'importance des forces intermoléculaires, on obtient : CH_3COCH_3 < CCl_4 < C_6H_6 < CH_3COOH < $C_{10}H_8$ < C_6H_5COOH. Il serait difficile de prédire que les forces intermoléculaires pour CH_3COCH_3 qui est polaire sont plus faibles que pour CCl_4 qui est non polaire. Cela pourrait être dû aux FDL qui seraient particulièrement faibles pour CH_3COCH_3 ou particulièrement fortes pour CCl_4 à cause du grand nombre d'électrons qui rend la molécule polarisable. De plus, les FDL doivent être particulièrement fortes pour $C_{10}H_8$, probablement à cause de sa forme plane qui permet aux molécules de se rapprocher. **71.** Au fur et à mesure que l'électronégativité des atomes liés à l'hydrogène augmente, la force de la liaison hydrogène augmente. La liaison la plus faible devrait être N...H—N, suivie de N...H—O puis de O...H—O, etc. **73.** Un atome B et un atome N possèdent ensemble le même nombre d'e^- que deux atomes C. Le solide onctueux a des propriétés qui ressemblent à celles du graphite. Sa structure devrait ressembler à celle du graphite, c'est-à-dire lamellaire. La deuxième forme a des propriétés qui ressemblent à celles du diamant (dureté). Sa structure devrait ressembler à celle du diamant, c'est-à-dire que les atomes sont placés aux sommets des tétraèdres. **75.** 4,65 kg/h. **77.** ΔH = 30,79 kJ ; ΔE = 27,86 kJ. **79.** Les deux molécules peuvent former des liaisons hydrogène. Dans l'essence de Wintergreen, les liaisons hydrogène sont intramoléculaires.

Dans l'hydroxy-4-méthylbenzoate, les liaisons hydrogène sont intermoléculaires, par conséquent, les forces intermoléculaires sont plus fortes, et le point de fusion est plus élevé. **81. a)** Structure de type NaCl ; **b)** 84 pm. **83.** Chaque maille élémentaire contient 8 formules Al_2MgO_4, c'est-à-dire 16 atomes Al, 8 atomes Mg et 32 atomes O.

85.

Avec la chute de P, on passe de *a* à *b* sur le graphique de phase. L'eau bout. L'évaporation de l'eau est endothermique et l'eau est refroidie (*b* → *c*), formant de la glace. Si la pompe demeure en marche, il y aura sublimation de la glace jusqu'à sa disparition. C'est le principe de la lyophilisation. **87.** C_2H_6O, 2(4) + 6(1) + 6 = 20 e^-. Comme l'hydrogène ne forme qu'une liaison simple, H ne peut pas être l'atome central. Les deux diagrammes possibles ayant deux liaisons et deux doublets d'électrons libres pour O sont :

Liquide (liaison H) Gaz (aucune liaison H)

Le premier diagramme avec le groupe −OH est capable de former une liaison hydrogène ; l'autre diagramme ne le peut pas. Par conséquent, le liquide (qui possède les forces intermoléculaires les plus fortes) est le premier diagramme et le gaz est le deuxième. **89.** Rh: rhodium; $\rho = 12{,}42$ g/cm^3.

Chapitre 9

1. L'attraction gravitationnelle n'est pas assez forte pour retenir H_2 dans l'atmosphère. **3.** Dans le graphite, les plans des atomes de carbone glissent facilement les uns sur les autres. Le graphite n'est pas volatil, alors que les huiles et les graisses le sont. **5.** Les éléments du groupe 3A ayant un électron de moins que Si ou Ge, ils contribuent à former un semi-conducteur de type *p*. **7.** Pour les groupes 1A à 3A, la petite taille de H (comparée à celle de Li), de Be (comparée à celle de Mg) et de B (comparée à celle de Al) semble être la raison pour laquelle ces éléments ont des propriétés de non-métaux alors que les autres éléments de ces groupes sont des métaux. La petite taille de H, Be et B est également responsable du fait que ces espèces polarisent le nuage électronique des non-métaux, ce qui provoque un partage des électrons quand une liaison se forme. Pour les groupes 4A à 6A, la capacité à former des liaisons π constitue une différence majeure entre le premier et le deuxième membre d'un groupe. Les éléments plus petits forment des liaisons π stables, alors que les éléments plus gros sont incapables d'effectuer un bon recouvrement entre les orbitales *p* parallèles et ne forment pas de liaisons π fortes. Pour le groupe 7A, la petite taille de F, comparée à celle de Cl, sert à expliquer la faible affinité électronique de F et la faiblesse de la liaison F—F. **9. a)** Oxyde de lithium; **b)** superoxyde de potassium; **c)** peroxyde de sodium. **11. a)** $Li_3N(s) + 3\ HCl(aq) \rightarrow 3\ LiCl(aq) + NH_3(aq)$; **b)** $Rb_2O(s) + H_2O(l) \rightarrow 2\ RbOH(aq)$; **c)** $Cs_2O_2(s) + 2\ H_2O(l) \rightarrow 2\ CsOH(aq) + H_2O_2(aq)$; **d)** $NaH(s) + H_2O(l) \rightarrow NaOH(aq) + H_2(g)$. **13.** $2\ Li(s) + 2\ C_2H_2(g) \rightarrow 2\ LiC_2H(s) + H_2(g)$; oxydation-réduction. **15. a)** Carbonate de magnésium; **b)** sulfate de baryum; **c)** hydroxyde de strontium. **17.** $CaCO_3(s) + H_2SO_4(aq) \rightarrow CaSO_4(aq) + H_2O(l) + CO_2(g)$. **19.** En phase gazeuse, BeF_2 est une molécule linéaire:

:F—Be—F:

à l'état solide, BeF_2 possède la structure étendue suivante:

F F F Be Be Be F F F

21. a) AlN; **b)** GaF_3; **c)** Ga_2S_3. **23.** $B_2H_6 + 3\ O_2 \rightarrow 2\ B(OH)_3$. **25.** $2\ Ga(s) + 3\ F_2(g) \rightarrow 2\ GaF_3(s)$; $4\ Ga(s) + 3\ O_2(g) \rightarrow 2\ Ga_2O_3(s)$; $16\ Ga(s) + 3\ S_8(s) \rightarrow 8\ Ga_2S_3(s)$; $2\ Ga(s) + N_2(g) \rightarrow 2\ GaN(s)$ (Note: On prédit la formation de GaN, mais en pratique cette réaction n'a pas lieu.); $2\ Ga(s) + 6\ HCl(aq) \rightarrow 2\ GaCl_3(aq) + 3\ H_2(g)$.

27. CS_2: :S=C=S: linéaire; C_3S_2: :S=C=C=C=S: linéaire

29. $Sn(s) + 2\ Cl_2(g) \rightarrow SnCl_4(l)$; $Sn(s) + O_2(g) \rightarrow SnO_2(s)$; $Sn(s) + 2\ HCl(aq) \rightarrow SnCl_2(aq) + H_2(g)$. **31.** Les électrons *p* sont libres de se déplacer dans le graphite, d'où une plus grande conductivité (plus faible résistance). Les électrons ont une plus grande mobilité dans les couches des atomes de carbone. Dans le diamant, les électrons ne sont pas mobiles (grande résistance). Comme la structure du diamant est uniforme dans toutes les directions, la résistivité est donc indépendante de la direction. **33.** Chaleur libérée: 2,00 kJ; pour faire fondre 50,0 g de glace, il faut 16,7 kJ. La glace ne fond pas: la température se maintient à 0 °C.

35.

H H H B N N H B B H N H ⟷ H H H B N N H B B H N H

37. Pour 589,0 nm: $n = 5{,}090 \times 10^{14}\ s^{-1}$; $E = 3{,}373 \times 10^{-19}$ J; pour 589,6 nm: $n = 5{,}085 \times 10^{14}\ s^{-1}$; $E = 3{,}369 \times 10^{-19}$ J; 203,1 kJ/mol et 202,9 kJ/mol. **39. a)** $Ca_3Al_2O_6$; **b)** $Ca_9Al_6O_{18}$; **c)** les liaisons entre Al et O sont covalentes: les orbitales hybrides sp^3 de Al se recouvrent avec les hybrides sp^3 de O pour former les liaisons sigma. **41.** $Pb(NO_3)_2(aq) + H_3AsO_4(aq) \rightarrow PbHAsO_4(s) + 2\ HNO_3(aq)$. **43.** Le carbone ne peut pas effectuer la cinquième liaison nécessaire à l'état de transition à cause de sa petite taille et parce qu'il ne possède pas d'orbitales *d* de faible énergie pour excéder le nombre requis par la règle de l'octet. **45.** L'iode, I. **47. a)** 7,1 g de InP; **b)** 979 nm, non visible; **c)** semi-conducteur de type *n*.

Chapitre 10

1. Cela est dû à la capacité de l'azote à former des liaisons π fortes, alors que les éléments plus lourds du groupe 5A ne forment pas de liaisons π fortes. Par conséquent, P_2, As_2 et Sb_2 ne se forment pas, étant donné qu'il faut deux liaisons π pour former ces substances diatomiques. **3.** Le chlore est un bon agent oxydant, de même que l'ozone. Une fois que le chlore a réagi, il reste des composés chlorés. Une exposition à long terme à des composés chlorés peut causer le cancer. L'ozone ne se décompose pas pour former des substances nocives. Le principal problème de l'ozone est qu'il n'en reste à peu près pas après le traitement initial, et l'approvisionnement en eau n'est pas protégé contre une nouvelle contamination. Par contre, la chlorination laisse suffisamment de chlore résiduel après le traitement, ce qui réduit (élimine) le risque de contamination.

5. sp^3: HBr H—Br: et IBr :I—Br:

sp^3d: BrF_3; en forme de T; sp^3d^2: BrF_5; pyramide à base carrée. **7.** La petite taille de N ne laisse pas de place aux quatre atomes O, ce qui rend NO_4^{3-} instable. P est plus gros et PO_4^{3-} est donc plus stable. Une liaison $\times$ est nécessaire à la formation de NO_3^-. P n'établit pas de liaisons $\times$ aussi facilement que N. **9.** $NO_2 = N_2O_4 < NO < N_2O$. **11. a)** $NH_4NO_3(s) \xrightarrow{\text{chaleur}} N_2O(g) + 2\ H_2O(g)$; **b)** $2\ N_2O_5(g) \rightarrow 4\ NO_2(g) + O_2(g)$; **c)** $2\ K_3P(s) + 6\ H_2O(l) \rightarrow 2\ PH_3(g) + 6\ KOH(aq)$; **d)** $PBr_3(l) + 3\ H_2O(l) \rightarrow H_3PO_4(aq) + 3\ HBr(aq)$; **e)** $2\ NH_3(aq) + NaOCl(aq) \rightarrow N_2H_4(aq) + NaCl(aq) + H_2O(l)$. **13.** $CaF_2 \cdot 3Ca_3(PO_4)_2(s) + 10\ H_2SO_4(aq) + 20\ H_2O(l) \rightarrow 6\ H_3PO_4(aq) + 2\ HF(aq) + 10\ CaSO_4 \cdot 2H_2O(s)$. **15.** 2,08 mol NaN_3. **17.** $N_2H_4(l) + O_2(g) \rightarrow N_2(g) + 2\ H_2O(g)$; $\Delta H = -590$ kJ. **19.** Pour $NCl_3 \rightarrow NCl_2 + Cl$, il y a seulement rupture du lien N—Cl. Mais pour O=N—Cl $\rightarrow$ NO + Cl, il y a augmentation de l'ordre de liaison pour NO (de 2 à 2,5), en plus de la rupture du lien N—Cl. En conséquence, la ΔH de réaction est plus faible parce que NO devient plus stable.
21. a) SbF_5: sp^3d;

F F F Sb F F

HSO_3F: sp^3;

O S F O O—H

$H_2SO_3F^+$: sp^3;

[O—H S F O O—H]

F_5SbOSO_2FH: Sb: sp^3d^2 et S: sp^3;

F F O—H F—Sb—O—S—F F F O

$F_5SbOSO_2F^-$: Sb : sp^3d^2 et S : sp^3 ;

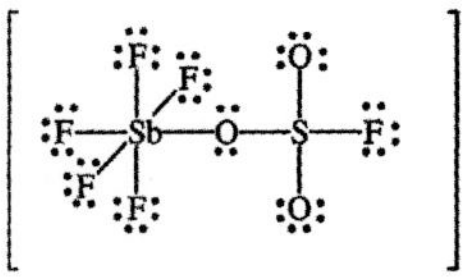

b) $H_2SO_3F^+$. **23. a)** $2\ SO_2(g) + O_2(g) \rightarrow 2\ SO_3(g)$; **b)** $SO_3(g) + H_2O(l) \rightarrow H_2SO_4(aq)$; **c)** $2\ Na_2S_2O_3(aq) + I_2(aq) \rightarrow Na_2S_4O_6(aq) + 2\ NaI(aq)$; **d)** $Cu(s) + 2\ H_2SO_4(aq) \rightarrow CuSO_4(aq) + 2\ H_2O(l) + SO_2(aq)$. **25.** 0,301 g H_2O_2 ; $3{,}6 \times 10^{-2}$ g HCl n'ont pas réagi.

27. a)

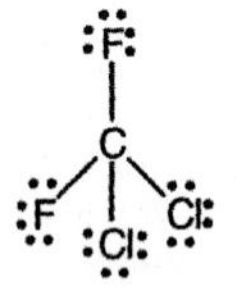

tétraèdre, 109,5°, sp^3 ;

b)

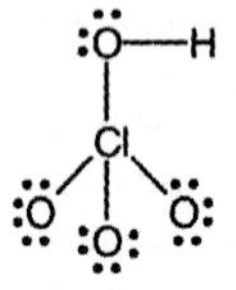

Autour de Cl : tétraèdre, 109,5°, sp^3 ; autour de O : en forme de V, ≈109,5°, sp^3 ;

c)

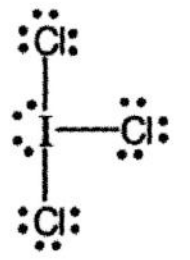

En forme de T, ≈90°, sp^3d ;

d)

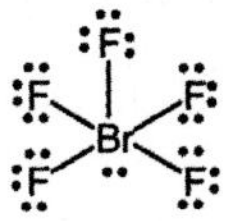

Pyramide à base carrée, ≈90°, sp^3d^2.

29. Formation : $F_2 + H_2O \rightarrow HOF + HF$; décomposition : $2\ HOF \rightarrow 2\ HF + O_2$; milieu acide : $HOF + H_2O \rightarrow HF + H_2O_2$; milieu basique : $HOF + OH^- \rightarrow OF^- + H_2O$ et $OF^- + H_2O \rightarrow F^- + O_2 + H_2$. **31.** XeF_2 peut réagir avec l'oxygène pour produire des oxydes et des oxyfluorures de xénon explosifs. **33.** L'atome d'azote est petit. Plus les atomes d'halogènes sont volumineux, plus il leur est difficile de trouver de la place autour de l'atome central. **35. a)** 6 ; **b)** possibilités : O, S, Se et Te ; **c)** LiX_2 ; **d)** plus petit ; **e)** plus petite. **37. a)** La réaction de l'atome de chlore est emprisonnée dans le cristal. Lorsque la lumière est coupée, Cl réagit avec les atomes d'argent pour reformer AgCl (réaction inverse). Dans AgCl pur, les atomes Cl s'échappent et la réaction inverse est impossible. **b)** Avec le temps, le Cl se perd et l'argent métallique foncé demeure. **39.** Formule de l'ion : EO_3^- ; pyramidale à base triangulaire ; ≈109,5° ; éléments possibles pour E : F, Cl, Br ou I. **41.** Formules empirique et moléculaire : XeF_2. **43. a)** $P_{NH_3} = 0{,}500$ atm ; **b)** $\chi_{NH_3} = 0{,}500$; **c)** $V_{final} = 10{,}0$ L.

Crédits

Couverture : Red sphere : © Perry Mastrovito/Corbis. **Chapitre 1** p. xxiv : Ed Reschke ; p. 2 (haut, gauche), DI/Veeco Metrology ; p. 2 (haut, droite), Courtoisie, Dr. Randall M. Feenstra ; p. 2 (bas) : Courtoisie, IBM Research, Almaden Research Center. Tous droits réservés ; p. 3 (haut, gauche) : Courtoisie, David Wineland ; p. 3 (photo en médaillon) : Dr. Jeremy Burgess/Science Photo Library/Photo Researchers, Inc. ; p. 3 (bas, droite) : Place Stock Photo.com ; p. 4 : Dennis Brack/Estock/National Gallery of Art, Washington DC, Gallery Archives ; p. 6 : Corbis/Bettmann ; p. 8 (haut) : NASA ; p. 8 (bas) : Steve Borick/American Color ; p. 10 : Courtoisie, MettlerToledo ; p. 16 : Steve Borick/American Color ; p. 21 : Peter Steiner/The Stock Market/Corbis ; p. 23 (haut) : Courtoisie, Briton Engeneering Developments ; p. 23 (bas) : Richard Megna/Fundamental Photographs ; p. 27 : Ken O'Donoghue ; p. 28 (bas) : Kristen Brockman/Fundamental Photographs. **Chapitre 2** p. 36 : UNEP/Peter Arnold, Inc. ; p. 38 (bas) : Courtoisie, Roald Hoffman/Cornell University ; p. 38 (bas) : Paul Souders/Stone/Getty Images ; p. 39 (détail) : *Antoine Laurent Lavoisier et sa femme* par Jacques-Louis David, The Metropolitan Museum of Art, Achat de M. et Mme Charles Wrightsman, don, en l'honneur d'Everett Fahy, 1977 ; p. 41 : Reproduit avec autorisation de Manchester Literary and Philosophical Society ; p. 42 : The Granger Collection, NY ; p. 43 : The Cavendish Laboratory ; p. 44 : Richard Megna/Fundamental Photographs ; p. 45 : Roger Du Buisson/The Stock Market/Corbis ; p. 46 (haut) : Bob Daemmrich/Stock Boston ; p. 46 (bas) : Topham Picture Library/The Image Works ; p. 48 : Steve Borick/American Color ; p. 51 (les deux) : Ken O'Donoghue ; p. 52 (gauche) : Ken O'Donoghue ; p. 52 (centre, gauche) : Sean Brady/American Color ; p. 52 (centre, droit) : Sean Brady/American Color ; p. 52 (droite) : Charles D. Winters/Photo Researchers, Inc. ; p. 53 (haut) : Ken O'Donoghue ; p. 53 (bas) : Steve Borick/American Color ; p. 58 : Sean Brady/American Color ; p. 59 : Richard Megna/Fundamental Photographs. **Chapitre 3** p. 74 : Ken Karp ; p.75 : Photodisc ; p. 76 : Geoff Tompkinson/ScienceLibrary/Photo Researchers, Inc. ; p. 77 : Sean Brady/American Color ; p. 78 : Tom Pantages ; p. 79 (haut) : Courtoisie, Joseph Wilmnoff/University of Washington et Luann Becker/University of Hawaii ; p. 79 (bas) : Jeff J. Daly/Visuals Unlimited ; p. 80 : Ken O'Donoghue ; p. 82 (gauche) : Sean Brady/American Color ; p. 82 (droite) : Tom Pantages ; p. 83 : Russ Lappa/Science Source/Photo Researchers, Inc. ; p. 85 : Grace Davies/Photo Network ; p. 86 : Kenneth Lorenzen ; p. 88 : Phil Degginger/Stone/Getty Images ; p. 92 (les deux) : Ken O'Donoghue ; p. 93 : Frank Cox ; p. 95 : Steve Borick/American Color ; p. 96 : Sean Brady/American Color ; p. 99 (les deux) : Ken O'Donoghue ; p. 103 : NASA ; p. 104 : Steve Borick/American Color ; p. 106 : Grant Heilman Photography ; p. 110 : AP Photo/Marc Matheny. **Chapitre 4** p. 122 : James Sparshatt/Corbis ; p. 123 (les deux) : Sean Brady/American Color ; p. 125 : Vanessa Vick/Photo Researchers ; p. 128 : Nick Nicholson/The Image Bank/Getty Images ; p. 131 : Ken O'Donoghue ; p. 134 : Runk/Schoenberger/Grant Heilman Photography ; p. 135 : Steve Borick/American Color ; p. 141 : Courtoisie, Ford Motor Corporation ; p. 144 (les deux) : Steve Borick/American Color ; p. 147 (toutes) : Ken O'Donoghue ; p. 151 : Ken O'Donoghue ; p. 157 (les deux) : The Field Museum, Chicago ; p. 158 : David Woodfall/Stone/Getty Images. **Chapitre 5** p. 170 : Philip Habib/Stone/Getty Images ; p. 172 : David B. Fleetham/Stone/Getty Images ; p. 173 : Ken O'Donoghue ; p. 174 : Donald Clegg ; p. 175 : Corbis/Bettmann ; p. 176 : AFP/Corbis ; p. 178 (haut) : Dr. David Wexler/SLP/Photo Researchers, Inc. ; p. 178 (bas) : Science VU/Visuals Unlimited ; p. 179 : Sony ; p. 180 : PictureQuest ; p. 182 : Emilio Segre Visual Archives ; p. 185 : PhotoDisc ; p. 186 : Dave Blackburn ; p. 196 : Image Select/Art Resource, NY ; p. 197 : *Annalen der Chemie und Pharmacie*, VIII, supplément de 1872 ; p. 198 : Courtoisie, Lawrence Livermore National Laboratory ; p. 200 (les deux) : Sean Brady/American Color ; p. 201 (haut) : Ken O'Donoghue ; p. 201 (bas) : Leslie Zumdahl ; p. 205 : The Granger Collection, NY ; p. 213 (haut) : Gabe McDonald/Visuals Unlimited ; p. 213 (bas) : Sean Brady/American Color. **Chapitre 6** p. 224 : Ken Edward/Photo Researchers, Inc. ; p. 225 : Sean Brady/American Color ; p. 233 (haut, centre,bas) : Ken O'Donoghue ; p. 236 : Courtoisie, Aluminium Company of America ; p. 239 : Sean Brady/American Color ; p. 244 : Ken O'Donoghue ; p. 245 : Will & Deni McIntyre/Photo Researchers, Inc. ; p. 250 : Courtoisie, The Bancroft Library/University of California, Berkeley ; p254 : Carnegie Institution of Washington. Photo par Ho-Kwang Mao et J. Shu ; p. 265 : Steve Borick/American Color ; p. 267 (toutes) : Ken O'Donoghue ; p. 274 : Kenneth Lorenzen ; p. 275 : Ken O'Donoghue. **Chapitre 7** p. 284 : Dr. Jeremy Burgess/Science Photo Library/Photo Researchers, Inc. ; p. 293 : Ken O'Donoghue ; p. 301 : Sean Brady/American Color ; p. 305 : Donald Clegg. **Chapitre 8** p. 318 : Robert Fried Photography ; p. 324 (gauche, centre) : Sean Brady/American Color ; p. 324 (droite) : Ray Massey/Stone/Getty Images ; p. 328 : Courtoisie, Lord Corporation ; p.325 (les deux) : Brian Parker/Tom Stack & Associates ; p. 327 : Bruce Fox/Michigan State University Chemistry Photo Gallery ; p. 329 (gauche) : Comstock Images ; p. 329 (centre) : Alfred Pasieka/Peter Arnold Inc. ; p. 329 (droite) : Richard C. Walters/Visuals Unlimited ; p. 332 : Steve Borick/American Color ; p. 335 : Denise Applewhite/Princeton University ; p. 334 : Sean Brady/American Color ; p. 336 : Chip Clark ; p. 339 : Paul Silvermann/Fundamental Photographs ; p. 337 : Courtoisie, RMS Titanic, Inc. Tous droits réservés ; p. 340 (haut) : Ken Edward/Photo Researchers, Inc. ; p. 340 (bas) : Courtoisie, IBM Corporation ; p. 342 (haut) : Richard Pasley/Stock Boston ; p. 342 (bas) : Mathias Oppersdorff/Photo Researchers, Inc. ; p. 343 : Courtoisie, Liquid-Metal Golf ; p. 348 (gauche) : Sean Brady/American Color ; p. 348 (centre) : Ken O'Donoghue ; p. 348 (droite) : Richard Megna/Fundamental Photographs ; p. 349 : Thomas Thundat/Oak Ridge National Laboratoy ; p. 360 : Steve Borick/American Color ; p. 363 : Chris Nobel/Stone/Getty Images ; p. 364 : Courtoisie, Badger Fire Protection, Inc. **Chapitre 9** p. 376 : Oliver Meckes/Nicole Ottawa/Photo Researchers, Inc. ; p. 380 : Wendell Metzen/Bruce Coleman, Inc. ; p. 382 : E.R. Degginger ; p. 383 (haut) : Steve Borick/American Color ; p. 383 (bas) : Peter Skinner/Photo Researchers, Inc. ; p. 384 : Yoav Levy/Phototake ; p. 385 : Richard Megna/Fundamental Photographs ; p. 388 (haut) : Sean Brady/American Color ; p. 388 (bas) : Hoa Qui/Index Stock Imagery/PictureQuest ; p. 389 : Spencer Swanger/Tom Stack & Associates ; p. 390 : Sean Brady/American Color ; p. 391 : Andrea Pistolesi/The Image Bank/Getty Images ; p. 393 : M. Kulyk/Photo Researchers, Inc. ; p. 395 (haut) : The Granger Collection, NY ; p. 394 : Michael Holford ; p. 395 (bas) : Sean Brady/American Color. **Chapitre 10** p. 402 : Kjell B. Sandved/Visuals Unlimited ; p. 406 (haut) : Ron Sherman/Stone/Getty Images ; p. 406 (bas) : Courtoisie, Inert System ; p. 407 : Randy G. Taylor/Estock Photo ; p. 408 : Hugh Spencer/Photo Researchers, Inc. ; p. 411 : Sean Brady/American Color ; p. 412 : Sean Brady/American Color ; p. 417 : R.H. Laron/PhotoEdit ; p. 423 (haut gauche) : Ken O'Donoghue ; p. 423 (haut droite) : Ken O'Donoghue ; p. 423 (gauche) : E.R. Degginger ; p. 424 (gauche) : E.R. Degginger ; p. 424 (droite) : Farrell Greham/Photo Researchers, Inc. ; p. 425 (toutes) : Steve Borick/American Color ; p. 427 : Tom Pantages ; p. 428 (haut) : E.R. Degginger ; p. 428 (bas) : Yoav Levy/Phototake ; p. 429 : James L. Amos/Peter Arnold, Inc. ; p. 433 : E.R. Degginger ; p. 434 : Deborah Davis/PhotoEdit.

Index

D

E

F

G

U

V

X

Z

*Principales constantes physiques**

Constante	Symbole	Valeur**
charge élémentaire	e	$1{,}602\ 177\ 3(5) \times 10^{-19}$ C
constante d'Avogadro	N_A	$6{,}022\ 137(4) \times 10^{23}$ mol^{-1}
constante de Boltzmann	k	$1{,}380\ 66(1) \times 10^{-23}$ J · K^{-1}
constante de Faraday	F	$96\ 485{,}31(3)$ C · mol^{-1}
constante de Planck	h	$6{,}626\ 076(4) \times 10^{-34}$ J · s
constante molaire des gaz	R	$8{,}314\ 51(7)$ kPa · L · K^{-1} · mol^{-1}
masse de l'électron	m_e	$9{,}109\ 390(5) \times 10^{-31}$ kg
		$5{,}485\ 80 \times 10^{-4}\ u$
masse du neutron	m_n	$1{,}674\ 923(1) \times 10^{-27}$ kg
		$1{,}008\ 66\ u$
masse du proton	m_p	$1{,}672\ 623(1) \times 10^{-27}$ kg
		$1{,}007\ 28\ u$
unité de masse atomique	u	$1{,}600\ 540(1) \times 10^{-27}$ kg
vitesse de la lumière (vide)	c	$2{,}997\ 924\ 58 \times 10^{8}$ m · s^{-1}

* Valeurs adaptées de *CODATA/NEWSLETTER*, octobre 1986, publication du Committee on Data for Science and Technology de l'International Council of Science and Technology.

** Le chiffre entre parenthèses indique l'incertitude sur le dernier chiffre de la valeur.

Tableau périodique des éléments

Métaux alcalino-terreux → 2/IIA ; Halogènes → 17/VIIB ; Gaz rares → 18/VIIIB ; Métaux alcalins : groupe 1/IA (Li à Fr) ; Métaux de transition : groupes 3/IIIA à 12/IIB

1/IA	2/IIA	3/IIIA	4/IVA	5/VA	6/VIA	7/VIIA	8/VIIIA	9/IXA	10/XA	11/IB	12/IIB	13/IIIB	14/IVB	15/VB	16/VIB	17/VIIB	18/VIIIB
1 **H** 1,008																	2 **He** 4,003
3 **Li** 6,941	4 **Be** 9,012											5 **B** 10,81	6 **C** 12,01	7 **N** 14,01	8 **O** 16,00	9 **F** 19,00	10 **Ne** 20,18
11 **Na** 22,99	12 **Mg** 24,31											13 **Al** 26,98	14 **Si** 28,09	15 **P** 30,97	16 **S** 32,07	17 **Cl** 35,45	18 **Ar** 39,95
19 **K** 39,10	20 **Ca** 40,08	21 **Sc** 44,96	22 **Ti** 47,88	23 **V** 50,94	24 **Cr** 52,00	25 **Mn** 54,94	26 **Fe** 55,85	27 **Co** 58,93	28 **Ni** 58,69	29 **Cu** 63,55	30 **Zn** 65,38	31 **Ga** 69,72	32 **Ge** 72,59	33 **As** 74,92	34 **Se** 78,96	35 **Br** 79,90	36 **Kr** 83,80
37 **Rb** 85,47	38 **Sr** 87,62	39 **Y** 88,91	40 **Zr** 91,22	41 **Nb** 92,91	42 **Mo** 95,94	43 **Tc** (98)	44 **Ru** 101,1	45 **Rh** 102,9	46 **Pd** 106,4	47 **Ag** 107,9	48 **Cd** 112,4	49 **In** 114,8	50 **Sn** 118,7	51 **Sb** 121,8	52 **Te** 127,6	53 **I** 126,9	54 **Xe** 131,3
55 **Cs** 132,9	56 **Ba** 137,3	57 **La*** 138,9	72 **Hf** 178,5	73 **Ta** 180,9	74 **W** 183,9	75 **Re** 186,2	76 **Os** 190,2	77 **Ir** 192,2	78 **Pt** 195,1	79 **Au** 197,0	80 **Hg** 200,6	81 **Tl** 204,4	82 **Pb** 207,2	83 **Bi** 209,0	84 **Po** (209)	85 **At** (210)	86 **Rn** (222)
87 **Fr** (223)	88 **Ra** 226	89 **Ac**† (227)	104 **Rf** (261)	105 **Db** (262)	106 **Sg** (263)	107 **Bh** (264)	108 **Hs** (265)	109 **Mt** (268)	110 **Ds** (271)	111 **Rg** (272)	112 **Uub**	113 **Uut**	114 **Uuq**	115 **Uup**			

Autres métaux ← → Non métalliques

*Lanthanides	58 **Ce** 140,1	59 **Pr** 140,9	60 **Nd** 144,2	61 **Pm** (145)	62 **Sm** 150,4	63 **Eu** 152,0	64 **Gd** 157,3	65 **Tb** 158,9	66 **Dy** 162,5	67 **Ho** 164,9	68 **Er** 167,3	69 **Tm** 168,9	70 **Yb** 173,0	71 **Lu** 175,0
†Actinides	90 **Th** 232,0	91 **Pa** (231)	92 **U** 238,0	93 **Np** (237)	94 **Pu** (244)	95 **Am** (243)	96 **Cm** (247)	97 **Bk** (247)	98 **Cf** (251)	99 **Es** (252)	100 **Fm** (257)	101 **Md** (258)	102 **No** (259)	103 **Lr** (260)

La désignation des groupes déléments par les chiffres 1 à 18 a été recommandée par l'Union internationale de chimie pure et appliquée (UICPA).

Tableau des masses atomiques*

Élément	Symbole	Numéro atomique	Masse molaire	Élément	Symbole	Numéro atomique	Masse molaire	Élément	Symbole	Numéro atomique	Masse molaire
actinium	Ac	89	(227)[†]	francium	Fr	87	(223)	plutonium	Pu	94	(244)
aluminium	Al	13	26,98	gadolinium	Gd	64	157,3	polonium	Po	84	(209)
américium	Am	95	(243)	gallium	Ga	31	69,72	potassium	K	19	39,10
antimoine	Sb	51	121,8	germanium	Ge	32	72,59	praséodyme	Pr	59	140,9
argent	Ag	47	107,9	hafnium	Hf	72	178,5	prométhéum	Pm	61	(145)
argon	Ar	18	39,95	hassium	Hs	108	(265)	protactinium	Pa	91	(231)
arsenic	As	33	74,92	hélium	He	2	4,003	radium	Ra	88	226
astate	At	85	(210)	holmium	Ho	67	164,9	radon	Rn	86	(222)
azote	N	7	14,01	hydrogène	H	1	1,008	rhénium	Re	75	186,2
baryum	Ba	56	137,3	indium	In	49	114,8	rhodium	Rh	45	102,9
berkélium	Bk	97	(247)	iode	I	53	126,9	rubidium	Rb	37	85,47
beryllium	Be	4	9,012	iridium	Ir	77	192,2	ruthénium	Ru	44	101,1
bismuth	Bi	83	209,0	krypton	Kr	36	83,80	samarium	Sm	62	150,4
bore	B	5	10,81	lanthane	La	57	138,9	scandium	Sc	21	44,96
bohrium	Bh	107	(264)	lawrencium	Lr	103	(260)	seaborgium	Sg	106	(263)
brome	Br	35	79,90	lithium	Li	3	6,941	sélénium	Se	34	78,96
cadmium	Cd	48	112,4	lutécium	Lu	71	175,0	silicium	Si	14	28,09
calcium	Ca	20	40,08	magnésium	Mg	12	24,31	sodium	Na	11	22,99
californium	Cf	98	(251)	manganèse	Mn	25	54,94	soufre	S	16	32,06
carbone	C	6	12,01	meitnerium	Mt	109	(266)	strontium	Sr	38	87,62
cérium	Ce	58	140,1	mendélévium	Md	101	(258)	tantale	Ta	73	180,9
césium	Cs	55	132,9	mercure	Hg	80	200,6	technétium	Tc	43	(98)
chlore	Cl	17	35,45	molybdène	Mo	42	95,94	tellure	Te	52	127,6
chrome	Cr	24	52,00	néodyme	Nd	60	144,2	terbium	Tb	65	158,9
cobalt	Co	27	58,93	néon	Ne	10	20,18	thallium	Tl	81	204,4
cuivre	Cu	29	63,55	neptunium	Np	93	(237)	thorium	Th	90	232,0
curium	Cm	96	(247)	nickel	Ni	28	58,69	thulium	Tm	69	168,9
dubnium	Db	105	(262)	niobium	Nb	41	92,91	titane	Ti	22	47,88
dysprosium	Dy	66	162,5	nobélium	No	102	(259)	tungstène	W	74	183,9
einsteinium	Es	99	(252)	or	Au	79	197,0	uranium	U	92	238,0
erbium	Er	68	167,3	osmium	Os	76	190,2	vanadium	V	23	50,94
étain	Sn	50	118,7	oxygène	O	8	16,00	xénon	Xe	54	131,3
europium	Eu	63	152,0	palladium	Pd	46	106,4	ytterbium	Yb	70	173,0
fer	Fe	26	55,85	phosphore	P	15	30,97	yttrium	Y	39	88,91
fermium	Fm	100	(257)	platine	Pt	78	195,1	zinc	Zn	30	65,38
fluor	F	9	19,00	plomb	Pb	82	207,2	zirconium	Zr	40	91,22

* Les valeurs fournies contiennent quatre chiffres significatifs.

[†] Une valeur entre parenthèse désigne la masse de l'isotope le plus stable.

Unités SI et facteurs de conversion

Longueur

Unité SI : mètre (m)

1 mètre	= 1,0936 verge
1 centimètre	= 0,39370 pouce
1 pouce	= 2,54 centimètres (exactement)
1 kilomètre	= 0,62137 mille
1 mille	= 5280 pieds
	= 1,6093 kilomètre
1 angstrom	= 10^{-10} mètres
	= 100 picomètres

Masse

Unité SI : kilogramme (kg)

1 kilogramme	= 1000 grammes
	= 2,2046 livres
1 livre	= 453,59 grammes
	= 0,45359 kilogramme
	= 16 onces
1 tonne anglaise	= 2000 livres
	= 907,185 kilogrammes
1 tonne métrique	= 1000 kilogrammes
	= 2204,6 livres
1 unité de masse atomique	= $1{,}66056 \times 10^{-27}$ kilogrammes

Volume

Unité SI : mètre cube (m^3)

1 litre	= 10^{-3} m^3
	= 1 dm^3
	= 1,0567 pinte
1 gallon	= 4 pintes
	= 8 chopines
	= 3,7854 litres
1 pinte	= 32 onces liquides
	= 0,94633 litre

Température

Unité SI : kelvin (K)

$$0\ \mathrm{K} = -273{,}15\ ^\circ\mathrm{C}$$
$$= -459{,}67\ ^\circ\mathrm{F}$$
$$\mathrm{K} = T_\mathrm{C} + 273{,}15$$
$$T_\mathrm{C} = \frac{5}{9}(T_\mathrm{F} - 32)$$
$$T_\mathrm{F} = \frac{9}{5}(T_\mathrm{C}) + 32$$

Énergie

Unité SI : joule (J)

1 joule	= 1 kg · m^2/s^2
	= 0,23901 calorie
	= $9{,}4781 \times 10^{-4}$ btu (*British thermal unit*)
1 calorie	= 4,184 joules
	= $3{,}965 \times 10^{-3}$ btu
1 btu	= 1055,06 joules
	= 252,2 calories

Pression

Unité SI : pascal (Pa)

1 pascal	= 1 N/m^2
	= 1 kg/m · s^2
1 atmosphère	= 101,325 kilopascals
	= 760 torr (mm Hg)
	= 14,70 livres par pouce carré
1 bar	= 10^5 pascals